PERLMANN'S ZWIJGEN

Pascal Mercier debuteerde in 1995 met de roman *Perlmanns Schweigen*, in 1998 gevolgd door *Der Klavierstimmer*. Met *Nachtzug nach Lissabon* (2004) bereikte hij een groot publiek in binnen- en buitenland, onder meer in Frankrijk, Spanje, Engeland, Italië, Turkije en Portugal. In Nederland verscheen deze roman in 2006 bij Uitgeverij Wereldbibliotheek onder de titel *Nachttrein naar Lissabon*.

Pascal Mercier

Perlmann's zwijgen

Derde druk

WERELDBIBLIOTHEEK · AMSTERDAM

Uit het Duits vertaald door Gerda Meijerink

Deze uitgave is mede tot stand gekomen dankzij
ondersteuning van de Zwitserse cultuurstichting
PRO HELVETIA

Eerste druk augustus 2007
Tweede druk september 2007
Derde druk januari 2008

Omslagontwerp Bureau Beck
Omslagillustratie Bas Sebus
Oorspronkelijke titel *Perlmanns Schweigen*

Spuistraat 283 · 1012 VR Amsterdam

www.wereldbibliotheek.nl

ISBN 978 90 284 2187 5

De anderen zijn werkelijk anderen. Anderen.

DEEL I

Het Russische manuscript

1 Philipp Perlmann was eraan gewend geraakt dat de dingen voor hem geen tegenwoordigheid hadden. Maar deze ochtend was het erger dan anders. Onwillekeurig liet hij het Russische grammaticaboek zakken en keek naar de hoge ramen van de veranda, waarin zich een scheefgegroeide pijnboom spiegelde. Daar, in die veranda, aan de glanzende mahonie tafels, zou het gebeuren. Vol verwachting zouden ze naar hem, de spreker, kijken, en dan, na een langdurige, ondraaglijke stilte en een angstig stokken van de tijd, zouden ze het weten: hij had niets te zeggen.

Het liefst zou hij meteen weer vertrekken, zonder te vertellen waarheen, zonder verklaring, zonder excuus. Heel even was de impuls tot vluchten hevig als lichamelijke pijn. Hij sloeg het boek dicht en keek over de blauwe strandhokjes naar de baai, die lag te stralen in het blakende licht van een onbewolkte oktoberdag. Weglopen: in het begin moest het heerlijk zijn, voor zijn gevoel was het iets als een snelle, vermetele stap dwars door alle besef van verplichtingen heen, de vrijheid tegemoet. Maar de bevrijding zou van korte duur zijn. Thuis zou voortdurend de telefoon gaan, en op een gegeven moment zou zijn secretaresse beneden voor de huisdeur staan en aanbellen. Hij zou de straat niet op kunnen, en licht zou hij ook niet mogen maken. Zijn flat zou een gevangenis worden. Natuurlijk kon hij in plaats van naar Frankfurt ook naar een andere stad gaan, naar Florence bijvoorbeeld, of naar Rome, daar zou niemand hem kunnen vinden. Maar al die steden zouden niets anders zijn dan plaatsen waar hij was ondergedoken. Blind en doof zou hij door de straten lopen, om daarna in zijn hotelkamer op bed te liggen en naar het tikken van zijn reiswekker te luisteren. En eens zou hij toch weer moeten opduiken. Hij kon niet voor de rest van zijn leven als door de aardbodem verzwolgen blijven. Alleen al vanwege Kirsten niet.

Hij zou ook niet met een overtuigende verklaring kunnen komen. Het zou onmogelijk zijn de ware reden te noemen. En zelfs als hij de moed kon opbrengen: het zou als een misplaatste grap klinken. De indruk zou blijven bestaan van iets willekeurigs, iets kwaadwilligs. De anderen zouden het gevoel hebben dat ze voor de gek waren gehouden. Zeker, ze zouden de klus ook zelf wel kunnen klaren. *Maar met mij zou het gedaan zijn. Zoiets is onvergeeflijk.*

De schuld van dit alles was het prachtige licht dat het stille watervlak achter de badhokjes op witgoud deed lijken. Zulk licht had Agnes willen vastleggen, en om die reden was hij uiteindelijk voor Carlo Angelini's aandringen gezwicht, ondanks dat hij hem onsympathiek vond, die atletische, alerte man met zijn innemende maar net iets te geroutineerde glimlach. Ze hadden elkaar begin vorig jaar in de wandelgangen van een conferentie in Lugano leren kennen, toen Perlmann tot lang na het begin van een zitting op de gang voor een raam was blijven staan. Angelini had hem aangesproken, en voor Perlmann was dat een goed excuus geweest om nog niet naar de zaal te gaan. Ze waren in de kantine gaan zitten, waar Angelini hem over zijn functie bij Olivetti had verteld. Hij was vijfendertig, een generatie jonger dan Perlmann. Het aanbod bij Olivetti te komen werken had hij pas twee jaar geleden geaccepteerd, nadat hij een paar jaar een assistentschap aan de universiteit had bekleed. Het was zijn taak de contacten van het concern met universiteiten te onderhouden. Hij kon dat naar eigen inzicht doen, waarbij hij de beschikking had over een royaal budget, want zijn activiteiten werden beschouwd als een onderdeel van de PR van het concern. Ze hadden een poosje over machinaal vertalen gesproken, het was een gesprek als vele andere. Maar opeens was Angelini heel enthousiast geworden en hij had hem gevraagd of hij geen zin had ten behoeve van een taalwetenschappelijk project een onderzoeksgroep samen te stellen: een kleine, maar intensieve klus, een handjevol gerenommeerde wetenschappers die een paar weken op een mooie plek bijeen zouden komen, natuurlijk alles op kosten van het concern.

Perlmann vond destijds dat de man veel te snel met dat voorstel was gekomen. Ook al had Angelini laten doorschemeren dat Perlmann voor hem geen onbekende was, toch kende hij hem persoonlijk krap een uur. Maar wie weet moest een man met de verantwoordelijkheden van Angelini wel zo doortastend kunnen zijn. Achteraf bedacht Perlmann dat zijn intuïtie hem toen al had gewaarschuwd. Hij had niet bijster enthousiast op het voorstel gereageerd, eerder lauw; niettemin had hij gezegd dat zo'n groep naar zijn mening uit mensen van verschillende disciplines zou moeten bestaan. Het was een losse opmerking geweest, niet doordacht, en zonder dat hij serieus aan een verwerkelijking had gedacht. Zijn indruk was dat het allemaal erg vaag en vrijblijvend was gebleven, en opeens had hij er haast mee gemaakt naar de vergaderzaal te gaan.

Hij had verder niet meer aan dat gesprek gedacht, totdat hij een paar weken later een brief kreeg van Angelini, en kort daarna een telefoontje van het hoofdkantoor van Olivetti in Ivrea. Perlmann's voorstel, kreeg hij tot zijn verrassing te horen, was heel goed gevallen bij het bedrijf, vooral bij een paar collega's van de researchafdeling, maar ook de directie was erg ingenomen met het plan. Bijzonder gecharmeerd waren ze van de mogelijkheid op die manier een project te kunnen opzetten dat enerzijds iets met de producten van het bedrijf te maken had en anderzijds veel verder strekte, omdat het een thema van algemeen belang, zogezegd van grote maatschappelijke betekenis betrof. Hij, Angelini, stelde voor de bijeenkomst volgend jaar in Santa Margherita Ligure te houden, een badplaats in de buurt van Rapallo aan de Golf van Tigullio. Ze hadden daar wel vaker conferenties gehouden en dat was ze goed bevallen. Het geschiktst voor de geplande onderneming waren de maanden oktober en november, zei hij, dan was het nog zacht, maar er waren dan bijna geen toeristen meer, de sfeer die er dan hing was rustig en beschouwelijk, precies wat een onderzoeksgroep nodig had. Voor het overige had Perlmann volledig de vrije hand, met name natuurlijk wat de keuze van de deelnemers betrof.

Perlmann beet op zijn lippen en voelde een machteloze irritatie in zich opkomen als hij aan dat gesprek terugdacht. Hij had zich laten overrompelen door de sonore, zo zelfverzekerde stem door de telefoon, zonder dat daar verder enige reden voor was. Die Carlo Angelini was hij helemaal niets verschuldigd. Hij was destijds blij geweest dat hij hem in de gelegenheid had gesteld op de conferentie even te spijbelen; maar verder was de man een vreemdeling van wiens grote ambitie hij zich werkelijk niets hoefde aan te trekken, laat staan van de dingen die de firma Olivetti van hem wilde. Zeker, hij had hem tijdens het gesprek niets toegezegd. Als je het nuchter bekeek had hij altijd nog nee kunnen zeggen. Maar hij had het juiste moment laten passeren, het moment waarop het heel natuurlijk zou zijn geweest te zeggen dat het een misverstand was, dat hij het destijds zo niet had bedoeld, het spijt me, het past helaas absoluut niet bij mijn andere plannen, maar ik weet zeker dat er heel veel collega's zijn die heel graag hun medewerking verlenen aan uw plannen, ik zal u een paar namen doorgeven. In plaats daarvan had hij gezegd dat hij erover na wilde denken. En in plaats van gewoon wat tijd te laten verstrijken en dan af te zeggen, had hij de landkaart erbij gehaald. Agnes en hij hadden die bestudeerd en zich voorgesteld welke plaatsen je vanuit de badplaats gemakkelijk kon bereiken, Pisa bijvoorbeeld, en Florence, maar ook Bologna, waar ze in het bijzonder van hielden. Italië in de winter, daar had Agnes zich altijd al veel van voorgesteld, ze liep over van de ideeën voor de foto's die ze wilde maken, wie weet zou ze nu ook eens met kleurenfoto's aan de slag gaan, iets waar ze normaal ver boven stond, *hoe dan ook, ik wil in ieder geval proberen het licht van het Zuiden vast te leggen, zoals het in de winter is, en dit is een goede gelegenheid, vind je ook niet? Het fotoagentschap krijg ik er vast wel warm voor, ik zal er mijn best voor moeten doen, maar uiteindelijk laten ze me er heus wel heen gaan. Misschien kan ik zelfs een serie maken: 'Het winterlicht van het Zuiden'. Wat dacht je daarvan?*

Weliswaar was het in oktober en november nog geen winter, maar hij wilde niet betweterig zijn, en iets van haar enthousiasme was toen ook op hem overgeslagen. Het was absurd, dacht hij nu, en hij duwde met zijn vingertoppen tegen zijn ogen, maar hij had zichzelf destijds vooral gezien in de rol van iemand die Agnes op haar fotoreis zou vergezellen, gesteund en beschermd door haar vermogen voor hen beiden een gevoel van tegenwoordigheid te bewerkstelligen. Nu vond hij het ongelooflijk, maar zo was het gegaan: vanwege dat visioen, dat droombeeld, had hij uiteindelijk toegezegd, had hij de faculteit om een paar weken extra vakantie gevraagd, en had hij kort daarna de eerste uitnodigingen verstuurd. Toen vervolgens tien maanden later met het overlijden van Agnes alles instortte, was het te laat geweest om de zaak terug te draaien.

Agnes had gelijk gehad: het blauw van de lucht was hier op een merkwaardige manier doorzichtig, alsof er op de achtergrond behalve de zon nog een andere, onzichtbare lichtbron was. De ruimte die de baai overkoepelde kreeg daardoor een verhulde, geheimzinnige diepte, een diepte die een belofte inhield. Dat blauw en dat licht had hij leren kennen toen zijn ouders hem vroeger hadden meegenomen naar Italië. Hij was toen net dertien en had er nog geen woorden voor, maar de zuidelijke kleuren waren diep tot hem doorgedrongen – hoe diep merkte hij pas echt toen de trein op de terugreis destijds bij Göschenen de Gotthardtunnel verliet en de wereld er weer uitzag als een foto in grijze tinten. Sedertdien was het zuidelijke licht voor hem vakantielicht, het licht dat leven was in onderscheid tot werk. Het licht van de tegenwoordigheid. Maar het was een tegenwoordigheid die altijd slechts een mogelijke tegenwoordigheid bleef, één die je zou kunnen beleven als je niet alleen tijdens een vakantie op die plek was. Steeds als hij dat licht zag, kwam het hem voor alsof het zich alleen maar aan hem openbaarde om hem te doen beseffen dat hij zijn werkelijke, alledaagse leven niet als tegenwoordigheid ervoer.

Hij staarde met ogen die pijn deden naar de lichtvlakte van de baai, waar een motorboot doorheen kliefde. Waar het nu op aankwam, dacht hij, was dit: de glans van dat licht alles te laten zijn, de hele werkelijkheid, en er niets achter te zoeken. Het licht niet als een belofte te ervaren, maar als de vervulling van een belofte. Als iets waarbij je was aangekomen, niet als iets wat almaar nieuwe verwachtingen wekte.

Daarvan was hij nu verder verwijderd dan ooit. Onwillekeurig gleed zijn blik opnieuw naar de veranda. De roodachtig glanzende tafels met de gebogen poten waren opgesteld in de vorm van een hoefijzer, en ervoor had signora Morelli een bijzonder comfortabele fauteuil met een hoge, gebeeldhouwde rugleuning laten neerzetten. 'Wie hier mag zitten, moet natuurlijk wel iets te bieden hebben,' had ze glimlachend gezegd toen ze hem gisteravond de ruimte had laten zien.

Voor de derde keer die ochtend sloeg hij de Russische grammatica open. Maar het lukte hem niet iets op te nemen, het was alsof er geen weg van buiten naar binnen bestond – alsof hij opeens blind was voor tekens en betekenissen. Zo was het gisteren tijdens de reis ook al geweest, een reis die een martelend gevecht tegen de weerzin was geworden. Op weg naar de luchthaven had hij de mensen in de sneltram benijd die geen bagage bij zich hadden, mensen met bleke, sombere maandaggezichten, die nu niet naar Genua hoefden te vliegen. Later had hij graag willen ruilen met het personeel van de luchthaven, en de zojuist gelande passagiers die hem tegemoet kwamen uit het vliegtuig, had hij lang nagekeken, één voor één. Die hadden het al achter de rug. Het was een regenachtige, winderige ochtend, auto's voerden licht, decembersfeer midden in oktober, een weer dat de voorpret op een vlucht naar het Zuiden groter zou kunnen maken. Maar hem leek niets het nastreven meer waard dan in Frankfurt te blijven. Hij dacht aan zijn stille woning, waar overal foto's hingen die Agnes had gemaakt; het liefst had hij zich daar opgesloten en was hij heel lang voor niemand bereikbaar gebleven.

Hij zat al een tijdlang in de wachtruimte bij de instapbalie, toen hij plotseling weer naar buiten liep en zijn secretaresse belde. Het was een telefoontje zonder duidelijke reden, hij herhaalde dingen die ze allang hadden besproken, wat er met de post moest gebeuren en hoe ze met elkaar contact zouden houden. 'Ja, natuurlijk, meneer Perlmann, ik zal precies doen wat we hebben afgesproken.' Toen vroeg hij, eigenlijk nogal geforceerd op dat moment, hoe het met haar man en met haar kinderen ging. Die op zo'n onmogelijk moment getoonde belangstelling trof haar onaangenaam, en uiteindelijk viel er een lange, verlegen stilte, totdat hij zei: 'Nou goed...' en zij: 'Ja, goede reis.' Hij was als laatste aan boord gegaan.

In het vliegtuig had hij zichzelf bij de kraag gevat. Hij zei tegen zichzelf dat dit weliswaar de gevreesde dag was waarop hij op reis moest, maar in ieder geval ook een dag die alleen hem toebehoorde en waarvan hij iets kon maken voor zichzelf. Op de vrije stoel naast hem legde hij de Russische grammatica neer. Toen wachtte hij op het magische effect van de start, het moment waarop het vliegtuig zou opstijgen en alles begon te stromen en lichter leek. Met dit weer zat je al snel in de wolken, het zorgde ondanks de routine voor bange momenten, en dan dook je plotseling op, in een diepblauwe, transparante hemel, een koepel van puur ultramarijn, met onder je de verblindend witte wolkenzee in zijn weerstandloze compactheid, waar hier en daar formaties bovenuit torenden, kleine, witte bergen met vlijmscherpe randen, die altijd de indruk van volmaakte stilte op hem maakten. Ik ben ontsnapt, dacht hij dan vaak, en genoot van het gevoel dat alles wat hem zojuist nog in zijn greep had gehad, zijn macht verloor en geruisloos onder hem wegzonk, zonder dat hij er iets voor hoefde te doen. Maar gisteren had hij daar vergeefs op gewacht, hij vond het allemaal maar mat en saai, voortbeweging met ronkende motoren, meer niet. Buiten was het weliswaar zoals altijd, maar hij voelde zich als in een reclamefilm van een luchtvaartmaatschappij, duizend keer vertoond en zonder echtheid, zonder tegenwoordigheid. Hij liet het eten aan zich voorbijgaan en deed een poging zich in de grammatica te verdiepen. Maar zijn normale concentratie liet hem in de steek. Telkens weer bekeek hij de grammaticaregels en de oefenzinnen, maar niets beklijfde. Toen het vliegtuig uiteindelijk de daling inzette, schrok hij van het veranderende geluid van de motoren, en de reactie van zijn lichaam was heviger dan wanneer er een explosie had plaatsgevonden. Nu was het zover. Er steeg een gevoel van iets onherroepelijks, iets onomkeerbaars in hem op. Toen bij het uitstappen iemand hem per ongeluk aanstootte, moest hij even zijn ogen sluiten en zich vasthouden voordat hij weer rustig door kon lopen.

Het weer in Genua was gisteren onbestemd, doods. Grijze, groezelige wolkenbanken hadden alleen een vaal, nietszeggend licht doorgelaten. De dingen waren op een opdringerige manier gewoon alleen zichzelf, ze hadden geen betekenis en geen glans. De fabrieken waar de luchthavenbus langsreed waren lelijk, er leek niet één hele ruit in te zitten, en hij vroeg zich af waar op zo'n verwaarloosd fabrieksterrein eigenlijk al die rook vandaan kon komen, waarvan het verblindende wit aan gif deed denken. De paar mensen op het busstation bewogen zich langzaam, was zijn indruk, in een vreemde tijd die met beklemmende traagheid voortstroomde. De sigaretten rokende loketbedienden maakten geen aanstalten hem te bedienen. Zelfs de taxichauffeur leek niet veel zin te hebben in een rit. Pas nadat hij zijn babbeltje met zijn collega's had beëindigd, verwaardigde de man zich te vragen welke route hij moest nemen. 'De kortste,' had Perlmann nijdig gezegd.

Voordat het zover was dat het vliegtuig opsteeg voor de terugreis zouden vier weken, vijf dagen en drieënhalf uur verstrijken. Perlmann staarde naar de rode plavuizen van het hotelterras. Het was een reusachtig gebergte van niet-aanwezige tijd, dat hoger en hoger oprees naarmate zijn wens dat het eindelijk voorbij zou zijn sterker werd. Het was alsof die wens op een geheimzinnige manier met het gebergte was verbonden en de magische kracht bezat het nog hoger te laten oprijzen. En omdat die wens almaar heviger en bijna ondraaglijk werd, had Perlmann het gevoel dat het langverwachte moment nooit zou aanbreken: er was geen mogelijkheid over al die dode tijd heen te komen, die voor hem oprees als een angstaanjagende rotswand. De enige oplossing bestond eruit zijn wens het zwijgen op te leggen en van binnen stil te worden. Dan zou het gebergte zichzelf slechten, en wanneer dan de innerlijke stilte volmaakt was, zou de tijd een vlakte lijken waaroverheen hij moeiteloos dat langverbeide moment zou kunnen bereiken.

Hij wilde eindelijk de verschillende werkwoorden in zijn hoofd stampen die in het Russisch bestonden voor *moeten*. Hij nam het lijstje door en vergat alles wat hij las meteen weer. Het hielp niet nog meer in de schaduw te gaan zitten, en ook aan zijn zonnebril lag het niet. Welbeschouwd was hij toch een expert in het leren van een vreemde taal. Eigenlijk het enige waar hij goed in was. Ook was het het enige wat hem werkelijk kon boeien. Wanneer hij daarmee bezig was, had hij het gevoel dat het vooruitging met zijn leven en dat hij zich ontwikkelde. En soms, als een vreemde zin, een tot dusver ontoegankelijke tekst plotseling begrijpelijk werd, had hij het gevoel dat hij een vleugje tegenwoordigheid had veroverd.

Kon hij iets daarvan ook maar ervaren wanneer hij wetenschappelijk werk verrichtte. Hij vond het vreemd, maar hij wist niet meer of dat ooit het geval was geweest. Het was hoe dan ook lang geleden, in een tijd waarin hij de verlamming waar hij nu al zo lang last van had, nog niet kende. Hij had intussen het gevoel niet meer goed te weten wat dat was: wetenschap bedrijven. Het was geen writer's block, dat wist hij zeker. Daar had hij nooit last van gehad, en hij voelde dat hij nog steeds over het vermogen beschikte vloeiend, treffend, af en toe briljant te formuleren. Het was iets anders, iets wat eigenlijk veel eenvoudiger was en dat tegelijkertijd iets was wat hij niet kon verklaren, aan zichzelf niet en nog veel minder aan anderen, met name collega's: hij was het geloof in het belang van wetenschappelijk werk kwijtgeraakt – het geloof dat hem vroeger had gedreven, het geloof waardoor hij zichzelf de dagelijkse discipline had kunnen opleggen en de daarmee gepaard gaande ascese zinvol had geleken.

Het was niet op grond van een conclusie of door het opmaken van de balans dat hij het geloof was verloren, en het verlies had niet de vorm van een innerlijke constatering. Hij kon domweg de concentratie niet meer opbrengen, het gevoel van exclusiviteit van waaruit zijn wetenschappelijke geschriften tot dusver waren ontstaan. Dat betekende niet dat hij nu het gebrek aan belang van zijn eigen onderzoekingen, of van onderzoek in het algemeen, als een gefundeerde opinie wereldkundig maakte. Maar hij kon het nog maar zelden opbrengen aan zijn bureau plaats te nemen. Steeds langer zat hij uit het raam te staren, zijn dure stoel leek van maand tot maand ongemakkelijker te worden, en steeds vaker kwamen de boeken op het grote werkblad hem voor als onhandelbare voorwerpen die de geruststellende leegte verstoorden.

Sinds dat zo was keek hij naar de wetenschap als door een glazen wand die van hem een pure toeschouwer maakte. Iets op wetenschappelijke wijze uitzoeken: hij had er gewoon geen behoefte meer aan. Zijn belangstelling voor systematisch onderzoek, voor het analyseren en het ontwikkelen van theorieën, tot dusver een constant, zonder meer geaccepteerd, als vanzelfsprekend beschouwd element in zijn leven, in zekere zin het draaipunt ervan – die belangstelling was hij totaal kwijtgeraakt, zo totaal dat hij met geen mogelijkheid meer kon begrijpen hoe het ooit anders had kunnen zijn. Als iemand over een nieuw idee vertelde, over een eerste ingeving, dan kon hij er soms nog wel naar luisteren, maar alleen heel kort; en de uitwerking van het idee interesseerde hem dan meteen al niet meer, kwam hem voor als verspilde tijd.

Soms probeerde hij zichzelf wijs te maken dat het allemaal op die heldere, witte, verschrikkelijke dag in januari was begonnen, toen hij Agnes voor het laatst had gezien, zo schrikbarend, zo onherroepelijk stil. Dan kon hij zichzelf zien als iemand die nog steeds in een shocktoestand verkeerde, als iemand die daar heel langzaam van herstelde. Dan leek het allemaal wat minder bedreigend.

Maar het klopte niet. Wel stelde hij verbaasd, en ook verontrust, vast dat hij was vergeten wanneer het precies was begonnen. Maar het was lang daarvóór, dat wist hij heel zeker. Er waren kleine veranderingen gekomen in de manier waarop hij gevoelsmatig op dingen had gereageerd die met zijn beroep te maken hadden, gevoelsschakeringen, minieme veranderingen in toonzetting, die zich in de loop van maanden en jaren hadden ontwikkeld tot iets ingrijpends, dat op een dag met grote helderheid tot zijn bewustzijn was doorgedrongen. Het begin lag in een tijd toen hij, van buitenaf gezien, op het hoogtepunt van zijn productiviteit had gestaan en niemand op het idee zou zijn gekomen dat achter die façade iets begon af te brokkelen en geruisloos instortte.

Hij was vergeetachtig geworden. Maar niet zo dat het iemand anders opviel. Er vielen geen gaten in het systeem van zijn wetenschappelijke routine. Maar het viel hem in toenemende mate op dat hij probleemstellingen weer vergat, vooral probleemstellingen die nog niet ingeslepen waren en nog niet bij het vaste retorische repertoire van het vak hoorden – dus juist de nieuwe en interessante probleemstellingen, die, omdat ze nog niet hecht verankerd waren, om constante aandacht vroegen. Als hij toevallig zijn aantekeningen doornam, was hij verbaasd wat hij daarin aantrof, en hij schrok ervan dat hij het domweg was vergeten.

Het ergste was: hij wist zeker dat het niet om iets tijdelijks ging, om een crisis waarvan je wist dat die voorbij zou gaan, al wist je niet wanneer en hoe. Het was heel bedreigend, maar hij wist dat wat er met hem gebeurde onomkeerbaar en onontkoombaar was. Naast het gevoel van bedreiging, daar kwam hij pas in de loop van de tijd achter, werd hij op goede momenten het bevrijdende, bijna gelukzalige gevoel gewaar dat iets in hem zich ontwikkelde, en wel in het centrum, in de kern van zijn leven. Maar dat af en toe tot hem doordringende besef maakte de angst geenszins kleiner. Die beide gemoedstoestanden hadden in zekere zin niets met elkaar te maken, ze bestonden naast elkaar, zonder verband. En hij had de merkwaardige ervaring dat dat gevoel, waarnaar hij steeds vaker probeerde te grijpen, vluchtig en onbetrouwbaar bleek: hij wist nooit zeker of het een echt gevoel was, of dat hij het in zichzelf opriep en in zekere zin verzon, om iets te hebben waaraan hij zich kon vastklampen wanneer de verandering die zich aan hem voltrok, te angstaanjagend werd.

Toen hij weer in zijn boek keek en zichzelf overhoorde, stelde hij vast dat hij slechts een enkel Russisch woord voor *moeten* had onthouden. Hij gaf het op en pakte het andere boek, dat hij uit zijn kamer had meegenomen toen hij besloot de laatste vrije uren op het terras van het hotel door te brengen. Het was Robert Walser's *Jakob von Gunten*, een boek dat hem, toen hij gisterochtend voor zijn boekenkast had gestaan, plotseling de ideale reisgezel had geleken, ook al had hij het al heel lang niet meer in de hand gehad en was zijn herinnering aan de hoofdpersoon en het Benjamenta-instituut mistig en vaag geworden. Tijdens de reis had hij een paar keer op het punt gestaan het open te slaan, maar elke keer had hij een vreemde, onverklaarbare schroom gevoeld die zijn nieuwsgierigheid in de weg stond. Alsof er iets over hem in het boek stond wat hij liever niet wilde weten.

De eerste zin benam hem de adem: 'Je leert hier heel weinig, er zijn hier geen leerkrachten, en wij jongens van het Benjamenta-instituut zullen het niet ver brengen, dat wil zeggen dat we in ons latere leven allemaal heel klein en onbeduidend zullen zijn.' Als verdoofd keek Perlmann de ober na die de roodharige man bij het zwembad op een zilveren dienblad een drankje bracht. Minuten verstreken eer hij de moed had verder te lezen, met tegenzin en tegelijkertijd gefascineerd door die onthutsende zinnen, die met zo'n onheilspellende lichtheid waren opgeschreven. En toen, een paar zinnen verderop, kwam de zin die hij ervoer alsof iemand hem een klap in zijn gezicht gaf: 'Meneer Benjamenta vroeg me wat ik wilde. Verlegen legde ik hem uit dat ik graag zijn leerling wilde worden. Toen zweeg hij en begon de krant te lezen.'

Die laatste zin, nee, die mocht daar niet staan. Het was in al zijn onschuld een zin die niet te verdragen was. Perlmann legde het boek weg. Heel langzaam werd het kloppen van zijn bloed minder. Hij begreep niet waarom, maar het verhaal dat de internaatspupil Jakob vertelde, leek in zekere zin over hem te gaan. Opeens wist hij heel zeker dat de tekst die zou ontstaan als het hem zou lukken zijn eigen ellende onder woorden te brengen, ongeveer die toon zou hebben. Het moesten zinnen zijn die net zo indringend en net zo scherp zouden moeten zijn om werkelijk iets vast te kunnen leggen van hoe het hem nu al sinds jaren verging wanneer hij een collegezaal betrad.

Plankenkoorts was het niet. Het was niet de angst plotseling naar de toehoorders of voor zich op de lessenaar te staan staren en alles te zijn vergeten. Aan die voorstelling had hij vroeger geleden, maar dat was al heel lang voorbij. Het was iets anders, iets wat hij pas na lange tijd en met stille schrik had beseft: het heel zekere gevoel dat hij niets te zeggen had. Eigenlijk vond hij het absurd dat hij iedere week weer onder de verwachtingsvolle blikken van de studenten het middenpad van de collegezaal afdaalde. Bijna met elke trede nam het gevoel toe dat hij hun tijd stal.

Dan sloeg hij zijn aantekeningen op en begon te praten, geroutineerd en vlot, hij stond erom bekend dat hij uit het hoofd kon spreken alsof het gedrukt stond. De studenten waren op hem gesteld, vaak kwamen er na het college een paar naar hem toe die meer wilden weten. Dat was nog veel erger. Tijdens het college was hij beschermd geweest door de lege ruimte tussen de lessenaar en de banken, die ruimte had de functie gehad van een wandscherm waarachter hij zijn ontbrekende belangstelling, deze tekortkoming, had kunnen verbergen. Wanneer de studenten dan tegenover hem stonden, voelde hij zich kwetsbaar en was hij bang dat ze aan hem konden zien dat hij er met zijn gedachten niet meer bij was. Hij nam zijn toevlucht tot overdreven enthousiasme, haalde er van alles bij, schreef het bord nog een keer vol en beloofde de volgende keer boeken mee te brengen over de kwestie. Regelmatig waren het zijn eigen boeken die hij de studenten in de hand drukte, alsof hij ze ermee wilde omkopen. Ze voelden zich serieus genomen, begrepen. Een hoogleraar met hart voor de zaak. Ze hadden de behoefte hem ook persoonlijk te leren kennen en nodigden hem uit in hun sociëteit.

De eerste gasten van buiten arriveerden om in het hotel de lunch te gebruiken. Perlmann pakte zijn boeken en ging naar zijn kamer. Bij het sluiten van de deur viel zijn blik op het lijstje met de kamerprijzen, en hij schrok. De kamer kostte bijna driehonderd mark per dag. Voor één enkele deelnemer kwam het verblijf dus neer op bijna tienduizend mark, de uitgebreide diners niet meegerekend. Maal zeven. Goed, voor de firma Olivetti was dat waarschijnlijk geen punt, en Angelini zou wel weten wat hij deed als hij hen in het duurste hotel van het dorp liet logeren. Misschien had hij ook wel korting gekregen. Toch hield Perlmann zijn gezicht onder de glimmende messing kraan en waste daarna lang zijn handen. Uit zichzelf zou hij nooit zo'n hotel hebben uitgekozen, zelfs als geld voor hem geen rol zou spelen. Hij wist gewoon dat hij hier niet thuishoorde. En het zweet brak hem uit als hij aan het sjofele schrift met het zwarte wasdoeken kaft dacht dat het enige was wat hij er tegenover kon stellen, een losse verzameling aantekeningen, die hij bovendien al lang niet meer onder ogen had gehad. Hij kwam zichzelf voor als een oplichter, bijna als een dief.

Dat was de reden waarom in geen enkele versie van zijn vluchtplannen het voornemen ontbrak de rekening voor zijn kamer zelf te voldoen. Ook al zou dat onder deze omstandigheden een demonstratief gebaar zijn. De anderen zouden eraan kunnen zien dat niet overmacht hem tot die stap had gedwongen, maar dat zijn merkwaardige gedrag iets te maken moest hebben met zijn verhouding tot de groep. En dat vond hij onaangenaam: het strookte niet met zijn behoefte zo min mogelijk van zichzelf prijs te geven en als het even kon alles in het duister te laten. Maar hij wilde niets verschuldigd blijven; in ieder geval in dat opzicht wilde hij de dingen weer in orde brengen.

Aarzelend deed hij zijn koffer open en begon de boeken zorgvuldig neer te zetten op het bureau. Het was hem zwaar gevallen toen hij gisteravond eindelijk was begonnen een selectie te maken. Duidelijker nog dan anders was hij zich ervan bewust geworden dat hij al geruime tijd geen wetenschappelijke plannen meer had. Hoe kon je in zo'n situatie beslissen wat je mee moest nemen en wat niet? Lang had hij op zijn stoel gezeten en met de vermetele gedachte gespeeld zonder vakliteratuur naar de conferentie te gaan en alleen romans mee te nemen. Maar hoe bevrijdend die voorstelling ook was, dat kon hij niet riskeren. Voor het geval ze hier in zijn kamer zouden komen, moest hij een façade optrekken, voor een schijnvertoning zorgen. Waar het op aankwam was om niets te laten merken van zijn ellende. Uiteindelijk had hij een hele reeks boeken in zijn koffer gestopt die de afgelopen maanden bij hem binnen waren gekomen en die ongelezen waren gebleven. Het waren boeken die iedereen zou aanschaffen die zich met zijn vak bezighield. Hij had voor zichzelf nog niet de moed gehad op te houden met dergelijke routineaankopen, hoewel hij het zonde begon te vinden van het geld – een gevoel waarvan hij schrok, want vanaf zijn schooltijd was het voor hem altijd vanzelfsprekend geweest dat voor boeken geen prijs te hoog was.

Het bureau was breed genoeg voor de boeken, en als hij ze naar achteren tegen de muur schoof en aan weerszijden dikke exemplaren ertegenaan zette, had hij plaats genoeg om te schrijven. Zijn laptop meenemen, dat kleine apparaat met het enorme geheugen voor al zijn ongeschreven teksten, had hij niet voor elkaar gekregen; dat had hij het toppunt van leugenachtigheid gevonden. Perlmann legde potloden, een liniaal en zijn beste balpen op de glasplaat, en ook een stapel blanco papier. Morgenochtend moest hij absoluut aan het werk gaan. *Ik heb geen idee met wat. Maar ik moet beginnen. Koste wat het kost.*

Dat zei hij nu al maanden tegen zichzelf. En toch was het er nooit van gekomen. In plaats daarvan had hij elke dag urenlang aan zijn Russisch gewerkt. Dat verbond hem met Agnes. Met op de achtergrond muziek waar ze allebei van hielden, had hij zich teruggetrokken in een innerlijke ruimte waarin ook zij aan de tafel zat en hem zoals gebruikelijk overhoorde, lachend als zij het weer eens sneller had begrepen dan hij. Daardoor was de vakliteratuur blijven liggen, stapelde zich op op een plank, lag voor het grijpen en bleef toch onaangeroerd, herinnerde hem constant aan zijn plicht. Op zijn bureau lagen bijna alleen nog de grammatica- en oefenboeken. Alleen wanneer er collega's op bezoek kwamen bij wie het gevaar bestond dat ze zijn werkkamer zouden betreden, arrangeerde hij de grote chaos van een wetenschapper die hard aan het werk was, met hele bergen opengeslagen boeken en manuscripten. Het was elke keer een strijd tussen angst en zelfrespect, en altijd was het de angst die overwon.

Tussendoor had hij regelmatig correspondentie gevoerd in verband met de onderzoeksgroep. Vragen over praktische details moest hij beantwoorden en officiële bevestigingen schrijven. Dat had hij allemaal op zijn kamer in de universiteit afgehandeld. Thuis was er niets wat hem aan zijn steeds dichterbij komende vertrek herinnerde, hij had er routine in gekregen, was er bijkans virtuoos in geworden er niet aan te denken.

Voor zijn colleges maakte hij gebruik van verouderde aantekeningen, die hem vreemd waren geworden, en soms leek het hem daarbij alsof hij zijn eigen woordvoerder was. Kwam er dan een onverwachte vraag uit de zaal die hem in verlegenheid bracht, dan verschafte hij zichzelf een adempauze door geforceerd langzaam dingen te zeggen als: 'Weet u, dat zit zo...' of: 'Dat is een goede vraag...' Het waren vervreemdende clichéopmerkingen die hij vroeger nooit zou hebben gebruikt, en hij haatte zichzelf erom. Bij werkgroepen leefde hij van de hand in de tand en vertrouwde op zijn geheugen. Hij was een routinier, hij dacht en reageerde snel, en als het niet anders kon, omdat hij niets substantieels meer te berde kon brengen, kon hij retorisch vuurwerk afsteken. Studenten kon hij daar nog steeds mee imponeren. Wat de gewone gang van zaken bij het lesgeven betrof, zou hij niet gauw door de mand vallen, dacht hij bijna elke keer als hij een werkgroep achter de rug had.

Maar dit hier was iets heel anders. Over een kleine drie uur zouden mensen arriveren wie je geen rad voor ogen kon draaien. Mensen die geen last hadden van dergelijke gevoelens, eerzuchtige mensen, die gewend waren aan de rituelen van wetenschappelijke debatten en aan de voortdurende concurrentie. Ze brachten nieuw werk van eigen hand mee, dikke manuscripten, projecten en plannen, en ze stelden hoge verwachtingen aan zichzelf en anderen, vooral aan hem, Philipp Perlmann, de gerenommeerde linguïst. Door die verwachtingen waren ze voor hem een bedreiging, ze waren zijn tegenstanders, zonder dat ze daar een idee van hadden. Mensen als zij beschikten over een fijne neus voor alles wat met de sociale werkelijkheid van hun wetenschap te maken had, ze registreerden het met seismografische precisie als er iets niet klopte. *Ze zullen merken dat ik er niet meer bij ben. Dat ik niet meer bij hen hoor.* En vroeg of laat gedurende die vijf weken zou het uitkomen: uitgerekend hij, de leider van de groep, de regisseur van het hele gebeuren, zou met lege handen staan – als iemand die zijn huiswerk niet heeft gemaakt. Ze zouden vol ongeloof reageren, ze zouden het als een schandaal zien. Zeker, de schijn van vriendelijkheid zou bewaard blijven; maar het zou een vriendelijkheid zijn die dodelijk was, want degene die die vriendelijkheid betrof zou de zekerheid hebben dat het louter een ritueel was, het kon de stilzwijgende uitstoting niet verzachten.

Het was nu even na enen. Perlmann had een lege maag; maar het idee om beneden in de chique eetzaal te moeten zitten en bij het eten het zilveren bestek te hanteren, was ondraaglijk. En sowieso vervulde de gedachte aan eten hem met weerzin. Op dit moment konden wat hem betreft zijn flauwte en honger zo groot worden als ze wilden: eten zou hij pas weer als hij terugvloog naar huis, op een moment dat in een zo ontstellend verre toekomst lag.

Hij ging op bed liggen. Brian Millar was nu in Rome. Zijn vliegtuig uit New York was daar vroeg in de ochtend geland en nu had hij een afspraak met Italiaanse collega's om het plan voor de linguïstische encyclopedie te bespreken. Hij zou pas laat in de middag doorvliegen naar Genua. Dus nog een paar uur uitstel tot aan die ontmoeting. Ook bij Laura Sand zou het laat in de middag worden, zij moest eerst de trein nemen van Oxford naar Londen, en dan via Milaan vliegen. Het zou allemaal erg vermoeiend voor haar zijn, want ze was pas onlangs teruggekeerd van haar dieren in Kenia. Of zij zichzelf trouw bleef en ook hier helemaal in het zwart zou verschijnen? Adrian von Levetzov had aangekondigd vroeg in de middag te arriveren; op zijn overdreven, barokke manier had hij iets geschreven over een rechtstreekse vlucht van Hamburg naar Genua. Mevrouw Hartwig had erg moeten lachen om het grote contrast tussen het voorname briefpapier en het afgeraffelde briefje van Achim Ruge, waarmee die dwars over een paar koffievlekken heen meedeelde dat hij voor de tijd dat hij afwezig zou zijn nog van alles moest regelen in zijn laboratorium in Bochum, en dat hij nog niet kon zeggen of hij dinsdag of woensdag zou aankomen. Wanneer Giorgio Silvestri zich kon vrijmaken van zijn kliniek in Bologna, was onzeker, hij had gezegd dat hij hoe dan ook wilde proberen voor het avondeten hier te zijn. Perlmann was er na het telefoongesprek met hem niet zeker van of hij zijn verrookte stem mocht of niet. Angelini had hem met enige terughoudendheid aangeraden Silvestri erbij te betrekken, en hij wist eigenlijk niet zo goed waarom hij hem had uitgenodigd. Misschien alleen omdat Agnes had gezegd dat spraakproblemen bij neuroses toch heel interessant konden zijn.

De eerste die zou arriveren was Evelyn Mistral. De trein uit Genève zou om halftwee in Genua aankomen. Hij zou er geen spijt van krijgen, had haar baas hem geschreven toen hij had voorgesteld haar uit te nodigen in plaats van hem, want hijzelf moest een operatie ondergaan. In de ontwikkelingspsychologie zou ze nog van zich doen spreken. Haar lijst met publicaties was voor iemand van nog maar net negenentwintig erg indrukwekkend. Maar de stapel artikelen en boeken van haar hand die mevrouw Hartwig op zijn bureau had gelegd, had hij ongelezen gelaten. Het enige wat hij van haar kende, was haar stem over de telefoon, een ongehoord heldere stem met een licht Spaans accent.

De beleefdheid gebood dat hij, als de gastheer, beneden wachtte. Maar het duurde nog eens vijf loodzware minuten voordat hij eindelijk opstond. Toen hij naar de stoel liep om zijn jasje te halen, struikelde hij over zijn lege koffer. Hij wilde hem dichtdoen en wegzetten toen hij Leskov's tekst ontdekte, die slordig uit een zijvak stak, een dik typoscript in het Russisch, een slechte fotokopie in een ongebruikelijk papierformaat, de hoeken omgevouwen door het transport en ook verder vol kreukels. Die tekst was bij een brief gevoegd waarin Leskov hem meedeelde dat hij geen toestemming had gekregen voor de reis en dat hij sowieso niet kon komen omdat zijn moeder plotseling ernstig ziek was geworden. De tekst ging over iets waarmee hij zich momenteel bezig hield, had hij geschreven, en hij hoopte op deze manier wetenschappelijk contact met hem te kunnen houden. Het was een poging hem te vleien, had Perlmann gedacht, zo ver was hij immers nog lang niet met Russisch. Hij had het manuscript weggelegd en er niet meer aan gedacht. Pas zondagavond was hij het weer tegengekomen, toen hij zijn koffers inpakte. Het is onzin, had hij gedacht; maar het idee een Russische tekst bij zich te hebben was hem op een bepaalde manier bevallen, het was iets exotisch en daardoor iets intiems, en daarom had hij hem op het laatst toch bij zich gestoken, samen met het Russische zakwoordenboek.

Toen hij de tekst in zijn hand hield, kwam hij hem plotseling voor als iets waarmee hij zich van de anderen kon afbakenen en zich tegen hen kon verdedigen. Die tekst te ontsluiten, het op zijn minst te proberen, was een goed voornemen voor de komende weken. Het was iets waarmee hij zich in zijn vrije tijd kon terugtrekken, een mentaal domein waarin de anderen niet konden doordringen en van waaruit hij zich tegen hun verwachtingen kon verweren, een inwendige vesting waarin hun oordeel hem niet kon deren. Als hij in die vesting verbleef en de ene Russische zin na de andere zou leren begrijpen, dan zou het hem zelfs kunnen lukken het grote gebergte van tijd een paar momenten van tegenwoordigheid af te troggelen. En als hij dan, na de tweeëndertig dagen die hem nog restten, weer in het vliegtuig boven de zee opsteeg, kon hij tegen zichzelf zeggen dat hij nu veel beter Russisch kende dan voorheen, zodat hij zijn tijd toch niet had verkwist.

Perlmann pakte de tekst en het woordenboek, en toen hij de trap afdaalde en signora Morelli toeknikte, liep hij lichter dan in de dagen daarvoor. Hij ging onder de zuilengalerij van de ingang in een rieten stoel zitten en bekeek het opschrift dat Leskov er met de hand in grote, zorgvuldig getekende letters op had geschreven: O ROLI JAZYKA V FORMIROVANII VOSPOMINANIJ. Hij hoefde maar één woord op te zoeken, toen had hij het: OVER DE ROL VAN DE TAAL BIJ HET VORMEN VAN HERINNERINGEN.

Dat kwam hem bekend voor. Juist, daar hadden ze destijds in Sint-Petersburg ook over gesproken. Hij zag zichzelf samen met Vasili Leskov door een raam van het Winterpaleis naar de bevroren Neva kijken. Agnes was nog maar twee maanden dood en zijn hoofd had er niet naar gestaan een congres bij te wonen. Maar toen hij de uitnodiging ervoor had ontvangen, was Agnes meteen in vuur en vlam geweest, *dan kunnen we ons Russisch in praktijk brengen,* en daarom was hij toch maar gegaan; het had hem ondanks zijn verdriet het gevoel gegeven met haar verbonden te zijn. Leskov had hij aanvankelijk weinig sympathiek gevonden, een zware, een beetje vormeloze man met een grof gezicht en een kaal hoofd, die er erg op uit was met collega's uit het Westen in contact te komen en zich daarom heel gedienstig, bijna onderdanig, gedroeg. Hij praatte als een waterval, en Perlmann, die liever met rust gelaten wilde worden, vond hem aanvankelijk opdringerig en vervelend. Maar toen was hij opeens geïnteresseerd geraakt: wat die man in hier en daar verouderd, maar bijna foutloos Duits zei over de rol van de taal bij het beleven, vooral bij het beleven van tijd, begon hem te boeien. Hij beschreef ervaringen die Perlmann sinds lang vertrouwd waren, zonder dat hij er in was geslaagd ze zo treffend, genuanceerd en samenhangend te beschrijven als die Rus, die met de vochtige pijpesteel tussen zijn dikke vingers voortdurend in de lucht stond te poken. Al snel merkte Leskov Perlmann's groeiende belangstelling, was daar blij mee en deed het voorstel hem iets van de stad te laten zien.

Dwars door de stad heen nam hij hem mee naar het Winterpaleis. Het was een heldere, zonnige ochtend begin maart. Perlmann herinnerde zich vooral de huizen in de kleur van vaal geworden oker dat oplichtte in de zon, in zijn herinnering bestond heel Sint-Petersburg uit die kleur. Leskov naast hem wees hem veel dingen aan, een man in een versleten, groene loden jas, met bontmuts en pijp, die zich met zware, moeizame stappen voortbewoog, zwaaiend met zijn armen en een beetje hijgend. Het drong vaak niet tot Perlmann door wat hij vertelde, zijn gedachten waren bij Agnes, die dikwijls plannen had gehad hiernaartoe te gaan om te fotograferen, het liefst in de zomer, tijdens de heldere nachten. Af en toe stond hij stil en probeerde een uitsnede van zijn gezichtsveld met haar ogen te zien, haar zwart-wit ogen, die altijd alleen in licht en schaduw geïnteresseerd waren geweest. Op die manier, dacht hij, nu hij de tekst doorbladerde, was er een merkwaardige associatieve relatie ontstaan tussen Agnes en de Rus: Leskov als gids op Perlmann's imaginaire wandeling met Agnes door Sint-Petersburg.

De uren in het Winterpaleis, in de Hermitage, hadden een merkwaardige intimiteit geschapen tussen beide mannen. Perlmann verklapte zijn metgezel, die hem toch heel vreemd was, dat hij bezig was Russisch te leren, waardoor Leskov over zijn hele gezicht begon te stralen en meteen overging in het Russisch, tot hij merkte dat Perlmann hem met geen mogelijkheid kon volgen. Leskov kende de schilderijen die hier hingen heel goed, hij wees hem op dingen die je anders bij een eerste rondgang niet zou opmerken, en af en toe zei hij iets simpels in het Russisch, langzaam en duidelijk. Perlmann beleefde die uren in een sfeer waarin de indruk van de schilderijen en het plezier over de Russische zinnen die hij begreep, werden vermengd met de pijn dat hij dat allemaal niet meer aan Agnes zou kunnen vertellen, dat hij haar nooit meer iets zou kunnen vertellen.

Hij had de verleiding weerstaan in die stemming over Agnes te beginnen; wat ging het die Rus ook aan. Pas toen ze vanaf de overzijde van de rivier, vanaf de Petrus-en-Paulusvesting naar het Winterpaleis keken, begon hij erover, uitgerekend op dat moment, nu de eerdere intimiteit in de ijskoude lucht was vervlogen. Het gebeurde tegen zijn wil, en hij was woedend toen hij zichzelf ook nog eens hoorde zeggen hoe moeilijk het hem sinds haar dood was gevallen met zijn wetenschappelijke werk door te gaan. Gelukkig besefte Leskov niet ten volle wat hem allemaal werd meegedeeld. Hij zei alleen dat dat toch heel vanzelfsprekend was na zo'n verlies, en hij voegde er bijna vaderlijk aan toe dat het vast wel weer over zou gaan. En toen, ingegeven door de opnieuw tot stand gekomen intimiteit, vertelde hij dat hij als dissident in de gevangenis had gezeten. Hij zei niet hoelang, en ook verder noemde hij geen details. Perlmann wist niet hoe hij op die mededeling moest reageren, en er viel heel even een onbehaaglijke stilte, waar Leskov ten slotte een einde aan maakte door zijn bovenarm beet te pakken en met ongepaste, geforceerde monterheid voor te stellen elkaar voortaan te tutoyeren. Perlmann was blij dat Leskov daarna meteen naar huis moest om zijn oude moeder te verzorgen, bij wie hij inwoonde, en dat hij niet op het idee kwam hem uit te nodigen mee te komen. Op de uitnodiging naar Santa Margherita, die Perlmann hem een paar weken daarna had gestuurd, had hij met een uitbundige brief gereageerd: hij zou meteen een uitreisvergunning aanvragen. Drie maanden geleden was toen de teleurgestelde afzegging gekomen waar deze tekst was bijgevoegd.

De eerste zin begreep Perlmann meteen. In de volgende zin kwamen twee woorden voor die hij nog nooit was tegengekomen; maar toch was het hem wel duidelijk wat ze moesten betekenen. Van de derde zin was de constructie weliswaar ondoorzichtig, maar hij las verder, een hele reeks hem onbekende woorden en uitdrukkingen negerend, tot het einde van de eerste alinea. Elke zin die hij las wond hem méér op, en nu was het al een soort koorts. Zonder zijn ogen van het papier af te wenden zocht hij in de zak van zijn jasje naar een snoepje. Daarbij kwam hij het pakje sigaretten tegen dat hij gisteren bij zijn aankomst op de luchthaven had gekocht. Aarzelend legde hij het op het ronde tafeltje naast het woordenboek en pakte het toen weer op. Het was gisteren als onder dwang gebeurd dat hij de sigaretten had gekocht, exact op het moment dat hij het gevoel had gekregen dat hij nu onherroepelijk hier was aangekomen, dat er nu in ruimte noch tijd een leemte was die hem van het begin van dit verblijf hier scheidde, en dat daarmee geen enkele mogelijkheid meer bestond dat het er misschien toch niet van zou komen. Hij had het als een nederlaag ervaren het pakje sigaretten aan te nemen, en toen hij het bij zich stak had hij het vage gevoel gehad van een dreigend en onafwendbaar onheil.

Het was zijn oude merk, dat hij tot vijf jaar geleden had gerookt. Zijn blijde opwinding over het onverwachte succes bij het lezen van Leskov's tekst veranderde opeens van kleur en versmolt met de prikkelende angst voor het verbodene toen hij met trillende vingers een sigaret tussen zijn lippen stak. Het droge papier voelde op onheilspellende wijze vertrouwd aan. Hij nam de tijd. Hij kon het altijd nog laten, zei hij met bonzend hart. Maar zijn zelfvertrouwen, dat was onmiskenbaar, lekte weg als door een vergiet.

Hij merkte dat hij geen vuur had, en het uitstel luchtte hem op. Heel even kwam zijn zelfvertrouwen terug. Hij nam de sigaret uit zijn mond en dacht aan de vakantiedag van destijds, op een rotspunt, in de wind. Agnes en hij hadden elkaar aangekeken en toen tegelijkertijd hun brandende sigaret in zee gegooid, de volle pakjes erachteraan, en ze hadden gelachen om het pathetische gebaar. Een gezamenlijke overwinning, een gelukkige dag.

Plotseling stond de terrasober naast hem en hield een brandende lucifer voor zijn neus. Een gevoel van weerloosheid nam bezit van hem. De dingen ontglipten hem. Hij nam de eerste trek sinds vijf jaar en kreeg meteen een hoestaanval. De ober wierp hem een verbaasde en bezorgde blik toe en verdween. Het tweede trekje ging al beter, het kriebelde nog in zijn keel, maar het was al een volledige trek. Nu rookte hij langzaam en diep inhalerend door, zijn ogen halfgesloten. De nicotine begon door zijn lichaam te stromen. Een lichte duizeling overviel hem, tegelijkertijd voelde hij zich licht en een beetje euforisch. Wel was het een euforie die vergezeld ging van de indruk van iets gekunstelds, het gevoel dat die toestand in hem ontstond zonder eigenlijk bij hem te horen, zonder werkelijk zijn eigen toestand te zijn. En toen stortte alles opeens in en voelde hij zich hondsberoerd.

Haastig drukte hij de sigaret uit en hij liep met onzekere stappen naar het zwembad, waar hij zich uitstrekte op een ligstoel en zijn ogen sloot. Hij voelde zich uitgeteld, nog voordat er iets was begonnen. Na een poosje werd hij rustiger, het was een opluchting dat zijn hart niet meer oversloeg en hij niet meer draaierig was, en langzaam zakte hij weg in een halfslaap. Hij werd pas weer wakker toen boven hem een heel heldere stem met een Spaans accent in het Engels zei: 'Neemt u mij niet kwalijk dat ik u stoor, maar de ober zei dat u Philipp Perlmann bent.'

2

Ze had een stralende lach, zoals hij nog nooit had gezien, een lach waarin haar hele persoon opging en die elk verzet brak. Hij richtte zich op en keek naar een ovaal gezicht met hoge jukbeenderen, ver uit elkaar staande ogen en een brede neus, bijna een oosters gezicht. Het blonde haar viel steil neer op een wit, scheef zittend T-shirt, het was heel natuurlijk, levend haar, een beetje als stro.

Perlmann had een droge mond en voelde zich nog wat wankel toen hij opstond en haar een hand gaf.

'U moet Evelyn Mistral zijn,' zei hij. 'Het spijt me, ik moet heel even zijn ingedut.' *Meteen al een verontschuldiging.*

'Maar dat geeft toch niets,' lachte ze, 'het is hier immers net vakantie.' Ze wees naar de hoge gevel van het hotel met de beschilderde timpanen boven de ramen, de turkoois geschilderde luiken en de wapens in de kleuren van verschillende landen. 'Het is allemaal zo vreselijk mondain, ik hoop maar dat ze me erin laten met mijn koffer!'

Het was een oeroude zwartleren koffer vol krassen en met lichtbruine hoeken die op een paar plaatsen waren ingescheurd, en midden op het deksel had ze een felrode olifant geplakt. *Zo'n koffer zou ook Kirsten met zich mee kunnen slepen, dat zou bij haar passen. Ze doet me toch al een beetje aan mijn dochter denken, hoewel ze helemaal niet op elkaar lijken.*

Ze had eersteklas gereisd met de trein en was daar op een meisjesachtige manier van onder de indruk. Je komt jezelf zo gewichtig voor, zei ze, zo keurig was ze nog nooit behandeld door een conducteur. Ze had zichzelf toen ook maar een uitgebreide lunch gepermitteerd in de restauratiewagen. De stoptrein van Genua naar Santa Margherita had geen eersteklas, en het was heel amusant geweest opeens weer in een sjofele tweedeklas coupé te zitten. Wat werd je toch snel gecorrumpeerd!

Perlmann pakte haar koffer op en liep met haar mee naar de receptie. Ze liep licht in haar verbleekte kaki rok, ze danste bijna in haar lage, lichtrode lakschoenen, en toch had haar gang ook iets aarzelends, iets onzekers. Ze werd verwelkomd door signora Morelli, die, net als gisteren, een donkerblauwe jurk van sportieve snit droeg en een bordeauxrode doek om haar hals had geslagen, wat haar het aanzien gaf van een eerste stewardess, een indruk die nog werd versterkt doordat ze haar haar in een glad kapsel had opgestoken. Evelyn Mistral sprak Italiaans, waarbij ze de klinkers als in het Spaans kort en hard uitsprak, in scherp contrast tot de zangerige toon van signora Morelli. Terwijl ze zich, op de balie geleund, inschreef, speelden haar voeten met de rode schoenen. Eén keer moest ze hard lachen, en toen had haar stem weer de helderheid die Perlmann zich van de telefoon herinnerde. 'Tot straks,' zei ze tegen hem toen de piccolo haar koffer oppakte en haar voorging naar de lift.

Perlmann liep langzaam over het uitgestrekte terras terug naar het zwembad. Nu was ook de roodharige man van vanochtend er weer. Perlmann beantwoordde zijn joviale groet met een kort gebaar en ging aan de andere kant in een ligstoel zitten. Hij gaf zich over aan een gevoel dat eigenlijk alleen de afwezigheid van angst was. Voor het eerst sinds zijn aankomst zette hij zich niet schrap tegen de dingen die hem omgaven: de scheefgegroeide pijnbomen die langs de weg aan de oever stonden; de vlaggen langs de balustrade; de rode smoking van de obers; de geur van hars en het restje zomerse warmte in de lucht. Nu was hij in staat te zien dat de wijnranken van de pergola rood kleurden. Agnes zou dat als eerste hebben gezien.

'U hebt me een fantastische kamer gegeven,' zei Evelyn Mistral, toen ze haar badhanddoek op de stoel naast hem liet vallen. 'Daar boven, de hoekkamer op de derde verdieping, een tweepersoons kamer met antieke meubelen, ik geloof zelfs dat het bureau van rozenwortelhout is. En wat een uitzicht! Zo'n hotelkamer heb ik nog nooit gehad. Maar wat die kost, daar wil ik helemaal niet aan denken! Hoe kun je dat in vredesnaam allemaal verdienen! In elk geval heb je met zo'n bureau geen excuus om niet te werken.'

Ze had haar badjas uitgetrokken en stond aan de rand van het zwembad. Haar stralend witte badpak accentueerde haar bruine huid, bruin met een vleugje geel. Ze dook het water in, bleef lang onder en zwom toen in het grote, niervormige bad een paar keer heen en weer. Het water spatte nauwelijks op, de bewegingen van haar rustige, bijna trage crawlslag waren elegant en vormden een tegenstelling met haar onzekere manier van lopen. Tussendoor zwom ze naar hem toe en legde haar armen op de rand van het zwembad. 'Waarom komt u er niet ook in? Het is heerlijk!' Toen zwom ze verder.

Perlmann sloot zijn ogen en probeerde het beeld vast te houden: het glanzende water op haar lach; het natte blonde haar. Het was ook nu niet anders dan anders: nooit lukte het hem de tegenwoordigheid te ervaren op het moment dat die er was; altijd was hij te laat met ontwaken, en dan bleef alleen nog het surrogaat over, het zich opnieuw voor de geest halen van het moment, iets waarin hij uit louter wanhoop een virtuoos was geworden.

Even onverwachts als eerder, toen hij hem vuur had gegeven, stond de ober naast hem en reikte hem de tekst van Leskov, het woordenboek en de sigaretten aan.

'Iemand anders wil daar graag plaatsnemen,' zei hij en hij wees naar de zuilen. Toen stak hij zijn hand in de zak van zijn smoking en overhandigde Perlmann een doosje lucifers met het opschrift GRAND HOTEL MIRAMARE.

Perlmann legde de spullen naast zich op de grond en keek naar Evelyn Mistral, die zich nu met uitgestrekte armen op haar rug liet drijven. Het lange haar, dat in het blauwe water donkerblond leek, lag als een slordige waaier rond haar gezicht. Ze hield haar ogen dicht, op de lichte wimpers glansden waterdruppels, en als ze uit een beschaduwd deel van het bad weer de zon in dreef, bewogen haar oogleden. Net als vroeger, als hij een indruk wilde vasthouden, stak Perlmann een sigaret op. Het inhaleren en de gewaarwording van verhoogde, een beetje gespannen levendigheid die erop volgde, gaf hem de illusie dat hij het onmogelijke zou kunnen doen: het ogenblik net zo lang vasthouden tot het hem was gelukt zich ervoor open te stellen en het daardoor diepte te geven. Weer merkte hij iets van een duizeling, maar dat gevoel passeerde nu niet meer de grens van misselijkheid, en toen hij de sigaret had opgerookt, stak hij er meteen nog een op.

Toen Evelyn Mistral uit het water kwam en zich afdroogde, viel haar blik op Leskov's tekst op de grond. 'Ach, u kent Russisch,' zei ze. Toen kneep ze haar ogen samen. 'Dat is Russisch, toch? Dat zou ik ook graag leren. Wanneer hebt u het geleerd? En hoe?'

Perlmann had er later geen verklaring voor waarom hij op dat moment schrok alsof hij op iets verbodens was betrapt.

'Eigenlijk ken ik het helemaal niet,' zei hij en legde tekst en woordenboek aan de andere kant van de ligstoel, als om plaats voor haar te maken. 'Alleen maar een paar woorden. Die tekst hier... dat is eigenlijk meer een grapje dat iemand zich heeft gepermitteerd.' *Het woordenboek lag zonet met de achterkant naar boven. De donkere vlekken van het vele bladeren heeft ze niet kunnen zien.*

'Een klein beetje beheers ik ook uw taal,' zei hij in het Spaans.

'Maar dan mag je niet u tegen me zeggen,' lachte ze. '*Usted*, dat is veel te formeel. Onder collega's gebruik je dat niet. En sowieso zeggen we in het Spanje van na Franco liever je.'

Toen bleven ze bij het Spaans. Haar Spaanse stem beviel Perlmann, vooral de keelklanken en de manier waarop ze van de *d* aan het eind van een woord een stemloze klank maakte, bijna de Engelse *th*. Het was lang geleden dat hij Spaans had gesproken, en hij maakte veel fouten. Maar hij was blij met die taal. In het Engels lukte het hem al heel lang niet meer om nieuwe ervaringen op te doen, althans geen ervaringen van bevrijdende vreemdheid. Engels gaf hem niet langer de mogelijkheid zichzelf in een vreemde taal om te dichten.

Ze kon er niet veel mee beginnen toen hij over dat onderwerp begon. Haar verhouding tot vreemde talen was veel nuchterder, praktischer. Goed, ze had er ook plezier in; maar toen hij over de mogelijkheid sprak in een vreemde taal een ander te worden, hoewel je toch in wezen hetzelfde zei als in je eigen taal, toen was ze alleen nog maar een beleefde toehoorster, en Perlmann kwam zichzelf voor als een mysticus. En toen hij zich hardop afvroeg of het Spaanse *tú* intiemer was dan het Engelse *you* samen met het gebruik van de voornaam, of dat het hetzelfde was, en hoe die twee aanspreekvormen zich verhielden tot het Duitse *du,* keek ze hem weliswaar nieuwsgierig aan, maar de glimlach die ook in haar blik lag, maakte duidelijk dat het voor haar meer een spel was dan een serieuze vraag. Zijn monoloog kwam hem plotseling dwaas voor, niet vrij van kitsch, en hij brak hem abrupt af en informeerde naar haar werk.

Wat iemand zich kon voorstellen was niet onafhankelijk van wat hij kon zeggen, en zo was het ook met wat iemand kon willen, zei ze. Steeds meer concentreerde ze zich in haar werk met kinderen op de samenhang tussen fantasie, wil en taal; op de vraag hoe het inwendige spel met mogelijkheden geraffineerder en invloedrijker werd naarmate de mogelijkheid zich in taal uit te drukken toenam; en op de vraag hoe die verfijning van de fantasie door middel van taal tot een steeds rijkere ontwikkeling van de wil leidde.

Terwijl ze sprak omvatte ze haar opgetrokken knieën met beide handen. Alleen soms, als een natte sliert haar in het gezicht gleed, maakte ze haar verstrengelde vingers los. Haar gezicht stond heel ernstig en geconcentreerd terwijl ze naar de passende woorden, de juiste zinnen zocht. Ook zo beviel Perlmann haar gezicht. Maar hoe meer ze op dreef kwam, des te verder trok het zich terug. En toen ze over de hoofdstukken van een boek sprak dat ze hier ter discussie wilde stellen, leek haar gezicht hem heel ver en vreemd. Hij dacht aan zijn beduimelde schrift van zwart wasdoek dat hij al zo lang niet meer had opengeslagen, en het lukte hem slechts met moeite het beeld van het ruitjespapier van zich af te zetten, dat zo was vergeeld dat je wat hij had geschreven nauwelijks meer kon lezen. Hij was bang voor het moment waarop zij hem naar zijn werk zou vragen, daarom bleef hij vragen stellen, bevangen door de leugenachtigheid van zijn aandacht en elke keer blij als ze uitvoerig inging op weer een nieuwe vraag.

Toen de naam Adrian von Levetzov viel, schrok Perlmann. 'Die ben ik helemaal vergeten,' mompelde hij toonloos, en aan Evelyn Mistral's blik kon hij zien dat zijn gezicht de angst verried die hij tot elke prijs had willen verbergen. Haastig stond hij op uit zijn ligstoel, verzwikte daarbij zijn enkel en begaf zich strompelend op weg naar de ingang. Toen hij de ober passeerde, die een tafel afruimde, dwong hij zichzelf langzaam te lopen, onzeker of dat vanwege de stekende pijn in zijn enkel was of omdat hij zich tegen zijn angst en zijn gedienstigheid wilde verzetten.

Von Levetzov stond aan de receptie en praatte in huiveringwekkend toeristen-Italiaans in op signora Morelli, die hem met een onbewogen gezicht in onberispelijk Engels antwoordde.

'Als u last heeft van de zon,' zei ze juist op een koele toon, waar Perlmann haar om benijdde, 'hoeft u alleen maar de vitrage dicht te doen. De ligging van het hotel kunnen we nu eenmaal moeilijk veranderen, nietwaar. Een groter bureau hebben we niet voor u, vrees ik. Maar voor een extra tafeltje kunnen we wel zorgen.'

Het gezicht van Von Levetzov was vertrokken en rood aangelopen toen hij naar de deur keek. 'Aha, Perlmann, eindelijk,' zei hij. Hij deed zijn best zijn irritatie binnen de perken te houden. 'Ik dacht al dat u geen zin had om me hier te verwelkomen.'

'Ik moet u mijn excuses aanbieden,' zei Perlmann buiten adem, 'ik was met Evelyn Mistral bij het zwembad, en toen ben ik totaal de tijd vergeten.' *Waarom verontschuldig ik me voortdurend? En het klonk nog als een beginnende romance ook; zo'n man moet je toch heel anders tegemoet treden, veel koeler, wel beleefd, maar koel. Ik leer het ook nooit.*

'Nou ja, nu bent u er,' zei Von Levetzov, en het klonk alsof Perlmann een te laat gekomen scholier of een lakse assistent was wie je een verzuim door de vingers zag. 'Ik probeer die mensen hier uit te leggen dat ik meer ruimte nodig heb om te kunnen werken, een groter werkvlak. Vooral heb ik een extra tafel nodig voor mijn computer. En dan die zon, ik heb het meteen na mijn aankomst getest, het is heel lastig met het beeldscherm. Dat moet u toch ook al hebben gemerkt.'

Perlmann keek hem niet aan toen hij knikte. Op die manier voelde zijn leugen aan als een belangeloze beweging. Hij draaide zich om naar signora Morelli, die hij gisteren bij zijn aankomst absoluut niet had gemogen, maar die hij met al haar strengheid elke keer als hij haar zag een beetje sympathieker ging vinden. Een extra tafel hadden ze, zoals al gezegd, zeker wel voor de signore, zei ze, en als hij erop stond konden ze zijn kamer anders inrichten, ze zouden het bureau tegen de achterwand kunnen zetten, daar kwam geen zon. Ze konden hem ook een andere kamer aanbieden, aan de achterzijde en in de schaduw, maar voor zo'n lange tijd was die misschien wel wat te klein.

Perlmann sprak Italiaans met haar en hij praatte sneller dan zijn kennis eigenlijk toeliet. Na het gesprek aan de rand van het zwembad schoten hem af en toe in plaats van de Italiaanse de Spaanse woorden te binnen, maar hij praatte en praatte maar door, ook nog toen het probleem met de kamer allang was opgelost, zodat signora Morelli wat ongemakkelijk naar Von Levetzov keek, die geïrriteerd met de prospectus van het hotel wapperde. Ze kon niet weten dat zijn gepraat een demonstratie was, een toneelspelletje voor die man in het donkerblauwe, bijna zwarte pak met vest en gouden horlogeketting. *Wat er de komende weken ook gebeurt, dit kan ik beter dan hij.*

'Ik wist helemaal niet dat u zo goed Italiaans spreekt,' zei Von Levetzov zuur en hij veranderde daarna meteen van onderwerp door naar buiten, naar de baai te wijzen, waar het licht al begon te breken en een rossige gloed hing. 'Ikzelf geef de voorkeur aan de Angelsaksische boven de Romaanse wereld, en Engelse parklandschappen zijn mij eigenlijk liever dan mediterrane idylles. Maar ik moet toegeven dat het er hier heel aardig uitziet. Ook verheug ik me natuurlijk op het wetenschappelijke debat met u, beste Perlmann. Ik ben er de laatste tijd helaas niet toe gekomen uw meest recente artikelen te lezen. Het laatste wat ik ken is uw verslag tijdens ons congres van een jaar geleden. Mijn boek heeft toch redelijk veel opzien gebaard. Forumdiscussies, lezingen, u kent dat. Maar de komende weken zal ik mijn Perlmann-lectuur inhalen. U weet hoezeer ik u waardeer, ook al hebben we vaak tegengestelde meningen. Ik ben benieuwd naar uw nieuwste ideeën, ik zal er de tijd voor nemen en een en al oor zijn.'

Voor Perlmann klonk het als een bedreiging, hij verstijfde. Voor iemand als hij, die alleen nog maar een façade voor zich uit droeg en daarachter bevend op de ontmaskering wachtte, was die elegante man met zijn gladde zwarte haar en zijn montuurloze bril een groot gevaar. Het grootste gevaar, even afgezien van Millar. Hij praatte als een personage van Thomas Mann, en als studenten hem voor het eerst hoorden, zaten ze te grijnzen en te ginnegappen. Maar alleen bij het eerste college. Hij was gevreesd als een bezeten werker, die niet kon begrijpen dat anderen af en toe een pauze nodig hadden. Als hij, zoals zojuist, over zichzelf praatte, klonk het als boude opschepperij. Ook al was hij ijdel en gemaniëreerd, hij was allesbehalve een dikdoener, maar een man die in een verrassend bescheiden woning vol boeken woonde en helemaal opging in de wetenschap, waaraan hij een groter bijdrage leverde dan wie ook. Af en toe zag je hem in Hamburg in de Opera, altijd alleen bij Mozart en altijd in zijn eentje. Er deden geruchten de ronde over een korte affaire met een actrice, en over alcohol. Hoe het precies zat, wist niemand.

Evelyn Mistral's haar zat door het droogwrijven in de war toen ze met het badlaken over haar schouders de hal binnenkwam. De stralende tegenwoordigheid van haar lach was voor Perlmann ver weg geraakt. De tegenwoordigheid van Adrian von Levetzov, en vooral zijn laatste woorden, waren als matglas tussen hem en die lach komen staan. Het uurtje aan de rand van het zwembad was nog slechts een mooie illusie, een fata morgana. Hij was opgelucht dat ze de tekst van Leskov had opgerold en hem het woordenboek met de achterzijde naar boven aanreikte. Hij pakte ze allebei met één hand aan en verstopte ze achter zijn rug.

De rijzige Von Levetzov boog zich voorover naar de kleine Evelyn Mistral, pakte haar hand, duidde een handkus aan en zei in overdreven Oxford-Engels dat het hem speet dat haar leermeester niet kon komen, die was vanzelfsprekend onvervangbaar. Hij scheen niet te merken dat ze om die tactloze opmerking haar kleine mond vertrok, en na een blik op zijn horloge zei hij dat hij een paar telefoontjes moest plegen zolang zijn collega's in Duitsland nog op hun instituten te bereiken waren. Toen liep hij haastig de trap op, met twee treden tegelijk, waarbij zijn horlogeketting op en neer danste en de bizarre tegenstelling onderstreepte tussen de geforceerde jeugdigheid van zijn bewegingen en zijn ouderwetse voorkomen.

Toen Evelyn Mistral was verdwenen, bleef Perlmann nog even roerloos staan en staarde naar de lichtstrepen die de namiddagzon op de marmeren vloer van de lobby wierp. Ze was meer dan twintig jaar jonger dan hij, en toch waren op het gezicht waarmee ze Von Levetzov had nagekeken, een zekerheid en een moeiteloze distantie verschenen waarvan hij zelf alleen maar kon dromen. Het is onrechtvaardig, dacht hij almaar toen hij terugstrompelde naar zijn ligstoel om zijn sigaretten te halen. En elke keer als die zin door een golf van diffuse, ongerichte wrok naar hem toe werd gespoeld, verwierp hij hem als belachelijke onzin.

Laura Sand werd niet voor vijf uur verwacht. Perlmann ging naar zijn kamer. Toen hij zich op het bed liet vallen kwam het hem voor dat zijn hele voorraad aan alleen-zijn die hij had meegebracht naar hier, door die twee ontmoetingen al helemaal was opgebruikt, en hij werd beslopen door een gevoel van weerloosheid.

Wat hem nog het meest parten speelde toen hij zich het gebeuren voor de geest haalde, was de haast waarmee hij over het grote terras naar de receptie was gelopen om Von Levetzov welkom te heten. Hij kon zichzelf zien: een lange, magere man in een donkerblauwe polo boven een lichte broek, met kort, zwart haar en een bleek gezicht achter een zware hoornen bril – een man die zich gedienstig van zijn taak kweet. En naast dat beeld dook een ander gedienstig beeld op, het beeld van zijn vader, wanneer die de telefoon opnam. Het was het beeld van een simpele, banale situatie, en toch een van de ergste beelden die hem van thuis waren bijgebleven. Zijn vader liep met beklemmende haast en met een uitdrukking op zijn gezicht alsof het een kwestie van leven of dood was. Als hij op weg was naar de telefoon mocht je hem in geen geval aanspreken, hij liep zo, dat je onwillekeurig je adem inhield. Op zijn gezicht lag dan altijd een rosse gloed, en het glom ten gevolge van een dun laagje zweet. Hij liep licht voorovergebogen, bereid iedereen te dienen die zich verwaardigde hem te bellen. De beller in geen geval laten wachten. De beller had louter door het feit dat hij belde het recht verworven geheel en al over hem, de vader, te beschikken. De vader als degene die gebeld werd, had op dat moment geen eigen leven, geen eigen tijd en geen eigen behoeften meer waarmee een beller rekening diende te houden. Hij stond onvoorwaardelijk ter beschikking, te allen tijde, op afroep.

Perlmann was pas laat tot het inzicht gekomen dat dat beeld zijn verhouding tot de buitenwereld, de wereld van de anderen, lange tijd had bepaald. Die wereld moest je ten dienste zijn, je was afhankelijk van de genade van haar erkenning. Toch was er noch bij zijn vader noch bij hem sprake van een onderdanig karakter. Nee, dat was het niet. Pure angst lag aan die gedienstigheid ten grondslag; een permanente angst voor de gevolgen die het kon hebben als je de anderen liet merken dat je zelf ook nog wensen had, wensen die met die van hen conflicteerden, al was het maar dat de anderen er even door moesten wachten. De voorstelling van die gevolgen was allesbehalve helder; hoe beter je ernaar keek, hoe meer de inhoud ervan vervluchtigde. Maar dat veranderde niets aan de benauwende, verstikkende macht die die angst op je uitoefende. Eén keer had Perlmann een arts tijdens het spreekuur horen telefoneren. Hij had heel onopvallende zinnen uitgesproken: 'Nee, dat gaat nu niet, ik ben bezig... Dat begrijp ik, maar dan moet u toch later nog een keer bellen.' De arts had die zinnen, die de ander een duidelijke grens stelden, op een vriendelijke maar heel besliste toon uitgesproken, zo moeiteloos en vanzelfsprekend dat Perlmann er min of meer door werd gehypnotiseerd. Het was voor hem een openbaring geweest: zulke zinnen op zo'n toon uitspreken, zoiets moest je kunnen. Je moest ze zonder hartkloppingen kunnen zeggen, zonder je inwendig op te winden en ook zonder spanning, heel evenwichtig en zonder erover te hoeven nadenken. Toen destijds de deur van de spreekkamer achter hem was dichtgegaan en hij op straat stond, had hij geweten: die niet-gedienstigheid zou voortaan het belangrijkste ideaal in zijn leven zijn.

Als hij aan de veranda dacht, aan de glanzende tafels en de hoge, gebeeldhouwde fauteuil aan het hoofdeinde ervan, dan voelde hij dat hij nog nooit zo ver van dat ideaal vandaan was als nu. Toen Von Levetzov hem zonet op zijn ongebruikelijke manier had aangesproken, had hij het gevoel gehad alsof hij nog in de schoolbank zat, weerloos en hopeloos timide als een pupil van het Benjamenta-instituut. Elk woord had ongehinderd tot hem door kunnen dringen, en het leek wel alsof hij over geen enkele mogelijkheid beschikte om te voorkomen dat de woorden in hem woekerden als een kwaadaardige tumor.

Bijvoorbeeld Von Levetzov's zinspeling op de conferentie van een jaar geleden. Perlmann had verwacht dat het om een routineaangelegenheid ging toen hij had toegezegd, meer niet. Hij had al heel lang geen conferenties meer bijgewoond en het had hem een goede gelegenheid geleken zijn gezicht te laten zien en met een paar handige vragen bij iedereen de indruk te vestigen dat hij er helemaal bij hoorde. Hij wilde in zekere zin aan zijn maskerade werken. Het was dan ook een schok toen hij twee weken voor de conferentie het gedrukte programma ontving en zichzelf als een van de belangrijkste sprekers zag aangekondigd, met een heel algemene, nietszeggende titel van zijn lezing, die iemand met oppervlakkige kennis van zijn vak voor hem had bedacht. In razende paniek had hij de telefoon gepakt, maar toen hij die aan de andere kant hoorde overgaan, had hij de hoorn er weer op gelegd. Hij mocht zich niet in de kaart laten kijken. Een man als hij, kopstuk in zijn vakgebied, mocht vanwege zo'n misverstand niet van zijn stuk raken. Hooguit kon hij er bij gelegenheid een venijnige opmerking over maken. Maar voor de rest moest iemand als Philipp Perlmann eigenlijk elk willekeurig moment een lezing uit zijn mouw kunnen schudden. Hij kon dus niet bellen en gewoon zeggen: het is een misverstand, ik heb op het moment niets te zeggen, wilt u dat even doorgeven. Waarom eigenlijk niet, vroeg Agnes, toen ze zag in welke houding hij aan zijn bureau zat. Na die vraag voelde hij zich erg alleen. Een tijdlang overwoog hij zich op het laatste moment ziek te melden. Uiteindelijk hield hij een lezing waarin hij samenvatte wat hij de afgelopen jaren had gepubliceerd. Geen slechte tekst, vond hij, toen hij hem eerst nog een keer doorlas. Maar toen hij het spreekgestoelte na een beleefd applaus verliet, was hij het liefst linea recta naar het station gegaan, hoewel de conferentie nog twee dagen zou duren. Tijdens het eten had Von Levetzov naast hem gezeten. 'Een ongewoon heldere bijdrage,' had hij opgemerkt, met een glimlach die niet onvriendelijk was, absoluut niet kwaadaardig, en die op Perlmann toch het effect had van een speldeprik, 'maar het was vooral een terugblik op dingen uit het verleden, nietwaar, of is het nieuwe aan me voorbijgegaan?'

Zonet, beneden in de lobby, had hij die lezing een verslag genoemd. Hem ontging niets, die scherpzinnige man met het fenomenale geheugen, en hij woog zijn woorden zorgvuldig. Hij beheerste het spel beter dan wie ook. Het was onmogelijk geweest hem niet uit te nodigen.

Perlmann ging voor het raam staan en keek naar de baai. De ondergaande zon scheen door een dunne grijze wolkenbank heen en gaf het water de kleur van platina. Ginds, bij Sestri Levante, gingen hier en daar al lichten aan. Er waren pas een paar uur verstreken sinds zijn eerste sigaret, en nu rookte hij alweer, alsof hij er nooit mee was gestopt. Het deed pijn toen hij het zich bewust werd. Het kwam hem voor alsof hij daarmee de afgelopen vijf jaar uitwiste, en hij had het gevoel alsof hij verraad pleegde aan Agnes.

Hij dacht aan de vier andere collega's die hij nog moest verwelkomen, en nam zich voor laconiek te zijn. Niet onvriendelijk, ook niet koel, maar laconiek, dus in zekere zin zuinig met woorden. Gewoonlijk praatte hij te veel, ook al had hij helemaal geen zin om iets te zeggen; hij gaf te veel verklaringen, en het waren verklaringen die vaak meer als verontschuldigingen klonken, als rechtvaardigingen waar niemand om had gevraagd. Ook liet hij vaak veel te veel begrip voor anderen blijken, begrip dat niemand van hem verwachtte en dat wellicht niet eens gewenst was. Hij kwam zichzelf dan opdringerig voor, wat hem een gruwel was. Het was een soort verslaving.

Hij pakte Leskov's tekst. De eerste zinnen van de tweede alinea boden weerstand, en het kwam een paar keer voor dat hij aarzelde tussen de verschillende betekenissen die het woordenboek gaf voor een woord; verschillende betekenissen leken mogelijk, en toch leek er niet één echt te passen. Maar daarna werd de tekst wat doorzichtiger, en sommige zinnen begreep hij zonder enig probleem. De opwinding die hij eerder had gevoeld bij het lezen van de eerste alinea keerde terug. Dit waren geen zinnen in een oefenboek, waarmee hij tot dusver had gewerkt, zinnen die er niet stonden omdat iemand iets bepaalds wilde zeggen, maar omdat de lezer een voorbeeld gedemonstreerd kreeg van een nieuwe grammaticale uitzondering of van een uitdrukking. In dit artikel was de taal niet het onderwerp maar een medium, en de auteur ging er zonder meer van uit dat de lezer dat medium beheerste. Je voelde je daardoor heel anders behandeld, als volwassene zogezegd, als iemand die Russisch kende. Het leek op de entree in de werkelijke Russische wereld, als een beloning voor al dat turen in het grammaticaboek.

Perlmann werd euforisch. Hij liep een paar keer heen en weer, leunde toen ver achterover in zijn stoel en vouwde zijn handen achter zijn hoofd. Voor het eerst sinds zijn aankomst voelde hij zich zeker, van zichzelf overtuigd. Hij kende Russisch, *ik ben iemand van wie je kunt zeggen: hij leest Russisch. Kon ik dat maar met Agnes delen. Dan zou er sprake zijn van tegenwoordigheid.* Hij koos het nummer van Kirsten in Konstanz, maar er nam niemand op. Waarschijnlijk had ze college, of een werkgroep.

Toch was het niet de eerste keer dat hij bij een taal dat punt passeerde. Maar deze keer was het heel anders, de verblijdende ervaring leek hem intenser dan anders. Misschien kwam het doordat hij Russisch heel lang heel moeilijk had gevonden en hij er heimelijk op had gerekend dat hij nooit zover zou komen. Of het lag aan de cyrillische letters, die hij er ook nu nog geheimzinnig vond uitzien, hoewel hij ze nu al bijna twee jaar kende. Hij keek naar het typoscript met de ogen van iemand die ze niet kon lezen, voor wie ze alleen ornament waren. Toen liet hij zijn ogen als het ware omkiepen, in de blik van iemand die niet blijft steken bij de vorm van de letters, maar die, onmerkbaar geleid door de volmaakte vertrouwdheid ermee, meteen doorstoot naar de betekenis van het geschrevene. Het is bijna niet te geloven, zei hij toen tegen zichzelf, maar ik kan het echt.

Hij las opgewonden verder, steeds bang dat de eerste twee alinea's wellicht een uitzondering waren geweest, dat hij straks bakzeil zou moeten halen en naar de teksten zou moeten terugkeren die hem weer als een scholier zouden behandelen. Maar hoewel het zakwoordenboek hem af en toe in de steek liet, lukte het, en hij werd er zo door in beslag genomen dat de geluiden uit de kamer naast hem pas met enige vertraging tot hem doordrongen. Het was alsof er iets zwaars tegen de deur stootte, toen waren twee mannenstemmen te horen, iemand zei *Prego,* het gerammel van sleutels, het in het slot klikken van de deur, voetstappen die zich verwijderden.

Pas nu bedacht Perlmann dat hij het als vanzelfsprekend had aangenomen, dat het zelfs een eis van hem was geweest dat er niemand in de kamers naast hem zou verblijven. Alsof iedereen geacht werd te weten en te respecteren dat hij een mens was die veel lege ruimte om zich heen nodig had. De nieuwe gast kuchte, toen nieste hij luidruchtig, en ten slotte snoot hij zijn neus met drie lange klaroenstoten. Perlmann schrok: zo dun waren de muren, zo gehorig was het hotel. Hij probeerde zijn blijde opwinding van zo-even terug te vinden, maar die had plaatsgemaakt voor een gevoel van bedreiging, bijna van paniek, en toen hij in het woordenboek een tijdlang tevergeefs naar een uitdrukking had gezocht, stelde hij vast dat een simpele leesfout de oorzaak was. Zijn irritatie nam van minuut tot minuut toe, en toen er in de kamer naast hem iets met een luide klap omviel, verloor hij zijn beheersing, stormde naar buiten en trommelde met zijn vuist op de belendende kamerdeur.

De man die opendeed, was Achim Ruge. Perlmann voelde het bloed naar zijn gezicht schieten.

'Ach, u bent 't,' stamelde hij en hij gaf hem een hand.

Ruge wees naar de koffer die opengevallen was waardoor de kledingstukken nu over de vloer verstrooid lagen en de wekker tussen twee schoenen lag.

'En ik had het allemaal nog wel zo netjes ingepakt,' grijnsde hij, 'veel netter dan anders. En die koffer is nog nieuw ook.'

Hij droeg een bruin pak met te korte mouwen dat aan het zondagse pak van een boer deed denken, en erbij een open, wit overhemd dat eruitzag als een afleggertje uit de jaren zestig. Maar wat Perlmann vooral fascineerde, was zijn grote, ronde hoofd, dat bijna helemaal kaal was. Op die kop zou elke kogel afketsen, dacht Perlmann steeds als hij ernaar keek. Dat dat hoofd iets grotesks had, iets van een levende doodskop, kwam door de bril, een bril met een gelig, een beetje doorzichtig montuur dat zo weinig modern was, zo weinig elegant, dat het leek alsof iemand alles op alles had gezet om het prototype van een ouderwets montuur te creëren. Die indruk werd nog versterkt doordat de ene poot met een stukje dun ijzerdraad was gerepareerd waarvan het uiteinde uitstak en de slaap van Ruge dreigde te doorboren.

De reorganisatie van het laboratorium was toch veel sneller gegaan dan hij had aangenomen, zei hij met zijn brede, Zwaabse accent. Perlmann was vergeten hoe open hij de *e* uitsprak, zodat die bijna op de *ä* leek. Hij was de hele nacht onderweg geweest en had bijna niet geslapen, zei Ruge, want in de volle tweedeklas coupé had hij zich onmogelijk kunnen uitstrekken.

'Op dat idee ben ik gewoon niet gekomen,' zei hij met een grijns toen Perlmann vroeg waarom hij niet met het vliegtuig was gekomen of in elk geval eersteklas had gereisd.

Toen Ruge naar zijn handkoffer liep om er de overdruk van een artikel uit te halen dat hij speciaal voor hem had meegebracht, zag Perlmann dat de inrichting van de kamer het spiegelbeeld vormde van zijn eigen kamer. Dat betekende dat de twee bureaus precies tegen elkaar aan stonden, als bij een concert voor twee vleugels, behalve dan dat er een muur tussen zat. Die voorstelling bracht Perlmann meteen helemaal van zijn stuk. Met een paar woorden van dank nam hij het dikke artikel, dat eigenlijk meer een dun boek was, aan en verdween naar zijn kamer, waar hij, zonder erbij na te denken, de ketting op de deur deed.

Het was nu half zes en verrassend snel, bijna overhaast, daalde de schemering over de baai. De kust bij Sestri Levante was nu een flakkerend lint van lichtjes, en nu gingen ook de lantaarns van het hotel aan, telkens vier bollampen op onregelmatige afstanden. 's Middags had hij het zuidelijke licht vervloekt omdat het hem een tegenwoordigheid voorgoochelde die hij toch nooit zou kunnen bereiken. Nu het had plaatsgemaakt voor duisternis en verdrongen was door kunstlicht, kon hij bijna niet wachten tot hij het weer zou zien. Met bedrukt gemoed, als iemand die voortdurend achter zichzelf aan loopt, miste hij nu de hypnotiserende kracht ervan, die je hielp te vergeten en die de zwaarte van het verleden kon wegnemen, zoals het ook de behoefte kon verzengen iets te plannen. Met de schemering, de getemperde kleuren en de magie van het lantaarnlicht vulde zijn inwendige ruimte zich opnieuw met alle beelden waarvoor hij het ene moment bevreesd was en waar hij het volgende moment alleen nog maar weerzin tegen voelde, en het verlangen naar een kracht die alles zou kunnen uitwissen.

De figuur die achterwaarts uit de taxi kroop en met twee enorme cameratassen worstelde die eerst aan de stoel en vervolgens aan het portier bleven haken, kon alleen Laura Sand zijn. Ze verzocht de chauffeur, die haar koffer op de stoep zette, haar sigaret vast te houden terwijl zij in de zak van haar lange zwarte jas naar geld zocht. Toen sjouwde ze de koffer trede voor trede de bordestrap op en hield met haar andere arm de cameratassen tegen als die tegen de leuning dreigden te stoten.

Perlmann liep er snel op af en merkte te laat dat hij zijn sleutel in zijn kamer had laten liggen. Bij de eerste steek in zijn enkel knikte hij op de trap door zijn knieën en strompelend en met een van pijn vertrokken gezicht kwam hij aan in de lobby, waar Laura Sand juist haar sigaret uitdrukte in de asbak die op de receptiebalie stond.

Hij was vergeten hoe goed ze erin slaagde met haar bleke gezicht, haar spottend getuite lippen en de boze schittering in haar bijna zwarte ogen een hele ruimte te vullen. Hij had zich vooral de dikke bos pikzwart mat haar herinnerd, dat aan beide zijden van een slordige scheiding tot op haar schouders viel. Ook nu, nu ze hem met een glimlach haar fijngevormde hand reikte, zat in haar blik een sceptische scherpte, die nog werd versterkt doordat ze haar hoofd constant een beetje scheef hield. Heel even vergeleek hij haar gezicht met dat van signora Morelli, die juist haar Australische paspoort aannam: het Italiaanse gezicht vormde alleen nog een prettige, maar fletse achtergrond.

Laura Sand legde nu haar zwarte leren koffer, die bezaaid was met verbleekte, bekraste en ingescheurde stickers van vreemde steden en zeldzame dieren, plat op de grond, deed de ritssluiting open en haalde uit een enorme, ordeloze hoop ondergoed, boeken en filmrolletjes een olijfgroene reisschrijfmachine tevoorschijn. Die gebruikte ze nu al bijna twintig jaar, zei ze, ook in de steppe en in het oerwoud. Twee keer al was de schrijfmachine compleet uit elkaar gehaald en weer in elkaar gezet. Uitgerekend gisteren had haar dochter het ding bij een van haar aerobicaanvallen van de tafel gemaaid, en nu kon je de wagen niet meer goed bewegen. De machine moest dringend gerepareerd worden.

'Zonder dat vervloekte ding kan ik niet denken,' zei ze met haar brede Australische accent en met een merkwaardige woede, die een bijna komisch effect had omdat die tegen niemand was gericht en haar tweede natuur leek te zijn.

'Geen probleem,' zei Giovanni, toen signora Morelli had vertaald. Hij was juist binnengekomen om met zijn avonddienst bij de receptie te beginnen, en had nog meer brillantine in zijn haar dan gisteravond, toen Perlmann helemaal gek was geworden door zijn traagheid van begrip en zijn nonchalante commentaren. Hij kende wel iemand die dat in een handomdraai in orde kon maken, zei hij. Hij kon zijn blik niet afhouden van Laura Sand's gezicht, en in plaats van een bediende te bellen, nam hij, met zijn jas nog aan, haar koffer zelf op en ging haar voor naar de lift.

Toen het kamermeisje dat de deur van zijn kamer voor hem had opengedaan weer weg was, pakte Perlmann opnieuw Leskov's tekst. Nu het tot de aankomst van Brian Millar hoogstens nog een uur zou duren, was het voor hem van groot belang een verdedigingswal van begrepen Russische zinnen om zich heen op te trekken. Hoe meer zinnen hij nog op elkaar kon stapelen, hoe minder de man met de rossige gloed in zijn donkere haar hem kon deren.

Maar het lukte Perlmann niet om ook maar een enkele van de volgende zinnen te vertalen. Net als gisteren in het vliegtuig werd hij verlamd door een soort ziende blindheid, en toen hij er eindelijk weer in slaagde de woorden goed te lezen, bakte zijn geheugen hem de ene poets na de andere. Hij voelde angst in zich opkomen als een gif dat diep beneden was vrijgekomen en nu onstuitbaar naar boven drong. Terwijl hij in het donker voor het raam stond en een sigaret rookte, zocht hij zijn toevlucht bij de lach van Evelyn Mistral, en daarna bij Laura Sand's boze blik. Maar hij was er niet zeker van dat die twee gezichten iets konden uitrichten tegen Millar, en de angst ging niet weg.

Terwijl er eigenlijk geen enkele reden was om bang te zijn. Goed, ze hadden elkaar van meet af aan niet gemogen. Maar dat voorval destijds in Boston was toch echt heel onschuldig geweest, eerder kinderachtig, en niet iets wat een reden kon zijn voor vijandschap.

Millar was met zijn vriendin Sheila gekomen, een schoonheid met lang, blond haar en een erg korte rok. Hij was ongemeen trots op haar en behandelde haar als een angstvallig gekoesterd bezit. De collega's hingen pluimstrijkend om haar heen en maakten haar op de idiootste manieren het hof. Perlmann deed helemaal niets. Hij trok zich in de pauzes en soms ook tijdens de lezingen terug in een stil hoekje van het gebouw en las een pocket met korte verhalen. Sheila slenterde af en toe verveeld door de gangen en rookte. Als ze in zijn buurt kwam, wierp ze hem een nieuwsgierige blik toe en liep door. Op de derde dag van de conferentie kwam ze naast hem zitten en vroeg wat hij toch de hele tijd zat te lezen. Of zij niet ook liever heel ergens anders was, vroeg hij na een poosje. De vraag verblufte haar, ze begon te lachen en opeens ontstond er een vertrouwdheid tussen hen waarvan het bekoorlijke was dat die flinterdun en zonder geschiedenis was. Ze gingen samen naar de kantine en praatten schertsend met elkaar, want zijn droge, melancholieke humor beviel Sheila wel. Toen ze iets wat hij zei heel erg grappig vond, legde ze een arm om zijn schouder, haar hoofd was heel dicht bij het zijne, haar haar streek langs zijn wang, hij voelde haar adem en rook haar parfum. Hij draaide zijn hoofd weg, en precies op dat moment kwam Millar, die met een paar collega's uit een zitting kwam, de kantine binnen. Hij zag ze in die intieme houding, Perlmann met een blos op zijn gezicht. Hij liet zijn collega's staan, kwam met snelle stappen naar hen toe en pakte Sheila bij haar arm alsof hij haar ter verantwoording wilde roepen en weer in bezit wilde nemen. Ze verzette zich, er kwam bijna een scène van, en dat alles onder de nieuwsgierige blikken van de binnenstromende collega's. Perlmann deed niets, hij hield alleen zijn dienblad stevig vast en merkte dat hij er niet in slaagde een geamuseerde glimlach te onderdrukken, die Millar niet ontging.

'S Middags was het Perlmann's beurt om een voordracht te houden. Millar zat met Sheila op de eerste rij, Perlmann zag haar glanzende nylons en haar metalen naaldhakken. Op het bord maakte hij in een formule een domme fout. Het was een heel onschuldig foutje, en feitelijk speelde het voor het vervolg van zijn betoog geen enkele rol. Millar's hand schoot omhoog al voordat de gespreksleider klaar was met zijn inleidende woorden tot de discussie. Met een understatement dat droop van het sarcasme wees hij op de fout. Perlmann raakte in paniek, maakte het in zijn poging de fout te corrigeren nog veel erger en veegde het correcte deel van de formule uit. Millar sloeg zijn benen over elkaar, kruiste zijn armen voor zijn borst en hield zijn hoofd scheef. 'Nee, dat had u nu juist moeten laten staan,' zei hij langzaam en met een boosaardig glimlachje. Het was te zien dat hij genoot. Uiteindelijk greep de grijsharige gespreksleider, een autoriteit in zijn vak, met een rustige stem in. Perlmann vond zijn evenwicht terug, veegde zonder haast de hele formule uit en schreef zonder te aarzelen de correcte op het bord. Toen liep hij langzaam terug naar het spreekgestoelte, trok de microfoon met de zorgvuldigheid van een acteur naar zich toe en vroeg, terwijl hij naar Millar keek: 'Tevreden?' Hij vond tot zijn geluk een toon en een uitdrukking op zijn gezicht die de stemming in de zaal te zijnen gunste deed verkeren, want er klonk zacht gelach. Sheila draaide haar hoofd naar Millar en keek met een blik vol nieuwsgierigheid en leedvermaak naar hem. Hij wierp haar een giftige blik toe.

Toen Perlmann de volgende morgen met zijn koffer in de hand de hotellobby betrad, waren Millar en Sheila juist door de draaideur naar buiten gegaan. Sheila keek nog een keer om en zag hem. Millar had het portier van de taxi al in zijn hand en draaide zich ongeduldig naar Sheila om toen ze hem iets toeriep, rechtsomkeert maakte en de draaideur in glipte. Heel even zat ze erin gevangen omdat aan de andere kant een bejaard echtpaar, zij met een dikke bontmantel en een hoedendoos, klem was komen zitten, en pas na enig trekken en duwen kwam de draaideur weer in beweging. Sheila beende op haar hoge hakken op Perlmann toe en drukte met voor de grap overdreven getuite lippen een kus op zijn wang. Toen was ze alweer bij de deur, draaide zich nog een keer om en zwaaide naar hem met ironisch bedoelde aanstellerigheid. De anderen keken toe en lachten, een collega wees naar Perlmann's wang, waar een afdruk zat van Sheila's lila geverfde lippen. Sheila keek door het glas van de deur en glimlachte, haar tong tussen haar tanden. Met een ijzig gezicht hield Millar nog steeds het portier van de taxi open. Sheila stapte in en trok haar korte rok recht.

Ruge en Von Levetzov hadden destijds, toen ze de uitnodiging ontvingen, meteen geïnformeerd of Millar ook van de partij zou zijn. Misschien zouden ze ook zonder hem zijn gekomen. Maar Perlmann had geen enkele reden kunnen bedenken waarom hij die

Brian Millar, wiens naam op ieders lippen was, had kunnen passeren.

Hij deed het licht aan en nam een douche. Thuis douchte hij nooit overdag. Maar nu moest alles worden afgespoeld, zodat hij de man met de zo uiterst wakkere blik nieuw en onbevangen tegemoet kon treden. Net als gisteravond en ook vanochtend stond hij heel lang onder de douche, *je zou de indruk kunnen krijgen dat ik smetangst heb.* Hij probeerde zichzelf wijs te maken dat het vele water zijn gestuntel en zijn gedienstigheid van die middag ongedaan kon maken. Het diner straks, zei hij tegen zichzelf, was het eigenlijke begin. Alles wat tot dusver was gebeurd, was toeval en telde niet mee.

Toen hij het water uit zijn oren had geschud en de telefoon hoorde, dacht hij meteen dat die al heel lang had gerinkeld. Druipnat liep hij door de kamer. Terwijl hij de hoorn oppakte keek hij naar zijn natte voetsporen op het duifblauwe tapijt en voelde een wanhopige woede opkomen over zijn gedienstigheid, die met al zijn goede voornemens spotte.

'*Hi, Phil,*' zei de stem alleen. Perlmann herkende hem meteen. De twee lettergrepen waren genoeg om hem weer in herinnering te brengen wat hij destijds, na zijn terugkeer uit Boston, zonder veel succes aan Agnes had geprobeerd uit te leggen: die stem vormde de woorden zonder enige distantie in acht te nemen. De intonatie ervan maakte niet alleen duidelijk dat dit de moedertaal van de spreker was, zij was niet alleen uitdrukking van de vanzelfsprekendheid waarmee die taal de spreker ten dienste stond; er speelde veel meer mee: de intonatie bevatte, daar kon ook Agnes' gefronste voorhoofd hem niet van afbrengen, de boodschap dat dit de enige werkelijk serieus te nemen taal was. *Laatdunkend, snap je, zijn opdringerige, sonore stem klinkt laatdunkend, hij praat alsof het de eigen schuld is van alle anderen en bovendien meelijwekkend dat zij niet ook dat oostkust-Amerikaans, die yankeetaal spreken. Die laatdunkendheid, die sonore arrogantie, dáár werd ik razend van.*

'*Hi, Brian,*' zei Perlmann, '*how are you.*'

'*Oh, fine,*' zei de stem, en nu wist Perlmann weer heel zeker dat het allemaal precies klopte wat hij destijds tegen Agnes had gezegd.

'Overigens, Phil,' ging de stem verder, en nu ergerde Perlmann zich weer verschrikkelijk aan de Amerikaanse gewoonte voornamen af te korten, 'ik logeer, schijnt het, pal naast u.'

Perlmann zag Ruge's bureau voor zich, dat tegen het zijne aan stond, en hij kreeg het gevoel dat de twee muren van zijn kamer door enorme bulldozers steeds dichter naar elkaar toe werden geschoven, tot ze hem platdrukten.

'*How nice*,' hoorde hij zichzelf zeggen, en hij had de indruk dat hij met die nietszeggende woorden zijn nederlaag al had bezegeld. Nog nooit had hij zich, waar hij ook in z'n blootje had gestaan, zo naakt gevoeld.

'Ik ook,' zei hij ten slotte, toen Millar zei dat hij zich er zeer op verheugde hem straks bij het eten te ontmoeten.

Rond zijn voeten was een grote vochtvlek ontstaan, die in omvang almaar toenam. Hij had het koud en ging weer onder de douche staan. Het was duidelijk, dacht hij, in deze kamer kon hij niet blijven. En de nieuwe kamer moest heel ver weg zijn, op een andere verdieping en zo mogelijk in de andere vleugel van het hotel.

Maar wat voor reden moest hij signora Morelli geven als hij erom vroeg? En hoe kon hij voorkomen dat Ruge en Millar zijn verhuizing als iets persoonlijks opvatten? Hij moest iets kapotmaken, waardoor de kamer onbewoonbaar werd, iets wat niet snel gerepareerd kon worden. Vlug droogde hij zich af, schoot zijn badjas aan en keek om zich heen. Misschien de telefoon uit de muur trekken en beweren dat hij over het snoer was gestruikeld. Maar een telefoonaansluiting kon snel gerepareerd worden, veel te snel. Of iets aan de kabelaansluiting van de televisie verbuigen en dan zeggen dat hij per ongeluk de ladekast ertegenaan had geduwd. Maar ook een kabelaansluiting was gemakkelijk te vervangen. In de badkamer zag hij niets belangrijks wat hij kapot kon maken zonder dat het op opzet zou lijken. Iets over het tapijt gieten, bijvoorbeeld een grote kan koffie. Maar wegens een vlek in het tapijt vroeg je toch niet om een andere kamer, al helemaal niet als je die vlek zelf had veroorzaakt.

Achim Ruge snoot zijn neus en trompetterde daarbij nog luider dan 's middags. Kort daarna klonk uit de kamer van Millar pianomuziek. Bach. Trillend van woede zocht Perlmann op de radio, die op het nachtkastje stond, een zender. Niets. Millar moest een bandrecorder of een radio met cassetterecorder hebben meegebracht.

Tegen zijn zin in luisterde hij. Hij kende de compositie niet. Voor Bach had hij nooit een geheugen gehad. Op het conservatorium had hij het nooit durven zeggen, maar de meeste van Bach's werken voor klavecimbel vond hij monotoon en saai. In het geheim, had hij vaak gedacht, was het voor Bela Szabo ook zo geweest. Anders had die, net als de andere docenten, er wel op gestaan dat Perlmann in elk geval een minimum aan Bach had gespeeld.

Perlmann pakte de Russische grammatica. Leskov's tekst, voelde hij, zou hem ook nu weer boven de pet gaan. Maar hij zou nu in elk geval eindelijk eens de Russische varianten voor *moeten* uit zijn hoofd kunnen leren. Dan had hij iets, een kleine vooruitgang waaraan hij zich kon vastklampen als hij straks naar beneden moest voor het diner. Hij liep met het opengeslagen boek in zijn hand heen en weer, af en toe sprak hij de woorden luider dan hij gewoon was hardop uit om zich te verdedigen tegen Millar's Bach en tegen Ruge's opnieuw hoorbare neussnuiten.

Even voor achten stond hij gekleed in zijn grijze flanellen broek en zijn donkerblauwe blazer voor het raam en keek toe hoe mensen van buiten de bordestrap opkwamen om in het gerenommeerde restaurant van het MIRAMARE te eten. Een ruit inslaan. Hij kon zeggen dat het door onhandigheid kwam en het zou een reden zijn van kamer te veranderen nu de nachten al tamelijk kil werden. Maar ook een ruit was snel vervangen. *Weglopen, gewoon weglopen, de bordestrap af en de oeverpromenade op, ginds om die uitstekende rots heen, uit het gezichtsveld verdwijnen en dan almaar verder lopen, almaar verder.* Hij balde zijn vuisten in zijn zakken tot zijn nagels in zijn handpalmen sneden. Op weg naar de deur stond hij stil en herhaalde twee keer het lijstje voor *moeten.* Hij had het. Nu komt het erop aan laconiek te zijn, dacht hij toen hij de deur dichttrok, niet onvriendelijk, maar laconiek.

Op de trap stelde hij tot zijn schrik vast dat het al over half negen was en dat hij te laat kwam voor het eerste gezamenlijke avondeten. Nog steeds een beetje strompelend betrad hij de elegante eetzaal met de stralende kroonluchters. Toen hij de collega's aan een grote, ronde tafel zag zitten, besefte hij dat hij geen flauw idee had wat hij ter officiële verwelkoming moest zeggen.

3 Millar keek op zijn horloge en stond op, maar hij kwam hem niet tegemoet. Hij droeg bij zijn grijze boek een donkerblauw double-breasted colbert en op een fijngestreept overhemd een marineblauwe stropdas, waarop met goudgeel garen een gestileerd anker was geborduurd. Zijn voorkomen en zijn kaarsrechte houding deden aan een marineofficier denken, een indruk die nog werd versterkt doordat zijn hoekige gezicht met de wilskrachtige kin gebruind was alsof hij wekenlang op zee had vertoefd. Zoals hij daar met zijn brede schouders bij de tafel stond, terwijl zijn collega's waren blijven zitten, maakte hij de indruk de aanvoerder van het hele gezelschap te zijn die ter begroeting van een laatkomer was opgestaan.

'*Good to see you, Phil*,' zei hij met een glimlach waardoor zijn grote witte tanden zichtbaar werden. Zijn handdruk was zo kort en krachtig dat bij Perlmann een gevoel van totale passiviteit opkwam.

'*Yes*,' mompelde hij, en hij ergerde zich over zijn stomme reactie. Net als destijds in Boston waren het de staalblauwe ogen achter de fonkelende bril die hem innerlijk deden krimpen tot het formaat van een scholier, een kleine blaag die zich er met een bedrukt gevoel van bewust werd dat hij zich tegenover zijn docent nog helemaal waar moest maken. Die Millar had een nachtvlucht achter de rug en een bespreking met Italiaanse collega's, en toch keken die ogen zo uitgeslapen, wakker en rustig alsof hij zojuist was opgestaan. Fit, dacht Perlmann, en hij zag het lachende gezicht van Agnes, als hij zijn onverklaarbare haat tegen dat woord weer eens de vrije loop had gelaten.

Terwijl de anderen al achter een leeg bord zaten, lepelde Perlmann haastig zijn soep. Hij was blij dat er tussen hem en Millar een plaats was opengehouden voor Giorgio Silvestri. Iets tussen hem en Millar zat nog niet helemaal goed, was hij zich opeens heel helder bewust; een verzuim, maar hoe het ook alweer zat, wilde hem niet te binnen schieten. Pas toen hij Von Levetzov Millar hoorde bedanken voor de overdruk van een artikel die hij hem had gestuurd, herinnerde hij zich het pakje met de vier overdrukken dat hij in augustus had ontvangen, voorzien van het stempel FIRST CLASS MAIL, een tekst waarbij Perlmann altijd aan diplomatieke post moest denken die per ongeluk bij hem terecht was gekomen.

Het pakje had op zijn bureau gelegen toen hij op een middag, nadat mevrouw Hartwig al naar huis was, naar het instituut was gegaan, zonder vooropgesteld doel, alleen maar om zich ervan te vergewissen dat hij nog bij de universiteit hoorde. Thuis had hij de spullen meteen in de kast gestopt die al uitpuilde van de overdrukken die hem waren toegestuurd en waarvan er regelmatig een paar op de grond vielen. In het begin, als assistent en privaatdocent, had hij op elke overdruk met een brief gereageerd die regelmatig de lengte had van een recensie. Er was een uitgebreide correspondentie ontstaan omdat hij geen idee had wanneer er een eind kwam aan zo'n briefwisseling, en het was hem nooit gelukt de brief van de ander als de laatste brief te beschouwen. De anderen voelden zich serieus genomen, ook gevleid, het was voor hen een aanleiding hun werk nader toe te lichten; ook was het regelmatig voorgekomen dat Perlmann in een latere overdruk de vermelding vond dat dit nieuwe artikel op een bijzonder stimulerende correspondentie met hem stoelde. Het had hem altijd zeeën van tijd gekost en het kwam hem voor alsof hij de zelfbenoemde en tegelijk tewerkgestelde trainingsmakker van de anderen was, maar zelf geen stap verder kwam. Later, met zijn verplichtingen als hoogleraar, had hij onmogelijk tijd kunnen vinden voor zo'n uitgebreide correspondentie. Hij had geen middenweg gevonden en was er van de ene dag op de andere toe overgegaan domweg niet meer te reageren.

Zelf had hij nooit overdrukken verstuurd; alleen wanneer iemand er een aanvroeg, had zijn secretaresse een exemplaar van de stapel gepakt. Hij had nooit kunnen geloven – werkelijk geloven – dat anderen wilden lezen wat hij schreef. De gedachte dat iemand zich met hem kon bezighouden, vervulde hem met gêne. En dat gevoel ging vreemd genoeg gepaard met een onverschilligheid die gelijkstond met heiligschennis, omdat die de hele academische wereld in twijfel trok. Toch was het geen arrogantie, dat wist hij heel zeker. En het feit dat de anderen zijn teksten blijkbaar lazen en zijn aanzien almaar toenam, veranderde niets aan dat gevoel. Elke keer als hij de kast opendeed, kwamen de stapels ongelezen artikelen, die hem dreigden te bedelven, hem voor als een tijdbom, ook al kon hij onmogelijk zeggen waaruit de explosie zou bestaan.

'Ik heb nog helemaal niet de gelegenheid gehad u te feliciteren met uw prijs,' zei Von Levetzov tegen Perlmann toen de ober de soepborden had afgeruimd. Het klonk alsof hij een lange aanloop had moeten nemen om die opmerking te kunnen maken, een aanloop die al boven in zijn kamer was begonnen, of misschien zelfs al tijdens de reis. Von Levetzov wuifde de rook weg die van de zijde van Laura Sand naar hem toe dreef en richtte zich toen tot Evelyn Mistral.

'U moet namelijk weten dat onze vriend hier onlangs een prijs heeft gewonnen die de hoogste erkenning voor wetenschappelijke prestaties inhoudt die er in ons land bestaat; het is bijna een kleine Nobelprijs.'

'*Well...*' bracht Millar in.

'Jawel, jawel,' ging Von Levetzov verder, en nadat hij op het gezicht van Ruge tevergeefs naar een bevestiging had gezocht, voegde hij er met een zelfgenoegzame glimlach aan toe: 'Het verbaast je soms een beetje wie de prijs krijgt, maar ik ben ervan overtuigd dat het in dit geval een zeer terechte beslissing was.'

Perlmann hield zijn glas met beide handen vast en keek zo geconcentreerd naar het ronddraaiende mineraalwater alsof hij in een laboratorium het resultaat van een experiment bestudeerde. Hetzelfde had hij destijds bij de prijsuitreiking gedaan, toen in een toespraak zijn kwaliteiten werden geroemd. Twee weken na de dood van Agnes had hij ook onder kroonluchters gezeten, gevoelloos, doof voor alles, blij dat van hem geen toespraak werd verwacht. *Ongetwijfeld is het binnenkort uw beurt.* Die zin had Perlmann al gevormd, maar hij slaagde er tot zijn verbazing niet in hem uit te spreken. Een klein, heel klein stapje in de richting van het ideaal van niet-gedienstigheid. Opeens voelde hij zich veel beter, en zijn stem klonk bijna opgeruimd toen hij tegen Evelyn Mistral zei: 'Zulke beslissingen hebben altijd ook iets toevalligs. Dat is in Spanje zeker niet veel anders?'

Daar was het precies zo, zei ze. Voorzichtig uitgedrukt. Wat haar het meest ergerde, was dat vaak professoren werden onderscheiden die in feite allang waren opgehouden met werken, die alleen nog op hun merites uit het verleden teerden en, beschermd door een jaren geleden opgebouwde reputatie, geen klap meer uitvoerden.

'Het zou je verbijsteren, Philipp, als je dat zag. Dat zijn mensen bij wie helemaal niets meer uit de handen komt!'

Op haar voorhoofd, vlak boven haar neus, had zich een nauwelijks zichtbare lichtrode streep gevormd. Perlmann had haar *you* als *jij* opgevat, en de spanning tussen die vertrouwelijkheid en haar verontwaardiging, die als een groot, scherp mes door hem heen sneed, was bijna niet uit te houden. *Waarom heb ik in hemelsnaam gedacht dat zij anders was. Vanwege die rode olifant?*

Hij was blij met de drukte die Von Levetzov over het eten maakte om te laten zien dat hij een fijnproever was. De stilte die daarna viel en waarin je alleen nog het geluid van het bestek en de stemmen aan de andere tafels hoorde, vatte hij op als een teken dat hij van nu af aan niet meer in het centrum van de aandacht stond.

'Overigens, Phil,' doorbrak Millar de stilte, 'die kwestie met die prijs verbaast me niet. De dag voor mijn vertrek was ik nog bij Bill in Princeton – u kent Bill Saunders wel –, en die vertelde me dat ze u binnenkort zullen uitnodigen voor een gastdocentschap. Die weten daar heel goed wat ze doen,' voegde hij er met een glimlach aan toe waarin, zo kwam het Perlmann voor, de gebruikelijke hoogachting voor Princeton gepaard ging aan een met moeite op afstand gehouden en toch zichtbare twijfel aan de wijsheid van die speciale beslissing.

Hoewel hij het vismes uit louter wanhoop zo krampachtig vasthield alsof hij er een stuk taai vlees vol pezen mee moest fijnsnijden, was Perlmann trots dat het hem lukte Millar niet aan te kijken. *Niets zeggen. De stilte uithouden.*

'Bill was overigens een beetje boos dat u hem niet ook hebt uitgenodigd,' zei Millar ten slotte, en doordat in zijn stem irritatie meeklonk over het uitblijven van Perlmann's reactie, leek het alsof hij zelf Bill Saunders was die zich beklaagde.

'Ach, werkelijk?' zei Perlmann, en hij keek Millar heel even aan. Hij was blij met de mild ironische toon die hem was gelukt, en nu keek hij Millar opnieuw aan, langer, en heel rustig. *Die ogen zijn niet staalblauw, maar porseleinblauw.* In Millar's grijns, dacht hij, zat een zweem van onzekerheid, en dat hij nu uitvoerig over Princeton in het algemeen begon te praten, leek die indruk te bevestigen. Maar in plaats van een gevoel van triomf ontstond in Perlmann opeens een vacuüm, en toen werd hij overweldigd door de gevoelens van iemand die wordt achtervolgd. *Waarom laten ze me niet met rust.* Terwijl hij uiterst langzaam graten verwijderde, onderdrukte hij de impuls om op te staan en weg te rennen. Opgelucht liet hij het gebeuren toen hij merkte hoe hij ook nu weer tot razernij werd gebracht door Millar. Gretig stortte hij zich in zijn woede.

Millar dook in zijn zinnen, vooral in de idiomatische, tot de spreektaal behorende uitdrukkingen, met een genot dat Perlmann weerzinwekkend vond. *Poedelen. Hij poedelt in zijn taal.* Perlmann haatte dialecten, en hij haatte ze omdat ze vaak op precies dezelfde manier werden gesproken, met dezelfde opdringerige aanmatiging als waarmee Millar zijn yankee-Amerikaans sprak. Het allerergst vond hij het dialect waarmee hij was opgegroeid. Dat zijn ouders hem uiteindelijk vreemd waren geworden, had daar veel mee te maken. Hoe ouder ze werden hoe koppiger ze eraan vast hadden gehouden plat Duits met hem te spreken, en hoe erger die koppigheid was geworden des te hardnekkiger had hij met hen Hoogduits gesproken. Het was een stil gevecht met woorden geweest. Er met elkaar over praten was onmogelijk. Wat had het voor zin hun te zeggen dat hun opvattingen steeds verstarder en dogmatischer werden en dat dat in hoofdzaak kwam doordat ze zich steeds meer door de uitdrukkingen en metaforen van het dialect lieten leiden, en door de vooroordelen die daarin verscholen lagen.

De man met de opgerolde mouwen, het open overhemd en het bleke, ongeschoren gezicht die bij de deur om zich heen keek en nu op hen toe kwam, moest Giorgio Silvestri zijn. Toen Perlmann hem een hand gaf en de gelaten, ironische wakkerheid in zijn donkere ogen zag, die zo heel anders was dan Millar's alerte wakkerheid, voelde hij zich meteen voor hem ingenomen. Hij had het gevoel dat er met die magere, zo broos lijkende Italiaan, die een sjofele indruk maakte totdat je zijn kleren van dichtbij zag, iemand was aangekomen die hem zou kunnen helpen. En toen hij meteen een Gauloise opstak en de rook in Millar's gezicht blies, was Perlmann er heel zeker van. Het stoorde hem alleen een beetje dat hij op Evelyn Mistral's begroeting in vloeiend, accentvrij Spaans reageerde en daarvoor door haar met een stralende lach werd beloond.

Zijn Engels was bijna even vloeiend als zijn Spaans, hoewel niet helemaal zonder accent. Laura Sand, die hem voortdurend bleef aankijken, sprak hem daarop aan, en hij vertelde over de twee jaar die hij in een psychiatrische inrichting in Oakland bij San Francisco had gewerkt.

'East Oakland,' zei hij tegen Millar, en toen hij diens zure glimlachje zag, dat vergezeld ging van een gefronst voorhoofd, vervolgde hij: 'Daarna had ik er genoeg van. Niet van de patiënten, van hen krijg ik nu nog steeds brieven. Maar van het genadeloze, eigenlijk moet ik zeggen barbaarse Amerikaanse gezondheidsstelsel.'

Millar ontweek de volgende rookwolk alsof die uit gifgas bestond. '*Well*,' zei hij ten slotte, slikte weg wat er op zijn tong lag en wijdde zich aan zijn dessert.

Silvestri bestelde bij de ober, die hij als een oude bekende behandelde toen hij zijn Florentijnse accent hoorde, een speciaal dessert en een driedubbele espresso. Perlmann maakte er een grapje over, en toen gebeurde het: hij viel weer ten offer aan zijn aanrakingstic.

Al jaren vocht hij tegen de gewoonte om mensen, vooral mensen die hij nog maar kortgeleden had leren kennen, aan te raken wanneer hij zich met een wervend grapje of een persoonlijke opmerking tot hen richtte. Zoals ook nu bij Silvestri legde hij dan aan tafel zijn hand op hun onderarm, en als hij stond overkwam het hem vaak genoeg dat hij zijn arm om hun schouders legde. Er waren mensen die om die reden in hem simpelweg een spontaan, hartelijk iemand zagen, en er waren anderen die niets moesten hebben van zijn gedrag. Zijn aanrakingsmanie maakte geen onderscheid tussen mannen en vrouwen, en bij vrouwen leidde het niet zelden tot misverstanden. De tegenwoordigheid van Agnes had geholpen, maar niet altijd, en als ze er wel eens getuige van was, kon je van haar gezicht aflezen hoe raadselachtig en zelfs vervelend ze het vond dat uitgerekend hij, die het liefst aan de rand van grote, lege pleinen zat, zo'n tic had. Voor hemzelf was het niet minder raadselachtig, en hij ervoer de aanrakingsdwang elke keer als een barst die dwars door hem heen liep.

Het was Von Levetzov's idee om na het eten samen naar de salon te gaan, waar okergele fauteuils stonden. Brian Millar, die als laatste binnenkwam omdat hij het kleine vertrek had geïnspecteerd waarin de ronde speeltafels met het groene vilt stonden, bleef staan en liep naar de vleugel.

'Een Grotrian Steinweg,' zei hij, 'die prefereer ik boven elke andere Steinway.' Hij sloeg een paar toetsen aan en deed toen de klep weer dicht. 'Een andere keer,' glimlachte hij toen Von Levetzov hem vroeg iets te spelen.

Perlmann voelde dat hij opeens meer moeite had met ademen. *Dat kan hij dus ook nog.* Hij vroeg de ober, die de drankjes bracht, een raam open te zetten.

Von Levetzov hief zijn glas. 'Omdat niemand anders het doet, wil ik hiermee iedereen verwelkomen en toosten op de goede samenwerking,' zei hij met een steelse blik naar Perlmann, die voelde hoe het zweet in zijn handen zich mengde met het condenswater op het glas. 'En daar is de plek waar we dus zullen werken,' ging Von Levetzov verder, en hij wees naar de deur van de veranda, waar drie treden naartoe leidden. 'Een perfecte ruimte voor ons doel, ik heb er al even een kijkje genomen. Hij heet de Marconi-veranda, naar Guglielmo Marconi, een pionier van de radiotechniek, zoals het bordje aan de buitenkant vermeldt.'

Perlmann, die het bordje niet had opgemerkt, keek naar zijn nieuwe schoenen, die hem pijn deden. De pijnlijke druk, die voor altijd verbonden zou blijven met confirmatie en met harde kerkbanken, versmolt met een gevoel van gloeiende schaamte over de vergeten toespraak ter verwelkoming en met zijn almaar groter wordende, machteloze irritatie over Von Levetzov, die zich nu opwierp als reisleider.

'Nu ontbreekt alleen nog Vasili Leskov,' zei Laura Sand. Het kwam Perlmann voor alsof ze zijn gedachten had gelezen en nu, door over te gaan op iets anders, probeerde te voorkomen dat de anderen opstonden om de veranda te gaan bekijken. 'Wanneer komt hij? En wie is hij eigenlijk?'

Hij was een taalpsycholoog zonder vaste aanstelling aan de universiteit, vertelde Perlmann. Alleen af en toe kreeg hij een tijdelijke aanstelling. Hoe hij financieel het hoofd boven water hield, kon hij niet zeggen. Indrukwekkend was hoe goed Leskov was in beschrijvingen, veel beter dan de meeste anderen in zijn vakgebied. Hij liet je beseffen dat het er veel meer dan welke theorie ook op aankwam onze ervaringen met taal heel nauwkeurig te beschrijven. Wel was het zo dat hij een ouderwetse introspectieve psychologie bedreef waarmee je tegenwoordig geen hoge ogen meer gooide. Maar juist dat, zei Perlmann, had hij bij het gesprek destijds in Sint-Petersburg zo interessant gevonden.

'Spreekt u dan ook Russisch?' vroeg Von Levetzov geïrriteerd.

Op die vraag had Perlmann niet gerekend, maar hij aarzelde geen moment.

'Nee, nee,' zei hij en hij kreeg het zelfs voor elkaar er spijtig bij te glimlachen. 'Geen woord. Maar hij spreekt perfect Duits. Zijn grootmoeder was Duitse, en zij sprak met hem alleen in haar moedertaal toen hij, na de dood van zijn vader, een paar jaar bij haar inwoonde. Zijn Engels was nogal onbeholpen, vertelde hij me; maar hij had zich hier ongetwijfeld kunnen redden.'

Perlmann had geen idee waarom hij loog, en hij had er moeite mee dat hij het zo vanzelfsprekend had gedaan. Evelyn Mistral, die hij nu aarzelend aankeek, keek naar hem met een gezicht waarin bedachtzaamheid en schalksheid elkaar afwisselden. Nu zijn we handlangers, dacht hij, en hij wist niet of hij daar blij om was of dat het gevoel van zojuist ontstane kwetsbaarheid de overhand had.

'Helaas heeft hij geen uitreisvisum gekregen,' besloot hij, en hij tastte met een opluchting die hem verbaasde naar zijn sigaretten.

'Nu moeten we toch eens een kijkje gaan nemen in die veranda,' zei Achim Ruge, toen het gesprek verzandde in de situatie in de voormalige Sovjet-Unie en Millar geeuwend op zijn horloge keek.

Perlmann beklom als laatste de drie treden. *Hoe zal het zijn als ik ze op die dag afdaal.*

Ruge was vooraan gaan zitten, in de stoel met de hoge leuning, waarvan de geborduurde kussens aan gobelins deden denken. 'Wanneer iemand die hier zit niets te zeggen heeft, is het zijn eigen schuld,' zei hij met een hikkend lachje, en hij maakte daarmee iedereen aan het lachen. Perlmann deed alsof hij de wapenschilden met de kwasten bekeek die langs de hele muur liepen.

'Wat heb jij dan over taal te zeggen, Achim?' hoorde hij Evelyn Mistral vragen, die een strenge lerares probeerde na te doen. 'Of ben je soms vergeten je huiswerk te maken?'

Opnieuw gelach. Alleen Laura Sand lachte niet mee, zij onderzocht de oude dekenkist die in een hoek stond. Nu staken ze elkaar de loef af met een zogenaamd kruisverhoor waarbij ze sterk overdreven. Ruge speelde met groot plezier de lepe stommeling, die doet alsof hij helemaal in zijn schulp kruipt. Perlmann voelde zijn hart in zijn keel kloppen. Toen Silvestri een droge opmerking maakte en vervolgens zijn sigaret met een vliegensvlugge beweging van zijn tong in zijn mond liet verdwijnen, sloeg Evelyn Mistral's hoge stem over van het lachen. Perlmann wachtte niet meer af wat Millar, die juist diep inademde, ging zeggen. Als verdoofd verliet hij het vertrek, liet zich door Giovanni de sleutel van zijn kamer geven en hompelde met pijnlijke tenen haastig de trap op.

Hij deed de ketting voor de deur, trok in het donker zijn knellende schoenen uit en liet zich op het bed vallen. Meteen begonnen de zinnen door zijn hoofd te spoken, de zinnen die tijdens het avondeten en zonet in de veranda waren uitgesproken, zinnen over de prijs, over Princeton, over luie Spaanse professoren, over huiswerk dat niet was gemaakt. Ze kwamen telkens terug, die zinnen, opdringerig als een echo die maar niet ophield en niet wegstierf.

Perlmann kende het maar al te goed, dat almaar rondzingen van zinnen, de verslaving zich vast te klampen aan eenmaal uitgesproken zinnen. Altijd als hij daarin werd meegesleurd, kwam het hem voor alsof hij het grootste deel van zijn leven had doorgebracht met op die manier naar zinnen te luisteren die hem hadden gekwetst of beangstigd. Agnes had eronder geleden dat hij soms na dagen, zelfs weken, opeens met zo'n zin kwam en er een gewicht, een dramatiek aan toekende die zo'n zin nooit had gehad – maar alleen had gekregen omdat hij er zo lang op had gekauwd, tijdens wandelingen of slapeloze nachten. Vaak kon zij zich niet eens herinneren dat ze iets dergelijks had gezegd. En dan beschouwde hij dat opnieuw als hoon, en het maakte hem op een machteloze manier woedend. Hij was dan verbitterd, voelde zich door iedereen in de steek gelaten en sloot zich op. Agnes zei hem hoe gevaarlijk dat geheugen voor zinnen was, hoe gefrustreerd zij ervan raakte. Ze durfde nooit meer spontaan iets te zeggen als alles wat ze zei op een goudschaaltje werd gewogen en haar later als een misdaad voor de voeten werd geworpen. Hij had het ingezien en kortstondig had het inzicht geholpen. Maar de eerstvolgende keer was hij opnieuw in de fout gegaan.

Hij ging overeind zitten en deed het licht aan. Morgenochtend, tijdens de eerste zitting van de werkgroep, zou hij de regie moeten voeren. Hij zou dat omzichtig en met overwicht moeten doen om ervoor te zorgen dat hij zo laat mogelijk aan de beurt kwam met zijn bijdrage. Daar had hij een helder, uitgeslapen hoofd voor nodig. Maar met het donker zouden ook de zinnen terugkomen.

Hij ging naar de badkamer en zag de lange blik voor zich die de dokter hem had toegeworpen voordat hij het recept uitschreef voor twintig sterke slaappillen. *Hij is een patente vent en een goede dokter; maar voor iemand die niet kan slapen, heeft hij geen begrip, dat kent hij niet.* Perlmann nam een halve slaappil, *in geen geval méér.* Toen zette hij de wekker op zeven uur. De zitting zou om negen uur beginnen. Ruge, Millar en Von Levetzov hadden aan dat tijdstip vastgehouden, hoewel het voor Millar's biologische klok dan nog midden in de nacht was.

Perlmann deed het licht uit en wachtte tot de slaappil begon te werken. Beneden, over de weg langs de oever, reed met vol gas een motorfiets. Verder was het stil. Plotseling hoorde hij Ruge in de belendende kamer zijn neus snuiten, drie klaroenstoten. Het was alsof er helemaal geen muur tussen hen in stond, met zijn lichamelijke tegenwoordigheid leek Ruge ook de kamer van Perlmann helemaal te vullen. Onmiddellijk stond Perlmann alles weer voor ogen: het bureau in spiegelbeeldopstelling, aan het bureau Ruge met zijn boerse kop en zijn waterige grijze ogen achter de provisorisch gerepareerde bril, en aan de andere kant Millar met zijn Bach.

Hij stond op en legde zijn oor tegen de muur. Niets. Weer in bed nam hij nog een keer alle mogelijke argumenten voor een verandering van kamer door. Halverwege wist hij het opeens: *Het bed, mijn rug; dat kunnen ze niet controleren, ze moeten me gewoon ge-*

loven. Hij ontspande en voelde een begin van verdoving in zijn lippen en vingertoppen.

Nu konden de zinnen hem niet meer deren. En Ruge kon aan zijn bureau zo veel piano spelen als hij wilde, aan deze kant zou vanaf morgen niemand meer zijn. Ruge wist niet meer hoe hij het had van het lachen, hij kirde, boerde en hapte naar lucht. Zijn vleugel kwam almaar dichterbij, hij breidde zich uit, terwijl Perlmann's vleugel kromp als smeltend cellofaan. Nu was het Millar die speelde, Das Wohltemperierte Klavier, *geloof me, dat is een saaie boel, ook al vinden jullie dat choquerend,* Millar stond naast de okerkleurige vleugel, en terwijl Evelyn Mistral piepte van genoegen, maakte hij zelf voortdurend buigingen, tot hij ten slotte door het rinkelen van de telefoon werd onderbroken.

'Ik wilde alleen even weten of je goed bent aangekomen,' zei Kirsten. Een dun laagje verdoving lag op Perlmann's gezicht, en zijn tong was log en zwaar.

'Wacht even,' mompelde hij en hij liep met onzekere stappen naar de badkamer, waar hij koud water in zijn gezicht plensde. Toen hij de hoorn weer oppakte, voelde hij hoe zijn hand tintelde.

'Het spijt me dat ik je wakker heb gemaakt,' zei Kirsten. 'Ik ben gewoon gewend dat we elkaar rond deze tijd bellen.'

'Is goed,' zei hij, en hij was blij dat het niet te suffig klonk.

Met die woongroep was het best goed gegaan, vertelde ze, alleen een van de vrouwen was wat lastig geweest. 'En stel je voor: vandaag heb ik me opgegeven voor mijn eerste referaat. Over Faulkner's *The Wild Palms,* de dubbelroman. En toen bleek dat ik al over veertien dagen aan de beurt ben! Ik voel me heel anders als ik eraan denk. Hopelijk hoef ik niet ook nog voor de zaal te staan!'

Perlmann was kort van stof en verzamelde voortdurend speeksel op zijn droge tong. Ja, zei hij aan het eind, het was allemaal in orde, ook het hotel en het weer.

'En heb je ook je Russische spullen meegenomen?' vroeg ze nog.

Het ene halfuur na het andere verstreek zonder dat Perlmann de slaap weer kon vatten. Midden in de vergiftigde moeheid bleef een eiland van nuchtere, niet aflatende wakkerheid. Om halftwee belde hij de receptie en vroeg of hij voor de zekerheid om zeven uur gewekt kon worden. Toen nam hij de andere helft van de slaappil.

4 Hij zat nog in een cocon van dodelijke vermoeidheid toen het wektelefoontje kwam, van heel ver weg, zo leek het hem. Hij mompelde iets van *Grazie* en hing op. Meteen daarna ging de wekker. Op de rand van het bed gezeten boog hij zich voorover en bedekte zijn gezicht met zijn handen. Hij had een gevoel alsof hij diep had geslapen, in die zin dat er tussen dit moment en dat wat gisteren was voorgevallen, een periode lag van totaal vergeten. Toch voelde hij zich onzeker, alsof hij over een dun laagje ijs liep, en vlak boven zijn ogen was een druk alsof iemand lood in zijn voorhoofdsholten had gegoten. Hij vervloekte de slaappil.

Nadat hij eerst een verkeerd nummer had gekozen en de wasserij aan de lijn had gekregen, bestelde hij bij de roomservice koffie. Terwijl hij op de ober wachtte, stond hij in de koele lucht voor het open raam en zag hoe bij Sestri Levante de lichtjes doofden. Alweer een zonsopgang zonder enige tegenwoordigheid, het gewone transparante blauw dat door de dunne ochtendnevel sijpelde, maar alles als in een te vaak bekeken film, en deze keer nog meer dan anders van hem gescheiden door een muur van moeheid en barstende hoofdpijn.

Hij bracht het niet op te protesteren toen de ober een dienblad met een uitgebreid ontbijt op de ronde tafel zette. Haastig goot hij drie koppen koffie naar binnen, nam een aspirientje en stak een sigaret op. Na de eerste trekjes voelde hij een lichte duizeling, maar het gevoel was veel zwakker dan gisteren. Nu klonk uit de kamer van Millar muziek. Bach. Perlmann ging onder de douche. Ondanks het hete water huiverde hij van kou. Daarna dronk hij de rest van de koffie op. Nu smaakte de sigaret alleen nog maar bitter. Kwart voor acht. Vanaf acht uur zouden de anderen het ontbijt nuttigen. Als hij om halfnegen verscheen, zou dat vroeg genoeg zijn. Opeens wist hij niet meer zo goed wat hij met de resterende tijd moest aanvangen, behalve wachten tot Millar naar de ontbijtzaal ging en de muziek zou ophouden.

Hij pakte Leskov's tekst. De eerste zin na de aantekeningen die hij gisteren had gemaakt, was moeilijk, Perlmann had papier en potlood nodig om de ingewikkelde zinsconstructie te ontrafelen. *Ik zal uiteenzetten dat en in welke zin wij, door onze herinneringen onder woorden te brengen, die herinneringen, en daarmee het persoon-*

lijk beleefde verleden, in de eerste plaats creëren. De muziek hield op, en kort daarna viel Millar's deur in het slot. Langzaam dronk Perlmann van het glas sinaasappelsap en at een croissant, daarna nog één. Bij het ontbijt beneden hoefde hij dan alleen iets te drinken. De hoofdpijn trok al wat weg, hij sloot zijn ogen en leunde achterover in zijn stoel. Het verleden creëren door herinnerde verhalen te vertellen, dat leek het idee te zijn. Opgewonden zocht hij in zijn koffer naar het zwarte notitieboekje. Hij wist niet meer precies wat, maar ergens had die gedachte ook iets met zijn eigen aantekeningen te maken.

De kamerdeur van Ruge viel in het slot, en even later hoorde Perlmann hem zijn neus snuiten. In de hotelgang klonk dat veel gedempter. Opeens was hij op een pijnlijke manier klaarwakker: hij had geen enkel voorstel voorbereid voor de manier waarop het werk de komende weken georganiseerd zou worden. Hij stopte het zwarte boekje weer in de koffer. Hij snapte niet hoe hij dat had kunnen vergeten, hij, die anders alles altijd minutieus voorbereidde. Als hij later was opgestaan en meteen naar de ontbijtzaal was gegaan, was het hem misschien pas te binnen geschoten bij het betreden van de veranda. Het was alsof de schrik hem tot diep vanbinnen uiteenreet, en heel even kon hij zich voorstellen hoe het zou zijn wanneer je jezelf ontglipte.

Vlug waste hij zijn gezicht met koud water, vroeg zich heel even af of hij nog een keer koffie zou bestellen, pakte toen schrijfblok en agenda en ging aan het bureau zitten. Nee, Ruge zat nu niet tegenover hem. En de muur was gewoon een muur, en geen blinde spiegel. De barstende pijn in zijn hoofd was er weer, en terwijl hij de vijf weken uitzette in kolommen, omklemde hij met zijn andere hand zijn voorhoofd en kneep er zo hard in alsof hij het wilde breken.

Zeven blokken van twee dagen waarin ze bijeen zouden komen in de veranda om te praten over het onderzoek waar iedereen mee bezig was. Drie dagen per week om onderling gesprekken te voeren of zich terug te trekken. Dat leek een goede verdeling. Perlmann markeerde in elke kolom de maandag en de dinsdag, en de donderdag en de vrijdag. Hij zou zelf het laatste blok nemen. Maar ook zo, stelde hij tot zijn ontzetting vast, restten hem nog slechts drie weken, en niet eens helemaal drie, want twee of drie dagen hadden de anderen elke week wel ter voorbereiding nodig om alles te kunnen lezen. Hij moest er hoe dan ook voor zorgen in de laatste, nog helemaal vrije kolom terecht te komen, het liefst in de onderste helft, zodat hij in elk geval nog vier weken de tijd had; dat was het absolute minimum. Dat betekende dat hij met een of andere smoes twee weekdelen moest vrijhouden. Hij keek op zijn horloge: vijf over halfnegen. Hij stak de op drie na laatste sigaret op, *straks kom ik nog zonder te zitten.* Hij liet de minuten in ledigheid verstrijken. *Als Leskov was gekomen, was het probleem maar half zo groot geweest.* Hij moest oppassen dat hij zich met zijn gemanoeuvreer niet zou verraden.

Toen hij naar zijn koffer liep om er een trui uit te halen, zag hij zichzelf in de hoge wandspiegel, in dezelfde broek en hetzelfde overhemd als gistermiddag. Hij bleef heel even staan, toen begon hij zich met hectische gebaren om te kleden. Halverwege werd hij overweldigd door een hevige schaamte over zijn onzekerheid. Vechtend tegen tranen van woede trok hij weer de kleren van zonet aan, legde zijn trui over zijn schouders en liep met de schrijfspullen onder zijn arm naar de deur. Voordat hij die dichttrok, zag hij op het tapijt een knoop van het schone overhemd liggen dat hij op het doorwoelde bed had gegooid. Toen hij, blij dat zijn enkel geen pijn meer deed, over de purperen loper snel de trap af liep, was het twee minuten over negen.

Iedereen was al in de veranda en ze hadden allemaal schrijfblokken en manuscripten voor zich liggen. Alleen Silvestri had behalve een slordig opgevouwen krant niets bij zich. Perlmann kon niet anders dan aan het hoofdeinde plaatsnemen; het had er anders als een belachelijke weigering uitgezien en het zou de gebeeldhouwde stoel een veel te grote, bijna magische betekenis geven. Dus ging hij na een korte aarzeling, die alleen hijzelf waarnam, zitten, frontaal tegenover de anderen. Door het raam aan de andere kant van het vertrek kon hij het blauwe zwembassin zien, en daarachter, voorbij het hotelterras, de bovenste helft van een benzinestation. De parasols waren op dit uur van de dag nog niet opengevouwen, de ligstoelen nog leeg. Alleen de roodharige man van gisteren was er al, hij tikte met zijn hand op zijn opgetrokken knie de maat van de muziek die uit zijn koptelefoon kwam.

De gebruikelijke verwelkoming en ook andere woorden ter inleiding kreeg Perlmann niet over zijn lippen. Hij wilde meteen ter zake komen, zei hij, en begon zijn voorstel over hoe het werk zou worden ingedeeld toe te lichten. Al pratend voelde hij zich zekerder worden; wat hij zei klonk geroutineerd en weldoordacht. Hij liep naar het bord en tekende er de vijf kolommen op. De tweede helft van de lopende en de eerst helft van de vierde week liet hij leeg. Zich vooroverbuigend en met ietwat harkerige letters schreef hij zijn eigen naam naast de donderdag en de vrijdag van de laatste week, legde het krijtje met een overdreven gedecideerd gebaar neer en ging zitten. *Is het niet te doorzichtig, dat trucje? Maar nee, voor hen is er geen enkele aanleiding er iets anders in te zien dan hoffelijkheid en bescheidenheid, zij weten immers niet wat ik weet.*

Na de behandeling van de eerste vier onderwerpen, zei hij met de grootst mogelijke terloopse stelligheid, had hij een pauze ingelast. 'Om even op verhaal te komen, eventueel ook als buffer, voor het geval we meer tijd nodig hebben dan gepland. Dat leert de ervaring die ik met dit soort zaken heb.' En, ging hij verder, de rest van deze week had hij bestemd voor gesprekken zonder vastomschreven kader, en aan tijd voor eenieder om zich in te lezen in het materiaal van de anderen. 'Bovendien heeft Brian nog last van een jetlag.'

Millar had zijn armen over elkaar geslagen en hield zijn hoofd schuin naar rechts, zodat het bijna zijn schouder raakte. Hij droeg een zeer elegante bril met rood montuur op zijn Amerikaanse doorsneegezicht. De kleur van het montuur kwam precies overeen met die van zijn haar, en de glazen, dat herinnerde Perlmann zich nu weer, blikkerden zo vaak en zo verblindend, dat je de indruk kon krijgen met een natuurkundig wonder te maken te hebben.

'O, bedankt, Phil,' zei hij, 'maar met mij hoef je echt geen rekening te houden. Ik voel me fit. En ik zou het jammer vinden als we deze week min of meer door onze vingers zouden laten glippen. Bij het ontbijt, waar u helaas niet bij was, heb ik met Adrian en Achim over een tekst gesproken die ik onlangs heb rondgestuurd, overigens ook aan u, als ik me niet vergis. Het zou me heel erg interesseren als we over die tekst, en ook nog over een andere, die ermee verwant is, de twee komende dagen zouden kunnen debatteren.'

Nu aarzelen zonder verzet te bieden, zou argwaan kunnen wekken, dacht Perlmann. Zwijgend liep hij naar de tafel en schreef Millar's naam naast komende twee dagen. Daarna verschoof hij de markering voor de vrije helft van de week naar de derde week.

'Uw naam zou u nu ook naar voren moeten schuiven,' grijnsde Ruge.

'Ach ja, natuurlijk,' stotterde Perlmann, en hij zette zichzelf op de maandag en dinsdag van de vijfde week. *Dus nog maar drieënhalve week. En als je er de leestijd voor de anderen van aftrekt, zijn het er nog maar drie; plus één of twee dagen, hooguit. Hoe krijg ik het in godsnaam voor elkaar.*

'Waarom wilt u ons uw eigen bijdrage zo lang onthouden?' vroeg Von Levetzov met een glimlach die beoogde zijn waardering en belangstelling uit te drukken, maar waarin ook een lichtelijk geïrriteerde verbazing lag, en, dacht Perlmann, een zweem van wantrouwen, zo zwak dat je er zijn specifieke blik voor nodig had om hem waar te kunnen nemen. 'We zijn toch vooral hier vanwege u.' Evelyn Mistral schonk Perlmann een glimlach en knikte instemmend.

Hij voelde zijn maag samenkrimpen met een hevigheid alsof hij op bijtend gif reageerde. Hij probeerde rustig te ademen en stak heel langzaam een sigaret tussen zijn lippen. Toen zijn blik langs Silvestri gleed, dacht hij aan de arts aan de telefoon. Hij hield veel langer dan noodzakelijk het vlammetje voor zijn sigaret en probeerde innerlijk de toon uit die de arts destijds had aangeslagen – de toon van de vanzelfsprekende afbakening, de niet-gedienstige toon. Hij inhaleerde diep en doorbrak, terwijl hij achteroverleunde, de ongemakkelijke stilte met de woorden: 'Ik vind dat het werk van ieder van ons precies dezelfde aandacht verdient, zodat de volgorde waarin we aan de beurt komen er niet toe doet. Nietwaar?'

Hij had zijn zin nog niet beëindigd of hij wist al dat hij er met zijn toon helemaal naast zat. Hij keek op en glimlachte naar Von Levetzov op een manier die, hoopte hij, zijn scherpe terechtwijzing iets zou verzachten.

'Zeker, zeker,' zei die geschrokken, en hij voegde er bits aan toe: 'Geen reden tot opwinding.'

'Misschien kan iedereen kort vertellen waar zijn bijdrage over zal gaan,' zei Laura Sand, 'dan is het gemakkelijker om een zinnige volgorde te kiezen.'

Het eerste moment was Perlmann haar dankbaar voor die redding van de situatie. Maar het volgende ogenblik overviel hem al paniek. Hij verborg zijn gezicht achter zijn gevouwen handen. Het zou eruitzien als een geconcentreerde houding. In zijn handen kwam koud zweet te staan. Hij sloot zijn ogen en gaf zich even over aan zijn dodelijke vermoeidheid.

Het had voor de hand gelegen dat zoiets vroeg of laat zou gebeuren. Tenslotte was hij er gisteren, toen hij met Evelyn Mistral had gesproken, al doodsbang voor geweest. Dus waarom had hij in de tussentijd geen handig antwoord bedacht? Dat had hij goed moeten uitwerken en het dan net zo lang moeten repeteren tot hij het, op het moment waarop het van pas kwam, naar boven kon halen als iets wat hij met onverstoorbare kalmte kon uitspreken en waar hij voor de korte duur van zijn voordracht zelfs in geloofde – een in scène gezet zelfbedrog waarover hij als een verplaatsbaar decorstuk van zijn façade elk moment kon beschikken. *Maar nu zal het volkomen toevallig zijn wat ik zeg.*

Perlmann had later niet kunnen zeggen van welk onderwerp Adrian von Levetzov een kort overzicht had gegeven. Terwijl hij zelf koortsachtig naar formuleringen zocht die hij later tot een schijnbaar thema zou kunnen samenvoegen, drong alleen de zelfingenomen, gekunstelde toon van zijn Engels tot hem door. Pas tegen het einde, toen Von Levetzov uitvoerig inging op een tussenvraag van Ruge, lukte het Perlmann een paar woorden op te vangen. Maar het was vreemd: in plaats van de woorden in de hem vertrouwde betekenis op te nemen en met behulp ervan toegang te vinden tot de achterliggende gedachte, nam hij er alleen aan waar dat het voor het grootste gedeelte vreemde woorden waren. Jargonuitdrukkingen van Latijnse of Griekse herkomst, die door hun frequentie een soort Esperanto opleverden. Hij vond ze belachelijk, die woorden, erg aanstellerig, en toen steeg opeens weer die angstaanjagende onzekerheid in hem op die maakte dat hij sinds enige tijd telkens weer het woordenboek ter hand moest nemen. Steeds had hij als uit het niets het gevoel gekregen dat hij een technische term, die hij al duizenden keren had gelezen, eigenlijk niet in zijn exacte betekenis kende; dat zo'n term een irritante vaagheid had die aan een bewogen foto deed denken. Toch had hij elke keer als hij het woordenboek erbij had gehaald, dezelfde ervaring gehad: de exacte betekenis kende hij, en aan die betekenis hoefde niets toegevoegd te worden. Vol onzekerheid of die ontdekking hem geruststelde of dat zijn twijfel erger was geworden juist omdat die ontdekking noodzakelijk was geweest, had hij het woordenboek teruggezet in de kast. En niet zelden had hij dezelfde term een paar dagen later opnieuw moeten opzoeken.

Toen het de beurt van Laura Sand was, probeerde ze, een sigaret tussen haar lippen, te verhinderen dat de rook in haar ogen kwam. Ze begon aarzelend te praten terwijl ze naar iets zocht in haar papieren, en iemand die niet wist dat haar boeken over de taal van dieren tot de beste behoorden die over dat onderwerp waren geschreven, had dat als een teken van onzekerheid beschouwd. Eindelijk vond ze het papier waar ze naar zocht, liet haar blik erover glijden en begon heel geconcentreerd en vlot over de experimenten te praten die ze de afgelopen maanden in Kenia had gedaan. Wat ze zei, klonk wonderbaarlijk beknopt en helder, dacht Perlmann, bovendien werd het voorgedragen met die donkere, altijd een beetje geïrriteerd klinkende stem, die, wanneer ze iets wilde benadrukken, terugviel in een breed, Australische accent dat normaal achter een onopvallend Brits Engels verborgen bleef. Evenals gisteren bij haar aankomst was ze helemaal in het zwart gekleed, de enige kleur die je aan haar zag was het rood van de zegelring aan de pink van haar rechterhand.

Weer verborg Perlmann zijn gezicht achter zijn handen en hij probeerde krampachtig zich de wetenschappelijke vraagstukken te herinneren waarmee hij zich op het laatst had beziggehouden, *destijds, toen ik er nog bij hoorde.* Maar er kwam niets. Alleen Leskov dook plotseling op in zijn innerlijke gezichtsveld, Leskov met zijn grote pijp tussen zijn slechte, door de tabak bruin geworden tanden, zijn corpulente lijf diep weggezonken in de kaalgesleten, groezelig-grijze kussens van de fauteuil in de foyer van het conferentiecentrum. Perlmann probeerde er niet naar te luisteren toen de persoon die hij zich zo plastisch herinnerde, sprak over de grote invloed van woorden op de belevenis. Hij had die persoon niet nodig, zei hij tegen zichzelf, die had hij op geen enkele manier nodig, hij had immers het zwarte boekje met zijn eigen aantekeningen. Kon hij nu maar even vlug naar boven lopen om er een blik in te werpen.

Giorgio Silvestri had een knie tegen de tafelrand gedrukt en balanceerde op de achterpoten van zijn stoel. Zijn linkerarm liet hij naar achteren hangen, zijn rechterarm rustte op de leuning, tussen zijn lange, slanke vingers hield hij een sigaret. *Un po' stravagante* had Angelini hem genoemd. Toen hij met een zachte, maar ondanks zijn zware accent heel zekere stem begon te spreken, was zijn witte hand met de sigaret voortdurend in beweging, onderstreepte bepaalde dingen, trok andere in twijfel of liet ze in het vage. Wanneer je naar schizofrene patiënten luisterde, zei hij, werd je wat de begrijpelijkheid van hun uitspraken betreft teleurgesteld. Maar de verschuivingen in betekenissen en de denkfouten bezaten wel degelijk een logica, er was geenszins sprake van chaos. Hij wilde zijn tijd hier gebruiken om al het verzamelde klinische materiaal over dit thema eindelijk eens op te schrijven. Hij wilde daarom graag laat aan de beurt komen, omdat hij door het vele werk in de kliniek achterstand had opgelopen.

Perlmann pakte het krijtje. *Hij heeft een concrete reden, ik niet. Het is gewoon een kwestie van fatsoen hem het laatste blok aan te bieden. Maar dan blijven er voor mij niet eens drie hele weken over, dat is volstrekt uitgesloten.* Hij noteerde Silvestri's naam voor de donderdag en de vrijdag van de vierde week. Nog voordat hij zich weer omdraaide naar de anderen, voelde hij Brian Millar's blik op zich rusten. Weer had de Amerikaan zijn armen over elkaar geslagen en hield hij zijn hoofd schuin. Hij trok met zijn smalle lippen, en Perlmann wist zeker dat de vraag nu meteen zou komen. Hij kon zichzelf wel voor zijn hoofd slaan dat hij die niet op zijn minst had afgewacht.

'Natuurlijk kunt u ook de twee laatste dagen nemen,' zei hij tegen Silvestri, en hij tekende een pijl naar de vijfde week.

'Ik wil het graag openhouden, als dat kan,' zei Silvestri.

Dan moet ik me dus voor alle zekerheid instellen op de donderdag van de vierde week. Op z'n laatst de dinsdag daarvóór moeten de anderen mijn tekst hebben. Dat wil zeggen dat er voor mij precies twintig dagen overblijven. Nadat hij weer was gaan zitten stak Perlmann een sigaret tussen zijn lippen. Geschrokken zag hij dat zijn hand met de lucifer trilde, meteen plantte hij zijn elleboog op het tafelblad en hield zijn pols met zijn andere hand vast.

Achim Ruge, die als volgende aan de beurt was, haalde een enorme, rood-wit geruite zakdoek tevoorschijn, vouwde die omstandig open, zette toen zijn bril af en snoot luidruchtig en uitvoerig zijn neus. Daardoor moest Perlmann meteen weer aan het kamerprobleem denken. Daaraan te moeten denken was wel het laatste wat hij nu kon gebruiken. Hij zette de gedachte uit alle macht van zich af, maar hij merkte dat zijn gevoel van beklemming erger werd. Ruge trok zijn jasje uit en zat nu in zijn vormeloze overhemd aan de tafel, met grote elastieken om zijn bovenarmen om de mouwen op te houden. *Burgerlijk, hij is de meest burgerlijke man die ik ken. En rechtschapen is hij, rechtschapen tot op het bot. Misschien is het helemaal niet waar dat ik het meest van Millar of van Von Levetzov te vrezen heb, misschien is die Achim Ruge vanwege zijn burgerlijkheid, zijn rechtschapenheid, wel veel gevaarlijker.* Het was helemaal niet ondenkbaar, dacht Perlmann, dat Von Levetzov voor een tijdje de wetenschap heimelijk de rug zou toekeren, vanwege een vrouw bijvoorbeeld of vanwege een gokverslaving. Geruchten waren immers nooit helemaal toeval. En bij Millar was weliswaar ook sprake van rechtschapenheid, maar dat was de sportieve rechtschapenheid van een Amerikaan, en die kon ook wel eens helemaal doorslaan. Bijvoorbeeld als het om Sheila ging. Bij Ruge, die alleen zijn laboratorium en zijn computer had, was zoiets onvoorstelbaar, en juist daarom zou zijn oordeel onbarmhartig zijn, vernietigend.

Perlmann probeerde zichzelf met minachting te beschermen, hij staarde naar de elastieken en deed alles wat hij kon om Ruge als een burgermannetje te zien waar je alleen maar om kon lachen. Daar kwam hem diens afschuwelijke Zwaabse uitspraak van het Engels in tegemoet, die bijna een persiflage leek. Automatisch verwachtte hij dat Ruge de ene fout na de andere zou maken. Maar dat gebeurde niet. Integendeel. Ruge beheerste het Engels perfect en gebruikte woorden en uitdrukkingen die Perlmann weliswaar begreep, maar die hij zelf nooit actief gebruikte. Zijn moeizaam opgebouwde minachting begon te wankelen, Ruge's aanwezigheid leek nu nog bedreigender dan eerst, en weer gebruikte Perlmann zijn handen om voor zijn ogen een verdedigingswal op te trekken.

Voordat ze begon te spreken zette Evelyn Mistral een bril met een dun montuur van mat zilver op. Ze had haar haar opgestoken en zag er ondanks het scheef zittende T-shirt onder haar kaneelkleurige jasje ouder uit dan gisteren, *een wetenschapster, die rode olifant op haar koffer past vandaag helemaal niet bij haar.* Opeens was ze hem heel vreemd, en meer nog, *als lezer, als hardwerkende vrouw is ze een tegenstandster voor wie ik op mijn hoede moet zijn.* Perlmann probeerde zich af te sluiten en deed een laatste, wanhopige poging zich een onderwerp te herinneren waar hij iets van wist. *Na haar ben ik aan de beurt.* Maar toen hoorde hij haar heldere stem, die gespannen en gejaagd klonk. Haar voeten onder de tafel gleden uit de rode schoenen en er weer in, ze leunde met beide armen op tafel, maar veranderde meteen weer van houding. In plaats van het onderwerp alleen maar kort te schetsen, probeerde ze almaar haar onderzoek te verdedigen, en ze praatte langer dan nodig. Na een poosje merkte Perlmann dat zijn lijf haar spanning overnam, alsof hij die van haar kon afnemen. Hij meende haar tegen de gezichten van de anderen te moeten verdedigen, hoewel er op die gezichten geen spoor van kritiek te lezen was, hooguit hooghartige welwillendheid.

En toen, totaal onverwachts, was ze klaar, zette haar bril af en leunde met over elkaar geslagen armen achterover. Perlmann had de indruk alsof de veranda zich vulde met een oorverdovende stilte, en het kwam hem voor alsof de tijd pas door zou lopen zodra hij begon te praten. Hij tastte naar zijn sigaretten, vond het pakje en merkte meteen dat het leeg was. Met het pakje nog in zijn hand richtte hij zijn blik over Silvestri's hoofd heen naar de zee om zichzelf ervan te verzekeren dat de wereld, de werkelijke wereld, veel groter was dan deze gehate ruimte, waar hij nu definitief was ingesloten door al die mensen, die hij toch alleen maar bijeen had geroepen omdat hij Agnes op haar fotoreis door winters Italië had willen vergezellen.

Op Silvestri's gezicht verscheen een grijns, hij nam zijn pakje Gauloises en gooide het in een hoge boog dwars door de hele ruimte naar Perlmann. Nog half opgaand in zijn poging zich in zijn eigen blik te verstoppen en ongemerkt naar buiten, naar het licht te vluchten, ving hij het pakje zonder moeite op. Hoewel de zekerheid waarmee hij het uit de lucht viste helemaal niet uit hemzelf leek voort te komen maar alleen uit het lichaam dat hij, als een plaatsvervanger, had willen achterlaten, gaf die hem wat zelfvertrouwen terug. Hij bedankte Silvestri met een hoofdknik en stak een filterloze sigaret tussen zijn lippen. *Wat ik nu ga zeggen zal echt volkomen toevallig zijn.*

Bij het eerste trekje benam de scherpe rook hem de adem, en hij moest hoesten. Hij hoorde Silvestri lachen, verschanste zich nog even achter zijn gehoest en keek ten slotte, nadat hij met zijn zakdoek over zijn tranende ogen had geveegd, het gezelschap rond.

'Ik werk aan een tekst over de samenhang tussen taal en herinnering,' zei hij. Hij was opgelucht en geschrokken tegelijk over de kalmte in zijn stem. Dat was iets, ging hij verder, wat hem al sinds jaren interesseerde. Veel te weinig, zei hij, werd in zijn vakgebied onderzocht hoe taal met de verschillende vormen van beleven was vervlochten. En vooral het beleven van tijd had men altijd sterk verwaarloosd. Het was voor een linguïst een nogal onorthodox onderwerp, voegde hij er met een glimlach aan toe die aanvoelde als een inspannende gymnastiekoefening. Maar hij beschouwde zijn verblijf hier ook als een gelegenheid eens een andere weg in te slaan dan anders.

Evelyn Mistral keek hem met stralende ogen aan, en nu merkte Perlmann voor het eerst het groen in haar ogen op, zeegroen waarin een paar splinters barnsteen waren gevat. Ze was, zei ze, blij verrast dat hij met iets bezig was wat verwantschap had met haar eigen onderwerp, en Perlmann moest zijn blik afwenden om met al zijn leugenachtigheid niet langer blootgesteld te zijn aan haar glimlachende gezicht.

Op de gezichten van de anderen speelde zich minder af dan hij had verwacht. Millar leek zijn hoofd nog schuiner te houden dan anders, maar in zijn blik viel geen spot te ontdekken, en in de donkere ogen van Adrian von Levetzov was zelfs een glimp te zien van aarzelende belangstelling.

Met Laura Sand's voorstel voor de volgorde van de zittingen stemde iedereen in. De dagen die Perlmann voor zichzelf had vastgelegd, werden nu al als iets vanzelfsprekends behandeld. Von Levetzov meed bij dat punt evenwel Perlmann's blik. Wel kwam hij aan het eind van de zitting naar hem toe. Een beetje verrassend had hij zijn aankondiging wel gevonden, zei hij. Maar als hij er goed over nadacht, was hij ook een beetje afgunstig. Het moest een heerlijk gevoel zijn eens iets nieuws uit te proberen. Hij was erg benieuwd naar het resultaat!

Perlmann ging naar Maria in het secretariaat en stelde haar Millar voor. Ook vandaag droeg ze een glimmend truitje dat goed bij de lak in haar haar paste, en net als de eerste avond raakte Perlmann in de ban van het contrast tussen de sfeer van punk die haar omgaf en de warme, bijna moederlijke glimlach waarmee ze op je toe kwam. Voor vieren zouden zijn beide teksten zijn gekopieerd, verzekerde ze Millar, en ze zou een kopie in de sleutelvakjes van alle collega's leggen.

'Een van die teksten kent u al,' zei Millar bij het naar buiten gaan tegen Perlmann, 'en ik ben benieuwd wat u van de andere tekst vindt. De kritiek op u is nogal scherp uitgevallen, vrees ik. Maar u weet wel dat het niet persoonlijk is bedoeld.'

5

'Het is helemaal geen probleem u een andere kamer te geven,' zei signora Morelli vriendelijk, nadat Perlmann haar in erbarmelijk Italiaans vol fouten zijn verhaal over het bed en zijn rugpijn had gedaan. 'In deze tijd van het jaar zijn we allang niet meer helemaal volgeboekt.' Ze zag hoe hij aarzelde en onderbrak de beweging waarmee ze zich naar het sleutelbord wilde omdraaien.

Perlmann verzamelde al zijn moed en zei met vaste stem: 'Ik zou het prima vinden als de nieuwe kamer aan de andere kant van het huis ligt. Tussen twee lege kamers in, als dat kan.'

Op het strenge gezicht van signora Morelli verscheen een vage glimlach en haar ogen werden een beetje smaller. Ze bladerde in haar papieren, pakte een sleutel van het bord en zei: '*Va bene,* probeert u deze maar.'

Toen hij zich op de trap nog een keer naar haar omdraaide, had ze beide armen op de balie gelegd en keek hem met licht genegen hoofd na.

De nieuwe kamer lag op de bovenste verdieping van de zuidvleugel, ver verwijderd van de kamers van de anderen. De gang was hier donker, van de drie jugendstillampen aan het plafond brandden er maar twee, de middelste was helemaal donker en in elk van de beide andere was een van de twee gloeilampen kapot. Het eerste moment schrok Perlmann van de kamer. Hij was weliswaar groter en hoger dan de vorige, het leek wel een zaal, maar het stucwerk aan het plafond vertoonde scheuren, het tapijt was versleten en de grote wandspiegel bijna blind. Bovendien rook het er muf, alsof hier al jaren niet meer was gelucht. Alleen de badkamer was helemaal nieuw, met een badkuip van marmer en kranen van glanzend messing. Hij deed een raam open en keek naar beneden: de kamer lag in de enige rij kamers zonder balkon. Verderop, bij het zwembad, lag Giorgio Silvestri languit op een van de gele ligstoelen. Hij had zijn schoenen en kousen uitgetrokken en over zijn gezicht lag de opengeslagen krant. *Als een clochard. Een man zonder angst, een vrij man. En wat ik me allemaal in mijn hoofd haal, is je reinste kitsch.*

Perlmann ging in de grote rode fauteuil van versleten pluche zitten die bij het raam stond. Met zijn ogen schatte hij de maten van het vertrek, en al voordat hij daarmee klaar was, was hij met de kamer ingenomen. Hij ging op het bed liggen. Opeens viel het hem heel gemakkelijk zich te ontspannen. Van ver weg kwam het getoeter van een scheepshoorn en het geknetter van een motorboot. Hij dacht eraan dat de beide belendende kamers leeg waren. De kamers daar weer naast schenen evenmin bezet te zijn, en in zijn fantasie zag hij eindeloze gangen met lege, stille vertrekken. Toen viel hij in slaap.

Het was even voor drieën toen hij huiverend en met een droge mond ontwaakte, eerst verward over de kamer, toen opgelucht. Op weg naar zijn oude kamer hield hij de sleutel als een reddingsanker in zijn hand geklemd. De muziek uit de kamer van Millar kon hem niet meer deren nu hij zijn kleren en boeken inpakte, die hij die avond in alle stilte naar boven wilde brengen.

Tot Millar's teksten in de vakjes zouden liggen, restte hem nog een heel uur. Perlmann pakte de tekst van Leskov. Hij nam de zin over het eigen verleden, dat door middel van taal werd gecreëerd, nog een keer door. Wat hij die ochtend had vertaald, klopte. Maar nu werd de tekst heel lastig. Leskov voerde het begrip van een herinnerde gebeurtenis – *vspomniščajasja scena* – op en leek de gedachte te ontwikkelen dat we op zulke gebeurtenissen noodzakelijkerwijs een zelfbeeld – *samopredstavlenie* - projecteren. Perlmann moest bijna elk woord opzoeken, en het typoscript werd door de vertaling die hij erbij krabbelde steeds onoverzichtelijker. Hij besefte dat hij een schrift moest kopen waarin hij alle nieuwe woorden kon opschrijven. Op die manier zou een woordenlijst van academisch Russisch ontstaan, een deelgebied van de taal dus dat je in oefenboeken zelden tegenkwam. Opeens had hij een goed gevoel: hij had een plan dat hij in zijn nieuwe, rustige kamer kon uitwerken. Het was een serieus, nieuw project. Eindelijk was hij weer iemand die werk verzette. Toen hij langs de haven naar de stad liep om een kantoorboekhandel te zoeken, waren zijn schreden zeker en zelfbewust.

Het was zijn eerste wandeling naar het centrum en het zag er heel lang naar uit dat er geen winkel met schrijfwaren te vinden was. Eindelijk vond hij in een donker zijstraatje een groezelig winkeltje waar je behalve schrijfwaren ook tijdschriften en pulpliteratuur kon kopen, evenals goedkoop speelgoed en snoep. Nog geïrriteerd over de lange speurtocht, maar nu opgelucht, duwde hij energiek op de deurklink en stootte met schouder en hoofd tegen de gesloten deur. Nog steeds siësta, hoewel het al bijna vier uur was. Hij bleef voor de etalage staan en wreef over zijn pijnlijke voorhoofd. Na een poosje werd zijn blik gevangen door een groot boek dat, te midden van serpentines en kerstboomslingers, achter de vuile ruit was uitgestald als een heilig boek in een schrijn. Het was een kroniek van de twintigste eeuw. Het omslag was ingedeeld in vier vlakken, waarin wereldwijd bekende foto's te zien waren, iconen van de eeuw: Marilyn Monroe die boven de schacht van de ondergrondse haar opwaaiende rok vasthoudt; Elvis Presley in een lichtblauw glitterpak die al gitaarspelend ver achterover helt; Neil Armstrong's eerste stap op de maan; Jacqueline Kennedy die zich in Dallas in de open auto over de doodgeschoten president buigt. Perlmann was gefascineerd door die beelden, alsof hij ze voor het eerst zag. Het idee iets na te kunnen lezen over de achtergrond van die foto's, nu meteen, sprak hem erg aan, en plotseling leek niets hem opwindender, niets belangrijker dan de eeuw waarin hij leefde vanuit het perspectief van zulke foto's voor zichzelf te ontsluiten. Zenuwachtig maakte hij het pakje sigaretten open dat hij op de hoek had gekocht. Nee, het was anders: het ging er niet om voor zichzelf, als een soort historicus, een eeuw te ontsluiten. Hij wilde zich zijn eigen leven opnieuw toe-eigenen door zich voor de geest te halen wat er onderwijl in de wereld om hem heen was gebeurd. Dat idee kwam hier, in dit donkere, verlaten straatje, waar het een beetje naar vis en rottende groente rook, voor het eerst in hem op. Hij was er niet zeker van dat hij helemaal begreep wat hij dacht, maar zijn ongeduld nam van minuut tot minuut toe, hij wilde er meteen mee beginnen, wat het ook mocht zijn.

De eigenares van de winkel, die eindelijk de deur voor hem opendeed, een dikke vrouw met veel te veel ringen aan haar grove handen, was aanvankelijk weinig toeschietelijk vanwege zijn ongeduld, dat Perlmann niet kon verbergen. Maar toen hij om de kroniek vroeg, maakte haar stuurse gedrag plaats voor een gedienstige vriendelijkheid. Ze was stomverbaasd, alsof ze er nooit op had gerekend dat iemand dat grote, onhandelbare boek, het pronkstuk van haar etalage, werkelijk wilde kopen; en al helemaal niet iemand met een onmiskenbaar buitenlands accent, bovendien nog in de dode tijd van de middagpauze. Ze haalde het zware boek uit de etalage, stofte het in de openstaande deur af en overhandigde het Perlmann met een theatraal gebaar: *Ecco!* Voor het schoolschrift wilde ze niets hebben, dat kreeg hij er gratis bij. Het bundeltje bankbiljetten stopte ze in de zak van haar schort. Ze schudde nog steeds verbaasd haar hoofd toen ze hem vanuit de deuropening nakeek.

Twee straten verder zag Perlmann een onopvallend bordje met het opschrift TRATTORIA. Hij duwde het uit louter kralenkettingen bestaande gordijn open, liep door een lange donkere gang, en bevond zich plotseling in een lichte, met glas overdekte achtertuin waar eettafeltjes met rood-witte tafelkleedjes stonden. Er was niemand te zien. Perlmann moest twee keer roepen voordat eindelijk de restauranthouder met een schort voor zijn buik verscheen. Ze hadden net zelf gegeten, zei hij opgeruimd, Perlmann kon nog minestrone en een bord pasta krijgen. Toen hij even later het eten kwam brengen, verschenen ook zijn vrouw en zijn dochter. Perlmann was erop gebrand de kroniek te lezen, maar de familie wilde graag iets over de man met het grote boek te weten te komen, die er blijkbaar een ongebruikelijke dagindeling op na hield. Als tegemoetkoming aan de service op zo'n ongebruikelijk tijdstip vertelde Perlmann over de onderzoeksgroep. Onderzoek doen naar taal, dat vonden ze interessant, hij moest almaar meer vertellen, vooral Sandra, de dochter van dertien met de lange, pikzwarte vlecht, wilde steeds meer weten, en de ouders waren zichtbaar trots dat ze zo'n leergierige dochter hadden. Ook bij dergelijke lastige onderwerpen ging het Italiaans hem verbazend goed af. Perlmann was blij met elke geslaagde zinswending, die hij geen moment van zichzelf had verwacht, en die blijdschap over zijn taalvaardigheid, tezamen met de wens Sandra niet teleur te stellen, maakte dat hij een positief, bijna enthousiast beeld schilderde van wat zich verderop in het hotel allemaal afspeelde, een beeld dat in een groteske wanverhouding stond tot zijn innerlijke nood. Toen het echtpaar van het restaurant zich eindelijk terugtrok om hem in alle rust te laten lezen, was hij in hun ogen een benijdenswaardig man, die het geluk had precies te kunnen doen wat hem het meest interesseerde, het zeldzame geval van een man dus die in totale harmonie met zichzelf leefde.

Perlmann sloeg het jaar op waarin hij eindexamen had gedaan. De eerste gecontroleerde kernfusie. De comeback van de Gaulle. Boris Pasternak werd gedwongen de Nobelprijs terug te geven. In Italië hadden verkiezingen plaatsgevonden. Paus Pius XII was gestorven. De Torre Velasca in Milaan was gereedgekomen. De bisschop van Prato, die een echtpaar voor *pubblici concubini* en *pubblici peccatori* had uitgescholden omdat ze het kerkelijk huwelijk hadden geweigerd, was door een rechtbank schuldig bevonden aan smaad, tot een geldstraf veroordeeld en later, na een opstand van de Kerk, wegens *insindacabilità dell'atto* weer vrijgesproken.

Perlmann las het met stekende ogen. De teksten waren vrij eenvoudig, en zijn Italiaans was over het algemeen toereikend. Het boek ging een beetje op de populaire toer en er zat een luchtje aan van boulevardblad, maar dat stoorde hem niet, eigenlijk genoot hij er zelfs van, en dat de keuze van de beschreven gebeurtenissen vanuit Italiaans perspectief was gemaakt, gaf het allemaal een exotisch tintje. Hij was verbaasd over zijn fascinatie als hij bijvoorbeeld las dat de Hongaarse Opstand, die de Italiaanse communisten twee jaar eerder in grote verlegenheid had gebracht, bij de verkiezingen geen enkele invloed had gehad op het aantal verworven stemmen. Hij begreep niet waarom hij Sandra de ene espresso na de andere liet brengen en waarom hij rookte als een schoorsteen. Maar hij genoot ervan dat hij door zichzelf werd verrast, dat hij onverwachts iets over zichzelf ontdekte dat hem het vage gevoel gaf dat het het begin van iets bijzonders zou kunnen zijn.

De hemel boven het glazen dak was al bijna zwart, en de scheepslantaarns aan de muren brandden al een poosje, toen Perlmann opbrak. Bij ingeving verzocht hij de restauranteigenaar de kroniek voor hem te bewaren, hij zou terugkomen om er verder in te lezen. Terwijl hij door de stille straten naar de haven liep, had hij het gevoel dat hij een toevluchtsoord had gevonden waar hij zich terug kon trekken wanneer de wereld van het hotel, de wereld van de groep, hem te veel zou worden. En hij verkneukelde zich bij de gedachte dat geen van de anderen ooit iets te weten zou komen van zijn schuilplaats. Maar toen hij langs de kade liep en de weg langs de oever in sloeg waaraan het hotel lag, sijpelde dat gevoel al snel weer weg, ook al bleef hij een paar keer staan om te proberen dat met gesloten ogen te verhinderen. Toen hij voor de bordestrap stond en naar de naam van het hotel keek, die zich in witte neonletters aftekende tegen een stralend blauwe achtergrond, werd alles verdrongen door zijn slechte geweten: hij had een halve dag verknoeid.

De beide teksten van Millar, die signora Morelli hem overhandigde, bezorgden hem een schok. De ene tekst, die hij thuis in de kast met de overdrukken had gestopt, was negenenvijftig bladzijden dik, de andere vijfendertig, met nog eens zeven bladzijden Aantekeningen. Toen hij de teksten in de lift doorbladerde, verdween ook het laatste restje van het bevrijde gevoel dat hij in de trattoria had gehad. Wat overbleef was een dodelijke vermoeidheid en de indruk dat het hem uren zou kosten om ook maar een enkele bladzijde te lezen.

In zijn kamer legde hij de teksten terzijde. Vóór het avondeten had hij er geen tijd meer voor. Hij pakte Leskov's tekst en schreef de onbekende woorden, die hij in het woordenboek had opgezocht, in het schoolschrift. Een paar keer onderbrak hij zijn werk en keek verbaasd en gelukkig naar zijn Russische handschrift. Het was een beetje stijfjes, maar wel correct, en het was onmiskenbaar Russisch. Het irritante was dat in de nu volgende zinnen woorden voorkwamen die niet in zijn zakwoordenboek stonden. Toch kon hij Leskov's volgende stap min of meer volgen. Zelfbeelden, betoogde de tekst, waren toch iets heel anders dan de beleefde contouren van een binnenwereld. Een beeld van jezelf maken was een proces dat om veel meer articulatie vroeg dan kon worden opgeleverd door uitsluitend innerlijke waarneming, door alleen naar de contouren van de beleving te zoeken.

Hij had een neus voor overtuigende voorbeelden, die Vasili Leskov, en allengs ontwikkelde Perlmann een gevoel voor de tekst. Hij mocht zijn bondige, sobere stijl en zijn laconieke toon wel. Als auteur, dacht hij, was Leskov heel anders dan hij had verwacht, veel sympathieker, en Perlmann merkte hoe de vormeloze, pijprokende persoon uit zijn herinnering plaatsmaakte voor een andere persoon, die weliswaar geen gezicht had, maar wel een stem, en daarmee een duidelijke, indringende identiteit.

Het was tien over half negen toen het avondeten hem te binnen schoot. Snel kleedde hij zich om, pakte het overhemd met de ontbrekende knoop en koos een brede stropdas uit om de plek erachter te verbergen. Giovanni stond aan de balie te grijnzen toen hij hem gehaast de trap af zag komen. Het was de grijns van iemand die een leerling die te laat is door de lege gang snel naar zijn klas ziet lopen. Perlmann had hem het liefst een oorvijg gegeven, die onnozele Italiaan met zijn pluizige wenkbrauwen en zijn te lange bakkebaarden. De blik die hij hem toewierp was zo giftig dat de grijns op Giovanni's gezicht meteen verdween.

Hij wilde geen voorgerecht, zei hij tegen de ober voordat hij plaatsnam naast Silvestri, die blijkbaar in een verhitte discussie was gewikkeld met Millar, mes en vork gekruist op zijn bord had gelegd en midden onder het eten een sigaret had opgestoken. Ja, zei hij juist, en hij blies Millar de rook zogenaamd per ongeluk midden in zijn gezicht, het experiment van Franco Basaglia in Gorizia kon je niet anders dan als mislukt beschouwen. Maar dat leverde nog niet het bewijs dat je de traditionele psychiatrie met tralies en afgesloten deuren niet zou kunnen veranderen; en er smalend over praten was werkelijk ongepast. In elk geval had Basaglia meer sensibiliteit, engagement en moed getoond dan de hele geïnstitutionaliseerde psychiatrie bij elkaar, waarvan de traagheid even spreekwoordelijk was als het gebrek aan fantasie.

'Hebt u het weleens meegemaakt hoe het is als ze, al hebt u niets gedaan, de deur achter u op slot doen alsof het om een gevangenis gaat? Hebt u de grote sleutel weleens gezien die de oppassers omdraaien in het slot, met een geluid waarvan de nagalm maar niet lijkt op te houden?' Silvestri's witte hand met de sigaret trilde, er viel as op de rollade.

'Het zijn geen oppassers,' zei Millar, die zich met moeite kon beheersen, 'het zijn verplegers.'

'In Oakland werden ze *warden* genoemd,' zei Silvestri met verstikte stem, 'hetzelfde woord dat in jullie gevangenissen wordt gebruikt.'

'Het zijn verplegers,' herhaalde Millar quasi-kalm en hij richtte zich, de wijnfles in zijn hand, met een geforceerd glimlachje tot Perlmann. 'Er zijn leukere onderwerpen. Hoe is mijn tekst u bevallen?'

Perlmann merkte hoe de opwinding van Silvestri ook hem te pakken had gekregen. Hij stopte een veel te groot stuk vlees in zijn mond en maakte, terwijl hij kauwde, een verontschuldigend gebaar. '*It's okay*,' zei hij ten slotte, en hij trok een glimlach waarmee hij wilde uitdrukken dat hij Millar's kritiek op hem niet kwalijk nam.

'Ik begrijp het,' grijnsde Millar, toen Perlmann er verder het zwijgen toe deed. 'U bewaart uw reactie tot morgen. Ik verheug me erop.'

Terug in zijn kamer probeerde Perlmann zijn weerzin van zich af te zetten door extra woeste gebaren te maken en met een overdreven vlotte zwaai aan het bureau te gaan zitten. Millar's teksten waren zoals gebruikelijk verpletterend briljant, dat kon je al bij het eerste doorbladeren zien. Zijn tussenkoppen hadden bijna altijd de vorm van een vraag, en om de originaliteit van zijn vragen, die al tot heel wat onderzoek hadden geleid, was hij beroemd. Er kwam nog bij dat zijn woordenschat ongewoon rijk was voor een wetenschappelijk auteur en dat hij een heel eigen stijl had ontwikkeld door vaardig met de aanschouwelijkheid van idiomatische uitdrukkingen te jongleren en niet schuwde midden in een zakelijke zin, waarin hij allerlei gegevens samenvatte, een populaire uitdrukking te gebruiken die insloeg als een bom. Er waren ook mensen die Millar's stijl te bont en gekunsteld vonden, maar zij waren altijd in de minderheid geweest, en intussen waagde niemand het nog hardop te zeggen. Alleen Achim Ruge, die zelf een gortdroge, erg ambtelijke stijl hanteerde, had er een tijd geleden op een congres een kritische opmerking over gemaakt, die heimelijk werd doorgefluisterd.

Perlmann had er geen bezwaar tegen, geen enkel. Hij was met de meest recente van de beide teksten begonnen teneinde eerst maar eens Millar's kritiek op hem te verstouwen. Hij kon niets bedenken wat hij tegen die kritiek kon inbrengen. Terwijl hij met de pen in zijn hand achter het lege schrijfblok zat, drong uit Millar's kamer af en toe een fortissimo door. De kritiek was scherp, vernietigend zelfs. Het verbaasde hem dat het hem desondanks niets kon schelen. Het was een beetje als bij een totale narcose, en toen hij de kritische passages allemaal had gelezen, was het hem bijna opgewekt te moede.

Maar toen hij klaar was met de tekst, schrok hij van zijn eigen onverschilligheid. Om argumenten aan te kunnen voeren, op kritiek te kunnen reageren, moest je over meningen beschikken, helder geformuleerde, plausibele meningen. En precies die had hij niet. Hij was al enige tijd een man zonder meningen, in elk geval wat zijn vak betrof. Hij was het met alles eens, als het tenminste niet echt complete onzin was. Zo goed als nu had hij dat nog niet beseft.

Hij ging voor het open raam staan. De rij lichtjes bij Sestri Levante was nu heel regelmatig en stil. Hoe was het toen hij nog wel meningen had? Waar waren die telkens vandaan gekomen, en waarom was die bron opgedroogd? *Kun je het besluit nemen iets te geloven? Of zijn meningen iets wat je gewoon komt aanwaaien?*

Bij Ruge was het zonet donker geweest, en nu doofde ook het licht dat uit Millar's kamer viel. Maar het was beter nog een halfuur te wachten met de verhuizing. Twee dagen van in totaal drieëndertig. Een zestiende was dus al voorbij. Zo had hij ook als scholier de dagen afgeteld. En net als toen was dat ook nu een merkwaardige ervaring: het ene moment leek hem dat al heel veel tijd. Eigenlijk, dacht hij dan, was het tamelijk snel gegaan, en als het zo verder ging, zou alles snel voorbij zijn. Dat het nu nog vijftien keer eenzelfde tijdsbestek zou duren, leek een futiliteit. Maar het volgende moment kwam het hem als een eeuwigheid voor: één keer en nog een keer en nog een keer... Net als een langeafstandsloper mocht je niet aan de hele afstand denken, maar moest je je erop concentreren het volgende, overzienbare traject af te leggen.

Zachtjes opende hij de deur en verzekerde zich ervan dat er niemand in de gang was. Toen liep hij, met zijn koffers net iets boven de vloer, voorovergebogen naar de trap en haastte zich naar de bovenste verdieping, waarbij hij, ondanks de zware koffers, telkens twee treden tegelijk nam. Hijgend zette hij de koffers neer in zijn nieuwe kamer en haastte zich nog een keer terug. Met de grammatica en het woordenboek vormden de teksten van Millar en Leskov een grote, ordeloze stapel die hij met zijn jas bedekte. Na een onderzoekende blik door de kamer gebruikte hij de sleutel, om het geluid van de in het slot vallende deur te vermijden.

De plafondlamp van de nieuwe kamer verspreidde een koud, diffuus licht dat aan de wachtruimte van een station deed denken. Gelukkig was het schijnsel van de staande schemerlamp naast de rode fauteuil warm en helder, ideaal licht om bij te lezen. Wanneer alleen die lamp brandde, werd de rest van de grote kamer in een geruststellend donker gedompeld, dat helemaal alleen aan hem toebehoorde. Na een poosje liep hij door dat donker naar de badkamer en nam een halve slaappil. Tot die begon te werken zou hij nog net genoeg tijd hebben om in bed Millar's eerste tekst vluchtig door te nemen. Het was een lastige tekst met veel formules. Maar daar zou het morgen waarschijnlijk niet om gaan. Perlmann zette de wekker op half acht. Hij moest, dacht hij toen hij al half in slaap was, voor zolang de zitting morgen duurde, een mening simuleren. Hij kon er niet mee volstaan die alleen maar te verwoorden; het was van belang die mening ook innerlijk te ensceneren. Was dat mogelijk, als hij moest opboksen tegen de overtuiging dat hij geen enkele mening had?

6 De kelner die hem de volgende morgen koffie bracht, liet niets blijken van eventuele verbazing over de nieuwe kamer. Toen hij naar de ronde tafel naast de rode fauteuil liep, bedekte Perlmann de tekst van Leskov met de hotelbrochure en schoof hem toen pas opzij om plaats te maken voor het dienblad. Hij deed het met een snelle, verstolen beweging, die hem vaag verontrustte maar die hij meteen ook weer vergat.

Voor het lezen van Millar's eerste tekst, waar hij gisteravond niet meer aan toe was gekomen, had hij niet veel tijd meer, want de vijf minuten nadommelen die hij zichzelf had gegund nadat de wekker was afgegaan, waren een halfuur geworden. Perlmann keek nog eens naar de passages die Millar uit zijn werk citeerde. Dat hij dat allemaal zelf had geschreven, kwam hem ongeloofwaardig voor. Niet omdat hij het slecht vond. Maar de auteur van die woorden had werkelijk vat op de materie en hield er een stellige mening op na waarvan hij zich niets meer herinnerde, zodat het hem voorkwam dat hij er destijds bij het schrijven helemaal niet bij was geweest. Die verre, vreemde auteur stond hem in niets nader dan de wetenschappelijke stem van Millar: hij kwam zichzelf voor als een scheidsrechter in een woordenwisseling tussen vreemden, een scheidsrechter wiens neutraliteit zo ver ging dat hij de van beide kanten naar voren gebrachte argumenten volgde zonder ook maar de minste behoefte te voelen zich ermee te bemoeien. Toen hij later door de foyer liep, de gang naar de salon in sloeg en naar de treden toe liep die naar de Marconi-veranda leidden, deed hij nog steeds vergeefse pogingen voor zichzelf partij te kiezen.

Millar begon met een toelichting op de theoretische uitgangspunten en de belangen van het onderzoek op de lange termijn waardoor hij zich bij het schrijven van het artikel had laten leiden. Na een paar zinnen stond hij op en begon met zijn armen gekruist voor zijn borst op en neer te lopen. Hij droeg een donkerblauwe broek en een wit overhemd met korte mouwen en epauletten waaraan je kon zien dat het lang in een koffer had gezeten. Hoewel zijn haar nog een beetje nat was, leek het merkwaardig dof, en van de rossige gloed was niets te zien. De overtuiging waarmee hij zijn betoog hield, deed denken aan de overtuiging waarmee een admiraal bij een stafbespreking tegen zijn mensen pleegt te spreken. Door de manier waarop hij met zijn sonore stem de ene goedgeformuleerde zin na de andere uitsprak, straalde hij de zekerheid uit van iemand die in zijn wereld perfect de weg kent en die er geen moment aan twijfelt dat hij in die wereld precies op zijn plaats is – in een wereld waar net als in een officiersmess strikte regels gelden, bijvoorbeeld dat je precies op tijd aan het gemeenschappelijke ontbijt dient te verschijnen. Perlmann had de Rockefeller Universiteit waar Millar werkte nooit bezocht, maar op de een of andere manier leek het hem volstrekt vanzelfsprekend dat mensen die daar kind aan huis waren, zich precies zo gedroegen als deze Brian Millar. Hij keek naar Giorgio Silvestri, die, op zijn stoel balancerend, zonet bijna zijn evenwicht had verloren en een val alleen had kunnen voorkomen door met zijn hand steun te zoeken bij het raam achter hem. Graag had hij een blik en een glimlach met hem gewisseld, maar hij was bang daarmee te verraden dat hij graag met Silvestri tegen Millar wilde samenspannen.

Millar ging zitten en zocht Perlmann's blik. Maar Adrian von Levetzov had al zitten popelen en nam meteen het woord. Als hij Millar, die toch vijftien jaar jonger was dan hij, niet zo had gepaaid met zijn verontschuldigende glimlachje, zou Perlmann hem hebben bewonderd. Zijn vragen en tegenwerpingen waren heel raak, en Perlmann had zichzelf graag wijsgemaakt dat hij ze zelf ook al had bedacht. Maar zo was het niet. *Om dat te kunnen bedenken moet je er helemaal in zitten – zo, als ik er niet meer in zit.* Hij voelde afgunst, net zoals hij zich vroeger, als ambitieuze student, vaak had gevoeld wanneer een ander sneller was met het formuleren van gedachten waar hij ook zelf op had kunnen komen; en heel even irriteerde hem zijn vroegere heftigheid. Maar toen gebeurde er iets vreemds: opeens beleefde hij dat gevoel als iets dat niet meer bij hem, bij zijn huidige persoon paste; het was alleen nog maar een herinnering, een achterhaalde reflex uit een tijd toen de wetenschap hem nog niet vreemd was geworden. Het verbaasde hem te merken hoezeer hij zichzelf had overleefd, en heel even, terwijl het om hem heen heel stil werd, ervoer hij het als een grote bevrijding. Toen bereikten de stemmen van de anderen hem weer en geschrokken besefte hij hoe ver hem die innerlijke ontwikkeling had weggevoerd van de anderen, en hoe bedreigend dat was, vooral in deze ruimte, waarvoor hij al sinds zijn aankomst bang was geweest.

Voordat opnieuw de verwachting kon ontstaan dat Perlmann het woord nam, mengde Achim Ruge zich in de discussie. Het contrast met de overdreven omzichtige manier van Von Levetzov had niet groter kunnen zijn. Als opponent had Ruge iets onbehouwens, doordrammerigs, en als hij een argument vergezeld liet gaan van een hikkend lachje, klonk het bijna honend. Hij behandelde de even oude Millar net als alle anderen, niet zonder respect, maar zonder égards, en hij liet zich absoluut nergens door intimideren. Toen Millar met een zekere scherpte op een tegenwerping reageerde met: '*Frankly, Achim, I just don't see that*,' pareerde Ruge met een grijns: '*Yes, I know*,' en oogstte daarmee gelach, dat Millar met een zuur glimlachje, dat een sportieve indruk moest maken, over zich heen liet komen.

Maar het was vreemd, dacht Perlmann: wat Ruge te berde bracht, had niets kwetsends. Je kon het de man met het kale hoofd en zijn afschuwelijke Zwaabse uitspraak niet kwalijk nemen dat dit zijn stijl was, want door alle drammerigheid heen merkte je zijn goedmoedigheid, je voelde dat zijn aanvalslust gespeend was van elk venijn. Nu, nu hij aan zijn luidruchtige neussnuiten was ontkomen en hij zich niet meer hoefde voor te stellen hoe hij aan de andere kant van de muur tegenover hem zat, kon Perlmann Achim Ruge accepteren. En eigenlijk was de veronderstelling absurd dat zijn burgerlijkheid en rechtschapenheid hem gevaarlijk maakten.

Laura Sand had haar potlood neergelegd en wilde iets zeggen. Maar toen ze zag dat alle ogen op Perlmann waren gericht, leunde ze achterover en greep naar haar sigaretten. Perlmann keek naar Silvestri, maar in plaats van bij hem steun te vinden, ketste zijn blik af op de gespannen verwachting die in de donker glanzende ogen lag. Het was zover.

Het waren onberispelijke zinnen die uit zijn mond kwamen, en hun trage tempo onderscheidde zich niet wezenlijk van een natuurlijke manier van bedachtzaamheid tonen. Maar in Perlmann's hoofd resoneerden ze als een van elke betekenis gespeende reeks doffe klanken, die ergens vandaan kwamen en als iets vreemds door hem heen trilden, niet ongelijk aan wat je beleefde tijdens een treinreis. Die gewaarwording dreigde hem bij elk volgend woord de mond te snoeren, zodat hij zich innerlijk telkens weer een duwtje moest geven om aan de volgende zin te kunnen beginnen – om zogezegd het hier geboden minimum aan zinnen te produceren. En toen opeens werd de innerlijke druk te groot; er vond een stille explosie plaats die hem met de roekeloosheid van een kansspeler vervulde.

'Uw kritiek op mijn werk is het meest verhelderende, het meest inzichtelijke wat ik sinds lang heb gelezen,' hoorde hij zichzelf zeggen. 'Ik vind uw bezwaren absoluut overtuigend en ik denk dat daarmee mijn hele bewering is weerlegd.' Hij verviel in een lachen dat innerlijk was omgeven door een koortsachtige duizeling. 'Het is een fantastische ervaring bevrijd te worden van een verkeerd idee. Ik kan u er niet dankbaar genoeg voor zijn! En eigenlijk vind ik dat uw kritiek nog veel verder strekt dan u zelf aanneemt.'

En nu toverde hij, plotseling in het volle bezit van zijn krachten, het ene argument na het andere uit zijn hoed, maakte korte metten met alles waar zijn naam voor stond, en rustte niet eer ook nog het laatste idee dat hij ooit had gelanceerd, was afgeserveerd. Hij sprak vanuit een speelse inspiratie, waarvan alleen hijzelf de bitterheid smaakte, en liet zijn retorische uitvallen vergezeld gaan van armbewegingen die, ongeveer als de bewegingen van een zaaier, iets wegwerpends en tegelijkertijd royaals hadden.

Millar was ontdaan, en ook de anderen zagen eruit alsof ze door een deuropening waren gekomen en daarachter onverhoeds in de leegte waren gevallen. De eerste die zichzelf weer in de hand had, was Von Levetzov.

'Opmerkelijk,' zei hij, en het was merkbaar dat hij zijn gewone houding tegenover Perlmann opeens niet meer vond passen, zonder dat hij de tijd had gehad een nieuwe houding te ontwikkelen. 'Maar vindt u niet dat u een beetje uw doel voorbijschiet?'

Toen begon hij de scherven bijeen te rapen en aan elkaar te lijmen, totdat een groot deel van de positie die Perlmann tot dusver had ingenomen, weer intact was. Evelyn Mistral hielp mee, en plotseling leek het alsof het Ruge er alleen nog om te doen was het bewijs te leveren dat Perlmann voorbarige conclusies had getrokken. Iedereen leek opgelucht dat er gaandeweg weer een normale discussie op gang kwam. Alleen af en toe zag Perlmann dat er een verstolen blik op hem werd geworpen.

Millar had zijn verstarring van zich afgezet en praatte over Perlmann bijna als over een afwezige. Hij kon het niet bewijzen, maar Perlmann had durven zweren dat Millar zijn betoog van zonet voor een bijzonder vermetele vorm van sarcasme hield en dat hij zich voor gek gezet voelde. Niets was evenwel minder waar. En toch: het zou moeilijk te voorkomen zijn dat door dat misverstand haat tussen hen ontstond.

Terug op zijn kamer voelde Perlmann zich leeg en moe als een toneelspeler na de voorstelling. Zouden ze het als een gril van hem beschouwen, of had hij met zijn zelfkritische orgie zichzelf onherroepelijk tot een zonderling gemaakt? Dan was er ook nog de kwestie met zijn zogenaamde onderwerp, en ten slotte zou het niet lang meer duren tot ze zouden ontdekken dat hij een andere kamer had betrokken. Wat voor beeld van hem leverde dat in hun hoofden op?

Perlmann gleed in een halfslaap waarin hij op zijn deur hoorde kloppen, eerst heel zacht, toen steeds harder, tot het een bonken werd dat door duizend vuisten veroorzaakt leek te worden. Hij zette zich schrap tegen de deur, barricadeerde zich met behulp van de kast, nu hoorde hij hoe het hout onder de bijlslagen versplinterde, het eerst werden Millar's tanden zichtbaar, grote, witte tanden, blikkerend van gezondheid, toen de hele Millar in admiraalsuniform, achter hem het enorme hoofd van Ruge, waar een hikkende lach uit opsteeg als bij een pop, en uit het donker van de gang kwam Evelyn Mistral's stem, vervormd tot een schel, ordinair gelach.

Hij schrok wakker, op weg naar de badkamer deed hij de ketting voor de deur, schaamde zich voor zijn gedrag. Later stond hij voor het open raam, twee stappen voor de vensterbank, en keek naar de regen, die in stromen neerviel. Zonder het zuidelijke licht leek de baai op een verlaten toneel na de opvoering, of op een pretpark 's morgens vroeg, wanneer de lichten uit zijn – ontnuchterend en schamel, zodat je je bedrogen en katterig voelt. Op het voor het publiek vrij toegankelijke strand zag je nu opeens vooral het afval en de viezigheid, lege flessen en plastic tasjes, en nu viel het ook op dat de blauwe kleedhokjes dringend aan een verfje toe waren.

Hij pakte Leskov's tekst. Hij had slechts een paar van de overgeschreven woorden onthouden en het duurde even eer hij de rode draad van het betoog weer kon oppakken. In een volgende stap wilde Leskov nu aantonen dat het soort gearticuleerde zelfbeeld waarop onze herinnering berust, alleen tot stand kan komen door afbakening door middel van taal, dus door het vertellen van verhalen. Meteen na die aankondiging kwam er een alinea die Perlmann het gevoel gaf geen woord Russisch te kennen, zo ondoorzichtig bleef die ook na de tweede en de derde keer lezen. Hij probeerde de hele passage dan maar over te slaan en gewoon verder te lezen. Maar dat ging niet, de alinea bevatte blijkbaar een argument dat de sleutel vormde voor alles wat erop volgde, en als je het argument niet had begrepen, leek alles wat er verder kwam onsamenhangend, bijna willekeurig. Het liefst had hij de tekst in een hoek gesmeten. Maar hij legde zich erbij neer dat hij, wat deze passage betrof, weer helemaal leerling was en niet een lezer die de Russische taal beheerste, en hij begon zin voor zin te ontleden, zoals vroeger in de Latijnse les.

Langzaam, halve zin voor halve zin, gaf de tekst mee en openbaarde zijn betekenis. Maar juist in het cruciale deel van de argumentatie stond een blok van vier zinnen die ondoorgrondelijk bleven, alle analytische inspanning en geduld ten spijt. Wat Perlmann bijna tot wanhoop dreef, was dat het niet kwam doordat de woorden niet voorkwamen in zijn woordenboek. Bij twee woorden was dat weliswaar het geval, maar dat waren bijvoeglijke naamwoorden die hem verwaarloosbaar leken. Alle andere onbekende woorden stonden wel degelijk in zijn woordenboek, maar met geen mogelijkheid kon hij met behulp van de verklaringen enige betekenis aan de zinnen ontlenen, om maar te zwijgen van enig logisch verband. In weerwil van zijn ervaringen deed Perlmann alsof het hem toch nog zou lukken; hij liep heen en weer en sprak de vier zinnen, die hij allang uit zijn hoofd kende, telkens weer zachtjes voor zich uit, bezwerend en gebarend – hij had voor compleet gestoord gehouden kunnen worden. Hij hield er pas mee op toen er op de deur werd geklopt.

Haastig schoof hij Leskov's tekst op een stapel en borg hem samen met het woordenboek op in de lade van het bureau. Toen pas deed hij de deur open, die met een klap werd tegengehouden door de ketting.

'O, ik stoor,' zei Evelyn Mistral, toen ze zijn gezicht in de kier van de deur zag.

'Nee, nee, wacht,' zei Perlmann snel en deed de deur dicht om de ketting los te maken.

Ze had na vergeefs bellen en aankloppen zijn nieuwe kamernummer van signora Morelli gekregen. Nu liet ze, met haar handen in de zakken van haar roestrode spijkerbroek, haar blik door de hele kamer dwalen en liet zich toen in de fauteuil vallen, waarin ze diep wegzonk.

Het bed was de reden geweest waarom hij om een andere kamer had gevraagd, zei Perlmann, hij had, zoals zo velen, last van zijn rug.

'En je bent graag op jezelf,' zei ze met een nauwelijks waarneembare glimlach. Ze zonk met over elkaar geslagen benen nog wat dieper weg in de fauteuil.

Perlmann wist niet of hij moest schrikken van haar trefzekerheid, of dat hij er blij mee was.

'Weet je,' zei ze, nadat ze hem om een sigaret had gevraagd, waarvan ze vervolgens alleen maar kleine trekjes nam, 'ik heb er oog voor. Mijn vader heeft namelijk zijn hele leven aan zorgvuldig geheimgehouden pleinvrees geleden. In de bioscoop ging hij bijvoorbeeld altijd in een lege rij op de stoel aan het gangpad zitten, ook al moest hij dan voortdurend opstaan om mensen langs te laten, en als dan de zaal te vol raakte, gebeurde het regelmatig dat hij alsnog door de nooduitgang verdween. Wanneer er gedrang ontstond op het trottoir was hij in staat zomaar de rijweg op te lopen. En natuurlijk meed hij liften als de pest; een uitzondering maakte hij alleen bij van die heel oude liften, waarbij je door de glazen deuren en de draadmetalen schacht heen het trappenhuis kunt zien. Het erge was dat hij bij het opereren altijd andere artsen en verpleegsters om zich heen had. Meer dan eens heeft hij op het punt gestaan ermee op te houden. Maar hoe groot zijn probleem was, heb ik pas begrepen toen ik hem op een nacht aantrof in onze enorme keuken, waar hij als een hoopje ellende achter een glas sterkedrank zat, die hij anders nooit dronk. Een heel goede vriend, misschien wel zijn beste vriend, met wie hij minstens eens per week telefoneerde en die in die tijd, toen mijn moeder erg ziek was, een grote steun voor hem was, had aangekondigd dat hij van Sevilla naar Salamanca ging verhuizen, waar wij woonden. "Ik verstijfde helemaal," zei papa, "ik had het gevoel te stikken. Hopelijk heeft José Antonio niets gemerkt." En toen begon hij, een man die niet gewend was aan alcohol en die als inwoner van Valladolid het meest correcte Spaans sprak dat je maar kunt denken, met een onbeholpen, slordige uitspraak te vertellen dat we zouden moeten verhuizen, zo ver mogelijk naar het oosten, naar Barcelona wellicht of naar Zaragoza, en hij hoefde daar ook niet weer zo nodig chef de clinique te worden. "Snap je, anders raak ik José Antonio kwijt," zei hij met tranen in zijn ogen. Daarbij was hij een heel tedere vader. Hoe dat samenging heb ik nooit begrepen. Maar sindsdien kan ik mensen die veel ruimte om zich heen nodig hebben heel snel herkennen, en ik vergis me zelden. Natuurlijk bedoel ik daarmee niet te zeggen dat jij aan pleinvrees lijdt,' besloot ze glimlachend.

Haar kon hij het vertellen, bij haar kon hij zijn hart luchten – alsof ze samen in de grote keuken zaten. Perlmann stak een sigaret op en ging even voor het raam staan om na te denken over hoe hij moest beginnen.

'Maar ik ben om iets heel anders gekomen,' zei ze, toen hij zich, klaar om zijn verhaal te doen, naar haar omdraaide. 'In de eerste plaats wil ik je zeggen hoeveel indruk de innerlijke vrijheid waarmee je vanochtend over je werk hebt gepraat, op mij heeft gemaakt. Ik had, zoals je daarna zult hebben gemerkt, niet de indruk dat Brian alles werkelijk heeft weerlegd. Maar de rust, of eigenlijk het plezier waarmee je de mogelijkheid opperde dat het allemaal misschien wel op een hardnekkig misverstand berustte! Hoe krijg je dat in vredesnaam voor elkaar?'

'Misschien komt het door mijn leeftijd,' zei Perlmann met een brok in zijn keel, en uit schaamte over die idiote opmerking was hij het liefst in lucht opgelost.

'Nou, ik weet niet,' glimlachte ze, onzeker of hij het serieus had bedoeld. 'In elk geval vond ik het fantastisch. En het andere is: ik zou graag met je over je nieuwe onderzoek willen praten. Wat je er vanochtend over vertelde vond ik fascinerend, want het kan niet anders dan dat de invloed die de weergave door middel van taal op de herinnering heeft, nauw verwant is met het verfijningsproces door middel van de fantasie dat ik onderzoek. '*Verdad?*'

Perlmann excuseerde zich en ging naar de badkamer, waar hij minutenlang warm water over zijn koude handen liet lopen. Vooral tijd winnen moest hij nu, en er dan voor zorgdragen dat hoofdzakelijk zij het woord voerde. Weer in de kamer stelde hij voor een kop koffie te gaan drinken bij de jachthaven. Hij zei dat hij van het licht en van de geuren hield wanneer, zoals nu, na een regenbui de zon doorbreekt.

Het idee van de herinnerde voorvallen waarop je, hoewel vaak onopzettelijk, een beeld van jezelf projecteert, vond Evelyn Mistral heel overtuigend. Ze vroeg zich af hoe dat zat bij gefantaseerde gebeurtenissen en bij dromen. Af en toe leunde ze achterover op haar stoel, haar armen achter haar hoofd gekruist, haar blik met halfgesloten ogen op de zee gericht, en dacht hardop na over voorbeelden. Ze was zo geconcentreerd dat ze schrok toen de kelner opdook en ze hem met een arm, die ze juist achter haar hoofd wegtrok, een koffiekopje uit zijn hand sloeg. Toen de kelner er een grapje over maakte en zei dat hij haar niets kwalijk nam, hoorde Perlmann haar voor de tweede keer Italiaans spreken. Ze sprak het even moeiteloos als Spaans, alleen de scherpe medeklinkers sprak ze niet helemaal correct uit. Haar moeder was Italiaanse, legde ze uit, en thuis hadden ze vanzelfsprekend beide talen gesproken.

'Net als bij Giorgio, alleen het omgekeerde. We hebben er wel vaak om gelachen omdat we niet wisten welke taal we moesten kiezen. Zijn voorstel is: tot twee uur drieëntwintig Spaans, daarna Italiaans,' lachte ze.

Ze was door het incident niet, zoals Perlmann had gehoopt, van haar onderwerp afgeraakt. Ze vroeg hem nu of hij in verband met de herinnering een reden kon noemen waarom de verfijning van het geprojecteerde zelfbeeld moest plaatsvinden door middel van het medium taal. Zijzelf was al heel lang op zoek naar een plausibele verklaring inzake de fantasie en de wil. Voor haar was het niet voldoende, zei ze met een gezicht waarop Perlmann plotseling haar matzilveren bril meende te zien, dat er een eenduidige samenhang te vinden was in de ontwikkeling van betreffende vaardigheden. Ze zocht naar iets wat een nauwere, zogezegd innerlijke samenhang tussen de fenomenen zichtbaar kon maken. Of hij haar misschien verder kon helpen?

Perlmann dacht aan de vier weerbarstige zinnen in Leskov's tekst. Ja, dat was een belangrijke vraag, zei hij, en hij draaide zich om naar het water. Hoe vaak had hij niet gehoopt na zo'n vraag eerst een tijdlang te kunnen zwijgen – de vraag eerst helemaal op zich in te laten werken zonder hem als een bedreiging te ervaren die je geen andere keus liet dan meteen met een antwoord klaar te staan, dan wel je ervoor te verontschuldigen dat je geen pasklaar antwoord had. Nu, naast deze vrouw gezeten, die hij amper een uur geleden bijna in vertrouwen had genomen, lukte hem, nee: overkwam hem iets wat van buitenaf gezien bedrieglijk veel op de vervulling van die hoop leek: haar vraag kwam als zo bedreigend op hem over dat hij niet alleen een leegte van onwetendheid, maar ook een verlammende ontzetting ervoer bij de gedachte dat hij met een antwoord verder zou spinnen aan het web van leugens waaruit zijn valse identiteit bestond; en dus nam hij de pose aan van iemand die nadenkt, en deed er het zwijgen toe. Beschaamd, zij het ook met een vleugje galgenhumor waarmee hij zich tegen de ontzetting verweerde, stelde hij vast dat de vlieger opging: alsof de stilte van een onbeantwoorde vraag de natuurlijkste zaak van de wereld was, begon Evelyn Mistral zelf naar antwoorden te zoeken.

Juist toen het moment naderde waarop hij toch iets moest zeggen, kwamen Von Levetzov en Millar aan de overkant van de straat voorbij wandelen. Von Levetzov zwaaide, zei iets tegen Millar, en voordat ze de hoek om sloegen, draaiden ze zich allebei nog een keer om. Evelyn Mistral streek haar haar uit haar gezicht en glimlachte spottend toen de beide mannen verdwenen waren. Ze keek op haar horloge en zei dat ze nog moest werken, tot het haar beurt was had ze nog maar tweeënhalve week, en eer het zover was wilde ze de beide hoofdstukken waar het over zou gaan, nog een keer aan een revisie onderwerpen.

'Denk je dat het vroeg genoeg is als ik de teksten op de vrijdag ervóór laat kopiëren?'

Perlmann knikte.

Ze zou vast en zeker heel erg zenuwachtig zijn op de zitting, zei ze. 'In zo'n illuster gezelschap!'

Op het moment waarop Perlmann, bijna op hetzelfde tijdstip als de dag ervoor, het kralengordijn uiteenduwde en de trattoria betrad, begon de regen op het glazen dak te roffelen. De waard en zijn vrouw begroetten hem als een oude bekende, zetten bonensoep voor hem neer en daarna kip, en toen Sandra later koffie serveerde, kwam ook haar vader en legde de kroniek ernaast alsof dat een al jaren beoefend ritueel was.

Perlmann had zich tijdens het eten voorgesteld hoe Evelyn Mistral en Giorgio Silvestri met elkaar praatten, speels van taal wisselend en grappen makend, en hij was jaloers geweest. Nu zette hij die voorstelling van zich af en sloeg het jaar op waarin hij zijn pianostudie had afgebroken.

Op een van de eerste dagen van dat jaar was Albert Camus dodelijk verongelukt, Perlmann herinnerde zich vaag het onbegrip waarmee ze thuis hadden gereageerd op de opwinding die dat had veroorzaakt. Pas jaren later, toen hij *De pest* voor de eerste keer helemaal uitlas, zag hij in hoeveel onbegrepen zaken er destijds achter die opwinding hadden gezeten en hoezeer die toch ook iets van een modeverschijnsel had gehad.

Hij bladerde verder. Met het tot ontploffing brengen van de eerste plutoniumbom in de Sahara was Frankrijk toegetreden tot de kring van atoommachten. Leonid Brezjnev werd de nieuwe president van de Sovjet-Unie. Het succes van Fellini's *La dolce vita* in Cannes. Anita Ekberg in de Trevi-fontein. De Israëli's ontvoerden Eichmann. In feite was dat onwettig, had zijn vader gezegd. In het tuchthuis van St. Quentin werd Caryl Chessman terechtgesteld nadat de voltrekking van het doodvonnis acht keer was uitgesteld. De Olympische Spelen in Rome; maar niet daar had Armin Hary de 10,0 gelopen, maar al eerder in Zürich.

Over de maand september had de kroniek, afgezien van het lijstje met de Italiaanse olympische medailles, weinig te melden. In die maand had hij zijn beslissing genomen, op een van de laatste dagen, de exacte datum wist hij niet meer. Hij zag de kale ruimte van het conservatorium voor zich, en in zijn herinnering was dat succesvolle ogenblik ook nu, ruim dertig jaar later, nog heel levend, was hem bijgebleven met alle details, alsof hij het moment destijds uit alle macht in zijn geheugen had willen griffen.

Het was vroeg in de namiddag van een regenachtige dag en er hing een licht waarin de tijd leek stil te staan en toch geen tegenwoordigheid bezat, of alleen een dode tegenwoordigheid. Hij had weer eens Chopin's polonaise in As grote terts gerepeteerd. Dat was een van de eerste composities voor piano die hij had leren kennen, en heel lang was het zijn lievelingsstuk geweest. Maar intussen was het ook een stuk geworden dat hij haatte omdat er een angstpassage in voorkwam die hij slechts zelden vlekkeloos wist te nemen. Hij had al talloze malen op die passage geoefend, noot na noot, maar het leek wel alsof zijn motorische geheugen op die plek om onnaspeurbare redenen was geblokkeerd, zodat de bevelen van zijn hersenen aan zijn vingers niet streng en eenduidig waren, maar aarzelend en vaag.

Die middag was de bewuste passage hem tot zijn verbazing meteen de eerste keer gelukt. Hij was heel blij, maar uit ervaring bleef hij aanvankelijk sceptisch. Hij haastte zich het succes te herhalen en de reeks aanslagen eindelijk voor eens en altijd in zijn vingers te krijgen. Ook de tweede en de derde keer ging het goed, en bij de vierde keer voelde het al bijna aan als een vastverankerde routine. Hij had het gevoel dat hij het eindelijk onder de knie had en ging naar de foyer om zichzelf op een sigaret te trakteren.

Toen hij, weer aan de vleugel, zijn zojuist verworven zekerheid nog een keer wilde beproeven, raakte hij meteen in de war. Hij probeerde het nog een paar keer, maar bracht er niets van terecht. Toen stak hij, achter de toetsen gezeten, weer een sigaret op, wat strikt verboden was, en rookte die kalmpjes op, waarbij hij het pakje als asbak gebruikte. Daarna sloot hij behoedzaam de klep van de piano en deed het raam open. Voordat hij wegging bekeek hij het kleine schilderij van Paul Klee, dat, omdat het daar de enige afbeelding was, de kaalheid van het vertrek alleen nog maar accentueerde. Het hing precies in de blikrichting van de pianist. Hij zou het missen.

Het was niet zo, dacht Perlmann, dat zijn geduld destijds gewoon op was geweest. Heel rustig, zonder zich inwendig op te winden, was hij door de gang naar de kamer van Bela Szabo gelopen, en later de trap op naar de directeur. Ook zou het onjuist zijn te zeggen dat hij zijn opleiding had afgebroken vanwege zijn nederlaag bij de polonaise in As grote terts. Wat er die middag gebeurde was gewoon dat een ingewikkeld inwendig krachtenspel, dat al vele maanden aan de gang was – bepaald door heel verschillende ervaringen die hij als pianist met zichzelf had meegemaakt en door twijfels van allerlei soort –, tot stilstand kwam in een definitief, onherroepelijk en helder inzicht in de grenzen van zijn talent. Als hij tegen zichzelf zei dat op dat moment de beslissing was gevallen, dan, leek het hem, kon daarmee niets anders zijn bedoeld dan de intrede van die stilstand, het einde van de onzekerheid die hij altijd had gevoeld. Er was geen sprake van dat nog iets anders invloed had gehad op zijn beslissing, iets wat een intermediair vormde tussen zijn innerlijke toestand en de daaropvolgende uiterlijke handelingen.

Bela Szabo had het een verkeerde beslissing gevonden, die veel te voorbarig was. Dat was ook de mening geweest van zijn ouders, die het jammer, en eigenlijk ook ondankbaar vonden dat hij zijn toekomst als musicus, waarin ze zoveel hadden geïnvesteerd, zomaar weggooide. Maar hij was heel zeker van zijn besluit en liet zich niet op andere gedachten brengen. Hij voelde het in zijn handen, in zijn armen, en soms ervoer hij het zelfs als zekerheid van zijn hele lichaam: verder dan als pianoleraar zou hij het nooit en te nimmer brengen. Hij was er trots op dat hij tot een dergelijk nuchter inzicht in staat was en zette alles op alles om geen drama te maken van zijn besluit. Toch was er een wond gebleven die nooit helemaal geheeld was en die in zijn ogen de bron was van zijn persoonlijke onzekerheid.

Nadat hij zijn opleiding had afgebroken, had hij jarenlang geen noot meer gespeeld en geen concertzaal betreden. Agnes had hem pas weer tot spelen gebracht. Ze hadden een vleugel gekocht en allengs vond hij weer de weg terug naar Chopin, de componist door wiens muziek hij ooit op het idee was gekomen pianolessen te nemen. Maar aan de polonaise in As grote terts had hij zich nooit meer gewaagd. Na de dood van Agnes meed hij de vleugel. Hij vreesde dat de klanken bij hem de emmer zouden doen overlopen en dat hij kitsch zou produceren. En dat zou hij niet hebben kunnen verdragen, zelfs niet als hij helemaal alleen was.

Perlmann gaf Sandra een royale fooi toen ze hem de sigaretten kwam brengen die ze op de Piazza Veneto voor hem was gaan halen. Toen bladerde hij verder. Chroesjtsjov, die bij de Verenigde Naties met zijn schoen op de tafel trommelde. Gretig las hij het artikel over de successen en tegenslagen van diens reis. En de volgende twee bladzijden, die helemaal waren gewijd aan de verkiezing van John F. Kennedy tot president, verslond hij, alsof er openbaringen over zijn eigen leven in stonden.

Toen het restaurant vol begon te raken, keek hij nauwelijks op maar ging geïrriteerd aan de andere kant van de tafel zitten zodat hij nu tegen de muur aan keek. Aandachtig las hij de namen van alle leden van het kabinet van Kennedy, daarna ging hij door met het volgende jaar: Gagarin in het wereldruim; invasie in de Cubaanse Varkensbaai; de bouw van de Muur in Berlijn.

Zijn leven in de luwte van de wereldgeschiedenis nog een keer doornemen: het was, dacht hij, als ontwaken. Met elke bladzijde groeide zijn behoefte zich ervan te vergewissen wat er in al die jaren in de wereld was gebeurd, jaren waarin hij vooral met zichzelf bezig was geweest – met zijn poging door hard te werken zijn angst voor het mislukken van zijn leven te bezweren. Midden in het gepraat en gelach aan de andere tafels had hij het gevoel alsof hij als gevangene van die inspanning als het ware afwezig was geweest en nu pas terugkeerde. Het was als een intrede in de werkelijke wereld. Het had een bevrijdende, verblijdende ervaring kunnen zijn als, nog geen twee kilometer verderop, het hotel met de bordestrap, de bontgekleurde kozijnen en de scheefgegroeide pijnbomen er niet waren geweest.

Geschrokken keek Perlmann op zijn horloge: tien over negen. Zo laat kon hij onmogelijk nog bij het avondeten verschijnen. Toch maakte hij nu haast met betalen en liep met snelle stappen naar het hotel, dat hij voor de eerste keer door de achteringang betrad. Hij had net zachtjes de deur dichtgedaan toen Giovanni, die een grote doos onder zijn arm droeg, de hoek om kwam. '*Buona sera*,' zei hij joviaal en voordat hij doorliep maakte hij een lichte buiging. Vandaag had hij zijn gezicht goed in de plooi, er was geen spoor op te zien van de grijns van gisteren. Maar voor Perlmann was het alsof hij in zekere zin achter dat gezicht lachte, als een dienaar die zijn heer en meester op een smadelijke daad betrapt.

Perlmann had zich erop verheugd boven door de schemerig verlichte gang te lopen en in het midden, onder de lamp zonder licht, op de tast het sleutelgat te vinden. Hij was dan ook onaangenaam verrast toen hij zag dat alle lampen ongebruikelijk veel licht verspreidden. Met de sleutel in zijn hand liep hij in zijn kamer een tijdlang heen en weer en sloop toen naar de bergruimte aan het eind van de gang, waar hij een ladder uit haalde. Met zijn zakdoek om zijn vingers gewikkeld schroefde hij alle nieuwe gloeilampen los, zodat de gang weer even schaars verlicht was als eerder.

Morgen zou, meer dan vandaag, de eerste tekst van Millar aan de orde komen. Met tegenzin boog hij zich over de ronde tafel en bladerde er wat in. Toen ging hij naar de badkamer en nam een halve slaappil uit het doosje. Die brak hij doormidden en hij spoelde na een korte aarzeling het grootst uitgevallen deel naar binnen.

Destijds, toen hij was opgehouden met het conservatorium, was er toch ook die kwestie met die Wet op de uitzonderingstoestand geweest, dacht hij toen hij in het donker lag en naar het nog steeds drukke verkeer luisterde. Hij had de demonstraties vanaf de overzijde van de straat gadegeslagen. Hij had het gevoel gehad dat hij moest oversteken. Maar daar waren al die mensen, en de luide megafoons, en de ritmische bewegingen van de menigte die je het gevoel gaven je eigen wil te verliezen. En zo was hij er nooit toe gekomen zich politiek te engageren, hoewel hij op zijn innerlijke toneel altijd heldere en niet zelden radicale standpunten innam. Dat hij van het Spaanse anarchistisch syndicalisme een tijdlang bijna even goed op de hoogte was als een historicus, had zelfs Agnes nooit geweten.

Die nacht werd hij drie keer wakker, en toch lukte het hem niet aan de loodzware last van het vervloekte woord te ontkomen: *masterclass*, een woord waarvoor zijn beide ouders een heilig ontzag hadden gekoesterd, alsof het een van de namen van God was. Op het conservatorium toegelaten te worden tot de masterclass onder leiding van een van de grote namen, dat was in hun ogen het hoogste wat er bestond, en voor hun enige zoon was er niets waar ze meer op hoopten dan op die wijding. In zijn droom, waaruit hij af en toe ontwaakte maar die steeds gewoon verder ging, zag Perlmann zijn ouders niet, en hij hoorde hen ook het bewuste woord niet uitspreken. Toch waren zijn ouders er wel, en ook het woord was er, en het woord was met reusachtige letters van bevangenheid ingekerfd in hun devote zwijgen.

Pas nadat hij de volgende ochtend minutenlang onder de douche had gestaan, slaagde hij er eindelijk in het gevoel van hoon in zich op te roepen waarmee de macht van het woord uiteindelijk werd gebroken.

7

De omslachtige vraag die Perlmann tijdens de zitting opwierp nadat hij geen weerstand meer had kunnen bieden aan de uitdagende blikken van Millar, was zo onthutsend naïef dat Ruge, Von Levetzov en ook Evelyn Mistral met een ruk hun hoofd naar hem toe wendden. Millar knipperde met zijn ogen als iemand die denkt dat hij iets verkeerd heeft verstaan, en probeerde tijd te winnen door de vraag met langzame, breed uithalende bewegingen op te schrijven. Toen wierp hij – als iemand die zijn ogen nog een keer over een belangrijk contract laat gaan alvorens hij ondertekent – een lange blik op het geschrevene, en keek Perlmann daarna aan. Het was de eerste keer dat Perlmann hem onzeker zag, niet onzeker over de inhoud, maar onzeker over wat hij van die vraag moest denken, die enerzijds door een man als Perlmann was gesteld, anderzijds zo op het eerste gezicht blijk gaf van complete onnozelheid. Hij koos voor een nadrukkelijk bescheiden, nadrukkelijk peinzende toon en legde Perlmann nog een keer uit wat iedereen die zijn tekst aandachtig had gelezen, zonder meer duidelijk moest zijn. Het zat hem zo te zien niet lekker, hij kon duidelijk niet geloven dat Perlmann die vraag werkelijk had gesteld en was bang hem te beledigen door de vraag letterlijk op te vatten. Twee keer leek hij klaar te zijn met zijn antwoord, keek Perlmann onderzoekend aan, en toen die stug knikte en gewoon '*Thank you*' zei, voegde hij nog iets toe aan zijn uitleg.

De slaappil, dacht Perlmann, ik had het kleinste stukje moeten nemen. Hij liet zijn hoofd in zijn hand rusten om onopvallend zijn slapen te kunnen masseren. Misschien hielp dat tegen de hevige druk die als een metalen ring om zijn voorhoofd zat. Toen hij zijn hand wegnam, ving hij een blik op van Evelyn Mistral, die met steeds sneller uitgesproken zinnen tegen het sceptische gezicht van Millar vocht. Hij knikte, zonder te weten waar ze het over had. Toen

Millar die instemming opmerkte, trok hij het gezicht van iemand die nu helemaal niet meer wist wat hij ervan moest denken. Zo te zien paste Evelyn Mistral's betoog op geen enkele wijze bij de interpretatie die hij intussen met enige moeite aan Perlmann's raadselachtig naïeve vraag had gegeven.

Perlmann schonk zichzelf koffie in, en toen hij in zijn jaszak naar lucifers zocht, voelde hij het doosje met pillen tegen de hoofdpijn. Hij liet zijn hand in zijn zak en wriemelde er twee pillen uit, die hij met een langzame, onopvallende beweging naar zijn mond bracht en wegspoelde. Alsof zijn hoofd alleen al door het slikken weer helder was geworden, concentreerde hij zich op de formules in Millar's tekst. Met een schok, die hij op het laatste moment nog een beetje kon inhouden, ging hij rechtop zitten: in een van de formules onbrak een haakje. Terwijl hij zijn opwinding ternauwernood kon beheersen, schonk hij zichzelf opnieuw koffie in. *Nu in geen geval een fout maken.* Systematisch en met een concentratie die bijna pijn deed nam hij het hele formele gedeelte van de tekst door. Hij wist niet wat hij zag: kort voor het eind ontbrak een quantor, waardoor niet alleen de hele afleiding niet deugde, maar wat de formule op zichzelf zinloos maakte. Drie keer nam hij de formule door, teken na teken, en elke keer begon zijn hart heviger te bonzen. Zijn hoofdpijn was verdwenen, en het was alsof zijn ongeduldige wakkerheid van binnenuit rechtstreeks op het papier terechtkwam. Hij was volkomen zeker van zijn zaak. Alles kwam nu neer op de manier waarop hij het te berde zou brengen. Er ging dreiging uit van de traagheid waarmee hij een sigaret opstak, en hij genoot er geweldig van. Toen, met de tekst in zijn andere hand, schoof hij zijn stoel achteruit en sloeg zijn benen over elkaar, alsof hij op een caféterras zat. Hij zag weer hoe Millar destijds op de eerste rij van de congreszaal had gezeten, met naast hem Sheila in haar korte rok.

'*I see*,' zei Laura Sand juist, en ze leunde achterover. Millar zette zijn bril af en wreef in zijn ogen. Het was de eerste keer dat Perlmann zijn gezicht zonder bril zag. Het was een verrassend kwetsbaar gezicht met ogen die een jongensachtige, bijna kinderlijke uitdrukking hadden. Voor de duur van dat korte moment, voordat Millar zijn bril weer opzette, wilde Perlmann niets meer te maken hebben met de aanval die hij zich had voorgenomen. Maar in een ander deel van hem was die aanval al ingezet en volgde nu onstuitbaar zijn ballistische curve, en bovendien lag Millar's gezicht, dat er zo-even nog zo kwetsbaar had uitgezien, nu ook weer verscholen achter zijn blikkerende bril.

'Zeg eens, Brian,' begon Perlmann bedrieglijk mild, 'ontbreekt er in die vierde formule geen haakje? Helemaal vooraan, bedoel ik. Anders is immers het bereik van de quantor te klein.'

Millar wierp hem een snelle blik toe, duwde zijn bril stevig op zijn neus en begon met gefronst voorhoofd te bladeren.

'Jenny, Jenny baby,' mompelde hij met gespeelde irritatie, 'waarom altijd in de formules? Ze is de beste secretaresse die je je kunt wensen,' voegde hij er met een blik op het gezelschap aan toe, 'maar bij formules heeft ze een bord voor het hoofd. Hartelijk bedankt, Phil.'

Perlmann liet hem een notitie maken. 'Een kleinigheid nog,' zei hij met doffe stem. 'Formule tien is, zoals die er nu staat, zinloos. En ook de afleiding klopt niet.'

Dat, zoals nu, zijn hele borstkas de klankkast vormde van zijn hartkloppingen, had hij nog nooit meegemaakt. Hij sloeg zijn handen om zijn over elkaar geslagen knieën, spande zijn armen en zette zich schrap tegen het geweld van zijn bonkende hartslag. De korte, enigszins schichtige blik van Millar loog er niet om: dit was te veel, vooral omdat het van iemand afkomstig was die in staat was zo'n onnozele vraag te stellen.

'Eerlijk gezegd, Phil,' begon hij op hoogdravende toon, 'ik zie niets wat niet helemaal in orde is.'

'Ik wel,' zei Ruge, krabbelde iets in de tekst en grijnsde naar Millar. 'In het midden ontbreekt een quantor.'

Nu pakte ook Von Levetzov zijn potlood. Zijn gezicht drukte leedvermaak uit. Millar gleed met zijn balpen langs de regel en stokte.

'Wacht even... o hé, ja, inderdaad,' mompelde hij, voegde een teken toe en schreef iets op een briefje. 'Jenny baby, we zullen eens ernstig met elkaar moeten praten,' zei hij terwijl hij schreef. Daarna keek hij Perlmann aan. 'In de drukproef zou ik het natuurlijk gezien hebben. Maar toch: bedankt.'

Zijn minzame glimlach was als een contrasterende achtergrond die door een schilder was ontworpen om Millar's van elke humor gespeende, afwijzende blik beter uit te laten komen. *Het was niet Jenny. Het was helemaal geen tikfout.*

Later, toen ze allemaal door de salon liepen, schoof Millar naar Perlmann toe.

'Die vraag van u,' zei hij, 'ik heb de indruk dat ik die niet helemaal heb begrepen. Misschien moeten we er eens over praten samen.'

'Absoluut,' antwoordde Perlmann, en hij had later het vreemde idee dat hij het op een heel stoere manier had gezegd, bijna alsof hij Millar was.

Of hij tevreden was met de nieuwe kamer, vroeg signora Morelli toen ze hem de kamersleutel en de eerste post van mevrouw Hartwig overhandigde.

'Ja, zeer,' antwoordde hij. Hij had gewild dat haar vraag iets minder zakelijk had geklonken; het gevoel van saamhorigheid met haar, waarvan hij zich eergisteren voor het eerst bewust was geworden, had hij graag nog wat langer overeind gehouden.

Bij de post zaten twee uitnodigingen voor lezingen en het verzoek een getuigschrift te schrijven voor een student. Perlmann zag de student voor zich, hoe hij met zijn handen tussen zijn knieën op het puntje van zijn stoel zat en hem door zijn dikke brilleglazen aankeek. In de tuin van de universiteit hing de lome, warme stilte van een vroege namiddag in augustus. Meer dan twee uur lang had hij in zijn kamer de mislukte scriptie met hem doorgesproken. De jongen had met zijn spitse, nerveuze handschrift een half schrift volgeschreven. In de deuropening, nadat hij hem met neergeslagen blik uitvoerig en hakkelend had bedankt, was hij plotseling door zijn knieën geknikt, en om te begrijpen wat er gebeurde, had Perlmann heel even gedacht dat hij een diepe buiging maakte – het afscheid van een onderdaan uit een vervlogen eeuw. Lang had hij, leunend tegen de gesloten deur, de werkkamer bekeken die hij nu al zeven jaar gebruikte: het mooie bureau, de elegante stoel ervoor, de lampen, de zithoek. Allemaal veel te duur, had hij gedacht, en hij was zichzelf voorgekomen als een indringer in de werkkamer van een ander, van iemand die werkelijk iets presteerde.

Hij belde mevrouw Hartwig en dicteerde haar het getuigschrift waarin hij de student aanbeval voor een studiebeurs. Toen ze hem de tekst nog een keer voorlas, schrok hij van zijn overdadige, in feite onverdiende lof. Hij waagde het niet die terug te draaien en ging over tot de brieven, waarin hij de uitnodigingen voor de lezingen afsloeg. Ja, zei hij ten slotte, er zat nog een restje zomer in de lucht.

'Dan mag u wel blij zijn dat u daar bent,' zei mevrouw Hartwig, 'hier zijn de eerste herfststormen begonnen. Een paar mensen hier kunnen het dan ook niet laten afgunstige opmerkingen te maken. U weet ongetwijfeld over wie ik het heb.'

Nadat hij de hoorn had neergelegd, ging Perlmann meteen in de rode stoel zitten; hij pakte Leskov's tekst, maar al snel liet hij hem weer zakken. U zult toch zeker iets schrijven vóór Italië, had mevrouw Hartwig eind juli gezegd. Perlmann had alleen maar geknikt en zich verder met de boekenkast beziggehouden. Ze had overigens haar vakantie opgeschort, zei ze een paar dagen later. Tot de weken voor kerst. Daarna was hij alleen nog naar het instituut gegaan als zij niet aanwezig was en hij had zijn instructies op band ingesproken. Eind september had ze aarzelend gevraagd of ze nog twee weken vakantie kon opnemen, of dat hij haar nodig had. 'Ga maar gerust,' had hij geantwoord, en om zichzelf niet te verraden had hij zijn opluchting omgemunt in zijn enthousiasme voor het eiland Elba, waarmee – met uitzondering van Napoleon – helemaal niets hem verbond.

In Leskov's tekst volgden nu een paar bladzijden waarin geprobeerd werd de tegenwerping te weerleggen dat we ons immers ook veel gebeurtenissen herinneren die we nog nooit in de vorm van een verhaal hebben gegoten. Hoe kon hij, Leskov, dan toch beweren dat de taal zo'n sleutelpositie inneemt bij de herinnering aan bepaalde voorvallen?

Leskov's weerlegging was nogal eigenzinnig geformuleerd, vond Perlmann, maar in de grond van de zaak waren de elementen van zijn betoog hem bekend, en opeens ging het met het vertalen sneller dan ooit. Eén keer had hij een zin letterlijk in één oogopslag te pakken, en later had hij het idee dat hij op dat moment was vergeten dat het Russisch was – zo weinig tegenstand had de zin geboden. Blij en lichtelijk opgewonden las hij door, de waarheid van Leskov's tekst was bijzaak, hoofdzaak was het begrijpen. Eigenlijk, merkte hij nu, zaten veel van de woorden die hij had opgeschreven al in zijn hoofd, zijn zelfvertrouwen nam met elke alinea toe, en nu had hij opeens ook een onwaarschijnlijk gelukkige hand bij het opslaan van de juiste pagina van het woordenboek, het grensde aan helderziendheid. Toen hij ten slotte licht moest maken, was hij aangeland bij bladzijde twintig.

Sigaretten kon hij kopen waar Sandra ze gisteren had gehaald. *Sandra. De beloofde postzegels uit Duitsland.* Hij haalde de envelop van mevrouw Hartwig uit de prullenbak en scheurde de postzegels eraf. Toen verliet hij het hotel door de achteruitgang en wandelde richting trattoria.

Hij was wat aan de late kant vandaag, grapte de waardin toen ze de kroniek kwam brengen, hij moest maar iets van de menukaart kiezen. Perlmann sloeg het jaar op waarin zijn vader niet meer was ontwaakt uit zijn middagslaapje. Grammofoonplatenmaatschappij Decca was na proefopnamen tot het inzicht gekomen dat de muziek van de Beatles geen toekomst had, en had geweigerd de productie op zich te nemen. Antonio Segni werd president van Italië. Dat was een naam die Perlmann niets zei, hij spelde aandachtig de beknopte biografie van de man. Adolf Eichmann werd opgehangen.

Dat had zijn vader nog net meegekregen. Na het bericht had hij zonder iets te zeggen de radio uitgezet, had zijn moeder hem verteld. 'Hij was geen bruinhemd, dat weet je,' had ze eraan toegevoegd, 'maar het is wel zo dat hij zich op de een of andere manier aangevallen voelde wanneer zulke dingen ter sprake kwamen.' Aan het graf had hij zich over haar verbaasd: zij, bij wie de waterlanders altijd gauw waren gekomen, vergoot geen traan.

De tweede keer had zij hem verrast in de herfst erna, deze keer door haar belangstelling voor de Cuba-crisis, iets wat hij niet van haar had verwacht. De hele winter door had hij de indruk dat het beter met haar ging dan ooit. En toen, ergens in het voorjaar, begon het afschuwelijk snelle verval. De wereld schrompelde voor haar ineen tot de kitsch van roddelbladen; Kennedy in Berlijn interesseerde haar niets, en toen hij haar een keer meetroonde naar *Irma la Douce*, zwatelde ze iets over pornografie. Toen hij haar vertelde dat Edith Piaf was gestorven, wist ze niet meer wie dat was, hoewel ze jarenlang heimelijk naar haar chansons had geluisterd wanneer zijn vader met collega's van de posterijen aan zijn stamtafel zat. Overdag lag ze met haar mond open te slapen, en vanaf tien uur 's avonds terroriseerde ze de nachtzuster.

Toen hij op een van de eerste dagen van het nieuwe jaar naar het ziekenhuis ging, lag er al iemand anders in haar bed. Nee, hij wilde haar niet nog een keer zien, had hij tegen de zuster gezegd, die van de scherpte in zijn stem was geschrokken. En het was niet bij die ene uitbarsting gebleven. De plechtigheid aan het graf was nog niet eens helemaal voorbij toen hij voor aller ogen een sigaret had opgestoken.

Waarom hij er niet in was geslaagd dat kostbare moment van bevrijding om te zetten in een duurzame afbakening tegenover de anderen, in een kalme niet-gedienstigheid, een onbevreesdheid die geen provocerende handelingen nodig had? Hij moest zachtjes lachen en beet op zijn lippen toen hij eraan dacht hoe hij de familie voor de ingang van het restaurant zonder meer de rug had toegekeerd. Op de beduusd gestelde vraag waarom hij niet bleef voor de *Leichenschmaus*, de gebruikelijke maaltijd na een teraardebestelling, waarvoor hij toch zelf had betaald, had hij gezegd: 'Hoofdzakelijk omdat ik walg van dat woord.' Toen was hij om de hoek verdwenen.

Het eten in het hotel was zeker niet zo goed als wel werd beweerd, grijnsde de waard toen hij tussen de bedrijven door naar Perlmann's tafeltje kwam. Perlmann keek op zijn horloge. Tien over acht. Nog tijd genoeg. Jawel, jawel, zei hij. Hij klapte de kroniek dicht en pakte zijn portefeuille. Het scheelde niet veel of de postzegels waren in de overgebleven tomatensaus gevallen. Die waren voor Sandra, zei hij en hij stak ze de waard toe. Nee, nee, zei die, Perlmann moest ze zelf aan Sandra geven, anders zou ze erg teleurgesteld zijn. Hij nam hem mee de trap op naar Sandra's kamer, die, net als de hele woning, klein was en vol stond met allerlei prullaria.

Sandra's blijdschap om de postzegels werd getemperd door haar problemen met Engels. Verder was ze toch zo'n slim kind, verzuchtte haar moeder, maar door die rare spelling van het Engels, die zo weinig overeenkwam met de uitspraak, bracht ze er niets van terecht. En zij, haar ouders, konden haar er niet bij helpen. Of hij niet nog even kon blijven om haar het een en ander uit te leggen? Anders dreigde er een ramp bij de repetitie van aanstaande maandag, hij hoefde alleen maar naar de laatste overhoring in haar schrift te kijken, daar zag je meer rode dan blauwe inkt.

Perlmann bleef tot elf uur. Op een ongemakkelijke stoel gezeten nam hij de laatste oefeningen met het meisje door en legde haar toen nog wat grammaticaregels uit. Vaak stond het huilen haar nader dan het lachen, maar aan het eind glimlachte ze dapper, en hij aaide haar over haar haar.

Toen ze klaar waren bracht de waard hem een stuk amandeltaart en een grappa. Nu speelde de tijd sowieso geen rol meer, en in de kroniek las hij verder in het jaar waaraan hij was begonnen. Het incident in de Golf van Tonkin. Precies, dat was het begin geweest van de Vietnamoorlog. Chroesjtsjov afgezet als partijsecretaris. De dood van Palmiro Togliatti, de communist. Perlmann wist wie de man was, maar niet dat hij zich er lang tegen had verzet de misdaden van Stalin te veroordelen. En ten slotte Sartre, die de Nobelprijs had geweigerd. Hoe luidde zijn verklaring ook al weer? De tekst in de kroniek was niet echt duidelijk, waardoor het leek alsof Sartre een warhoofd was. Perlmann bedacht er zelf allerlei verklaringen voor terwijl hij om één uur over het verlaten Piazza Veneto en de oeverpromenade naar het hotel liep.

Giovanni, die in het zijkamertje televisie had gekeken, overhandigde hem een bijna honderd bladzijden omvattende tekst van Achim Ruge, die maandag aan de orde zou komen. De anderen hadden in de loop van de avond een paar keer naar hem geïnformeerd, zei hij. 'Omdat u gisteren immers ook al niet bij het eten was,' voegde hij eraan toe. Perlmann's hand omklemde de tekst zo krampachtig dat hij de bovenste pagina lostrok van de stapel. Weer had hij de man met het brillantinehaar en de belachelijke bakkebaarden het liefst een klap voor zijn kop gegeven. Zonder iets te zeggen draaide hij zich om en liep naar de openstaande lift.

Op zijn gang brandden alle peertjes in alle lampen. Heel even kwam hij in de verleiding de ladder te halen, maar toen ging hij zijn kamer binnen en liet zich in het donker op bed vallen. Na een poosje doemden weer de beelden voor hem op van de nieuwe patiënte in zijn moeders bed, de geschrokken verpleegster, de doodskist die neerdaalde in het graf.

Hij ging naar de badkamer en nam met wat water het kleinste stukje in van de slaappil. Edith Piaf heette eigenlijk Edith Giovanna Gassion, dacht hij, voordat hij zich overgaf aan de slaap. De paar sneeuwvlokken die waren neergedaald op de kist van zijn moeder, waren gesmolten. Hij had het weerzinwekkend gevonden. Misschien had die ongepaste sigaret daar ook wel mee te maken gehad.

8

Perlmann sliep tot laat in de ochtend door en liet toen een uitgebreid ontbijt komen. Al bij de eerste kop koffie kwam hij weer in de ban van het vertalen, en nu raakte hij naast de ervaring van het steeds snellere begrip ook geboeid door de verdere gedachtengang van de tekst.

Leskov trachtte nu de voorstelling te ontzenuwen volgens welke het bij het vertellen van herinnerde gebeurtenissen om de simpele beschrijving van opkomende beelden zou gaan, om de in taal gevatte inventarisatie van vastomlijnd materiaal, dat met zijn eenduidigheid de logica van de vertelling dicteerde. Dat was volgens Leskov noch bij de objectief vast te stellen elementen van een gebeurtenis het geval, noch bij facetten van het geprojecteerde zelfbeeld. Het vertellen van het eigen verleden was elke keer opnieuw een onderneming waarbij heel andere krachten een rol speelden dan alleen de bedoeling om de in de herinnering opgeslagen zaken detailgetrouw weer te geven. De verteller zou vooral de behoefte hebben om van het herinnerde voorval en het eigen aandeel daarin een zinvol geheel te maken, en dat was dan ook de reden waarom het ontbreken van zin als het tekortschieten van het herinneringsvermogen werd beschouwd.

Perlmann aarzelde. Wat betekende hier *smysl, zin*? Het liefst had hij het antwoord daarop meteen in abstracte vorm willen lezen. Maar nu kwamen er eerst een paar bladzijden met voorbeelden, en de tekst werd navenant moeilijk, want Leskov beschreef de casussen uitvoering en geestig, en hier en daar stond een zin die, zo vermoedde Perlmann, in een fraaie, poëtische vorm was gegoten.

Hij had graag geweten of ook een Rus daarin een breuk zou zien met de bondige, laconieke stijl die verder overheerste in de tekst, of dat iemand die met het Russisch was opgegroeid de stijl van het artikel toch als een eenheid zou ervaren. In ieder geval ging het vertalen nu opnieuw moeizaam, hij moest het grammaticaboek er een paar keer bij halen, en de beperkingen van het woordenboek waren ergerlijk. Geïrriteerd stuurde hij het kamermeisje weer weg.

De schemering daalde al neer over de baai en gaf de zee een metalen glans, toen Perlmann eindelijk aankwam bij de conclusies die uit de voorbeelden werden getrokken. De sterkste kracht bij vertelde herinneringen, schreef Leskov, was de wens het verleden zelf in al zijn handelingen te begrijpen. Vanuit die wens rangschikte je de gebeurtenissen uit het verleden op zo'n manier dat de eigen handelingen en gevoelens plausibel en zinvol leken. Dat wilde niet zeggen dat ze werden gemeten aan een abstracte reeks van logische criteria. Het betekende simpelweg dit: het vertelde verleden moest vanuit het perspectief van de huidige verteller begrijpelijk zijn. De verteller zou niet rusten alvorens hij zichzelf in zijn verleden kon herkennen. En dat betrof niet alleen zaken als de slimheid of doelmatigheid van het vroegere handelen, maar vooral de morele aspecten ervan. Verhalend herinneren betekende altijd ook rechtvaardiging, het was een creatieve manier om het verleden te verdedigen.

Het was bijna half acht toen Perlmann in het midden van pagina drieënveertig uitgeput ophield. Ruim twintig bladzijden van het schrift met woordjes had hij volgeschreven, rechts van de verticale streep in het midden waren veel plekken open gebleven. Als hij morgen heel vroeg opstond, kon hij de vertaling afronden. En nu wilde hij het weten: het idee van de creatieve factor bij het herinneren was helemaal zo gek nog niet; maar waar bleef bij Leskov het beleefde zintuiglijke gehalte van de herinnering? Toen hij zijn vader voor de laatste keer had gezien, had die zoals altijd zijn pluizige gebreide vest gedragen, en het verschijnsel dat de kleur van de wol al naar gelang de lichtval wisselde tussen donker olijfgroen en licht antraciet, had hij echt niet verzonnen. Nu, in zijn herinnering, stoorde het hem nog net zo erg als toen. Of het luide, roffelende geluid van de aardkluiten op de doodskist van zijn moeder: wat deed Leskov daarmee? 'Zintuiglijk gehalte?' schreef Perlmann in de kantlijn.

Voordat hij naar het avondeten ging, bladerde hij peinzend door Ruge's tekst. *Als ik er maandagochtend mee begin, heb ik voor mijn eigen bijdrage nog vijftien dagen.* Pas op de trap viel hem op dat hij niet in paniek raakte van die gedachte. Hij bleef staan. Het was alsof die gedachte door iemand anders werd gedacht, iemand die er niets mee te maken had, en het angstaanjagende gevoel bekroop hem dat hij bezig was zich van zichzelf af te splitsen.

'Ik heb gisteren en vandaag een paar keer bij u aangeklopt, Phil. Ik wilde over die verbluffende vraag praten die u op de zitting hebt gesteld,' zei Millar over de hele tafel heen toen de ober de soep had geserveerd. 'Maar toen u alweer niet bij het eten aanwezig was, begon ik me zorgen te maken. Dat deden de anderen overigens ook.'

Perlmann merkte hoe zijn angst voor Millar plotseling veranderde in zwarte humor, die vergezeld ging van een prettige duizeling zoals ook zijn eerste sigaret in de ochtend die nog steeds veroorzaakte.

'Met mij gaat het prima,' zei hij. *Deadpan zou Millar het gezicht noemen dat ik nu trek.*

'Dat weet ik intussen ook,' zei Millar, en hij boog zijn hoofd. 'Evelyn heeft me zonet over de kwestie met uw nieuwe kamer verteld.'

Perlmann keek in het zeegroen van haar ogen. Ze had haar gezicht in bedwang, maar in haar ogen stond een schalks lachje dat zijn oorsprong in de donkergele spikkels leek te hebben.

'Ja,' zei hij. 'Het bed. Mijn rug. Hebt u daar geen last van?'

'Nee,' antwoordde Millar, 'daar heb ik geen last van. Helemaal niet.'

'Hij kon het tussen ons in gewoon niet uithouden, Brian,' grijnsde Ruge.

Millar nam zijn toon over. 'Terwijl we toch twee heel aardige jongens zijn, Phil. Maar serieus, kunnen we voor morgen een afspraak maken?'

De paniek mocht niet doorklinken in zijn stem. Perlmann streek met zijn vingertoppen langs zijn voorhoofd, heen en weer, toen nog een keer.

'Ik heb morgen veel te doen,' zei hij, en hij was blij toen hij merkte dat hij zich het trillen van zijn stem alleen maar had verbeeld. 'Ik kom er volgende week wel een keer toe.'

'Oké,' zei Millar langzaam. Perlmann wist heel zeker dat met het uitrekken van dat woord het begin van argwaan om de hoek kwam kijken. Of in ieder geval bevatte het uitrekken van het woord de boodschap dat er onherroepelijk argwaan zou ontstaan wanneer hij de afspraak daarna nog een keer zou uitstellen.

Perlmann hield zijn bord schuin en probeerde ook de laatste druppel soep op zijn lepel te krijgen. Dat was bij zo'n soort lepel nog een hele kunst, en zo kwam het dat hij Carlo Angelini pas opmerkte toen Silvestri opstond om hem te omarmen. Angelini wierp Perlmann een verontschuldigende grijns toe en liep om de tafel heen om eerst de dames een hand te schudden. Toen pakte hij van een andere tafel een stoel en ging naast Perlmann zitten. Hij moest helaas morgenochtend weer verder, zei hij, maar hij had ten minste vanavond even binnen willen wippen. Hoe het allemaal liep?

'*Benissimo*,' zei Evelyn Mistral, toen Perlmann aarzelde met zijn antwoord. Het was allemaal perfect, bevestigde Millar, en voordat Von Levetzov het woord kon nemen, sprak hij tegenover Angelini uit naam van de groep zijn dank uit.

Angelini liet zich vertellen hoe het werk was georganiseerd en vroeg toen naar de onderwerpen.

'Waar u aan werkt, weet ik wel ongeveer,' zei hij tegen Perlmann, die geen idee meer had wat hij destijds in Lugano had betoogd. En toen, met een glimlach die het midden hield tussen trots en ironie, kondigde hij aan dat de burgemeester van Santa Margherita hen allemaal wilde ontvangen.

Uit zijn ooghoeken zag Perlmann hoe Laura Sand deed alsof ze haar neus snoot om niet in lachen uit te barsten. Een kleine feestelijkheid maar, zei Angelini, en als hoogtepunt zou Perlmann als leider van het project tot ereburger van de stad worden benoemd.

'Met oorkonde en medaille,' grijnsde hij. 'Het zal allemaal plaatsvinden op de maandag van de laatste week, dus overmorgen over drie weken,' zei hij nadat hij een blik in zijn agenda had geworpen. ''s Ochtends om elf uur. Vanzelfsprekend zal ik er zelf ook bij zijn.'

Als Silvestri zijn voordracht in de vierde week houdt, win ik door die ontvangst één dag.

'Dan houdt u uw voordracht toch gewoon op de maandagmiddag,' zei Von Levetzov tegen Perlmann.

'En van een nieuwbakken ereburger verwachten we natuurlijk wel iets bijzonders,' kirde Ruge.

Angelini nodigde ze allemaal uit voor een glas in de salon. Het was een raadsel wat Angelini en Silvestri met elkaar verbond, dacht Perlmann toen hij achter hen beiden aan liep en hen grappen zag maken alsof ze dikke vrienden waren. Angelini, de Italiaanse yup met zijn elegante pak, die zich in de wereld van de conventies bewoog als een vis in het water, en Silvestri, die warse, anarchistisch ingestelde individualist, die vanavond toevallig ook nog een verfomfaaid zwart overhemd droeg. Was het de gemeenschappelijke schooltijd? Of omdat ze allebei uit Florence kwamen?

Mijn haat jegens conventies, dacht hij toen hij de clichés hoorde waarmee Angelini de collega's beurtelings aansprak. Die haat had al in hem gezeten lang voordat hij Agnes had ontmoet. Maar pas door de weerklank die dat gevoel bij haar had gevonden, was hij zich er goed van bewust geworden. Waar Agnes helemaal niet tegen had gekund, waren mensen die niet alleen conventioneel handelden en dachten, maar ook conventioneel voelden. Mensen die voelden zoals ze dachten dat ze moesten voelen. Haar pogingen het onderwerp fotografisch weer te geven, waren mislukt. Hij hoorde haar lage, krachtige stem, die zo dapper kon klinken en dan soms ineens kon overgaan in diepe melancholie: *Je kunt hoogstens laten zien wat mensen voelen; niet dat het echter zou zijn nu iets heel anders te voelen. Daar bestaan geen beelden voor.* De haat tegen conventionele gevoelens had tussen hen voor een sterke band gezorgd. Maar die haat had haar ook vaak van mensen vervreemd die haar mochten. Door die haat waren ze allebei tegen hun zin mensenschuw geworden.

'Dit zou eigenlijk het goede moment zijn iets voor ons te spelen,' zei Von Levetzov tegen Millar. Hij wees met een glimlach vol vleiend respect naar de vleugel. *Hij behandelt hem als zijn geniale superpupil, die hem door zijn veelzijdige, voortreffelijke talent allang boven het hoofd is gegroeid. Zoiets heeft hij toch niet nodig. Hij toch zeker niet.*

'O ja, dat zou super zijn!' riep Evelyn Mistral uit.

Perlmann ergerde zich aan haar bakvisachtige enthousiasme en haar puberale taalgebruik, die hem bij haar aankomst zo goed waren bevallen omdat die bij de rode olifant op haar koffer pasten. Tegen alle redelijkheid in wond hij zich op over haar geestdrift en in stilte verweet hij die haar – alsof het haar plicht was te weten hoezeer Millar meer en meer een nachtmerrie voor hem werd, en alsof ze hem verschuldigd was zich dat gevoel eigen te maken.

'Als jullie erop staan,' glimlachte Millar, en hij kwam moeizaam overeind uit zijn diepe fauteuil. Met verende tred liep hij op de vleugel af, knoopte zijn blazer los en zette de pianobank goed. Hij trok, dacht Perlmann, het gezicht van iemand die probeert er niet ijdel uit te zien, hoewel hij weet dat alle ogen op hem zijn gericht.

De bewegingen van zijn handen waren ingehouden, energiek bij de meer krachtige akkoorden, maar zonder geëxalteerde pianistengebaren, hij hief zijn handen niet hoger dan een paar centimeter boven de toetsen. Met tegenzin moest Perlmann toegeven dat hem dat beviel. Zo had hij zelf ook geprobeerd te spelen.

En toch vond hij Millar's handen afstotend. Ze waren, dat viel hem nu pas op, tot op de vingers toe behaard, de dichte beharing van zijn armen zette zich als een vacht voort op zijn handen.

Hij vergeleek de spelende handen met de handen van de vier andere mannen. Het enig storende aan Silvestri's slanke, witte handen waren de lichtgele vlekken op de wijs- en middelvinger van zijn rechterhand. Angelini hield juist een sigaret vast, en op zijn gebruinde vingers vielen de nicotinevlekken niet op. Von Levetzov had zijn handen om zijn over elkaar geslagen knieën gevouwen, verzorgde, gladde handen met de eerste ouderdomsvlekken, om de pink van zijn linkerhand een zegelring met zijn kunstig verstrengelde initialen. De handen van Achim Ruge lagen op de brede armleuningen, grove handen, die eerder aan een bouwvakker of boer deden denken dan aan een wetenschapper. Perlmann mocht ze, zoals hij er, nadat hij van kamer was veranderd, sowieso weinig moeite mee had Ruge te mogen.

Het gezicht dat Millar bij het spelen trok, paste bij de nuchtere, zakelijke bewegingen van zijn handen. Het was een waakzaam, geconcentreerd gezicht dat je aangedaan zou kunnen noemen zonder dat Millar een poging deed de muziek of zijn gevoelens door middel van het gezicht dat hij erbij trok uit te drukken. *Ook dat bevalt me wel. Waarom kan ik die Brian Millar niet gewoon nemen zoals hij is, waarom moet ik voortdurend met hem overhoop liggen.*

Millar speelde Bach. Het moest een van de Engelse suites zijn, maar Perlmann zou niet kunnen zeggen welke. Het duurde even eer hij zijn merkwaardige gevoel kon plaatsen: het was het uitblijven van elke verrassing over het gegeven dat Millar Bach speelde. Goed, de muziek die hij in zijn kamer had gespeeld was ook Bach geweest. Maar dat was het niet. Hij had de indruk dat het ook niets anders dan Bach had kunnen zijn; dat bij Millar domweg alleen Bach in aanmerking kwam. Hij meende te weten dat, als iemand hem eerder had gevraagd wat Millar zou gaan spelen, hij zonder enige aarzeling Bach had genoemd. Bach, en misschien ook klassieke jazz, dat was de muziek die bij zijn ongelooflijk blauwe ogen in zijn open, wakkere gezicht paste, en bij zijn systematische, overzichtelijke manier van denken, spreken en schrijven.

Hij speelde briljant, of beter, dacht Perlmann na een poosje, hij speelde competent, al was dat in dit verband een ongebruikelijk woord. Perlmann had er geen moeite mee dat toe te geven, van Millar had hij niet anders verwacht. Maar er was meer aan de hand met Millar's spel. Het viel hem moeilijk het toe te geven, maar Millar speelde zijn Bach in een heel bepaalde stijl, een stijl bovendien die hij in die extreme vorm nog nooit had gehoord. Hij zocht lang naar een passende uitdrukking ervoor en koos ten slotte voor de formulering dat bij Millar de melodie totaal opging in de structuur. Hij probeerde daarmee twee bijzonderheden te benoemen van de beleving die door het spel van Millar werd opgeroepen. De ene bijzonderheid betrof de manier waarop je waarnam hoe de opeenvolging van tonen zich uitstrekte in de tijd. De tonen, ook al waren die in de gewone betekenis al weggestorven, bleven in een andere betekenis in zekere zin staan, de volgende tonen sloten zich er opbouwend bij aan, en zo ontstond van maat tot maat een architectuur die je het ervaren van synchronie kon noemen. De op het moment zelf klinkende, dominante tonen waren als de bewegende punt van een schrijvend krijtje, waarvan je de zojuist voltrokken beweging in zijn geheel op het bord voor je zag. *Maar is dat bij een melodie niet altijd zo, is dat niet juist het wezen van de muzikale vorm, en waardoor komt het dan dat het bij hem iets nieuws en eigens lijkt, iets bijzonders, hoe speelt hij dat in vredesnaam klaar.*

Het andere effect van Millar's spel was dat je je niet kon overgeven aan de waargenomen melodie. Je kon er geen moment helemaal in opgaan, je werd erbuiten gehouden als door een onzichtbare muur, en dat maakte dat het vermoeiend was ernaar te luisteren, zonder dat je dat goed in de gaten had. Perlmann probeerde een reeks bijvoeglijke naamwoorden uit: hard, gesloten, zakelijk, koud, intellectueel, gotisch. Hij verwierp ze allemaal, ze waren oppervlakkig en clichématig. Je moest je er rekenschap van geven dat het bijzondere aan Millar's spel niet de expressie van een temperament, van een karakter was, maar dat het een echte interpretatie, een opvatting van Bach's muziek inhield.

Perlmann verstopte zijn rechterhand onder zijn linker en probeerde Millar's rechterhand na te spelen. Daarbij bewoog hij onopvallend zijn voeten. Het was lang geleden dat hij dat had gedaan. Destijds, toen hij nog op het gymnasium zat, had hij zo goed als alle concerten waaraan een pianist deelnam bijgewoond, soms was hij zelfs helemaal naar Lübeck of Kiel gelift. Het liefst waren hem toen avonden waarop alleen maar piano werd gespeeld, daarbij kon hij zich zonder te worden afgeleid helemaal op de pianist concentreren. Achter in de zaal, op de goedkope plaatsen, kon je ongegeneerd je ogen sluiten en in het donker de op het toneel spelende handen proberen te imiteren. De meeste werken die hij op die manier te horen kreeg, kende hij al, zijn muzikale geheugen was – afgezien van Bach – uitstekend. Daar had het niet aan gelegen. *Of Millar weet wat dat is: een angstpassage?*

Intussen waren ook andere gasten van het hotel, die in het restaurant hadden gezeten, naar de salon gekomen. De okerkleurige fauteuils waren allemaal bezet, de deur naar de bar stond open en de feestelijke kleding droeg ertoe bij dat de indruk bestond dat hier een klein concert werd gegeven. Millar speelde al een halfuur, en opeens vond Perlmann zijn Bach vlak en saai. Het liefst was hij snel naar de trattoria gegaan om in de kroniek te lezen wat er in het jaar was gebeurd waarin hij de grijsharige, gebogen Clara Haskil in een van haar laatste concerten had gehoord.

Millar, die stomverbaasd was over het enorme publiek dat zich achter hem had verzameld, bedankte voor het applaus met een sportieve buiging, die Perlmann een beetje aan salueren deed denken. Het luidst en langst applaudisseerde Adrian von Levetzov, die even aanstalten maakte op te staan, maar nadat hij in het rond had gekeken, bleef hij op het puntje van zijn stoel zitten.

'*Un extra!*' riep Evelyn Mistral. 'Hoe zeg je dat in het Engels?'

'*An encore*,' glimlachte Millar, en toen hij de anderen zag knikken, nam hij weer plaats aan de vleugel. Even zette hij zijn bril af en wreef met duim en wijsvinger over zijn neuswortel. 'Wat nu komt,' zei hij toen op een zelfgenoegzame, peinzende toon, 'is een kostbaar klein stuk dat door bijna niemand wordt gespeeld. Er bestaat bijvoorbeeld geen plaatopname van. Het is een kleine trouvaille van mij.'

Na een paar maten al kreeg Perlmann een gevoel van herkenning. Steeds meer kreeg hij de indruk dat hij het stuk al kende, of beter, dat hij het ooit, heel lang geleden, goed had gekend. Hij sloot zijn ogen en concentreerde zich op het verleden, lange tijd tevergeefs, tot het er plotseling was, als iets heel vanzelfsprekends. *Hanna's stuk, natuurlijk, het is Hanna's stuk, dat we 'Het simpele verjaardagsstuk' hebben gedoopt, een van haar lievelingsstukken.*

Hij zag haar meteen voor zich, Johanna Liebig met de donkere lok in haar dunne, goudblonde haar, dat een ongewoon vlak gezicht met een heel rechte neus en een bronzen teint omgaf. Je kon het een mooi gezicht noemen, hoewel je dat vooral niet moest doen waar zij bij was. Hij had dat gezicht altijd nogal ongenaakbaar gevonden en was bang geweest voor de felle blik uit haar lichtbruine ogen, die ze heel effectief kon inzetten. Die ongenaakbaarheid was de reden waarom het tussen hen nooit iets was geworden. Hij had domweg niet de moed gehad, en later had hij gemerkt dat het te laat was. In die tijd wist hij niet dat er voor zoiets een moment bestond dat je kon verzuimen, en tot op heden wist hij niet of zij erop had gewacht. Maar nadat hij haar een tijdlang uit de weg was gegaan, waren ze goede vrienden geworden. Ze luisterden naar elkaars spel en gaven elkaar commentaar, en af en toe gingen ze samen naar een concert. Zij had meer talent dan hij, maar bij haar kon hem dat niets schelen. Er bestond geen concurrentie tussen hen, hij vond het integendeel wel aardig dat zij beter was dan hij en hem op een plagerige manier ook een beetje bemoederde. Kwaad werd hij alleen als zij, die veel lichter en speelser met de dingen om kon gaan dan hij, hem zijn verbetenheid verweet. Dat maakte hem hulpeloos en dan zei hij niets meer, net als later bij Agnes, wanneer ze in opstand kwam tegen zijn zwaarmoedigheid en zijn gebrek aan humor.

'Wat mij er zo aan bevalt,' had Hanna gezegd toen ze hem het stuk voor de eerste keer voorspeelde, 'is de eenvoud ervan, ik zou bijna willen zeggen: de ontroerende eenvoud.' Hij had meteen begrepen wat ze bedoelde, maar was niet tevreden geweest met het woord. 'Je kunt beter zeggen: de simpelheid, als dat tenminste niet zo'n denigrerende bijsmaak had.' Ze hadden toen lang over het woord gesproken en het in zekere zin voor zichzelf ontdekt. Ten slotte was de bijsmaak verdwenen, ze vonden het alleen nog maar een heel mooi woord. Toen hij een blik op de muziek had geworpen en had gezien dat het nummer 930 was van Bach's Werkverzeichnis, had hij gelachen. 'Als je het getal leest zoals Amerikanen een datum schrijven, dus eerst de maand en dan de dag, dan komt jouw verjaardag eruit!' En zo was de naam geboren: *Het simpele verjaardagsstuk.*

'Dat was natuurlijk duidelijk Bach,' glimlachte Von Levetzov, 'maar ik kan het op het moment niet plaatsen. Van Mozart heb ik meer verstand.'

'Terwijl ik van helemaal niets verstand heb,' zei Ruge op zijn onnavolgbaar droge toon, en hij oogstte er schallend gelach mee, waar ook een paar van de andere gasten aan meededen.

'Het waren de tweede en de derde van de Engelse suites,' zei Millar met zijn belerende admiraalsstem.

'Engels? Waarom Engels?' vroeg Laura Sand op de norse, geïrriteerde toon die ze altijd aansloeg als ze iets niet begreep.

De titel, legde Millar uit, en hij sloeg zijn benen over elkaar, kwam niet van Bach zelf. Er bestond een afschrift van de partituur van Johann Christian Bach, die in Londen werkte, en die er heel stellig over was geweest, zonder verder commentaar, *faites pour les Anglais.* En zo was men eraan gewend geraakt over de Engelse suites te spreken.

Terwijl Millar sprak en elke detail van het verhaal uitvoerig weergaf, had Perlmann ineens het gevoel dat hij een ontdekking deed: *De wil iets op die manier heel precies te weten: dat is wat mij altijd heeft ontbroken. Ik wil de dingen alleen globaal weten en hou ervan als de contouren een beetje schimmig blijven. Dat is de reden waarom de wetenschap me eigenlijk van meet af aan vreemd is geweest.*

Ze wilde graag de toegift van zo-even nog een keer horen, zei Laura Sand. '*I like it. It's so... ingenuous.*'

Terwijl Millar speelde, sloot ze haar ogen. Haar gezicht was mooi, dat was Perlmann nog niet eerder opgevallen. Tot dusver had haar toornende blik boven haar spottende lippen alles gedomineerd. Hij had haar gezien als intelligent en interessant, als vervuld van een intense wakkerheid, maar niet als mooi. Nu gaven de lange wimpers en de bijna rechte wenkbrauwen het bleke gezicht, waar de Afrikaanse zon blijkbaar geen vat op had gehad, een marmeren rust, waardoor ze heel erg moe leek.

Perlmann vergeleek het met Hanna's gezicht. Hij wist niet of het hem beviel of stoorde dat deze vrouw hier het stuk had beschreven met een woord dat misschien meer dan welk ander Engels woord het begrip *simpel* benaderde. Werd daardoor de vroegere intimiteit met Hanna, zoals die bij het spelletje met de naamgeving tot uitdrukking was gekomen, geschonden?

Toen ze even haar ogen opendeed moest Laura Sand aan hem gezien hebben dat hij in gedachten met haar bezig was, want even later sperde ze één oog open, en die spottende eenogigheid was net zoiets als het uitsteken van haar tong.

De toegift was een kleine prelude in G grote terts, nummer 902 uit Bach's Werkverzeichnis, antwoordde Millar toen Von Levetzov hem ernaar vroeg.

Net als bij de ontdekking gisteren tijdens de zitting ging Perlmann onwillekeurig rechtop zitten. Zijn hart bonsde hevig. Had hij zich vergist omdat hij stukken van Bach gewoon niet uit elkaar kon houden? Was het dan misschien niet het verjaardagsstuk? Terwijl Millar op de toon van een kenner over de minder bekende klavecimbelmuziek van Bach vertelde, riep Perlmann de tonen van het stuk weer in zich op. Het was het stuk, hij wist het zeker. Had hij dan de verkeerde datum in zijn hoofd? Was Hanna op 2 september jarig?

Na een paar haastige trekken aan zijn sigaret herinnerde hij het zich: op een keer waren ze om haar verjaardag te vieren naar het circus geweest. Hanna was woedend dat het trapezenummer zonder net werd uitgevoerd, ze had haar ogen gesloten en had toch zitten trillen. Een paar dagen later was de jongste van de artiesten gevallen en dood in het zaagsel van de arena blijven liggen. En dat bewuste circus was altijd aan het begin van de herfst naar Hamburg gekomen, niet al begin september. *Millar vergist zich. Brian Millar, de* star *die alles weet, heeft een fout gemaakt. En bovendien bij iets waarvan hij beweert dat het zijn trouvaille is.* Maar pas op: daarmee nu op de proppen te komen, voordat hij het had gecontroleerd, was te riskant. Bovendien was het allemaal al dertig jaar geleden, en zijn geheugen zou hem heel goed parten kunnen spelen. Natuurlijk was het een belachelijk onbelangrijke fout, het was absurd hem die voor de voeten te werpen. Maar Perlmann wist het met bijna lichamelijke zekerheid: als Millar bij zijn stokpaardje dat kleine foutje, dat foutje van niets, zou moeten toegeven, zou hem dat toch midden in zijn ijdelheid raken, het zou hem zelfs nog meer raken dan fouten die hij in zijn wetenschappelijke teksten had gemaakt. En deze keer was er geen Jenny op wie hij zijn fout kon afschuiven.

Twee fouten in de formules, en nu dit. En telkens weer was daar die Philipp Perlmann die het hem lapte. Hij zou razend zijn, de man die nu met zijn Amerikaanse laarsjes zat te wippen terwijl hij Evelyn Mistral, die met een geïrriteerd maar aandachtig gezicht naar hem luisterde, het verschil tussen klavecimbel- en cembalomuziek uitlegde. *Een vergissing kan ik me niet permitteren. Ik moet Hanna bellen. Vanavond nog.*

Gelukkig begonnen nu de gasten van buiten – enkelen daarvan waren aangeschoten – rumoerig te worden, zodat iedereen begon op te breken. Angelini, die met Silvestri nog naar de stad wilde, nam afscheid. Het had hem veel plezier gedaan iedereen te leren kennen. Aan Leskov's afzegging was niets veranderd? Jammer. En dat Perlmann zijn voordracht op de maandag van de receptie zou houden: dat stond vast? Daar wilde hij natuurlijk absoluut bij zijn.

'U laat het me weten als de datum zou worden veranderd?'

Perlmann knikte zwijgend.

'*Promesso?*'

Weer knikte Perlmann.

Angelini legde zijn arm om de schouder van Silvestri. 'Hij zal de laatste zijn die zijn voordracht houdt. Vind je niet ook dat hij te bescheiden is?'

Perlmann wachtte Silvestri's reactie niet meer af.

In zijn kamer aangekomen nam hij niet eens de tijd zijn jasje uit te trekken maar ging meteen op bed zitten en zocht het nummer van inlichtingen buitenland op. Toen hij Hanna uit het oog was verloren, was ze ongehuwd, en later had iemand hem verteld dat ze in Hamburg woonde en pianolerares was geworden. In Hamburg waren twee Johanna Liebigs. Over het beroep kreeg je bij inlichtingen tegenwoordig geen informatie meer en hij liet zich beide nummers geven. Opgewonden, alsof het om een eerste afspraakje ging, stak hij een sigaret op.

De eerste Johanna Liebig was een oude vrouw, die zich erover opwond dat iemand haar zo laat op de avond nog lastigviel. Perlmann stamelde een excuus en hing op, teleurgesteld, maar heimelijk ook blij met het korte uitstel. Bij het tweede nummer ging de telefoon lang over. Toen kwam Hanna aan de lijn, hij herkende haar stem meteen.

'Philipp!' zei ze veel sneller dan hij had verwacht. 'Philipp Perlmann! Lieve hemel, wat hebben wij allang niets meer van elkaar gehoord! Waar ben je in godsnaam?'

'Luister,' zei hij, 'je herinnert je vast wel die kleine prelude van Bach, die zo weinig bekend is en die jij zo vaak speelde. Je weet wel, *Het simpele verjaardagsstuk.*'

'Ja, natuurlijk. Wat is daarmee?'

'Zou je die even voor me willen spelen over de telefoon?'

'Wat... nu? Ik heb bezoek.'

'Hanna, alsjeblieft, het duurt maar drie minuten. Ik moet weten of ik het me juist herinner. Het is belangrijk.'

'Maar waarom moet je dat in hemelsnaam uitgerekend nu weten... midden in de nacht, na... wacht even... na dertig jaar?'

'Toe nou, Hanna. Alsjeblieft.'

'Geen spat veranderd. Goed dan,' zei ze, en nadat hij even had gewacht, waarbij hij stemmen hoorde, een deur die dichtviel en het harde geluid van de hoorn die op de piano werd gelegd, kwam het stuk dat Millar had gespeeld.

'En?' vroeg Hanna, meteen nadat de laatste toon was weggestorven.

'Ik heb me niet vergist. En jij weet dus ook heel zeker dat dit het stuk is? Honderd procent? Geen vergissing mogelijk?'

'Philipp! Mijn leerlingen moeten het altijd spelen. Je weet toch hoe geschikt het is.'

'En je verjaardag is op 30 september? En niet op 2 september?'

'Nog steeds. Die 902 is overigens in G grote terts.'

'En het stuk is uit het *Klavierbüchlein* voor Wilhelm Friedemann Bach?'

'Ja, Philipp,' zei Hanna als tegen een lastig kind. 'En het is niet een van die twee stukken waarvan men niet helemaal zeker weet of het niet de zoon is die ze, met behulp van de vader, heeft geschreven.'

'Klopt het dat er geen grammofoonplaat bestaat waar dat stuk op staat?'

'Nee, dat klopt niet. Er is een cd, van CBS. Met Glenn Gould zelfs.'

'Hanna, je bent fantastisch! Maar hoe kom ik eraan,' zei Perlmann meer tegen zichzelf.

'Je kunt hem van me lenen als je daarmee iets opschiet.'

'Die komt te laat als je hem opstuurt. Ik moet morgen proberen hem hier ergens op de kop te tikken.'

'Waar zit je eigenlijk?'

'In de buurt van Genua.'

'Philipp, wat is er in godsnaam aan de hand? Je klinkt zo vreemd, zo... verbeten.'

'Ik moet iemand iets bewijzen, en snel ook.'

'Heb je wat uitgevreten?'

'Nee, nee.'

'Je wilt alleen je gelijk halen?'

'Zo zit het niet helemaal; maar wel iets dergelijks.'

'Volgens mij ben je niet erg veranderd.'

'Het is een lang verhaal, Hanna, ik zal het je later wel uitleggen.'

Heel even zwegen ze, tot Perlmann op een heel andere toon zei: 'Weet je nog... "kristallijne helderheid met randen van fluweel"?'

'Natuurlijk weet ik dat nog. De anderen lachten ons allemaal uit.'

'Ja. Maar ook later heb ik nooit een betere omschrijving van Glenn Gould gehoord.'

'Ik ook niet. Speel je nog weleens?'

'Nee.'

'Het gaat niet goed met je, nietwaar?'

'Niet al te best.'

Voorzichtig, alsof hij breekbaar was, legde Perlmann de hoorn op de haak. Dus zo herinnerde Hanna zich hem: als iemand die altijd gelijk wilde hebben. Dat deed pijn, en hij vond het niet fair. En toch moest hij zichzelf na een poosje bekennen dat het waarschijnlijk geen toeval was. Het gesprek van zonet bijvoorbeeld: hij had geen moment naar haar geïnformeerd, had haar geen tegenvragen gesteld. Hij had haar vanuit zijn behoefte om Millar onderuit te halen min of meer overvallen, zonder enige verklaring. Nog steeds op de rand van het bed gezeten, uitgeput en ontnuchterd, schrok hij van zijn mateloze egocentrisme. In de kleine wereld van dit hotel dreigde hij elk gevoel voor proporties te verliezen.

Het klopte dus dat ze pianolerares was geworden. Dat had ze zichzelf destijds anders voorgesteld. *Ik ga haar opzoeken zodra ik weer thuis ben. Over vier weken en één dag.*

Hanna was de enige die zijn besluit destijds meteen had begrepen en ermee had ingestemd. Ze wist precies waar de grenzen van zijn talent lagen, en anders dan de docenten had ze geen last van de zichzelf opgelegde dwang in een leerling te geloven. Niet dat ze zich er ooit over had uitgelaten. Ze had er met geen woord over gerept. Nooit. Toen hij bij haar op bezoek ging op de dag waarop hij de klep van de piano definitief had dichtgeslagen, roerde ze een poosje zwijgend in haar koffie en vroeg toen gewoon: 'En wat denk je nu te gaan doen?'

Dat hij in plaats van een muzikale opleiding te volgen aan een universitaire studie zou beginnen, stond als een axioma vast. Hij moest toegeven dat hij er zelf ook mee was omgegaan als met een axioma, in ieder geval in die zin dat hij zich er nooit uitdrukkelijk tegen had verzet. En toch, dacht hij nu, was het niet een principe dat was gebaseerd op zijn natuurlijke gevoel van destijds, en dat in die zin zijn eigen principe was. De oorsprong ervan lag niet bij hemzelf, maar bij zijn ouders. Niet zozeer door wat ze zeiden – daartegen had hij zich kunnen verzetten. Wat de heimelijke, verraderlijke macht had uitgeoefend, was de hele manier waarop de ambtenaar bij de posterijen en zijn eerzuchtige, middelmatig ontwikkelde vrouw in het leven hadden gestaan. Zij, de dochter van een conrector van een middelbare school, had het nooit kunnen verkroppen dat haar man geen academicus was, en dus moest de zoon worden wat de vader niet was. En de vader was ondanks de tirannie die hij thuis uitoefende helemaal van haar afhankelijk en had zich die eerzucht eigen gemaakt. Zijn ouders had hij aanvankelijk in onzekerheid gebracht met zijn voornemen pianist te worden; maar toen waren ze er toch toe overgegaan over hun zoon als kunstenaar te spreken, en vanzelfsprekend betekende dat opeens heel wat meer dan wanneer hij slechts een van de vele academici was geworden die, beweerde zijn moeder, vaak erg burgerlijke mensen waren. Toen er ten slotte een eind kwam aan zijn hoge vlucht, werd een paar dagen na de schok en de verwijten een loflied aangeheven op een gedegen academisch beroep.

Perlmann kon zich geen gesprek herinneren waarin vrijelijk over de voor- en nadelen van een studie was gesproken. Het was absoluut ondenkbaar dat die vanzelfsprekendheid ter discussie werd gesteld. Het ergste was nog dat door de macht van die onuitgesproken vooronderstelling zijn fantasie was lamgelegd, uitgerekend bij de vraag wat je met je leven als geheel wilt beginnen – bij de allerbelangrijkste vraag dus waarmee je in het leven te maken krijgt. Toen zijn belangstelling voor de wetenschap – of wat hij daarvoor hield – begon te tanen, was hij erop gaan letten wat voor beroep anderen uitoefenden. Het had hem mateloos verbaasd dat er zoveel bestond waarvan hij nooit iets had geweten, en later werkte hij Agnes op de zenuwen door zich er op kinderlijk opgewonden toon over te beklagen dat niemand hem er ooit iets over had verteld. Aanvankelijk romantiseerde hij andere beroepen, vooral de beroepen die niets met zijn eigen werk gemeen hadden. Intussen was hij het wat nuchterder gaan bekijken, meer analytisch, en ingegeven door de immer gelijkluidende vraag of het voor hem, als hij een ander beroep had gekozen, gemakkelijker was geweest tegenwoordigheid te ervaren.

Die nacht leverde Perlmann strijd met zijn dode ouders omdat hij een logisch verband meende te zien tussen de onwrikbare, in al hun starheid dogmatische verwachtingen die ze destijds van hun enige kind hadden, en de fatale situatie en innerlijke nood waarin hij zich nu bevond. Torenhoge golven van aanklachten, verwijten, van voor de voeten geworpen schuld en tekortkomingen sloegen over hem heen en sleurden hem mee, in weerwil van zijn poging zich er rationeel tegen te verzetten. Toen het tegen tweeën liep, nam hij een halve slaappil. Om drie uur spoelde hij met een glas water ook de andere helft naar binnen.

Hij speelde de polonaise in As grote terts voor een publiek dat zich eindeloos leek uit te strekken tot achter in de donkere zaal. Hij wist dat hij zich helemaal op zijn spel moest concentreren, nu was het van groot belang geen fout te maken. In plaats daarvan spiedde hij in het donker van de zaal, op zoek naar Millar, hij wist dat diens blikkerende bril daar ergens was, maar kon hem nergens ontdekken, zijn ogen traanden van inspanning. Toen dook plotseling Evelyn Mistral's gezicht op, met een stralende lach, alsof ze iets wilde vragen, maar intussen was het Hanna's gezicht, dat hem kritisch opnam, het was Hanna's gezicht en ook dat van Laura Sand, spottend en bleek en stil. Meteen toen hij begon te spelen, hoorde hij de angstpassage al aankomen, als een vreemd, in de tijd vooruitijlende echo, hij wist dat hij zichzelf niet kon vertrouwen, dat het een kwestie van toeval was of zijn vingers het goed zouden doen, of ze zich konden handhaven tegenover de verlammende macht van de angst. Zijn handen zweetten, er kwam steeds meer zweet, het liep tussen zijn vingers en de toetsen, zijn vingers gleden uit, nu kwam de passage, hij hoorde heel duidelijk hoe die moest klinken maar hij kon niets doen, zijn vingers kregen geen houvast meer, het was een gevoel van volstrekte onmacht, en toen werd hij wakker met droge en ijskoude handen, die hij meteen onder het dekbed stopte.

9

De nawerking van de slaappil zat nog zwaar boven zijn ogen, en toch kon hij niet meer in slaap komen. Terwijl het eerste vale licht een onwerkelijke aanwezigheid verleende aan de baai, veranderde de onzichtbare droomgestalte van Millar in de werkelijke persoon, aan wie hij moest bewijzen dat hij meer wist van Bach. Maar hoe moest hij dat bewijs leveren? De partituur aanschaffen was geen oplossing; het mocht er in geen geval uitzien alsof hij een speciale actie had ondernomen. Het kwam erop aan dat hij, als hij hem op zijn vergissing attent maakte, de vernietigende vanzelfsprekendheid aan de dag legde van iemand die sinds jaren van dergelijke zaken op de hoogte is. De cd waar Hanna over had gesproken. Daarmee kon hij bewijzen dat het een dubbele vergissing was: niet alleen het nummer van de Werkverzeichnis was verkeerd, maar ook de bewering dat er geen opname van bestond. Daardoor zou dat verhaal over die trouvaille achteraf belachelijk klinken. Perlmann hoorde weer Millar's onmogelijke uitspraak van het Franse woord, hij had twee keer moeten nadenken voordat hij het verstond. Maar met de cd zou het hetzelfde zijn als met de partituur: hoe kwam het dat hij die bij zich had? Een cassette zou hij gemakkelijker aannemelijk kunnen maken, bijvoorbeeld met een walkman. Hij kon toch niet ook nog zo'n kleine cd-speler aanschaffen die bijna duizend mark kostte. Of toch?

I happened to see it and just picked it up. Zo'n opmerking tussen neus en lippen door was precies goed, dacht Perlmann tijdens het scheren. Bovendien, als hij de juiste toon kon vinden, was het een zin die hem het aanzien gaf van een kosmopoliet. Ook zou de opmerking duidelijk maken waarom hij pas morgen op de zaak terugkwam. Signora Morelli had hem er al bij zijn aankomst op gewezen dat in de salon een cd-speler stond.

Hij ontspande zich, en toen hij de telefoon pakte om koffie te bestellen, kreeg hij er opeens zin in om straks tegenover Millar te zitten, gesterkt door het geheim van zijn plan. Op de trap had hij een gevoel alsof zijn hersenen door zijn hoofd dreven. Maar op een of andere manier zou het wel gaan. Precies om acht uur betrad hij de eetzaal. Behalve de roodharige man van het zwembad was er niemand. Perlmann groette hem en ging in een andere hoek zitten. Bij de ober, een man die hij nog niet eerder had gezien, bestelde hij aarzelend het ontbijt. Toen kwam Evelyn Mistral de zaal binnen en liep verbaasd naar hem toe. Ze had een trui om haar schouders geslagen en droeg haar haar in een paardestaart. Jazeker, zei ze, gewoonlijk was het gemeenschappelijke ontbijt om acht uur, maar omdat het zondag was hadden ze om negen uur afgesproken. Maar dat vond ze vandaag te laat. Ze had er duidelijk moeite mee hem, de leider van de groep, over de afspraak te moeten vertellen, ze schoof wat met haar bord en begon snel over iets anders.

'Je zult het niet willen geloven,' zei ze, 'maar die man met dat rode haar heet John Smith. Komt uit Carson City, Nevada. Onlangs sprak hij Brian aan, van Amerikaan tot Amerikaan zogezegd. Hij is schatrijk en brengt hier de winter door. *It figures,* had Brian tegen hem gezegd toen hij zich aan het eind van het gesprek aan hem voorstelde. Als Brian iemand veracht, dan doet hij het ook echt,' glimlachte ze.

'En dat zal zeker niet zelden het geval zijn,' liet Perlmann zich ontvallen.

Haar hand met de croissant stokte midden in de beweging. 'Je bent niet erg op hem gesteld, hè?'

Perlmann nam een slok koffie. Zijn hersenen dreven rond. 'Ik vind het een prima vent,' zei hij. 'Wel vind ik dat hij niet bepaald last heeft van een gebrek aan zelfbewustzijn.'

Ze lachte. 'Dat klopt. Maar er is iets waarmee hij zich helemaal geen raad weet, en dat is Laura's ironie. Dan wordt hij hulpeloos en verlegen als een klein jongetje. Verder staat hij in alle omstandigheden zijn mannetje wel, om het zo maar eens uit te drukken.' Ze greep naar haar paardestaart en op haar voorhoofd verscheen het roodachtige streepje. 'Onlangs ergerde ik me tijdens de zitting aan de manier waarop hij mij behandelde. Min of meer uit de hoogte, vond ik. Maar hij heeft wel prachtig gespeeld gisteravond, vind je ook niet?'

'Ja... zeker,' zei Perlmann met een stem die stokte alsof hij over een drempel was gestruikeld.

Alleen het even onderbreken van de beweging van haar mes verraadde dat ze zijn aarzeling had opgemerkt. 'Ik zou willen dat ik ook een instrument had leren bespelen,' zei ze, en nu pas keek ze hem aan. 'Mijn vader drong er altijd op aan; maar in die tijd had ik om een of andere reden geen zin. Juan, mijn jongere broer, deed het beter. Hij speelt cello. Niet echt heel goed, maar hij heeft er plezier in.'

En jij, speel jij een instrument? Hij moest die vraag tot elke prijs voorkomen, en dus vroeg hij verder naar Juan en de hele familie, inclusief haar grootouders – het leek wel alsof hij op zoek was naar stof voor een familieroman.

Ze stonden in de deuropening van de eetzaal toen Von Levetzov en Millar de trap af kwamen. Ze wierpen elkaar een blik toe, die Evelyn Mistral niet ontging. Ze stak haar arm in de lucht, maakte met haar vingers een overdreven beweging als bij een triller op de piano, haakte glimlachend haar arm in die van Perlmann en laveerde hem door de deur naar buiten, de bordestrap af. Pas op de promenade aangekomen keek ze hem aan en toen barstten ze allebei in lachen uit.

Ze hield haar arm bij hem ingehaakt terwijl ze langs de haven wandelden. Lopen deed Perlmann goed, de druk boven zijn ogen verdween geleidelijk. Nog bevangen door een restje nawerking van de slaappil, die alles als een beschermende filter afdekte, gaf hij zich over aan zijn inbeeldingsvermogen dat hem zei dat hij van deze stralende herfstochtend met de dunne nevels boven het gladde, glinsterende water genoot. Tegenwoordigheid lag voor het grijpen toen Evelyn Mistral, die haar haar intussen had losgemaakt, Salamanca beschreef, en hij wist heel zeker dat die stad binnenkort zijn reisdoel zou zijn.

Toen ze de hoek omsloegen en plotseling voor een kerk stonden, kwam juist een bruidspaar naar buiten. Hij hoopte dat het fotograferen, feliciteren en de grappenmakerij nog veel langer zouden duren, en was teleurgesteld toen het hele gezelschap plotseling in auto's stapte en overmoedig toeterend wegreed.

Evelyn Mistral haakte opnieuw haar arm bij hem in en trok hem zachtjes mee. Het was al bijna half twaalf, zei ze, en ze moest vandaag nog veel doen. 'Morgen over veertien dagen ben ik al aan de beurt!' Maria was weliswaar al bezig met het uittypen van het eerste hoofdstuk, maar in het tweede hoofdstuk kwamen nog zo veel hiaten en ongerijmdheden voor, dat ze er wanhopig van werd. 'En als ik eraan denk dat Brian, Achim en Adrian daar dan zitten...'

Op de terugweg had Perlmann het gevoel dat hij niet meer goed kon slikken en dat hij zijn slikreflex om de paar seconden moest forceren door een bewuste, bijna geplande handeling. Toen ze hem vroeg waarom hij opeens zo zwijgzaam was, antwoordde hij dat het niets te betekenen had.

In zijn hotelkamer trok hij de gordijnen dicht en ging op bed liggen. Het was verbijsterend, dacht hij, hoe weinig hij zich innerlijk had verzet tegen dat conventionele gedoe voor de kerk. Hoe had de bruid er eigenlijk uitgezien? Haar gezicht was opeens merkwaardig vaag, en hij probeerde tevergeefs het gezicht zijn scherpe contouren terug te geven. Al doende viel hij in slaap.

Het was al over drieën toen hij wakker werd. Hij stond lang onder de douche, liet koffie en een belegd broodje komen en begon toen aan Leskov's tekst. Vandaag wilde hij de vertaling voltooien. Dan kon hij morgen aan zijn voordracht beginnen. Bij de trattoria zou hij even langsgaan om Sandra te spreken en haar gerust te stellen over haar proefwerk.

Zintuiglijk gehalte? Het duurde even voordat hij zijn aantekening in de marge weer begreep. Leskov begon er nu zelf over, en Perlmann wachtte ongeduldig op zijn stelling. Maar de tekst draaide er voortdurend omheen. Eerst kwam er een uiteenzetting over de kwestie van de herinnerde emoties. Weer werd de tekst erg moeilijk, want nu maakte Leskov gebruik van de rijke Russische woordenschat met betrekking tot emoties en stemmingen, en die nuances gaf het woordenboek niet. Geïrriteerd – hij had het gevoel dat Leskov zich schuldig maakte aan linguïstische grootdoenerij – ploeterde Perlmann van voorbeeld naar voorbeeld. De conclusie was kort en bondig: wanneer het verhaal over het beleefde verleden opnieuw werd verteld, veranderden ook de emoties die bij de herinnerde belevenis hoorden.

Het irriteerde Perlmann dat hij door zijn gebrek aan kennis van het Russisch de betekenis van de voorbeelden niet helemaal kon doorgronden. Want nu wist hij niet wat hij aan die algemene bewering had. Terwijl die bewering toch cruciaal was voor alles wat volgde, want nu construeerde Leskov het probleem van herinnerde zintuiglijke indrukken, analoog aan het probleem van de gevoelens. Het woordgebruik met betrekking tot nuances van geur en smaak werd een probleem, en naar de betekenis van veel dingen kon Perlmann alleen maar gissen.

Kon je een hele wereld van zintuiglijke indrukken uit het verleden veranderen door je herinneringen op een nieuwe manier te vertellen? Hij betwijfelde het. Wat hij bij het zien van de nieuwe patiënte in het bed van zijn moeder had gevoeld, zou misschien heel iets anders blijken te zijn, ook wat de kwaliteit van de belevenis betrof, wanneer het vertellend herinneren op een dag een andere richting op zou gaan – wanneer het, zoals Leskov schreef, enerzijds vanuit een ruimer perspectief werd verteld en anderzijds intenser werd. En dat zou ook kunnen gelden voor het innerlijke drama dat zich afspeelde op de avond waarop zijn vader hem wegens zijn afgebroken conservatoriumopleiding ondankbaarheid had verweten. Het is mijn leven, helemaal alleen van mij, had hij die avond met trillende stem geantwoord voordat hij het huis had verlaten. Hij wilde niet uitsluiten dat op verschillende wijzen vertelde verhalen telkens een andere inkleuring konden geven aan de herinnerde belevenis van dat moment. Wanneer hij er bijvoorbeeld zijn huidige inzicht bij betrok dat zijn leven ondanks de ontroerende heroïek van die uitspraak toch onder het dictaat van de verwachtingen van zijn ouders was blijven staan, dan voelde de woede van toen heel anders aan dan in een verhaal waarin hij het over een geslaagde bevrijding zou hebben.

Zover kon hij Leskov wel volgen. Maar de kleur van vaders gebreide vest, en het roffelende geluid op de doodskist? Kon je, door erover te vertellen, daaraan iets veranderen? In een aparte alinea voerde Leskov, zonder bronvermelding, Marcel Proust op. Maar Perlmann schoot daar niet veel mee op, hij vond het eerder pijnlijk want het klonk niet alsof Leskov Proust uit de eerste hand kende.

Hij deed het licht aan. Nog negen bladzijden. Aan het einde, schreef Leskov, wilde hij ingaan op de vraag wat zijn voorlopige conclusies betekenden voor het idee van het *osvaivat'* van zijn eigen verleden. Uitgerekend de pagina waarop *osvaivat'* had moeten staan, ontbrak in het woordenboek. Woedend constateerde Perlmann dat er dus in totaal drie pagina's ontbraken. Hij bladerde naar het einde van Leskov's tekst en wierp een blik op de laatste bladzijden. En zo hoopte hij aangetoond te hebben, besloot Leskov, dat het vermogen om te vertellen en het vermogen om voor jezelf een eigen, geheel individueel verleden te creëren, uiteindelijk een en hetzelfde vermogen was. Op die manier waren taal en beleefde tijd veel nauwer met elkaar verbonden dan je aanvankelijk zou denken. Niemand – aldus de laatste, enigszins bombastische zin – kon het wezen van de taal begrijpen zolang hij die niet als het medium zag dat meer dan enig ander een gedifferentieerde ervaring van tijd mogelijk maakte.

Perlmann ging op weg naar de trattoria. Wanneer hij zich na een korte onderbreking over de laatste bladzijden zou buigen, zou hij aan het eind ook weten wat *osvaivat'* betekende.

Sandra was er niet. Een kind moest toch ook vertier hebben in het leven, zei haar moeder, en daarom had ze erin toegestemd dat ze meeging toen haar vriendinnen langs waren gekomen. Het proefwerk – god, ja. '*Che sarà, sarà!*'

Perlmann zette zijn ellebogen op de kroniek en rookte. Hij zag zichzelf in de hoteltuin in de schaduw op zijn buik liggen, het leerboek Latijn voor zijn neus. Vakantie aan de Middellandse Zee, de eerste die zijn ouders zich dankzij een kleine erfenis uit Zwitserland hadden kunnen permitteren; zo'n vakantie was toen, zeven jaar na de oorlog, nog steeds een sensatie. Siësta. Ook zijn ouders waren even gaan rusten. Een paar hotelgasten lagen te doezelen in de ligstoelen op het strand. Verderop was de zee, die lag te schitteren in het middaglicht. Dat zinderende fonkelen, dat was de tegenwoordigheid waar het eigenlijk op aan kwam. Een paar kinderen speelden in het water, spatten elkaar nat en joelden. Het was toen, op zijn dertiende, natuurlijk geen expliciete gedachte geweest, maar die had wel op de loer gelegen; hij had het gevoel gehad dat hij eerst al die Latijnse woordjes moest kennen en de onregelmatige werkwoorden moest beheersen voordat het hem was toegestaan zelf ook binnen te treden in die verblindende tegenwoordigheid.

Perlmann sloeg de kroniek open. Juli moest het zijn geweest. Wat er over politiek werd gezegd las hij alsof het vóór zijn geboorte had plaatsgevonden, zo weinig had het destijds met zijn leven te maken gehad. Dat gold voor Eisenhower evengoed als voor koning Faroek, en met de dood van Kurt Schumacher de maand daarna was het niet anders. Benedetto Croce ten slotte, dat leek wel uit een andere wereld te komen. Alleen Juan Manuel Fangio, de autocoureur, herinnerde hij zich, en op de dag na hun terugkeer uit Italië had de radio een reportage over de begrafenis van Evita Perón uitgezonden. Ze hadden voor de kleine radio gezeten en de melodramatische stem van de verslaggever, door atmosferische storingen moeilijk verstaanbaar, had van de rouwstoet iets verhevens en mystieks gemaakt, zodat zijn moeder moest huilen. Was het toen dat hij het fenomeen van het tijdverschil tussen de continenten had leren begrijpen? Want het was toch wel erg vreemd dat honderdduizenden mensen laat op de avond door de Argentijnse namiddag schreden.

Over de dag van het circusbezoek met Hanna had de kroniek maar één ding te melden: Antonio Segni, destijds nog premier van Italië, begon aan een reis naar Washington.

Kort daarna ging de film *Die Brücke* van Bernhard Wicki in première. Hij had de kaartjes voor de bioscoop al in zijn hand toen Hanna nog een keer naar de foto's in de vitrine keek en zei dat ze zulke beelden gewoon niet kon verdragen. Dat was het begin geweest van de kritieke tijd tussen hen, en toen ze met wapperende jas door de foyer van het filmpaleis was gerend, had het meer geleken op een vlucht voor hem dan voor de beelden.

Sandra's gezicht was verhit, haar losse haar zat in de war. Ze groette Perlmann vluchtig, en aan de manier waarop haar uitgelaten stemming plotseling omsloeg toen ze hem zag, was te zien dat zijn aanwezigheid haar aan het proefwerk herinnerde en dat ze daar nu niets van wilde weten. Perlmann rekende af.

Zich eigen maken, dacht hij toen het hotel in zicht kwam, dat zou met *osvaivat'* bedoeld kunnen zijn. Je je eigen verleden eigen maken door het te vertellen. Wat hield dat in Leskov's theorie in? En wat hield het in het algemeen in?

Het was even voor drieën toen hij de tekst helemaal had gelezen. Uitgeput ging hij voor het open raam staan. Het was doodstil. Hij voelde zich beroerd en, wat erger was, beroofd van zijn houvast. Wat moest hij doen nu hij niet meer werd gedreven door de taak Leskov's tekst te ontsluiten?

Wat Leskov op de laatste bladzijden schreef, dacht hij toen hij zich uitkleedde en onder het dekbed glipte, leverde geen helder, kloppend beeld op. In de eerste plaats was er het idee dat je iets eigen maken – als dat werkelijk het begrip was – een manier van begrijpen was: je maakte je je eigen verleden eigen door er betekenis aan te hechten. Het inzicht dat het vertellende herinneren opleverde, schreef Leskov verder, zorgde uiteindelijk voor het allesbepalende gevoel van saamhorigheid met jezelf. En in overeenstemming daarmee interpreteerde hij de ervaring van vreemdheid, die met een gebeurtenis uit het verleden gepaard kon gaan, als een tekort aan inzicht. Pas door middel van het vertellende herinneren, stond in het ietwat voor de hand liggende resumé, kreeg een persoon een geestelijke identiteit die losstond van de tijd. Dus: zonder taal geen geestelijke identiteit.

Perlmann vond die gedachte wel aantrekkelijk, heel even was hij er enthousiast over. Maar toen had hij er toch geen goed gevoel bij: was er niet ook sprake van geestelijke identiteit in het geval van een ontwikkelde emotionaliteit, die de spil vormde van zowel de handelingen als de fantasie van een mens, om het even of die emotionaliteit in taal werd uitgedrukt of niet? Maar dat was nog niet eens het werkelijke probleem met Leskov's theorie, dacht hij, terwijl hij, tegen zijn gewoonte in, in bed een sigaret rookte. Hoe paste de kwestie van het je iets eigen maken bij de stelling dat herinneren in zekere zin ook verzinnen was? Je het verleden toe-eigenen – dat ging er toch vanuit dat er al een binnenruimte van herinnerde belevenissen bestond, een binnenruimte die je als het ware kon betreden en die door jou moest worden veroverd? Maar zo'n al bestaande binnenruimte kon strikt genomen helemaal niet bestaan als het klopte dat het beleefde verleden, met emoties en al, pas door het vertellen werd gecreëerd. Of niet soms?

Moeheid overmande hem, hij duwde zijn hoofd in het kussen. Op het bureau lag Ruge's tekst, waarvan hij nog geen woord had gelezen. En ergens in de komende dagen moest hij een afspraak met Millar maken, die met hem over zijn dwaze vraag wilde praten. Even kwam hij overeind op zijn ellebogen en deed een krampachtige poging zich te herinneren. Maar de vraag was hem ontglipt en hij liet zich weer in het kussen vallen.

In Santa Margherita, dat gehucht, zou hij de cd met Bach's minder bekende preludes waarschijnlijk niet kunnen kopen. Zou hij het dan eerst in Rapallo proberen of beter meteen maar naar Genua gaan? En hoe moest hij daar de winkel met het grootste assortiment vinden? Wist een taxichauffeur zoiets?

Hij had zich toch zo veel moeite getroost met Sandra, en nu keek ze, voor zijn tafeltje staand, hooghartig op hem neer. En waarom plakten de pagina's van de kroniek opeens aan elkaar? Twee beangstigende schaduwen verduisterden alles, en toen hij opkeek stonden Millar en Ruge voor hem. Ruge stond voorovergebogen en hield tussen kin en handen een enorme stapel papier vast, die elk moment in het midden kon doorknikken en uiteen kon vallen. Millar's blikkerende bril kwam steeds dichter bij de kroniek, het woord *sneering* schoot Perlmann door het hoofd, en midden in zijn wanhopige poging de kroniek voor Millar's neus dicht te slaan, werd hij wakker en hoorde het ruisen van de regen.

10

Zoals hij daar in zijn eeuwige bruine pak met de te korte mouwen op de pompeuze stoel zat, zag Achim Ruge eruit als een plebejer die een keizerlijke troon had bezet. Hij had – dat viel vandaag méér op dan anders – een probleem met de overgang van dichtbij en in de verte kijken en zette voortdurend zijn bril scheef, zodat je iedere keer bang zat te zijn dat hij zichzelf met het uiteinde van een brillepoot, dat als een doorn naar binnen stond, verwondde. Ondanks zijn avontuurlijke uitspraak was zijn Engels verbazend vlot, en ook vandaag werd Perlmann verrast door zijn rijke woordenschat, waarmee vergeleken de manier waarop bijvoorbeeld Millar zich mondeling uitdrukte, bepaald pover was. In Harvard hadden ze hem destijds een beetje lachwekkend gevonden. De boerenjongen uit de provincie, uit *Germany*. Toen, zo deed het verhaal de ronde, had hij zijn eerste artikel over grammaticatheorie ingeleverd, naar verluidt honderd bladzijden dik. Dat artikel was ingeslagen als een bom, en Ruge werd van de ene dag op de andere een ster. Hij bleef er drie jaar. Toen ze hem vervolgens een aanlokkelijke baan aanboden, zei hij – ging het verhaal verder – dat de *American way of life* niets voor hem was, dat hij liever terugging naar de boerderij. En dat terwijl hij in Böblingen was opgegroeid als zoon van een ambtenaar bij de belastingen.

Ruge's lezing begon met een verwijzing naar experimenten van Perlmann, die een kleine tien jaar geleden opzien hadden gebaard omdat ze een bestaande theorie over het leerproces bij taalverwerving hadden weerlegd. Geschrokken had Perlmann het gezien toen hij, op de rand van het bed gezeten, de tekst met een zwaar hoofd snel had doorgenomen. Op weg naar de veranda had hij vergeefs getracht zich de details van zijn artikel van destijds te herinneren. Het was allemaal zo lang geleden. Pas door de samenvatting die Ruge ervan gaf, kwam de globale strekking van zijn betoog terug. Maar het was de globale strekking van iets wat een persoon had ontdekt en destijds blijkbaar ook met verve had geopenbaard, die slechts door toeval identiek was met hem, Philipp Perlmann. Die experimenten hadden evenwel in zijn vakgebied zijn reputatie voor jaren gevestigd, en het had lang geduurd voordat de anderen er ten slotte achter waren gekomen dat hij zich intussen tot theoretisch linguïst had ontwikkeld. Dat was omdat hij niet van laboratoria hield en zich na een dag werken in een team totaal uitgeput voelde, maar dat kon niemand weten.

Het ergste voor Evelyn Mistral's vader waren volgens haar de andere artsen en de verpleegsters geweest die bij een operatie om hem heen stonden. Ja, precies, dacht Perlmann, dat was het precies.

Het was toch vreemd, heel ironisch, zei hij bij zichzelf, terwijl Ruge over zijn eigen experimenten vertelde: bij wijze van uitzondering had hij toen een keer iets heel precies willen weten, en uitgerekend door die voor hem ongebruikelijke wens was hij plotseling in de schijnwerpers komen te staan. Of klopte het uiteindelijk niet wat hij afgelopen vrijdag op deze stoel over zijn behoefte aan vaagheid had gedacht? Want nauwkeurig waren zijn latere onderzoeken welbeschouwd ook. Zouden die mogelijk zijn geweest als hij niet ook een wil tot exactheid in zich had? Maar het waren nu eenmaal twee verschillende dingen, de natuurlijke behoefte en de aangeleerde wil.

Zijn boeken en artikelen waren geliefd bij studenten, ze waren goed geschreven en hadden een heldere structuur. Maar een echte doorbraak, zoals twee jaar geleden met de boeken van Adrian von Levetzov en Millar het geval was geweest, was hem niet gelukt. Hij wist heel zeker dat de anderen zich weleens afvroegen waar zijn meesterwerk eigenlijk bleef. Die scepsis was hij zich altijd terdege bewust als hij beroepsmatig met collega's te maken had. Dan draaiden zijn geheugen en zijn routine in het combineren van gegevens op volle toeren, zijn optreden was dan indrukwekkend, hij nam het effect ervan waar, heel even was dan elke twijfel aan zichzelf verdwenen, en bij zulke gelegenheden schudde hij argumenten, waarnemingen en proposities als het ware uit zijn mouw, die dan ook nog op de een of andere manier origineel waren, je kon het aan de gezichten van de toehoorders zien, hij won op punten, het aanzien dat hij ermee verwierf voelde aan als een warme deken, en hij bleef dan de halve nacht op om van dat gevoel te genieten. De volgende ochtend was hij weer een heel gewone ijverige onderzoeker, die zich afvroeg wanneer hij nou eindelijk eens werkelijk zou scoren.

Het volgende uur werd in beslag genomen door een discussie tussen Ruge en Laura Sand, die haar experimenten met dieren gedetailleerd vergeleek met wat er in Bochum werd gedaan. Tot Perlmann's verbazing had ze al haar irritatie en ongeduld laten varen, en de geconcentreerde rust en de diepgang van haar analyses hadden iets dermate fascinerends dat zelfs Ruge af en toe vergat te reageren. Voor het eerst maakte Giorgio Silvestri aantekeningen. De spanning werd slechts één keer onderbroken, toen de roodharige Amerikaan opdook voor het raam en gymnastiekoefeningen begon te doen. 'John Smith,' zei Millar, zonder zijn gezicht te vertrekken. 'Uit Carson City, Nevada.' Terwijl iedereen begon te lachen, wierp Evelyn Mistral Perlmann een blik toe.

Zoals ze vanochtend wetenschappelijk met taal bezig waren, was een goede zaak, dacht Perlmann. Een interessante zaak, die gestimuleerd moest worden. En toen besefte hij opeens dat hij dit vanuit een heel bepaalde instelling dacht: vanuit de instelling van iemand die na werktijd naar een wetenschappelijk programma op de televisie kijkt en vervolgens doorzapt naar een sportprogramma.

Toch was het zeker niet zo dat taal hem slechts zijdelings interesseerde. Alleen interesseerde hij zich er niet op deze manier voor. Taal uiteenrafelen, meten, formaliseren: daarvoor had hij in de grond van de zaak nauwelijks meer belangstelling dan voor bijvoorbeeld scheikunde. Als talen hem inderdaad fascineerden, dan was het als medium van het beleven, en vooral als een middel voor het tastend benaderen van de tegenwoordigheid der dingen, die zich op zo'n duivelse manier aan zijn benadering onttrok. Toen hij naar het universiteitssecretariaat was gegaan om zich in te schrijven, had het hem zo natuurlijk, zo logisch geleken zich in te schrijven bij taalwetenschap. Veel andere studies, zoals rechten of natuurkunde, waren bij voorbaat uitgesloten, daar hoefde hij niet eens over na te denken. En ook geneeskunde kwam niet in aanmerking, dat zou veel te veel lichamelijke nabijheid van andere mensen betekenen.

Talen, daar hield hij van. En daarvoor ben je toch ook zo goed geëquipeerd, had zijn moeder gezegd, die, door met zulke woorden te strooien, voor anderen en vooral voor zichzelf probeerde te verhelen dat ze totaal geen aanleg had voor vreemde talen. Bovendien had ze daar geen gelijk in. Zoals bij zo veel dingen waren ijver, uithoudingsvermogen en een veelal blinde, onbuigzame wil het enige waarover hij kon beschikken.

Achim Ruge had zijn jasje uitgetrokken en over de rugleuning van zijn stoel gehangen. De gebeeldhouwde rugleuning van de stoel was veel breder dan de schouders van het jasje, zodat de indruk ontstond van een vogelverschrikker die boven Ruge's grote kale hoofd uitstak. Maar Perlmann wilde zich noch daardoor noch door de idiote elastieken om Ruge's bovenarmen laten afleiden. Voor het eerst meende hij te begrijpen wat er destijds was gebeurd toen hij zijn studievak koos. *Een misverstand was het, meer niet.* En dat misverstand was welbeschouwd zo simpel, dacht hij, dat je er met stomheid door werd geslagen: nog maar net had hij door het verlaten van het conservatorium de hoop laten varen om met zijn pianospel de tegenwoordigheid der dingen te slim af te zijn en onder controle te krijgen. Want alleen naar muziek luisteren zou hem nooit méér kunnen opleveren dan een nog groter verlangen naar tegenwoordigheid. En nu opeens stortte hij zich halsoverkop op taal als het medium dat in de plaats moest komen van muziek en dat zijn onvervulde hoop op tegenwoordigheid moest inlossen. Zo hevig was die verwachting, en zo geforceerd de keuze van de nieuwe studie, dat hij iets heel simpels over het hoofd had gezien: taal schiep tegenwoordigheid, maar alleen als je je erin onderdompelde, als je erin ronddreef en ermee speelde, en niet wanneer je taal ontleedde en bekeek met de ogen van iemand die zocht naar wetmatigheden, verklaringen, systematiseringen en theorieën. Het was belachelijk eenvoudig, elk kind wist dat. En toch had hij die twee zaken met elkaar verward en zich, verliefd als hij was op het impressionistische, zinnelijke gehalte van taal, overgeleverd aan een analytische benadering, een beslissing die niets anders kon inhouden dan hem systematisch weg te voeren van waarnaar hij op zoek was, want die benadering was op heel andere dingen gericht.

Terwijl Silvestri over experimenten met betrekking tot afasie sprak en daarmee een verhitte discussie uitlokte, was Perlmann in de grote collegezaal van de universiteit van Hamburg en kreeg door de rector zijn inschrijvingsbewijs aangereikt. Of hij toen, toen hij onder de foto en zijn naam *Taalwetenschap* zag staan, werkelijk had gemerkt dat er iets niet klopte of dat hij het alarmerende gevoel van onbehagen pas achteraf aan dat moment in het verre verleden had toegekend, was niet duidelijk. Als je Leskov moest geloven, was dat een zinloze vraag. In ieder geval had hij nu het gevoel alsof hij toen van alle andere studenten in de zaal door een kleine, onbenoembare afstand was gescheiden doordat de andere studenten zich veel enthousiaster toonden voor hun favoriete studie, waarvoor ze zelf hadden gekozen. En hoe langer Perlmann nadacht over die verraderlijke afstand, des te sterker kwam de verdenking in hem op dat zijn handelen destijds was voortgekomen uit een vaagheid en een innerlijke onbestemdheid waarvan de kern uit onverschilligheid bestond tegenover het hele idee van studeren en onderzoek verrichten, een onverschilligheid die hij pas dertig jaar later in staat was te ontdekken en te onderkennen.

Hij schrok toen de anderen allemaal opstonden, zo ver weg was hij geweest. Of hij er helemaal niets op aan te merken had, vroeg Ruge hem toen ze de zaal verlieten. Perlmann, nog vol van het zoeven verkregen inzicht in de logica van zijn misverstand, slaagde erin ontspannen te glimlachen. Hij had er gewoon van genoten eens een keer alleen maar te luisteren, zei hij losjes. Je moest immers al zo veel praten.

'Eh... ja, daar hebt u wel gelijk in,' lachte Ruge, en het kwam Perlmann voor alsof die lach een fractie minder zelfverzekerd was dan anders.

Millar stond tegen de receptiebalie geleund en speelde met zijn kamersleutel. Nu kwam hij naar Perlmann toe. Hoe het met hun afspraak stond? 'In verband met uw vraag, bedoel ik.'

Perlmann vroeg signora Morelli om zijn sleutel en zocht haar blik, alsof zij hem kon helpen. Het veilige gevoel dat hij door het inzicht van zonet had gekregen, was als sneeuw voor de zon verdwenen.

'Ik meld me,' zei hij ten slotte, en hij verdween zo snel in Maria's kantoor dat het aan schaamteloosheid grensde.

De vele armbanden aan de pols van Maria rinkelden bij elke beweging die ze op de computer maakte. Vandaag had ze kauwgom in haar mond, en zoals gewoonlijk liet ze onder het praten de rook van haar sigaret uit haar mond ontsnappen. Perlmann verzocht haar een muziekhandel in Rapallo te bellen en naar de cd te vragen. Door grappen te maken kreeg ze de mensen van de muziekhandel ondanks het begin van de siësta zover het snel na te gaan. Geen van de twee muziekwinkels daar had de cd in voorraad, maar de tweede bood aan hem uit Genua te laten komen, dat zou een dag of twee duren. Perlmann schudde zijn hoofd toen ze het hem voorlegde, en toen beëindigde Maria het telefoongesprek, een beetje radeloos over zijn onbegrijpelijke haast. Ze liet niets blijken van haar ongeduld toen Perlmann haar vroeg het dan maar in Genua te proberen. Alleen liet ze af en toe de kauwgom tussen haar tanden knallen. Ze kende de grootste muziekhandel ter plaatse, ze was, zei ze, in Genua opgegroeid. Eerst kreeg ze te horen dat de cd er niet was, en naar het gezicht van Maria te oordelen werd er zelfs aan getwijfeld of hij wel bestond. Maar ze zei iets in een paar onduidelijke, bijna onverstaanbaar uitgesproken zinnen, waarschijnlijk een Genuees dialect, en toen gingen ze alsnog kijken of ze de cd niet toch ergens hadden, of dat die misschien net was binnengekomen. Het duurde lang, Perlmann had er een onbehaaglijk gevoel bij en was Maria dankbaar toen ze schertsend zei dat ze aannam dat er wel erg mooie muziek op moest staan. Ze was zichtbaar opgelucht toen ze uiteindelijk Perlmann kon vertellen dat de cd er was, hij was met de laatste levering meegekomen en nog niet eens uitgepakt. Hij verzocht haar te zeggen dat ze hem opzij moesten leggen en in geen geval verkopen, hij zou later op de middag langskomen. Bij het weggaan had hij Maria graag iets ter verklaring gezegd, maar behalve een herhaald *Mille grazie!* kon hij niets bedenken.

Hij haalde geld en creditcard uit zijn kamer en ging toen te voet naar het station. Zich haasten had geen zin, hij wilde niet alweer vanwege de siësta voor een gesloten zaak komen te staan. Op het perron, waar hij bijna een uur moest wachten, klonk met onregelmatige tussenpozen een schel gerinkel dat door merg en been ging. Gelukkig was de trein bijna leeg. Perlmann trok in de coupé het groezelige gordijntje dicht en probeerde wat te slapen. Eén week zat erop. Een vijfde. Was dat veel of weinig? Hij hoopte dat Silvestri spoedig zou beslissen of hij zijn voordracht in de vierde of de vijfde week zou houden. Als hij het pas in de vijfde week deed, dan had hij zelf nu nog vijftien dagen om een bijdrage te schrijven. Anders nog achttien dagen; negentien als hij het kopiëren tot zaterdag uitstelde. Op zaterdagen werkte Maria soms niet. Was het dan toch mogelijk kopieën te maken? Zou ze hem eventueel zelf het apparaat laten bedienen?

Genua was verstopt met auto's, overal parkeerden midden op straat bestelwagens die uitgeladen werden, je stond voor een groen stoplicht en schoot dan toch geen spat op, zei de taxichauffeur gelaten, en hij nam zijn ongeduldige gast op in de achteruitkijkspiegel. Siësta? Jazeker, maar natuurlijk niet voor het goederenvervoer. In ieder geval niet op maandag. Toen ze na een eeuwigheid voor de muziekwinkel stopten, was de winkel nog donker, hoewel de middagpauze volgens het bordje met de openingstijden al tien minuten voorbij was. Perlmann stuurde de taxi weg. Waarom hielden de mensen zich niet aan wat er geschreven stond? Waarom niet?

En toen, alsof een wanhopige woede hem eindelijk wakker schudde, bedacht hij opeens: hij moest toch minstens twee, drie dagen incalculeren voor Maria, om zijn tekst uit te kunnen typen. Van zijn berekeningen klopte dus helemaal niets. Hij trok zijn jasje uit en veegde met zijn zakdoek over zijn zwetende nek. In werkelijkheid was het zo: als Silvestri de vijfde week koos, dan restten er, als hij ook de vrijdag voor Maria zou uittrekken, niet meer dan tien dagen. En als ze ertoe bereid was alles op de maandag en dinsdag uit te typen, dan waren het er dertien, waarbij hij dan van zijn collega's vergde zijn tekst in één dag te lezen. Hield Silvestri daarentegen zijn voordracht in de vierde week, dan waren het zestien dagen, er nogmaals van uitgaand dat Maria het in twee dagen voor elkaar kreeg en de kopieën nog op de vrijdagavond maakte alvorens ze aan haar vrije weekend begon. Huiverend trok Perlmann zijn jasje weer aan en voelde walging toen hij merkte dat zijn overhemd op zijn rug plakte. Hij rechtte zijn schouders.

In de winkel moest hij opnieuw wachten omdat de man met wie Maria had gesproken, te laat was. Onder de verbaasde blikken van de verkoper trok hij de folie van het doosje en frutselde aan de dubbel-cd, zonder het doosje open te krijgen. '*Ecco!*' glimlachte de verkoper toen hij hem met een simpel gebaar openklapte. De tweede van de beide cd's was de juiste. Perlmann zocht nummer 930 op, liet de cd opzetten en pakte de koptelefoon.

Het was het stuk dat Millar had gespeeld.

De paniek van zonet was verdwenen. Maar het stelde hem teleur dat het triomfantelijke gevoel niet sterker was. Dat hij eigenlijk helemaal geen triomf voelde. Opeens kwam de hele onderneming hem zinloos voor, kinderachtig en zinloos. Hij betaalde en liep de winkel uit, uitgeput en beschaamd. Langzaam slofte hij in de richting van het station.

Het was eerst bijna niet te zien dat achter de bouwsteiger een boekhandel lag, die zo-even zijn deuren had geopend. Perlmann keerde om en ging de winkel binnen, waar overal spiegelwanden waren en die weergaloos mooi was verlicht. Met zijn handen in zijn zakken slenterde hij langs de tafels met de bestsellers, de kasten met literaire werken, en verder naar de afdeling talen.

Het grote boek met de rode rug en de zwarte letters viel hem meteen op. Het was een woordenboek Russisch-Engels en omgekeerd. Het papier was dun en grijzig, en als je het aanraakte, zat er meteen een zeperig laagje op je vingers; maar de verklaringen bij de woorden waren heel gedifferentieerd en besloegen in veel gevallen wel een kwart kolom. *Osvaivat'*. Perlmann ging in een van de elegante, maar ongemakkelijke stoelen zitten en zocht het woord op. *To assimilate, master; to become familiar with.* Hij had het goed geraden. Wat er tijdens het proces van verhalend herinneren gebeurde, was volgens Leskov dat je greep kreeg op je eigen verleden en het daardoor dichterbij bracht; en precies dat waren elementen van het begrip *zich eigen maken.* Zich toe-eigenen zou een andere formulering kunnen zijn, dacht hij. Welke van de verschillende vertalingen van het woord zou je moeten kiezen wanneer je de tekst in het Engels vertaalde?

Hij wou dat hij het woordjesschrift had meegenomen, dan kon hij de vele leemtes die erin voorkwamen nu via het Engels aanvullen. Hij zocht verder in de kast, maar een Russisch-Duits woordenboek hadden ze niet. Wel stond er het woordenboek Duits-Engels dat hij ook in het hotel had. *Zich toe-eigenen: to appropriate, to acquire, to adopt. Appropriating,* leek het, was de handeling, dingen in je bezit nemen, terwijl je *acquiring* gebruikte voor het je toe-eigenen van kennis, en *adopting* kon betekenen 'een mening overnemen' en eventueel 'een houding aannemen'. Weer pakte hij het rode woordenboek en zocht *to appropriate* op: *prisvaivat'*. Toen *to acquire* en *to adopt: usvaivat'*. Woorden die zich dus alleen wat het voorvoegsel betrof van *osvaivat'* onderscheidden. Wat moest hij denken van Leskov's woordkeus? Perlmann deed een stap opzij om een vrouw met enorme oorringen bij de kast te laten, die er heel trefzeker een klein Russisch-Italiaans woordenboek uit haalde. Hij voelde de verleiding haar aan te spreken en haar bij zijn innerlijke dialoog te betrekken, maar toen draaide ze zich al met een vage glimlach om en liep naar de kassa. Het eigen verleden, dacht hij, eigen je jezelf niet toe als een ding. Maar eigenlijk ook niet als een stuk kennis, een mening of een houding. Betekende toe-eigenen hier niet ook 'onderkennen'? Voor *recognizing* gaf het woordenboek *soznavat'*, wat ook *realizing* kon zijn, en voor *acknowledging* gaf het *priznavat'*. Had hij een van die woorden niet gezien toen hij Leskov's tekst snel had doorgenomen?

Verstolen keek hij om zich heen en hij zette het boek langzaam terug in de kast. Weer voelde zijn gezicht zo verhit dat je het aan de buitenkant kon zien. Agnes had die hitte in ieder geval gezien wanneer hij met stapels woordenboeken op de grond zat. Je ziet er dan op de een of andere manier... fanatiek uit, had ze een keer gezegd, en het had weinig opgelost toen ze later zei dat dat het totaal verkeerde woord was geweest.

Hij was al twee straten verder toen hij omkeerde. Heel even bleef hij onder de steiger staan, wipte op zijn hakken op en neer en keek naar de straatgoot, waar een stuk ijspapier lag in een vieze, bruine smurrie. Toen draaide hij zich met een ruk om, ging naar binnen en haalde het grote, rode woordenboek uit de kast. Daarbij trok hij, zoals hij in de spiegel kon zien, het gezicht van iemand die tegen zijn wil een geheime missie moet uitvoeren. Creditcards alleen boven de honderdduizend lire, zei de man aan de kassa. Perlmann legde het andere exemplaar van het Russisch-Italiaanse woordenboek dat de vrouw zojuist had gekocht erbij, en nu was het bedrag hoog genoeg.

Was zich toe-eigenen werkelijk een adequate vertaling voor *osvaivat'*? vroeg hij zich in de trein af. *Assimilating*: voor zover het, zoals bij immigranten, assimilatie of aanpassing betekende, stond het tamelijk ver van het idee van zich toe-eigenen af. En *mastering* kon in dit geval in principe ook inhouden dat het bepaalde herinneringen op afstand hield... Aangenomen dat in de tekst ook *usvaivat'* voorkwam: kon je iets, zoals je eigen verleden, dat je eigenlijk al toebehoorde, alsnog verwerven? Goed, Leskov zou kunnen zeggen dat het je, voordat je je herinnering vertelde, nu eenmaal nog niet helemaal toebehoorde... En hoe was het met *adopting*? Perlmann liep de reeks associaties langs die voor hem door het Engelse woord werden opgeroepen. Je kon, bedacht hij, het woord ook gebruiken als het erom ging een stuk cultuur of religie over te nemen. Dat wilde zeggen dat er een zekere innerlijke distantie in het spel was, zoals wanneer je een rol speelt. En zat er niet ook iets in van vervalsing en oplichterij? Dan was *adopting* als vertaling van *usvaivat'* in de zin van toe-eigening niet mogelijk. Of wél? Want als het vertellende herinneren een soort fantaseren was...

Op station Genua Nervi stapten veel mensen in, en er werd luid gepraat in de coupé. Perlmann vond het lastig zich te concentreren. Je het verleden toe-eigenen: betekende dat niet ook 'ervoor staan'? Wat was dat in het Engels? Heel even raakte hij de draad kwijt en voelde een uitputting over zich komen die hij ook altijd had gevoeld wanneer hij te lang met de woordenboeken op de grond had gezeten. Op het station van Recco schoot het hem eindelijk te binnen: *endorsing*. En onder de nieuwsgierige blikken van de mensen die tegenover hem zaten zocht hij het woord op, waarbij hij het grote woordenboek op zijn knieën in evenwicht hield. *Indossirovat'.* Maar dat scheen een woord te zijn dat alleen in de financiële wereld werd gebruikt. *Podtverždat'* in de zin van *confirming.* Kwam dat woord voor bij Leskov? Hij keek langs de blik van de anderen heen naar buiten, waar het begon te schemeren. 'Ingelijfd worden', leek hem, was ook een facet van het begrip toe-eigening. Maar nu stopte de trein in Santa Margherita.

'Nog heel even wachten,' zei hij later tegen de taxichauffeur. Hij legde de woordenboeken op de kofferbak en zocht *incorporating* op. Vključat'. Het kwam hem voor dat hij dat woord al eerder had gelezen. 'Het heeft haast,' zei hij tegen de verbouwereerde chauffeur.

Op zijn kamer ging hij meteen achter het bureau zitten. Hij was blij dat hij niet, zoals in zijn eerste kamer, al zijn boeken erop had gezet. Zo kon hij de spullen die hij nodig had voor de vertaling gemakkelijk uitspreiden. Vooral was er op die manier plaats voor het Russisch-Engelse woordenboek, dat, als het opengeslagen was, bijna de helft van het werkblad in beslag nam. Het andere woordenboek, dat ook door de vrouw met de enorme oorringen was gekocht, duwde hij naar de verste rechterhoek. Zulke grote oorringen had hij nog nooit gezien. Het smaragdgroen met de dunne gouden rand was hem bevallen.

Hij begon met de passage waarin Leskov over het idee van de toe-eigening begon. Voor *osvaivat'* schreef hij beide vertalingen op, *assimilate* en *master,* ertussenin zette hij een schuine streep. Het ging veel langzamer dan bij het lezend vertalen in het Duits. Maar het was wel veel spannender, en als hij een Engelse zin zonder enige moeite had neergeschreven, slaakte hij een zucht van genoegen. Maar vaak was er absoluut geen sprake van vlot vertalen. Lezend begrijpen kon ook wanneer de juiste betekenis van de tekst een beetje vaag bleef. Zonder dat het bewust gebeurde riep je dan alle dingen in je op die met een bepaald woord in je eigen taal samenhingen, en met die kennis kon je dan de hiaten opvullen die een goed begrip van de onbekende tekst in de weg stonden. Het op papier vertalen van de ene vreemde taal in de andere legde daarentegen ook de kleinste onzekerheid over de juiste betekenis van een woord bloot. Dat gold natuurlijk vooral voor het Russisch. Maar Perlmann had er ook al snel gevoel voor hoe groot zijn onzekerheid bij sommige Engelse uitdrukkingen was, en er waren zinnen die in beide talen vaag bleven. Bij die passages besefte hij over hoeveel dingen hij heen had gelezen.

En toch was het van meet af aan een koortsig gevoel dat hij het liefst niet meer kwijt wilde raken. Hij had bijna twee bladzijden vol geschreven, toen kwam *priznavat'*. Hij wilde juist opzoeken of er nog een andere vertaling dan *to acknowledge* bestond, toen hem het avondeten te binnen schoot. Geïrriteerd trok hij zijn jasje aan en liep snel de trap af. De ober haalde de soepborden al weg toen hij tegenover Millar plaatsnam.

Nu pas, bij het zien van Millar's gezicht, dacht Perlmann aan de cd. Hij stak zijn hand in de zak van zijn jasje en voelde het koele plastic van het hoesje. Hij had het gevoel een relict aan te raken uit een allang achterhaalde, achteraf gezien nogal belachelijk lijkende binnenwereld. En als Millar niet zo misprijzend had gekeken wegens zijn opnieuw te laat komen, had hij de kwestie erbij laten zitten.

'Ach, overigens, Brian,' begon hij, en hij probeerde op zijn gezicht niets te laten blijken van zijn triomf, 'die toegift die u zaterdag speelde, dat was niet Bach's Werkverzeichnis 902. Het is nummer 930. De 902 is namelijk in G grote terts.'

Het was hem gelukt het heel losjes te zeggen, bijna speels, en een restje van zijn inzicht in de belachelijkheid van de kwestie was hoorbaar in zijn stem. Maar nu viel er in de eetzaal, waar behalve hun gezelschap vanavond verder alleen John Smith zat, een stilte die aan het gebeuren een onheilspellende dramatiek verleende.

Millar zette zijn bril recht, leunde achterover en kruiste zijn armen voor zijn borst. Hij duwde even zijn onderlip naar voren, schudde toen nauwelijks merkbaar zijn hoofd en zei met een glimlach waarbij zijn ogen spleetjes werden: 'Eerlijk gezegd, Phil, geloof ik niet dat ik me vergis. Ik ben bijzonder goed op de hoogte van de minder bekende stukken van Bach.'

Perlmann nam de tijd. Hij pareerde Millar's uitdagende blik. Deze keer vond hij het heerlijk eenvoudig. Ze bleven elkaar aankijken, geen van beiden kon zijn blik nog van de ander losmaken.

Dat moment stelde hem voor veel dingen schadeloos, hij genoot er met volle teugen van. Na wat er nu ging gebeuren zou Millar het niet meer wagen op de kwestie van die dwaze vraag terug te komen.

Hij haalde het doosje met de twee cd's uit zijn zak, keek er met de routine van een toneelspeler langdurig naar en schoof het doosje toen langzaam over het opbollende tafelkleed naar Millar. *Laconiek. Heel laconiek.*

'U kunt straks zelf uw vergissing vaststellen. Het is overigens een veel verkochte opname. U krijgt hem van me cadeau.' Hij was blij dat hij *mistake* had gezegd, en niet *error*. Dat klonk meer naar school en zou hem meer raken.

Von Levetzov keek nieuwsgierig naar Millar en keek toen Perlmann aan met een glimlach die hem moest beduiden dat hij deze keer aan zijn kant stond. *Hij is een opportunist, een gespreksopportunist, die altijd de kant kiest van de sterkste partij.*

Ook Ruge glimlachte, maar het was een glimlach die geen partij koos, de kwestie amuseerde hem gewoon: in discussies schuwde hij nooit de aanval en een woordenwisseling waarin je kon winnen of verliezen, wist hij altijd te waarderen.

Millar had het doosje opengedaan en schudde met getuite lippen zijn hoofd. 'Wat erop staat – zegt niets.'

'Het staat allemaal in het boekje dat erbij zit. In het andere vakje.'

Minachtend bladerde Millar het dunne boekje door. 'Dat zou dus betekenen dat het een stuk uit het *Klavierbüchlein* is,' zei hij, en dat het komisch klonk omdat hij de umlaut negeerde, verzachtte een beetje de minachtende klank van zijn woorden. 'En dat is het niet, dat weet ik heel zeker.' Hij klapte het doosje met een energiek gebaar dicht en schoof het terug naar Perlmann, die het in het midden van de tafel liet liggen, vlak naast de juskom.

'*Well, Brian*,' zei Perlmann, en hij hield zijn hoofd op Millar's manier scheef, 'we kunnen het stuk straks beluisteren.'

'Ja, graag,' zei Laura Sand, 'ik hou van die eenvoudige melodie.'

Als haar opmerking een beetje ironisch was bedoeld, dan was het nauwelijks hoorbaar. Maar Millar trok zijn wenkbrauwen op alsof iemand op een schandalige manier de spot met hem dreef.

'*Well, Phil,*' bauwde hij Perlmann na, 'gebruiksaanwijzingen kunnen fouten bevatten, nietwaar. Dat komt voor. Zelfs bij CBS. Nee, nee, we hebben er natuurlijk wel de partituur bij nodig.'

'Daar kan natuurlijk ook iets boven staan wat niet klopt,' zei Silvestri, en hij blies rook over de tafel.

'*Well, now,*' beet Millar hem toe.

'*Buon appetito,*' grijnsde Silvestri en hij hief zijn glas.

Aan het verdere gesprek nam Millar niet meer deel. Hij staarde voor zich op zijn bord. Eén keer keek hij langs Perlmann naar de zaal, maar vervolgens boog hij zijn hoofd weer. Evelyn Mistral zat te giechelen, en toen de anderen opkeken zagen ze hoe John Smith zijn glas hief in de richting van Millar.

'Overigens, Phil,' zei Millar bij de koffie plotseling, 'hoe komt het eigenlijk dat u die cd bij u heeft?' Hij liet zijn kin op zijn gevouwen handen rusten en keek Perlmann strak aan. '*Sort of fluke, eh?*'

Het coole, nonchalante zinnetje dat Perlmann al klaar had liggen, was weg. Er was alleen een leegte, en daarin zijn oude angst voor Millar. Hij deed nog een suikerklontje in zijn koffie en roerde in zijn kopje. Hij zag het ijspapiertje in de straatgoot liggen en hij zag de smaragdgroene oorringen. Boven wachtte de vertaling van Leskov's tekst op hem. Opeens was het zinnetje er weer. Hij keek op en het was alsof hij alle blikken op zijn gezicht verzameld voelde als de hitte van een lamp of het scherpe branden van een zilt briesje.

'*I happened to see it and just picked it up,*' zei hij. Het klonk helemaal niet kosmopolitisch, eerder verlegen en verontschuldigend, en hij was bang voor wat Millar zou gaan zeggen. Toen hoorde hij Laura Sand's diepe, gutturale lach.

'Gewoon, een trouvaille,' zei ze, en terwijl ze haar sigaret uitdrukte wierp ze Millar een ironische blik toe.

Op het gezicht van Millar stond een stille, machteloze woede toen hij zijn servet opvouwde. Hij was de eerste die opstond.

Perlmann pakte het cd-doosje van de tafel. Ze wilde die werkelijk heel graag beluisteren, zei Laura Sand met een spottende blik naar Millar, die juist met forse stappen naar de deur liep. Perlmann knikte en ging haar voor. Op weg naar de salon voelde hij zich helemaal kapot, als aan het eind van een lange wedstrijd.

Millar kwam pas terug toen de cd al speelde. De woede op zijn gezicht had plaatsgemaakt voor een weerbarstige geslotenheid. Met demonstratieve verveling liet hij zijn blik door de hele salon dwalen en zette af en toe zijn bril een beetje scheef om iets in de verste hoek beter te kunnen zien.

Perlmann had het boekje in zijn hand. 'Dat was nummer 902 in G grote terts,' zei hij toen het stuk voorbij was.

'O, maar dat stuk ken ik heel goed, Phil,' zei Millar zelfingenomen. 'Het is, vrees ik, nummer 902a. In G grote terts.'

Perlmann keek in het boekje. 'Nummer 902a duurt slechts een derde van deze tijd. Nog niet eens helemaal. U zult het zo horen. Want dat stuk komt nu.'

Millar's gezicht vertrok, maar hij zei niets. In de korte pauze voorafgaand aan Hanna's verjaardagsstuk wapperde Perlmann hem toe met het boekje, wees met zijn wijsvinger een regel aan en zei: 'Nu. Nummer 930.'

Millar trok zijn wenkbrauwen op alsof hij hem niet begreep en ging door met het in ogenschouw nemen van het vertrek.

'Ik zou CBS attent moeten maken op hun vergissing,' zei hij nadat de laatste toon was weggestorven. 'Dan kan ik ze ook laten weten dat ik de opname niet erg geslaagd vind. Nou ja, Glenn Gould natuurlijk.'

In de hal kwam hij naar Perlmann toe. 'Bent u onze afspraak vergeten?'

'Nee,' zei Perlmann, en hij zette zich schrap tegen zijn blauwe blik. 'Absoluut niet.'

Later, aan zijn bureau, wist hij meteen weer waar hij zijn gedachtengang eerder had onderbroken. Was er voor *priznavat'* nog een andere vertaling mogelijk dan *to acknowledge?* Dat was belangrijk in verband met de creatieve component, die volgens Leskov immers een belangrijke rol speelde bij het vertellende herinneren. Klonk het niet vreemd over het onderkennen van je eigen verzinsels te spreken? Was het niet eerder zo dat het normaal gezien feiten waren die je onderkende?

Voordat hij het woord opzocht dacht hij even na om zichzelf helderheid te verschaffen over het merkwaardige gevoel dat de hernieuwde confrontatie met Leskov's tekst hem gaf. Het verbaasde hem hoe snel en moeiteloos hij erin slaagde het gevecht met Millar, waarin hij zojuist nog verstrikt was geweest, van zich af te zetten. Stom genoeg bleef zoiets hem meestal heel lang bij, en meestal achtervolgde het hem nog lang. Het was alsof hij door de aanblik van het cyrillisch schrift in een andere kamer van zichzelf was verdwenen en de deur achter zich dicht had gedaan. Het was heerlijk om achter die deur te zijn, die hem tegen alles beschermde wat hem buiten die kamer dwarszat. De gedachte aan hoe het aan de andere kant van de deur, en nog verder weg in de buitenwereld, nu verder moest met hem, kon hij evenwel niet buitensluiten; maar die gedachte was slechts aanwezig tegen een vaag oplichtende achtergrond, en hij raakte erin bedreven die af en toe opflakkerende achtergrond te negeren.

Priznavat' kon ook *admitting* betekenen, en *priznanie* was blijkbaar het klassieke woord voor *confession*. Perlmann schreef ook in dit geval alle varianten op. Alle moeheid viel nu van hem af; hij was bezig met het begin van iets nieuws, iets opwindends.

Toch onbrak er nog iets, iets uiterlijks, voordat alles klopte. Het nam wat tijd voordat hij het kon bedenken. Toen haalde hij aan het eind van de gang de ladder uit het berghok en zorgde ervoor dat de plafondlampen in de gang weer schemerig licht verspreidden. Nu was het goed. Nu kon hij werken.

De kwestie van de toe-eigening had hij die nacht zelfs om vier uur nog niet opgelost. Eén keer gebruikte Leskov *podtverždat'* en drie keer *vključat'*. Dus speelde ook het idee mee dat je je een stuk verleden toe-eigent door het een onderdeel te maken van het geheel dat je zelf was. Als het voordien vreemd was, trok je het zogezegd die eenheid binnen.

Nog afgezien van het feit dat het idee van dat geheel, of van die eenheid, natuurlijk om nadere uitleg vroeg: hoe zag dat integratieproces er dan uit als je ook volhield dat de herinnering pas door het vertellen tot stand kwam? Ging het erom dat de verschillende verhalen om zo te zeggen steeds meer samengroeiden? Zich iets eigen maken – dan dacht je in eerste instantie aan een substantie, een vaste kern, die werd aangevuld met het nieuwe, dat er tot dusver buiten was gebleven. Maar zo'n vaste kern, een constante waarvan bij al het verhalende toe-eigenen werd uitgegaan, kon in Leskov's ogen niet bestaan, want wat voor een gedeelte van je herinnering gold, gold voor alle delen. Was hij bereid te beweren dat een ik, een persoon in de psychologische zin van het woord, helemaal geen vaste kern bezat en helemaal niets van een substantie bevatte, maar slechts een zich voortdurend uitbreidend en aan een constante herordening onderworpen spinsel van verhalen was – een beetje zoals de samenstelling van een suikerspin op de kermis, dus zonder materie? Perlmann werd duizelig bij die gedachte, en opgewonden begon hij aan de volgende alinea.

Om half zes was hij de uitputting nabij. Zeven van de negen laatste pagina's van de tekst waren vertaald. Het was lang geleden dat hij zo trots op iets was geweest. En het was, dacht hij, sinds heel lang de eerste keer dat het hem was gelukt zich zo in iets te verdiepen.

Sinds de dood van Agnes. Hij haalde haar foto uit zijn portefeuille. Ze lag languit in een ligstoel op het strand, haar armen gekruist boven haar hoofd, haar zonnebril in haar kastanjebruine haar. Haar glasheldere blik, waaruit hij zo vaak moed had geput, was op hem gericht, en je kon nog aan haar zien dat ze zojuist de spot had gedreven met zijn wens een kleurenfoto van haar te maken.

Tijdens die vakantie hadden ze het cyrillisch schrift en de eerste Russische woordjes geleerd. Zij was sneller geweest dan hij, zij leerde de taal spelenderwijs, terwijl hij zich er zoals gewoonlijk systematisch, als een Pietje precies mee bezighield. Toen zij al hele woorden in één oogopslag herkende, moest hij ze nog letter voor letter spellen.

Perlmann deed het licht uit. Ze had die weg al honderden keren gereden, snel en zeker. Tot op die heldere, ijskoude ochtend. Ze had het raampje maar een heel klein stukje opengedaan en haar zwaaiende hand in de zwarte handschoen had daardoor heel aanstellerig en onecht geleken. Allebei hadden ze erom gelachen, en nog midden in die lach was ze er in haar oeroude Austin vandoor gesjeesd, een plankgas start op de inrit die ze vrij hadden gemaakt van sneeuw. Tot aan de plek door het bos was het nog geen tien minuten rijden. Een laagje poedersneeuw over een stuk weg dat verraderlijk glad was, een moment van onachtzaamheid. De camera's op de achterbank waren niet beschadigd.

11

Drie uur later, in de veranda, kon Perlmann met moeite zijn ogen openhouden. Hij goot de ene kop koffie na de andere naar binnen. Silvestri grijnsde als hij hem weer de koffiekan zag pakken, en als teken dat hij begrip had voor de situatie, wreef hij in zijn ogen. Ruge weidde nu uit over het deel van zijn tekst dat niets met het onderzoek van Perlmann te maken had. Hij droeg een uitgelubberde trui met een col die in slordige plooien over de kraag van zijn jasje hing en zijn hals nog korter deed lijken dan anders. Perlmann schreef het aanvankelijk nog toe aan zijn duffe hoofd dat hij telkens weer kleine absences had, maar toen merkte hij dat Ruge vanochtend werkelijk ongeconcentreerd was. Hij sprak haperend en slordig, en in zijn ogen was niets te zien van de bij hem gebruikelijke op de aanval beluste en schalkse glans. Steeds vaker streek hij met zijn hand over zijn kale hoofd en hij sloeg de pagina's zo aarzelend om alsof hij geen woord begreep van wat er stond. En als hij dan ook nog zijn bril scheef zette, zag hij er met zijn dunne grijze haarkrans uit als een slechtziende bejaarde. De lusteloosheid die er van hem uitging sloeg op de anderen over, zelfs Millar liet niets van zich horen wanneer er steeds langere stiltes vielen, en even leek de zitting compleet te mislukken.

Het was Evelyn Mistral die dat uiteindelijk voorkwam. Ze stelde een kritische vraag, en toen ze de anderen opgelucht zag knikken, praatte ze, mede aangemoedigd door Ruge's aandacht, door en hield, steeds vrijer sprekend, een lang betoog dat de anderen na een poosje naar hun pen deed grijpen. Op haar voorhoofd verscheen weer een rode streep en haar ondersteunende gebaren waren levendig en expressief zoals Perlmann het nog nooit bij haar had gezien. De nervositeit waarvan ze tijdens de zittingen tot dusver last had gehad, viel van haar af, en alleen af en toe glipte ze nog met haar hiel uit haar rechterschoen. Later, toen ze het middelpunt was geworden van een levendige discussie, wierp ze, terwijl ze naar antwoorden en tegenwerpingen zocht, steeds vaker haar hoofd naar links om haar haar, dat ze vandaag los droeg, uit haar gezicht te gooien. Maar in plaats van dat haar haar naar achteren zwaaide, bleef het als een ordeloze sluier voor haar gezicht hangen, zodat wanneer ze opkeek van haar notities, alleen nog maar de helft van haar bril was te zien. Dan probeerde ze het vanuit haar linkermondhoek weg te blazen, maar omdat dat meestal niet veel hielp, streek ze ten slotte haar blonde, strokleurige lokken met haar hand uit haar gezicht.

Toen hij dankzij de koffie een beetje wakkerder was geworden – al bleef hij wat beverig – zocht Perlmann koortsachtig naar een mogelijkheid een bijdrage te leveren aan de discussie. Maar hij kwam telkens te laat met zijn gedachten, en de twee samenvattingen die hij tussendoor gaf, haalden ook al niet veel uit, zodat hij zich een buitenstaander begon te voelen. Beide keren praatte Millar, zonder hem een blik waardig te keuren, gewoon door, alsof het om een storend geluid ging dat hij over zich heen moest laten komen.

De regen was opgehouden, maar boven de baai hingen nog steeds donkere wolken, en van de witte tafels op het terras droop het water op het grind. De jongeman met de rugzak en de regencape, die nu in Perlmann's blikveld kwam, liep aarzelend en keek om zich heen als iemand die bang was op iets verbodens te worden betrapt. Hij keek omhoog naar de gevel van het hotel, deed een paar stappen in de richting van het zwembad, en toen hij zag dat er in de veranda mensen zaten, liep hij snel terug naar de bordestrap. Zijn lange, magere lijf en de manier waarop hij zijn sigaret vasthield, deden Perlmann aan iets onaangenaams denken, een of ander voorval tijdens een vakantie, maar even voordat hij het te pakken had, zonk het weer weg in zijn vermoeidheid.

Was het niet zo, zei Millar juist, dat dit de ideale gelegenheid was om een keer in alle rust de verschillende grammaticatheorieën van de afgelopen jaren de revue te laten passeren en te proberen de balans op te maken? Achim en hij zouden dat morgen kunnen voorbereiden, en dan zouden ze er donderdag en vrijdag met z'n allen over kunnen praten. Of het Adrian iets uitmaakte als zijn zitting pas begin volgende week zou plaatsvinden?

Dan wordt alles een halve week opgeschort. Dat betekent dat ik in geen geval al in de vierde week aan de beurt ben. Dan heb ik dus nog vijftien dagen, aangenomen dat het uittypen van de tekst op de donderdag en de vrijdag kan gebeuren. Hij vond het een goed idee, zei Perlmann, toen de anderen hem vragend aankeken.

'En óf het een goed idee is!' zei Evelyn Mistral tegen hem, toen ze de veranda als laatsten verlieten. 'Daardoor win ik een halve week! Zullen we het in de stad gaan vieren met een pizza? Ondanks de regen?'

Hij wilde liever wat gaan rusten, zei hij, hij had slecht geslapen.

'Ja, dat is je aan te zien,' zei ze en ze raakte even zijn arm aan.

Toen hij even voor vieren wakker werd, wist hij plotseling waar de lange jongen met de regencape hem aan had doen denken. Voor de derde keer al had mevrouw Hartwig er bij hem op aangedrongen de brief over de samenwerking met een collega uit Israël te beantwoorden, en daarom was hij kort voordat zij met haar werk klaar was naar het instituut gegaan en had de afzegging gedicteerd. Daarna had hij de overige post doorgenomen, en omdat hij juist een boekencatalogus in de prullenbak mikte, had hij het aarzelende, schuldbewuste kloppen bijna niet gehoord.

Het was een student, een lange, magere jongeman met een geprononceerde adamsappel en afstaande oren, die zijn zelfgedraaide sigaret opvallend ver van zich afhield, alsof hij ervan walgde. Hij was de weg kwijtgeraakt in het onoverzichtelijke gebouw en wilde eigenlijk alleen een collegerooster. Perlmann liet hem binnen en vroeg hem een halfuur lang uit, de jongen wist niet wat hem overkwam. Hij vroeg hem zelfs naar zijn vakantieplannen en zijn financiële situatie, en de vraag naar een vriendin onderdrukte hij pas op het laatste moment. Later schrok hij van zijn vrijpostigheid. Een paar dagen later had hij de jongen met een vriendin aan de overkant van de straat zien lopen. Perlmann was geschrokken toen hij zag hoe ze met elkaar fluisterden en lachten, en hij had zichzelf in de kraag moeten vatten om niet paranoïde te worden. De vriendin was heel knap, en aan haar zijde had de jongen er helemaal niet timide en sukkelig uitgezien. Ook zijn oren leken minder ver van zijn hoofd te staan. Perlmann herinnerde zich nu weer precies wat hij toen had gedacht: *Ik verlies mijn beoordelingsvermogen. Als ik dat ooit al heb gehad.*

Hij douchte lang om de herinnering van zich af te spoelen en begon toen met Leskov's tekst helemaal vooraan. Nu hij hem voor de tweede keer doornam, begreep hij alles veel beter, en de eerste alinea's kreeg hij verrassend snel op papier. Het nieuwe woordenboek was werkelijk fenomenaal, alleen het grijzige papier dat zo glibberig aanvoelde, was niet prettig om aan te raken, zodat hij af en toe de behoefte voelde zijn handen te wassen. De programmatische zin aan het begin van de tekst was in het Engels geen probleem, en pas bij de voorbeelden ter illustratie van herinnerde gebeurtenissen werd het lastig. Hij kon zich minder goed concentreren, en nu kreeg hij ook nog last van een flauw gevoel in zijn maag. *Sandra. Het proefwerk.* Even voor achten sloop hij door de achteruitgang het hotel uit en ging op weg naar de trattoria.

Waar hij gisteren toch was gebleven, vroeg de waardin schertsend, en toen riep ze Sandra, die met haar opwippende paardestaart naar beneden kwam en haar schrift opengeslagen op zijn bord legde. Er stond nog steeds veel rood op de bladzijden, maar toch had ze nog net een voldoende gehaald, de eerste sinds weken. De rest van de week mocht hij voor niets eten, zei de waard, en hij gaf Perlmann een forse klap op zijn schouder. En hij kon gerust het duurste uitkiezen!

Perlmann zocht in de kroniek de aanslag op Robert Kennedy op. Juist, een paar weken daarvoor, terwijl hij zich voorbereidde op zijn promotie, was er ook op Martin Luther King en Rudi Dutschke geschoten. De Praagse Lente. De studentenopstanden in Parijs. Van week tot week, bijna van dag tot dag, was hij zich steeds meer bewust geworden van het spanningsveld tussen zijn persoonlijke zorgen en de politieke ontwikkelingen in de wereld. Wat was belangrijker? Wat betekende 'belangrijk' eigenlijk? En in welke zin kon je spreken over de plicht betrokken te zijn bij de politieke ontwikkelingen? Was het duidelijk wat 'betrokken zijn' betekende? Een tijdlang had hij zijn gewoontes veranderd en had 's ochtends, voordat hij aan zijn bureau ging zitten, de krant gelezen. Maar dat druiste in tegen zijn gevoel en zo was hij, zonder dat hij zijn vragen had kunnen beantwoorden, weer in zijn oude, omgekeerde ritme vervallen.

Hij had in de trein naar Venetië gezeten toen hij destijds over de aanslag op Robert Kennedy had gelezen. Perlmann liet zijn hoofd op zijn gevouwen handen rusten en dacht terug aan het moment waarop de trein in Mestre de verbindingsdam naar Venetië was opgereden. Hij had op die warme avond zijn hoofd uit het raampje gestoken en inwendig steeds weer het magische woord herhaald: Venetië. Dat moment stond hem ook nu nog zo levendig voor de geest dat hij alle andere hoofden en uitgestrekte armen langs de trein voor zich zag. En toen, bij het binnenrijden van het station, lag zijn opengeslagen krant met het bericht over het softenon-proces op zijn stoel. Met zijn reistas al in zijn hand had hij nog een keer naar de foto's van de mismaakte kinderen gekeken. Hij was erdoor geschokt en voelde zich opeens klaarwakker toen hij, besluiteloos als hij nu eenmaal was, als laatste de coupé verliet. In talloze variaties was hij zich sindsdien bewust geweest van het conflict tussen zijn eigen geluk en de betrokkenheid bij het leed van anderen. Hij had de krant uiteindelijk laten liggen, en de afschuwelijke beelden van de kinderen waren door de luide, opwindende drukte op het station verjaagd.

De duiven hadden hen tot elkaar gebracht, de duiven op het San Marcoplein. Terwijl hij daar stond met zijn handen in zijn zakken en toekeek hoe de duiven op de hoofden en schouders van de toeristen gingen zitten, had ook hij zich plotseling midden in een wolk van fladderende duiven bevonden, waarvan de vleugels langs zijn gezicht scheerden en op een haar na zijn bril van zijn hoofd sloegen. Het was als een overval en hij had geagiteerd om zich heen geslagen. Agnes, met de grote camera voor haar gezicht, had hij pas opgemerkt toen de duiven hem met rust lieten. Het apparaat klikte nog een paar keer, en toen keek ze hem voor het eerst met haar lichte, kristalblauwe stralende ogen en haar spottende glimlachje aan, dat zachter en lichter was dan de glimlach van Laura Sand omdat er op de achtergrond geen woede meespeelde.

Ze was in haar lichte broek en op sandalen naar hem toegekomen. 'Ik hoop dat u niet boos op me bent,' had ze gezegd, en net als alle keren daarna was hij verrast door haar donkere stem, die helemaal niet paste bij haar transparante ogen. 'Maar het zag er zo komisch uit zoals u zich tegen die beesten verdedigde. Als tegen een hagelbui of een tyfoon. Daar zit een verhaal in. Dat wilde ik vastleggen. Het is net een verslaving. Als u wilt stuur ik u een paar afdrukken.'

Voordat hij antwoord had kunnen geven, was ze opeens in lachen uitgebarsten en had naar zijn haar gewezen. 'Nee, niet aankomen! Het zit vol met duivenpoep!'

Toen ze hoorde dat zijn hotel aan de andere kant van de stad lag, troonde ze hem mee naar de kleine *albergo* om de hoek, waar zij logeerde. Hij moest neerknielen op een krukje, en toen waste ze in de vlekkerige wasbak, waar een paar barsten in zaten, zijn haar. Haar zachte, praktische manier van handelen brak al zijn verzet. Ze had er geen verklaring voor waarom ze hem in het Duits had aangesproken, zei ze terwijl ze zijn haar met een handdoek droogwreef; geen idee waarom ze had gedacht dat hij een Duitser was.

Weer buiten had ze al vlug afscheid van hem genomen. Een afspraak met een collega van de krant. Hij had nog snel zijn adres op een papiertje geschreven, toen was ze in de eerstvolgende zijstraat verdwenen. Het was heel onwerkelijk geweest. Hij was blij dat hij niet ook zijn zojuist verworven doctorstitel op het papiertje had geschreven. Hij had geen idee meer wat er door hem heen was gegaan toen hij later op een terras op het San Marcoplein zat, waar een orkestje speelde en hij zijn weinige geld uitgaf aan veel te dure drankjes, zodat hij uiteindelijk niet meer genoeg had om ergens te gaan eten. Of toch, één ding wist hij: het was hem bevallen hoe dat voorval met die vrouw was opgevlamd en zonder voorgeschiedenis en zonder voortzetting in zijn aan tegenwoordigheid zo arme tijd was binnengedrongen.

Zijn trein naar huis vertrok de volgende dag rond het middaguur, en omdat hij maar drie dagen in de stad was geweest, had hij in alle vroegte het hotel verlaten om nog meer te zien van de kleine, zo onspectaculaire grachtjes en bruggen. Toen ontmoetten ze elkaar voor de tweede keer. Agnes was heel anders dan de dag ervoor, veel geslotener, aanvankelijk had hij het gevoel haar te storen. Maar toen, terwijl ze telkens weer door de zoeker van haar camera keek, was ze begonnen over licht en schaduw te praten en over de wonderen van de zwart-witfotografie. Hij was zichzelf voorgekomen als een blinde die leert zien. Later, bij een kop koffie, die hij betaalde met het geld dat hij eigenlijk voor een sandwich in de trein had bestemd, wilde ze iets over hem weten. Taalkundige, zei hij, en dat hij vroeger piano had gespeeld. Chopin. 'Jaa,' had ze knikkend en met halfgesloten ogen gezegd. En toen nog een keer: 'Jaa.'

Over dat 'jaa' had hij tijdens de lange terugreis heel lang nagedacht. Betekende het instemming? Instemming met hem? Of had ze door wat hij over zichzelf had verteld alleen maar haar eerste indruk bevestigd gekregen, die natuurlijk ook negatief kon zijn? Hij had Agnes er later nooit naar gevraagd, hij had geen idee waarom. Dat geheimzinnige 'jaa' had hem ervan weerhouden over de zaak van de softenon-kinderen te beginnen, die hem in die dagen, op momenten waarop het even leek alsof alles volmaakt was, plotseling naar de keel greep.

Wie van de medepassagiers was het geweest die hem toen *L'Espresso* had geleend? Perlmann herkende nu onmiddellijk de tekst van Pier Paolo Pasolini die in de kroniek stond afgedrukt, de tekst die op de dag van zijn terugreis in *L'Espresso* had gestaan: *Toen jullie gisteren in Valle Giulia strijd leverden met de politie / sympathiseerde ik met de politieagenten. / Want de politieagenten zijn zonen van de armen, ze komen uit achterbuurten op het land en in de stad.* En daarna klaagde hij de studenten aan: *Jullie hebben het gezicht van een papakindje... / Jullie zijn bang, onzeker, wanhopig.* De tekst had hem daarna nog heel lang beziggehouden, omdat hij vond dat er wel iets in zat, en tegelijkertijd had hij het een gebrek aan loyaliteit gevonden om zoiets te denken. De talloze teach-ins in de jaren daarna had hij gemeden, in plaats daarvan had hij in de leeszaal van de bibliotheek geprobeerd te achterhalen hoe de Andalusische boeren destijds tijdens de Spaanse Burgeroorlog hun idee van vrijheid en zelfbeschikking hadden ontwikkeld.

De foto's van Agnes waren pas gekomen toen de herinneringen aan Venetië al waren verbleekt en hij vol spanning wachtte op zijn aanstelling als assistent. Nooit eerder had hij zulke levendige foto's gezien. En nog nooit zulke grappige foto's. Eén ervan, waarop een meisje met Aziatische trekken haar hoofd schuin in het beeld hield, had zelfs iets van een slapstick. En wat ongelooflijk was: het San Marcoplein was op die zwart-witfoto's in een licht gedompeld dat zo stralend was als hij nog nooit op kleurenfoto's had gezien.

En toch was hij ook ten diepste geschrokken: de paniek die door de aanraking met de duiven in zijn ogen was gekomen, verraadde een peilloze angst voor het leven. Daar zit een verhaal in, had ze gezegd. Hij hoopte dat de camera overdreef. Of dat Agnes niet zag wat hij zag. Dat was allebei onwaarschijnlijk. Er gingen weken voorbij. Ten slotte was zij het die belde.

De kroniek was een verbijsterende potpourri, dacht Perlmann. Tussen een analyse van de manier waarop de Italiaanse pers op de studentenopstanden had gereageerd en het bericht over de opmars van het sovjetleger in Praag, kwam een artikel vol roddels over de nieuwe minnaar van Sophia Loren, een artikel dat nauwelijks korter was. De foto van de diva was zelfs nog iets groter dan de foto van de tanks op het Wenceslasplein in Praag. Hij had graag nog wat langer gelezen, maar hij was de laatste in het restaurant en de waard moest bij het afruimen geeuwen. En morgen wilde hij een heel stuk verder komen met Leskov's tekst.

Intussen was het heel vertrouwd om over het verlaten Piazza Veneto naar het hotel te wandelen. Hij vroeg zich af of Leskov de kwestie met het zelfbeeld inderdaad op de juiste manier beschreef. Bij zijn voorbeelden, viel hem nu pas op, ging het er altijd om dat iemand een beslissing nam, of in ieder geval een welomschreven handeling verrichtte waaraan een lang proces van afwegen vooraf was gegaan: er werd een politiek manifest ondertekend; de militaire keuringsarts werd om de tuin geleid; tegen de wil van de ouders in werd een huwelijk gesloten. Dat er in zulke gevallen sprake was van een herinnerd zelf dat ingewikkelde, alleen door middel van taal uit te drukken contouren bezat, was duidelijk. Maar hoe was het wanneer hij zich de duiven herinnerde die hem hadden belaagd? Agnes kon wel eens gelijk hebben gehad dat er naar aanleiding van dat voorval een verhaal over hem kon worden verteld. Maar hij, degene die zich herinnerde, kende dat verhaal niet, ook nu nog niet. Voor hem, leek het, waren er alleen paniek en zweet en fladderende vleugels geweest. En als hij per se een zelfbeeld wilde zien in die hectische wirwar, dan bestond dat alleen uit vage gevoelens en verder niets. De rest bleef hermetisch gesloten; het hoorde bij de bijzondere aard van die paniek, en ook bij de macht die die op hem had uitgeoefend.

Een wat rustiger voorbeeld voor zijn vroegere zelf, dat zich ertegen verzette door middel van vertellen ontsloten te worden, was de uiterst correct geklede jongeman van destijds, die zich ergerde aan die blauwkous van een bibliothecaresse in de leeszaal, omdat ze hem had gevraagd waarom hij niet bij de teach-in was. En hoe was het met de klaarwakkere momenten waarop zijn blijde opwinding over Venetië en zijn ontzetting over de softenon-kinderen met elkaar in botsing waren gekomen? Misschien, dacht hij, zouden die dingen bij Leskov duidelijker worden wanneer alles wat hij bij zijn ongeduldige eerste lezing over het hoofd had gezien, nu bij het nauwgezette vertalen zijn volle aandacht zou krijgen.

Een uur geleden had iemand uit Duitsland gebeld, zei Giovanni. Voor zover hij het had begrepen, was het zijn dochter.

Meteen belde Perlmann Kirsten.

'Jij was lang weg!' zei ze. 'Gaan jullie vaak uit met de groep?'

Ze was zenuwachtig vanwege haar referaat. Een week nog maar. Ze werd wanhopig van Faulkner's opmerking dat de relatie tussen de beide verhalen verwantschap had met het contrapunt in de muziek. Ze begreep steeds minder van de verschillende theorieën over de eenheid van het geheel. Ze dacht erover na of ze, anders dan de meeste interpretatoren, zou beweren dat die eenheid helemaal niet bestond. Of in ieder geval alleen voor Faulkner's gevoel. Ze had niet genoeg tijd meer om de tekst helemaal uit te schrijven, ze zou zich met gedetailleerde aantekeningen moeten behelpen.

'Wat moet ik doen als ik een black-out krijg en opeens niet meer weet wat ik moet zeggen?'

'Je krijgt geen black-out,' zei Perlmann, en hij hoorde hoe teleurgesteld ze was over dat stomme antwoord.

12

Woensdag was een stralende late herfstdag met een horizon die verborgen lag achter een dromerige waas. Als Perlmann opstond van zijn bureau en uit het raam naar het terras keek, zag hij Millar en Ruge, die een rustig hoekje hadden opgezocht en aan een tafel vol boeken en papieren de beide volgende zittingen voorbereidden. Eén keer keek hij juist uit het raam toen John Smith met een joviaal gebaar op het tweetal af liep. Millar's reactie was blijkbaar zo afwijzend dat hij meteen weer rechtsomkeer maakte en naar het zwembad sjokte.

De vertaling vorderde gestaag en het lukte Perlmann steeds beter om zich na een blik uit het raam weer snel terug te trekken achter de veilige muur van de woordenboeken. Hij was liever wat minder vaak naar het raam gelopen, maar daar kon hij niet veel tegen doen. Zodra hij een alinea klaar had, pakte hij om zichzelf te belonen het Russisch-Italiaanse woordenboek en vertaalde een paar van Leskov's zinnen in het Italiaans. Dan stelde hij zich voor dat hij in een ronde kamer zat waarvan de wanden tot aan het plafond met woordenboeken waren bedekt. Hij zou langs die wanden lopen en almaar nieuwe zinnen in almaar nieuwe talen vertalen. Er zou geen reden zijn het vertrek ooit nog te verlaten, want het was de plaats waar hij eindelijk had gevonden wat hij werkelijk wilde. Hier kon hij na meer dan drie decennia het misverstand goedmaken dat hij destijds in de grote collegezaal had waargenomen, maar zonder het te herkennen en zonder te kunnen verhinderen dat het steeds grotere proporties aannam.

Rond het middaguur ging hij naar het kantoor en vroeg Maria naar de Italiaanse vertaling van *self-image.* Om haar duidelijk te maken dat het niet ging om *autoritratto,* zelfbeeld, zette hij haar Leskov's denkbeelden kort uiteen. Ze was meteen in vuur en vlam voor het onderwerp en bleef maar doorvragen, tot hij de hele tekst voor haar had samengevat.

'Dus over dát soort dingen praten jullie de hele tijd in de veranda!' zei ze aan het eind. Ze verslikte zich in de rook van haar sigaret. 'Wat zou ik dat allemaal graag willen aanhoren!'

Vlug keerde hij zich naar haar beeldscherm en vroeg zonder overgang of haar ogen op den duur niet moe werden van het staren naar die virtuele teksten.

Nu kwamen in Leskov's tekst de vier zinnen die hem tot dusver een raadsel waren gebleven. Met behulp van het woordenboek had hij ze deze keer snel vertaald. Maar het duurde lang voordat Perlmann vat kreeg op het kortgehouden en onbeholpen geformuleerde argument voor de noodzakelijkerwijs op taal gestoelde aard van het zelfbeeld:

Een handeling uit het verleden als zinvol beschouwen betekende aan dat verleden zelf redenen voor dat handelen toe te schrijven. Redenen hielden evenwel met elkaar verband zoals dat alleen tussen zinnen het geval kon zijn. Daarom was volgens Leskov een nadere differentiatie van het zelfbeeld dat de herinnering draagt, uitsluitend mogelijk door middel van taal.

Het was een frapperend simpele gedachte, en op het eerste gezicht absoluut overtuigend. Maar toen Perlmann op bed ging liggen om wat te rusten, begon hij steeds meer te twijfelen. Klopte het eigenlijk wel dat je jezelf bij een terugblik altijd in het licht van je redenen van destijds zag? En wat had die innerlijke strijd die – in ieder geval bij hem – meestal voorafging aan een belangrijke handeling, met logische verbanden tussen zinnen te maken? Om maar niet te spreken van de dubbelzinnigheid en tweeslachtigheid die je gevoelsleven doordesemden en die je je vaak heel precies herinnerde. Weer zag hij zichzelf in de lege treincoupé naar de softenonkinderen staan kijken, en daarna het perron op stappen, midden in het lawaai van de galmende luidsprekerstem en de vreemde geuren.

Opeens leek Leskov's gedachtengang als een kaartenhuis in elkaar te storten, en toen Perlmann zich weer aan de vertaling zette, voelde hij ontnuchtering, bijna weerzin. Maar dat was alweer voorbij toen hem een paar elegante Engelse zinnen uit de pen vloeiden, en in de loop van de middag besefte hij dat er naast het plezier in de zinnelijkheid van de taal nog iets anders was wat hem in het vertalen onweerstaanbaar aantrok: je kon denken zonder te hoeven geloven, en je kon praten zonder iets te hoeven beweren. Je kon met de taal omgaan zonder dat het je om de waarheid hoefde te gaan. *Voor een man zonder meningen, zoals ik, zou vertaler of tolk het ideale beroep zijn geweest. De ideale camouflage.*

Toen Perlmann weer door het raam naar Millar en Ruge keek, zag hij dat ook Von Levetzov aan de tafel zat. Tussen de papieren brandde een kaars in een glazen houder, en de ober was in de weer met het snoer van de staande schemerlamp die hij zojuist had neergezet. Millar wreef af en toe huiverend over zijn blote onderarmen, om vervolgens met energieke gebaren het woord te nemen. Nu schudde Ruge zijn hoofd, pakte een vel papier en hield het Millar, die gewoon doorpraatte, met twee vingers als een huiszoekingsbevel voor zijn neus.

Op dat moment wist Perlmann dat hij nooit, nooit meer aan een discussie wilde deelnemen. Hij wilde nooit meer aangevallen worden en nooit meer een of andere mening moeten verdedigen die net zo min zijn eigen mening was als welke andere mening ook.

Hij kon zich niet meer concentreren op Leskov's tekst. De woorden die hij de afgelopen uren had opgeschreven, waren in zijn hoofd uitgewist, en het woordjesschrift kwam hem voor als het zinnebeeld van het eeuwige huiswerk dat je je hele leven lang niet af kreeg. Toen hij ook nog twee keer achter elkaar een cyrillische letter met een andere letter verwisselde, had hij schoon genoeg van zichzelf. Eigenlijk wilde hij naar Maria, om haar iets te vragen over de mooie oude fontein die hij eergisteren in Genua had gezien voordat hij een straat verderop de boekhandel had ontdekt. Maar toen stond hij opeens in de gang aan het eind waarvan de kamer van Evelyn Mistral lag, en na een korte aarzeling klopte hij aan.

Ze had haar kamer echt helemaal ingericht. Terwijl bij hem boven de onuitgepakte koffers en de plastic zak met vuile was tegen de kale muur stonden en zijn jas op het ongebruikte bed lag, was bij haar alles opgeruimd en gezellig. Ze had het tweede nachtkastje als bijzettafeltje naast het bureau gezet, en hoewel er overal stapels papier en boeken lagen, maakte dat geen slordige indruk. Op de muren had ze twee posters van Rome en Florence gehangen en een serie foto's. Punaises waren niet toegestaan, lachte ze, maar tegen spelden had signora Morelli geen bezwaar gehad. Ze bleef opvallend lang in de hoek naast het raam staan, en toen hij de foto achter haar hoofd wilde bekijken, werd ze verlegen en hield haar hand ervoor. Het was een foto van haar hond Totó.

'Terwijl die al een jaar dood is,' zei ze. 'Idioot hè?'

Perlmann ging aan de antieke tafel met de krulpoten zitten en keek haar over de bos bloemen heen aan. Als ze op die avond in de enorme keuken in Salamanca het probleem van haar vader had begrepen, kon ze ook zijn huidige ellende begrijpen. Ondanks dat haar zilveren bril ginds op het bureau in de lichtcirkel van de lamp op het opengeslagen boek lag. Hij glimlachte, en toen hij diep inademde was het als een lange aanloop tot iets gewaagds.

'Ik heb je toch onlangs over Juan, mijn broer, verteld,' zei ze, en ze stond op om een brief van het nachtkastje te pakken. 'Nu schrijft die gekke vent me dat hij zijn studie eraan geeft en bij de film gaat. Cameraman wil hij worden! Terwijl hij daar helemaal niet voor is opgeleid.' Ze kneep haar ogen samen en hield de brief een eind van zich af. 'En dan die opmerking hier: "En zelfs als ik de eerste maanden alleen maar met kabels mag sjouwen..." *Dios mío*, hij is zo slim, hij had zijn rechtenstudie op zijn sloffen kunnen afmaken.'

'Ik benijd hem,' hoorde Perlmann zichzelf zeggen, en toen nog een keer: 'Ik benijd hem heel erg.'

Verbluft vouwde ze de brief op. 'Dat klinkt alsof je terstond de benen wilt nemen.'

Zei haar glimlach dat ze bereid was begrip op te brengen voor zo'n wens? Of bevatte haar reactie op Juan's mededeling aanwijzingen voor waar de grenzen van haar begrip lagen? De rode olifant op de koffer: waar stond die voor?

'Ach nee,' zei hij en hij herschikte een bloem in de vaas, 'het is alleen... Soms denk ik dat je veel te weinig hebt geprobeerd voordat je je vastlegt. Uit angst waarschijnlijk. Een angst die een gevangenis kan worden. Juan lijkt me niet zo'n angstig type te zijn.'

'Nee,' lachte ze, 'integendeel zelfs, ik denk weleens dat hij de ziel heeft van een gokker. Ik maak me zorgen om hem en erger me aan zijn stommiteiten. Maar in de grond van de zaak geloof ik dat ik juist daarom van hem hou.' Ze keek op haar horloge en verdween in de badkamer om zich om te kleden voor het avondeten.

Ze stonden al in de gang toen ze opeens bleef staan en hem peinzend aankeek. 'Je gaat toch zeker mee naar het eten?'

Hij aarzelde en keek haar onzeker aan.

'Dat zou wel beter zijn,' zei ze zachtjes. Toen legde ze even haar arm om zijn middel en duwde hem zachtjes vooruit. '*Come on*,' lachte ze en ze probeerde Millar's uitspraak te parodiëren, bij wie een o als een a klonk.

Haar aanraking van zonet, had hij het gevoel, beschermde hem toen ze de eetzaal betraden, en die bescherming duurde voort totdat de ober de borden van het voorgerecht afruimde. Toen keerde Millar zich abrupt af van Laura Sand en keek hem aan.

'Langzamerhand begin ik te geloven dat u onze afspraak betreffende uw vraag liever vergeet. Of vergis ik me?'

'Ja, dat doet u,' antwoordde Perlmann en hij was blij dat hij niet nog meer hoefde te zeggen. Zijn reactie had heel zelfverzekerd geklonken en er had zelfs iets uitdagends in gezeten. Maar daarvan voelde hij vanbinnen niets. Vanbinnen was er opeens alleen nog maar een beangstigende leegte, en het hielp niets dat Evelyn Mistral naast hem zat.

'*Oh, I see*,' zei Millar en hij rekte het laatste woord belachelijk lang uit.

Het was dat melodieuze sarcasme dat bij Perlmann de emmer deed overlopen. Hij merkte nog hoe hij het warm kreeg, hij werd zich er nog even vaag van bewust dat hij moest oppassen, en toen gaf hij zich helemaal over aan de aanval, die uit het niets leek te komen.

'Overigens, Brian,' begon hij, en hij hield zijn hoofd onwillekeurig scheef, 'ik heb in de krant een artikel gelezen over die Chessman, die bij jullie in 1960 is vergast. Twaalf jaar lang heeft die man in de dodencel gezeten. Acht keer werd de executie uitgesteld, steeds een paar uur van tevoren. U weet er ongetwijfeld van?'

Millar veegde zijn mond zo langzaam af dat de beweging heel theatraal leek. Laura Sand keek Perlmann met een doordringende blik aan.

'Nou, Phil,' zei Millar eindelijk, 'ik was toen nog maar net acht.'

'Maar een Amerikaan weet er toch zeker ook zo wel iets van?'

'*So what?*' Millar's stem klonk nu erg zacht.

'Wat? U bedoelt...' mengde Giorgio Silvestri zich in het gesprek.

'Nee. Natúúrlijk niet,' viel Millar hem geïrriteerd in de rede. 'Dat lange geaarzel was schandelijk.'

Heel even bleef het stil aan de tafel, je hoorde de stemmen van de paar andere gasten en de gedempte rammelende geluiden uit de keuken. Silvestri liet een Gauloise tussen zijn vingers rollen alsof hij die zojuist eigenhandig had gedraaid. Hij keek Millar aan met een blik waarin het donker glinsterde.

'Maar in principe vindt u het terecht dat mensen worden vergast? Of vastgebonden worden op de elektrische stoel?'

Millar's wangen leken opeens hol, en het was alsof hij bleek was geworden onder zijn bruine huid.

'Ik heb geen definitieve mening over de doodstraf. Maar er zijn ook argumenten te bedenken die ervoor spreken. En met retorische trucjes schieten we niets op.'

Met een ruk schoof Silvestri zijn stoel achteruit en was al half opgestaan toen hij zichzelf corrigeerde, zijn sigaret van de grond opraapte en deed alsof hij een losse stoelpoot inspecteerde. Tussen de twee mannen kon het elk moment tot een uitbarsting komen, en de anderen leken allemaal opgelucht toen de ober het hoofdgerecht kwam brengen.

'Waar ik razend van word is het onpersoonlijke, het bureaucratische bij een terechtstelling,' zei Laura Sand. 'Nog afgezien van de verschrikkelijke details van het doden. Ik zie altijd hetzelfde beeld voor me: hoe twee mannen in uniform met van die nietszeggende ambtenarengezichten zo'n mens, die hun niets heeft aangedaan, door een lange gang leiden en hem dan met riemen vastbinden. Als ik die stupide rechtschapenheid zie waarmee ze voortstappen op hun laarzen, dan denk ik altijd dat ik in staat zou zijn om op die uniformen te schieten,' zei ze, en ze balde haar vuisten.

'De staat heeft het monopolie op geweld,' bracht Von Levetzov ertegenin.

'Ja, precies,' zei Perlmann. 'Juist daarom mag je de staat die macht daartoe niet geven.'

'Ik wil het ook zeker niet verdedigen,' suste Von Levetzov.

'Wie de doodstraf in overweging neemt, lijdt aan een ongeneeslijke ziekte: fantasieloosheid,' zei Silvestri, die zich weer had beheerst en het vermeed Millar aan te kijken.

Evelyn Mistral legde haar hand op zijn arm. 'Dat zeiden we bij mij thuis ook altijd. Het voorbeeld was de wurgpaal, die onder Franco tot het allerlaatst bestond.'

'U denkt zeker dat u de enige mens met fantasie bent,' zei Millar tegen Silvestri. 'Dat vind ik aanmatigend.'

'Het vergaat mij net zo als Laura,' nam Ruge het woord, 'maar laten we eerlijk zijn: er is ook ooit iemand als Höss geweest.'

'En Eichmann,' vulde Von Levetzov aan.

Ook dat was Perlmann in de trattoria door het hoofd gegaan. Hij had er het onbehaaglijke gevoel bij gehad dat hij niet wist wat hij ervan moest denken. Toen hij Millar zag knikken, nam iets in hem opeens een besluit.

'Het was beter geweest als de slachtoffers naar Buenos Aires waren gegaan,' hoorde hij zichzelf zeggen, 'en niet de geheime dienst. Dan hadden die hem daar dood kunnen schieten. En wat Höss betreft hetzelfde.'

Millar tuitte zijn lippen en keek hem aan. 'Ik had nooit gedacht dat u een voorstander van lynchjustitie bent, Phil.'

Perlmann had een gevoel te duizelen. 'Om te mogen doden moet er een persoonlijke relatie met de dader zijn,' zei hij zachtjes en hij roerde in zijn koffie. 'Haatgevoel jegens de dader kan het doden van iemand legitimeren. Anders is het pervers.'

Ondanks de slaappil werd Perlmann die nacht twee keer wakker en het lukte hem niet meer in slaap komen. Hij dacht aan de beangstigende leegte die hij had gevoeld en die, na de opmerking van Millar, steeds groter was geworden, en aan de inwendige gewelddadigheid die plotseling in die leegte was opgeborreld. Hij moest voortdurend aan die twee dingen denken en wist niet meer wat hij aan zichzelf had.

Het liep al tegen de ochtend toen hij zichzelf terugvond in de ronde kamer met de woordenboeken. Door het conisch gevormde glazen plafond viel een rustig, diffuus licht. De kamer had geen deur. Hij had geen deur nodig. Het was er stil. Hij was onbereikbaar, onaanraakbaar. Het was heerlijk. Toen begon de ruimte om hem heen en tegelijkertijd met hem in het rond te draaien. Het ronddraaien ging steeds sneller, de bontgekleurde boekenruggen werden kleurige slierten die steeds bleker werden, tot ze versmolten tot een flinterdunne lichtgrijze wand, die maar heel kort standhield voordat hij onder de meedogenloze gloed van de middag uiteenviel en het uitzicht vrijgaf op de baai, waar luid gejuich van kinderen klonk. Hij was hoog boven de baai, maar dat maakte niets uit, hij zou heel gewoon naar buiten kunnen treden in het licht, het was allemaal heel gemakkelijk hoopvol, het was totaal onbegrijpelijk waarom hij met zijn hoofd tegen een onzichtbare wand botste die zo hard was als kristal. Op de tast kon hij hem voelen, die merkwaardige wand, maar toen toch weer niet, want de op de tast gevoelde weerstand was niet te onderscheiden van een weerstandloze leegte. Koortsachtig zocht hij naar een deur, maar op de wand met zijn weerbarstige leegte gleden zijn klamme handen genadeloos af, zodat hij op de grond zakte en opeens voelde hoe zijn kussen nat werd van zijn betraande gezicht.

13

De beide volgende dagen deed Perlmann zijn best om tijdens de zittingen in de veranda zo min mogelijk op te vallen. Alhoewel het al een hele tijd geleden was dat hij zich met grammaticatheorie had beziggehouden, was hij toch nog goed op de hoogte van enkele van de problemen die aan de orde werden gesteld, en twee keer lukte het hem iets in het midden te brengen dat de anderen verraste en imponeerde, zodat zelfs Millar zijn wenkbrauwen optrok en onwillekeurig knikte. Daarna trok hij zich telkens weer naar de achtergrond terug.

Bij het luisteren naar de anderen deed hij een ervaring op die, nu hij zich ervan bewust werd, al heel lang bij hem had liggen sluimeren, maar die nog nooit in zo'n heldere, duidelijke vorm tot hem was doorgedrongen: elke keer als er een nieuwe titel werd genoemd of er een etiket werd geplakt op nog weer een andere theorie, schrok hij, en de ingewikkelde vreemde term kwam hem voor als een martelwerktuig, want het eerste wat er telkens in hem opkwam was: die term ken ik niet en zou ik eigenlijk wel moeten kennen. Als er dan over die theorie werd gesproken, stelde hij regelmatig vast dat hij er tot in de finesses van op de hoogte was. Eigenlijk wist hij dat al op het moment van de schrik, je zou bijna kunnen zeggen dat de kennis een deel van de schrik was en er zijn bijzondere kleur aan verleende. Alleen was het zo dat de kennis geen enkele macht had over de angst. Door de jaren heen, dacht hij, was de schrik over een vermeend hiaat in zijn kennis veranderd in de schrik over hoe machteloos de kennis was. Die was als een rad dat in een oververhit tempo ronddraaide, zonder ook maar iets teweeg te brengen in zijn ziel en zonder hem te beschermen tegen de dwingende logica van wat hij doormaakte. Perlmann moest denken aan wat Jakob von Gunten over hopeloosheid had geschreven.

Na de zittingen sliep hij tot laat in de middag en boog zich daarna over Leskov's tekst. Hij kon intussen de theoretische woordenschat waarvan Leskov zich bediende goed in het Engels overbrengen, er kwamen nogal wat herhalingen voor, en met de meer abstracte passages ging het tamelijk vlot. Lastig waren telkens weer de voorbeelden met al hun zintuiglijke details en nuanceringen. Ook nu nog zat hij regelmatig schaapachtig naar de tekst te staren, en in enkele gevallen bleef de Engelse tekst, die dan zwart zag van de correcties, hopeloos houterig en stroef.

Een wel erg harde noot had hij te kraken met de vele voorbeelden waarmee Leskov de gedachte illustreerde dat het vertellend herinneren geen scrupules kende wanneer het de verteller erom te doen was zijn morele integriteit van destijds te verdedigen. Hij haalde er klinisch materiaal bij dat door twee leerlingen van Luria, de beroemde Russische neuropsycholoog, was verzameld. Het ging veelal om mensen die aan een moreel trauma leden. De mate waarin patiënten in zo'n geval zaken uit de duim zogen en totaal anders interpreteerden, was vaak verbijsterend, en ook Leskov zelf was er blijkbaar door overweldigd, want hij gaf steeds weer nieuwe voorbeelden en kon er bijna niet meer over ophouden.

Toen kwam een stuk tekst waarin werd beschreven hoe bij een paar van die mensen, wanneer de waarheidsgetrouwe herinneringen te ondraaglijk waren om nog rechtgezet te kunnen worden, zich een innerlijke opsplitsing voltrok waardoor het ik van de misstappen verre werd gehouden van het onberispelijke ik, dat een geraffineerd verzinsel was. Perlmann bleef de halve nacht op om aan die voorbeelden te vijlen. Daarbij ontdekte hij dat hij door de ongeduldige manier waarop hij de tekst de eerste keer had gelezen, een hele alinea had overgeslagen waarin het idee van die innerlijke opsplitsing aan de hand van de vertakking van verhalen uiteen werd gezet. Leskov, zoveel was duidelijk, speelde in die alinea met de talrijke Russische woorden voor de begrippen opsplitsing en splijting, en het maakte Perlmann razend dat hij maar geen vat kreeg op de nuances en uiteindelijk alles met de woorden *splitting* en *fission* moest vervlakken. Voor het eerst was hij teleurgesteld over het nieuwe woordenboek. *Razdvoit'* was verwant met *dvojnik,* het woord voor dubbelganger. Maar wat betekende die verwantschap precies? Verder ontbrak er een voorbeeldzin die zijn vermoeden had kunnen bevestigen dat *raz"edinjat'* het uiteengaan van personen betekende, hoewel dat – maar ook dat wist hij niet helemaal zeker – niet gold voor het in het woordenboek genoemde *severing.* En bijzonder irritant was het dat het woordenboek hem in de steek liet bij de vraag of hij de voor de hand liggende pointe met *cracking* kon weergeven, zonder de tekst geweld aan te doen. Toen hij de Engelse versie van die passage vrijdag, voordat hij naar de trattoria ging, nog een keer doornam, streepte hij de namen van Luria's leerlingen door en paste de tekst daarop aan. Wie kon die namen nou iets schelen.

In de trattoria was het die avond erg rumoerig, een of andere vereniging, waarvan ook de waard lid was, vierde een jubileum, en zelfs Sandra moest helpen serveren. Ze had het kleine tafeltje in de hoek voor hem vrijgehouden, maar algauw kwam er een oude man met pijp en biertje bij hem zitten. 'Wat een knots van een boek,' zei de man, toen Sandra het boek voor Perlmann neerlegde. Toen zakten zijn oogleden langzaam over zijn ogen en leek het alsof hij achter zijn biertje in slaap sukkelde.

Het had Perlmann verrast dat Agnes hem destijds had voorgesteld te trouwen op de datum van hun eerste ontmoeting op het San Marcoplein, de dag die ze 'De dag van de duiven' noemde. Terwijl ze anders altijd alles met hoon overlaadde wat naar sentimentaliteit rook. Maar het was hem bevallen en op het bureau van de burgerlijke stand had hij al zijn overredingskunst nodig gehad om het mogelijk te maken.

Op de dag dat ze op de trein naar Parijs stonden te wachten, meldden de koppen van de boulevardbladen de dood van Louis Armstrong, en nu meende hij te weten dat de foto die hij toen had gezien, precies dezelfde was als de foto in de kroniek. Agnes, die Louis Armstrong liefdevol *Satchmo* noemde, was daarna een tijdlang heel stil geweest, en na hun terugkeer hadden ze in hun eerste gemeenschappelijke woning naar alle jazzplaten geluisterd die ze van hem bezat. Ze hadden allebei iets heel anders gevoeld: terwijl hij steeds meer ging houden van die muziek, die lange tijd veel voor

Agnes had betekend, kwam die haar opeens vreemd voor. Hij herinnerde zich de details niet meer, maar aan het einde van hun gesprekken daarover hadden ze besloten op afbetaling een tweedehands vleugel te kopen.

Ook in de krantenkiosken in Parijs was de dood van Armstrong destijds het allesoverheersende thema geweest. Op de hoek naast het hotel stond nu nog steeds een kiosk, dat had hij meteen gezien toen hij op een van de laatste dagen van augustus naar Parijs was gegaan omdat het begin van het nieuwe schooljaar met het opgewonden gejoel op de speelpleinen hem in paniek had gebracht. Wel zag de kiosk er nu heel anders uit dan toen hij daar tien dagen lang elke ochtend de krant had gekocht. En ook het hotel was nauwelijks te herkennen. Dat had hem onaangenaam getroffen. *Alsof de wereld vooral tot taak heeft de achtergrond te vormen van mijn herinneringen.* Geërgerd had hij door de warme straten geslenterd en zich afgevraagd wat hij eigenlijk in Parijs te zoeken had. Alles was anders dan hij zich herinnerde en elke keer als hij dat ontdekte werd zijn Frans nog slechter, zodat de obers hem in het Engels of Duits antwoord gaven. Na de tweede nacht had hij de vroege trein naar huis genomen.

De oude man met het biertje liet in zijn slaap zijn pijp uit zijn mond vallen. Hij schrok wakker en dronk zijn bierglas in één teug leeg. Nieuwsgierig keek hij naar de foto van Charles Manson, die door twee gevangenisbewakers door een gang werd geleid. Op het oude gezicht verscheen een grijns en toen maakte de man met de zijkant van zijn hand het gebaar van de keel doorsnijden, dat vergezeld ging van het klakken van zijn tong.

Perlmann bladerde haastig terug naar het jaar ervóór. Een foto van een softenon-kind, daarnaast een bericht over het staken van het proces. Was het bericht ironisch of niet? Zo goed was zijn Italiaans nu ook weer niet.

Inval van de Amerikanen in het neutrale Cambodja en Laos. Perlmann bladerde drie jaar vooruit: Nobelprijs voor Henry Kissinger. Dat was een maand na Kirsten's geboorte geweest, toen Agnes eindelijk het ziekenhuis kon verlaten, nog steeds verzwakt door de infectie. Nee, met die infectie had Kirsten's leukemie helemaal niets te maken, had de arts hem twee jaar later verzekerd. In plaats van angst hadden ze er nachtenlang over gepraat of ze het risico van de pas kort daarvoor ontwikkelde chemotherapie zouden aandurven. Maandenlang werd al het andere overschaduwd door angst, waar het nieuws uit de wereld op afketste. Zelfs de laatste Amerikaanse helikopter die in Saigon opsteeg, had hen koud gelaten.

Alleen de dood van Dmitri Sjostakovitsj was tot hem doorgedrongen. Het was ongelooflijk geweest hem destijds in levenden lijve naar het voetlicht te zien komen nadat hij de vierentwintig preludes en fuga's, zijn hommage aan Bach, had gespeeld. Een man met een ronde hoornen bril in een vertrokken, nerveus trekkend gezicht, die enerzijds die schitterende muziek had geschreven en anderzijds gekweld werd door zijn haat-liefdeverhouding tot Stalin. Voor het eerst had Hanna bij een concert naast Perlmann gezeten. Haar verbonden hand met de brandblaar, die het haar een paar dagen onmogelijk had gemaakt te spelen, lag in haar schoot. Haar eenvoudige zwarte jurk was hem bevallen.

De oude man was opgestaan en weggegaan zonder te betalen. Perlmann wilde voor hem betalen, en er werd wat gesoebat omdat de waard vanwege de succesvolle bijles behalve voor het bier absoluut geen geld van hem wilde aannemen. Volgende week weer!

Vandaag reed een krankzinnige motorrijder rondjes over het verlaten Piazza Veneto. Het geraas was tot bij het hotel te horen.

Giovanni overhandigde Perlmann samen met de sleutel vier teksten, die Adrian von Levetzov voor de zitting van maandag had laten ronddelen. Het waren in totaal tweehonderd bladzijden. Perlmann legde ze op zijn koffer en ging de ladder halen om de gloeilampen in de gang, die weer brandden, los te draaien.

14

Toen hij na een paar uur onrustige slaap wakker werd, zette hij zich in de ochtendschemering weer aan Leskov's tekst. Nu kwamen de passages waarin zou worden aangetoond dat niet alleen de interpretatie, maar ook de emotionele kwaliteit van de herinnerde gevoelens van het vertellen afhingen. Werd het vertellende herinneren uitvoeriger en tegelijkertijd intenser – zo luidde de stelling –, dan kon het gebeuren dat de inkleuring en de nuance van de herinnerde belevenis ingrijpend veranderden. Het was handig van Leskov, dacht Perlmann, hier al begrippen als inkleuring en nuance in te voeren, die feitelijk tot het domein van het visuele behoorden. Daarmee nam hij een retorische aanloop naar de latere gedachte dat het er, wat betreft de verhalende invloed op de gevoelens die bij de belevenis horen, bij zintuiglijke indrukken niet anders aan toeging dan bij gevoelens. Maar klopte de stelling eigenlijk wel met betrekking tot de gevoelens?

Het hing allemaal af van de voorbeelden. Bij zijn eerste lezing had hij het moeten opgeven omdat het zakwoordenboek slechts een klein deel van de woordenschat bevatte waaruit Leskov putte. Dat probleem was nu opgelost. Maar nu ontdekte hij opnieuw hoe onzeker hij was bij de Engelse woorden. Het was geen totale onzekerheid, die voortkwam uit simpele hiaten in zijn kennis. Hij kende de Engelse woorden allemaal. Maar wanneer hij ze uitprobeerde, was het alsof de ondergrond waarover hij zich bewoog, elk moment kon verschuiven – het was een beetje zoals wanneer je over glad ijs loopt waarop een dunne laag verse sneeuw ligt.

Dat begon al met *coloring, shade, hue, tone* en *nuance.* Welk woord zou je bijvoorbeeld moeten kiezen als het om de kleur van herfstbladeren ging? En welk als het de politieke kleur van een dagblad betrof? Als hij op dit punt een uitglijder maakte, kon hij Leskov's tekst danig verpesten en zelfs lachwekkend maken. En hetzelfde was het geval met het benoemen en beschrijven van emoties en stemmingen. Verlatenheid was niet hetzelfde als eenzaamheid; zwaarmoedig en bedroefd kon je uit elkaar houden; maar vrolijk en opgewekt – hoe zat het daarmee? Hij merkte dat het zelfs in zijn moedertaal lastig was om onderscheid te maken tussen zuiver retorische varianten en verschillen die je intuïtief aanvoelde. En hoe verder de vreemde taal van je af stond, des te minder je op dat vlak zeker was van je zaak.

Maar hoe kon hij dan weten of een voorbeeld inderdaad het bewijs leverde voor de juistheid van Leskov's stelling? En kon je er eigenlijk wel van uitgaan dat dat soort woorden op een verantwoorde wijze van de ene taal in de andere kon worden overgebracht? Of was het uiteindelijk zo dat elke taal de beleefde binnenwereld op een iets andere manier weergaf? En sprak dat vóór of tegen Leskov's tekst?

Perlmann werd heen en weer geslingerd tussen de ergerlijke onzekerheid die dat allemaal voor zijn vertaalwerk betekende, en zijn blijdschap als het hem toch weer was gelukt een nieuwe gedachte te ontcijferen. De uren verstreken. Tussendoor liep hij soms even naar het raam en keek naar de baai, die ook vandaag in het gloeiende herfstlicht lag dat zo heel anders was dan het gebroken, vale licht dat nu waarschijnlijk bij hem thuis door de bomen viel.

Maar afgezien van de vertaalproblemen, hoe zat het inhoudelijk met Leskov's tekst? Zou de angst die hij zich herinnerde inderdaad veranderen wanneer hij het verhaal over Kirsten's leukemie over een andere boeg gooide? Stond het bange, angstige wachten toen de arts met de hoornen bril de laatste uitslag van de laboratoriumtest had gepakt, niet voorgoed vast? Net zo vast als het roffelende geluid van de aardkluiten op de kist van zijn moeder? En die onvergetelijke mengeling van bewondering en beklemming die het optreden van Sjostakovitsj in hem had opgeroepen? Hoorden zulke dingen niet gewoon bij een vaste kern van beleefd verleden, waaromheen verhalen rankten die je in de loop van je leven weliswaar een paar keer probeerde te omschrijven, maar zonder dat de kern van de belevenis zelf daardoor veranderde?

Rillerig van honger en uitputting ging Perlmann om half twee naar de trattoria. In de kroniek interesseerde hem deze keer de dag waarop destijds een einde was gekomen aan de angst om Kirsten. Geen andere dag stond zo glashelder en scherp in zijn geheugen gegrift. Zelfs niet De dag van de duiven. Agnes had haar hand op zijn arm gelegd toen de arts met de uitslag in zijn hand de verlossende mededeling had gedaan. Daarna hadden ze eindeloos door de stad gelopen en elkaar telkens weer op de vochtig glanzende herfstbladeren attent gemaakt. Voor het eerst had hij met een smoesje zijn colleges laten uitvallen en waren ze een week naar Sylt gegaan. Het waren dagen vol tegenwoordigheid, dagen vol wind en weidsheid en opluchting.

Dat de kranten in die dagen melding hadden gemaakt van de dood van Jean Gabin, was hem ontschoten. Nu hij het lange artikel in de kroniek las, schoot hem te binnen hoe hij Agnes over de film *Le chat* had verteld terwijl ze door het zompige wad waadden.

Jarenlang had Gabin geen woord meer met Simone Signoret gewisseld omdat zij uit jaloezie de kat had doodgemaakt waar hij zo veel van hield. Wanneer ze 's avonds bij de open haard zaten, reikte hij haar briefjes aan waarop telkens hetzelfde woord stond: *le chat.* Ze stopte die briefjes in een lade en op een dag vielen ze door een onhandige beweging allemaal op de grond, honderden briefjes. Agnes had het verhaal bizar gevonden, en hij had zich geschaamd omdat Gabin's gedrag in de film hem niet eens zo vreemd voorkwam.

De eerste keer sinds zijn aankomst had Perlmann na het eten behoefte aan een wandeling, en in de buurt van het hotel vond hij een paadje dat de heuvel op leidde. Terwijl hij met een tak ritmisch tegen de muur van natuursteen tikte, probeerde hij Leskov's stelling uit op de gevoelens die hij zich zojuist in de trattoria had herinnerd. Maar al snel gaf hij zich over aan zijn trots dat hij het toch maar voor elkaar kreeg die lange Russische tekst in het Engels te vertalen. Nog achttien bladzijden, dan was hij klaar, en zeven ervan had hij onlangs al gedaan, ook al bevatten die in verband met het lastige begrip 'zich toe-eigenen' nog hiaten. Waar het pad een bocht maakte en verder parallel liep aan de helling, leunde hij over het muurtje en keek uit over de stad en de zee. *Halverwege de week is de vertaling klaar.* Dan zou de ordelijke stapel papieren op de verder lege glazen plaat van het bureau liggen. Hij had dan iets voor elkaar gekregen waartoe hij zich niet in staat had geacht. Wanneer hij aan dat moment dacht, voelde hij dat hij eigenlijk ook nog aan iets anders zou moeten denken. Maar dat lukte niet. Het lukte niet.

Halverwege de week zat de helft van zijn verblijf hier erop. En toch was het gebergte van niet-tegenwoordigheid nog even hoog als in het begin. Het was zelfs allemaal nog veel erger dan in het begin, want de angst, die als een bijtend zuur zijn trots als vertaler was binnengedrongen en ondermijnde, zodat die trots elk moment ineen kon storten, zorgde ervoor dat het gebergte nu op een gigantische wand leek die verder en verder vooroverhelde, met elke hartslag een stukje verder.

'Het is praktisch onmogelijk dit licht op film vast te leggen,' zei Laura Sand en ze zette de grote cameratas naast hem op de muur.

'Het is alsof de stralende diepte van dat licht iets heel anders is dan de natuurkundige straling waarop de film reageert.'

Perlmann was zo heftig in elkaar gedoken dat ze geschrokken haar hand op zijn arm legde en zich verontschuldigde. Het was altijd hetzelfde, zei ze, ook David, haar echtgenoot, schrok vaak, omdat zij altijd zo zachtjes deed.

'Het lawaai dat Sarah maakt compenseert dat! Vooral bij dat vervloekte aerobic!'

Ze bleven bij elkaar tot het al begon te schemeren. Eigenlijk hield ze er helemaal niet van als iemand toekeek wanneer ze fotografeerde, zei ze een keer. 'Maar omdat u het bent...'

Ze leerde hem kijken. Net als Agnes had gedaan. En toch heel anders. Agnes was het altijd om licht, vorm en schaduw gegaan, om lichtend oppervlak en diepte, vlakken en randen. Als je naar haar luisterde, kreeg je de indruk dat ze de wereld als een geometrische structuur zonder mensen zag. Toch was haar werkelijke onderwerp menselijke beweging. Niet zomaar beweging maar momenten die boven zichzelf uit stegen, taferelen die een verhaal bevatten en die de toeschouwer dwongen het verhaal erbij te verzinnen. Verhalende fotografie had ze het genoemd. *Snap je? Kleuren zouden daarbij alleen maar storen, afleiden van waar het werkelijk om gaat. Het komt erop aan dat de man op het perron in zijn bewegingen explodeert wanneer hij de vrouw op de treeplank ziet. Welke kleur zijn jas heeft, is niet van belang.*

Ze had een ongelooflijk gevoel voor de geladenheid van momenten. En ongelooflijk was ook haar geduld als ze uren- en dagenlang op geladen situaties zat te wachten, in cafés, op stations, op het strand, zelfs een keer bij een bokswedstrijd, waar ze normaal een afschuw van had. Als al dat wachten zelfs haar geduld te veel op de proef stelde, kwam ze in de verleiding weer te gaan roken.

Laura Sand dacht heel anders. Zij dacht in kleuren en sferen, en wat ze er in de loop van de middag over zei, stond in zo'n flagrante tegenspraak met haar voorkeur voor zwarte kleren, dat Perlmann een paar keer op het punt stond haar daarop aan te spreken. Ze gebruikte louter woorden voor kleuren die hij nog nooit had gehoord, en toen ze merkte dat hij maar niet ophield zich erover te verbazen, lachte ze haar gutturale lachje en ging verder: '... *edium flesh, canary yellow, rose madder lake, magenta, true blue, sap green, sanguine...'*

Nee, in mensen was ze niet geïnteresseerd – 'bij het fotograferen, bedoel ik'. Aanvankelijk had ze alleen landschappen gefotografeerd, en later, in verband met haar beroep, waren er dieren bij gekomen. Vakantiekiekjes liet ze aan David over.

'Hij vindt me een misantroop,' zei ze glimlachend. En na een korte stilte voegde ze eraan toe: 'Hij kent me goed. "Daarom laat je de apentaal aan anderen over," zei hij onlangs weer eens. "Apen komen voor jou al veel te veel in de buurt van mensen."'

Impressionistische fotografie, noemde ze haar ideaal.

'Eigenlijk een onmogelijkheid. Wat er in de werkelijkheid gebeurt, is veel te geladen. Ik ben een expert geworden in selecteren en weglaten. Mijn theorie is namelijk,' lachte ze, 'dat het veel meer op de leemten, op de leegte aankomt dan op andere dingen. David en Sarah drijven om die reden al jaren de spot met me, en ook in David's pokerclub is mijn theorie al zoiets als een maandelijkse standaardgrap geworden: *Wij gaan huizen voortaan met een heleboel leegte bouwen, dat is goedkoper!* Nou ja. Het is ook wel een absurde theorie, soms begrijp ik hem zelf niet eens.'

Van haar, dacht Perlmann, had hij geen opmerking te vrezen zoals destijds op het vliegveld aan Agnes was ontsnapt. Op het roltrottoir had hij zich omgedraaid naar een grote reclamefoto van Hongkong, een foto met zachte, fluwelen contouren, een dromerig beeld. 'Wat een kitsch,' had Agnes gezegd. 'Een beetje de manier waarop jij de wereld ziet.' Toen, waarschijnlijk geschrokken door de opmerking die haar was ontglipt, had ze lachend haar arm bij hem ingehaakt en haar hoofd tegen zijn schouder gelegd. 'Niet boos zijn,' had ze zachtjes gezegd toen ze merkte hoe stijf hij doorliep. Bij de paspoortcontrole had hij zich niet zoals gewoonlijk nog een keer omgedraaid. Na zijn terugkeer hadden ze allebei erg hun best gedaan; ze schonk hem veel aandacht en hij vertelde meer dan anders. De opmerking kwam niet meer ter sprake. Maar een tijdlang was hij niet erg spraakzaam wanneer ze hem haar foto's liet zien. Er was tussen hen een klein barstje blijven bestaan, nauwelijks zichtbaar en toch nooit helemaal vergeten.

Het was al avond toen ze het hotel betraden. Nadat signora Morelli de sleutels had overhandigd, had Perlmann graag willen zeggen dat de afgelopen uren belangrijk voor hem waren geweest. Maar de paar stappen naar de lift lieten hem niet genoeg tijd om woorden te vinden, en toen Laura Sand hem vragend aankeek, leek het alsof alles wat een gepaste zin had kunnen opleveren, was uitgewist. Hij stak zijn hand op met daarin de sleutel, die zachtjes rinkelde, en toen liep hij de trap op, blij dat zich intussen niemand om de schemerige verlichting van zijn gang had bekommerd.

Het was pure onzin, dacht hij onder de douche; wat voor argwaan zou ze al kunnen koesteren? Hij had haar gevraagd of *severing* een passend woord was voor het opsplitsen van een persoonlijkheid; toen hadden ze een poosje over *cracking* gepraat; en ten slotte had ze hem de Australische uitdrukking *cracking hardy* uitgelegd. Daarna had het heel even geleken alsof ze hem naar de reden voor zijn belangstelling voor die woorden zou vragen, maar het was hem gelukt het gesprek over een andere boeg te gooien. Nee, er was geen sprake van dat hij zijn mond voorbij had gepraat.

Hij lag op bed en dacht weer aan Agnes en aan hoe bijzonder haar foto's waren. Ooit had ze maandenlang alleen gezichten van stokoude mensen gefotografeerd, het was een verslaving. De serie was een groot succes geworden. Ze had oog voor details, ze keek op een manier die een detail een verhevigde, bijzonder intensieve tegenwoordigheid kon verlenen – alsof door haar blik een detail uit de vage verte van een tijdelijk schijnbestaan naar de lichte tegenwoordigheid van vastomlijnde vormen werd gehaald. Wat had hij haar om dat talent benijd!

De andere kant van de zaak was dat ze nooit iets plande, altijd spullen vergat, het overzicht verloor over haar chaotische papierwinkel. Dan was hij het die bijsprong om orde op zaken te stellen. En gaandeweg was hij een dwangmatige plannenmaker geworden, een overzichtsfanaticus. Dat was de prijs geweest, de prijs voor haar tegenwoordigheid.

De eetzaal zag er vanavond heel anders uit. De meeste ronde tafels waren vervangen door een feestelijk versierde dis, en aan de kroonluchters hingen slingers van gekleurd papier. Het was het diner van een trouwpartij, en voor de bediening waren twee extra serveersters ingehuurd, wist Adrian von Levetzov te vertellen.

'Heeft u ook weer eens trek?' vroeg Millar. Hij keek Perlmann met een schuin hoofd en een besmuikte glimlach aan. Perlmann zweeg en concentreerde zich op het voorgerecht van schelpdieren. De grappen die aan de tafel verderop werden gemaakt waren moeilijk te volgen, de meeste bruiloftsgasten spraken een dialect dat hij niet verstond.

Nu vertelde Von Levetzov over een boek over Henry Kissinger, dat in de *Herald Tribune* was besproken.

'Die oorlogsmisdadiger,' zei Giorgio Silvestri schamper, 'heeft Nixon ertoe aangezet Cambodja en Laos te bombarderen. Dat waren destijds neutrale landen. Die man zouden ze voor de rechter moeten slepen.' Hij keek uitdagend naar Millar, die zijn vis fileerde. 'Nietwaar, Brian?'

Millar schoof zijn vismes behoedzaam onder de graat, nam zijn vork erbij, tilde het skelet eruit en legde het op de rand van zijn bord. Hij trok met zijn mondhoeken en nam uitvoerig de tijd. Eindelijk nam hij een slok wijn, depte zijn lippen met zijn servet en beantwoordde Silvestri's ongeduldige blik met een zachte, warme glimlach zoals Perlmann nog nooit bij hem had gezien.

'Absoluut juist, Giorgio. Exact dat heb ik destijds in het orgaan van mijn universiteit geschreven. Op de voorpagina. Daarna kon ik een tijdlang naar de maandelijkse cheque van mijn ouders fluiten.' Hij kneep zijn ogen samen. 'Helemaal goed gekomen is het nooit meer.'

Het was ongelooflijk hoe snel Silvestri's gezicht reageerde. Verbazing en irritatie waren nog niet zichtbaar geworden of de gespannen, vijandige uitdrukking zakte al ineen en maakte plaats voor een grijns die, even duidelijk als woorden hadden gekund, blijk gaf van het besef dat een hardnekkig vooroordeel met betrekking tot de laakbare oppervlakkigheid van Millar hem ertoe had verleid Millar een overtuiging toe te schrijven die hem onderschatte. Hij hief zijn glas in Millar's richting. '*Scusi. Salute!*'

Perlmann had veel meer tijd nodig om zijn verrassing te verwerken. *Millar als exponent van de studentenbeweging.* Verstolen keek hij naar Millar, die zich nu weer op de vis concentreerde. Iets in hem kwam in beweging, langzaam en krakend als een verroest tandrad. Misschien had hij hem uit pure angst verkeerd ingeschat, angst was een gevoel dat anderen degradeerde tot een projectiescherm. Hij stond op het punt om ten teken van zijn veranderde houding iets tegen hem te zeggen, toen hem weer die stomme opmerking over zijn eetlust te binnen schoot, en hij wijdde zich weer helemaal aan zijn taak de kop van de vis te scheiden. Pas toen de ober de borden had afgeruimd, was zijn ergernis voldoende afgezwakt.

'Eén vraag, Brian,' begon hij, en hij legde hem zijn onzekerheid voor over de verschillende Engelse woorden voor inkleuring en kleurschakering. Ook nu wist Millar hem te verrassen. Hij proefde de woorden op zijn tong, soms hardop, dan weer onhoorbaar en met alleen het bewegen van zijn lippen. Hij begon er plezier in te krijgen, en wanneer hij tussendoor een slok wijn nam en die over zijn tong liet rollen, leek het alsof hij met de wijn ook de smaak van de woorden testte.

Weer bewoog en kraakte het in Perlmann's gevoelens. *Millar, de man van Rockefeller, de intellectuele vertolker van Bach, als zintuiglijk mens. Sheila.* En toen, plotseling, alsof hij door de bliksem was getroffen, raakte hij weer vervuld van haat tegen die Millar, die hem door zijn genotvolle afweging van betekenisnuances het werk betwistte waarmee hij, Perlmann, zich al twee weken lang boven in zijn kamer verzette tegen de anderen, en niet in de laatste plaats tegen hem. *En ik, idioot, heb hem er ook nog zelf toe aangezet. Omdat ik dacht dat ik hem een teken moest geven. Ik, gedienstige idioot.*

Hij bedankte Millar in de hoop hem daarmee te stoppen, maar nu begon ook Laura Sand zich ermee te bemoeien, die Perlmann met een glimlach herinnerde aan het gesprek dat ze die middag over andere Engelse woorden hadden gevoerd. Achim Ruge leverde weer eens een bewijs voor zijn verbazingwekkende kennis van het Engels, en tijdens het dessert vormde die taal het onderwerp van gesprek.

'U wilt dat zeker weten in verband met uw tekst over taal en herinnering, nietwaar?' vroeg Millar ten slotte.

Perlmann voelde zijn handen bevriezen. Voor geen prijs wilde hij knikken, en knikte toch.

'Ik ben er echt erg benieuwd naar,' zei Millar, en door de opwellende hitte in zijn gezicht heen nam Perlmann waar dat hij het zonder argwaan of dubbelzinnigheid zei.

'Ik heb de indruk dat u er dag en nacht aan werkt. Nou ja, over... wacht even... over twee weken kunnen we het eindelijk lezen.'

Alvorens Perlmann de anderen naar de salon volgde, ging hij naar de wc en hield zijn gezicht in de kom water die hij met zijn handen vormde. *Nog maar elf dagen. Op z'n laatst donderdag moet Maria de tekst hebben.*

'Als ik vandaag weer speel, is het al bijna een ritueel,' zei Millar juist toen Perlmann de salon betrad.

Von Levetzov en Evelyn Mistral applaudisseerden. Millar trok een grijns, knoopte zijn jasje open en nam na een gesuggereerde buiging plaats op de pianobank. Hij speelde preludes en fuga's uit Das wohltemperierte Klavier.

Minutenlang zat Perlmann met gesloten ogen en verzette zich er innerlijk uit alle macht tegen dat de paniek in hem omhoog zou schieten als een fontein. *Als ik eenmaal goed op dreef ben, kan ik heel snel schrijven. Dat weet ik. Zoiets verandert ook niet. Om goed in een onderwerp te komen heb ik een dag nodig. Of twee dagen. Dan heb ik nog negen dagen over. Zeventig, tachtig werkuren. Ik kan het nog voor elkaar krijgen.*

De verkramping werd wat minder, de muziek drong tot hem door en vaag, als van heel ver, kwam er een herinnering in hem op aan Bela Szabo, die met zijn zakdoek het zweet van zijn gezicht veegde. Perlmann greep het schimmige beeld vast alsof het een reddingsboei was, hij dwong het dichterbij te komen en staarde ernaar tot het helderder en compacter werd en geleidelijk aan een compleet tafereel liet zien dat almaar levendiger werd en de opflakkerende angst verdrong.

Toen hij Perlmann met hese stem over het voorval vertelde, had Szabo helemaal in elkaar gedoken gezeten, zijn ellebogen op zijn knieën, zijn hoofd in zijn handen. Sjostakovitsj, die als jurylid bij het Bach-concours in Leipzig verbleef, had hem bij het buffet na afloop van het concours aangesproken. Szabo's compositie was niet slecht, had hij gezegd, ze was zeker heel aardig, en zelfs nog wat meer. *Maar nog niet werkelijk een ingeving.*

Terwijl buiten voor het conservatorium vrachtwagens met veel lawaai voorbijreden, had Szabo die zin telkens weer herhaald, en in de bitterheid in zijn stem had de overtuiging gezeten dat hij hem nooit meer zou kunnen vergeten. Perlmann was opgestaan en had ondanks de hitte het raam dichtgedaan.

En dan moest je bedenken dat Sjostakovitsj zich destijds in Leipzig als een echte lafaard had ontpopt, had Szabo gezegd terwijl hij met zijn zakdoek zijn gezicht afveegde. Toen hij in het openbaar werd aangesproken op een anoniem artikel in de *Pravda*, waarin Hindemith, Schönberg en Strawinsky als obscure lieden en lakeien van het imperialistisch kapitalisme werden afgeschilderd, had hij, zij het aarzelend, verklaard dat hij het daarmee eens was. Hij had niet willen geloven wat hij hoorde, zei Szabo, en Perlmann had het bloed zien kloppen in de blauwe ader die van woede op zijn bleke, albasten slaap was verschenen. Dat soort lafheid, had Szabo met gesmoorde stem gezegd, was medeverantwoordelijk geweest voor het bloedig neerslaan van de Hongaarse Opstand, aan het eind waarvan ze zijn vader tegen de muur hadden gezet. Misschien een minuut lang was Szabo met gebalde vuisten blijven zitten. Toen had hij Perlmann met zijn waterige grijze ogen aangekeken, ogen die een beetje leken op de ogen van Achim Ruge. *Waarom vertel ik u dat allemaal? Let's go back to work!* Terwijl Szabo Engels haatte.

Bach's preludes en fuga's werden onder Millar's handen ook vanavond onzichtbare constructies van een kristallijnen architectuur – *dunne witte lijnen achter de nacht.* Dat was de muziek die Sjostakovitsj destijds in Leipzig dermate had gefascineerd dat hij er met een eigen cyclus op had gereageerd. Perlmann probeerde de fuga's van beide componisten naast elkaar te horen. Had hij destijds tijdens het concert de glazen parels en de bijzondere manier van wegebben die kenmerkend was voor de muziek van Sjostakovitsj, werkelijk gewaardeerd? Of was het eerder door Hanna gekomen, die met haar verbonden hand naast hem had gezeten, dat alles zo verheven had geklonken?

'Het leek wel alsof je heel ver weg was, op een andere planeet,' zei Evelyn Mistral bij het weggaan. 'Zullen we morgen een wandeling maken? Wie weet is er wel weer een bruiloft!'

Perlmann knikte.

Maar nog niet werkelijk een ingeving. Hij had de deur nog niet achter zich gesloten of Perlmann zocht het Russische woord voor ingeving op en probeerde toen de hele opmerking van Sjostakovitsj in het Russisch te formuleren. Hij wist niet zeker of de manier waarop hij de Russische woorden naast elkaar zette wel overeenkwam met de nonchalante terloopsheid van de Duitse opmerking. En opeens leek het wel alsof hij helemaal geen Russisch kende. Een tijdlang staarde hij naar de woorden om zich ervan te vergewissen dat hij het cyrillisch schrift werkelijk kon lezen.

Had hij zelf ooit een werkelijke ingeving gehad? De maan scheen de kamer in. Hij trok de gordijnen dicht. Nu was de duisternis verstikkend. Hij deed de gordijnen weer open. *Negen dagen. Tien.* De paniek sijpelde zijn kwellende wakkerheid binnen. Hij ging naar de badkamer en nam een hele slaappil.

15 Zondag sliep hij een gat in de dag. De ober die hem het late ontbijt kwam brengen, overhandigde hem een briefje, dat in de deur was gestoken: *Dus toch geen 'bruiloftswandeling'? Als je vanmiddag iets wilt ondernemen, laat het me horen! Evelyn.*

Haar zorgvuldige, vooroverhellende handschrift met de gebogen verbindingslijntjes tussen de letters beviel hem. Toen de ober de deur achter zich had gesloten, liep hij naar de telefoon. Halverwege het intikken van haar nummer hing hij weer op. Niet met zo'n hoofd, en al helemaal niet nu hij in zo'n bibberige toestand was.

In Leskov's tekst kwamen nu de bladzijden waarin de herinnering aan zintuiglijke ervaringen analoog aan de herinnering aan gevoelens werd geïnterpreteerd. De rijke, door Leskov kennelijk genotvol geëtaleerde woordenschat voor nuances van geur en smaak, maar ook voor het karakteristieke van klanken, leek een struikgewas waardoorheen hij zich moeizaam een weg moest banen, en opnieuw besefte Perlmann dat er ook in het Engels veel donkere hoekjes waren waarin hij zijn licht nog nooit had laten schijnen. Vaak moest hij het Engels-Duitse woordenboek erbij halen om er achter te komen waar het over ging, en dan nog waren er ruim twintig gevallen waarbij hij een Engels woord opschreef zonder te weten wat het betekende. *Millar zou het weten.* Hij kwam zichzelf dan voor als een machine, die volgens strikte syntactische regels tekens plaatste zonder ook maar enig benul te hebben van wat ze betekenden. Niet alleen voelde hij zich daardoor blind en hulpeloos, het verhinderde ook dat hij met het vertalen goed op dreef kwam, wat hem bescherming had kunnen bieden tegen de paniek die, nu de verdoving ten gevolge van de slaap was verdwenen, zich steeds sterker aan zijn bewustzijn opdrong.

Toen hij merkte dat de angst op het punt stond hem naar de keel te grijpen en met zich mee te sleuren, stak hij zijn arm uit en greep naar het Russisch-Italiaanse woordenboek op de verste hoek van het bureau als naar een reddingsboei. Hij had geluk, van een hele reeks onbegrepen woorden vond hij via deze omweg de juiste betekenis, en nu zette hij alles op alles om te proberen de volgende alinea's rechtstreeks in het Italiaans te vertalen.

De eerste zinnen, die hij op een Engelse alinea had laten aansluiten, streepte hij weer door. Voor de Italiaanse tekst nam hij een nieuw vel papier. Na een poosje werd hij zich de prikkeling gewaar die hij altijd voelde wanneer hij tussen twee vreemde talen heen en weer sprong. In de nu volgende passages ging het om herinneringen aan kleuren, en hij stelde vast hoe weinig bedreven hij in het Italiaans was wanneer het om heel speciale uitdrukkingen voor kleuren ging. Verheugd en opgewonden pakte hij weer het grote rode woordenboek en vond daarin veel woorden terug die Laura Sand hem gisteren had genoemd. Hij maakte een Engels-Italiaanse lijst van die woorden en het ergerde hem dat het Russisch-Italiaanse woordenboek te beperkt was om alle gaten te vullen.

Toen hij in zijn koffer naar nieuw schrijfpapier zocht, stuitte hij bij toeval op het zwarte wasdoekschrift met zijn aantekeningen. *De enige eigen tekst die ik bij me heb.* Met een mengeling van nieuwsgierigheid en schroom ging hij in de rode fauteuil zitten en begon te lezen.

Je kunt het niet vaak genoeg benadrukken: je groeit op in de wereld en wordt er deel van door woorden na te praten. Die woorden komen niet zomaar, we horen ze als delen van meningen, vaststaande uitdrukkingen, spreuken. Met die meningen gaat het lange tijd net zo: ook die praten we gewoon na. Ongeveer zoals het refrein van een kin-

derliedje. En je moet het bijna een gelukkig toeval noemen wanneer je er later in slaagt om die opdringerige, verdovende woordsequenties te zien als wat ze zijn: blinde gewoontes.

MESTRE IS LELIJK, *zegt de vader iedere keer als Venetië ter sprake komt.* VENETIË IS EEN DROOM. MESTRE IS DAARENTEGEN LELIJK. *Je hoort die zin telkens weer, hij komt met de regelmaat van een automaat. Het is pure herhaling, het klikken van een automatisme, verder niets. En dan spreek je de zin na. Je hebt hem niet onderzocht, er is geen sprake van dat je je hem hebt eigen gemaakt. Wat er plaatsvindt is feitelijk alleen dit: je spreekt de zin na, herhaalt hem met steeds meer routine. Dat is alles. Je begrijpt de zin, het is een zin in je moedertaal. Toch drukt hij niet iets uit wat je een gedachte zou kunnen noemen. Het is een blindelings begrepen, letterlijk gedachteloze zin.*

DE POVLAKTE IS SAAI *is ook zo'n zin, deze keer een van de moeder. Voortaan zeg je: 'Als het tijdens de reis door de Povlakte donker is, is dat niet erg, de Povlakte is toch heel saai'; enzovoort. De zin staat niet meer ter discussie. Hij ligt innerlijk al vast, hij is een constante, een dragend element in een bouwsteiger. Hij verzet voor altijd een wissel, maakt één spoor onberijdbaar, blokkeert een mogelijkheid. Hij pakt een landschap van je af, een stuk aarde, want hij dirigeert je om die landstreek heen en zorgt ervoor dat die daardoor een witte blinde vlek wordt op de landkaart van je ervaringen. Met hoeveel van de zinnen die we gewend zijn uit te spreken is het net zo gesteld als met die zinnen over Mestre en de Povlakte – zonder dat we het merken?*

In hem kwam de herinnering boven aan de kale hotelkamer met het hoge plafond en de oeroude kranen in de badkamer, een herinnering die Perlmann jarenlang links had laten liggen. Ook nu wilde hij er niets mee te maken hebben. Hij bladerde verder, vastbesloten door die beweging de verre weerklank van zijn gevoelens van destijds van zich af te zetten.

En toen zag hij tot zijn verbazing dat de tekst verder ging in het Engels, met kleinere letters en een veel dunnere balpen. Eerst kwamen passages waarin het onderwerp nog eens van voren af aan werd opgepakt en gevarieerd. De gepapegaaide zinnen werden nu beschreven als vastgevroren elementen, die door hun verraderlijke onopvallendheid verhinderden dat je ervaringen opdeed of dat er iets aan je belevingswereld werd toegevoegd. Ze hadden een hypnotiserend effect, had hij geschreven, en hij had eraan toegevoegd dat dat niet alleen gold voor constateringen met betrekking tot Mestre en de Povlakte, maar ook voor vragen die het refrein vormden bij elk gesprek dat over de toekomst ging: EN DAN? WAT WIL JE DAARNA GAAN DOEN? WANNEER BEN JE KLAAR? WAAR ZOU DAT GOED VOOR ZIJN?

Linguistic waste had hij alles genoemd wat op die manier belevenissen blokkeerde en je van de mogelijkheid beroofde je in te laten met iets nieuws, iets verrassends. Taalpuin, dacht Perlmann nu, en terwijl hij het woord hardop herhaalde, kwam hij nu toch in de maalstroom der herinnering terecht en zag hij zichzelf in de kale kamer in Mestre op bed liggen, woedend over al dat taalpuin dat hij veel te laat in zichzelf had ontdekt, woedend ook op zichzelf omdat hij vanwege één enkele zin aan zo'n onzinnige reis was begonnen.

Hij had een nachttrein naar Milaan genomen en was toen op een grijze ochtend in begin oktober door de Povlakte gereden, hoewel dat een omweg was. Hoe het er daar had uitgezien, wist hij niet meer. Maar heel precies herinnerde hij zich de hardnekkigheid waarmee hij zijn gezicht urenlang tegen het treinraam had geduwd, zodat de andere passagiers een paar keer aan hem hadden gevraagd wat er daar buiten toch voor interessants te zien was.

In Mestre was hij naar een hotel tegenover het station gegaan, waar een bediende hem naar een balzaal van een kamer had gebracht. Na een paar uur slaap had hij in de vallende schemering door nietszeggende straten geslenterd, tot hij door en door nat was geregend. Later, toen hij een bad nam, had hij alleen nog maar leegte ervaren. Het was bizar en het grensde aan waanzin: die hele reis, die hele onderneming, uitsluitend om met die ene zin van zijn vader af te rekenen. Alsof hij een voorbeeld wilde stellen, plaatsvervangend voor de rest van al het taalpuin. Een voorbeeld stellen voor wie? Niemand zag het, niemand nam er kennis van. Integendeel: hij zou het aan niemand kunnen vertellen, ze zouden hem uitlachen of denken dat hij niet goed bij zijn hoofd was. Waarom dus? Zou het niet veel effectiever zijn geweest onverschillig zijn schouders op te halen? Het ergste was nog dat Agnes ook innerlijk niet bij hem was. Zij had de reis waanzin gevonden en was razend geweest over zijn fanatisme. Tegen dat besef hielp ook de film met zijn favoriete acteurs niet, die hij op de televisie zag.

Later belde hij naar huis en hij was blij dat Kirsten opnam. Haar stem wekte bij hem de absurde hoop dat hij door haar, een meisje van zestien, beter zou worden begrepen.

'Wat doe je eigenlijk echt in... hoe heet het daar ook alweer... in Mestre?' vroeg ze.

Na een stilte waarin de lijn gelukkig kraakte en ruiste, vroeg hij haar hoe je dat eigenlijk deed, in het heden leven.

'Wat? Ik hoor je zo slecht.'

Hij herhaalde de vraag, nu in het volle besef van de belachelijkheid ervan.

'Papa, ben je dronken?'

Nee, het was niet nodig mama te roepen, had hij gezegd, en of ze haar wilde zeggen dat hij goed was aangekomen.

Zichzelf hoefde hij toch helemaal niet te bewijzen dat die zin niet klopte. Hem stond hij eigenlijk allang niet meer in de weg. Hij was zonder meer bereid zich Mestre als een bloeiende stad voor te stellen, wat hem betrof zoiets als Kyoto in kersenbloesemtooi. Dat had hij al op het station van Frankfurt gedacht, en heel even had hij toen overwogen om te keren. Maar intussen was het een kwestie van gezichtsverlies geworden, en hij schrok van de gedachte dat zoiets opeens een rol speelde tussen hem en Agnes. Moest hij het nog steeds tegen zijn vader opnemen? Of was de reis eenvoudigweg een bizarre manier om zijn woede over de enorme bergen taalpuin af te reageren? Plaatsvervangend voor alle zinnen? Waarom wond trouwens niemand anders zich op over de verstikkende macht van tot puin vervallen taal? Hij had op het station naar zo iemand gezocht, en ook later in de trein – alsof je zoiets aan iemand kon zien.

Had hij die absurde reis ook ondernomen als hij zich met zijn eenzame woede niet tegen iemand had hoeven verdedigen? Was hij ook op reis gegaan als hij helemaal alleen had gestaan in de wereld? Was het uiteindelijk vooral een reis tegen Agnes?

Die vraag had hem achtervolgd toen hij de volgende dag kriskras door Mestre was gelopen. Het was absurd om door een stad – een willekeurige stad – te lopen en je voortdurend af te vragen of die stad mooi of lelijk was. Absurd was nog zwak uitgedrukt, had hij gedacht. En toen was hij opeens op de Piazza Erminio Ferretto terechtgekomen, een langgerekt plein met veel terrassen en een enorme massa mensen, die rokend en babbelend van hun vrije dag genoten. In weerwil van al die mensen was het hem daar bevallen. Het was hem bevallen, Agnes kon hem wat. Niet ver van het plein ontdekte hij later de Galleria Matteotti, een provinciale tegenhanger van de beroemde Galleria in Milaan. Hij wist niet of het wanhoop of zelfspot was, maar hij had hem opgemeten, die onbeduidende passage, drieënvijftig normale stappen waren het, dat wist hij nu nog.

's Middags, toen hij in Venetië voor de albergo stond waar Agnes zijn haar had gewassen, deed het toch weer pijn. De zon brak door toen hij in het café ging zitten waar destijds haar raadselachtige 'jaa' was gevallen. De toeristen trokken jassen en jasjes uit. Hem werd het te veel. Midden in zijn bestelling excuseerde hij zich bij de kelner en liep met snelle stappen naar de vaporetto, die hem naar het station bracht. In Mestre betaalde hij de schandelijk hoge hotelrekening, reisde linea recta naar Milaan, waar hij overstapte op de nachttrein naar Duitsland.

Toen hij kort voor Frankfurt op het treintoilet zijn slaperige gezicht waste, merkte hij tot zijn verwondering dat hij blij en tevreden was dat hij de reis had gemaakt.

'Mestre is prachtig,' zei hij toen Agnes hem aankeek. 'Je zou de Piazza Ferretto eens moeten zien! En de Galleria!'

Hij zei het ironisch, maar ze moest niets hebben van zijn verfijnde ironie. Ze voelde dat daarachter stug volgehouden eenzaamheid zat en dat die eenzaamheid hem een onaangename, brute kracht verleende, een kracht die, omdat hij in pijn was gedrenkt, hem ertoe zou kunnen brengen zich op een wrede manier op iets te wreken.

Perlmann douchte lang en las daarna verder. Weer was er met een andere balpen geschreven, en het handschrift werd slordig, alsof hij haast had gehad of geïrriteerd was geweest. *Language as an enemy of imagination.* Daar herinnerde hij zich niets meer van, hij las het als een tekst van iemand anders, verbaasd, onzeker en toch ook een beetje trots dat hij in de loop van de tijd blijkbaar over meer dingen had nagedacht dan hij van zichzelf had verwacht.

Denken in zinnen – las hij – betekende altijd een afname van de mogelijkheden. Niet alleen in die betekenis dat de daadwerkelijk gedachte zin qua logica en aandacht andere zinnen, die in zijn plaats gedacht hadden kunnen worden, uitsloot. Belangrijker was nog dat het ontwikkelen van gedachten in de eerste plaats uitging van het repertoire van al vastliggende zinnen waarin een vertrouwd beeld van de dingen werd uitgedrukt, een zo vertrouwd beeld dat er geen alternatief voor leek te bestaan. Die indruk, dat je de dingen onmogelijk op een andere manier kon zien, was de natuurlijke vijand van de fantasie als het vermogen je alles heel anders voor te stellen.

Vervolgens kwam er een hele reeks voorbeelden. Aanvankelijk was Perlmann alleen heel verbaasd over de grote verscheidenheid van die voorbeelden; maar naarmate de geschetste alternatieven voor het bestaande radicaler werden, begon hij de tekst toch steeds meer als de zijne te herkennen, vooral omdat hij de haatgevoelens die hij tegen uitgeholde conventies koesterde, steeds meer de vrije loop liet.

In de volgende alinea stonden waarnemingen die in precies de tegenovergestelde richting wezen: zinnen waren een medium dat de verteller steeds nieuwe beelden ingaf, die hem soms hevig konden verrassen. *Taal en fantasie.* Was dat niet ook het onderwerp van Evelyn Mistral? Of verbeeldde hij zich dat alleen maar, puur op grond van de combinatie van die twee woorden? Perlmann merkte hoe zijn gedachten desintegreerden, en het gevoel dat iets hem ontglipte mengde zich met het gevoel van zwakte waaraan zijn lege maag schuldig was. Hij schoot zijn jasje aan en stond al op de gang toen hij de deur nog een keer opendeed en het wasdoeken schrift onder de sprei schoof. Toen nam hij een sluipweg naar de trattoria.

Het dekbed was door Sandra blijkbaar op de grond geschopt, ze lag met al haar kleren aan op bed. Een kniekous was afgezakt tot op haar enkel, haar hoofd had ze diep in het kussen geduwd. Hij moest absoluut even naar haar gaan kijken, hadden haar ouders gezegd, meteen nadat hij het restaurant had betreden. Ze waren veel zwijgzamer dan anders, ze vertelden alleen dat Sandra de volgende dag een wiskunderepetitie had, en aan het gezicht van haar moeder kon je zien dat ze ruzie had gemaakt met haar dochter en dat ze daar nu spijt van had.

Haar glanzende paardestaart hing over de rand van het bed en bewoog zachtjes bij elke ademhaling. Perlmann keek naar haar licht trillende oogleden en de neerhangende hand met opzichtige ring en de afgekloven nagel van de duim. Eén keer werd haar rustige ademhaling onderbroken door een zacht gekreun. Hij liep naar het kleine bureautje dat haar vader voor haar had getimmerd en pakte het schrift dat Sandra daar bozig met de bladzijden naar beneden had neergelegd. Op de laatste twee bladzijden stonden woedend doorgestreepte wiskundesommen. Hij sloeg het schrift dicht, deed de lamp uit en ging naar beneden. Kortaf meldde hij dat het meisje sliep, en de waardin schrok toen ze merkte hoe haar angstige blik op zijn gesloten gezicht afketste.

'Ik dacht alleen...' zei ze bedremmeld toen ze hem later de kroniek kwam brengen.

Over de dagen van zijn onzinnige, eenzame reis naar Mestre had de kroniek niets te melden. Perlmann bladerde terug: bloedbad op het Plein van de Hemelse Vrede in Beijing. Hij las het stuk niet helemaal uit. Toen hij betaalde, waar de waard deze keer niet meer tegen durfde te protesteren, lukte het hem om in weerwil van zijn irritatie een verzoenend glimlachje te produceren. Toen liep hij door de ongewoon warme avond naar de haven en ging helemaal aan het eind van de kade op een rotsblok zitten waartegen de zwakke golven braken.

Duizenden mensen waren doodgeschoten, en hij had drie dagen van zijn leven verspild aan een onschuldige, belachelijke zin, die ieder ander allang zou zijn vergeten. Hij had het gevoel dat hij zich heel klein moest maken en dat hij moest boeten voor het uit het oog verliezen van alle proporties, door onbeweeglijk naar de smalle strook branding te staren, die in het donker zichtbaar was. Pas toen hij het koud begon te krijgen, zette hij zijn bril af en reinigde hem van het troebele laagje zout dat erop was gekomen.

Het was die beweging die hem deed beseffen dat hij zich innerlijk steeds meer tegen zijn schuldgevoel begon te verzetten. Het was absoluut niet zomaar een zin geweest waartegen hij de strijd had aangebonden, maar een zin, *mijn zin,* die representatief was voor al het taalpuin dat de menselijke ervaring beknotte en smoorde. *Zinnen als bron van onvrijheid.* En al die verhalen over maatstaven, over proporties die je in acht moest nemen – die sloegen ook al nergens op. Sowieso niet op dit geval. Perlmann had graag willen weten welke denkfout je maakt wanneer je beweert dat de verbreding van het perspectief er automatisch toe leidt dat alle dingen die je in het benarde perspectief hebt gezien, opeens totaal onbelangrijk worden. Maar hij kon het niet bedenken. Hij wist alleen dat het niet zo was, ook niet wanneer de verbreding van het perspectief het geografische oversteeg en de hevigheid van het lijden omvatte.

Met een abrupte beweging, die blijk gaf van zijn vastbeslotenheid, stond hij op. Terwijl hij langzaam naar het hotel liep, vocht hij in stilte tegen zijn innerlijke tegenstander, die opnieuw probeerde door middel van bloedige beelden uit Beijing zijn Mestrezin belachelijk te maken. Toen de scheefgegroeide pijnbomen van het hotel, de vlaggen en de lantaarns in zicht kwamen, begon hij er een vaag vermoeden van te krijgen dat als hij de verantwoordelijkheid zou aanvaarden voor die idiote reis, dat ook invloed zou hebben op zijn strijd om zelfhandhaving die hij in het hotel onophoudelijk leverde. En toen hij de stoep van het bordes op liep, veranderde dat vage vermoeden in een stugge, laaiende koppigheid.

Hij was al door de hal gelopen en had het eerste deel van de trap al beklommen, toen hij de stemmen hoorde van zijn collega's die uit de eetzaal kwamen.

'Dat zullen we dan nog wel eens zien morgen!' zei Millar juist, en daarop klonk Adrian von Levetzov's lach, tegelijk met de stem van Evelyn Mistral.

Onwillekeurig ging Perlmann dichter bij de muur lopen, nam twee treden tegelijk en verdween uit het zicht. Ook daarna liep hij snel verder en was buiten adem toen hij zijn gang bereikte. De hele gang lag in het pikdonker, de twee lampen zouden intussen wel kapot zijn gegaan. Terwijl hij met de sleutel naar het slot tastte, schrok hij ervan hoe onzeker hij werd door die onschuldige duisternis. Later stond hij met bonkend hart voor het raam en keek neer op een elegant paar dat uit het restaurant kwam en met tango-achtige passen naar de bordestrap liep, er lachend vanaf huppelde en in een oldtimer met chauffeur wegreed.

Het duurde lang voordat hij zijn geruststellende koppigheid terug had gevonden. Ten slotte haalde hij het zwarte schrift met zijn aantekeningen onder de sprei vandaan en las verder.

In de volgende alinea's werd beschreven hoe samenvattende, schijnbaar op een breed perspectief gebaseerde zinnen over wat je was en hoe je iets beleefde, een soort gevangenis konden worden waarin andersoortige gevoelens monddood werden gemaakt, wat je binnenwereld steeds beperkter maakte. Het bijzonder verraderlijke eraan, had hij genoteerd, was dat zulke zinnen de bedrieglijke klank van gegroeid inzicht hadden, waartegen zelfs degene die de zinnen oorspronkelijk had gevormd, weinig kon uitrichten. IK HEB VEEL ANONIMITEIT NODIG, was een van de voorbeelden, en een ander: IK LUISTER HET LIEFST. En iets verderop: IK BEN MENSENSCHUW GEWORDEN.

Perlmann herinnerde het zich vaag: hij had die tekst geschreven na een avond met vrienden en Agnes. Omdat hij de tijd als tergend traag had ervaren, had hij veel te veel gepraat, ook over zichzelf. Later, in het donker, was alles wat hij had gezegd hem helemaal verkeerd voorgekomen, en hij was opgestaan om zichzelf helderheid te verschaffen over zijn gevoel.

Hij was blij dat in de volgende alinea zinnen voorkwamen die, in plaats van iets te blokkeren, de weg effenden naar een vooralsnog alleen vermoede vrijheid doordat ze uitdrukking gaven aan een nieuwe toestand van de binnenwereld – een toestand die tot dusver alleen als een voorbijflitsende schaduw aanwezig was geweest –, en die voorkwamen dat die binnenwereld je opnieuw ontglipte. NEE KUNNEN ZEGGEN ZONDER JE INWENDIG OP TE WINDEN: DAAR KOMT HET OP AAN. En een zin verder: DE ANDEREN ZIJN WERKELIJK ANDEREN. ANDEREN. OOK DE MENSEN VAN WIE JE HOUDT.

De lucht die de kamer binnenstroomde toen hij het raam opendeed, leek opeens niet meer zo warm als zo-even nog. In Sestri Levante woedde een brand die er zelfs hiervandaan tamelijk groot uitzag. Vervormd door windstoten die de pijnbomen beneden op het terras heen en weer deden zwaaien, hoorde hij de sirenes van de brandweer.

Ging het in al die voorbeeldzinnen, die hij op één na allemaal in het Duits had geschreven zodat ze nu midden in de Engelse tekst door hun intense vertrouwdheid als het ware in zijn gezicht sprongen, eigenlijk om zinnen die op hemzelf van toepassing waren?

Het leek wel alsof zijn inwendige contouren oplosten toen hij, om die vraag te beantwoorden, de zinnen nog eens goed bekeek. Het ging hem door het hoofd dat die gewaarwording op de indruk leek die je van de dingen kreeg wanneer je er onder water op af zwom. Onzeker, bijna angstig, bladerde hij verder. Hij vond een paar zeer zorgvuldig geschreven bladzijden over de samenhang van taal en tegenwoordigheid. In een eerste poging had hij in een aantal varianten geschetst hoe het onder woorden brengen van een ervaring er tegenwoordigheid en diepgang aan kon verlenen doordat het vertellen de belevenis aan de vluchtigheid onttrok. En tot zijn verrassing stuitte hij op een tussen haakjes geplaatste passage waarin hij de door middel van taal plaatsvindende en de fotografische fixatie van tegenwoordigheid met elkaar vergeleek.

Perlmann was verbaasd hoe hardnekkig en precies hij daarover had nagedacht, en tegelijkertijd deed het hem pijn te zien dat hij daarbij onmiskenbaar Agnes' foto's voor ogen had gehad. Hij zette zijn bril af en masseerde zijn neuswortel.

De jonge Siciliaan in de versleten legerjas die zijn haveloze koffer en muts op het perron had laten vallen en nu zijn bruid, die hij om haar middel had gepakt, in de lucht ronddraaide. Agnes had wel twintig foto's gemaakt. Gepubliceerd was er slechts één, de foto waarop de jonge vrouw, duizelig geworden, haar hand voor haar lachende gezicht hield dat over de schouder van de man heen te zien was, de helft van haar kin verborgen achter de opstaande kraag van zijn jas. Om die foto was Agnes veel lof toegezwaaid. Maar thuis hadden ze een andere foto opgehangen, die ze veel beter vonden: die legde de rondedans precies op het moment vast waarop door de draaiing en door haar wapperende haar beide gezichten waren verborgen, zodat de beschouwer werd uitgedaagd die gezichten er zelf bij te denken. 'Dat had ik al wel gedacht!' had Agnes lachend gezegd toen hij teleurgesteld was door het nogal boerse gezicht van de bruid, en er een ander gezicht bij verzon.

En dan die andere foto: de magere Chinees, die, met een hand op het zadel van zijn fiets, zich vooroverboog naar zijn zoon en hem zijn wang aanbood voor een kus. Het kind, een kleuter met een rond petje op dat over zijn oren was gezakt, stak zijn gezicht naar zijn vader toe en spitste zijn lippen, terwijl de door de klep van het petje halfverborgen ogen werden afgeleid door iets heel anders, dat zich ergens in de buurt van de fotograaf moest bevinden. In Shanghai had Agnes de foto gemaakt, op de reis waaraan ook André Fischer van het agentschap had deelgenomen, de man over wie ze zo veelzeggend had gezwegen.

Tergend langzaam keerden Perlmann's gedachten terug naar het heden van de hotelkamer. De brand aan de overkant van de baai was blijkbaar onder controle. Hij maakte een nieuw pakje sigaretten open en las op de volgende bladzijde iets wat er diametraal tegenover stond: tegenwoordigheid als iets wat in wezen vluchtig was en dat, door het onder woorden te brengen, op een geforceerde manier werd vastgehouden. Daardoor ontstond dan echter geen tegenwoordigheid, maar kwam alleen de illusie van tegenwoordigheid tot stand. De werkelijke tegenwoordigheid, had hij genoteerd, ontstond pas door de bereidheid je zonder enige schroom over te leveren aan de vluchtigheid van de belevenis. En toen kwamen, geaccentueerd door witregels, twee regels die hem opnieuw compleet verrasten: *Tegenwoordigheid: een parfum, het licht, een glimlach; opluchting, een geslaagde zin, gefladder onder olijfbomen.*

Dat hij ooit op die manier, met woorden, beelden en ritme experimenterend, tevergeefs een zoektocht had gehouden naar tegenwoordigheid, was hem totaal ontschoten. Twee sigaretten lang probeerde hij de omstandigheden terug te halen waarin die regels waren ontstaan, maar zonder resultaat. Plotseling pakte hij een papiertje en schreef: *weggezonken in wit vergeten.* Terwijl hij zijn sigaret langzaam uitdrukte tot de peuk helemaal was verkruimeld en alleen nog het filter over de bodem van de glazen asbak gleed, staarde hij naar de woorden. Toen verfrommelde hij het papiertje en gooide het met een vermoeid gebaar in de prullenmand.

Nog anderhalve bladzijde; de rest van het schrift bestond uit lege bladzijden waaruit, toen hij ze uitschudde, de vleugel van een dode vlieg op Leskov's tekst viel. Eén lange alinea, en aan het eind nog een heel korte. In de lange, met dezelfde balpen geschreven als het voorafgaande, stond een waarneming genoteerd die Perlmann trof alsof hij die voor de eerste keer las: het experimenteren met zinnen was een middel waarmee je er achter kon komen wat voor ervaringen je eigenlijk werkelijk opdeed. Want uitsluitend door ervaringen op te doen – door iets te beleven – wist je nog lang niet welke die ervaringen waren. *Sprakeloosheid als belevingsblindheid,* had hij genoteerd. Met tegenzin, omdat hij het bombastisch vond, las hij verder en stuitte op een waarneming die hem nog meer frappeerde: het kon je overkomen dat je in het medium van de oude, achterhaalde zinnen verder dacht en daardoor in de veronderstelling leefde dat nog steeds de oude ervaringen golden, terwijl het oude stramien intussen was geïnfiltreerd door geheel nieuwe ervaringen, maar die konden hun veranderende kracht pas doen gelden wanneer ze in nieuwe zinnen werden gegoten.

Terwijl Perlmann die gedachte door zijn hoofd liet gaan, schoot hem te binnen onder welke omstandigheden hij die zinnen over tegenwoordigheid, parfum en glimlach had genoteerd. Het was op een winteravond, en de drukproef van de tweede oplage van zijn meest recente boek lag in de lichtkring van de bureaulamp. Eerst was het alleen de inhoud van de tekst waarmee hij niets meer wist te beginnen. Vervolgens had het gevoel van nietszeggendheid zich over alles uitgebreid: over het papier, de vormgeving, het licht van de bureaulamp, het bureau zelf en ook zijn eigen gebogen rug. De betreffende zinnen hadden hem heel even meegevoerd naar een lichtere, vrijere ruimte, naar de troostrijke enclave van de fantasie. Tot meer was zijn protest niet in staat geweest. *Waarom niet? Waarom ben ik er nooit toe gekomen op te staan en weg te gaan?* Perlmann aarzelde. Hij wist niet of die vraag pas nu in hem opkwam of dat die hoorde bij de herinnering aan het moment waarop hij het felle licht van de bureaulamp als een marteling had ervaren.

De paar zinnen van de laatste alinea las hij met toenemende schroom, en opeens deden zijn ogen pijn, zodat hij het liefst had voorkomen dat zijn blik op het gelinieerde papier viel. *Wat mij scheidt van de ervaring van tegenwoordigheid, is als een dunne nevel, een ongrijpbare sluier, een onzichtbare muur. Ze bieden geen enkele weerstand. Er zou niets versplinteren als ik er dwars doorheen liep. Want eigenlijk is er helemaal niets tussen mij en de wereld. Eén stap zou voldoende zijn. Waarom heb ik die niet allang gezet?*

Terwijl zijn blik nog langs de woorden gleed, begon Perlmann het schrift al dicht te slaan, en de slotvraag kon hij nog net lezen door zijn hoofd scheef te houden. Toen borg hij het schrift weer op in zijn koffer en trok de riemen onnodig stevig aan.

Terwijl hij opstond viel zijn blik op de teksten van Von Levetzov, die op het bureau een hele stapel vormden. Straks zou hij *Nog negen dagen* denken, dat voelde hij al aankomen, en zijn hart begon in afwachting daarvan al sneller te kloppen. Haastig pakte hij een sigaret en smoorde die gedachte door een geforceerd geconcentreerde blik op Leskov's tekst te werpen.

Nog vijf bladzijden met herinnerde zintuiglijke indrukken, dat zag hij meteen, en dan kwam het laatste stuk, over het zich toe-eigenen van het verleden. Het schrift met zijn eigen aantekeningen had verhinderd dat hij vandaag de vertaling had kunnen voltooien, en bovendien had hij uren verknoeid door zijn poging de tekst in het Italiaans te vertalen. Een slecht geweten bekroop hem en hij verweerde zich onwillekeurig tegen die last door zichzelf wijs te maken dat zijn slechte geweten uitsluitend de vertaling betrof en niet de verzuimde lectuur voor de zitting van morgen.

Het was iets heel bepaalds wat hij zocht toen hij later, in afwachting van het effect van het slaapmiddel, in een halfslaap gleed. Hij zou het meteen herkennen; maar de abstracte indruk van iets bepaalds was niet voldoende om zomaar de deur naar het juiste segment van zijn herinneringen open te kunnen duwen. Pas nadat hij zijn geforceerde pogingen daartoe had gestaakt, was het er opeens: toen, op die eerste reis naar Venetië, had hij niet één keer aan de Mestre-zin van zijn vader hoeven denken. Verbaasd begroef hij zijn gezicht in het kussen en liet zichzelf langzaam naar de vergetelheid glijden. Op het allerlaatste moment schrok hij op, kwam half overeind op zijn ellebogen, zijn handen gevouwen, zijn beide duimen tegen zijn neuswortel. Weer worstelde hij met de afschuwelijke beelden uit Beijing, die het totaal absurd deden lijken dat iemand het belangrijk genoeg kon vinden om te weten of hij jaren geleden een keer aan een bepaalde zin had gedacht of niet. En weer liep die worsteling uit op een koppigheid die des te heviger werd naarmate het probleem vanuit het standpunt van rechtvaardiging ondoorzichtiger leek.

Uitgeput liet hij zich in het kussen vallen en gleed al snel in een droom die niet veel meer inhield dan dat hij, zwetend als tijdens een examen, naar de Chinese naam van het grote plein in Beijing zocht. De vergeefse zoektocht maakte hem zo razend dat hij het beangstigend ongrijpbare woord net zolang telkens weer in een schrift met ruitjespapier schreef tot er louter zinnen van zijn ouders kwamen te staan die hij, met de bedoeling ze door te strepen, dik onderstreepte. Ten slotte smeet hij het open schrift met de bladzijden naar beneden op de tafel en verbaasde zich dat het, hoewel het toch onomstotelijk Sandra's schrift was, een omslag had van zwart wasdoek.

16

'Signor Perlmann!' Maria hield hem tegen toen hij de volgende morgen om vijf over negen gehaast door de hal liep. 'Ik wilde alleen even weten wanneer ik kan beginnen met het uittypen van uw tekst. Het zit namelijk zo: nu de oude typemachine van signora Sand is gerepareerd, hoef ik voor haar niets meer te doen, en Evelyn, ik bedoel signora Mistral, heeft zelf een computer. Giorgio is nog niet zo ver, en toen dacht ik dat ik het u zelf maar even moest vragen. Nu zou ik namelijk tijd hebben, en ik heb gehoord dat het over tien dagen uw beurt is. Signor Millar heeft ook nog wel werk voor me, maar u komt natuurlijk het eerst aan de beurt.'

Perlmann sloot even zijn ogen en nam zijn andere hand erbij toen hij voelde hoe de stapel teksten van Von Levetzov onder zijn arm vandaan dreigde te glijden.

'Pas over veertien dagen,' zei hij toen schor, 'mijn zitting is pas over veertien dagen.'

Maria trok de gele zijden doek in de V-hals van haar glanzende zwarte jumper recht en keek hem onzeker aan. Perlmann's hart ging zo hevig tekeer dat hij ervan overtuigd was dat ze het kon horen.

'Ik laat signor Millar graag voorgaan,' zei hij ten slotte met een glimlach die net zo vreemd aanvoelde op zijn gezicht als hij zich altijd voorstelde wanneer hij een steward zag glimlachen tijdens een vliegreis.

'*Va bene*,' zei Maria aarzelend. Hij hoorde geen klikkende hakken op de marmeren vloer toen hij de gang in sloeg naar de veranda. Ze zou hem wel peinzend staan na te staren.

Von Levetzov duwde juist zijn horloge terug in zijn vestzak toen Perlmann plaatsnam. De man met het steile zwarte haar en de randloze bril, die vandaag alweer een nieuwe stropdas droeg en er meer dan ooit als een modelparlementariër uitzag, paste zo goed in de hoge, gebeeldhouwde stoel dat die speciaal voor hem leek gemaakt.

'We moeten u eerst even meedelen,' richtte hij zich tot Perlmann, 'dat we hebben besloten nu ook in de tweede helft van deze week bijeen te komen. Het leek ons opeens nogal onzinnig om de weinige tijd die we hebben te verspillen. Laura neemt het blok van donderdag en vrijdag op zich, Evelyn doet het begin van de volgende week, en u bent dan over tien dagen aan de beurt. Op die manier blijven er aan het eind een paar dagen over die we naar eigen goeddunken kunnen besteden, afhankelijk van wanneer Giorgio zo ver is. Natuurlijk alleen wanneer u ermee instemt,' voegde hij eraan toe met een uitdrukking op zijn gezicht waarin geen spoor van argwaan te bekennen viel.

Perlmann staarde voor zich uit. Evelyn Mistral's gespeelde paniek trof hem als smakeloze aanstellerij en was tegelijkertijd even onwerkelijk als een voorstelling op een plakplaatje.

'*It's okay*,' hoorde hij zichzelf met holle stem zeggen.

'*Fine*,' zei Von Levetzov, en hij begon zijn eerste tekst toe te lichten.

Uiterlijk dinsdag moet mijn tekst in de vakjes liggen. Twee dagen heeft Maria ervoor nodig. Op zaterdag werkt ze niet. Dus vrijdagochtend. Donderdagnacht moet ik de tekst klaar hebben. Nog maar vier dagen, waarvan drie halve dagen naar de knoppen zijn door de zittingen. Tweeënhalve dag, nog maar tweeënhalve dag. En de nachten. Vroeger kon ik in de stilte van één nacht een half artikel schrijven. Vroeger. Lang geleden. Pas toen hij de blikken van de collega's opving, merkte Perlmann dat Von Levetzov hem kennelijk iets had gevraagd.

'*Yes*,' zei hij voor de vuist weg, en aan de frons die Ruge trok merkte hij meteen dat dat een zinloos antwoord was. Met gloeiende wangen begon hij de tekst door te bladeren en wachtte tot Von Levetzov met een '*Well, then...*' verder ging.

Misschien wel twee uur lang hoorde Perlmann niets meer van wat zich om hem heen afspeelde. Hij had nog maar één mogelijkheid om de hem overweldigende paniek het hoofd te bieden: hij begon te werken. In zijn notitieboekje maakte hij een schematisch overzicht van alle onderwerpen waarover hij ooit had geschreven. Toen nam hij voor elk trefwoord een nieuwe pagina en noteerde alles wat hij bij het trefwoord associeerde. Met verschillende soorten pijlen gaf hij de relaties tussen de thema's aan. Er ontstond een structuur. Gaandeweg werd hij rustiger, aan de inspanning hield hij alleen een stekende hoofdpijn over. Ingesponnen in een cocon van geforceerde, flinterdunne zelfverzekerdheid stond hij opeens op, negeerde de abrupt intredende stilte en ging zonder iemand aan de kijken naar buiten.

Aspirine had ze altijd bij zich, zei Maria, en ze begon in haar handtas te graaien. Toen ze niets vond, streek ze met beide handen door haar van de lak glanzende haar en verwoestte daarbij het kuifje, dat als een klepje over haar voorhoofd stak. Na lang zoeken vond ze de aspirine onder een ordeloze stapel papier op haar bureau en bood Perlmann haar glas mineraalwater aan.

Vrijdagochtend zou ze zijn manuscript krijgen, zei hij toen hij het glas even later op een hoek van het bureau zette. De kou in zijn vingers kon niet alleen door het glas komen, dacht hij, zijn hele linkerhand was koud. Of ze er dan maandagavond mee klaar kon zijn?

Hoe lang de tekst was, wilde ze weten. De vraag bracht hem van zijn stuk, hij had heel even het gevoel te wankelen.

'Omdat de teksten van de anderen immers zo lang zijn,' glimlachte ze verontschuldigend toen Perlmann almaar niets zei.

'Vijftig bladzijden wellicht,' zei hij stijfjes, bedankte uitvoerig voor de aspirine en verliet het kantoor.

Even ging hij voor de glazen deur van de ingang staan. De hemel boven de baai, die er merkwaardig saai bij lag, leek vanochtend helemaal geen kleur te hebben. *Achter die uitstekende rots verdwijnen.* Hij wilde het niet alweer denken en dwong zichzelf terug te gaan naar de veranda.

Deze keer viel er geen stilte. Laura Sand's alt met zijn rokerige scherpte kabbelde verder. Perlmann ging zitten en bekeek zijn aantekeningen. Woorden, niets dan losstaande woorden. Hoe had hij kunnen denken dat dat gekrabbel hem kon verlossen. Om er maar helemaal over te zwijgen dat hij had beweerd aan een tekst te werken over de samenhang tussen taal en herinnering.

Nu bogen de anderen zich als op commando voorover en begonnen in de tekst van Von Levetzov te bladeren. Om niet op te vallen bladerde hij ook. Maar het ging niet: de bladzijden waren door het kopiëren nog statisch en bleven aan elkaar plakken, zodat hij telkens alleen een onhandelbaar stapeltje kon omslaan. Perlmann probeerde tevergeefs de bladzijden van elkaar af te trekken. Zijn duim, zijn afstotelijke duim, met die belachelijke ribbels op de nagel, werd in zijn pijnlijk prikkende ogen steeds groter en lelijker, alsof iemand er een genadeloos vergrootglas boven hield. Over de opzwellende duim heen nam hij de geamuseerde en honende blikken van de anderen waar, en wat hij van die blikken niet zag, voelde hij.

Dat hij de anderen de aan elkaar vastgebakken stapels papier niet in het gezicht had gegooid en dat hij ook niet met zijn voorhoofd op de tafel had geslagen, kwam hem later voor als een wonder. Iets moest op het laatste moment zachtjes hebben ingegrepen, zodat hij, uiterlijk onbewogen, een van de teksten met een zacht elektrisch geknetter uit elkaar trok en in de marge aantekeningen begon te maken.

Maar die reddende zachtheid was slechts schijn. Bij de volgende stilte nam Perlmann het woord, en wat hij toen bijna een halfuur lang tegenover de bedremmeld en bevangen zwijgende collega's uitsprak, was een furieuze, genadeloze afrekening met de hele manier van taalwetenschap bedrijven waar Von Levetzov voor stond – en niet alleen hij.

Na de eerste aarzelende zinnen, waarbij hij een paar keer zijn keel moest schrapen, sprak hij met een hemzelf verbazende rust en met een vlotheid die zichzelf als het ware van minuut tot minuut versterkte; bovendien, dacht hij, benadrukten de korte stiltes die hij liet vallen en waarin hij aan zijn sigaret trok, hoe stellig zijn overtuiging was. Hij keek niemand aan tijdens het spreken, maar hield zijn blik vlak voor zich op het roodachtige, glanzende hout van de tafel gericht. Meteen al aan het begin had hij zijn spiegelbeeld met een blad papier bedekt.

Hij had geen idee waar hij alles wat hij zei vandaan haalde. Nog nooit had hij het in de vorm van zulke expliciete, herinnerbare gedachten gedacht, en toch kwam het hem allemaal heel vertrouwd en vanzelfsprekend voor, als een overtuiging die je al je hele leven met je meedraagt. Grimmig besloot hij zich helemaal over te geven aan het verbazingwekkende proces dat opeens op gang was gekomen, net zolang als het duurde en ongeacht de reacties van de anderen. Eén keer raakte hij even de draad kwijt doordat het hem door het hoofd schoot dat dit zo'n zeldzaam moment van tegenwoordigheid zou kunnen zijn – ook al was het dan een heel merkwaardige tegenwoordigheid, omdat die niet van buitenaf, vanuit de wereld op hem toekwam, maar vanbinnen ontstond, zodat het leek alsof de tijd niet iets was wat buiten hem om en onafhankelijk van hem verliep, maar iets inwendigs, een aspect van hemzelf, dat al naar gelang de mate van vrijheid die hij het liet, zich in een rijke dan wel schamele vorm in de buitenwereld ontvouwde. Perlmann begon te duizelen bij die voorstelling, hij verhaspelde zijn zinnen en herhaalde zichzelf, en pas toen hij alle opdringerige gedachten aan de tijd woedend had verpletterd, kon hij zijn betoog weer ongestoord voortzetten.

Aan zijn aanval op de wetenschap wist hij alleen nog een corrigerende wending te geven doordat hij zijn kritiek uitdrukkelijk en met een aan zelfmoord grenzende scherpte ook op zijn eigen werk betrok. Hij wilde daarmee de indruk vermijden dat hij bezig was met een persoonlijke aanval op Von Levetzov. Toch hadden zijn woorden in feite allang niets meer met Von Levetzov te maken, ze waren tegen Brian Millar gericht, wiens naam hij evenwel geen enkele keer noemde. Terwijl hij, star naar het mahoniehout kijkend, zich Millar's gezicht voorstelde, werden zijn zinnen almaar bijtender, zijn woordkeus almaar onbeheerster, tot het ordinaire toe. Aan de randen van zijn gezichtsveld begon de wereld te verbleken en te vertroebelen, zodat hij zijn vernietigende oordelen in een rossig glanzende tunnel sprak waaruit, alsof ze tegelijkertijd van binnen en van buiten kwamen, de zin van zijn vader over Mestre en zijn eigen zin over nee-zeggen hem tegemoetkwamen. Tot zijn verbijstering merkte hij dat hij de dingen heilloos door elkaar haalde, maar er was geen houden meer aan, hij praatte en praatte, doorkliefde de lucht met zijn hand als met een hakbijl, totdat de energie van zijn vertwijfelde zelfhandhaving uiteindelijk oploste in een gevoel van uitputting.

Een tijdlang zei niemand iets. Uit de salon kwamen stemmen, en buiten was het pruttelende geluid van een bootmotor te horen die niet wilde starten. Uit zijn ooghoeken zag Perlmann bedrukt hoe Laura Sand een paar lijntjes toevoegde aan de poppetjes die ze in haar notitieboekje had getekend.

De eerste blik die hij opving was die van Silvestri. Er zat een rustige, bedroefde wakkerheid in, het was een blik waarmee je naar een verwarde of huilende patiënt keek, vrij van professionele neerbuigendheid, met een naar binnen gerichte zweem van solidariteit, en toch ook een blik die van de wil getuigde zich door niets wat je kon overkomen uit het veld te laten slaan.

Perlmann had zich graag aan die blik vastgeklampt, maar daar waren ook de anderen: Achim Ruge, die met een punt van zijn gebreide vest zijn bril schoonmaakte; Evelyn Mistral, die even een schuwe blik op hem wierp terwijl ze verlegen met de sluiting van haar witte armband speelde; Brian Millar, met resoluut voor zijn borst gekruiste armen, zijn hoofd gebogen, zijn blik gericht op zijn vingertoppen, alsof hij zijn nagels inspecteerde. En ten slotte Adrian von Levetzov, naar wie Perlmann als laatste keek, in de zekerheid dat hij iemand zo-even tot zijn vijand had gemaakt. Von Levetzov had zijn bril afgezet en liet die in de ene hand bungelen terwijl hij met duim en wijsvinger van de andere hand in zijn ogen wreef. Perlmann had hem nog nooit zonder bril gezien en schrok van de dikke wallen onder zijn ogen, die nu zichtbaar waren. Bange seconden lang, waarin hoop en angst elkaar afwisselden en van kleur deden verschieten, wachtte hij op zijn reactie.

En toen werd hij door diezelfde Adrian von Levetzov, wiens ouderwetse elegantie hij altijd ridicuul en verachtelijk had gevonden, zonder meer vernederd. Omstandig zette hij zijn bril weer op en verzekerde zich ervan dat hij goed zat door met twee vingers langs de ronde beugels achter zijn oor te glijden. Toen duwde hij, in gedachten verzonken, voorzichtig alle papieren van zich af, leunde ver achterover in zijn stoel en legde zijn handen gevouwen achter zijn hoofd – een gebaar dat Perlmann nog nooit bij hem had gezien en dat hij, zonder dat hij kon zeggen waarom, ook niet van hem had verwacht.

'Onlangs, tijdens een congres in Londen,' begon hij, en nadat hij Perlmann even had aangekeken richtte hij zijn blik over hem heen alsof hij iemand zocht bij het zwembad, 'heb ik 's avonds in het theater *Macbeth* weer eens gezien. Ik was alleen, en in de bij mij zelden voorkomende stemming mijzelf niet voor de gek houden. Ik ging helemaal op in het schitterende Shakespeare-Engels. En opeens had ik het gevoel alsof er over taal niets te ontdekken viel wat de moeite waard was, wat niet al was opgenomen in die belevenis van helemaal in de taal opgaan. Tot aan de pauze had de gedachte aan onze professie iets slaps, bijna iets belachelijks, en het scheelde niet veel of ik had mijn beroep aan de kapstok gehangen als een oude, afgedragen jas. De twee collega's die ik in de foyer tegen het lijf liep, vonden me op dat moment nogal vreemd, geloof ik. En toen was het allemaal als bij toverslag voorbij en voerde ik later in het café met mijn collega's een verhitte discussie over een nieuwe richting in ons vakgebied.'

Hij haalde zijn blik uit de verte terug en glimlachte naar Perlmann. 'Om de een of andere reden deed uw... uitval van zonet me daaraan denken,' zei hij in het Duits. 'Alleen: ik kan er niets aan doen. Ik heb onze discipline niet bedacht, nietwaar. En zo oninteressant is die nu ook weer niet; Shakespeare ten spijt. Anders had u ons toch zeker niet hiernaartoe gehaald. Toch?'

Perlmann sloeg zijn ogen neer en schudde zachtjes zijn hoofd, een hoofdschudden dat zonder duidelijke bedoeling en betekenis in een even zacht knikken overging.

Ruge maakte een eind aan de bedremmelde stilte. 'Ik wist helemaal niet dat u een zwak voor poëzie had, Adrian,' zei hij met een grijns, en hij tekende fictieve cirkels op het tafelblad.

'Ik ook niet,' viel Millar hem bij, 'en ik ben heel benieuwd hoe die andere, die veel opwindender taalwetenschap eruitziet die Phil ons volgende week ongetwijfeld zal presenteren.'

Von Levetzov pakte langzaam zijn spullen bij elkaar, stond op en bleef toen voor de tafel staan, zijn handen op de stapel boeken en papieren. Zijn blik – een zoekende blik die leek voort te komen uit een innerlijk dolen – hield hij op het parket aan de andere kant van de tafel gericht. De uitdrukking op zijn gezicht, had Perlmann het idee, nam een zelfstandigheid aan die hij bij de man nog nooit had waargenomen, en ook Evelyn Mistral hing met een blik aan hem zoals je die alleen op iemand richt die op het punt staat een volkomen onafhankelijk oordeel over een kwestie te vellen.

'Ik weet het niet, Brian,' zei hij langzaam. De glimlach waarmee hij zich tot Millar richtte, vormde een scherp contrast met de gebruikelijke voorkomendheid in zijn omgang met zijn bewonderde Amerikaanse collega. 'Daar gaat het Philipp waarschijnlijk niet om. Ik kan me indenken dat het hem daar helemaal niet om gaat.'

Hij liet nog even een vluchtige blik over Perlmann glijden en liep toen naar de deur in een houding alsof hij niet bij de groep hoorde.

Aan die houding van Von Levetzov en aan zijn laatste zin moest Perlmann de hele middag denken. Daarbij aarzelde hij tussen het beangstigende gevoel dat hij zijn evenwicht totaal had verloren, en het bevrijdende gevoel van iemand die zonder zich om de gevolgen te bekommeren een verfoeilijke mening had vertegenwoordigd en daarmee een stap dichter bij zichzelf was gekomen.

Eindelijk las hij alle teksten die hij eigenlijk die ochtend al had moeten kennen. Ze interesseerden hem niets, die teksten, die, zoals altijd bij Von Levetzov, met een barok aandoende zorgvuldigheid waren gecomponeerd. Toch dwong hij zich elke regel te lezen. Morgen wilde hij voorbereid zijn.

Maar achter die gedachte lag de wens verscholen die lange hanzeaat, in wie hij zich blijkbaar danig had vergist, in stilte voor zijn superieure reactie te danken. Ook voor het feit dat hij hem in het Duits had aangesproken. Nu hij zich dat moment weer voor de geest haalde, besefte hij dat hij de intimiteit van zijn moedertaal nooit eerder zo intens en dankbaar had beleefd. Van tijd tot tijd stelde hij zich het onbebrilde gezicht van Von Levetzov voor, dat zo merkwaardig bloot had geleken. *Opera. En altijd Mozart. Alcohol. Een actrice.*

Midden in de lectuur van de derde tekst stond hij plotseling op, schoot zijn jasje aan en liep naar Von Levetzov's kamer. Hij had geen idee hoe zijn excuus zou klinken, en om tijd te winnen hield hij zijn oor tegen de deur. Von Levetzov telefoneerde, blijkbaar met zijn secretaresse.

'Dan moeten we het hele programma omzetten,' zei hij net. 'Laat de referenten weten dat het tijdschema wordt veranderd. *All right,* dat is dat. En hoe staat het met het subsidieverzoek bij de stichting? Zo zo... ja... goed. En de drukproeven?'

Perlmann draaide zich om en ging terug naar zijn kamer. Opnieuw haalde hij zich het einde van de zitting voor de geest: Von Levetzov's zin, zijn houding. En nu die zakelijke stem, de stem van een man die helemaal in zijn wetenschap opging. Het paste niet bij elkaar. Helemaal niet.

Met veel moeite hield hij het vol tot het midden van de vierde tekst, toen gaf hij er de brui aan en ging naar de trattoria. Meteen toen hij het kralengordijn uiteenduwde, merkte hij dat hij er verkeerd aan had gedaan hiernaartoe te komen. Op het verhaal over Sandra's repetitie kon hij zich slechts met de grootste moeite concentreren en hij vergat het meteen weer. *Dinsdag, woensdag en donderdag nog. Eén hele dag en twee halve. En de nachten.*

Toen de waard hem de kroniek kwam brengen, weerde hij dat af, maar toen nam hij het boek toch aan en sloeg de zomer op waarin hij tot hoogleraar was benoemd. Aldo Moro vermoord. Sandro Pertini nieuwe president. Dood van paus Paulus VI. Verveeld sloeg hij het boek dicht.

Wat er in die tijd in de wereld was gebeurd, interesseerde hem niet. Hij zocht iets heel anders, een herinnering die aan de oppervlakte wilde komen en telkens op het laatste moment in het niets oploste. Het had te maken met de vleugel en met een vraag van de vijfjarige Kirsten.

Verloren. Ik heb verloren. Dat was het: dat was het wat hij had gedacht toen hij destijds de brief met zijn benoeming op de vleugel had gelegd en met loodzware vingers had geprobeerd iets te spelen. De kleine Kirsten met haar teddybeer in haar arm had blijkbaar al heel lang in de deuropening gestaan voordat ze vroeg waarom hij vandaag zoveel verkeerde toetsen aansloeg. *Ben je verdrietig?*

We gaan verhuizen, Kitty, naar Berlijn. Is het daar niet mooi? Jawel, kindje. Waarom ben je dan verdrietig?

Papa was verdrietig, had ze tegen Agnes gezegd, toen die buiten adem haar boodschappentassen neerzette. *Onzin,* had hij gezegd, en haar met een glimlach de brief laten zien. *Het agentschap in Berlijn is groter,* had ze lachend gezegd, en ze had hem een kus gegeven.

Dat hij opeens niets meer kon beginnen met de kroniek: het was alsof zijn veiligheidstouw van hem af was genomen. Het enige houvast dat hij nu nog had was de vertaling van Leskov's tekst, dacht hij op de terugweg, en hij had haast om op zijn kamer te komen.

Nog vijf bladzijden met de gewaagde stelling dat het vertellend herinneren ook het zintuiglijke gehalte van de herinnerde belevenis creëert. Moeizaam ploeterde Perlmann zich nog een keer door de jungle van heel speciale woorden voor zintuiglijke nuances heen, en drie uur later was hij klaar met de Engelse versie van het gedeelte dat hij gisteren rechtstreeks in het Italiaans had vertaald, met een hele reeks fouten, zoals hij nu zag. Meteen daarna kwam de nogal gezochte, gênante passage over Proust. De laatste anderhalve bladzijde over dat onderwerp waren qua woordenschat weer wat gemakkelijker; maar daar stond tegenover dat de afsluitende argumentatie dermate gebrekkig en avontuurlijk was, dat hij telkens weer controleerde of het niet aan de vertaling lag. Uiteindelijk kwam hij tot de conclusie dat Leskov gewoon broddelwerk had geleverd – hij had zijn exotische stelling over het verleden als verzinsel coûte que coûte willen doordrukken, blijkbaar was hij er hevig verliefd op geraakt.

Even na middernacht liep Perlmann door de heldere, koude nacht naar de Piazza Veneto om sigaretten te halen. Nu kwam het laatste stuk, over de toe-eigening, negen bladzijden, waarvan er zeven nagenoeg klaar waren wanneer je de problemen met het kernbegrip zelf even niet meerekende. Hij wilde het vannacht voltooien teneinde morgenmiddag aan de opzet van zijn eigen bijdrage te kunnen beginnen, zodat hij de tekst woensdag in één lange sessie af kon maken. Tegelijkertijd voelde hij een verstikkende beklemming bij de gedachte Leskov's tekst terzijde te moeten leggen en helemaal alleen overgeleverd te zijn aan de leegte in zijn hoofd. Meteen nadat hij het pakje uit de automaat had gehaald, scheurde hij het ongeduldig open en stelde toen vast dat hij geen vuur bij zich had. Huiverend van de kou rende hij terug naar het hotel.

Eerst nam hij de laatste twee bladzijden onder handen, waarvan hij nog geen Engelse versie had. Daarin gaf Leskov een samenvatting van het creëren van het individuele verleden door middel van het vertellen. En weer vermeed hij het op sluwe wijze een eenduidige positie in te nemen, door zonder enig commentaar tussen heel verschillende woorden voor creëren heen en weer te springen. Hij begon met *sozdavat'* en ging toen zonder enige toelichting over op *tvorit'*. Beide woorden werden in het grote woordenboek vertaald met *creating*. Het tweede woord was volgens de voorbeeldzinnen van toepassing op het scheppen van iets uit het niets, het werd gebruikt als er sprake was van God's schepping. Bij het eerste woord ging het meer om artistiek of wetenschappelijk creëren, dus om het scheppend werk van een kunstenaar of een wetenschapper, bijvoorbeeld het creëren van een romanpersonage. Een enorm verschil, dacht Perlmann, waar Leskov met geen woord over repte. Of leek dat alleen maar zo voor de beginneling die hij zich opeens weer voelde?

Toen kwam het begrip *izobretat'*, waarvoor *inventing*, *devising* en *designing* werd gegeven, dat dus uitvindingen betrof, maar dan in de zin van het vervaardigen van nieuwe voorwerpen – van een machine bijvoorbeeld – uit reeds bestaande materialen. Er zat zeker iets in: je verleden door het te vertellen op een heel bepaalde manier te manipuleren en daardoor in zekere zin jezelf in een vorm te gieten. Toch was dat iets heel anders dan de gedachte dat je jezelf door het herinnerende vertellen zonder meer verzon, of zelfs schiep. Maar het viel Perlmann ondanks alle aarzelingen over de juiste betekenissen op, dat Leskov het liefst vasthield aan de extreme stelling van het verzinnen, en één keer kwam dan ook *pridumat'* voor, dat met *thinking up* werd vertaald – zoals wanneer je bijvoorbeeld een excuus verzon.

De laatste zin van de tekst. In het Engels klonk die veel minder bombastisch dan in het Duits, wat vooral kwam doordat *essence* een lichtere, transparantere klank had dan het zwaarwichtige Duitse woord *Wesen* en – vermoedde Perlmann – dan het Russische *suščnost'*. En dat het bij de aard van taal hoorde dat ze de ervaring van tijd gevarieerder maakte – dat was een bewering die overeenkwam met veel van wat in zijn eigen aantekeningen stond.

Perlmann haalde het zwarte wasdoekschrift uit zijn koffer en ergerde zich eraan dat hij bij het openen van de idioot stevig aangetrokken riemen een nagel inscheurde. Hij las nog een keer door wat hij zelf over het formuleren van herinneringen had genoteerd, en toen de passages over taal en tegenwoordigheid. Op sommige plaatsen was de overeenkomst met de tekst van Leskov verbluffend. Hij stopte het schrift weer in de koffer en maakte de riemen dit keer niet vast.

Buiten hing een dikke mist, de lantaarns beneden op het terras waren alleen nog zichtbaar als een diffuse lichtkring waarin ronddrijvende nevelslierten verdwenen. Waarom had hij zich toch gedwongen gevoeld zijn aantekeningen hier en daar door het gebruik van andere talen te vervreemden? *Kun je bang zijn te dicht bij jezelf te komen?* Of had een andere angst een rol gespeeld: dat het je uitdrukken in je moedertaal, en alleen in die taal, de belevenis zou kunnen veranderen, zodat de oude manier van beleven, die je niet kwijt wilde raken, opeens zou verdwijnen?

Hoe dan ook: in het Engels kon hij zijn waarnemingen lezen alsof iemand anders ze had geschreven, iemand die weliswaar een geestverwant was, maar toch iemand anders dan hijzelf. Hij deed het raam open en voelde de koele avondlucht als vochtige watten op zijn gezicht. Ook in vreemde talen kon je je geborgen voelen als in de mist. Geen aanval die in een andere taal was geformuleerd zou hem ooit zo kunnen raken, zo diep tot hem doordringen, als een aanval in zijn moedertaal. En ook zijn eigen meest intieme zinnen raakten hem minder wanneer ze in vreemde woorden waren verpakt. Want ook tegen die zinnen moest hij zichzelf beschermen, hoe paradoxaal het ook klonk. Of zat het uiteindelijk toch nog heel anders: was het hem er juist om te doen geweest de intimiteit te vergroten door van het geheim te genieten dat hij de auteur van die aantekeningen was?

De voorafgaande, al vertaalde zinnen over de toe-eigening van het verleden, bleven onduidelijk, hoe je het ook wendde of keerde.

Opnieuw zocht Perlmann de verschillende woorden op, verdiepte zich in de voorbeeldzinnen en experimenteerde met alle mogelijke combinaties van vertalingen. Even overwoog hij voor *osvaivat'* zelfs *confer*, dat alleen onder *prisvaivat'* voorkwam; het zou goed passen bij Leskov's idee van het verzinnen. Ten slotte streepte hij de vele genoteerde alternatieven telkens op één na door en hield er een ontevreden gevoel aan over omdat het toch iets willekeurigs had.

Het lichte grijs van de schemering drong door de mist heen en de lichtcirkels rond de lantaarns kregen een verblindend witte glans. Perlmann maakte een keurig stapeltje van de met de hand beschreven bladen met de vertaling. Zevenentachtig bladzijden. Ook Leskov's tekst ordende hij en hij stopte hem in de onderste lade van de garderobekast. Toen veegde hij met zijn zakdoek het stof van het bureau en leegde de overvolle asbak. De vertaling was klaar. Zijn vertaling. Die was klaar. *Opluchting, een geslaagde zin.*

Wat beverig bestelde hij koffie en moest daarbij een paar keer zijn keel schrapen. Toen hij de koffie naar binnen goot, had hij het ondanks de helemaal opengedraaide radiator koud. Af en toe nam hij de vertaling in zijn hand en bladerde erin, zonder te lezen. Hij zou hem niet aan Agnes kunnen laten zien. Hij zou haar nooit meer iets kunnen laten zien. Om kwart voor negen waste hij zijn ogen uit, nam de tekst van Von Levetzov onder zijn arm en ging naar beneden.

17

Toen de anderen de veranda binnenkwamen en Perlmann daar al zagen zitten, onderbraken ze hun gesprek en begonnen meteen nadat ze plaats hadden genomen met hun papieren te rommelen. Perlmann knikte hen kort toe en sloeg een bladzijde om.

'Dan dus maar verder met die merkwaardige wetenschap,' zei Von Levetzov opgeruimd, en hij vatte in een paar zinnen de tekst die volgde samen.

Perlmann won de strijd tegen zijn vermoeidheid. Het duurde even voordat hij alles wat hij gistermiddag had gelezen onder de herinnering aan de nacht vandaan had gehaald; maar toen functioneerden zijn hersenen achter die vermoeidheid als een geolied uurwerk en hij bracht dingen in het midden die het verloop van de zitting voor een groot deel bepaalden. Von Levetzov verzocht hem een paar keer een argument te herhalen, en maakte dan aantekeningen. Alleen Millar keek, als Perlmann sprak, demonstratief verveeld door het raam naar de mist. Evelyn Mistral zette regelmatig haar bril af en luisterde naar Perlmann met de uitdrukking van iemand die blij is dat iemand anders van een ziekte is hersteld. Telkens als hij dat merkte, beëindigde hij zijn bijdrage eerder dan gepland.

'Nou, Perlmann, weer content met onze vrolijke wetenschap?' grapte Von Levetzov bij het weggaan.

Perlmann viel meteen nadat hij onder het dekbed was gekropen in slaap. Kitty, met de beer in haar arm, vroeg hem lispelend allemaal dingen die hij niet wist. Het enige wat hij wist was dat de vleugel niet meer op de plek stond waar hij altijd had gestaan. In Berlijn was hij intussen ook niet, daar waren alleen collegezalen met horden studenten, en als hij thuiskwam en voor de zoveelste keer in de hoge, galmende vertrekken naar de vleugel zocht, stond Agnes almaar te knikken en maakte allemaal kisten met materiaal voor haar donkere kamer open.

Het was al donker toen hij bezweet wakker werd. Het liefst was hij onder de douche blijven staan, hij draaide de kraan telkens weer open zodat het water over zijn gezicht liep en verhinderde dat hij een blik op de toekomst wierp. Eindelijk zat hij in zijn badjas aan de ronde tafel en liet zijn blik over de vertaling glijden. Hij had er niet meer aan gedacht dat er op de eerste dertig bladzijden nog een hele reeks plekken open was gebleven. Tevreden stelde hij vast dat door het werk aan de latere delen de openstaande vragen nu heel eenvoudig leken. Ten slotte streepte hij nog de opmerking *Zintuiglijk gehalte?* in de marge door en zorgde ervoor dat die niet meer ontcijferd kon worden.

Alleen de titel ontbrak nog. *Formirovanie* was *formation.* Dus: ON THE ROLE OF LANGUAGE IN THE FORMATION OF MEMORIES. Perlmann aarzelde, zocht in het Duits-Engelse woordenboek *Rolle* op en verving toen *role* door *part.* Het klonk allemaal erg houterig, vond hij, bovendien was *formation* eigenlijk te zwak met het oog op de radicale beweringen in de tekst. Was Leskov bang geworden voor zijn eigen overmoed? Zocht je *formation* op, dan kreeg je *formirovanie* en *obrazovanie* met de toevoeging (*creation*). Maar toch: *creation* was eenduidig *sozdanie* of *tvorenie*; dat waren de woorden die Leskov eigenlijk hier al had moeten invoeren. In de ingewikkelde programmatische zin waarmee hij zoveel moeite had gehad, stond tenslotte ook *sozdavat'*. Perlmann zat een poosje onbeweeglijk in zijn stoel. Toen schreef hij in blokletters helemaal boven aan de rand: THE PERSONAL PAST AS LINGUISTIC CREATION. Voor de naam van de auteur was geen plaats meer.

Om zijn provocerende optreden van gisteren nog wat meer glad te strijken, ging hij op weg naar de eetzaal. Maria zat nog aan haar bureau achter het beeldscherm. Toen Perlmann haar zag, bleef hij staan, hij wipte een paar keer op zijn hakken op en neer en ging terug naar zijn kamer. Besluiteloos hield hij de vertaling in zijn hand, rolde die half op en vouwde het stapeltje weer open. Ten slotte nam hij het weer mee.

In de hal stonden de anderen bij elkaar. Met de tekst zwaaide hij naar ze en liep toen naar Maria's kantoor.

'Ik dacht dat u me de tekst vrijdagmorgen pas zou geven,' zei Maria.

'Eh... dat is... dit is de tekst ook nog niet,' stamelde Perlmann en hij voelde zijn gezicht gloeien.

'O, dan is dit dus nog een andere,' zei ze. 'Wat zijn jullie toch allemaal ijverig!' Ze bladerde de tekst door en riep opeens: 'Daar staan zelfs een paar Italiaanse zinnen! Waarom hebt u die doorgestreept?'

'Dat... dat was maar een poging,' zei hij snel en maakte een wegwerpend gebaar.

'Wanneer moet u de tekst uiterlijk hebben?' vroeg ze, toen hij zich omdraaide naar de deur. 'In verband met signor Millar, bedoel ik.'

'Het heeft geen haast.'

Ze hechtte de bladen met een grote paperclip aan elkaar en hield de tekst een eindje van zich af. 'Leuke titel,' glimlachte ze. 'Waar wilt u uw naam hebben? Boven de titel, eronder, of pas aan het eind?'

'Geen naam alstublieft.' Het *per favore* sloeg nergens op; het was niet alleen overbodig, het klonk in zijn oren zelfs verdacht. 'De tekst is alleen voor mijzelf,' voegde hij er strak aan toe.

Ze wiegde met haar hoofd alsof ze wilde zeggen dat ze dat geen goede reden vond. '*Va bene.* Zoals u wilt. We kunnen hem altijd nog toevoegen. En hoe zit het met de andere tekst?' vroeg ze toen hij de deurklink al in zijn hand had. 'Blijft het bij vrijdagochtend?'

'Ja,' zei hij zonder haar aan te kijken.

'Overigens, Phil,' zei Millar toen Perlmann zijn lepel in de soep dompelde, 'wat Maria betreft: ze heeft me gezegd dat ze tot donderdag de tijd heeft om voor mij te werken. Maar ik denk dat dat een misverstand is. Uw tekst zou ze onmogelijk in twee dagen klaar kunnen hebben. En zonet zag ik u haar de tekst overhandigen. Geen probleem dus. Dan moet Jenny de klus maar klaren zodra ik weer terug ben.'

Perlmann brandde zijn tong en zijn keel aan de soep. 'Eh... nee, nee, u kunt...' begon hij en hij sloot zijn ogen tot het brandende gevoel over zijn hoogtepunt heen was. Hij hoestte en veegde de tranen uit zijn ogen. 'Ik bedoel... ja, bedankt.'

Millar keek hem peinzend aan. '*You okay?*'

Perlmann knikte en moest nog een keer over zijn ogen vegen. Hij was blij dat daarna elke hap hem bij het slikken pijn deed. De pijn was iets waarmee hij zich kon bezighouden terwijl de anderen een hele reeks collega's hekelden die de laatste tijd zo goed als niets hadden gepubliceerd.

'Vandaag heb ik weer eens gemerkt hoe nauwkeurig u leest,' zei Von Levetzov plotseling tegen hem.

Perlmann liet het ijs smelten op zijn tong en slikte het steeds in kleine porties door. Hij had het destijds vreselijk gevonden hoe zijn moeder na zijn amandeloperatie van haar rol als verpleegster had genoten.

'Terwijl we gisteren toch de indruk hadden dat hij het hele gedoe haat,' kirde Ruge. Hij likte ongegeneerd de slagroom van zijn bovenlip.

Perlmann dacht aan zijn kleine kinderkamer met het bloemetjesbehang en wist een onbestemd glimlachje te produceren.

'Overigens was er zondag in onze kerk inderdaad weer een trouwpartij,' zei Evelyn Mistral toen ze later samen de trap op liepen. 'Deze keer ben ik naar binnen gegaan. Een heel bijzonder interieur. Allemaal guirlandes met gekleurde lichtjes. Het heeft iets sprookjesachtigs. Zullen we er zondag heen gaan? Nu je toch klaar bent met je tekst?'

Perlmann zei niets.

'Nou ja, we zien wel,' ging ze verder en raakte even zijn arm aan. 'Je ziet eruit alsof je de afgelopen dagen constant hebt doorgewerkt. Slaap maar eens lekker uit.'

Ze was al de gang naar haar kamer in gelopen maar kwam nog een keer terug. 'Maria heeft vanmiddag een exemplaar van mijn tekst voor jou uitgeprint. Het ligt in je vakje. Wil je me laten weten wat je ervan vindt? Vooral over die kwestie waar we onlangs in het café over hebben gesproken.'

'Ja... natuurlijk,' zei Perlmann en hij maakte halverwege de trap rechtsomkeer.

Nu pas besefte hij dat hij al dagen niet meer in zijn vakje had gekeken. Giovanni overhandigde hem een dikke stapel papieren. Ook Laura Sand's tekst voor donderdag zat ertussen, en twee brieven van mevrouw Hartwig.

'Veel te lezen,' grijnsde Giovanni, die in een tijdschrift had staan bladeren. Perlmann liep zwijgend naar de lift.

Hij had zijn papieren nog niet op het bureau gelegd of de telefoon ging.

'Stel je voor, het is gelukt!' zei Kirsten. 'Eerst fronste Lasker weliswaar zijn voorhoofd en frummelde nog vaker dan anders aan zijn strik. Nog een geluk dat Martin erbij was. Maar toen ik de ene algemene bewering na de andere uiteenrafelde, kreeg die ouwe toch een oplettende blik in zijn ogen en begon hij in de tekst te bladeren. Toen kreeg ik echt de geest en werd steeds brutaler. Zelfs van de bewering dat elementen van het ene verhaal telkens in het andere verhaal terugkomen, heb ik geen spaan heel gelaten. En ten slotte heb ik, hoewel dat niet eens in mijn aantekeningen stond, nog aangetoond dat de romantiek in de beide verhalen van heel verschillende aard is. Toen begon ik wel wat te haperen. Maar aan het eind kreeg ik veel bijval van de zaal, en toen zei Lasker op die knorrige toon van hem: "Helemaal niet gek, juffrouw Perlmann, helemaal niet gek." Ongelooflijk: *juffrouw* Perlmann! Hij is zo'n beetje de enige die denkt dat hij zich zoiets nog kan permitteren. Maar dat commentaar, daar ben ik intussen achter gekomen, was uit zijn mond een geweldige lof. Stel je voor, de grote Lasker! Papa, ik ben helemaal high!'

Ze ratelde maar door, en pas aan het einde wist hij zich te herinneren dat haar referaat over Faulkner's *The Wild Palms* was gegaan.

'Ben je dan helemaal niet blij?' vroeg ze, toen hij niet meteen iets zei.

'Jawel, jawel, natuurlijk ben ik blij met je succes,' zei hij stijfjes, en al voordat hij zijn zin had voltooid, overviel hem een vreemde paniek: voor het eerst in zijn leven vond hij niet de juiste toon in een gesprek met zijn dochter.

'Dat klinkt nogal formeel,' zei ze onzeker.

'Zo was het niet bedoeld,' zei hij en hij vervloekte zijn krampachtigheid.

Ze vermande zich hoorbaar en vond haar opgewekte toon weer terug. 'Wanneer ben jij aan de beurt met je referaat? Ik bedoel, je voordracht?'

'Halverwege volgende week.'

'Wanneer precies?'

'Donderdag.'

'Hoelang duren jullie zittingen eigenlijk?'

'Drie, vier uur.'

'Lieve help, dat is twee keer zo lang als onze werkgroepbijeenkomsten. En dan moet jij de hele tijd praten?'

'Nou ja...' zei hij zo zachtjes dat ze het niet verstond.

'Wat zei je?'

'Niets.'

'Papa?'

'Ja?'

'Is er iets? Je klinkt zo ver weg.'

'Niets. Er is niets, Kitty.'

'Zo heb je me al heel lang niet meer genoemd.'

Perlmann voelde hoe zijn gezicht verviel. 'Slaap lekker,' zei hij vlug en hing op. Toen begroef hij zijn gezicht in het kussen. Pas na bijna een uur kleedde hij zich uit en doofde het licht.

Morgen. Morgen moet ik het voor elkaar krijgen. In gedachten rekte hij de uren van de volgende dag uit tot hij een stil stuk tijd voor zich zag dat steeds meer op een kaarsrechte, fantastisch brede en lege straat ging lijken waar doorheen je in de zinderende hitte op een wazige, okerkleurige horizon af reed.

18

Even na zessen werd hij wakker met de zekerheid dat hij op stel en sprong naar huis moest om zich ervan te vergewissen dat niet alles wat hij tot dusver had geschreven, bedrog was. Zonder te douchen schoot hij zijn kleren aan, ging na of hij papieren, geld en de sleutel van zijn woning bij zich had, en sloop de kamer uit als iemand die op de vlucht sloeg.

Giovanni had zitten dommelen, keek hem aan alsof hij een spook was en vergiste zich twee keer in het nummer voordat hij een taxi te pakken had. Pas toen hij achter in de wagen zat, merkte Perlmann hoe kapot hij was. Hij ging languit op de achterbank liggen en na een poosje schoot hem de droom weer te binnen die hem ongemerkt in zijn greep had gehouden. Het meest opvallende en beklemmende eraan was het wrijven van zijn vochtige duim over de kleine lei in de houten lijst – een gebaar dat bij hem leek te horen als een lichamelijk gebrek. Telkens weer veegde hij de mislukte omrekeningen van Réaumur in Fahrenheit uit en staarde naar het schoolbord, dat hij vanaf de eerste rij bijna kon aanraken als hij zijn arm uitstak.

‘Wie heeft er niets?’ schreeuwde de man met de knobbelneus en de bloes met de openstaande kraag. Perlmann stak zijn vinger niet op en hield op met ademen, terwijl zijn hart oorverdovend luid sloeg – tot het opeens ophield met kloppen op het moment dat hij de rimpelige arm van de man van achter zich in zijn gezichtsveld zag komen en hij de korte, knobbelige vingers naar zijn lege lei zag grijpen.

Perlmann richtte zich op en vroeg de chauffeur om een sigaret. Het was een spreekwoord waarmee de leraar hem destijds met een voldaan lachje dodelijk had beledigd. Maar het wilde hem niet meer te binnen schieten.

Toen hij de hal van de luchthaven binnenkwam, was het kwart over zeven. De eerste vlucht naar Frankfurt vertrok om kwart voor negen. Hij kocht sigaretten en dronk een kop koffie. Terwijl hij wachtte tot hij een ticket kon kopen, voelde hij zich onveilig omdat hij niets bij zich had om te lezen.

Het toestel steeg de stralende hemel in, en als je je ogen halfdicht deed, versmolt dat stralende licht met de zilveren glans van de vleugel. Toen de stewardess kranten ronddeelde, had Perlmann opeens het gevoel dat hij uit de nachtmerrie van het hotel was ontwaakt en weer in de normale wereld was teruggekeerd. Gretig las hij de krant en een tijdlang slaagde hij erin – als het ware op de achtergrond van het lezen – zichzelf wijs te maken dat alles voorbij was en dat hij definitief naar huis vloog. Maar zodra het toestel in het wolkendek dook, dat hij nu pas opmerkte, stortte dat drogbeeld in, en wat overbleef was de wanhopige gedachte dat hij nu ook nog de laatste dag verspilde waarop hij had kunnen schrijven, en dat hij die verspilde aan een reis die de meest zinloze was die je kon bedenken.

Het landschap dat onder de wolken zichtbaar werd, lag onder een laag sneeuw. Daar had hij niet op gerekend, en zijn eerste opwelling was het vliegtuig tegen te houden en om te keren. Hij vergat voor de landing zijn gordel om te doen en kreeg van een barse stewardess op zijn kop. Toen de motoren met een gierend geluid tot stilstand kwamen, was hij het liefst blijven zitten, als op de eindhalte van een tram.

In de grote hal kwam hij langs de kiosk met boeken en tijdschriften, en zijn blik viel op de naam LESKOV. Hij schrok als iemand die bij een verboden actie in het donker plotseling midden in de schijnwerpers komt te staan. Vlug liep hij naar het rek waar het boek in stond. Op het omslag stond het fragment van een schilderij dat de Paleiskade in Sint-Petersburg voorstelde, gezien vanaf de Petrus-en-Paulusvesting, met op de voorgrond de Neva. Op de plaats die de schilder het gunstigst had geleken, hadden ze gestaan, hij en Leskov. Perlmann had de indruk dat het werkelijk precies dezelfde plek was. Daar was het geweest dat hij Leskov tegen zijn wil over Agnes had verteld terwijl de kou hem bijna de adem benam.

Opgewonden sloeg hij het boek open en las de titels van de verhalen. *Daar heeft hij helemaal niets over gezegd.* Toen hij het boek besluiteloos in zijn hand hield en een eerste poging deed zijn verrassing te verwerken, zag Perlmann het eindelijk: de auteur was natuurlijk Nikolaj Leskov, van wie hij weliswaar nog nooit iets had gelezen, maar die hij als een beroemde naam in de Russische literatuur kende. Geïrriteerd zette hij het boek terug. *Alsof iemand wiens boeken worden vertaald en die hier worden verkocht, de materiële zorgen had van Vasili Leskov!*

Maar eigenlijk gold zijn irritatie niet zijn gedachteloosheid. Waar hij zich op weg naar de uitgang steeds meer aan ergerde, was de opwinding die het zien van de naam hem had bezorgd. Alsof hij die Vasili Leskov iets ergs had aangedaan met zijn vertaling. Waarom had hij zich betrapt gevoeld?

Hij liep door de automatische schuifdeur de bijtende kou in en botste bijna tegen de decaan van zijn faculteit op.

'Perlmann! Ik dacht dat u in het zachte zuiden zat! In plaats daarvan staat u hier in uw zomerse pak te bibberen in onze veel te vroeg ingevallen winter! Is er iets aan de hand?'

'Wat zou er al aan de hand zijn,' lachte Perlmann geïrriteerd. 'Ik moet hier even iets regelen, vanavond ben ik weer in het zuiden.'

'Overigens wordt er gefluisterd dat u een uitnodiging krijgt van Princeton. Alvast mijn felicitaties. Iets van die eer straalt ook op onze hele faculteit af!'

'Daar weet ik niets van,' zei Perlmann, en de ferme toon van zijn stem gaf hem een beetje zekerheid terug. Hij had het koud.

'U heeft het koud,' zei de decaan. 'Ik zal u niet langer ophouden. Na de Kerst zult u de faculteit ongetwijfeld uitvoerig verslag doen, nu we u immers midden in het semester verlof hebben gegeven. Niet iedereen was het daarmee eens, wat ook goed te begrijpen is.'

Twee keer stopte de taxi voor een stoplicht pal voor de etalage van een boekhandel. Beide keren viel Perlmann het boek van Nikolaj Leskov op, en hij kookte van woede bij de ontdekking dat hij erop reageerde alsof het een opsporingsfoto van hemzelf betrof. Tot ergernis van de chauffeur draaide hij het raampje helemaal open en snoof de koude lucht diep op.

Zijn brievenbus zat vol met reclamefolders, de ijskoude woning rook muf en vreemd. Het eerste moment had hij het gevoel een indringer te zijn die niets mocht aanraken. Toen deed hij de balkondeur open en zette met zijn zomerschoenen twee knersende stappen in de sneeuw.

Hij trok een dikke trui aan. De radiatoren draaide hij niet open. Wonen kon hij hier nu niet.

Hij lag op zijn buik voor de open kist en las in de boeken die hij had gepubliceerd. Zo had hij voor het laatst als jongen op de grond gelegen, en in weerwil van zijn beklemming genoot hij van die ongebruikelijke houding.

Hij was verbaasd over wat hij las. Niet alleen over wat hij ooit allemaal had geweten, gedacht en becommentarieerd. Ook zijn taal verraste hem, zijn stijl, die hem de ene keer beviel en vervolgens toch weer helemaal niet, die hem dan heel vreemd voorkwam. Hij las geen enkele tekst helemaal, maar woelde hectisch door de stapel overdrukken, nu eens het begin van een tekst lezend, dan weer een inleiding, soms ook alleen een paar willekeurige zinnen. Wat zocht hij? Waarom was hij hierheen gekomen? Het was toch waanzinnig te denken dat hij er op die manier achter kon komen of hij iets van een ander had gepikt. En waarom eigenlijk die verdenking, die eerder nooit in hem zou zijn opgekomen? Alles was immers uiterst nauwgezet verantwoord, de literatuurverwijzingen besloegen telkens vele pagina's.

Aarzelend stak hij een sigaret op en liep naar de keuken om koffie te zetten. Het brood in de broodtrommel was keihard. Hij nam de kan koffie mee naar de woonkamer. Vanaf de zitbank keek hij naar buiten, waar sneeuw neerdwarrelde. Die witte coulisse was zo vreemd dat je je onmogelijk kon voorstellen dat die met de baai voor het hotel in één en dezelfde tijd was verenigd. Hij verzette zich tegen de witte wereld buiten en zocht zijn toevlucht op het hotelterras, bij de scheefgegroeide pijnbomen, de rode stoel bij het raam, de rij lichtjes van Sestri Levante. Maar over die beelden heen lag een troebele film van angst en beklemming. Hij reinigde de beelden zo zorgvuldig van die film tot alleen nog Evelyn Mistral's stralende lach, Silvestri's slanke, witte hand met de sigaret, Ruge's goedmoedige hoofd en Millar's stevige handdruk overbleven. En heel veel kleuren in eindeloos vele tinten.

Het geluid van de telefoon deed hem opschrikken. Hij stootte met zijn arm tegen de koffiekan en zag verlamd van schrik toe hoe de bruine vloeistof door het lichte vloerkleed werd geabsorbeerd. Na een poosje ging de telefoon opnieuw. Hij bleef heel lang overgaan. Hij telde de keren, zonder enige reden. Bij de veertiende keer sprong hij overeind. Toen hij opnam, was de verbinding al verbroken.

Langzaam bracht hij de kan en het kopje naar de keuken en waste ze af. Het was even voor drieën. Het vliegtuig vertrok pas om zes uur. Hij ging op het uiterste randje van de pianokruk zitten en deed de klep open. Nee, aan de aanslag kon het niet liggen, en een trucje met de pedalen kon het ook niet zijn. Hoe speelde Millar het toch klaar dat bij hem de opeenvolgende klanken zo'n merkwaardige gelijktijdigheid van de beleving bewerkstelligden? Toen hij de klep weer dichtdeed, zag hij de sporen van zijn vingers in het stof. Hij wiste ze weg.

Op de vensterbank bij het bureau stond een foto van Agnes, een ernstige foto waarop ze haar kin op haar hand liet rusten. Hij vermeed haar blik en stond weer op. Er was iets tussen hen in gekomen. Zij had geen eerzucht gekend, niet in de conventionele zin van het woord. En toch: zou ze hebben begrepen wat er daarginds met hem gebeurde? En zou hij de moed hebben gehad het weinige aan haar toe te vertrouwen dat hij er zelf over wist?

Aarzelend liep hij naar haar kamer, waar het nog kouder leek. Hij liet zijn blik langs de foto's glijden die ze had gemaakt. Het was krankzinnig: natuurlijk had hij altijd geweten dat het zonder uitzondering zwart-witfoto's waren. Hij was immers niet blind. Maar nu pas besefte hij werkelijk wat dat wilde zeggen: er stonden geen kleuren op. Helemaal geen. Geen ultramarijn, geen Engels rood, geen magenta of sanguine.

Ik heb de namen onthouden. Hij had pijn in zijn maag.

Nu viel zijn blik op het tweedelige Duits-Russische woordenboek dat Agnes op een keer na lang zoeken triomfantelijk had meegebracht naar huis. Hij zocht op: *overschrijven (huiswerk, som): spisyvat'. Spieken.* Langzaam trok hij de deur, die hij open had laten staan, achter zich dicht.

In Kirsten's kamer wierp hij alleen een korte blik. Sinds september stond daar nog maar de helft van haar meubels. De andere waren in Konstanz. De teddybeer had ze meegenomen, de giraffe niet. De dag dat ze vertrok, was hij vroeg naar het instituut gegaan en 's avonds pas heel laat, nadat hij naar de bioscoop was geweest, thuisgekomen. Pas de dag daarna had hij de moed gehad de deur van haar kamer open te doen.

Perlmann gaf de taxichauffeur het adres op van zijn huisarts. Zonder herhaalrecept zou hij niet voldoende slaappillen hebben. De praktijk was wegens vakantie gesloten en de assistente van de plaatsvervanger was onverbiddelijk: nee, geen recept zonder overleg met de arts, en die legde de hele middag visites af. Woedend nam Perlmann een taxi naar de luchthaven. Toen hij de hal betrad, was van zijn woede alleen nog een machteloos gevoel overgebleven. *Ik kan toch onmogelijk Silvestri erom vragen.*

Maar de verhalen van Nikolaj Leskov hadden helemaal niets met hem te maken, probeerde Perlmann zichzelf te overtuigen terwijl hij met het boek in zijn hand voor de kassa stond te wachten. Toch sloeg hij het boek meteen open toen hij in de wachtruimte zat en begon hij opgewonden te lezen, alsof het om een geheim document ging. Ook op weg naar het vliegtuig hield hij het boek voor zijn neus en in het toestel ging hij eerst op een verkeerde plaats zitten.

Was dit een tekst die je van die vormeloze man in zijn sjofele loden jas kon verwachten? De man die voortdurend liep te snuiven, met zijn bontmuts, zijn pijp en zijn bruine tanden? Perlmann vergeleek de tekst met de zinnen van zijn vertaling, geconcentreerd en zonder er een idee van te hebben hoe je zo'n vraag, over de grenzen van literaire genres heen, kon beantwoorden. Ze waren allang boven de wolken toen het hem eindelijk lukte de dwang van die absurde bezigheid van zich af te schudden. Meteen nadat hij het boek had dichtgeslagen en in het netje in de rugleuning van de stoel vóór hem had gestopt, was hij al vergeten waar het eerste verhaal over ging.

'Niet spannend genoeg?' vroeg de gezette man naast hem, die een pulproman zat te lezen, met een joviale glimlach.

Een laatste restje licht hing boven de wolkenzee. Perlmann deed het leeslampje uit en sloot zijn ogen. Ja, dat was het: Agnes had hem op de foto aangekeken alsof ze zijn gedachten kon lezen, ook de gedachten die hij zelf nog niet kende. Hij probeerde haar blik van zich af te zetten door zich haar levendige gezicht voor de geest te halen, een lachend gezicht, een gezicht in de wind, omgeven door wapperend haar. Maar hij kon die herinnering niet vasthouden en ze werd verdrongen door beelden van zijn schoollokaal, waar achter een op een verhoging geplaatste lessenaar de man in de immer gelijke bloes met de artistiek openstaande kraag zat en op blaffende toon en vochtig articulerend de namen van de leerlingen oplas. En opeens was het er, het spreekwoord: *Eerlijk duurt het langst, nietwaar, Perlmann!*

Perlmann vroeg de stewardess om een glas water en negeerde de nieuwsgierige blik van zijn buurman door opnieuw zijn ogen te sluiten. Misschien was het destijds bij de repetities Latijn en Grieks ook wel zonder het spiekbriefje onder zijn bank goed gegaan. Maar hij had het er niet op gewaagd. Want eigenlijk had hij altijd moeite gehad met vreemde talen. Van een bijzonder talent was bij hem geen sprake. Bij hem was het nu eenmaal niet zoals bij Luc Sonntag, die ook de meest ingewikkelde ablatiefconstructies meteen snapte, ook al zat hij voortdurend achter de meisjes aan. IJverig was hij wel, en grondig – zo grondig dat Agnes regelmatig de kamer uit was gevlucht omdat ze zijn bijzondere manier van grondig zijn beangstigend vond. Toen had hij zich nog dieper vastgebeten in zijn stellige overtuigingen en zich helemaal op zijn talenstudie geworpen, in de hoop later plezier te kunnen beleven van zijn nieuw verworven kennis.

Daar was hij goed in, dacht hij, misschien was dat wel het enige waar hij werkelijk goed in was: met ongehoorde vasthoudendheid een inspanning leveren om een ver in het verschiet liggend doel te bereiken, omwille van een toekomstige vaardigheid die hem ooit gelukkig zou maken. Het vermogen iets uit te stellen, geluk op te schorten, beheerste hij in duizend varianten, zijn vindingrijkheid was onuitputtelijk wanneer het erom ging steeds meer dingen te bedenken die hij moest leren om goed toegerust te zijn voor zijn toekomstig gevoel van tegenwoordigheid. En zo had hij zichzelf systematisch, onovertroffen grondig, van het acute gevoel van de tegenwoordigheid der dingen beroofd.

Toen het toestel landde, had hij het gevoel dat daardoor iets werd bezegeld, ook al kon hij niet zeggen wat het was. De dikke man naast hem vouwde een ezelsoor in de bladzijde en stak het boek in zijn zak. 'Is het zo slecht?' vroeg hij grijnzend toen hij zag dat Perlmann zijn boek opzettelijk in het netje liet zitten.

Bij het industriecomplex in de buurt van het vliegveld stegen witte rookzuilen op in de al donkere lucht. Met zware stappen liep Perlmann van het vliegtuig naar het rode gebouw. Toen hij zijn paspoort terugkreeg van de douanebeambte, werd hij opeens door de gedachte overvallen: *Hier kom ik misschien niet meer levend vandaan.* In de taxi verzocht hij de chauffeur de muziek harder te zetten. Maar af en toe flakkerde die gedachte toch weer op. Toen hij de hal van het hotel betrad, was hij blij met het simpele '*Buona sera*' van signora Morelli, en vanavond stoorde het hem niet dat iemand intussen het licht in zijn gang weer in orde had gebracht.

Doodmoe ging hij op bed zitten en staarde minutenlang naar de stapel teksten van Evelyn Mistral en Laura Sand en de post van mevrouw Hartwig. Zijn gevoel van uitputting maakte plaats voor onverschilligheid, en nu interesseerde hem alleen nog zijn honger. Hij nam vlug een douche en ging naar beneden om te eten. Zwijgend, als iemand die alles had opgegeven, werkte hij het eten naar binnen en antwoordde op vragen met de milde vriendelijkheid van iemand die herstellende is van een ziekte.

Later lag hij in het donker nog lang wakker, zonder iets te denken. Iets uitrekenen hoefde niet meer. Hij zou Maria vrijdag geen tekst kunnen geven. De inspanning was voorbij. Alles was voorbij. Toen hij de werking van de slaappil begon te voelen, gaf hij eraan toe en liet zich vallen.

19

De zitting van Laura Sand liep van begin af aan beter dan alle voorafgaande. De veranda was verduisterd en de projector wierp filmbeelden op een doek dat een beetje scheef aan de standaard hing. Het betrof tamelijk lange reeksen beelden waarin dieren gedrag vertoonden dat moeilijk anders dan als symbolisch kon worden opgevat. Met korte tussenpozen steeg in de lichtbaan van de projector sigarettenrook op. Laura Sand's stem klonk merkwaardig zacht, en daardoor af en toe verlegen, waardoor ze regelmatig een populaire uitdrukking door haar betoog mengde. Het was overduidelijk dat ze van niets zoveel hield als van dieren. Herhaaldelijk liet ze een reeks beelden een paar keer achtereen zien om op een observatie attent te maken of om haar betoog kracht bij te zetten. Maar ze herhaalde ook fragmenten waarin de bewegingen van de dieren alleen maar grappig waren. 'Nog een keer!' riep Ruge een keer bij zo'n fragment, en tot Perlmann's verbazing viel zelfs Millar hem bij: 'Ja! Waar blijft de vertraagde opname?'

Perlmann was blij dat hij in het donker zat. Na het derde aspirientje, dat hij zo onopvallend mogelijk in zijn mond stopte en met koffie wegspoelde, ging zijn hoofdpijn langzamerhand over, en hij vluchtte de uitgestrekte steppelandschappen in die de achtergrond van veel opnames vormden. Vaak had Laura Sand het niet kunnen laten virtuoos met de belichting te spelen, zodat dieren zich in het tegenlicht bewogen als figuren in een schaduwspel. En hier en daar had de camera het gewonnen van de discipline waar het onderzoek om vroeg, en streek dan over het lege landschap dat in de gloeiende hitte van een namiddag zinderde. Op zulke momenten slaagde Perlmann erin te vergeten dat over exact een week hij het was die de groep moest toespreken.

Toen de zonweringen weer omhoog gingen en iedereen zich in het matte licht van een regenachtige dag in de ogen wreef, was het al over twaalven. Meteen brandde een discussie los over de beginselen waardoor Laura Sand zich bij haar observaties had laten leiden. Ook Perlmann mengde zich in het debat en verdedigde de uitgangspunten met nog meer verve dan Evelyn Mistral. Alles wat hij erover zei stond in krasse tegenspraak met wat hij in zijn artikelen placht te beweren, en meer dan eens trok Millar vol ongeloof zijn wenkbrauwen op. Ze hadden nog geen kwart van Laura Sand's teksten besproken toen het al tijd was voor de lunch.

'U was vandaag dus in de bioscoop!' lachte Maria toen Perlmann haar tegenkwam voor de deur van haar kantoor. 'Overigens heb ik signor Millar uitdrukkelijk opnieuw medegedeeld dat uw tekst, zoals u me hebt gezegd, kan wachten. Maar toen wilde hij toch weer niet dat ik zijn spullen uittypte, ik begreep niet waarom.' Ze glimlachte koket en wierp een blik op haar spiegelbeeld in de glazen deur. 'Toen ben ik eerst maar even naar de kapper gegaan en daarna ben ik aan uw tekst begonnen, die me heel goed bevalt – als ik dat zo mag zeggen. Ik leg die dan wel terzijde wanneer u mij morgen die andere tekst, die meer haast heeft, komt brengen. *Va bene?*'

Perlmann knikte en was blij dat Von Levetzov opdook en hem meetroonde naar de eetzaal.

'Heb je al een blik kunnen werpen op mijn argumenten?' vroeg Evelyn Mistral hem bij het dessert.

'Jazeker,' zei hij en hij schraapte het laatste restje pudding uit het schaaltje terwijl hij zich koortsachtig afvroeg hoe ze hem haar probleem destijds in het café had beschreven.

'En? Je kunt het me rustig zeggen als je het onzin vindt,' zei ze met een geforceerde glimlach.

'Nee, nee, geenszins. Het idee om de samenhang te vinden door van de principes uit te gaan, vind ik goed.' Hij had de zin nog niet afgemaakt of hij besefte dat hij het in feite over het argument had die de vier zinnen van Leskov's tekst bevatten en die hem zo veel moeite hadden gekost.

Evelyn Mistral draaide haar lepel doelloos rond in het schaaltje. 'Zo, ja. Dat is eventueel ook een idee,' zei ze ten slotte en wierp hem een verlegen blik toe.

'Ik... ik zal me er vanmiddag nog een keer over buigen. Er is... zo weinig tijd voor alles.'

Iets in zijn schorre stem moest haar zijn opgevallen. Haar gezicht ontspande zich. 'Is goed,' zei ze, en ze legde even haar hand op zijn arm.

Later, op zijn kamer, probeerde Perlmann zich tevergeefs op de teksten van Evelyn Mistral en Laura Sand te concentreren. Hij had zichzelf gedwongen ten minste dát te doen. Als hij morgen kon laten zien dat hij in elk geval op die manier iets had uitgevoerd, zou hem dat een beetje beschermen tegen wat hem verder te wachten stond. Maar met wat hij las, verging het hem precies zo als tijdens de vlucht hierheen: alsof hij opeens blind was geworden voor betekenissen drongen de teksten niet tot hem door en vervlakten ze voor zijn ogen tot onbetekenende ornamenten.

De uren daarna wandelde hij langzaam en doelloos door de stad. Bij de kantoorboekhandel waar hij de kroniek had gekocht, was de etalage ingrijpend veranderd. Het irriteerde Perlmann dat die verandering hem uit zijn evenwicht bracht; pas een paar straten verderop lukte het hem het allemaal van zich af te zetten.

Complete onzin, zei hij telkens weer tegen zichzelf zodra hij merkte hoe iets in hem hardnekkig probeerde de kroniek er de schuld van te geven dat hij zich in het nauw gedreven voelde. Aan de tapkast van een bar waar hij alleen koffie dronk, hield dat gevecht eindelijk op. Het wolkendek was opengebroken, in de plassen op straat glansde de zon, en opeens leek het leven buiten weer vaart en kleur te krijgen. Perlmann hield zijn gezicht in de stoffige bundel zonnestralen die door de smalle glazen deur naar binnen viel. Heel even ervoer hij een verboden geluk, zoals vroeger wanneer hij spijbelde, en toen de zon weer verdween, klampte hij zich uit alle macht vast aan dat gevoel, dat gaandeweg zwakker werd en ten slotte werd verdrongen door zijn met moeite in bedwang gehouden angst, die bij het sombere licht paste dat nu weer in de bar hing.

Vooralsnog hoefde hij alleen iets tegen Maria te zeggen. De collega's zouden pas maandag bij hem informeren waar zijn tekst bleef, en echt ernstig werd de situatie pas op woensdagochtend. Een klein beetje wist Perlmann door die gedachte zijn angst te beteugelen, en hij zette zijn wandeling door smalle zijstraten voort.

Hij was al vroeg in de trattoria. De waardin bracht hem de kroniek en vertelde opgetogen dat Sandra's tekeningen die ochtend hogelijk waren geprezen door de tekenleraar. Ze had haar dochter daarom maar toegestaan samen met andere meisjes naar Rapallo te gaan. Perlmann bracht met moeite een glimlach op en propte de spaghetti naar binnen, die hij vandaag nogal papperig vond. De vraag van de waard waar hij de afgelopen twee dagen was gebleven, irriteerde hem, en hij deed alsof hij hem niet had gehoord.

Met zijn belangstelling voor de kroniek was het nu definitief voorbij, stelde hij al bladerend vast. Juist toen hij het boek wilde dichtslaan, viel zijn blik op een schilderij van Marc Chagall. Op de slechte, sterk verkleinde reproductie had het blauw veel van zijn stralende intensiteit verloren. Toch had Perlmann meteen gezien dat het om het blauw van Chagall moest gaan. De afbeelding hoorde bij het bericht over de dood van de schilder. Perlmann sloeg het boek weer helemaal open en las de tekst. Er was iets met die datum, maar het onttrok zich aan zijn herinnerende blik en bleef ver weg in de periferie van zijn bewustzijn, ongrijpbaar als de herinnering aan een herinnering. Met de kleuren van Chagall had het niets van doen, dat wist hij zeker. Dat onderwerp had hij sinds jaren gemeden om Agnes' harde oordeel erover niet nog een keer te moeten aanhoren. Eigenlijk was het destijds helemaal niet om Chagall gegaan, bedacht hij. Dat hij zich opeens heel erg alleen had gevoeld, was door iets anders gekomen. Maar achter zijn gesloten oogleden wilde er niets opduiken dat zou kunnen verklaren waarom de teleurstelling van destijds zo nauw verbonden leek met zijn angst van nu.

De herinnering kwam pas toen hij in het hotel voor de televisie zat, even alleen en wanhopig als destijds in de woonkamer nadat hij zijn lezing had afgezegd. *Als je het nodig vindt*, was het eerste wat Agnes had gezegd toen hij haar, hoewel er al geen enkele andere mogelijkheid meer was, had gevraagd wat ze ervan vond. En toen ze zag hoe gekwetst hij keek: *Nou ja, waarom ook niet. Dat kan immers iedereen overkomen.* Maar de nonchalante toon en het wegwerpende gebaar dat ze maakte, had haar teleurstelling niet kunnen verbergen: haar man, een rijzende ster in zijn vakgebied, had de feestelijke toespraak die hij in de aula van de universiteit zou houden, niet voor elkaar gekregen, hoewel hij er al dagenlang tot diep in de nacht aan had gewerkt.

Maar het ergste was dat Kirsten, die toen twaalf was, had gehoord dat hij de toespraak telefonisch had afgezegd met het smoesje dat hij ziek was. *Maar je bent toch helemaal niet ziek, papa. Waarom heb je gejokt?* Dat was de enige keer dat hij zijn dochter ver weg had gewenst en heel even zelfs had gehaat. Hij was naar de woonkamer gegaan en had tegen zijn gewoonte in de deur dichtgedaan. En toen meldde het televisiejournaal de dood van Chagall. Het kerkraam dat bij het bericht werd vertoond had hij met een hartstocht bekeken waarvoor hij zich, toen hij zich ervan bewust werd, dermate geneerde dat hij vlug een ander kanaal had opgezocht.

Perlmann was de draad van de film op de televisie kwijtgeraakt. Hij zette het toestel uit. Zeven jaar geleden was het nu. En al die tijd, dacht hij, had hij niet één keer aan die afgezegde toespraak gedacht. Maar tijdens de nachten die vooraf waren gegaan aan zijn capitulatie, had hij voor het eerst het inzicht gehad dat hem nu sinds enige weken verlamde en verstarde: het inzicht dat hij absoluut niets te zeggen had. Het was een dermate grote schok geweest, dat onverwachte inzicht, dat hij het had moeten verdringen. En daar was hij heel goed in geslaagd, want hij had daarna tientallen toespraken geschreven die hem gemakkelijk en vanzelfsprekend uit de pen waren gevloeid. En al die tijd was er nooit een spoor van de herinnering aan zijn falen van destijds in hem opgekomen. Tot vandaag, nu achteraf gezien die bewuste avond aan het eind van maart het eerste dreigende voorteken van de huidige catastrofe was geweest.

Hij nam een halve slaappil, zapte nog een keer langs alle kanalen en deed toen het licht uit. Het klopte niet helemaal dat het destijds verdrongen inzicht zich nooit meer aan hem had opgedrongen. Hij dacht weer aan het moment, nu een jaar geleden en kort voor het congres waarop hij zichzelf plotseling als belangrijkste spreker had aangekondigd gezien. Van de paniek die hem destijds had overvallen, dacht hij nu, liep een onderbewust ervaren spanningsboog naar zes jaar daarvóór, de dag van Chagall's dood. Waarom eigenlijk niet, had Agnes gezegd toen hij haar geïrriteerd had uitgelegd dat hij de organisatoren van het congres onmogelijk kon meedelen dat hij niets te zeggen had.

Perlmann's gedachten begonnen aan de randen te vervagen. Hoe pasten die reacties van Agnes, de ene een jaar geleden, de andere zeven jaar geleden, bij elkaar? Hij probeerde zich het gezicht voor te stellen dat ze bij allebei de opmerkingen had getrokken. Maar het enige gezicht dat in hem opkwam was dat op de foto in Frankfurt, waarvoor hij gisteren op de vlucht was geslagen omdat het te veel wist.

Telkens als zijn denken en zijn wil begonnen weg te zakken en de stilte op elk moment kon intreden, schrok hij op, en raakte alles in zijn hoofd in een kramp. Bij de vierde keer maakte hij licht en waste in de badkamer zijn gezicht. Toen draaide hij Kirsten's nummer. Haar slaperige stem klonk weinig toeschietelijk.

'Neem me niet kwalijk,' zei hij, 'ik heb je wakker gemaakt.'

'O, ben jij het, papa. Momentje.' Hij hoorde vage geluiden, toen een tijdlang niets meer. Hij keek nu pas op zijn horloge: kwart voor één.

'Zo, daar ben ik weer.' Nu klonk haar stem frisser. 'Is er iets bijzonders? Of bel je zomaar?'

'Eh... zomaar. Dat wil zeggen... eigenlijk wilde ik je vragen waarom Agnes... waarom mama niet van de kleuren van Chagall hield.' Hij vervloekte zichzelf dat hij haar met zijn zware, droge tong had gebeld en niet eerst even zijn stem had uitgeprobeerd.

'Wat voor kleuren?'

Hij balde zijn vuist en kreeg de neiging meteen op te hangen. 'De kleuren op de schilderijen van Chagall.'

'O, Chagall bedoel je. Je praat zo onduidelijk. Nou ja... ik weet het niet... een rare vraag. Vond ze er echt niets aan?'

'Nee. Maar nu iets heel anders, geloof jij dat ze er begrip voor had als ik weleens niets wist te zeggen?'

'Hoezo, niets wist te zeggen?'

'Als ik... ik bedoel, als ik gewoon niets wist te bedenken.'

'Over wat?'

'Over... Nou, gewoon. Niets kunnen bedenken. En de anderen zitten te wachten.'

'Papa, je spreekt in raadselen. Welke anderen dan?'

'Gewoon, de anderen.' Hij had het zo zachtjes gezegd dat hij niet zeker wist of ze het had gehoord.

'Ik snap er niets van, papa, wat is er met je aan de hand?'

Hij probeerde snel wat speeksel te vergaren en liet het over zijn tong lopen. 'Niets, Kirsten. Er is niets. Ik wilde alleen een beetje met je praten. Slaap lekker.'

'Eh... ja. Nou... welterusten dan.'

Hij ging naar de badkamer en nam nog een kwart tablet. Gelukkig had hij niet gevraagd of ze zich die afgezegde toespraak van destijds herinnerde. Het had niet veel gescheeld. Hij ging op zijn buik liggen en duwde zijn hoofd in het kussen alsof hij daardoor de slaap over zichzelf kon afroepen.

20 Ook de tweede zitting van Laura Sand begon met filmbeelden. Het was heel ander materiaal dan ze op de voorgaande dag had vertoond, en het eerste halfuur kwamen regelmatig reeksen beelden waarbij ze de verkeerde focus had gekozen. Ze mopperde over de slechte kwaliteit van de films die je in Afrika koopt, maar Perlmann zag meteen dat het daar niet aan lag. Heel scherp, alsof het gemonteerde filmbeelden waren, zag hij Agnes in haar witte jasschort uit de donkere kamer komen, kwaad op zichzelf en met de kinderlijke behoefte getroost te worden. In plaats van naar de werkelijke film terug te keren, bleef hij bij die beelden hangen en gleed door de nacht terug tot aan het gesprek met Kirsten. Over Chagall had hij iets gebazeld, en hij had een of andere absurde vraag over Agnes gesteld. De details waren door die vervloekte slaappil meteen uitgewist. *Ik moet er eindelijk eens mee ophouden. Ophouden.* Hij pakte de fles mineraalwater, en toen hij met het glas tegen de koffiekan stootte, draaiden ze allemaal hun hoofd naar hem toe. Gelukkig had Maria zonet achter haar computer gezeten. Zodoende had hij de voorbereide zinnen, die met elke keer dat hij ze had geoefend nog houteriger hadden geklonken, niet hoeven afdraaien.

'*Dios mío!*' hoorde hij Evelyn Mistral zachtjes zeggen. Perlmann keek naar het scherm. De beelden die nu voorbijkwamen waren inderdaad van een adembenemende schoonheid. Het kristallijnen licht van een vroege ochtend boven de steppe maakte van de omtrekken van de schrale struiken geheimzinnige, poëtische vormen, die je meteen aan het fantaseren zetten, en het vale, met een lichte tint grijs gemêleerde geel van de steppe vervaagde aan de horizon onder de opgaande zon in een eindeloos lijkende, witte diepte. De aanblik had Laura Sand zelf dermate gefascineerd dat ze de camera had laten lopen totdat haar armen van vermoeidheid waren gaan trillen.

Nu zwenkte de camera langzaam naar opzij, en opeens lag de steppe bezaaid met de karkassen van dode dieren. '*Jesús María!*' riep Evelyn Mistral. Daarna kon je horen hoe ze naar lucht hapte. De camera bewoog verder naar links, toen kwam een *cut*, en nu zag je de rand van een nederzetting, nog steeds in hetzelfde feeërieke licht. De mensen bewogen zich nauwelijks, keken wantrouwig of apathisch in de lens. Opgezwollen kinderbuikjes, volgroeide lichamen die zo uitgemergeld waren dat de gewrichten op bizarre uitvergrotingen leken. Overal vliegen, waartegen niemand zich meer verweerde. De camera gleed langzaam verder, totdat de mensen uit beeld waren verdwenen. Een paar seconden lang opnieuw de schoonheid van de verlaten steppe, nu al in een licht dat een idee gaf van de verzengende hitte van de middag. Toen brak de film af.

Een tijdlang verroerde niemand zich in het donker, alleen het schuiven van Laura Sand's stoel was te horen. Toen liepen Evelyn Mistral en Silvestri naar het raam en trokken de jaloezieën op.

'*Well*,' zei Millar op de toon van iemand die zojuist iets zeer twijfelachtigs heeft gehoord.

Met een ruk draaide Laura Sand haar hoofd in zijn richting. 'Is er iets?' Een dreigende scherpte liet haar stem vibreren.

'Nou ja,' zei Millar, 'honger en dood als poëtische achtergrond... ik weet niet.'

Laura Sand's gezicht leek boven haar zwarte col bleker dan ooit. '*Nonsense*,' zei ze. Het woord kwam met zoveel kracht uit haar mond dat je alleen de eerste lettergreep goed hoorde.

'Dat,' zei Millar langzaam, en hij boog zijn hoofd, 'vind ik niet.'

Aan de nerveuze hand van Adrian von Levetzov was te zien dat hij geen zin had in de ruzie die zich nu aankondigde. 'In welke streek is die film opgenomen?' vroeg hij met de opgeruimde belangstelling van een onderlegde burger, een toon die hij normaal nooit zou aanslaan.

'De Sahel,' antwoordde Laura Sand kortaf.

'*Indeed*,' mompelde Millar, '*indeed*.'

Giorgio Silvestri blies de rook luider uit dan nodig. 'De beelden aan het eind waren erg indringend,' zei hij. 'Ook als dat licht, *come dire*, tot vergeten verleidt. Of tot versluiering. Maar eigenlijk zou ik graag op het onderwerp terugkomen: op de interpretatie van de interessante blikken die de dieren elkaar toewierpen.'

Zijn stem had merkwaardig onnadrukkelijk autoritair geklonken, dacht Perlmann later, toen het gesprek weer over het vak ging. Het was de stem van iemand die gewend was op precies het juiste moment in te grijpen en een bepaalde wending te geven aan een heikele gespreksituatie, terwijl dat ingrijpen toch helemaal niets bazigs had. Nu had de Italiaan zijn been weer opgetrokken en zat hij op zijn stoel als een lummelende puber.

Laura Sand bleef koel bij de rest van haar bijdrage, er was nog steeds iets te merken van haar ingehouden woede, ook al was haar eerste opwinding al geluwd. Millar deed zijn best en bracht zijn bezwaren naar voren in de vorm van vragen. Evelyn Mistral was vandaag gelukkig uitermate sprankelend, en toen ze de boodschappen die de dieren volgens haar uitwisselden op een nonchalante, jongensachtige toon verwoordde, waarbij ze bovendien een paar grappige grammaticale fouten maakte, moest uiteindelijk ook Laura Sand lachen.

Perlmann zei niets. Het liep tegen enen, en in stilte repeteerde hij de zinnen voor Maria; want dat hij haar een tweede keer onopgemerkt kon passeren, terwijl ze op zijn tekst zat te wachten, was hoogst onwaarschijnlijk.

Hij vond het ongehoord spannend waar ze mee bezig was, zei Millar toen Laura Sand op haar horloge keek en haar papieren bijeenschoof. Daarom stelde hij voor er maandag mee verder te gaan. Hij bladerde in de teksten. 'En ook dinsdag. Want ook theoretisch is er nog veel waarover ik graag meer wil weten.'

Laura Sand nam de tijd voordat ze zijn verwachtingsvolle blik beantwoordde. '*Okay*,' zei ze toen, en de manier waarop ze Millar's yankee-accent imiteerde, was het teken dat ze zijn verzoeningsaanbod accepteerde. Millar duwde met zijn wijsvinger zijn bril stevig op zijn neus. '*Swell*.' Ze reageerde op die manier van uitdrukken met het vertrekken van haar gezicht. Hij trok met zijn mond.

Perlmann zat koortsachtig te rekenen. Dat betekende dus dat de tweede helft van de komende week door Evelyn Mistral zou worden ingevuld en dat hij pas op de maandag van de laatste week aan de beurt zou komen. Op z'n laatst zaterdag moest de tekst in de vakjes liggen. Dus zou Maria hem woensdagochtend moeten hebben, op zijn laatst donderdag. *Vijfenhalve dag. Dat zou voldoende kunnen zijn.* Zijn hart ging tekeer. Opeens lag alles weer open.

'Nu we het er toch over hebben,' zei Silvestri dwars door Perlmann's gereken heen, 'ik kan wat de laatste week betreft alleen aan het begin. Vanaf donderdag moet ik helaas het een en ander regelen in de kliniek.' Hij keek Perlmann aan. 'Ik kan dus niet bij uw zitting zijn, die dan aan het eind zal moeten plaatsvinden. Maar ik krijg de tekst vast wel.'

'Vanzelfsprekend,' zei Perlmann hees. *Een week, ik heb een hele week gewonnen.*

Als verdoofd door de opluchting liep hij door de salon. In de hal stond Maria op hem te wachten. Met een tegenwoordigheid van geest die hij later even verrassend als stuitend vond, liep hij naar haar toe.

'Ik ben er vanochtend helemaal niet toe gekomen het u te zeggen. Er is het een en ander veranderd in de planning, en nu wil ik van de gelegenheid gebruik maken en nog wat verder werken aan mijn tekst. Zoals het er nu uitziet hoeft u zich er pas vanaf aanstaande vrijdag mee bezig te houden.'

'O,' zei ze een beetje geïrriteerd, en ze streek aan de zijkant van haar hoofd over haar haar, zodat haar oorbel zachtjes rinkelde. 'Wat moet ik... Nou ja, dat is goed, ik werk dan gewoon verder aan uw andere tekst. Goed?'

Bij Maria's laatste woorden was Evelyn Mistral bij hen komen staan.

'Ja, doet u dat maar,' zei Perlmann. Hij moest daarna met zijn tong zijn lippen bevochtigen.

'Je hebt de afgelopen tijd veel geschreven, nietwaar?' zei Evelyn Mistral tegen hem toen ze naast elkaar door de hal liepen. 'Helemaal in het verborgene!'

Perlmann trok een hulpeloze grimas en haalde zijn schouders op.

'En ik heb nu een halve week gewonnen. Niet slecht. Hoewel... Eigenlijk ben ik al klaar en bijna een beetje teleurgesteld dat ik tot donderdag moet wachten. Stom, hè? En dan heb ik ook nog last van plankenkoorts.'

Nee, zei Perlmann, voor een wandeling door de stad had hij geen tijd, hij wilde nog iets doornemen. Maar zondag, ja, dan kon ze op hem rekenen, absoluut.

Hij zat bijna een uur in de rode stoel voordat het tot hem doordrong wat er aan de hand was. Zonet, toen hij zich van Evelyn Mistral had losgemaakt en met energieke stappen met twee treden tegelijk de trap op was gelopen, had hij zich erop verheugd van zijn opluchting te genieten, en tegelijkertijd had hij voor het eerst sinds lange tijd weer zoiets als spankracht gevoeld. In die ene week, die hem nu plotseling tot zijn beschikking stond, zou hij toch nog iets voor elkaar krijgen. Maar toen hij vervolgens een sigaret had opgestoken en tot zijn eigen verbazing zijn voeten op de ronde tafel had gelegd, was de opluchting, waarvan hij toch zo veel had verwacht, uitgebleven. Het had geen enkele zin gehad zichzelf op de gelukkige wending der dingen te wijzen. Bedremmeld had hij zijn voeten van de tafel gehaald en was rechtop gaan zitten. En nu pas begon het tot hem door te dringen dat de dodelijke vermoeidheid die in plaats van de opluchting over hem was gekomen, teleurstelling was – teleurstelling over het feit dat het nu dus toch nog niet afgelopen was en dat er nu opnieuw een hele reeks dagen voor hem lag waarin hij met de spanning, de angst en vooral ook het ontbreken van geloof in zichzelf zou moeten leven. Hij deed de gordijnen dicht, nam een kwart van een slaappil en ging in bed liggen. Even voordat hij in slaap viel, werd er op de deur geklopt. Hij reageerde niet.

Het waren eigenlijk helemaal niet Chagall's kleuren die hij in zijn droom had verdedigd, dacht hij toen hij in de schemering wakker werd en op de rand van het bed gezeten zijn kloppende slapen masseerde. Weliswaar had de naam van de schilder voortdurend rondgespookt in zijn gedachten, maar wat hij met hese stem en ongrijpbare woorden tegen een muur van ongelovigen had staan schreeuwen, was een verdediging van Laura Sand's poëtische beelden van het lijden geweest.

Hij nam een douche en probeerde de woorden te vinden die hij in zijn droom door zijn woede niet had kunnen uitspreken. Er kwamen woorden die hij tegen de straal water in uitsprak, waarbij hij zich verslikte en zijn verdediging vervolgens verscherpte, wat uitmondde in een vurige toespraak die zijn hoogtepunt vond in de bewering dat enkel en alleen mooie beelden in staat waren het leed uit te beelden als wat het was – omdat schoonheid immers waarheid was, de enige waarheid die de diepte van het leed kon doorgronden. Toen hij de kraan dichtdraaide en met de handdoek de chloorsmaak van zijn gezicht wreef, moest hij van zijn kitsch huiveren. Hij was blij heel even de nuchtere, saaie stem van de nieuwslezer op de televisie te horen.

Tijdens het eten verbaasde hij zich over Achim Ruge. Midden onder het hoofdgerecht en zonder het fileren van zijn vis te onderbreken, zei hij plotseling: 'Weet je, Brian, ik heb absoluut niet begrepen waaraan je je zo hebt gestoord in de film van Laura. Het zijn toch heel precieze, zeer veelzeggende opnames, veel beter dan alles wat je op de televisie te zien krijgt.'

Laura Sand at door zonder ook maar even op te kijken. Millar legde mes en vork neer, nam zijn bril af en begon hem uitvoerig schoon te maken.

'Nou, Achim,' zei hij toen, 'ik zie het zo: het feeërieke, dat wat fotografisch zo geslaagd is, verdoezelt in dit geval meer dan het verheldert. Schoonheid, zou je kunnen zeggen, vertelt in dit geval een leugen. Natuurlijk bedoel ik niet, Laura, dat u het bent die liegt,' voegde hij er snel aan toe, maar ze beantwoordde zijn blik niet. 'Ik bedoel het in... hoe moet ik het zeggen... in objectieve zin. Waarachtige beelden van honger en dood hoeven natuurlijk niet slecht te zijn. Maar ik vind dat ze nuchter moeten zijn, als persberichten. Volkomen nuchter. In geen geval feeëriek. En ik beschouw dat niet als een esthetische aangelegenheid, maar als een morele. Sorry, maar zo zie ik het nu eenmaal.'

Hij wachtte op een reactie van Laura Sand, maar ook nu wachtte hij tevergeefs, zodat hij zich na een verontschuldigend gebaar in de richting van Ruge weer over zijn eten boog.

Even was alleen het geluid van het bestek te horen en de ober, die wijn bijschonk, was een soort indringer. Perlmann verzette zich uit alle macht tegen het gevoel dat er enige waarheid school in wat Millar had gezegd. Hij had de neiging zich vast te bijten in de tegenovergestelde opvatting, en die neiging had er ook mee te maken dat Millar's behaarde handen op zijn zenuwen werkten, handen die in staat waren die raadselachtige gelijktijdigheid van de klanken bij Bach voort te brengen en die nu, zorgvuldig als de handen van een chirurg, het visbestek hanteerden. Maar toen dacht hij aan de chloorsmaak onder de douche en beet op zijn lippen.

'Dat overtuigt me niet,' zei Ruge nu. 'Leed serieus nemen en je er moreel door te laten raken wil nog niet zeggen dat je schoonheid hoeft af te wijzen. Of verbieden, in zekere zin.'

Laura Sand wierp hem een instemmende blik toe.

‘Eh... nee, natuurlijk niet,’ zei Millar geprikkeld. ‘Dat bedoel ik ook niet. Maar in Laura’s film zit nu eenmaal een paradox. Die kun je toch niet wegdiscussiëren.’

‘Natuurlijk niet, dat moet ook niet,’ glimlachte Ruge. ‘Maar waar het mij om gaat, is iets anders, het is een paradox waarmee we in dit geval, en in andere gevallen, moeten leren leven. Ermee leven zonder hem te ontkennen.’

‘*Ecco!*’ zei Silvestri.

Laura Sand leunde achterover en stak een sigaret op. In haar altijd zo toornende blik lag nu een tevreden glans. Perlmann beviel die glans niet. Opeens miste hij Agnes.

Millar vergastte Silvestri op een minachtende blik. ‘Dat vind ik veel te simpel,’ zei hij toen, zich tot Ruge richtend. ‘Goedkoop, als ik die uitdrukking mag gebruiken.’

‘O, geoorloofd is dat zeker,’ antwoordde Ruge. ‘Maar fout is die uitdrukking wel, vrees ik. Want met die paradox leven zoals ik het bedoel, is in feite het moeilijkste wat er is. Of iets heel kostbaars,’ voegde hij er met een grijns aan toe.

Millar trommelde met zijn vingers op het tafelkleed. ‘Ik geloof niet, Achim... *Oh, well, forget it.*’

Bij het dessert en de koffie zei hij niets meer. Af en toe beet hij op zijn lippen. Perlmann was er opeens niet meer zeker van of die Brian Millar wel echt zo’n geduchte tegenstander was als hij tot dusver had aangenomen.

Voordat hij naar bed ging, maakte Perlmann het bureau klaar voor de volgende dag. Hij schoof de lamp opzij en legde een stapeltje blanco papier klaar, daarnaast het schrijfgerei. Hij bekeek de boeken in zijn koffer en haalde er ten slotte drie uit die hij op het bureau legde. Toen nam hij een halve pil in. Om morgen meteen met schrijven te kunnen beginnen, moest hij goed slapen. Toen de eerste, vertrouwde tekenen van verdoving zich aankondigden, begon hij na te denken over hoe hij de tekst zou indelen. Vier tussenkoppen, onderstreept en met een cijfer ervoor. De vier regels allemaal even lang. Het zag er heel ordelijk uit. Het zou goed worden.

21 Toen Kirsten, door Giovanni aangekondigd, de volgende ochtend om zes uur voor zijn deur stond, moest Perlmann zich beheersen om haar niet om de hals te vallen.

'Hallo, papa,' zei ze met een glimlach waarin zowel verlegenheid als spot lag en waaruit bovendien een zelfbewustzijn sprak zoals hij nooit eerder bij zijn dochter had waargenomen. 'Je klonk eergisteren aan de telefoon zo vreemd dat ik dacht dat ik maar eens moest komen kijken wat er aan de hand is.'

Ze droeg een lange zwarte jas en lichte sneakers, haar weerbarstige haar werd bijeengehouden door een citroenkleurig lint. Naast haar op de grond stond de reistas van rood versleten leer die Agnes altijd als een talisman op haar reizen had meegesjouwd.

'Kom, ga zitten,' zei hij, en vervloekte zijn zware hoofd en zijn dikke tong. 'Hoe ben je hier in vredesnaam naartoe gekomen?'

Vijftien uur had ze nodig gehad om liftend vanaf Konstanz naar hier te komen. Zes keer had ze ergens langs de weg gestaan; één keer, bij een benzinestation op de ring rond Milaan, had het een uur geduurd voordat iemand haar een lift had gegeven. Perlmann huiverde, maar hij zei niets. Het gemakkelijkst was het in het begin gegaan, in Zwitserland. Daar had een man haar zelfs voor het eten uitgenodigd eer ze in de Valle Leventina afdaalden. 'Zo'n Zwitsers burgermannetje met bretels!' lachte ze, toen ze zijn blik zag.

Nee, bang was ze eigenlijk niet geweest. Nou ja, misschien een beetje toen de man die haar van Milaan naar Genua had meegenomen, telkens weer over haar uiterlijk was begonnen. Het had haar geïrriteerd dat ze niet genoeg Italiaans kende om hem tot zwijgen te brengen. Maar ze had van hem een slaapje op de achterbank mogen doen. En toen hij bij het afscheid absoluut een zoen wilde – nou ja, behalve dat hij zich voortdurend had zitten krabben en dat ze vond dat hij niet lekker rook, was het eigenlijk wel vermakelijk geweest allemaal. De rest van de reis was ze met een zwaar opgemaakte vrouw in een Mercedes cabriolet meegereden, die voortdurend over haar ruzie met een man had gepraat en voor haar, Kirsten, verder geen enkele belangstelling had gehad. Hier, in de slapende stad, had het toen nog een hele tijd geduurd eer ze iemand had gevonden die haar de weg naar het hotel kon wijzen.

'Maar nu ben ik hier en ik vind het fantastisch dat ik het gedaan heb! Weet je, Martin had flink de pest in toen ik plotseling toch wegging. Hij had het me namelijk al uit het hoofd gepraat. Maar later kwam ik uit de mensa en liep ik Lasker tegen het lijf, die als eerste bleef staan en me zei hoe scherpzinnig hij mijn referaat had gevonden. Ik was daarna zo high dat ik absoluut iets geks moest doen. Vind je dat ik Martin even moet bellen om hem te zeggen dat ik goed ben aangekomen?'

Perlmann legde haar uit hoe je een buitenlijn kon krijgen, pakte zijn kleren en ging naar de badkamer. Hij douchte afwisselend heet en koud om de nawerking van de slaappil te verdrijven, en tussendoor hield hij zijn tong onder de waterstraal.

Dus was ze, als puntje bij paaltje kwam, niet om hem gekomen maar omdat ze haar succes wilde vieren. Hij probeerde zijn teleurstelling te verdrijven door zich stevig af te drogen. Nog nooit had hij haar met paarse lippen gezien. Het was hetzelfde paars als destijds bij Sheila. Het accentueerde haar volle lippen, waar ze als klein meisje al mee had lopen pronken. De kleur stond haar niet. Absoluut niet. En dan al die ringen, aan elke vinger minstens één. Ze zaten allemaal los van elkaar, maar toch vond hij het eruitzien alsof ze aan elke hand een boksring droeg.

Nu pas merkte hij dat zijn kin pijn deed omdat hij zijn scheerapparaat er veel te stevig op drukte. Weer waste hij zijn ogen uit, die er gezwollen en ongezond uitzagen. Toen schoot hij zijn kleren aan, leunde even met gesloten ogen tegen de deur en ging terug naar de kamer.

Kirsten telefoneerde nog steeds en draaide schuldbewust haar hoofd om toen ze Perlmann hoorde. 'Nou, tot dinsdag dan!' zei ze vlug. 'Ja, zal ik doen. Tot dan. Doei!' Ze hing op. 'Ik wil namelijk weer op tijd terug zijn voor de werkgroep van Lasker. Ik dacht dat er maandagavond misschien een trein gaat vanaf Genua. Bij de volgende bijeenkomst mag ik best een beetje slaperig zijn, vind ik. Maar eh...' Ze keek naar de grond.

'Ik betaal je reis wel,' zei Perlmann, 'tenslotte ben je speciaal voor mij gekomen.'

Ze kwam naar hem toe en legde haar hand op zijn schouder.

'Je ziet er moe uit. En bleek,' zei ze. 'Is er iets gebeurd? Wat je me aan de telefoon over mama vroeg, daar snapte ik niets van.'

‘O ja, dat.’ Zijn tong was alweer dik. ‘Ik weet niet... Ik was een beetje in de war. Dat heeft verder niets te betekenen. En gebeurd... nee, nee, er is niets bijzonders gebeurd.’

Ze keek hem met de geconcentreerde, sceptische blik aan die ze van Agnes had. ‘Maar bijzonder goed gaat het hier ook niet met je, toch?’

‘Ach, ik weet niet. Het is nogal vermoeiend. Met al die collega’s.’

‘Bovendien is het nog geen jaar geleden. Ik heb soms het gevoel alsof het hoogstens een paar weken zijn. Jij ook?’

Hij voelde het steken achter zijn ogen en trok zijn dochter even tegen zich aan. Toen duwde hij haar met geforceerd élan van zich af. ‘Zo, en nu gaan we eerst maar eens een kamer voor je regelen in deze eenvoudige herberg!’

Nog geen halfuur nadat ze haar kamer had betrokken, was ze alweer bij hem, fris aangekleed en met haar dat nog vochtig was.

‘Nou zeg, wat zo’n kamer kost... dat is echt krankzinnig!’

Slapen wilde ze nu niet, wel de zee zien in de ochtendschemering, het terras, het liefst meteen het hele fantastische hotel.

‘Ook de plek waar jullie bijeenkomen moet je me laten zien. Hebben jullie op maandag een zitting? Denk je dat ik toehoorder mag zijn?’

Perlmann had het gevoel alsof zijn borstkas volliep met lood. Eerst ontbijten, stelde hij voor. Toen ze naar de lift liepen, draaide ze zich om en keek de lange gang in.

‘Logeren jullie allemaal hier boven?’

‘Wat? O, nee, eigenlijk alleen ik.’ Hij drukte nog een keer op de knop voor de lift.

‘Waarom is dat?’

‘Waarom? Ach... eh... Dat is min of meer toeval. Veel kamers beneden worden tijdens de winter opgeknapt, en er was ook nog iets met het bed. Ik ben heel tevreden. Het is lekker stil hier boven.’

De deur van de lift ging open. ‘Aha,’ zei ze en ze plukte aan haar gele sweatshirt met het opgedrukte logo van de Rockefeller University. Op weg naar beneden keek Perlmann aandachtig naar de oplichtende en verspringende cijfers.

Het was kwart over zeven en in de eetzaal, waar licht brandde, was niemand. De ober kon met moeite zijn verbazing verbergen. '*Benvenuta!*' zei hij met een lichte buiging nadat Perlmann had uitgelegd wie Kirsten was.

Ze at voor twee, bewonderde het zilveren bestek en de kroonluchters en wees telkens enthousiast naar de zee, waar het nu dag werd en de schemering plaatsmaakte voor een wolkeloze hemel.

Perlmann nam alleen koffie. Hij had graag een sigaret willen opsteken, maar durfde het niet. Zo-even, toen Giovanni hem telefonisch had meegedeeld dat hij een signorina naar boven had laten gaan die beweerde dat ze zijn dochter was, had hij eerst gekeken of hij gisteravond, zoals zijn gewoonte was, de asbak had schoongemaakt. Dat hij weer rookte wilde hij haar nu nog niet vertellen. Hij vermoedde dat dit halfuur, waarin ze helemaal alleen in de grote sneeuwwitte zaal zaten, waar nu steeds meer daglicht in doordrong zodat zojuist als door een wonder opeens de kroonluchters waren uitgegaan – dat dit halfuur het mooiste moment van haar bezoek zou zijn, en dat wilde hij zo lang mogelijk vasthouden.

Toen ze klaar waren, haalde ze een pakje sigaretten uit haar indiaans uitziende stoffen schoudertas. Schaamtevol stak ze er een tussen haar lippen. 'Af en toe eentje. Niet zoals mama en jij vroeger.' Toen haalde ze een rode aansteker met een dunne gouden rand uit haar tas en stak de sigaret aan. Perlmann registreerde dat ze niet echt inhaleerde. Het liep tegen achten. Nog even en het zou afgelopen zijn met dit moment van stilzwijgende intimiteit in de lege eetzaal.

Millar, Ruge en Von Levetzov kwamen tegelijk naar binnen en bleven even verbaasd staan. Toen kwamen ze naar de tafel toe en Perlmann stelde Kirsten voor. Ze wist eerst niet wat er gebeurde toen Von Levetzov haar hand naar zich toe trok voor een quasihandkus. Er lag nog steeds een verbaasde glimlach op haar gezicht toen Millar haar een hand gaf en een sportieve buiging maakte.

'*Good girl!*' zei hij en hij wees naar haar sweater. 'Dat is mijn universiteit!'

'En die beschouwt hij natuurlijk als de beste,' zei Ruge in het Duits tegen haar. 'En dat doet hij alleen maar omdat hij Bochum niet kent!' voegde hij er hinnikend aan toe. Hij gaf haar een hand. 'Goedendag. Wanneer bent u gearriveerd?'

Perlmann was blij dat de vrouwen er nog niet waren. Toen Kirsten haar sigaret had opgerookt excuseerde hij zich, en samen liepen ze naar het terras. Voor de veranda bleef Kirsten opeens staan en rekte haar hals.

'Dat ziet eruit... Is dat de conferentiezaal?'

Perlmann knikte. Ze pakte zijn hand. 'Kom, die moet je me nu laten zien.'

Binnen ging ze meteen op de hoge leunstoel met het houtsnijwerk zitten. Ze vergeleek het elegante vertrek met de haveloze zaaltjes op de universiteit: hier mahoniehouten tafels, daar van die vreselijke formicatafeltjes; de glimmende asbakken in tegenstelling tot de peuken die in de restjes koffie in kartonnen bekertjes dreven; het perfect functionerende elektrisch te bedienen bord achter haar en de doffe, voortdurend klem zittende borden op haar universiteit. Toen pakte ze een van de kristallen glazen voor mineraalwater.

'Weet je, ik had een verschrikkelijk droge mond toen ik mijn referaat hield, vooral in het begin. Gelukkig vond ik nog een snoepje in de zak van mijn jasje. Lasker slaagde er bijna in te glimlachen toen hij zag dat ik last had van mijn kleverige vingers.'

Op weg naar de deur trok ze aan de kwasten van de wapens en moest lachen om de wolken stof. Op de drempel draaide ze zich nog een keer om.

'Ongelooflijk elegant, het lijkt wel iets verbodens. En dan dat uitzicht op het zwembad... Maar die plek vooraan, die is hier hetzelfde. Voor mijn gevoel, bedoel ik. Ik was erg bang dat ik op het cruciale moment alles zou zijn vergeten. Complete onzin natuurlijk, welbeschouwd had ik een hele stapel aantekeningen bij me. Maar toch.' Ze keek hem aan. 'Jij kunt je dat waarschijnlijk nauwelijks meer voorstellen, na zoveel jaar routine. Toch?'

Na een wandeling langs de zee, waarbij ze over Martin vertelde en tussendoor af en toe bleef staan om haar gezicht in de ochtendzon te houden, werd ze moe en wilde proberen een beetje te slapen. Voor de deur van haar kamer gaf ze hem een kus op zijn wang en lachte om de paarse afdruk van haar lippen.

'Tot straks! Moet je aan het werk?'

Hij stak zijn hand op en draaide zich snel om.

Urenlang stond hij voor het raam, tot zijn rug pijn begon te doen. Af en toe wierp hij een blik op het bureau. 'Wat ziet je bureau er netjes uit!' had ze gezegd voordat ze waren gaan ontbijten. 'Alsof je net iets hebt afgemaakt.'

Door de aanwezigheid van zijn slapende dochter leek alles onwerkelijk, of beter: ze schiep een dubbele werkelijkheid, twee niveaus in zekere zin, die hem telkens weer deden aarzelen bij welk daarvan hij meer hoorde en wilde horen. Kirsten's komst had de tijd verdubbeld, er liepen nu twee los van elkaar staande tijdstrengen door hem heen, die er allebei aanspraak op maakten de eigenlijke, werkelijke tijd te zijn, de tijd die telde. De ene was de tijd die Kirsten had meegebracht, de tijd van haar wekelijkse werkgroepen, de tijd ook waarin de weken en maanden van haar relatie met Martin konden worden geteld. Dat was de tijd waarin hij zojuist, tijdens de wandeling, was meegegaan om dicht bij haar te zijn. Nu, voor het raam, probeerde hij opnieuw die tijd in te glippen, hij was ernaar op zoek of die tegenwoordigheid bevatte, een tegenwoordigheid die, zijn dochter uitgezonderd, alles onbelangrijk zou maken en die hem van zijn angst zou kunnen bevrijden. Kirsten's slaap had die tijd weliswaar niet tot stilstand gebracht, maar wel voor de duur van een paar uur laten bevriezen, en de tegenwoordigheid met haar samen die hij zich voorstelde, zou pas weer kunnen veranderen in een werkelijke tegenwoordigheid op het moment waarop ze beneden, op de tweede verdieping van de andere vleugel, haar ogen opsloeg. Tot dat moment was hij weer helemaal in de andere tijd, de tijd van het hotel, de tijd van de angst, die verraderlijk geruisloos achter de rug van Kirsten's tijd gewoon was doorgegaan met tikken.

Perlmann trok het gordijn dicht en ging op bed liggen. Goedbeschouwd waren er niet alleen die twee in de tijd bestaande werkelijkheden, dacht hij, dankbaar voor de zachte, fluwelen toon van zijn gedachten. Er was namelijk ook nog de tijd die alleen hem en Kirsten toebehoorde, de tijd die was begonnen met Agnes' dood, de tijd van de gedeelde verlatenheid en het gedeelde verdriet. Daarin – Perlmann's handen klauwden onwillekeurig in de sprei – had die Martin niets te zoeken, helemaal niets. En daarvóór was er ook nog een andere tijd geweest, de tijd waarin meneer Wiedemann of

Wiedemeier of hoe die knul ook mocht heten, niets te zoeken had: de tijd met Agnes en Kirsten samen, de tijd waarin ze alledrie uit stapels foto's de foto van de maand en uiteindelijk de foto van het jaar hadden uitgekozen; de gezinstijd zogezegd.

Perlmann wreef over zijn ogen. De ernstige foto van Agnes op de vensterbank dook op, en nu zag hij ook hoe de koffie werd geabsorbeerd door het lichte tapijt. Er was ook nog de tijd in Frankfurt, de besneeuwde tijd waarin zijn brievenbus uitpuilde van het reclamemateriaal en de decaan op zijn verslag wachtte. Die tijd had iets met Kirsten's tijd in Konstanz te maken, leek het wel; maar nu werden zijn gedachten zo zacht en aangenaam vaag dat het jammer zou zijn ze door concentratie te verstoren.

Kirsten wekte hem door op de deur te kloppen, het was al laat in de middag. 'Ik heb geslapen als een roos!' zei ze en ze wervelde door de kamer. 'Laat je me nu de stad zien?'

Toen hij uit de badkamer kwam, had ze het grote Russisch-Engelse woordenboek in haar hand, bladerde erin en wreef daarna haar vingers af aan haar spijkerbroek.

'Wat een fantastisch ding,' zei ze. 'Elke uitdrukking wordt erin verklaard. Ik denk niet dat Martin het kent. Alleen dat papier, dat voelt heel vies aan. Echt walgelijk. Waar heb je die dikke pil vandaan?'

Perlmann had het gevoel dat hij Santa Margherita voor het eerst zag. En alsof het niet de plaats was waar de Marconi-veranda zich bevond. Al die pleinen, poorten, straatjes – het leek alsof ze er eerder nooit waren geweest en pas onder Kirsten's blik ontstonden. Zo stijf als hij erbij stond als zij naar de dingen toeliep om details te bekijken, leek het alsof hij zich verveelde. In werkelijkheid liet hij zich met halfgesloten ogen in de geleende tegenwoordigheid van haar enthousiasme vallen en kwam zichzelf erbij voor als iemand die door de getraliede ramen van zijn cel naar de zee kijkt.

Later, op een caféterras, scheelde het niet veel of hij had toegegeven aan de verleiding Kirsten alles over zijn ellende te vertellen. Even voordat het zover was, voelde hij het bloed in zijn hele lichaam kloppen. Teleurgesteld en opgelucht tegelijk hoorde hij haar op dat moment aan de kelner vragen waar het toilet was, en toen ze met haar verende tred en haar zwaaiende tas terugkwam, leek het hem onmogelijk de stap te zetten die, dat wist hij, zo veel tussen hen zou veranderen. Maar zijn bloed bleef kloppen en hij haalde zijn sigaretten tevoorschijn.

Ontdaan keek ze hem aan.

'Zeg... Sinds wanneer rook jij weer?'

Hij deed alsof het niet veel om het lijf had, sprak met overdreven nonchalance over Italië, de cafés en de sigaretten die daar bij hoorden. Hij vond het walgelijk, zei hij, maar daar geloofde ze geen woord van. Er lag nu een schaduw over haar gezicht. Ze ervoer het als verraad aan Agnes, als lafheid. Dat wist hij zeker. Een gevoel van hulpeloosheid greep hem naar de keel, en zonder dat hij het zich had voorgenomen begon hij opeens over intimiteit te praten, over verschillende vormen van loyaliteit, over liefde en vrijheid.

'Als intimiteit iets te maken heeft met de harmonie van twee levens, is het de vraag of ze wel samengaat met het ideaal dat twee mensen elkaar niet mogen beknotten in hun vrijheid,' besloot hij.

'Papa,' zei ze zachtjes, 'zo ken ik je helemaal niet.'

De schaduw was verdwenen en had plaatsgemaakt voor een glimlach vol nieuwsgierige schroom. Ze pakte een sigaret van hem en haalde haar aansteker uit haar tas. 'Eigenlijk vind ik het helemaal niet zo erg dat je weer rookt,' zei ze. 'Dan hoef ik me tenminste niet te verontschuldigen.'

Toen ze op de terugweg een hoek omsloegen, stonden ze plotseling voor de trattoria. Perlmann bleef staan en duwde zijn hand tussen de glazen kralen van het gordijn. Toen trok hij hem langzaam terug en liep zonder iets te zeggen door.

'Wat was dat zonet?' vroeg Kirsten.

'Niets. Zo'n gordijn... vind ik mooi... Het heeft iets sprookjesachtigs.'

'Je zit vandaag vol verrassingen,' lachte ze. 'En over sprookjesachtig gesproken, ziet dat witte hotel daarginds op de heuvel er niet fantastisch uit? Zullen we er morgen heen gaan?'

'Het IMPERIALE. Je hebt wel een dure smaak,' lachte hij, en heel even verdween hij volledig in haar tijd en vergat dat die andere tijd, de tijd van de veranda, genadeloos doortikte.

Toen hij haar later van haar kamer ophaalde voor het avondeten was hij even met stomheid geslagen. '*Smashing*,' zei hij ten slotte, nadat ze zich in haar glanzend zwarte jurk, waaraan je op sommige plekken nog kon zien dat hij een reis had doorstaan, twee keer om haar as had gedraaid. Ze droeg een indiaanse halsketting, en op één na had ze al haar ringen afgedaan. Toen zijn blik verbaasd op haar handen rustte, kneep ze haar ogen tot spleetjes en ze trok een grimas: 'Je moest er niets van hebben, hè?'

'Was dat zo duidelijk te zien?'

'Ik heb je altijd kunnen lezen als een boek. Altijd al. Weet je dat niet meer?'

Hij keek op zijn horloge. 'We moeten. Vergeet je tas niet.'

Op weg naar de deur bekeek ze zichzelf nog een keer in de grote, halfblinde spiegel en trok een kous recht. Liet ze die vervloekte paarse lippenstift ook maar weg, dacht hij. En ook haar hakken zouden niet zo hoog moeten zijn. Even voor het eind van de gang bleef hij staan en pakte haar bij haar arm.

'Ik moet je iets vragen. Het is maar een kleinigheid.'

'Ja?'

'Waarschijnlijk zal Brian Millar na het eten iets spelen in de salon. Op de vleugel, bedoel ik.' Hij zweeg even en keek naar de grond. 'Niemand hier weet dat ik ook piano speel. Heb gespeeld. En ik wil graag dat dat zo blijft. Oké?'

Ze keek hem onderzoekend aan en schudde zachtjes haar hoofd.

'Maar je hoeft je toch zeker niet te verstoppen! Ik moet nog zien of die Millar beter speelt dan jij.'

'Alsjeblieft. Ik... ik kan het je niet goed uitleggen. Maar ik heb het liever zo.'

'Als je dat wilt, vanzelfsprekend dan,' zei ze langzaam en ze speelde afwezig met de riemen van haar tas. 'Maar... er is iets aan de hand met je, ik voel het de hele tijd al. Wil je het me niet vertellen?'

'Kom,' zei hij. 'Anders zijn we de laatsten.'

Het werd een diner waarbij Perlmann op hete kolen zat. Hij deed zijn best om niet naar haar te kijken, maar zijn aandacht was toch helemaal bij wat zijn dochter zei, en bij elke fout die ze in het Engels maakte, kromp hij ineen. Terwijl ze het er fantastisch van afbracht. Ze was naast Silvestri terechtgekomen, schuin tegenover Millar.

Anders dan Perlmann van hem had verwacht, was de Italiaan meteen opgestaan toen ze bij de tafel arriveerden, en toen Kirsten plaatsnam had hij haar stoel aangeschoven. Ruge had gegrijnsd toen hij het zag gebeuren, en Kirsten had onder haar zomersproeten licht gebloosd. Toen ze het aandurfde een paar woorden in het Italiaans te zeggen, ging Silvestri meteen over op zijn moedertaal, tot ze gebaarde dat ze hem niet verstond en Silvestri zijn hand op haar arm legde. Ook al sprak ze daarna hoofdzakelijk met Millar – Perlmann was er heel zeker van dat ze Silvestri's aanwezigheid naast haar geen moment vergat.

Engels en geschiedenis, zei ze, toen Millar vroeg wat ze studeerde. Maar, voegde ze eraan toe, misschien zou dat nog veranderen, ze was nog maar net begonnen. Ze maakte in haar antwoorden op Millar's vragen naar de details van haar studie meer taalfouten dan eerder, en Perlmann had er geen idee van wat hij zat te eten.

Maar toen het gesprek op Faulkner kwam en met name op *The Wild Palms,* begon ze bijna foutloos te ratelen. Hij vroeg zich een paar keer af waar ze al die bijzondere woorden vandaan haalde. Terwijl ze met een hoogrood gezicht haar stelling verdedigde, liet ze haar eten koud worden, en ook Millar, die de roman niet meer helemaal paraat had en verrassend zwak argumenteerde, legde een paar keer zijn bestek neer en greep naar zijn blikkerende bril. Toen het duidelijk was dat Kirsten op punten zou winnen, dwong Perlmann zichzelf ten minste het laatste hapje van de filet met verstand te eten, en hij dacht daarbij aan zijn collega Lasker, die vanwege zijn dochter extra goed had moeten opletten.

Zonder te weten waarom vermeed hij het in de richting van Evelyn Mistral te kijken. Maar twee keer ving hij toch een blik van haar op, en beide keren bracht de spottende schroom in haar groene ogen hem in verwarring. Alsof door de aanwezigheid van zijn dochter iets in hem zichtbaar was geworden wat tot haar ergernis de gevoelens verstoorde die ze tot dusver voor hem had gekoesterd.

Laura Sand daarentegen luisterde op haar norse manier naar de discussie over Faulkner, en vroeg ten slotte in welke fase van zijn leven hij die roman had geschreven. Eén keer, toen ze zich door

Perlmann ongezien waande, gleed haar blik over hem heen en verraadde dat ook zij bezig was met het herzien van het beeld dat ze tot dusver van hem had gehad.

Bij de koffie bood Silvestri Kirsten een Gauloise aan. Met een geroutineerde glimlach boog ze zich over zijn aansteker, inhaleerde, en kreeg een hoestbui. Op Silvestri's ongeschoren gezicht verscheen een grijns en zijn volgende trekje hield hij extra lang in zijn longen. Dapper veegde Kirsten de tranen uit haar ogen en voorzichtig nam ze weer een trekje; nu hoefde ze al niet meer te hoesten. Terwijl ze melk en suiker in haar koffie deed, hield ze haar sigaret met de paarse afdruk nonchalant in haar mondhoek. Toen Silvestri spottend naar haar bleef kijken, leek het even alsof ze haar tong naar hem zou uitsteken.

Von Levetzov hield bij het naar buiten gaan de deur voor Kirsten open en maakte een lichte buiging. Perlmann, die achter haar liep, had er genoeg van zijn dochter in het krachtenveld van zijn collega's te zien en was het liefst weggegaan. Maar nu schudde Kirsten juist Evelyn Mistral de hand, die daarbij haar hoofd even scheef hield zoals Millar gewoon was te doen, en toen liepen de beide vrouwen zonder met elkaar te spreken naast elkaar in de richting van de salon.

Terwijl Millar speelde, keek Kirsten af en toe even naar Perlmann en gaf hem met een geringschattend tuiten van haar lippen, waarmee ze Agnes een tijdlang razend had gemaakt, te verstaan dat ze absoluut niet begreep waarom hij zich ondanks dit middelmatige spel gedeisd hield. En toen Millar opstond en de klep dichtsloeg, applaudisseerde zij het kortst en het minst enthousiast.

En dat terwijl zijn spel goed was, beter zelfs dan anders. Het deed Perlmann een beetje pijn dat zijn dochter meende hem met haar partijdige oordeel te moeten opbeuren.

Hoewel er alleen nog af en toe een vraag aan haar werd gesteld, maakte Kirsten een opgewonden indruk, draaide steeds haar hoofd naar degene toe die het woord nam en rookte tot groot genoegen van Silvestri de ene Gauloise na de andere. Toen iemand zich in een bijzin liet ontvallen dat Perlmann door Princeton zou worden uitgenodigd, fronste ze haar wenkbrauwen en glimlachte naar hem. Toen het gezelschap opbrak, was zij de laatste die opstond.

Beneden aan de trap kwam Evelyn Mistral naar Perlmann toe, die naast Kirsten liep.

'Het wordt zeker weer niets met onze bruiloftswandeling,' zei ze in het Spaans. Ze keek demonstratief alleen hem aan. 'Je hebt ongetwijfeld andere plannen.'

'Eh... ik weet niet... ja, we zullen...' zei hij, en hij ergerde zich zowel over zijn gestamel als over het feit dat deze Spaanse, die hem op dit moment totaal vreemd was, Kirsten zo overduidelijk negeerde.

'Je hoeft je niet te verontschuldigen,' zei ze met een gezicht dat hem aan een lerares deed denken. *Buenas noches!*'

Halverwege de trap stond Kirsten stil en keek om naar de hal, waar Evelyn Mistral met Ruge en Von Levetzov stond. 'Vergis ik me of heb je haar getutoyeerd? Ik bedoel, ik ben niet goed in Spaans, maar het klonk zo.'

Perlmann wist niet dat het zo veel moeite kostte een ongedwongen toon aan te slaan. 'O, ja. Dat is in Spanje gebruikelijk onder academici.'

Voordat ze haar gang in liep stond Kirsten nog een keer stil. '*Boda.* Wat betekent dat eigenlijk?'

Deze keer lukte het hem op een natuurlijke manier te glimlachen. 'Bruiloft.'

Boven haar neus vormde zich de verticale rimpel die hem niet aanstond.

'Bruiloft?'

'Een grapje tussen ons.'

Ze schopte iets imaginairs van het tapijt, wierp hem een korte blik toe en verdween in de gang.

---

22 Toen Perlmann de volgende morgen uit zijn lichte en onrustige slaap ontwaakte en door het raam naar het terras beneden keek, zag hij Kirsten lachen om Silvestri's trucje met de ingeslikte sigaret. Ze hadden allebei een kopje voor zich staan, en op het witte bistrotafeltje lagen twee blauwe pakjes sigaretten die er precies hetzelfde uitzagen. Kirsten's warrige haar viel op haar gele sweater, en nu, nu ze een lok uit haar gezicht streek, zag hij de grote zonnebril die de helft van haar gezicht bedekte.

In zijn droom had ze de glanzende jurk van gisteren gedragen, en haar kapsel met het opgestoken haar had totaal niet bij haar gepast. Had ze werkelijk een bril op gehad? Perlmann hield zijn gezicht onder de waterstraal. Of had het gevoel dat ze hem vreemd was en waartegen hij zich almaar had verzet, met iets anders te maken? Het had hem verbaasd en hij was trots geweest dat ze opeens Spaans beheerste. Alleen had hij niet goed kunnen verstaan wat ze met haar paarse mond zei toen ze hem bij het afdalen van de trap passeerde. De collega's hadden in de hal op haar staan wachten, en toen ze naar hen toe liep had de lichte klank van haar lach hem eraan doen twijfelen of ze wel echt zijn dochter was.

Hij liep zo langzaam door de hal dat signora Morelli achter de balie opkeek van haar papieren. Het leek erop dat het zijn dochter hier beviel, zei ze. Hij knikte, bestelde bij de ober koffie en ging naar buiten.

Kirsten wilde absoluut naar Rapallo.

'Weet jij,' vroeg ze Silvestri in haar gebrekkige Italiaans, 'of die gebouwen nog bestaan waar die beide verdragen zijn ondertekend?'

Perlmann zweeg. Ze tutoyeerde de Italiaan. En waarom twee verdragen?

'Ik moet echt een beetje werken,' lachte Silvestri toen hij zag hoe teleurgesteld ze was dat hij niet mee wilde. 'Ik ben niet zo ijverig geweest als je vader.'

Later, op de boot, vertelde Kirsten over Silvestri's werk in de kliniek, en als haar toon niet een heel klein beetje te onnadrukkelijk was geweest, had je kunnen denken dat ze hem al jaren kende. Hij had haar blijkbaar veel over zijn vroegere werk met autistische mensen verteld, en opeens wist ze ook alles over Franco Basaglia, wiens doortastendheid ze beschreef alsof ze getuige was geweest van zijn experiment met het opengooien van zwakzinnigeninrichtingen. Tussendoor trok ze aan een filterloze Gauloise, en het kwam Perlmann voor alsof het gebaar waarmee ze de tabakskruimels van haar tong viste, het gebaar van Silvestri's bleke hand nabootste. Over tien dagen, zei ze, zou Giorgio terug moeten naar Bologna om supervisie te houden op het begin van een nieuwe therapeutische behandelmethode, en dan zou hij zich ook weer over een paar bijzonder lastige patiënten kunnen ontfermen, die het nu zonder hem moesten stellen.

Doordat Kirsten zich achter haar grote zonnebril opeens met de agenda van Silvestri bezighield, kwam er bij de vele andere tijden nog een heel nieuwe bij. Perlmann was er niet zeker van of die geheel nieuwe tijd, waarin Kirsten de metgezellin van Silvestri was, hem zijn dochter nader bracht – want het was een Italiaanse tijd, een tijd aan deze zijde van de Alpen –, of dat Kirsten, omgeven door die nieuwe tijd, hem juist vreemder voorkwam, als een verraadster zelfs, omdat het daarbij om de tijd ging van iemand die – anders dan bijvoorbeeld Martin aan de andere kant van de Alpen – op een tekst van hem zat te wachten.

Ook van de tijd die Silvestri in Oakland had doorgebracht, was ze op de hoogte. 'Over Amerika gesproken,' zei ze. 'Dat met Princeton, dat vind ik echt te gek! Denk je dat ik je daar kan komen bezoeken?' Met een merkwaardige aarzeling, alsof ze zich hem slechts met moeite kon herinneren, voegde ze er na een korte stilte aan toe: 'Met Martin. Hij zou hartstikke graag een keer naar New York gaan.'

De mensen die ze er in Rapallo naar vroegen, wisten niet of de historische gebouwen er nog waren. Bij het eten kreeg Perlmann van Kirsten alles te horen over het verdrag tussen Italië en Joegoslavië, waardoor Rijeka/Fiume tijdelijk een vrijstaat was geworden. Het verbaasde hem hoeveel zijn dochter wist en hoe leergierig ze eigenlijk was. *Exact dat ben ik feitelijk nooit geweest: leergierig.*

Binnen een paar minuten betrok de hemel. In het schemerige, vlakke licht dat nu door de ramen van de pizzeria viel, zakte Kirsten's enthousiasme opeens in, en ze keken elkaar verlegen aan.

'Leg ik niet veel te veel beslag op je tijd?' vroeg ze. 'Donderdag is het jouw beurt, toch?'

Het kostte Permann moeite zichzelf te bekennen dat hij woedend was over haar toon, waaruit bleek dat ze nu elke prestatie die iemand moest leveren in het licht zag van haar ervaring met haar eigen eerste referaat. Hij gaf een kort knikje en drong aan op vertrek.

Op de terugreis stonden ze zwijgend aan de reling en keken naar de schuimkoppen van de golven die door een koude wind werden gevormd. Of ze zijn bijdrage van tevoren mocht lezen, vroeg Kirsten na een tijdje. Perlmann was blij dat een windstoot hem een adempauze verschafte. Maria had de tekst momenteel onder handen, zei hij toen, en hij legde uit wie Maria was. Angstig wachtte hij op haar vraag naar het onderwerp van zijn lezing, maar die vraag kwam niet. In plaats daarvan zei Kirsten zonder hem aan te kijken: 'Die Brian Millar, die mag jij niet, hè?'

'Eh... gaat wel. Hij is me een beetje te... te zelfverzekerd.'

'*Cocksure*,' zei ze en ze keek hem glimlachend aan. '*I can see that*.'

Bij het verlaten van de boot bleef ze opeens staan. 'Is het daarom dat je niet wilt spelen? Je bent toch zeker niet bang voor die man? Ik vond dat hij gisteravond niet veel bijzonders te melden had over Faulkner.'

Perlmann duwde met zijn voet een leeg colablikje van de kademuur. 'Hij hoort er hier eigenlijk niet bij, vind ik. Dat is alles.'

Hij wilde nu alleen zijn en maakte tempo. Maar toen het hotel in zicht kwam, bleef Kirsten nog een keer staan.

'En de kwestie met mama en Chagall wil je me niet uitleggen? Sorry, je krijgt de zenuwen van me. Maar je bent zo... zo somber.'

'Kom,' zei hij, 'het gaat zo regenen.'

In de hal kwamen ze Silvestri tegen, de kraag van zijn regenjas opgeslagen en een sigaret in zijn mondhoek. Hij ging naar de bioscoop, zei hij met de schuldbewuste grijns van een scholier die zijn huiswerk heeft laten slonzen. Of ze mee mocht, vroeg Kirsten, en ze kreeg een kleur toen ze zich ervan bewust werd hoe overhaast haar vraag was. Opnieuw vond Perlmann het ongelooflijk hoe snel de Italiaan kon reageren. Dat hij liever alleen was gegaan, was enkel te merken aan de ietwat te opgewekte toon van zijn hoffelijke reactie.

'*Volentieri, volentierissimo, signorina*,' zei hij en bood haar zijn arm aan.

Perlmann moest het licht aandoen toen hij aan zijn bureau ging zitten. Pas nu hij de schots en scheef liggende potloden en de proppen papier in de prullenbak zag, herinnerde hij zich dat hij afgelopen nacht was opgestaan en had geprobeerd te werken. Het was geen erg duidelijke herinnering en er zat iets heel vers en vreemds aan – alsof hij het niet zelf was geweest. Hij pakte het verfrommelde papier en liet het na een korte aarzeling weer vallen. Toen begon hij trefwoorden te noteren. Als Kirsten maandagavond vanuit Genua weer was vertrokken, kon hij met een taxi snel naar hier terugkeren en meteen met schrijven beginnen. Dan had hij altijd nog drie dagen voordat hij Maria definitief een tekst moest geven.

Van de trefwoorden, die deels naast elkaar, deels onder elkaar stonden, kon hij geen zinnen maken, en aan het almaar slordiger worden van zijn handschrift werd steeds duidelijker zichtbaar dat hij weinig geloof hechtte aan wat hij schreef. Perlmann liet het bad vollopen en ging er lang voordat het helemaal vol was in zitten. Het ergste was dat hij ernaar verlangde dat het al maandagavond was. Intussen vroeg hij zich voortdurend af wanneer de film voorbij was en Kirsten zou aankloppen. Hij liet telkens heet water bij lopen, totdat hij het niet langer uithield en uit het bad stapte. Daarna ging hij in zijn badjas op bed liggen, en toen zijn huid allengs minder gloeiend aanvoelde, sukkelde hij in slaap.

Er was iets misgegaan tussen haar en Silvestri. Perlmann zag het meteen toen hij de deur opendeed voor Kirsten. Haar gezicht stond koppig, met eenzelfde uitdrukking als toen ze bij een wedstrijd onder scholieren van haar vijand uit dezelfde klas had verloren. Ze kwam naar hem toe en legde haar armen om zijn nek. Dat had ze al jaren niet meer gedaan en Perlmann, die niet meer wist hoe je een dochter omhelst, hield haar vast als een kostbaar en breekbaar voorwerp. Toen ze zich van hem losmaakte, aaide hij over haar haar, dat naar restaurant rook. Ze ging in de rode fauteuil zitten en zocht in haar jasje naar sigaretten. Woedend keek ze naar het pakje Gauloises en gooide het in de richting van de prullenbak, die ze op een haar na miste. Perlmann raapte de sigaretten op die uit het pakje waren gegleden. Toen hij overeind kwam, hield Kirsten de vlam van haar aansteker voor één van haar eigen sigaretten. Haar donkere ogen glommen.

'En nu wil ik dat je me mee uit neemt, naar dat witte hotel op de helling,' zei ze en ze spitste haar paarse mond.

Het klonk als een zin in een film, Perlmann moest een lach onderdrukken. Hij kleedde zich aan en koos de blazer met de goudkleurige knopen. Hij was blij dat het nog geen maandagavond was. Toen hij uit de badkamer kwam, wees ze naar het blad met de trefwoorden dat nog steeds op de glazen plaat van het bureau lag.

'Als ik me verveel tijdens een college, teken ik ook altijd poppetjes,' zei ze.

Pas toen de taxi de oprit naar het IMPERIALE op reed, lukte het Perlmann die opmerking te vergeten.

Kirsten zat ver achterovergeleund in de fauteuil van turkooiskleurig pluche en keek naar de vele lichtjes van de baai.

'Ik wou dat mama hier ook was,' zei ze door de zachte muziek heen die van de bar doordrong tot de salon.

Perlmann at met tegenzin zijn broodje. Dus was het misschien niet zo dat zij beter en sneller in het reine was gekomen met Agnes' dood dan hij. En zelfs als dat zo was: het was dom geweest haar dat kwalijk te nemen.

'Gisteren, in het café,' ging ze verder, 'zei je iets over intimiteit en vrijheid. Ik weet niet of ik dat heb begrepen.' Ze zweeg even, zonder hem aan te kijken. 'Was je gelukkig met mama? Ik bedoel... Het was goed thuis, er was nooit ruzie. Maar misschien...'

Perlmann sloot zijn ogen. De camera klikte en Agnes glimlachte spottend terwijl hij om zich heen sloeg om de duiven te verjagen. Daarna liepen ze samen door Hamburg en wezen elkaar op de stralende kleuren van de vochtig glanzende herfstbladeren, terwijl hij innerlijk almaar het verlossende woord van de arts over Kirsten's gezondheid herhaalde. Op zijn gezicht voelde hij de wind die over de klippen in Normandië streek en zag hij Agnes' arm in het gele windjack, die het volle pakje sigaretten met een weids gebaar de leegte in gooide. En toen, alsof die nieuwe herinnering allesvertroebelend over de andere heen schoof zonder die helemaal uit te wissen, voelde hij Agnes' hoofd tegen zijn stijve schouder nadat haar op het vliegveld de opmerking over de dromerige foto van Hongkong was ontglipt.

Hij deed zijn ogen open en zag dat Kirsten hem observeerde.

'We hadden het goed. De meeste tijd hadden we het goed met elkaar.'

Haar glimlach, dacht hij later, verraadde dat ze blij was met de stelligheid waarmee hij het had gezegd, maar ontevreden met de woordkeus. Ze had tenslotte naar geluk geïnformeerd.

Ze tikte op haar pakje sigaretten en wilde, Silvestri's gewoonte volgend, er met haar lippen eentje uit halen, toen ze opeens aarzelde, weer helemaal van voren af aan begon en er, zoals ze gewend was, eentje met haar vingers uittrok.

'Weet je, Martin is oké. Echt heel erg oké.'

De stilte die ze liet volgen duurde te lang, ze merkte het en zocht naar woorden. 'Echt, dat is zo. Het is alleen... ik weet niet... Soms mis ik bij hem een beetje een... kick. Weet je, zoiets als die stomme Giorgio... die stomme Silvestri... of zelfs François... *Oh, forget it.*' Ze wierp Perlmann met een snelle beweging van haar hoofd een grimas toe en keek toen weer naar buiten.

Perlmann dacht aan hoe Agnes destijds was teruggekomen van een reis naar Shanghai waaraan ook die André Fischer had deelgenomen. Haar cadeautje, een kleine ivoren draak, had ze hem zonder te waarschuwen dwars door de woonkamer heen toegeworpen – iets wat ze anders nooit deed. Ook verder had ze zich een paar dagen lang vlotter gedragen dan hij van haar kende, soms, zonder enige aanleiding, zelfs uitgelaten. Later was het weer overgegaan, en de rustige manier waarop ze altijd met elkaar omgingen had de uitgelatenheid verdrongen. *Een kick.*

Hoe goed Martin Russisch kende, wilde Perlmann weten toen hij Kirsten's zwijgen onaangenaam begon te vinden. Hij vroeg het, zei hij, omdat ze gisteren die opmerking had gemaakt over het grote woordenboek met het slechte papier.

'O, redelijk goed, geloof ik. Zijn vader, overigens een onuitstaanbare vent, heeft lang in Moskou gewerkt, en om een of andere reden wilde Martin hem evenaren met zijn kennis van de taal. Het schijnt het enige te zijn wat hen verbindt.' Ze maakte omstandig haar sigaret uit. 'Hij heeft talent. Voor heel veel dingen. Dat... dat is het niet.'

Het was lang na middernacht toen ze voor het MIRAMARE uit de taxi stapten. De laatste twee uur was bijna uitsluitend Kirsten aan het woord geweest, en hij was heel veel te weten gekomen over haar leven. Hij wist nu wie de andere leden van de woongroep waren, kende Kirsten's reisplannen voor het komende jaar en hij had zich samen met haar opgewonden over de onzorgvuldigheid van haar zorgverzekeraar, waar ze in verband met haar huiduitslag een beroep op had moeten doen. Vooral wist hij nu hoe het er in haar dagelijks leven op de universiteit aan toe ging. Zelfs een paar graffititeksten die haar dagelijks onder ogen kwamen, kende hij uit zijn hoofd. Geboeid had hij elk detail in zich opgenomen en bij elk onderwerp opnieuw getracht te genieten van de vertrouwdheid die zijn dochter bij hem zocht terwijl ze ontspannen en soms dromerig vertelde, bijvoorbeeld over de zo verschillende stemmingen boven de Bodensee. Maar later was ze steeds meer in de toon vervallen waaruit haar trots klonk over een vader die de universiteit veel, veel beter kende dan zij en voor wie alles wat ze vertelde gesneden koek moest zijn. *Hou daarmee op, alsjeblieft, hou op!* had hij haar ontelbare keren willen toevoegen. *Ik hoor er niet meer bij, al heel lang niet meer!* Naarmate de salon met de pluchen charme van eind negentiende eeuw leger werd, was haar onwetendheid hem een steeds grotere kwelling geworden en had hem in een ijskoude eenzaamheid gedreven, waarin de verleiding die hij de vorige dag nog had gevoeld om haar met al zijn angst en wanhoop in vertrouwen te nemen, niet was teruggekomen.

Voordat Kirsten haar gang in sloeg kwam ze naar Perlmann toe, sloeg haar armen om zijn nek en legde haar hoofd tegen zijn borst.

'Zo hebben we niet vaak met elkaar gepraat. Misschien wel nooit. Het was fijn. Vind je ook niet?'

Hij knikte zwijgend. Toen ze opkeek en de tranen in zijn ogen zag, aaide ze met beide handen over zijn wangen. En voordat ze na drie stappen om de hoek verdween, zwaaide ze naar hem, eerst verlegen, toen op een ironische manier heel overdreven.

23

Tegen half negen kwam ze hem halen voor het ontbijt. Ze had hetzelfde aan als bij haar aankomst en droeg weer al haar ringen. Maar haar lippen had ze deze keer niet gestift, zodat je de plek zag waar in haar onderlip een kloofje zat. Toen ze Perlmann's blik zag, voelde ze met haar wijsvinger aan de plek.

'Mag ik?' vroeg ze en liep naar de badkamer om in de spiegel te kijken.

De slaappillen. Ik had ze weg moeten halen. Perlmann liep naar het raam, sloot zijn ogen en probeerde een simpele opmerking te bedenken die hij langs zijn neus weg kon maken.

'Hoor eens,' zei Kirsten, toen ze uit de badkamer kwam. 'Barbituraat, is dat niet een nogal sterk middel? Nogal gevaarlijk ook? Met het oog op verslaving, bedoel ik.'

Perlmann ademde uit voordat hij zich omdraaide. 'Wat? O ja, de pillen, bedoel je.' Hij slaagde erin te glimlachen. 'Ach nee, ik hoef me geen zorgen te maken, zei de dokter. Het is allemaal een kwestie van dosering. Bovendien heb ik ze maar heel zelden nodig, gelukkig.' Nu had hij de woorden die hij zonet had bedacht nog helemaal niet uitgesproken. 'Alleen af en toe, dan heb ik zo'n nacht dat mijn rug pijn doet. Iets is er ook hierboven niet helemaal in orde, met het bed. En voordat de hele volgende dag naar de knoppen is...'

Ze zette een voet op de bedrand en maakte de veters van haar sneakers vast. Hij kon niet zien of ze hem geloofde.

Silvestri verscheen pas even voor negenen in de eetzaal en dronk alleen koffie. Hoewel hij tegenover haar zat, probeerde Kirsten hem te negeren door plotseling Ruge te bestormen met vragen over zijn laboratorium in Bochum. Toen Silvestri zijn sigaretten pakte, zocht hij Kirsten's blik om haar er eentje aan te bieden. Uiteindelijk stak hij er zelf één op, wierp Perlmann een blik toe en gaf het pakje een flinke duw, zodat het over de hele tafel heen tegen Kirsten's schoteltje stootte en er koffie uit het kopje gutste. Kirsten schrok, tilde het druipende kopje vol verwijt even op en greep toen naar het pakje. Pas nu ontmoette ze Silvestri's blik. Even vreesde Perlmann dat ze het pakje gewoon terug zou gooien. Maar toen haalde ze er toch heel langzaam een sigaret uit, stak die tussen haar lippen en met haar blik op iets heel anders gericht stak ze haar arm met zo'n blasé gebaar in Silvestri's richting, alsof ze het op een toneelschool had geleerd. De Italiaan liet grijnzend zijn aansteker vanuit een overdreven hoogte in haar hand vallen. Het gaf een zacht metalen geluid toen die met haar vele ringen in aanraking kwam. Zonder hem een blik waardig te keuren hield Kirsten haar sigaret in de vlam, klapte de aansteker dicht en legde hem midden op de tafel. '*Ecco!*' lachte Silvestri en greep ernaar. Kirsten richtte haar blik op hem en stak haar tong uit.

Perlmann ving een blik op van Evelyn Mistral. Haar oosterse gezicht met de groene, met barnsteen gemêleerde ogen leek van heel ver te komen, en hij wist niet of hij daar blij mee moest zijn of ongelukkig.

Laura Sand's derde zitting verliep trager dan de eerste twee. Levendig werd het pas bij de filmbeelden, die de vraag opwierpen of dieren de betekenis van bepaalde signalen alleen in zoverre begrijpen dat ze er adequaat op reageren, of dat het bij hun begrip hoort dat ze – in welke vereenvoudigde, simpele betekenis dan ook – aan hun partners de intentie toekennen dat die hun iets te verstaan willen geven. Beschikken dieren over zoiets als een theorie over het geestesleven van hun soortgenoten?

'Maar dat is toch zo klaar als een klontje,' barstte Kirsten los. 'Natuurlijk hebben ze dat! Dat kun je toch gewoon aan hun blikken zien!'

'Feit is,' onderbrak Millar haar, 'dat je aan die blikken niets kunt zien en dat de aanname nogal gewaagd is, om het zachtjes uit te drukken.' Hij zei het op zijn gebruikelijke zelfverzekerde toon, en alleen een lichte irritatie verraadde dat er eerder tussen Kirsten en hem een discussie over Faulkner had plaatsgevonden.

Perlmann dacht aan de leuke dingen die Evelyn Mistral onlangs over de veelzeggende blikken van dieren had verteld, en hij verwachtte dat ze Kirsten te hulp zou komen. Maar ze zei niets, hield haar armen gekruist voor haar borst en knikte zelfs toen Millar en Ruge een bemiddelingsvoorstel belachelijk maakten dat Von Levetzov in Perlmann's ogen alleen maar had gedaan omdat hij aardig wilde zijn voor Kirsten.

Net als alle anderen wachtte ook Laura Sand tot Silvestri zich in de discussie zou mengen, die, zoals iedereen wist, Kirsten's spontane mening deelde. Maar de Italiaan beantwoordde die collectieve verwachting met een pokerface en plukte meer tabakskruimels van zijn tong dan erop zaten. Uiteindelijk gaf Laura Sand door haar mond te vertrekken te kennen dat ze zijn weigering had begrepen, en nu ontwikkelde ze haar eigen theorie, die niet zo heel veel verschilde van Kirsten's idee. Aanvankelijk luisterde Kirsten geboeid naar haar; maar toen het ten slotte te technisch werd, leunde ze onopvallend achterover en keek verstolen op haar horloge.

'Een beetje verbaast het me wel,' zei ze later in de hal tegen Perlmann, en het klonk alsof ze meer geïntimideerd was dan verbaasd, 'zo fel als jullie discussiëren. Dan gaat het in een werkgroep bij ons toch heel wat... losser, vriendelijker toe. Vond je het vervelend dat ik zomaar opeens mijn mening gaf?'

Perlmann antwoordde niet, want Maria kwam naar hem toe en overhandigde hem een uitdraai van Leskov's tekst met daaronder de bladen met zijn handgeschreven vertaling.

'*Eccolo*,' zei ze, 'het heeft even geduurd, want signor Millar heeft me toch nog iets laten uittikken.'

Voor de titel, die er in een overdreven grote vette letter op stond, had ze een extra blad genomen. Nu wees ze ernaar en wilde iets zeggen. Met een tegenwoordigheid van geest die hij inwendig absoluut niet beleefde, was Perlmann haar te snel af en stelde Kirsten aan haar voor. De tekst hield hij met beide handen achter zijn rug terwijl hij tegen Kirsten lovende woorden over Maria sprak die hem verschrikkelijk hol voorkwamen. En Maria had nog nauwelijks een vraag aan Kirsten gesteld of hij maakte een verontschuldigend gebaar, liep naar de receptiebalie en vroeg signora Morelli de stapel papieren in zijn vakje te leggen.

'Ik vond de tekst erg interessant,' zei Maria, toen hij weer terugkwam. 'Alleen het laatste derde deel, die kwestie van het zich toeeigenen, dat heb ik niet echt goed begrepen.'

'Dat is ook een probleem,' zei Perlmann, en hij begon zich om te draaien. 'En hartelijk bedankt voor uw werk.'

'Graag gedaan. En... wacht... Blijft het zoals afgesproken: de andere tekst vrijdag?'

Perlmann voelde Kirsten's blik op zijn gezicht. Toen hij zich weer naar Maria omdraaide had hij het gevoel een log, onhandelbaar ding te verplaatsen. 'Ja,' zei hij, 'zoals afgesproken.'

Perlmann had de klink van de deur naar de eetzaal al in zijn hand toen Kirsten naar de sleutelvakjes wees. 'Dat is toch de tekst voor je zitting op donderdag, nietwaar? Iets met... linguistic creation. Of heb ik het verkeerd gelezen? Je liet die papieren ook meteen weer verdwijnen!' lachte ze.

'Later,' mompelde Perlmann toen hij Ruge en Von Levetzov op hem af zag komen.

'Weet je,' zei Kirsten toen ze aan de tafel gingen zitten, 'ik dacht dat ik misschien een kopie van de tekst mee zou kunnen nemen. Om onderweg te lezen. Denk je dat ik Maria kan vragen nog een uitdraai te maken?'

'Straks,' zei Perlmann. Het lukte hem niet zijn ergernis en woede niet te laten doorklinken in zijn stem. Hij legde zijn hand op haar arm en glimlachte geforceerd. 'We hebben het er later wel over. Oké?'

Ze deed er eindeloos lang over om zich op te frissen voor de terugreis en haar spullen in te pakken. Met zwaar gemoed keek Perlmann naar de baai, waar het onder de betrokken hemel begon te schemeren. Aan de tekst hadden ze geen woord meer vuilgemaakt. En, daarvoor kende hij zijn dochter veel te goed, dat was niet omdat ze allemaal tot na drieën in de eetzaal waren blijven zitten en om de grappen van Achim Ruge hadden gelachen, die het onder Kirsten's bewonderende blikken tot topprestaties had gebracht.

Over die tekst zou ze uit zichzelf niet nog een keer beginnen. Nog liever zou ze haar tong afbijten. Zo was het altijd geweest als hij ongeduldig tegen haar was uitgevallen over een of andere kwestie. Evenals zojuist had ze dan altijd het overdreven vergeetachtige, ongeïnteresseerde gezicht getrokken waarop onmiskenbaar die ene boodschap te lezen stond: *niets aan de hand.* Ooit, toen iemand tijdens een wetenschappelijk debat had geponeerd dat er behalve door middel van taal geen andere mogelijkheid bestond negatieve existentiële beweringen uit te drukken, had hij spontaan en tot grote hilariteit van de aanwezigen gezegd: 'Dan kent u mijn dochter niet.'

Meteen nadat Kirsten naar haar kamer was gegaan, had hij de tekst uit zijn vakje gehaald. Hij had even naar het laatste blad gekeken, drieënzeventig bladzijden waren het geworden. Toen had hij de uitdraai van zijn vertaling in zijn handkoffer gestopt en de met de hand geschreven versie geheel onder in de ladenkast gedaan. Telefonisch had hij in Genua een slaapwagen eerste klas gereserveerd. Vijf minuten later had hij nog een keer gebeld en de reservering laten veranderen in een couchette. Nee, wanneer er morgenochtend in Zürich rond zes uur een trein naar Konstanz vertrok, kon ze met geen mogelijkheid zeggen, had de gestreste vrouw gezegd. Sindsdien stond hij voor het raam, en hoewel hij last van zijn rug had, leek hem dat de enige houding waarin hij het wachten kon uithouden.

Ze droeg weer haar zwarte jas en had de rode reistas in haar hand toen ze tegen half zeven eindelijk verscheen. Het was alsof het voorval met de tekst nooit had plaatsgevonden. Eigenlijk was hij toch best wel aardig, die stomme Giorgio, zei ze, alleen aan zijn eeuwige spot had ze ongelooflijk de pest. En van Faulkner had zij absoluut meer verstand dan hij. Ze had zich weer opgemaakt; de felrode haarspeld vond hij niet passen bij het vetglanzende paars van haar lippen.

Ze waren veel te vroeg op het station, het schaars verlichte perron was nog leeg. Een verlegen zwijgen stond plotseling tussen hen in, ze keken elkaar beschroomd aan, toen begon Kirsten doelloos in haar reistas te graaien. Opeens klonk over het verlaten perron het schelle gerinkel dat Perlmann al kende. Het was een indringende, eindeloos durende toon, heel angstaanjagend omdat hij in het donker klonk zonder dat er iets gebeurde. Ze begonnen allebei tegelijk te lachen, en Kirsten hield haar oren dicht. Alsof ze op de vlucht sloegen, verlieten ze het station en ze gingen onder de platanen voor de ingang staan.

Of hij echt mee wilde naar Genua, vroeg ze, toen ze weer tot zwijgen dreigden te vervallen. Ze vond het veel te veel gedoe. Maar hij stond erop, en zo zaten ze later in de sjofele wagon naast elkaar. Perlmann had het liefst gejankt toen hij zich ervan bewust werd dat hij even krampachtig naar gespreksstof zocht als bij een ontmoeting met een wildvreemde. Uiteindelijk begon hij over Maria's kapsel en hij vroeg of haarlak in de mode was.

'Jij bent echt niet meer van deze tijd,' lachte ze. 'Dat is allang weer uit, mega-out zelfs. Niemand loopt nog met zulk haar rond.'

Later stak ze haar laatste Gauloise op en overhandigde hem toen de rode aansteker. Voordat hij hem teruggaf, bekeek hij hem nauwkeurig, blij dat hij iets tegen het opnieuw dreigende zwijgen kon doen. Op de dunne gouden rand stond met kleine lettertjes *Cartier* gegraveerd. Juist wilde hij vragen hoe ze eraan gekomen was, toen haar gezicht hem zei dat hij dat beter niet kon doen. Hij legde het ding zonder iets te zeggen in haar hand. Ze draaide het om en om tussen haar vingers terwijl ze door het raam naar het donker staarde.

'Je mag hem hebben,' zei ze opeens met de opgeluchte glimlach van iemand die zo-even een afscheid heeft genomen dat veel te lang was uitgesteld. 'Hier, alsjeblieft.'

Aarzelend nam hij de aansteker aan. Spottend tuitte ze haar lippen, toen knipte ze met haar vingers. 'Voorbij.' Hij wierp er nog een keer een blik op en liet hem in zijn zak glijden. *François.*

Voorlopig was ze alleen in haar couchette. Dat kon vanaf Milaan anders worden, merkte hij op, en toen vroeg hij of ze Zwitserse franken bij zich had. Voor een ontbijt in Zürich. Ze leunde uit het raam en stak een arm naar hem uit. Hij pakte haar hand. Vooraan begon de conducteur de deuren te sluiten.

'Thuis was je ook bijna nooit bij het ontbijt aanwezig. Tot mama's verdriet.' Ze haalde haar neus op, en nu zag hij haar tranen. 'Alleen op de eerste dag van de vakantie ontbeten we altijd met elkaar, de hele ochtend. Dat was... dat was fantastisch.' Ze liet zijn hand los en veegde over haar ogen. 'Giorgio vertelde me namelijk dat je nooit bij het ontbijt bent.' De trein zette zich in beweging. Ze lachte. '*Gli ho detto che ti voglio bene. Giusto?*'

Perlmann knikte en stak zijn hand op om te zwaaien. Door zijn tranen heen zag hij hoe Kirsten met haar handen een trechter vormde en iets riep wat hij niet meer kon horen. Hij bleef staan tot hij er heel zeker van was dat hij de rode achterlichten van de trein niet meer zag.

Omdat het treinkaartje voor Kirsten meer had gekost dan hij had verwacht, had hij niet meer genoeg geld voor een taxi. Op het nippertje haalde hij de laatste trein naar Santa Margherita. Af en toe tastte hij tijdens de rit naar de rode aansteker in zijn zak en herhaalde in gedachten Kirsten's Italiaanse zin. In het hotel wierp hij zich op het bed en liet zijn tranen de vrije loop.

24

Aan het eind van de zitting van dinsdag stelde Millar voor op woensdag en donderdag over het werk van Evelyn Mistral te praten, zodat hij vrijdag naar Florence kon om in verband met de encyclopedie nog een keer met zijn Italiaanse collega's te overleggen. Heel even kwam er een machteloze woede in Perlmann op omdat hem nu ook nog de laatste vrije dag waarop hij had kunnen schrijven, werd afgenomen. Maar al voordat Laura Sand haar spullen bijeen had gepakt en iedereen opstond, was die machteloze woede weer ingezakt en had plaatsgemaakt voor doffe onverschilligheid.

Die ging gepaard met een dodelijke vermoeidheid die er niet minder op werd toen hij zich steeds vaker en met steeds minder verzet overgaf aan zijn dwangmatige slaapbehoefte. Bij het ontwaken drukte die vermoeidheid meestal nog zwaarder op hem dan ervóór, en iedere keer dat hij met zijn kleren aan onder het dekbed kroop, leek zijn onverschilligheid alleen maar toe te nemen, tot het hem voorkwam alsof hij in heel korte tijd had verleerd om überhaupt nog iets te voelen. Als hij iets tot zich nam, gebeurde het totaal mechanisch, en het was wat de blindheid van zijn gewaarwording betrof nauwelijks te onderscheiden van de voedselopname van een plant. Dat hij ook met die activiteit zou ophouden was slechts een kwestie van tijd, dacht hij als hij weer weggleed in een halfbewuste toestand waarin hij zich voor heel even geborgen voelde, tot de volgende woeste draaikolk van opflakkerende droombeelden hem met zich meesleurde.

Dinsdagavond belde Kirsten. Hij had gelijk gehad, vertelde ze, in Milaan was de coupé volgestroomd en toen was er een waar snurkconcert begonnen, zodat ze geen oog had dichtgedaan. In Zürich had ze bijna twee uur op haar aansluiting moeten wachten, maar het ontbijt was fantastisch geweest.

'Ik hoop,' zei ze op licht beschroomde toon, 'dat je mijn opmerking bij het afscheid niet verkeerd hebt opgevat. Het was niet als verwijt bedoeld.'

De zaaltjes op de universiteit waren haar nog schameler voorgekomen dan eerder. 'En dan die eeuwige kartonnen bekertjes! Ik moest voortdurend aan jullie kristallen glazen denken.'

Martin? 'Stel je voor, hij was op het station, op goed geluk, omdat hij inderdaad had verwacht dat ik met de nachttrein zou komen.' Ze zweeg even. 'Toen ik hem zag, had ik een slecht geweten. Vanwege... nou ja, vanwege mijn opmerking.'

Het college? 'Daar heb ik met open ogen zitten slapen! Eén keer, toen Lasker *The Wild Palms* noemde, moest ik aan de discussie met Millar denken. Lieve god, wat is die man van zichzelf overtuigd! *Cocksure* is veel te zacht uitgedrukt!'

Nadien kon Perlmann niet in slaap komen; hij verlangde naar zijn eerdere slaapzucht. Midden in de nacht haalde hij zijn aantekeningen uit de koffer en ging aan het bureau zitten. Langzaam sloeg hij de bladzijden om. Nee, het ging niet, je kon de Duitse voorbeeldzinnen niet in het Engels vertalen, ze klonken dan slap, vreemd en zelfs belachelijk. *Tegenwoordigheid: een parfum, een licht, een glimlach...* Hij had de viltstift al in zijn hand om die twee regels door te strepen toen hij hem weer neerlegde en een sigaret opstak. Hij liet de regels staan en bladerde door naar het eind. *Wat mij van mijn tegenwoordigheid scheidt...* Zonder te aarzelen streepte hij de hele laatste alinea door. Maar dat was hem niet voldoende. Hij maakte steeds meer regels zwart, tot ook het laatste witte puntje was verdwenen en het hele blad een pikzwart blok vormde dat sporen achterliet op de bladzijde die er achter zat. Hij wapperde en blies het blad droog, toen bladerde hij terug naar de twee toegevoegde regels. Hij keek er even naar en maakte toen ook die zwart. Een tijdlang staarde hij roerloos naar de eerste bladzijde. Toen zette hij er met de viltstift de titel boven: MESTRE NON È BRUTTA.

Woensdagochtend, op weg naar de veranda, liep hij het kantoor van Maria binnen en overhandigde haar de aantekeningen. Ze moest lachen om de titel. Nu was de tekst dus toch vroeger klaar, zei ze. Ze moest vandaag en morgen nog een paar andere dingen doen, maar maandagavond zou ze ermee klaar zijn, zoals afgesproken. Perlmann knikte bij alles wat ze zei. Hij stond al op de drempel toen hij haar nog een keer hoorde lachen. Ze wees naar het zwartgemaakte schutblad. 'Net een geheim document,' zei ze. 'Zoiets maakt je meteen nieuwsgierig.'

Evelyn Mistral had bijna een uur nodig om over haar zenuwen heen te komen. Toen pas hield ze op met nerveus aan haar bril te frutselen en zat ze wat ontspannener in de grote stoel. Het viel haar zichtbaar moeilijk te geloven dat Millar en Ruge niet alleen beleefd waren maar dat de tekst hun werkelijk was bevallen. Toen ze zich eindelijk zekerder voelde, ging ze zich ook van minuut tot minuut soevereiner gedragen, voegde veel dingen toe die niet in de tekst stonden en vertelde over een reeks spannende experimentele onderzoeken naar de ontwikkeling van de fantasie en de wil, waar Millar heel enthousiast van werd. Het gevoel dat ze zich in dit illustere gezelschap wist te handhaven, gaf haar steeds meer élan, haar gezicht werd rood en ze rookte veel meer dan anders, waarbij Von Levetzov haar met de beschaafde attentie van een trainer elke keer een vuurtje gaf. Eén keer, toen ze tegen haar gewoonte in probeerde te inhaleren en moest hoesten, begon iedereen te lachen, waaruit zonder meer kon worden opgemaakt dat de anderen haar bijdrage accepteerden en blij waren met haar opluchting.

Perlmann deed zijn uiterste best een geïnteresseerde indruk te maken, en 's middags, vechtend tegen zijn vermoeidheid, las hij alsnog haar tekst. Maar alles wat hij zei klonk mechanisch, en steeds als hij het woord nam, leek elke betekenis uit zijn woorden te verdwijnen. In het laatste deel van de tekst stond de passage waarin Evelyn Mistral uiteenzette waarom de differentiëring van fantasie en wil zich in het medium taal voltrok. Het was niet dezelfde verklaring als bij Leskov, dat zag hij meteen. Maar toen hij zich Leskov's argumenten voor de geest probeerde te halen, stuitte hij op een leegte. Over die leegte, die iets definitiefs had en iets heel anders was dan een incidenteel gat in het geheugen, was hij diep geschokt. Met moeite kon hij de gedachte verdrijven dat hij op het punt stond zijn verstand te verliezen.

Donderdag ging hij naar de trattoria. Hij kon aan de waard en zijn vrouw zien dat de vraag waar hij al die dagen was gebleven, op het puntje van hun tong lag. Maar na een lange, geschrokken blik op zijn gezicht onderdrukten ze allebei hun nieuwsgierigheid. Perlmann ging naar de wc en bekeek zijn gezicht in de spiegel. Het was, vond hij, niet bleker dan anders; integendeel, door het boottochtje met Kirsten was het een beetje bruin geworden. Maar de kleur, zag hij nu, was ook niet de aanleiding geweest voor de schrik van de restauranthouders. Het was de levenloosheid in zijn gezicht die hen had doen schrikken. Op zijn gezicht stond iets van de uitputting van een schipbreukeling, iets verlatens, zodat je het vreemde idee kreeg dat de eigenaar zich uit de voeten had gemaakt en zijn gezicht domweg had achtergelaten. Perlmann probeerde te glimlachen, maar hield er meteen weer mee op toen hij zag hoe koud en tronieachtig het resultaat was.

Toen Sandra het bijna lege restaurant binnen kwam huppelen, beduidden haar ouders haar met een blik naar Perlmann zachtjes te doen. Maar hij verzocht het meisje bij hem te komen zitten en informeerde naar school. Zij leek aan zijn gezicht niets bijzonders te zien, raakte al snel verveeld door al dat gevraag en was opgelucht toen ze weer mocht gaan. Perlmann liet de helft van zijn eten staan, mompelde een vreemde uitvlucht en was blij toen het kralengordijn met zacht gerinkel achter hem dichtviel.

Een tijdlang stond hij aan de haven te kijken hoe de golven op de betonblokken van de dam braken. Het was niet waar dat het morgen al zou gebeuren. Morgen was het pas vrijdag, de dag waarop hij Maria zijn tekst had moeten geven. Als hij er nu eens van uitging dat hij tijdens zijn zitting alleen zou praten en van tevoren geen tekst zou ronddelen, dan had hij nog een speelruimte van in elk geval zes dagen. Minus de tijd voor de zittingen van Silvestri. Hij haalde een paar keer diep adem. Nu kwam het erop aan het beetje vertrouwen dat hij voelde in leven te houden. Vijf dagen, dat was goedbeschouwd heel veel tijd. Hij had tenslotte ervaring met het schrijven van lezingen, veel ervaring. Langzaam, alsof zijn zelfvertrouwen door een onverhoedse beweging zou kunnen breken, liep hij terug naar het hotel.

Toen hij de deur van zijn kamer opendeed, begon juist de telefoon te rinkelen.

'Met mij,' zei Kirsten. 'Ik wilde even weten hoe het je is vergaan.'

Eerst snapte Perlmann haar niet. Pas toen Kirsten voor de tweede keer 'Hallo!' riep, begreep hij het: ze dacht dat zijn zitting vandaag al was geweest. Het was gekomen door de ergernis over haar joviale studentikoze toon, die ze ook nu weer aansloeg, dat hij haar zondag in Rapallo niets had gezegd over het uitstel.

'Ik ben nog niet aan de beurt,' zei hij. 'De planning is veranderd. Ik ben pas volgende week aan de beurt.'

'O, nou, dan heb ik dus voor niets voor je geduimd. Wie was het vandaag?'

'Evelyn.'

'Aha.'

Er viel een stilte.

'Is Giorgio er nog?'

Hij moest lachen en verbaasde zich daarover. 'Ja, die is er nog.'

'Doe hem de groeten van me. Maar niet al te vriendelijk! En zeg tegen hem... Nee, laat maar.'

Perlmann ging aan zijn bureau zitten en keek naar het blad met de trefwoorden waarop hij in de marge poppetjes had getekend. Als ik me verveel tijdens een college, teken ik ook altijd poppetjes, had ze gezegd. Wat er tussen haar en Silvestri was voorgevallen, zou hij waarschijnlijk nooit te weten komen. En ernaar vragen mocht hij in geen geval. Die fout had hij al eens gemaakt. Hij zag haar woedende gezicht voor zich en hoorde de grap die Agnes had gemaakt over zijn geschrokken reactie.

Op dat moment ging weer de telefoon.

'Ik moet vandaag nog naar Bologna, naar de kliniek,' zei Silvestri. 'Uitgerekend nu de baas weg is, is de andere chef de clinique ziek geworden, en het schijnt opeens een hele toestand te zijn.' Perlmann hoorde hem roken. 'Er zijn twee patiënten vandoor gegaan. Ze worden als gevaarlijk beschouwd, en de politie bemoeit zich ermee.' Hij hoestte. 'Het spijt me dat ik zo onbetrouwbaar ben. Maar ik kan de anderen onmogelijk in de steek laten. Van mijn zittingen van maandag en dinsdag komt natuurlijk niets. Ik neem aan dat u die taak op zich neemt. Ik kom hoe dan ook nog een keer terug, en misschien kan ik dan in de tweede helft van de week iets voordragen.' Hij lachte. 'En als het niet lukt... de wetenschap zal het ook zonder mij wel redden!'

Langzaam legde Perlmann de hoorn neer. Zijn vingers lieten er vochtige plekken op na. *Maandag. Morgen is het vrijdag. En ik heb niets op papier. Geen woord.* Hij veegde zijn handen af aan zijn broek. Hij had het koud. Het maakte helemaal niets meer uit wat hij nu deed. Elke beweging was net zo zinloos en nutteloos als elke andere. Nu was het niet meer te stoppen.

Hij slofte naar de badkamer en nam een hele slaappil in. Het water smaakte vandaag nog erger naar chloor dan anders. De smaak deed hem denken aan de eerste zwemles in het overdekte zwembad, toen hij bijna was verdronken. Het was een benauwende herinnering, maar die voerde hem ver weg uit het heden, en hij hield zich eraan vast terwijl in hem de verdoving zich langzaam uitbreidde.

DEEL II

Het plan

25 Hij werd wakker met hoofdpijn en een laagje zweet op zijn gezicht. Het was kwart voor tien en de zon scheen aan een onbewolkte hemel op het spiegelgladde water van de baai. *Vandaag moet ik een beslissing nemen. Welke dan ook.*

Hier in zijn kamer, min of meer onder de ogen van de anderen, kon hij niet tot een besluit komen, dacht hij onder de douche. Hij verliet het hotel door de achteruitgang en dronk in een bar aan de Piazza Veneto een kop koffie. Allengs trok de pijn in zijn hoofd weg en had hij er minder moeite mee naar de stralende herfstdag buiten te kijken.

Het had geen zin het vertrek van Silvestri tegenover de anderen te verzwijgen. In de loop van de dag zouden ze het van signora Morelli te horen krijgen, op z'n laatst als ze haar naar de teksten voor de maandagzitting zouden vragen. En dan zouden ze zonder meer aannemen dat hij, Perlmann, de twee volgende zittingen op zich zou nemen. *Where are the papers?* hoorde hij Millar al vragen. Op z'n laatst bij het avondeten zou hij kunnen zeggen dat het kopiëren aan de gang was. Anders zou hij zich niet meer kunnen vertonen.

Op de kade waar de lijnschepen aanlegden, verzamelden zich mensen. Lokale bewoners met manden en fietsen, maar ook een paar toeristen met camera's. Opeens had Perlmann het idee dat een lange tocht met een schip hem nog het meest zou helpen om helderheid te krijgen, en hij legde zo veel mogelijk nadruk op die gedachte, in de hoop dat die de op de loer liggende paniek zou overstemmen.

Om elf uur vertrok een schip naar Genua. Hij stond op enige afstand van de groep wachtenden, nog een kwartier, hij rookte ongeduldig, het idee nog langer op het vasteland te moeten blijven was ondraaglijk, hij wilde eindelijk aan boord gaan en kijken naar hoe de strook water tussen hem en de kade breder werd. Om elf uur was de boot nog steeds niet te zien. Hij vervloekte het Italiaanse gebrek aan stiptheid.

Toen hij een halfuur later eindelijk aan de reling stond, helemaal vóór op het schip, deed hij zijn best zijn zintuigen open te stellen en alle indrukken diep en krachtig tot hem door te laten dringen opdat ze zijn wanhopige gedachten zouden overmeesteren en verstikken. Hij had geen zonnebril bij zich, in het verblindende licht kijken deed pijn, maar hij kneep zijn ogen tot spleetjes en probeerde het toch allemaal volledig in zich op te nemen. Het licht weerkaatste op het water, vlak bij de boeg waren fonkelende puntjes, stralende sterretjes, verderop rustige vlakken van witgoud en platina, erboven een heel dun laagje nevel, en in de verte ging de stralende gloed bruusk over in de waas die naar boven toe in een koepel van diffuus blauw oploste. De zware, een beetje bedwelmende geur van het zeewater ademde hij in langzame, diepe teugen in, een geur die hem in Hamburg als kind altijd weer naar de haven had getrokken omdat die een intense en tegelijkertijd volmaakt moeiteloze ervaring van tegenwoordigheid beloofde.

Ik moet me concentreren. Als ik op de terugreis dit punt passeer, moet ik weten wat ik ga doen. Hij ging onder de luifel van de cabine in de schaduw zitten. Er waren maar drie mogelijkheden. De eerste bestond eruit niets aan te bieden. Geen tekst, geen zitting. Dat zou een faillietverklaring betekenen waarmee hij de anderen bovendien voor het hoofd zou stoten, want die faillietverklaring zou zonder vooraankondiging komen en zonder dat hij vooraf om begrip had gevraagd. Dat had hij verzuimd; hij had, door bij Millar naar Engelse woorden te vragen, juist de indruk gewekt dat hij de hele tijd aan een tekst werkte. Het zou een onverhoeds en woordeloos bankroet zijn, zonder enige verklaring zijnerzijds en zonder begrip bij de anderen, een afgrond van sprakeloze gêne. En al helemaal ondoenlijk kwam Perlmann die mogelijkheid voor toen hij zich afvroeg op welke manier hij zijn bankroet bekend moest maken. Hij kon niet zomaar een briefje in de vakjes van de anderen leggen waarop hij hun met een paar sobere woorden meedeelde dat er geen bijdrage van hem zou zijn en dat de zittingen die daarvoor waren uitgetrokken, uitvielen. Moest hij er dan nog iets aan toevoegen als: *omdat ik met de beste wil van de wereld niets heb kunnen bedenken?* Ze zouden een verklaring eisen, expliciet dan wel door de manier waarop ze zwegen. Of moest hij tijdens het avondeten een openbare schuldbekentenis afleggen, tegen zijn glas tikken en dan met woorden die alleen al op grond van de situatie ongewild plechtig zouden klinken, verklaren dat hij in wetenschappelijke zin helaas volstrekt niets meer te zeggen had? Of moest hij de collega's ieder apart op hun kamer opzoeken en zijn onvermogen opbiechten, zes keer achtereen, en dan ook nog Angelini bellen, die had gezegd dat hij absoluut bij zijn zitting aanwezig wilde zijn? Perlmann kreeg een droge mond en ging snel terug naar de boeg van het schip teneinde die gedachte door de wind te laten verdrijven.

Een Italiaans gezin met twee kinderen kwam uit het achterste gedeelte van de boot naar voren, de kinderen gooiden elkaar een bal toe, en opeens was het gedaan met de rust hier voorin, waar tot dusver alleen een paar toeristen aan de reling hadden gestaan om foto's te nemen. Aan de heftigheid van zijn opvlammende irritatie merkte Perlmann hoezeer hij van zijn stuk was. Toen de jongen de bal miste, zodat die overboord vloog, begon hij te gillen als een varken en was door zijn ouders niet te kalmeren. Perlmann moest zich in bedwang houden om niet tegen het joch te schreeuwen en hem door elkaar te schudden tot hij stil was. Hij vluchtte naar het achterste deel van de boot, maar het geschreeuw was ook daar nog te horen, bovendien maakte het gedreun van de machines het onmogelijk helder te denken. Uiteindelijk ging hij naar de cabine en dronk aan de bar een kop lauwe koffie.

Hij kon, dat was de volgende mogelijkheid, zijn aantekeningen over taal en beleven als zijn bijdrage presenteren. Hij moest dan vanuit Genua Maria bellen en haar verzoeken de tekst vandaag nog af te maken, maar op zijn laatst morgenmiddag. Hij kon haar zeggen dat het door Silvestri's vertrek kwam. En haar vragen de titel weg te laten. MESTRE NON È BRUTTA, dat zou als titel van een toch al zeer dubieuze tekst een extra en onnodige provocatie zijn.

Hij haalde zich de zinnen nog een keer voor de geest die hij in de nacht van maandag op dinsdag had gelezen; een paar zinnen sprak hij zachtjes uit. Deze ochtend bevielen ze hem, ze klonken hem heel treffend in de oren en ze leken iets belangrijks te beweren, waarop je evenwel niet gemakkelijk de vinger kon leggen. Het waren zinnen die niet opdringerig waren maar wel precies, vond hij. Heel even versmolt de kalme toon van de zinnen met de rust van het glanzende watervlak in de verte, en het leek hem niet onmogelijk zich met die zinnen aan de anderen te presenteren. Maar toen stootte een oude, onzeker lopende man tegen hem aan en duwde hem tegen de bar, en opeens stortten de zekerheid en het vertrouwen dat hij zo-even nog voor zijn zinnen had gekoesterd, helemaal in. Ze kwamen hem nu bedrieglijk voor, als luchtspiegelingen of wensvoorstellingen in een halfslaap, en terwijl hij de gemorste koffie van zijn schoteltje in het kopje goot, zei hij geforceerd nuchter tegen zichzelf dat ook die oplossing ondenkbaar was. Afgezien van het feit dat het geen samenhangende tekst was, zouden de anderen die merkwaardige aantekeningen afdoen als impressionistisch en anekdotisch, als onverifieerbaar, bovendien vol tegenstrijdigheden, kortom: als onwetenschappelijk. De tekst zou mensen als Millar en Ruge met stomheid slaan, ze zouden alleen nog hun toevlucht kunnen nemen tot ironie, maar de minst erge reactie zou zijn dat ze veelbetekenend zouden zwijgen.

Dat hij daarna de naam zou hebben van iemand die de wetenschap heeft opgegeven en met wie je voortaan geen rekening meer hoeft te houden, en dat uitgerekend nu, nu hij de prijs had gekregen en binnenkort de uitnodiging van Princeton kon verwachten – dat was nog niet het ergste aan deze mogelijkheid. Wat de gedachte totaal ondraaglijk maakte, was dat die aantekeningen veel te intiem waren en hem voor iedereen die ze las te kijk zetten. Ze hadden hem toen hij ze opschreef al dermate intiem geleken, dat hij zich er beter bij had gevoeld er voor zichzelf afstand van te nemen door gebruik te maken van een andere taal. Voor iemand met Engels als moedertaal – dus bijvoorbeeld Millar – bestond die afstand niet. Perlmann huiverde. En opeens had hij de indruk de schroom tegenover zijn eigen zinnen beter dan ooit te begrijpen: veel van die aantekeningen lieten hem zien als een schuchter, kwetsbaar kind, dat worstelde met onbegrepen ervaringen.

Maar ook als hij geen tekst zou aanbieden, werd er iets zichtbaar dat hij liever verborgen zou houden. Dat bleef echter globaal en abstract, het was een brevet van onvermogen, een onvermogen dat verder in het duister bleef. Wat hij daarachter dacht en beleefde, bleef onduidelijk, onbekend, het was zijn zaak daar meer inzicht in te krijgen. Zijn aantekeningen daarentegen, had hij het idee, waren een venster waardoorheen je rechtstreeks in zijn innerlijk kon kijken. Die aan de anderen te laten lezen zou betekenen zijn hele moeizaam verworven isolement op te geven, en Perlmann had het gevoel dat dat op praktisch hetzelfde neer zou komen als zijn totale vernietiging.

De lucht in de cabine was om te snijden, Perlmann had het gevoel in zijn eigen rook te stikken. Hij maakte de sigaret uit en ging vlug naar buiten. Hij maakte een rondje over het hele schip, zijn ogen zochten iets dat heel even zijn aandacht zou kunnen vasthouden, een paar minuten slechts, die nog een laatste kortstondig uitstel betekenden, een laatste keer diep inademen voor wat er nu kwam.

Hij was blij toen een wat oudere man, die iets van een dwerg had, hem om een vuurtje vroeg. Even kwam hij in de verleiding in een gesprek met hem te vluchten; maar toen stootte de voortdurend openstaande mond met de dikke en ver naar voren gestoken tong van de man hem af. Hij plooide zijn gezicht in een moeizame glimlach en ging weer naar voren, waar hij heel langzaam, bijna als in een vertraagde film, naar de reling liep, hem met gestrekte armen vastgreep en zijn ogen sloot.

Aan de derde mogelijkheid had hij tot op dit moment nog nooit expliciet durven denken. Alleen in de vorm van een vage, ongrijpbare voorstelling was die mogelijkheid aanwezig geweest, en meteen als die aan de rand van zijn bewustzijn was opgedoken, had hij zich ervan afgekeerd. Want het was een voorstelling – daar was hij steeds als ze zich voordeed zeker van – waarvan een verschrikkelijke dreiging uitging, en alleen al nagaan wat ze precies inhield, was gevaarlijk. En zo ervoer hij het als een enorme inspanning, als een proeve van moed die hij zich zelfs lichamelijk gewaar meende te zijn, dat hij nu voor het eerst die mogelijkheid recht in de ogen keek: de mogelijkheid de vertaling van Leskov's tekst als zijn eigen tekst aan te bieden.

Het was alsof zich een verraderlijk gif in hem verspreidde toen hij toeliet dat die wanhopige gedachte zich in alle helderheid voor hem ontvouwde. Het deed pijn zichzelf mee te maken als iemand die zoiets serieus overwoog, het was een droge pijn, gespeend van zelfmedelijden en juist daarom des te verschrikkelijker. Wat er nu gebeurde, dat voelde hij met een wakkerheid waarin elke poging zichzelf in de hand te houden werd gesmoord, was een cesuur in zijn leven, een onherroepelijke, onherstelbare breuk met het verleden, en het begin van een nieuwe tijdrekening.

Geen van de collega's kon het bedrog vaststellen, zelfs als de Russische tekst hun door een onwaarschijnlijk toeval in handen zou vallen. Voor hen was de Russische tekst niet meer dan een ondoordringbaar schrift, een ornament. Niemand van hen kende Leskov, niemand wist zijn adres, alleen de naam Sint-Petersburg was een keer gevallen. En ten slotte had geen van hen ook maar enige reden met die onbekende, obscure Rus, die in vakkringen een nobody was, contact op te nemen en daarmee het gevaar van een ontdekking door Leskov zelf te entameren. Later, wanneer het om een publicatie van de tijdens de conferentie tot stand gekomen artikelen ging, kon hij de tekst terugtrekken en door een andere vervangen. Zo nodig kon hij er ook voor zorgdragen dat de publicatie van de artikelen werd vertraagd, hij zou immers zelf als samensteller van het boek fungeren. Tezamen met zijn eigen uitdraai zouden er in totaal slechts zeven exemplaren van de tekst in omloop komen, en men zou het respecteren wanneer hij nadrukkelijk zou verzoeken de tekst niet verder te verspreiden omdat het om een voorlopige versie ging, om een eerste aanzet. Als ze dan niets meer hoorden over een voortzetting, geen nieuwere versies onder ogen kregen en in plaats daarvan een geheel nieuwe tekst van hem lazen, zouden de anderen de tekst ten slotte terzijde leggen, hij zou vergeten worden en op een tafeltje of in een kast vergelen en verstoffen, tot hij uiteindelijk bij een opruimactie zoals iedereen die weleens onder zijn papieren hield, zou sneuvelen en worden vernietigd.

Riskeren kon hij het dus. En wetenschappelijk gezien zou hij een veel beter figuur slaan dan in de beide andere gevallen. Leskov's tekst was weliswaar eigenzinnig en hier en daar gedurfd, je zou hem ook eenzelvig-excentriek kunnen noemen. Maar hij zou in de discussie kunnen verwijzen naar literatuur op het gebied van geheugenonderzoek waartoe Leskov zelf geen toegang had, en verder kon je de tekst een concept noemen, een poging grote lijnen uit te zetten, wat heel goed bij deze gelegenheid paste. Millar en Ruge, dat was duidelijk, zouden hun neus ophalen over zo veel gespeculeer. Maar het was heel goed mogelijk dat de anderen de tekst interessant zouden vinden. Bij Evelyn Mistral was dat ongetwijfeld het geval. Maar zelfs een man als Von Levetzov had onlangs nog zijn oren gespitst toen het onderwerp even ter sprake was gekomen. Perlmann, zo zou het kunnen lijken, probeerde iets nieuws, iets wat je weliswaar geen linguïstiek meer kon noemen, maar wat wel van fantasie getuigde en provocerend was. In zijn werk gebeurde er iets, ontwikkelde zich iets, en heimelijk zouden ze hem zelfs een beetje benijden om zijn moed.

Perlmann voelde zich niet helemaal lekker en gooide zijn zojuist opgestoken sigaret in het water. Het luchtte hem op dat ze nu de haven van Genua binnenliepen en er iets te zien was, de bemanningsleden die de touwen uitwierpen, het dampende water dat uit de boegwand spoot, en verderop de grote schepen en de kranen, waarvan de armen over de hoge stapels kleurige containers heen gleden. Hij vluchtte voor zijn gedachten en verlangde ernaar uit zijn ingekeerdheid te ontwaken en zich in de dingen om hem heen te verdiepen, helemaal op te gaan in de stenen van de kademuur, de houten palen waar de boot tegenaan schurkte, de kasseien van de straat, in al die dingen die er gewoon waren en aan zichzelf genoeg hadden.

Aan land hield hij het niet uit, het wegvallen van de schommelende beweging van voorheen gaf hem een gevoel van gevangenzijn, ook al stond het hem vrij te gaan en staan waar hij wilde in deze op een heuvel gelegen stad die in het herfstige licht van de vroege middag iets van een woestijnstad, iets oosters had. De boot ging pas weer om kwart over drie terug, maar elk uur was er een rondvaart door de haven, en voor de rondvaart van één uur gingen er juist mensen aan boord. Perlmann was blij dat het laat in het jaar was en de twee plaatsen naast hem onbezet bleven. Als hij zijn arm over de rand van de boot liet hangen, kon hij het donkergroene, bijna zwarte water aanraken. Er dreven plassen olie voorbij en ook afval, op heldere plekken kon hij algen en af en toe een verroeste ketting zien, waaraan schepen vastgelegd konden worden.

Hij schrok toen de luidspreker met luid gekraak werd ingeschakeld en een onnodig luide vrouwenstem de gasten verwelkomde, eerst in het Italiaans, daarna in het Engels, Duits, Frans en Spaans en op het laatst in een taal die wel Japans zou zijn. Het was idioot, maar daar had hij van tevoren niet aan gedacht, alsof hij voor het eerst in zijn leven op een rondvaartboot zat. De marteling zou een uur duren, al die informatie en uitleg die hem geen biet interesseerden, en dan ook nog iedere keer in zes talen. Terwijl hij absoluut moest nadenken, nog nooit waren rust en concentratie zo belangrijk geweest als nu.

De stem uit de luidspreker, scherp en verveeld, begon met getallen over de omvang van de haven en het volume van de goederenoverslag, daarna werd een bandje afgespeeld met dezelfde informatie in de andere talen, allemaal vrouwenstemmen, alleen de Spaanse tekst was door een man ingesproken. Perlmann hield zijn oren dicht, de herhalingen waren onverdraaglijk. Dat hij de stommiteit had begaan deze rondvaart te maken, was een teken dat er geen uitweg was uit zijn uitzichtloze situatie. Het was als de voorbode van een onafwendbaar onheil.

Ze voeren lang de eerste grote schepen, zwarte gebogen boegen rezen hoog op, langs relingen waren reddingsboten bevestigd, en hier en daar stonden matrozen te zwaaien. Verborgen achter een ander schip dook opeens een zwarte scheepswand met de naam LENINGRAD op, geschilderd in witte, cyrillische letters. Perlmann brak het zweet uit, hij slikte en voelde hoe alles in hem verkrampte. Zijn vurigste wens was op dat moment dat die letters volkomen vreemd voor hem waren, niet meer dan witte strepen waar niets aan te lezen en niets aan te begrijpen viel. Dat ze hem vertrouwd waren en hem in hun vanzelfsprekendheid een betekenis opdrongen waartegen hij zich niet kon verzetten, was, zo kwam het hem voor, de bron van al zijn ellende, de werkelijke oorzaak van zijn wanhopige situatie.

Agnes, daarvan was hij overtuigd, zou hem de eerste mogelijkheid hebben aangeraden. Natuurlijk zou ze er begrip voor hebben gehad dat die mogelijkheid voor hem niet erg aantrekkelijk was; maar zij zou de kwestie veel minder dramatisch hebben gevonden dan hij. Het was hetzelfde, zou ze misschien zeggen, als wanneer zij tegen het agentschap zou moeten zeggen: 'Het spijt me, maar in de afgelopen weken heb ik om de een of andere reden geen bruikbare foto's kunnen maken.' Dat was alles, een tijdelijke crisis, geen reden om het over gezichtsverlies te hebben.

Maar Agnes had voor een agentschap gewerkt waar het er heel collegiaal aan toe was gegaan, bijna vriendschappelijk. Zij had de academische wereld met haar klimaat van concurrentie en elkaar scherp in de gaten houden niet van binnenuit gekend, alleen uit zijn verhalen, en niet zelden werd de sfeer tussen hen verpest wanneer hij dacht te merken dat ze hem een onuitgesproken verwijt maakte over zijn overdreven, buitensporige gevoeligheid voor al die dingen.

Ze voeren nu langs de kade waaraan de grote vrachtschepen waren aangemeerd. Tussen de schepen door kon je de lange rij vrachtwagens zien waarop de goederen werden overgeladen. Hier werd vracht gelost. Vracht lossen, dat drong nu tot Perlmann door, was een uitdrukking waarvan hij in geen andere taal een equivalent kende, en heel even staakte hij zijn verzet tegen de luidsprekerstem en concentreerde zich op de woorden die op havens en schepen betrekking hadden. Hij gaf zich geheel over aan de schelle Italiaanse stem en daarna aan de andere, de stemmen op het bandje met hun steriele toon, die, zo leek het, niets met de bonte taferelen buiten te maken hadden.

Zonder het te beseffen begon hij in gedachten te tolken. Eerst probeerde hij hoe goed hij mee kon komen als hij alles in het Duits vertaalde. Hij leerde al snel dat het erop aan kwam een heel speciale balans te brengen in je concentratie. Je moest terugzien op de zojuist beëindigde zin en pas met het vormen van de Duitse zin beginnen wanneer de zin in de vreemde taal het punt van syntactische eenduidigheid had bereikt, niet eerder, anders kon het gebeuren dat je verkeerd begon en in de val liep. Dat betekende dat je de Duitse zin noodgedwongen iets vertraagd afsloot met de grote behoefte hem achter je te laten om je hoofd vrij te hebben voor de volgende. De tweede helft van de zin sprak je daarom automatisch sneller uit door gebruik te maken van de routine en de vanzelfsprekendheid waarover je in je moedertaal beschikte. In die fase moest je er geen aandacht meer aan hoeven besteden omdat je je al helemaal op de volgende zin moest concentreren. Het betekende dat je elke seconde een evenwichtskunstje op het slappe koord uitvoerde waarbij je op twee manieren kon neerstorten. Aan de ene kant kon het je gebeuren dat je over de oude zin heel even moest nadenken, dat je zelfs door een onbekend woord in paniek raakte; dan begon je te laat aan het procédé waarmee je je door routine verworven verwachting met betrekking tot de volgende zin al had moeten opbouwen, en dan moest je die nieuwe zin als verloren beschouwen. Ofwel je liet je opjutten door de angst dat exact dat zou gebeuren; dan liep je het gevaar je aandacht iets te vroeg naar voren te richten, al voordat de Duitse constructie van de oude zin het punt van vanzelfsprekendheid had bereikt en aan de afrondingsroutine kon worden overgelaten, en dan kon je de oude zin niet meer correct afmaken. Het ergst was een combinatie van beide. Dan overviel je een soort verlamming, je voelde dat je eigenlijk nog even terug moest kijken om de oude zin correct te kunnen afsluiten, maar dan was het overduidelijk dat je te laat kwam voor de nieuwe zin, je kon dan geen keuze maken, door die twijfel verloor je tijd, en dan liet je beide zinnen weg, de oude zowel als de nieuwe, en moest je je ergernis over je falen zo snel mogelijk van je afzetten om weer aan te kunnen haken bij de volgende reeks zinnen.

Dat leek Perlmann het moeilijkst: niet de gevangene te worden van je ergernis over incidentele missers, die onvermijdelijk waren. Bij de opleiding van een tolk, dacht hij, zou het zaak zijn duidelijk te maken dat je helemaal geen ergernis op moest laten komen, dat je razendsnel en zonder enige emotie moest beslissen dat de lopende zin niet meer te redden was, dat gewoon als pech te beschouwen en meteen weer te vergeten. Dat was in de eerste plaats een kwestie van zelfvertrouwen, de overtuiging dat je al met al zeker kon zijn van je concentratievermogen. En zolang je dat wankele evenwicht maar in stand hield en wist dat je de situatie beheerste, was het een heerlijk gevoel waarvan je in een roes kon komen. Die roes zou nog groter kunnen worden, bedacht hij, als je tussen twee vreemde talen zou kunnen tolken, twee zo exotisch mogelijke talen, die allebei ver af stonden van de natuurlijke vanzelfsprekendheid van je moedertaal. Veel vreemde talen beheersen, dat was vrijheid, en je eigen grenzen tot heel ver in het exotische verleggen, dat moest een enorme verheviging betekenen van je levensgevoel, een ware vrijheidsroes.

Perlmann probeerde nu tussen de vreemde talen die uit de luidspreker kwamen heen en weer te springen, en hij kwam zichzelf elke keer log en dom voor wanneer hij tegen het Japans opbotste als tegen een ondoordringbare wand. De bijzondere hoogte en lichtheid van de Japanse stem klonk dan alsof de vrouw er de draak mee stak dat hij haar niet kon verstaan. Het beviel hem dat hij zich de inspanning in stilte kon getroosten, zich er alleen innerlijk mee bezig kon houden, zonder het lawaai dat ontstond wanneer je je sprekend met de wereld inliet. En als de luidspreker even stilviel en alleen het zachte ruisen van het water en het tsjoeken van de motor te horen was, wist hij opeens wat hij had willen worden: langeafstandloper dwars door alle talen van de wereld heen, met veel open ruimte om hem heen, en zonder de verplichting ook maar een enkel woord te wisselen met de mensen.

Die gedachte spon hij verder uit toen hij later in een sjofel café in de buurt van de haven achter een pizza zat die hem niet smaakte. Hij vroeg de verbaasde kastelein om papier en potlood en begon op een vlekkig bonnetjesblok met het beschrijven van de tegenwoordigheid en de vrijheid die ontstonden wanneer je kort na elkaar door een aantal talen schreed. Aanvankelijk ging het moeizaam, hij was moe geworden door de zon en de luidspreker, en de vele te luide stemmen galmden na in zijn hoofd. Maar toen kwam hij goed op gang, hij kreeg heel precieze en compacte beschrijvingen op papier en formuleerde dingen waarvan hij tot dusver een vage notie had gehad maar die hij nog nooit onder woorden had gebracht. Af en toe keek hij naar het zuiden. Het hotel lag meer dan een uur varen verwijderd. Hij werd rustig. Hier, aan dit wankele tafeltje waar de verf van afbladderde, tussen mannen in onderhemden en slobberbroeken, die waarschijnlijk in de haven werkten, voelde hij zich opeens zeker. Het lukte hem zonder enig moeite te aanvaarden dat hij iemand was die zinnen zoals op deze kleine blaadjes stonden, veel interessanter vond dan de hele rataplan aan linguïstische feiten en theorieën.

Hij vroeg of hij even de telefoon op de toog mocht gebruiken en belde Maria in het hotel. Hij zei dat de planning een beetje was veranderd en vroeg of ze zijn tekst niet toch vanavond of op z'n laatst morgenmiddag klaar kon hebben.

Ze zou het proberen, zei ze, maar beloven kon ze het niet, eigenlijk was het nogal onwaarschijnlijk, want zojuist waren een paar mensen van Fiat gearriveerd en nu moest ze natuurlijk ook hun ten dienste staan.

Hij wist dat het kinderachtig was, maar hij was gekrenkt dat Maria hem eraan had herinnerd dat er nog iets anders op de wereld was dan zijn groep. Ze had zeker niet onvriendelijk gereageerd, maar haar stem had heel zakelijk geklonken, en dat was voor hem voldoende zich misnoegd te voelen, waarbij ook zijn irritatie meespeelde dat hij zijn aantekeningen niet al veel eerder aan haar had gegeven.

Op de terugreis kwamen er wolken opzetten die almaar groter werden, donkere gebergten met een dunne rand van zonlicht. Hevige windvlagen kondigden onweer aan en al snel leek de zee op schuimend groen uitgeslagen lood tegen de achtergrond van een donkere, leisteengrijze wand waarin een wirwar van bliksemschichten oplichtte. Toen opeens de regen met bakken uit de hemel viel, gingen alle passagiers naar binnen, alleen Perlmann bleef onder de luifel van de cabine staan.

Wederom spookten zinnen uit zijn aantekeningen door zijn hoofd. Hij onderwierp ze aan een test, proefde ze, probeerde een neutraal, nuchter, afstandelijk oordeel te vellen. In plaats daarvan werd hij almaar onzekerder, het Engels dempte de zinnen, maakte ze doffer, minder pretentieus, *maar goedbeschouwd is het toch kitsch.* Hij haalde de vlekkerige papiertjes uit zijn zak en las ze terwijl windvlagen de regen opzweepten en hem tot op de huid doorweekten. Toen hij klaar was, staarde hij een tijdlang naar het weerlichten. Vervolgens verfrommelde hij de papiertjes langzaam, bijna behoedzaam, en maakte er met beide handen een stevige prop van. Die draaide hij nog een paar keer rond in zijn handen. Toen gooide hij de prop in de zee. De tweede mogelijkheid viel af. Definitief.

Hij was zo verschrikkelijk benauwd, die gevangenis van de drie mogelijkheden, woedend rukte Perlmann aan de tralies. Telkens weer probeerde hij te vluchten door zich vast te klampen aan het idee van grotere verbanden en juiste proporties. *Het is krankzinnig me vanwege zoiets belachelijks als het respect van een paar collega's zo onder druk te laten zetten dat alles, wat ik behalve dat allemaal óók nog ben, totaal onbelangrijk en eigenlijk niet bestaand lijkt. Bovendien: rampen, oorlogen, honger en ellende komen genoeg voor in de wereld, en er bestaan echte tragedies en werkelijk leed. Waarom bevrijd ik me niet door dat belachelijke probleem van mij als van geen belang te beschouwen? Waarom slecht ik die gevangenismuren niet gewoon door ze tot denkbeeldige muren te verklaren? Wat verhindert me dat te doen?*

Maar elke nieuwe poging om op die manier, door er anders tegenaan te kijken en de dingen anders te beoordelen, de begeerde stap naar de vrijheid te zetten, bracht slechts schijnbaar een oplossing en bleek vruchteloos zodra het gehate hotel zich weer op de voorgrond schoof en, alsof het over magische krachten beschikte, al het andere verdrong.

Toen de landtong van Portofino in zicht kwam, kwam er paniek in hem op, een paniek waarvan hij meende dat hij die twee uur geleden in het havencafé had overwonnen. Het woord plagiaat nam in hem gestalte aan, tegen zijn wil in werd het almaar groter, het breidde zich inwendig uit en vervulde hem met een inwendig gedreun. Zoals nu was hij nog nooit met dat woord geconfronteerd geweest, hij ontdekte op ditzelfde moment voor het eerst wat het werkelijk betekende. Het was een afschuwelijk woord, een woord waarbij hij aan de kleur rood dacht, donkerrood met een zweem van zwart. Het was een duister, zwaar woord met een onheilspellende klank, een afstotelijk en onnatuurlijk woord. Het kwam hem voor als een woord dat met opzet zo was gevormd teneinde iemand de stuipen op het lijf te jagen en te kwellen doordat het het gevoel in hem opriep dat er onder alle handelingen waartoe de mens in staat was, geen groter misdaad bestond dan die waarvoor dat lelijke, stugge woord stond.

De enige die hem kon ontmaskeren was Leskov zelf, en die zat in Sint-Petersburg, duizenden kilometers ver weg, zonder visum en aan handen en voeten gebonden door zijn zieke moeder. Meer zekerheid dat zijn bedrog niet zou uitkomen was eigenlijk ondenkbaar. Maar die overweging was krachteloos en waardeloos, gemeten aan de stille zekerheid die hem in zijn natte kleren nog meer deed huiveren: een dergelijk bedrog te hebben gepleegd, een ideeënen tekstdiefstal van deze omvang, zou voor iemand als hij, voor wie woorden zo veel betekenden, een wonde zijn die nooit meer zou helen, een trauma dat nooit meer zou overgaan. In zekere zin zou het het einde van zijn leven betekenen. Daarna zou de tijd tot aan zijn dood iets zijn wat hij alleen nog maar kon ondergaan. Door alles bij tijd en wijle te verdringen en zich bezig te houden met alledaagsheden zou die tijd een beetje draaglijker gemaakt kunnen worden; maar Perlmann was er heel zeker van dat er op het hele traject dat hij nog voor zich had geen dag zou zijn waarop hij er niet aan zou moeten denken en niet inwendig het woord plagiaat zou moeten horen.

Op weg naar de uitgang vervulde het hem opnieuw met schaamte dat hij zo veel ruimte had geboden aan die gedachte, en tegelijkertijd was hij blij dat hij haar met open vizier tegemoet was getreden en haar vervolgens voor eens en altijd had overwonnen.

Toen hij voet aan wal had gezet en in de richting van het hotel liep, had hij nog steeds geen idee wat hij moest doen.

Op zijn kamer trok hij zijn natte kleren uit; hij douchte lang en ging daarna voor het open raam staan. De regen was opgehouden, het onweer naar het zuiden getrokken, alleen heel in de verte zag je nog af en toe een bliksemschicht en hoorde je een zwakke donderslag. De duisternis viel. Perlmann ging op bed liggen. Hij was tot op het bot vermoeid, het was een vibrerend soort moeheid die door hem heen stroomde, en toch was zijn hele lichaam tegelijkertijd gespannen en verzette zich tegen elke poging tot ontspanning. Het enige wat hij wilde was dat die spanning zou verdwijnen en plaats zou maken voor slaap. Maar hij bleef in die toestand, de gewenste stofwisseling in zijn hersenen kwam niet op gang, en na een poosje ging hij naar de badkamer en nam een kwart slaappil in.

In de spiegel zag hij dat zijn gezicht op de boot een beetje kleur had gekregen. *Philipp Perlmann bruingebrand op vakantie in Italië*, dacht hij, en hij wist niet wat hij met zijn wanhoop aan moest. Met een duf, leeg hoofd rookte hij twee sigaretten, ging toen weer liggen, en na een paar martelende minuten, waarin hij hevig lag te woelen, viel hij in een lichte, onrustige slaap.

Het was al na tienen toen hij wakker werd. Meteen merkte hij hoe de verlammende beklemming die hem ook tijdens zijn slaap in haar greep had gehouden, zich onverminderd voortzette in zijn waaktoestand. Maar het duurde even voordat hij zijn desoriëntatie had overwonnen. *Nu moet ik iets doen, het is het laatste moment, als ik nu niets doe is dat ook een beslissing, dan rest me alleen nog de publiekelijke openbaarmaking.*

Vaag werd hij zich gewaar dat hij in de loop van de dag een gecompliceerd denkproces had doorgemaakt, een ingewikkeld stelsel van kronkelige, tot niets leidende gedachten. Maar zijn hoofd was er nu te zwaar voor. Hij herinnerde zich het tochtje met de boot, maar de dag leek ver weg en onwerkelijk. De enige heldere gedachte waartoe hij in staat was, was dat hij nu naar beneden moest gaan en een tekst moest afleveren die morgenochtend, als hij nog sliep, gekopieerd en verdeeld zou worden. *Maria; mijn tekst is nog niet klaar; de mensen van Fiat.*

Toen hij de code van het slot van zijn handkoffer wilde instellen, merkte hij dat zijn vingertoppen door het slaapmiddel gevoelloos waren geworden. Het was geenszins een totale gevoelloosheid, het ging alleen maar om de buitenkant en was eigenlijk meer een zacht tintelen, maar het gaf Perlmann het gevoel dat hij het contact met de wereld kwijt was, het contact dat je nodig hebt om controle uit te kunnen oefenen. Het was alsof tussen hem en de wereld een kleine afstand was gekomen, een flinterdun hiaat, waardoorheen de wereld hem ontglipte. Hij haalde de vertaling van Leskov's tekst uit de koffer en liep naar de deur. Daar draaide hij zich om, ging naar de badkamer en nam een hele slaappil in. Hij ging naar beneden met de lift.

Bij de receptie was niemand, maar in het vertrek erachter zat Giovanni televisie te kijken. Perlmann zag een door schijnwerpers verlicht voetbalstadion. Giovanni zat voorovergebogen nerveus aan zijn sigaret te trekken. Perlmann gaf een klap op de bel, maar pas bij de tweede keer keek Giovanni op en kwam, zijn blik zo lang mogelijk op het scherm gericht, naar hem toe. 'Strafschoppen,' zei hij verontschuldigend, toen hij Perlmann's gezicht zag.

Heel even had Perlmann het gevoel dat hij niet in staat was zijn mond open te doen. Nog nooit had hij op deze manier gevoeld dat hij een mond had. Giovanni keek ongeduldig over zijn schouder naar de televisie, waar juist iedereen begon te juichen.

'Zes kopieën,' zei Perlmann gesmoord. 'Leg ze maar in de vakjes van mijn collega's.'

'*Va bene, signor Perlmann*,' zei Giovanni, en hij nam de tekst aan. Daarbij viel een beetje as van zijn sigaret op het onberispelijke, glanzende wit van het titelblad. Alleen door zich zonder iets te zeggen om te draaien en weg te lopen, slaagde Perlmann erin zich te beheersen. Toen hij omkeek zag hij dat Giovanni de tekst vlug wegstopte onder de balie en weer in de achterkamer verdween.

De slaappil begon al te werken toen hij het bordje NIET STOREN aan de deurknop hing. Het stemde hem dankbaar dat de zachte golf van de verdoving de gemoedsbewegingen die zich aan hem opdrongen overspoelde, de gemoedsbewegingen van nederlaag, schaamte en angst, het gevoel te vallen zonder te weten wanneer hij te pletter zou slaan, de zekerheid dat hij van nu af aan nooit meer houvast zou kunnen vinden. Zonder licht te maken ging hij in bed liggen en was blij dat de afstand tussen hem en de wereld snel groter werd.

26 *Ik moet gek zijn geweest, compleet gek.* Met een klap werd Perlmann overvallen door een pijnlijke wakkerheid, een wakkerheid achter gesloten ogen, ingekapseld door lichamelijke bevangenheid. Het was kwart voor acht. Vlug en met nog onzekere bewegingen trok hij zijn broek en zijn trui over zijn pyjama heen en glipte zonder sokken in zijn schoenen. *Misschien zijn de kopieën nog niet klaar, anders zamel ik ze gewoon weer in, er is nog niets gebeurd.*

Met stijve bewegingen die zijn bevangenheid verraadden rende hij de trap af en één keer scheelde het niet veel of hij was gevallen. Vlak voor het laatste trapportaal kwam hij tot staan door zich met beide handen aan de leuning vast te grijpen. Beneden bij de balie stonden Millar en Von Levetzov en namen de teksten in ontvangst die signora Morelli hun aanreikte.

'Het papier is nog warm,' zei Millar met een grijns en hij liet de bladzijden als een kaartspel langs zijn duim glijden.

De andere kopieën lagen nog in de vakjes. *Minuten, ik ben een paar minuten te laat, maar nu kan ik er niet meer heen gaan en de tekst opeisen, daarmee zou ik me onmogelijk maken, zoiets valt niet te verklaren. Was Maria maar voor één keer wat minder voortvarend geweest.*

Perlmann liep gehaast terug naar zijn kamer, waarbij hij op elke etage zijn adem inhield bij de voorstelling nu een van de andere collega's tegen het lijf te lopen. In de badkamer spoelde hij zijn mond, daarna ging hij met een sigaret in de rode fauteuil zitten. Hij was duizelig. Hij had een drempel overschreden van waarachter terugkeer onmogelijk was. Met dit bedrog, waarvan hij de gevolgen meer en meer begon te beseffen, zou hij moeten leven, voor altijd. Overmorgen en de dag erna zou hij in de Marconi-veranda zitten en een tekst verdedigen die hij had gestolen. De uren, de minuten die hij daar als nog niet ontmaskerde bedrieger tegenover de anderen zou zitten, zouden eindeloos duren, en als het verblijf hier voorbij was, zou hij zijn woning in Frankfurt als bedrieger betreden. Hij zou naar de foto van Agnes kijken en Kirsten bellen, de hele tijd in het besef van dit bedrog. Niets zou meer zijn zoals het was. Het plagiaat stond voor altijd tussen hem en de wereld als een dunne glazen wand, alleen voor hem zichtbaar. Hij zou de dingen en de mensen aanraken zonder ze ooit te kunnen bereiken.

Hij kon niet in dit gebouw blijven waarin mensen verbleven die de komende uren van Leskov's ideeën kennis zouden nemen alsof het de zijne waren. Hij hield het niet langer uit in deze hotelkamer waarvoor al vier weken lang bijna driehonderd mark per dag in rekening werd gebracht zonder dat hij ook maar iets had gepresteerd. Behoudens een vertaling, waarmee hij nu bedrog pleegde.

Hij douchte niet, hij had er van nu af aan geen recht meer op langer dan absoluut noodzakelijk van de luxueuze badkamer gebruik te maken. Nadat hij zich correct had aangekleed, had hij eigenlijk graag nog koffie besteld teneinde de nawerking van de slaappil te bestrijden, die hem nu tegen niets meer kon beschermen en alleen nog als een constante druk boven zijn ogen zat, zodat hij voortdurend de behoefte had ze te sluiten. Maar zelfs aan een ober wilde hij zich niet vertonen, en ook op roomservice had hij voortaan geen recht meer.

Hij verliet het hotel door de achteruitgang en liep de heldere, stralende herfstdag in. Zo snel als hij kon ging hij naar de vooruitspringende rotspunt waarachter de weg naar Portofino verdween. De laatste meters voordat hij uit het zicht van het hotel was, rende hij bijna. *Maar ze weten het toch helemaal niet. En toch, ik moet uit hun blikveld verdwijnen.* Hij waagde het niet achter de bocht in de weg over de balustrade te leunen. Dan had hij er ongetwijfeld uitgezien als een toerist, een kuurgast die van een fantastisch mooie Italiaanse herfstochtend geniet. Dus rookte hij de sigaret stijf rechtopstaand, één hand in zijn broekzak. Hij moest lopen, almaar verder, lopend was het nog het best te verdragen. Hij had pijn in zijn maag; sinds de paar happen pizza in Genua, gisteren, had hij niets meer gegeten, en nu die sigaretten.

Het kostte hem moeite zich voor de geest te halen hoe het afgelopen avond precies was gegaan. De meeste moeite kostte het hem terug te roepen wat zich in hem had afgespeeld toen hij Leskov's tekst uit de koffer had gehaald en naar de deur was gelopen. In die minuten was het gebeurd, toen was er iets in gang gezet wat niet meer gestopt kon worden, een reeks bewegingen die hem tot het bittere einde had meegesleurd, tot aan de fatale beweging van zijn arm, waarmee hij Giovanni de tekst had aangereikt en tot en met de moeizame beweging van zijn mond, waarmee hij de noodlottige opdracht had verstrekt om de tekst te kopiëren en rond te delen. Als hij er nu met gesloten ogen aan terugdacht, kwam die gebeurtenis hem voor als iets wat geen handeling was geweest maar wat hem was overkomen; of als het toch een handeling was, dan was het de handeling geweest van een slaapwandelaar. Heel even luchtte die gedachte hem op en hij liep een beetje lichter.

Maar dat duurde niet lang. Het was, dat kon hij niet negeren, een constellatie van zijn eigen denken en voelen geweest die die ene, die heel bepaalde reeks bewegingen in gang had gezet, en geen andere. Op de boot gisteren hadden het uitgebalanceerde overwegingen geleken. De drie mogelijkheden tot handelen hadden elkaar precies in evenwicht gehouden, ze waren hem alledrie in dezelfde mate ondenkbaar voorgekomen, en dat was juist het probleem geweest. In zijn onrustige slaap moest zich toen in hem iets hebben afgespeeld, er moest een strijd zijn geleverd, en uiteindelijk had iets, wellicht een heel klein overwicht van een bepaald gevoel, de doorslag gegeven.

Hoewel hij in de volle zon liep, knoopte Perlmann zijn jasje dicht. Bij de gedachte dat hij iemand was in wie, zonder dat hij het merkte en zonder dat hij kon ingrijpen, bedrog de overhand kon krijgen, kreeg hij het koud. Het enige wat hij tegen dat gegeven kon inbrengen om te voorkomen dat het hem totaal verpletterde, was een verklaring voor wat zich in hem had afgespeeld. Zijn angst zichzelf bloot te moeten geven, de angst tegenover de anderen te staan zonder zichzelf af te kunnen bakenen, moest nog veel groter zijn dan hij tot dusver had aangenomen, groter zelfs dan de gemoedstoestand waarvan hij zich bewust was. Blijkbaar was die angst zo machtig dat de twee andere mogelijkheden ergens in de diepte, zonder zijn toedoen, waren afgestoten en hem nu niets restte dan zich te verstoppen achter Leskov's tekst, die hem tegen de anderen moest beschermen. Op die manier had zich, zonder dat hij het had gemerkt, in hem de paradoxale wil gevestigd zijn afbakening, de verdediging van het eigene tegen het vreemde, te bereiken met behulp van een instrument dat hem helemaal niet toebehoorde, dat niet van hem was.

Zo'n verklaring kon niets verzachten of goedpraten. Maar ze leverde een inzicht op dat hem iets van zijn innerlijke vrijheid teruggaf, de vrijheid van iemand die de waarheid onder ogen durft te zien.

Over het spiegelgladde, glanzende water lag een heel dun laagje nevel, net als gisteren, toen hij vooraan op de boot had gestaan en had getracht zijn zintuigen open te stellen voor die stralende tegenwoordigheid. Maar tussen gisteren en vandaag lagen werelden. Gisteren was zijn blik op de pure glans van het stralende wateroppervlak nog een blik in een open toekomst geweest. Die openheid was voor hem een kwelling geweest, want elke mogelijke wijze waarop hij die toekomst zou kunnen betreden, had gevaar ingehouden. Toch was het in weerwil van dat alles een open toekomst geweest, zijn handelen had nog alle kanten op gekund, en daarmee was er nog hoop geweest, of in elk geval nog de vrijheid van de onzekerheid. Nu was alles, de onzekerheid én de hoop, de kop ingeslagen, de toekomst was niet langer een speelruimte van mogelijkheden maar alleen nog een benauwende spanne tijd, zonder alternatieven, een spanne tijds waarin hij het leven moest zien door te komen met de onveranderbare consequenties van zijn bedrog. Op dat allesbeslissende moment waarop hij Leskov's tekst over de balie heen had aangereikt en de noodlottige woorden had uitgesproken, had hij zichzelf voor altijd van een toekomst beroofd, en daarmee ook van de hoop ooit nog eens tegenwoordigheid te ervaren.

Perlmann was blij dat het een lange weg was naar Portofino. Hij had al lopend een ritme gevonden waarin de pijn en de wanhoop elkaar in evenwicht hielden. Het was een labiel evenwicht, en toen hij een keer moest stilstaan om een groep padvinders in ganzenpas te laten passeren, werd hij overweldigd door gevoelens waaraan hij machteloos was overgeleverd. Pas nadat hij opnieuw een paar minuten had gelopen, slaagde hij erin weer wat afstand van zichzelf te nemen. De ritmische beweging en de nawerking van de slaappil versmolten tot een toestand waarin het hem met halfgesloten, op het asfalt gerichte ogen af en toe lukte niets te denken.

In zo'n fase van innerlijke leegte stak opeens de verdenking de kop op dat de eerdere verklaring voor zijn handelen, de vorige avond, onmogelijk kon kloppen. *De waarheid is dat ik het zo snel mogelijk achter de rug wilde hebben, wat het ook was, om vervolgens door te kunnen slapen.* Helemaal niets af te leveren en met lege handen tegenover de anderen te komen staan, die mogelijkheid had hij na het ontwaken om tien uur geen moment in overweging genomen, en dat was vanzelfsprekend geen toeval. Tot zover klopte de verklaring, die ervan uitging dat hij een beslissing had genomen, al was die onbewust. Maar van een keuze tussen zijn eigen aantekeningen en Leskov's tekst was geen sprake. Wat er was gebeurd was iets heel anders, iets banaals: hij had Leskov's tekst gepakt omdat die voor het grijpen lag, omdat hij niets anders hoefde te doen dan de koffer open te maken. Navragen of Maria tegen de verwachting in toch zijn eigen tekst had kunnen afmaken, was hem op dat moment te veel geweest. Hij had niets anders gewild dan zo snel mogelijk weer in bed te komen om zich over te kunnen geven aan de werking van het slaapmiddel. Daar was waarschijnlijk nog bij gekomen, dacht hij en hij beet erbij op zijn lippen, dat hij bewust had verzuimd een vraag te stellen die Maria betrof, omdat zijn kinderachtige gekrenktheid wegens haar op zakelijke toon gemaakte opmerking aan de telefoon nog steeds voortduurde. In feite, zei hij met verbitterde, zelfvernietigende heftigheid tegen zichzelf, was hij heel blij geweest dat het arriveren van de mensen van Fiat die mogelijkheid praktisch had uitgesloten.

Perlmann schrok van die banale verklaring, van het feit dat hij een vraag, waarbij het om alles ging, door zoiets primitiefs als behoefte aan slaap had laten bepalen, bovendien door een behoefte die hij zelf had opgeroepen. *De slaappillen, die zijn er verantwoordelijk voor.* Hij was er niet zeker van of dat uiteindelijk niet nog veel erger was dan wanneer het om een onbewuste maar toch echte beslissing vóór het bedrog was gegaan. Want wat hem nu, terwijl hij blindelings doorliep, als de waarheid voorkwam, betekende niets minder dan dat hij zichzelf op dat onzalige moment als beslissende instantie, als subject van zijn handelen, buitenspel had gezet.

Dat hij in Portofino was aangekomen, drong pas tot Perlmann door toen hij op het plein stond waar de bussen keerden voor de terugreis. Het maakte hem radeloos dat hij nu hier was. In dit gat, waar alle wegen doodliepen, had hij niets te zoeken. Hij wilde vooral in beweging blijven, in de hoop zijn innerlijke nood onder controle te kunnen houden, hij was bang tot stilstand te komen en machteloos blootgesteld te zijn aan zijn martelende gevoelens. Hij sloeg het straatje in waar 's zomers horden toeristen doorheen liepen op weg naar de waterkant. Nu waren de meeste winkels gesloten. Het stralende weer en de doodse sfeer van het plaatsje pasten niet bij elkaar. Ook de meeste cafés en restaurants rond de kleine jachthaven waren dicht. Op het laatste caféterras aan de kade ging hij aan een bistrotafeltje zitten en bestelde bij een oude, norse kelner, die hem niet aankeek, koffie en sigaretten.

Het was de eerste koffie van die ochtend en hij dronk haastig twee koppen achter elkaar. Weer voelde hij kramp in zijn maag en met moeite werkte hij twee droge broodjes naar binnen die hij binnen aan het buffet had gehaald. Met gesloten ogen luisterde hij naar het zachte geluid van de boten, die zachtjes tegen elkaar stootten. Gedurende een paar minuten, in een toestand tussen halfslaap en een willekeurige activiteit van zijn verbeeldingsvermogen in, had hij de illusie op vakantie te zijn: een man die het zich kon permitteren op een mooie ochtend in november in de beroemde plaats Portofino koffie te drinken, een ongebonden, vrije man, die op reis kon gaan terwijl anderen moesten werken, een man die zijn eigen keuzes kon maken en tegenover niemand rekenschap hoefde af te leggen. Maar toen werd hij zich er weer van bewust in welke situatie hij verkeerde. Hij was een bedrieger, nog niet betrapt weliswaar, maar wel een bedrieger. En opeens leek dat vervloekte Portofino een val.

Hij hield het niet meer uit, riep de kelner, kon de man niet vinden in de lege bar, legde, omdat hij niet kleiner had, een veel te groot bankbiljet naast zijn kopje en liep vlug terug naar het straatje. Bij de chauffeur van de wachtende bus, die buiten stond te roken, kocht hij een kaartje en stapte in. Hij bleef de enige passagier. Toen de chauffeur de sigaret uittrapte en achter het stuur ging zitten, stapte Perlmann op het allerlaatste moment uit. De chauffeur keek hem verbaasd na en reed weg.

Hij wilde niet terug, en hij wilde slapen. Hij voelde de verleiding gewoon op de bank bij de halte te gaan liggen, maar die plek was hem te openbaar. Een hotel. Hij telde zijn geld. Het zou, als het al voldoende was, alleen toereikend zijn voor een goedkope kamer. Het luchtte hem op dat hij even een doel had en hij liep door de nauwe straatjes van het plaatsje. Veel hotels waren al gesloten voor de winter, en van de hotels die nog open waren, vroegen zelfs de sjofelste tenten prijzen die hij niet kon betalen.

Uiteindelijk vond hij een kamer in een albergo in een straat die vol stond met vuilnisbakken. De eigenaar, een kleine, dikke man met een snor en bretels, nam hem wantrouwig en met een minachtende blik op, een man zonder bagage en met weinig geld die 's ochtends om half elf een kamer wil. Perlmann moest afdingen, hij wilde de kamer maar voor een paar uur, oké, tot vijf uur, in dat geval kreeg hij korting, maar wel vooruit betalen.

Hij haalde de groezelige sprei van het bed en ging liggen. Hij vouwde zijn handen achter zijn hoofd. Het plafond, waarvan het stucwerk gebarsten was, zat vol gele en bruine vlekken, in de hoeken zaten spinnewebben, en in het midden hing een lelijke lamp van gele kunststof, die op barnsteen moest lijken.

Noodweer, dacht hij. Kon je wat hij had gedaan niet als een soort noodweer beschouwen? Zonder dat hij er iets aan kon doen was hij zijn wetenschap, waarmee hij respect en een sociale status had verworven, kwijtgeraakt, en nu was hij door de verwachtingen van de anderen, die altijd maar nieuwe prestaties eisten en hem hun respect dreigden te onthouden, met zijn rug tegen de muur komen te staan, en daarom had hij zichzelf moeten verdedigen. En hij had geen andere oplossing gezien dan Leskov's tekst te gebruiken. Dat kwam zonder meer neer op het verdedigen van je eigen leven. Het was niet lichtvaardig gebeurd of om er op een gemakkelijke manier zijn voordeel mee te doen, maar enkel en alleen om iets te verhoeden wat zou zijn uitgelopen op de vernietiging van zijn carrière en uiteindelijk ook op zijn persoonlijke ondergang. Noodweer dus.

Goed, strikt genomen moest je wat hij had gedaan misschien inderdaad plagiaat noemen. De anderen hadden op dit moment een tekst in handen die ze, hoewel zijn naam er niet op stond, als zijn eigen tekst beschouwden, ook al had hij hem alleen maar vertaald en niet zelf geschreven. Maar die zienswijze was goedbeschouwd oppervlakkig en strookte niet met wat er werkelijk aan de hand was. Hij had de tekst immers niet zomaar vertaald, zonder er innerlijk bij betrokken te zijn en zonder intellectuele interesse, zoals een beroepsvertaler op een vertaalbureau zou hebben gedaan. Stap voor stap had hij Leskov's gedachtengang gevolgd, hij had die gedachtengang telkens weer aan voorbeelden uit zijn eigen herinnering getoetst, en ten slotte had hij, om dat dan ook maar te noemen, vele uren, hele dagen zelfs besteed aan een poging om de leemten in Leskov's beschouwingen op te vullen en een sluitende theorie over de toe-eigening te ontwikkelen. Je kon dus absoluut niet beweren dat de uitgedeelde tekst helemaal niets bevatte van wat aan zijn eigen ideeën was ontsproten.

En dat was nog lang niet alles, het was niet eens het doorslaggevende, dacht hij. Er was nog iets anders wat het onrechtvaardig en bepaald onterecht maakte om het over diefstal van intellectueel eigendom te hebben. Dat was het feit dat hij elke keer meteen nadat hij de problemen met de taal had overwonnen, Leskov's gedachten als zijn eigen gedachten had herkend. Toen Perlmann dat dacht, zag hij het gezicht van Millar met de blikkerende bril voor zich, en hoorde hij zijn honende stem; geen woorden, alleen die honende toon. Het gezicht en de stem kwamen steeds dichterbij, benauwden hem, dreigden hem te verpletteren, hij moest zich verweren, richtte zich op, ging op de rand van het bed zitten en stak een sigaret op. Zoiets kon je nooit bewijzen, en je zou het daarom nooit tegenover iemand kunnen uitspreken zonder je belachelijk te maken. Maar toch was het zo: Leskov beschreef ervaringen met taal en herinnering die hij allemaal zelf ook al had gehad, en de ideeën die Leskov had ontwikkeld over de samenhang tussen de dingen, waren van dien aard dat Perlmann bij elke volgende stap steeds de indruk had gehad: *exact dat heb ik zelf ook al vaak gedacht, werkelijk exact hetzelfde.* Hij moest toegeven dat hij nooit de moeite had genomen het op te schrijven, vergelijkbare zinnen van zijn hand waren er niet. Maar hij had het wel degelijk kunnen doen. Hij zag zichzelf zitten aan zijn bureau in Frankfurt, hoe hij woord voor woord de tekst schreef waarmee Leskov, min of meer door toeval, hem te vlug af was geweest. Er kon absoluut geen sprake van zijn dat hij gedachten had voorgelegd als waren ze van hemzelf, terwijl ze hem vreemd waren.

Hij liep naar het smalle raam en schrok hevig. Aan de andere kant van het nauwe straatje, precies tegenover zijn raam en niet meer dan twee of drie armlengten van hem verwijderd, leunde een oude vrouw met een zwarte hoofddoek en een tandeloze mond uit het raam en grijnsde met haar gerimpelde gezicht en haar vooruitstekende kin naar hem. Naast haar op de vensterbank zat een magere kat met een scheiding tussen het rossige en witte haar die diagonaal over zijn hele snoet liep, wat er een lelijke en boosaardige uitdrukking aan gaf. Perlmann trok vlug de zware, vettige overgordijnen dicht en ging weer op bed liggen. Het vleugje zelfrespect dat hij door de inwendige monoloog van zo-even had teruggevonden, was door de aanblik van de oude vrouw en de kat, die hem nu voorkwamen als loerende, dreigende tronies, helemaal verdwenen. Hij kwam zichzelf opnieuw als een platte bedrieger voor die in een sjofele donkere hotelkamer in een van kitsch vergeven, verlaten toeristennest op een bed lag.

Alleen heel geleidelijk kon hij de draad van de beide gedachtengangen weer opvatten die hij gisteren op de boot had trachten te ontwikkelen, toen nog diep ontdaan en van schaamte vervuld dat hij de euvele moed had zoiets te denken. Ten eerste was het zo goed als uitgesloten dat er ooit een contact tot stand zou komen tussen een van de collega's hier en de onbekende Leskov in het verre Sint-Petersburg. Ten tweede zouden de zeven exemplaren van de vertaling, de zeven manifestaties en materiële bewijzen van zijn bedrog die er bestonden, op een gegeven moment in vergetelheid raken en ten slotte worden vernietigd. En met het verdwijnen van het papier zou ook het bedrog worden uitgewist en van de aardbodem verdwijnen – het zou zijn alsof het bedrog nooit had plaatsgevonden.

Perlmann merkte dat er ergens in die gedachtengang een gewaagde sprong zat, een overgang die niet helemaal zuiver was. Maar hij had geen zin er aandacht aan te besteden, hij wilde vooruit kijken naar het moment in de toekomst waarop de wereld, wat zijn integriteit betrof, weer precies zou zijn als vóór het bedrog. Weer ging hij op de rand van het bed nerveus zitten roken, zijn lichaam gespannen, alsof hij daardoor de tijd kon dwingen dat verre moment van herwonnen onschuld sneller te bereiken.

Hij stelde zich voor hoe het er bij de vernietiging van het papier en de tekst aan toe zou gaan; hij had het gevoel dat zijn gedachtengang juister en overtuigender werd naarmate hij er beter in slaagde zich die gebeurtenis tot in detail voor de geest te halen. Millar's exemplaar bijvoorbeeld zou op een dag in een zwarte, glimmende vuilniszak in een straat in New York terechtkomen. De tekst zou misschien al in de zak worden vernietigd, bijvoorbeeld door een vloeistof die ergens uit lekte, of in ieder geval door de regen die op een vuilnisbelt viel. Perlmann kon de regen praktisch horen ruisen. Het meest beviel hem de voorstelling dat de tekst met inkt was geschreven, zodat de letters zouden uitlopen, waardoor de onheilspellende, schuldige orde van de rechte regels ongedaan werd gemaakt. Of de tekst zou bij een vuilverwerkingsbedrijf in vlammen opgaan. Op een dag – over een paar maanden, een jaar wellicht, of twee jaar – zou die onzalige tekst, die reeks tekens, die verzameling moleculen, niet meer bestaan. Wat er dan nog zou zijn waren alleen herinneringen in de hoofden van de collega's. Maar die zouden steeds vager worden, uiteindelijk bleef alleen een vage notie van een onderwerp over. Vooral in de hoofden van zijn gevaarlijkste tegenstanders, Millar en Ruge, zou de herinnering heel snel worden uitgewist, want zij zouden de tekst toch als opgeblazen pandoer beschouwen, als een tekst die geen ideeën bevatte waarop je greep kon krijgen, en dat maakte het zinloos je de inspanning te getroosten er iets van te onthouden.

Perlmann werd rustiger en ging weer liggen. Nu leken opeens ook zijn overwegingen van zonet weer overtuigend. Hij maakte in gedachten een lijstje, een spiekbriefje, met daarop de punten die hij zichzelf voor ogen kon houden om het gevoel van angst en schuld te verminderen: het was puur noodweer geweest; Leskov's gedachten waren ook zijn eigen gedachten; over een tijdje zou alles weer zijn als voorheen. Hij nam de punten een paar keer door, in wisselende volgorde, in het begin dacht hij nog na over de rangorde, na een tijdje werd het innerlijk opsommen van de punten op het lijstje een automatisme en diende er alleen nog toe zichzelf gerust te stellen. Toen viel hij in slaap.

Het duurde lang voordat hij de roffel op de deur en de nare, keffende stem van de hoteleigenaar hoorde, die riep dat het tijd was. Hij zette zijn bril op en keek op zijn horloge. Even na vieren. Woede laaide als een steekvlam in hem op. Hij deed de deur op een kier open en schreeuwde de man toe dat hij tot vijf uur had betaald. Later, in de kleine badkamer, die alleen door een mat peertje werd verlicht en waar het naar chloor en riool stonk, had hij een hekel aan de hysterische klank die zijn stem zo-even had gehad, en toen hij zijn handen onder de waterstraal zag trillen, keek hij een andere kant op.

Toch was hij blij met zijn woede. Woedend zijn betekende jezelf te ervaren als iemand die het recht had iemand anders iets kwalijk te nemen, een ander iets te verwijten, en dat betekende dan weer dat je jezelf een recht op bestaan gunde, een recht waarvan hij vanochtend, toen hij zich naar de uitstekende rots had gehaast, het idee had gehad dat het hem was ontzegd en ontnomen. Hij ging onder de douche. Hier, in deze spelonk, waar alleen maar een paar dunne waterstraaltjes uit de douche kwamen omdat de meeste gaatjes in de douchekop door de kalk waren dichtgeslibd, had hij daar weer recht op, te meer daar er alleen koud water was. Hij droogde zich zorgvuldig af met een versleten handdoek vol gaten en trok toen met tegenzin het in zijn slaap doorweekt geraakte overhemd weer aan.

Het raam aan de overkant van de straat was nu gesloten, hij deed de gordijnen open en luchtte de rokerig geworden kamer. De smalle strook hemel die hij vanuit het straatje kon zien was nu donkergrijs en er hing een licht dat aan een vroeg invallende schemering in december deed denken. Hij bleef met zijn rug naar het raam staan, rookte en genoot ervan zich het recht voor te behouden tot vijf uur in deze kamer te blijven. Op de minuut af om vijf uur ging hij naar beneden en gooide zonder de eigenaar een blik waardig te keuren de kamersleutel zo heftig op de balie dat hij er aan de andere kant vanaf viel.

Hij had honger, sinds een eeuwigheid voor het eerst weer, kwam het hem voor. De volgende bus vertrok pas om half zeven. Voor een taxi had hij niet meer genoeg geld, hij had niet eens meer genoeg geld voor een pizza in zo'n cafetaria waar je die staand op kon eten. Na lang zoeken kocht hij ergens een half brood en een stuk kaas. Langs de onverlichte, gesloten souvenirwinkels liep hij naar de haven en ging op een kale steen op de kade zitten. Het grijs van het water ging in de verte naadloos over in het grijs van de lucht. Het café van vanochtend was verlicht, maar leeg.

Hij concentreerde zich uit alle macht op de voorstelling hoe hij over ruim twee uur ginds in het hotel de eetzaal zou betreden, plaats zou nemen en tijdens het eten op de eerste commentaren op Leskov's tekst zou reageren. Voor alle zekerheid dwong hij zichzelf ook aan het lijstje met ontlastende argumenten te denken dat hij in de sombere hotelkamer had opgesteld, en tot zijn grote opluchting raakte hij er niet van in paniek. In plaats daarvan ging hij zich steeds meer bevangen voelen, het was de bevangenheid van iemand die een lange en onaangename weg voor zich heeft die al zijn standvastigheid opeist, en al zijn aandacht. Hij zou het kunnen doorstaan, dacht hij, mits hij maar één ding nooit uit het oog zou verliezen: *Ze wisten het niet en ze zouden het ook nooit te weten komen.*

Het ergst waren de zittingen in de veranda, waar over zijn tekst – Leskov's tekst – gediscussieerd zou worden. Maar die zittingen duurden slechts een beperkt aantal uren en minuten. Ze zouden eindeloos lijken. Maar ze zouden voorbij gaan, en dan waren het nog maar drie dagen tot alles voorbij was en de anderen vertrokken.

Het grootste deel van het brood en de kaas gooide Perlmann in een afvalbak toen hij door de hoofdstraat, waar het naargeestig stil was, naar de bus liep. Wat een geluk dat hij de namen van Luria's leerlingen had weggelaten, dacht hij toen de bus vertrok. Die hadden verdenking kunnen wekken. Met Luria zelf was het anders, hem kende iedereen.

Toen ze halverwege waren, op de plek waar de kustweg heel smal was, kwam hun een andere lijnbus tegemoet. Er kraakte iets, de chauffeur vloekte, en toen stonden beide bussen minutenlang naast elkaar, slechts een paar centimeter van elkaar af. Geen van de twee chauffeurs leek bereid de verantwoordelijkheid op zich te nemen voor wat er nu verder moest gebeuren.

Perlmann zat aan een raampje aan de linkerkant van het gangpad. De mensen in de andere bus zaten hem aan te gapen, in het schemerige licht van de binnenverlichting leken ze hem steeds honender aan te kijken, hij voelde zich aan de kaak gesteld, een bedrieger die de anderen als afschrikwekkend voorbeeld werd voorgehouden. Een kleine jongen wees naar hem, drukte zijn wijsvinger plat tegen de ruit en hij lachte erbij met een mond waarin een tand ontbrak, wat voor Perlmann iets duivels had. *Maar ik ben toch geen misdadiger.* Hij wist niet hoe hij de volgende seconde door moest komen en was bang een hysterische aanval te krijgen. Hij sloot zijn ogen, maar de blikken van de anderen, die gebundeld op hem waren gericht, bleven voelbaar. Hij had het beeld voor ogen van arrestanten die hun jas over hun hoofd trekken als ze door een haag van fotografen heen lopen. Krampachtig dacht hij aan zijn lijstje en stelde het zich voor als een wit blad waarop in drukletters de drie argumenten stonden: *noodweer; eigen gedachten; vernietiging.* Hij deed zijn ogen pas weer open toen de bus weer begon te rijden.

De rest van de reis zat hij heel stil, onbeweeglijk, alsof dat hielp voorkomen dat hij in paniek raakte.

27

Hij was opgelucht dat er niemand achter de receptiebalie stond toen hij de lounge betrad. Uit zijn sleutelvak stak Leskov's tekst, de noodlottige stapel papier die hij hier, op deze plek, eenentwintig uur geleden, aan de verstrooide, ongeduldige Giovanni had overhandigd. De anderen hadden hun exemplaren afgehaald, alleen in het vak van Silvestri zat er nog één. Vlug liep Perlmann om de balie heen en haalde de papieren uit zijn eigen vak. Hij voelde de verleiding ook Silvestri's exemplaar te pakken en had zijn arm al uitgestrekt, toen hij in de achterkamer geluid hoorde en zich snel terugtrok.

Op de trap kwam hij Von Levetzov tegen, die voor een groep mensen in avondkleding uit liep. Voordat hij van zijn kant ook maar iets kon doen, stak Perlmann het opgerolde manuscript een eindje omhoog, zei hallo en glipte langs de mensen, waarbij hij twee treden tegelijk nam, opgelucht dat de groep, die nu weer de hele breedte van de trap innam, tussen hem en Von Levetzov in was. Het had toch geen zin gehad Silvestri's exemplaar weg te nemen, dacht hij toen hij de gang naar zijn kamer in sloeg. Waarschijnlijk had het alleen maar voor verwarring gezorgd. Misschien zelfs verdacht geleken. En ze hadden toch wel een nieuwe kopie voor hem gemaakt. Je kunt van kopieën andere kopieën maken. En daarvan weer andere. Duizenden. Honderdduizenden.

In zijn kamer ging hij eerst naar de garderobekast en legde de tekst in de bovenste lade onder zijn overhemden. Toen keek hij om zich heen. Het verschil tussen het kleine kamertje van vanmiddag en deze royale ruimte was enorm. Hij had het gevoel dagen in dat sombere, muffige hok te hebben doorgebracht. Angstig wachtte hij af of de luxe van deze kamer opnieuw als iets verbodens op hem over zou komen, als iets waar hij geen recht meer op had. Maar dat gevoel bleef uit, en na een poosje draaide hij de glimmende messing kraan open en liet het bad vollopen.

Het was bijna acht uur en het verbaasde hem hoe rustig hij naar het moment toe leefde waarop hij voor het eerst zijn collega's als onbetrapte bedrieger onder ogen zou komen. Pas toen hij in het marmeren bad zat, besefte hij dat die rust in werkelijkheid onverschilligheid was ten gevolge van totale geestelijke uitputting. Na twee dagen van ronddwalen, uitzichtloosheid en wanhoop voelde hij alleen nog maar een doffe leegte.

Die gewaarwording van leegte, die in de buurt kwam van gevoelloosheid, hield aan terwijl hij langzaam de trap af liep, en hij hield de leegte als een beschermend schild voor zich toen hij de volle eetzaal met de zaterdagavondgasten betrad en naast Evelyn Mistral aan tafel ging zitten, dankbaar dat de stoel aan zijn andere zijde vanwege Silvestri's afwezigheid vrij bleef.

De anderen waren al aan hun voorgerecht begonnen. Het gesprek, waaraan blijkbaar Millar, Ruge en Laura Sand hadden deelgenomen, brak af, en de stilte die viel, een stilte waarin de geluiden van het bestek en het lachen aan een van de andere tafels waren te horen, bevatte in Perlmann's oren een verbaasde constatering: sinds vier dagen is hij voor het eerst weer bij het avondeten, en dan ook nog te laat. Zonder iemand aan te kijken begon hij zijn avocado te eten. Die smaakte naar niets, het zachte, melige vruchtvlees was in zijn mond niet meer dan een willekeurige substantie. Hij concentreerde zich op een innerlijke aanloop, en elke keer als hij zijn lepel met een draaibeweging van zijn hand in het lichtgroene vruchtvlees duwde, was het alsof die aanloop nog langer werd.

Eindelijk hief hij zijn hoofd en keek de anderen aan, één voor één, waarbij hij trachtte het beurtelings aankijken niet al te mechanisch te laten lijken. De blikken van de anderen, die al een hele tijd op hem moesten hebben gerust, leken pas nu helemaal bij hem aan te komen, en het ging er nu om tegen die blikken stand te houden, beschermd door de zekerheid dat ze niet tot in zijn hersenen konden doordringen. *Ze weten het niet en ze zullen het ook nooit te weten komen.* Hij voelde hoe zijn hart sneller begon te kloppen, en toen hij Millar aankeek, die met ironische berusting zijn wenkbrauwen optrok, moest hij zich innerlijk nadrukkelijk schrapzetten tegen die blik om niet, als iemand die schuldig is, zijn ogen te snel neer te slaan.

Maar al met al was het gemakkelijker dan hij had verwacht, en na een schertsende opmerking van Laura Sand over zijn lange afwezigheid kwam het gesprek weer op gang. Het alledaagse onderwerp waarover werd gesproken gaf hem het gevoel met zijn gevaarlijke geheim in veiligheid te zijn; maar het deed hem ook beseffen hoe alleen hij was met het drama dat hij de afgelopen dagen had beleefd en met welk sterk gevoel van buitengesloten-zijn hij zou moeten boeten voor het onontdekt blijven van zijn bedrog.

Niemand zei iets over de tekst die ze van hem hadden gekregen. Hij hoefde met niet één van de reacties voor de dag te komen die hij op de kade van Portofino en later in de bus had voorbereid. Het was vreemd, maar het viel niet te ontkennen dat hem dat op de een of andere manier krenkte, ook al was hij er blij om. Zo hevig geraakt hoefden ze nu ook weer niet te zijn door Leskov's tekst. Het kwetste hem het meest – en weer was hij zich ervan bewust hoe absurd het eigenlijk was – dat ook Evelyn Mistral naast hem niet één keer een opmerking maakte over zijn tekst, terwijl die toch veel aanrakingspunten bevatte met haar eigen onderwerp. Toen hun blikken elkaar ontmoetten kon hij in de hare geen afkeuring ontdekken, maar haar glimlach was flauwer dan anders, een beetje beschroomd, alsof ze bang was hem te kwetsen.

Tijdens het hoofdgerecht, dat hij met zijn blik op zijn bord gericht mechanisch naar binnen werkte, nam hij het in gedachten op voor Leskov's tekst. Hij stelde zich op als een bijzonder strenge lezer en daarna als een met alles de spot drijvende criticus. Maar ook zo, dacht hij, kon je niet negeren hoe opzienbarend en origineel de tekst was, en toen het dessert kwam, had hij zich al zo vastgebeten in de verdediging van de tekst, dat het hem bijna speet met zijn verdediging in het openbaar nog tot maandag te moeten wachten. Een nauwelijks merkbare duizeling en zijn verhitte gezicht waarschuwden hem ervoor niet verder die kant op te gaan. Maar toen liet hij zich toch meeslepen door zijn stugge verbetenheid, stak een sigaret op en keerde zich naar Evelyn Mistral om haar aan te spreken op de tekst.

Op dat moment verscheen in zijn blikveld de zwarte arm van de ober, met een zilveren dienblaadje waarop een telegram lag.

'Voor u, dottore,' zei de ober, en toen Perlmann zijn hoofd naar hem toe draaide: 'Het is zojuist bezorgd.'

Kirsten, schoot het door zijn hoofd, Kirsten heeft een ongeluk gehad. Van die gedachte was hij opeens zo totaal vervuld dat alles wat hem de afgelopen dagen en uren had beziggehouden en gekweld, opeens leek weggevaagd. Met trillende vingers vouwde hij het telegram open. Met één blik overzag hij de tekst: *Aankomst maandag Genua 15.05 Alitalia 00423. Dankbaar voor afhalen. Vasili Leskov.*

Eén, twee seconden lang drong het niet tot hem door. Te onverwachts was de boodschap en te ver weg van zijn gedachten aan Kirsten, die zonet al het andere hadden weggevaagd. Maar toen de betekenis van de woorden op de opgeplakte witte stroken langzaam tot zijn bewustzijn doordrong, werd de wereld om hem heen kleurloos en stil, en de tijd bevroor. Al zijn energie vloeide weg en hij voelde het gewicht van zijn lichaam als nooit tevoren. Zo voelt het dus als alles ten einde is, dacht hij, en na een poosje vormde zich in zijn holle, versufte binnenste nog een andere gedachte: Hier heb ik al jaren op gewacht.

Hij was blijkbaar lang roerloos blijven zitten, want toen Evelyn Mistral een asbak onder zijn hand schoof en hij opkeek, zag hij hoe een lang stuk as van zijn sigaret viel. Ze keek hem met een onzekere, bezorgde blik aan toen ze naar het telegram wees en vroeg: 'Slecht nieuws?'

Heel even voelde Perlmann de verleiding alles tegen dat open, wakkere gezicht en die hoge, warme stem te vertellen, zonder rekening te houden met de gevolgen. En als ze hem, toen ze hem de asbak toeschoof, met haar hand zou hebben aangeraakt, dacht hij later, zou dat ook zeker zijn gebeurd. Zo ondraaglijk was het gevoel van isolatie dat zich als een ijskoud gif in hem verspreidde.

Maar toen zag hij, voor het eerst sinds de ober hem het zilveren dienblad had voorgehouden, de blikken van de anderen. Het waren geen wantrouwige blikken die een verdenking uitdrukten. Eerder waren het beschroomde blikken waar een lichte nieuwsgierigheid uit sprak. Geen onvriendelijke blikken, integendeel, zelfs in Millar's ogen leek betrokkenheid te liggen. Toch waren het blikken die in de stilte aan tafel allemaal op hem waren gericht, net als eerder in de passerende bus. Perlmann voelde zich misselijk worden, hij stond op, stopte het telegram in de zak van zijn colbert en liep de eetzaal uit, liep dwars door de hal naar het toilet, waar hij zich insloot en met snel op elkaar volgende, heftige krampen overgaf.

Toen de braakneigingen langzaamaan wegebden en er alleen nog brandend maagzuur uit zijn mond en neus kwam, ging hij naar de wasbak, spoelde zijn mond en maakte met zijn zakdoek zijn gezicht schoon. De chique wasbak van glanzend marmer, de modieuze namaakantieke kranen van glanzend messing en de enorme spiegelwand kon hij op dat moment niet verdragen. Hij vermeed het zichzelf aan te kijken en sloot zich opnieuw op in een cabine om na te denken.

Terugkeren naar de tafel was onmogelijk. Het maakte op de anderen weliswaar een vreemde indruk en was bijna een schaamteloosheid als hij na zijn abrupte vertrek helemaal niet meer terugkwam. Het gaf aanleiding tot allerlei speculaties over de blijkbaar dramatische inhoud van het telegram. Maar nu hem een totale sociale verbanning te wachten stond, speelde dat geen rol meer. Onplezierig was alleen – en Perlmann was er aan de rand van zijn bewustzijn verbaasd over – dat zijn sigaretten en de rode aansteker die Kirsten hem had gegeven nog op de eettafel lagen.

Veel verder dan die banale gedachten kwam hij niet. In zijn hoofd was een vaalgrijze ondoordringbare muur en een vreemde krachteloosheid. Nooit in zijn hele leven was helder denken en plannen belangrijker geweest dan nu. Maar hij stond tegenover die opgave als iemand die nooit eerder iets te maken had gehad met dergelijke geestelijke activiteiten, als iemand die zelfs niet de allereerste beginselen beheerste van een planning die verder reikte dan het volgende ogenblik. Lichaam en gevoel hadden meteen gereageerd; het denken kwam daarentegen niet op gang en ging traag. Hij voelde hoe hard het wc-deksel was waarop hij zat, hij staarde naar de witte deur vlak voor zijn neus en registreerde dat die vrij was van graffiti. Aan zijn gehemelte proefde hij de nasmaak van zijn braaksel en met zijn vuist omklemde hij de natte prop van zijn zakdoek.

Toen er twee mannen binnenkwamen die aan het pissoir in het Italiaans met elkaar praatten, ademde hij onwillekeurig heel oppervlakkig en verroerde zich niet. Hij kon slechts op één enkele gedachte komen, en die herhaalde hij met steeds kortere tussenpozen, als een steeds sneller terugkerende echo: Anderhalve dag, ik heb nog maar anderhalve dag.

28

Toen de twee mannen weg waren, verliet hij de cabine, loerde door een kier van de deur om zich ervan te vergewissen dat geen van zijn collega's in de lounge was, en liep vlug de trap op naar zijn kamer. Op de rand van zijn bed gezeten las hij het gekreukte telegram nog een keer. Leskov, zag hij nu op de witte strook rechts bovenaan, had het gistermiddag even voor vieren in Sint-Petersburg opgegeven. Van de andere gegevens, die gecodeerd waren, begreep hij niets. Maar blijkbaar was de boodschap via Milaan en Genua naar Santa Margherita gestuurd, waar hij even na half acht was aangekomen. *Als de telegrafische verbinding sneller was geweest en ze me het telegram hadden gebracht voordat signora Morelli vanochtend met het kopiëren begon, zou ik geen bedrieger zijn geworden en stond me nu niet de vernietiging van mijn carrière te wachten.* Hij keek nog eens goed. Om drie minuten voor vier was de boodschap vanuit Sint-Petersburg verstuurd. Om kwart over drie had Perlmann's boot naar Genua moeten vertrekken, maar het was bijna half vier geworden. Drie minuten voor vier – toen onweerde het al. *Toen stond dus al vast dat hij zou komen. Het stond al vast. Het was al een feit.*

Dat Leskov door het geweigerde visum en de ziekte van zijn moeder in Sint-Petersburg vastzat, was bij alles wat hij had overwogen een axioma geweest. Dat er onafhankelijk van elkaar twee belemmeringen waren, had de indruk gewekt dat die onoverkomelijk zouden zijn, zodat de mogelijkheid van Leskov's komst geen moment in hem was opgekomen. En nu had Leskov zich door een onverwachte reeks gebeurtenissen toch vrij kunnen maken, en stortte alles in elkaar. Terwijl wat hij eerder in zijn brief had meegedeeld, zo definitief en zo onveranderbaar had geklonken.

Perlmann voelde zijn lege maag pijnlijk samentrekken. Hij ging naar de badkamer en dronk langzaam een glas lauw water. Daarbij viel zijn blik op het doosje met de slaappillen. Hij wist precies hoeveel er nog over waren. Toch nam hij het doosje mee naar de rode fauteuil en telde: zeven. *Dat is niet genoeg, ook niet in combinatie met alcohol. Als de dokter onlangs niet met vakantie was geweest, had ik er nu voldoende en dan zou ik het kunnen doen.* Hij liep naar het raam, deed het open en bleef net als altijd twee stappen van de vensterbank af staan. Langzaam en diep ademde hij de koele nachtlucht in en voelde hoe de kramp in zijn maag langzamerhand ophield, terwijl hij tegelijkertijd een lichte duizeligheid voelde opkomen. Hij hoorde beneden auto's voorrijden, stemmen die zich vanaf de ingang over het terras naar de bordestrap bewogen en het lachen van de zaterdagavondgasten die vertrokken.

Hij deed twee stappen naar voren, legde beide handen op de vensterbank en keek langs de muur naar beneden. De enige rij ramen zonder de barrière van een balkon. Hij zou op het wit-bruine marmer neerkomen. Natuurlijk zou hij het niet nu doen, maar pas na middernacht, of heel vroeg in de ochtend, als iedereen sliep. Voor de zekerheid zou hij met zijn hoofd voorover moeten springen, en het zou drie of vier eindeloze, afschuwelijke seconden duren voordat zijn hoofd de stenen zou raken. Hij deed het raam dicht en legde zijn hoofd tegen zijn handen, die de sluiting van het raam omklemd hielden. Heel even werd het hem zwart voor de ogen.

Hij richtte zich weer op toen er op de deur werd geklopt. Door het idee nu met iemand te moeten praten, al was het maar een paar woorden in de deuropening, raakte hij in paniek. Zo aan alles overgeleverd en kwetsbaar had hij zich nog nooit gevoeld. Hij had op het moment niets wat hij tegenover de aanwezigheid van iemand anders kon stellen, en alleen al die aanwezigheid, kwam het hem voor, zou hem verpletteren. Desondanks was hij ook verheugd dat er iemand op zijn deur klopte en hem uit de kille eenzaamheid van de afgelopen minuten verloste. Halverwege de deur draaide hij zich om en stopte met koude vingers het doosje slaappillen in de badkamer in zijn toilettas, voordat hij de deur opendeed.

Het was Evelyn Mistral, die hem zijn sigaretten en de rode aansteker kwam brengen.

'We maakten ons zorgen toen je niet terugkwam,' zei ze met een onzekere, onderzoekende blik. 'Heb je een naar bericht gekregen?' Toen vernauwden haar ogen zich een beetje, en ze voegde eraan toe: 'Je ziet lijkbleek.'

Hij keek naar haar stroblonde haar, naar haar ovale gezicht, waarvan de teint in het zwakke licht van de gang nog donkerder leek dan anders, en naar het scheef zittende T-shirt dat ze onder een ruwzijden jasje met brede schouders droeg. De verleiding haar binnen te vragen en haar in de intimiteit van zijn kamer, ver weg van alle blikken van de anderen, alles op te biechten, was heel sterk en lichamelijk voelbaar als een golf die over hem heen sloeg. Hij boog zijn hoofd en hield een hand tegen zijn voorhoofd, vlak boven zijn gesloten ogen.

'*Everything is all right*,' zei hij toen hij haar weer aankeek.

Hij zag meteen dat er een verlegen en gekwetste uitdrukking op haar gezicht kwam. Het was de eerste keer sinds hun eerste gesprek aan de rand van het zwembad dat hij de bijzondere intimiteit doorbrak van het Spaans dat ze onder vier ogen met elkaar hadden gesproken. En hoewel hij haar niet rechtstreeks had aangesproken, was het toch alsof hij daarmee tevens de nabijheid en betovering verbrak die haar Spaanse *tú* voor hem had gehad. Het was even pijnlijk als een afscheid, en de pijn mengde zich met de wanhoop over het feit dat hij haar nooit zou kunnen uitleggen dat het gebeurde vanuit zijn machteloze poging zichzelf te beschermen.

'Bedankt,' zei hij, en terwijl hij de deurklink vastgreep, duidde hij op de sigaretten.

'Ja, nou, welterusten dan maar,' zei ze zachtjes in het Engels en ze liep weg zonder hem nog één keer aan te kijken. Perlmann liet zich op bed vallen, begroef zijn hoofd in het kussen, en na een poosje begon hij langzaam en met droge ogen te snikken.

Toen hij zich weer oprichtte en naar de badkamer ging om zijn gezicht te wassen, voelde hij de kille, wanhopige kracht van iemand die zojuist alle schepen achter zich heeft verbrand. Hij stak een sigaret op, en opeens lukte het hem helder en systematisch over zijn situatie na te denken. Het beeld van zijn hoofd dat neerkwam op het marmer, openbarstte en in een kliederige massa uiteenspatte, verbande hij uit zijn bewustzijn toen hij, deze keer rustiger en helderder, opnieuw overwoog een einde aan zijn leven te maken.

Hoe zou zo'n daad er voor de anderen uitzien? Vanaf maandagavond, het moment waarop de waarheid aan het licht zou komen, nadat Leskov de rondgedeelde tekst zou hebben gezien, zou hij voor de anderen gewoon een lafhartige bedrieger zijn die niet de moed had opgebracht zichzelf aan te geven. Hij had geen mogelijkheid meer om iets uit te leggen, om op zijn ellende te wijzen en een van de anderen, of zelfs Leskov zelf, zijn ervaring te schilderen dat de tekst zo veel gedachten bevatte die ook zijn eigen gedachten waren, dat het in zekere zin ook zijn eigen tekst was. Zijn handelen zou heel eenduidig en oppervlakkig worden verklaard, en hij zou er niet meer zijn om bij degenen bij wie hij dat wilde, een nuancering of een verzachting van hun oordeel te bewerkstelligen. Niemand zou de moeite nemen het allemaal uit te zoeken, maar ze zouden de verdenking opwerpen dat Philipp Perlmann, de prijswinnaar die door Princeton was uitgenodigd, wellicht al bij eerdere gelegenheden dingen had overgeschreven, ook al was dat misschien niet zo driest geweest als deze keer.

Perlmann probeerde zich op het standpunt te stellen dat hem dat allemaal koud kon laten: zolang hij er nog was en iets beleefde, was het nog niet zover; en als het eenmaal zover was, zou er niemand meer zijn die het hoefde te beleven en ondergaan. Het zat hem dwars dat hij niet in staat was zichzelf bij die gedachtengang op een denkfout te betrappen, maar dat die gedachtengang hem ondanks zijn eenvoud en helderheid leugenachtig en bijna geniepig voorkwam zodra hij er niet meer geconcentreerd aan vasthield.

Bij sommigen van de anderen kon hij de gedachte verdragen dat ze hem voortaan als een grote opschepper, een platte bedrieger zouden zien. De mening van Angelini bijvoorbeeld liet hem koud, en ook wat Ruge ervan vond kon hem eigenlijk niet veel schelen, dacht hij met een zekere verbazing. Alhoewel hij hem intussen ook een beetje mocht, was hij toch vier weken lang bang geweest voor die burgerman met het kirrende lachje waarin hij altijd een gevaarlijke rechtschapenheid had gehoord, vaak tegen beter weten in.

Lastiger werd het bij Adrian von Levetzov, die hij ondanks zijn aanstellerige gedrag toch had leren waarderen. Hij zou meezingen in het koor der verontwaardigden; dat was het spel. Maar Perlmann hoopte en hield het voor mogelijk dat Von Levetzov in het geheim enig begrip voor hem zou hebben, en een zekere sympathie. Wat waren ook alweer de woorden geweest die hij aan het eind van die zitting tegen Millar had gesproken? *Ik zou me kunnen voorstellen dat het hem daar helemaal niet om gaat.* Perlmann zag de grote man weer voor zich, hoe hij de veranda in zo'n merkwaardige houding had verlaten. Nee, onverschillig liet zijn oordeel hem niet.

Giorgio Silvestri, dat wist hij tamelijk zeker, zou hem niet veroordelen, bij hem was het zelfs mogelijk dat hij enig besef had van zijn nood. Laura Sand. Op haar ironische, afstandelijke manier mocht zij hem. En er was die middag met al die kleuren geweest. Als zijn indruk klopte dat zij hem heel snel had doorzien, zou ze niet al te verbaasd zijn en het nieuws opvatten als iets dat zich moeiteloos voegde in haar sombere beeld van de menselijke samenleving. Verre van hem te veroordelen zou ze boos zijn dat hij die stomme academische wereld zo veel macht over hem had gegeven.

Heel erg zou het met Evelyn Mistral zijn. Hij dacht aan de keren waarop ze zich verontwaardigd had uitgelaten over Spaanse collega's die hun werk aan hun laars lapten en zag daarbij haar dunne, matzilveren bril en haar opgestoken haar. Ze zou verscheurd worden tussen de ongebroken, enigszins naïeve ernst waardoor ze in haar werk werd gedreven, en de vriendschappelijke, discreet tedere gevoelens die ze voor hem koesterde. Voor haar zou het voortaan zijn alsof hij die gevoelens op slinkse wijze had veroverd. Ze zouden desintegreren en de kleur aannemen van minachting en afschuw. Hij zag haar weer voor zich zoals ze zich zonet, nadat hij haar had gebruuskeerd, zonder iets te zeggen had omgedraaid. Hij dacht liever niet aan wat voor gezicht ze zou trekken als ze het zou vernemen.

Hoe zat het met Leskov zelf? Wat voelde je voor iemand die een tekst van je heeft gestolen waar je trots op bent? Woede? Minachting? Of was je in staat grootmoedig vergiffenis te schenken als je hoorde welke prijs de dief uiteindelijk had moeten betalen? Perlmann besefte dat hij de mens Leskov nauwelijks kende, hoe vaag zijn innerlijke gestalte bleef, die hem als auteur oversteeg. Hij ervoer een lichte opluchting, die overging in onverschilligheid. Om Leskov's oordeel ging het niet.

Aan Millar's reactie durfde hij alleen te denken door innerlijk zijn blik van hem af te wenden. Het was ondraaglijk zich de genoegdoening voor te stellen die die zelfingenomen yankee met de blauwe, altijd zelfde wakkere blik zou smaken. *Om de een of andere reden verbaast het me niet zo erg*, zou hij misschien zeggen en zijn hoofd met een besmuikte glimlach tot bijna op zijn linkerschouder leggen. Perlmann stroomde vol met een haat, die met geweld tot in elke cel van zijn lichaam leek door te dringen, en heel even werd hij weer misselijk. Gedrenkt in die haat zag hij nu, duidelijker dan in een hallucinatie, Millar's behaarde handen voor zich, die over de toetsen van een vleugel gleden.

Maar het allerergst was de gedachte aan Kirsten. Het was een verlossing te merken hoeveel belangrijker dan al het andere zijn dochter voor hem was en hoe zelfs de haat jegens Millar verzwakte nu zij voor hem opdoemde. Het gaf hem het gevoel dat hij de juiste verhoudingen nog niet helemaal uit het oog was verloren. Des te verschrikkelijker was het echter zich voor te stellen wat er zou gebeuren als zij ervan zou horen. Haar vader een bedrieger die met andermans veren had gepronkt omdat hij zelf niets meer voor elkaar kreeg. Dat hij niets meer had kunnen bedenken, zou ze misschien nog kunnen begrijpen. Iets had ze ook wel gemerkt tijdens haar bezoek, en ze zou het allemaal ongetwijfeld toeschrijven aan Agnes' dood. Maar dat hij niet de eerlijkheid en moed had kunnen opbrengen het openlijk toe te geven, dat zou ze niet kunnen begrijpen. Evenmin als haar moeder kende zij het academische milieu, en ze zou er al helemaal geen idee van hebben dat hij niet ten gevolge van Agnes' dood met lege handen was komen te staan, maar wegens een ander, in zekere zin nog veel groter verlies, dat heel moeilijk te beschrijven en al helemaal niet te verklaren was. Dus kon ze ook niet weten dat hij het besef van zijn huidige onmacht niet had ervaren als iets onaangenaams en pijnlijks, waarvoor je niettemin begrip kon vragen met het oog op een persoonlijke tragedie als de zijne, maar dat hij niet anders had gekund dan het te ervaren als het openlijk prijsgeven van een veel ingrijpender bankroet dat zijn hele persoon betrof, en dat een openlijke schuldbekentenis alleen al om die reden ondenkbaar was geweest. Hij dacht eraan hoe ze vroeg in de ochtend in haar lange zwarte jas voor zijn deur had gestaan, zag haar spottende, verlegen glimlach en hoorde haar *Hallo, papa.* Weer voelde hij haar warme, droge hand met de vele ringen die ze hem vanuit het treinraam had toegestoken. *Gli ho detto che ti voglio bene. Giusto?*

Hij keek naar het raam. *Nee. Nee.*

Na een fase van uitputting, tijdens welke hij zich in het kussen had laten vallen, besefte hij met een wakkerheid die hem deed beven dat de gruwelijke gedachten die zich nu aan hem opdrongen, hem voor altijd zouden veranderen. Ze kwamen, leek het hem, vanuit een onbekende verte en kwamen op hem af als golven die steeds groter werden, tot ze hem uiteindelijk onder zich zouden begraven. Hij duwde zijn ijskoude handpalmen tegen zijn voorhoofd, alsof hij de gedachten daardoor kon tegenhouden. Maar ze naderden onstuitbaar, ze werden sterker dan hij, en machteloos stelde hij vast dat ze zijn verzet elk moment konden breken.

Hij zette de televisie aan. Op de meeste kanalen waren speelfilms aan de gang, maar hij wilde zich nu niet met fictieve verhalen, conflicten en gevoelens bezighouden. Ook bij talkshows zapte hij meteen verder; nog nooit had de aanblik van hem onbekende mensen hem zo onverschillig gelaten. Eindelijk vond hij een nieuwsuitzending. Dat was precies wat hij nu nodig had: objectieve, werkelijke gebeurtenissen, fragmenten uit de wereld waarin iets belangrijks gebeurde, iets wat er echt toe deed, het liefst tragische gebeurtenissen die hem, omdat hun reikwijdte een individueel leven verre overtrof, konden helpen de kerker van zijn eigen, geheel en al op hemzelf betrokken gedachtenwereld op te blazen. Elk nieuwsbericht moest een loopplank zijn waaroverheen hij de werkelijke wereld kon bereiken, waar de nachtmerrie die hem in deze kamer gevangenhield vervluchtigde en zich als pure inbeelding zou ontpoppen. Hij staarde naar de beelden totdat zijn ogen begonnen te tranen, hij wilde helemaal opgaan in de gebeurtenissen in de buitenwereld; hoe verder de plaats van handeling van een nieuwsbericht was, des te gemakkelijker hoopte hij zich van zichzelf te kunnen verwijderen. Hij benijdde de mensen over wie werd bericht, zij waren niet hij, en met een gevoel van schaamte dat hij niet nader wilde onderzoeken, merkte hij dat hij vooral de mensen die een catastrofe hadden beleefd, om hun concrete ellende benijdde. Zelfs met de soldaten die gewond op een brancard lagen had hij willen ruilen.

Hij zette het geluid uit en liet de beelden doorlopen. Was het denkbaar dat Leskov niets zou zeggen – uit dankbaarheid voor de uitnodiging en misschien ook vanwege de herinnering aan de Hermitage?

Maar zelfs als dat het geval was: het zou ondraaglijk zijn zich voor eeuwig in zijn handen te weten. Leskov zou hem niet chanteren, dat wist Perlmann zeker. Maar weten dat hij voor altijd chantabel zou zijn, was al voldoende om hem compleet te verlammen. Je moest je het eens voorstellen: hij, Perlmann, aan het hoofd van de tafel in de veranda gezeten, die de tekst moest toelichten en verdedigen, terwijl Leskov in zijn afgedragen pak ergens achterin zat, aan zijn pijp lurkend, heimelijk diep tevreden, wellicht vragen stellend, en tot zijn eigen duivelse plezier zelfs tegenwerpingen makend, met een doodernstig gezicht. Perlmann voelde het koude zweet op zijn handen toen hij zijn gloeiende gezicht erin legde.

En dan hun gesprekken onder vier ogen: Leskov's vaderlijke toon zou wellicht, objectief gezien, niet veranderen. Maar hij, Perlmann, zou er voortaan altijd een dreigende ondertoon in horen, een nuance die hem van elke mogelijkheid zou beroven zich teweer te stellen. Hij moest zijn mond houden en zou een soort knecht zijn, zelfs al zou er nooit meer een woord aan de kwestie worden vuilgemaakt.

Perlmann begon Vasili Leskov te haten. Het was een heel andere haat dan die hij jegens Millar koesterde. Dat hij Millar haatte, had te maken met wat de man had gezegd en gedaan. Die haat had zijn oorsprong in de dingen die tussen hen beiden waren voorgevallen. Millar had daar een actief aandeel in, en dientengevolge was Perlmann's haat in zekere zin in hem, Millar, verankerd. De haat jegens Leskov was daarentegen ontstaan zonder dat de Rus, die nu in alle onschuld zijn koffers pakte, er ook maar iets aan had kunnen doen. Het haatgevoel waarvan hij het mikpunt was, gleed daarom langs hem af en viel terug op Perlmann, die de lafhartigheid van zijn gevoel waarnam zonder zich ertegen te kunnen verzetten.

Hij zette het geluid van de televisie weer aan; het ergerde hem dat de reportage over een aardbeving net voorbij was. Sport en mode, dat waren geen beelden die hem konden bevrijden; eerder leken die de draak met hem te steken. De blije, opgewekte gezichten van de presentatoren had hij het liefst een oorvijg willen verkopen, en hij schrok toen hij zich bewust werd van zijn hysterie. Het luchtte hem op toen het weerbericht kwam; het afstandelijke perspectief van het satellietbeeld deed hem goed. Nog nooit had hij een weerbericht zo oplettend gevolgd. Gretig volgde hij de punt van de aanwijsstok die van plaats naar plaats ging – allemaal plaatsen waarnaar hij vol verlangen keek omdat ze ergens anders waren.

Toen de voorspelling voor morgen begon, raakte hij in steeds heviger wordende paniek. Straks was de uitzending voorbij en dan zouden de gedachten hem weer overweldigen die van hem een ander, een lelijk mens maakten, kil en vreemd voor zichzelf. Hij klampte zich vast aan de temperatuurvoorspellingen in Italië. Toen de camera uitzoomde en de tafel van de nieuwslezers steeds kleiner werd, bleef hij gespannen kijken tot het laatste beeld en de laatste toon van de herkenningsmelodie waren verdwenen.

De bonte reclamespots schrokken hem af en hij zette het toestel uit. Maar het lege, donkere beeldscherm waarin de lamp op het nachtkastje werd weerspiegeld, maakte hem weerloos tegenover zichzelf, hij schakelde de tv weer in. Wanhopig zapte hij van kanaal naar kanaal, probeerde tevergeefs zich door erotische beelden te laten bedwelmen, en ook zijn poging in een achtervolgingsjacht met jankende sirenes en veel geschiet op te gaan, mislukte. De vlucht voor zijn eigen gedachten was voorbij. Ze hadden hem ingehaald en drongen nu zijn bewustzijn binnen. Hij drukte steeds sneller en wanhopiger op de knopjes van de afstandsbediening, de kanalen volgden nu razendsnel op elkaar en flitsen alleen nog heel even op. Toen schakelde hij het toestel uit.

Hij ging naar de badkamer en pakte het doosje slaappillen uit zijn toilettas. Twee pillen zouden voldoende zijn om iedere gedachte voor enige tijd uit te schakelen. Hij had ze al op zijn tong en proefde de bittere smaak die vergetelheid beloofde, maar liet toen het glas water in zijn hand weer zakken. Het was krankzinnig zich uitgerekend nu, nu het er echt om ging, in een dergelijke verdoving te storten, zonder te weten hoelang het zou duren voordat zijn hoofd weer helder genoeg zou zijn om praktisch te kunnen denken. Hij legde de vochtig geworden pillen op de glazen plaat, dronk het glas water leeg en ging toen langzaam en met gebogen hoofd terug naar de rode fauteuil, als iemand wiens tijd definitief voorbij is en die eindelijk kleur moet bekennen. De rode aansteker, die hij al in zijn hand had, legde hij behoedzaam terug op tafel en hij stak zijn sigaret aan met een lucifer uit het hoteldoosje. Hij inhaleerde dieper dan anders en liet de rook heel langzaam uit zijn mond ontsnappen. Met inademen wachtte hij tot het allerlaatste moment. Toen begon hij.

Het moest eruitzien als een ongeluk. Een ongeluk dat plaatsvond ergens halverwege de luchthaven en het hotel. Een ongeluk waarbij hij aanwezig was en waarover hij kon getuigen. Er was maar één mogelijkheid: het moest een ongeluk zijn met een auto die hij op de luchthaven zou huren.

Een huurauto speciaal om Leskov af te gaan halen; er zou vast wel iemand zijn die zich zou afvragen of dat niet een beetje overdreven was, of hij niet beter een taxi had kunnen nemen, de andere collega's waren tenslotte allemaal op een heel gewone manier hierheen gekomen. Maar het viel te verklaren: Perlmann had die Leskov hoger zitten dan men tot dusver had aangenomen, blijkbaar mocht hij hem ook persoonlijk. Of: tegenover een Rus die uit Sint-Petersburg kwam en nog nooit in het Westen was geweest, wilde hij een bijzonder gebaar maken. Of: de onkostenvergoeding die Angelini had geboden was zo royaal dat je je zoiets makkelijk kon permitteren. En bovendien zou na een ongeval met dodelijke afloop niemand zo'n vraag stellen. Op zichzelf zou die huurauto, daar kon hij zeker van zijn, geen aanleiding geven tot verdenking.

Maar hoe moest hij het doen, technisch gezien? Een ongeluk tijdens de rit was moeilijk in scène te zetten, dat Leskov erbij om het leven kwam en hij er zelf zonder letsel vanaf kwam, was praktisch onmogelijk. Andere mensen mochten in geen geval bij het ongeluk betrokken raken, dat stond vast, daar hoefde hij geen seconde over na te denken. En tegen een boom langs de weg rijden, tegen een paal of een rotsblok – de afloop daarvan was onmogelijk te voorspellen. Eigenlijk kwam er maar één ding in aanmerking, en Perlmann griezelde ervan hoe snel en bijna geroutineerd hij op die gedachte kwam: hij moest vlak voor een steil ravijn – in het gebergte of langs een steile kust – stoppen, uitstappen en de auto met Leskov erin over de rand laten rijden. Hij zag de zich langzaam voortbewegende auto voor zich, met daarin het grote lijf van Leskov, zijn ontstelde gezicht, zijn mond open voor een schreeuw, de wagen dook voorover en verdween in de zee. Perlmann drukte met duim en wijsvinger op zijn ogen om de details van dat beeld te verdrijven en het duurde even voordat hij verder kon denken.

Het moest in een bocht van de weg gebeuren, op een plek waar de berm afhelt naar de rotsrand. Hoe moest hij stoppen? Hij kon de motor afzetten, de versnelling in zijn vrij zetten en de handrem aantrekken. Na het uitstappen moest hij zich naar binnen buigen, de knop van de handrem indrukken, de handrem iets aantrekken en dan loslaten. Om hem aan te kunnen trekken, dacht hij, moest hij zijn arm, in ieder geval zijn onderarm, ongeveer parallel aan de handrem houden, anders kreeg hij hem niet los, en dat betekende dat hij ver voorover moest leunen, tot vlak bij Leskov, zijn slachtoffer. Misschien lukte het als hij met zijn linkerhand op de bestuurdersstoel zou steunen; maar misschien was het ook noodzakelijk zijn rechterknie erbij te gebruiken. Het kwam erop aan hoe breed de auto was. Hoe dan ook, en dat was het erge aan de voorstelling, zou hij nog een keer heel dicht bij het lichaam van Leskov komen, en als hij zijn arm op een onhandige manier kromde of als hij bij het overeind komen zijn evenwicht verloor, zou hij hem misschien zelfs aanraken. Aankijken hoefde hij hem niet, hij kon zichzelf dwingen zijn blik te vernauwen en die helemaal op de handrem te fixeren. Zodra hij de hendel eenmaal in zijn hand had, kon hij zijn ogen sluiten. Maar dat moment van lichamelijke nabijheid, die zo heel anders was dan de lichamelijke nabijheid tijdens het rijden, zou afschuwelijk zijn. En al helemaal ondraaglijk was de voorstelling dat Leskov zijn bedoeling zou doorzien en dat er een gevecht zou ontstaan, wellicht met het gevolg dat ze allebei zouden neerstorten.

Hij moest het zonder handrem doen, alleen met de versnelling. Stoppen en de motor afzetten, de auto in de eerste versnelling laten staan, uitstappen en dan bliksemsnel de auto in duiken en hem met een klap in z'n vrij slaan. Dat was een zaak van één, twee seconden. Dan hoefde hij nergens steun bij te zoeken, hooguit aan het stuur, daarvoor hoefde hij niet dicht bij de passagiersstoel te komen. Zou Leskov de handrem aantrekken als hij merkte dat de wagen zich in beweging zette? Autorijden kon hij niet. Perlmann herinnerde zich nu zijn droge opmerking dat zijn inkomen sowieso niet toereikend was om zich een auto te kunnen permitteren. Maar eigenlijk wist ook elke bijrijder dat er zoiets als een handrem bestond, en waar die zat. Anderzijds zou Perlmann's aanslag als een donderslag bij heldere hemel komen. En zelfs als hij op dat moment niet juist uit het raam keek en Perlmann's beweging zou zien, zou hij de situatie niet snel genoeg kunnen inschatten; de waarheid was te onwaarschijnlijk en te verschrikkelijk. De snelheid waarmee het allemaal gebeurde zou hem verwarren en hij zou schrikken van de zich in beweging zettende auto, en die twee tezamen zouden hem verlammen. Maar helemaal zeker kon hij daar niet van zijn. Hij moest proberen elke reactie van Leskov vóór te zijn door tot vlak bij de rotswand te rijden, zo dichtbij dat de voorwielen met de eerste de beste beweging al over de rand zouden zijn en het zwaartepunt van de auto zich reeds onherroepelijk aan de andere kant van de rand zou bevinden. Misschien zou Leskov nog een waarschuwende kreet slaken wanneer ze tot zo dicht bij de afgrond reden. Maar daar hoefde hij dan niet meer op te reageren, hij zou zich helemaal op de noodzakelijke handeling kunnen concentreren, en een paar seconden later zou alles voorbij zijn.

Politie. Hij zou de carabinieri moeten waarschuwen. Daar had hij tot nu toe geen moment aan gedacht. In Perlmann's gedachtenwereld van het afgelopen uur was alleen Leskov er geweest, en op de achtergrond de collega's, en doordat het nu opeens tot hem doordrong dat het geplande ongeluk ook de rest van de wereld aanging, de openbare wereld van wetten en rechtbanken, en ook van de media, kwam alles in een fel, ijskoud licht te staan. Perlmann trok zijn schoenen uit, ging met opgetrokken knieën op het hoofdeinde van het bed zitten en trok het dekbed op tot aan zijn kin. Die houding was ongewoon, vreemd, en maakte hem duidelijk hoe ver hij al van zichzelf af was komen staan.

Het eerste wat ze zouden vragen zou zijn of hij, voordat hij was uitgestapt, de versnelling wel in z'n vrij had gezet. Natuurlijk, zou hij antwoorden, hoe had hij anders kunnen uitstappen. Bovendien deed je dat na dertig jaar rijervaring in zo'n situatie automatisch. Het moest geïrriteerd klinken, bijna verontwaardigd. Hij zou zeggen dat Leskov de versnelling waarschijnlijk per ongeluk een duw had gegeven, toen hij, dik als hij was, iets van de vloer had willen rapen. Exact op het moment waarop hij, Perlmann, zich had omgedraaid en met zijn hand nog aan de ritssluiting van zijn broek het in beweging komen van de auto had opgemerkt, was Leskov's hoofd weer opgedoken achter de ruit. Natuurlijk was hij er nog op af gerend, zij het meteen al met een gevoel van vergeefsheid; maar de auto was over de rand gekieperd voordat hij de plek had bereikt.

Niemand kon bewijzen dat hij er schuld aan had, helemaal niemand. Je kon hem verwijten dat hij de auto niet ook op de handrem had gezet, juist omdat zo'n onhandigheid van een medepassagier nu eenmaal tot de mogelijkheden behoort. Maar dat was een verwijt dat betrekking had op zijn gebrek aan voorzichtigheid, en daar kon je geen aanklacht wegens dood door schuld van maken. Strafvervolging was alleen denkbaar als er iemand op zou staan die zou zeggen: Signor Perlmann, u bent een leugenaar, de waarheid is dat u na het uitstappen uw hand nog een keer naar binnen hebt gestoken en zelf de versnelling in z'n vrij hebt gezet, en dat betekent moord. Maar dat zou een beschuldiging zijn die nergens op berustte, die zou niet leiden tot een voorlopig onderzoek, en geen officier van justitie zou erdoor in actie komen. Want wat niet mocht worden vergeten: er was geen spoor van een motief. De collega's konden bij een ondervraging niets anders vertellen dan over de grote waardering, ja hoogachting, waarmee Perlmann altijd over Leskov had gesproken.

Of zou er een verdenking opkomen in de groep? Zouden ze een relatie leggen tussen het telegram, Perlmann's nogal opvallende reactie erop, en het ongeluk? Zou Evelyn Mistral zich zijn lijkbleke gezicht in de deuropening herinneren?

Maar zelfs als men die drie zaken in gedachten met elkaar in verband bracht: ook dan zou niemand er iets mee kunnen beginnen. Want wederom gold dat er voor de anderen niets te bespeuren viel van een motief. Zij konden immers geen weet hebben van het gif van bedrog dat door zijn lijf stroomde.

Maar toch, hij moest op de plaats delict alles vermijden wat aanleiding zou geven voor wantrouwige vragen. Perlmann voelde zijn maag verkrampen en trok huiverend het dekbed nog hoger. Allereerst moest de plek waar het zou gebeuren er zo uitzien dat het heel natuurlijk leek daar even te stoppen om er, zoals zijn verklaring zou luiden, even een plas te doen. Maar zomaar een ruime bocht in de weg waar je het verkeer niet hinderde, was niet voldoende. Het moest een plek zijn die ertoe uitnodigde de auto met zijn neus tot vlak bij de afgrond te parkeren; het liefst een plek met een bijzonder uitzicht. Ik ben automatisch zo gaan staan, zou hij zeggen, op die manier kon je het uitzicht het best bewonderen.

En verder kwam het vooral aan op de gesteldheid van de bodem. Was het een geasfalteerd terrein, dan speelden remsporen geen rol. Maar als het aarde was, of grint of zand, moest hij oppassen. Vlak voor de rand waar hij in werkelijkheid zou stoppen, mochten geen remsporen te zien zijn, want daar had de auto in zijn versie van het verhaal immers zonder chauffeur gereden. Een eindje naar achteren daarentegen, op de plek waarvan hij zou beweren dat hij er was gestopt, moesten de gebruikelijke remsporen zichtbaar zijn. Daarmee was duidelijk wat hem te doen stond: hij moest de weg verlaten en op de bewuste plek een bocht maken totdat hij met de voorkant van de auto haaks op de rand van de rotswand kwam te staan. Dan, op een natuurlijke afstand van die rand, zou hij remmen tot hij tot stilstand was gekomen en de motor afzetten, om vervolgens meteen daarna heel voorzichtig op de afgrond af te rijden, het rempedaal heel snel achter elkaar alleen licht intrappend zodat er geen remsporen zouden ontstaan.

Onder het dekbed maakte Perlmann onwillekeurig de relevante bewegingen: met zijn linkervoet de koppeling indrukken, met zijn rechtervoet vlug en zachtjes, heel zachtjes pompen, het mocht telkens echt alleen maar een minimaal duwtje zijn, en ten slotte, tegelijk met de laatste aanraking van de rem, de koppeling voorzichtig loslaten, zodat ook daardoor geen remspoor ontstond. Perlmann, die zich zo sterk concentreerde dat hij zich bij die heikele bewegingen voorover had gebogen, liet zich weer in het kussen vallen. Hij was uitgeput als na een geweldige lichamelijke inspanning, en heel even voelde hij vanbinnen alleen nog een beklemmende, onheilspellende leegte.

Hij schrok op. Getuigen. Natuurlijk mochten er geen getuigen zijn. Voordat hij de definitieve, de beslissende beweging maakte en de versnelling een klap gaf, moest hij zich oprichten en zich er door een blik in beide richtingen van de weg van verzekeren dat er niemand aankwam. Als er een auto te zien was, moest hij wachten, het zouden angstige, langzaam verstrijkende seconden zijn, de laatste seconden van Vasili Leskov's leven. Met het oog op de vluchtige, maar misschien toch precieze waarneming van de voorbijrijdende automobilist moest hij intussen een nonchalante houding aannemen, hij zou een sigaret tussen zijn lippen kunnen steken, die hij weg kon gooien zodra de auto weer uit zicht was verdwenen. Dat Leskov in de tussentijd zou kunnen uitstappen, daar durfde hij niet eens aan te denken, en hij durfde er ook niet aan te denken dat er naast hen een andere auto zou stoppen. Wat zich dan zou afspelen was bijna niet te verdragen: een reeks bewegingen en een woordenwisseling, hele toestanden zelfs, waaraan een spookachtige onwerkelijkheid kleefde, want de enige reden waarom die in zijn ogen plaatsvonden, was dat ze zichzelf in zekere zin uit de weg zouden ruimen om daarmee een spanne tijds vrij te maken waarin de moord eindelijk zou kunnen geschieden.

Het moest een afgelegen weg zijn, een rustig stuk weg waar op een dag in november bijna niemand reed. Er zou enige verbazing kunnen ontstaan over het feit dat hij Leskov, die die dag al een reis vanaf Sint-Petersburg achter de rug had, niet linea recta, via de autosnelweg, naar het hotel had gereden. Maar hij kon zeggen dat Leskov door de reis eerder een beetje opgewonden dan moe was geweest en dat hij zelf een omweg had voorgesteld. Niemand zou hem op een leugen kunnen betrappen, en zonder andere redenen tot verdenking zou niemand dat ook willen.

Hij had een wegenkaart nodig. Bij de receptie beneden zouden ze er zeker een hebben. Perlmann keek op zijn horloge. Kwart voor elf. Giovanni zou wel weer dienst hebben, en dat kwam hem goed uit: hoe onsympathieker hij hem vond en hoe onverschilliger de man hem liet die hij, door hem om een wegenkaart te vragen, bij zijn moordplan betrok, des te beter hij zich erbij voelde. Hij sloeg het dekbed terug, deed zijn schoenen aan en stond al bijna bij de deur toen hij aarzelend terugkeerde en op de leuning van de rode fauteuil ging zitten. Tot nu toe had hij zijn plan in gedachten ontwikkeld, stilletjes onder het dekbed. Nu stond hij op het punt over te gaan tot de uitvoering. Een moordenaar bij de voorbereiding van de daad. Het ijskoude gevoel van vervreemding dat die gedachte in hem opriep, verlamde hem. Heel even bleef Perlmann roerloos zitten, vervuld van een diepe wanhoop.

Toen hij een sigaret tussen zijn lippen stak, vermeed hij het naar de rode aansteker te kijken en gebruikte opnieuw een lucifer uit het hoteldoosje. Hij voelde behoefte nog één keer de redenen na te gaan die hem tot zijn afschuwelijke voornemen hadden gebracht en zichzelf te overtuigen van hun dwingende karakter. Maar elke poging zich te concentreren verzandde ogenblikkelijk, en wat overbleef was de vage en tamelijk abstracte overtuiging dat hij niet meer terug kon – een overtuiging die de bijsmaak van geforceerdheid had, maar zonder daardoor aan het wankelen te raken. Uiteindelijk maakte hij zijn halfopgerookte sigaret uit en liep naar de deur. Zijn bewegingen voelden zwaar en mechanisch aan.

Terwijl hij vanaf het laatste trapportaal de hal in keek had hij even de beklemmende voorstelling zo dadelijk tegenover Leskov te staan. Hij haalde diep adem, sloot zijn ogen en hield de lucht in zijn longen vast, alsof de pijnlijke druk die dat veroorzaakte het spookbeeld van binnenuit kon verdrijven. Toen liep hij naar de receptiebalie, waar niemand was.

Nu pas hoorde hij de muziek die uit de salon kwam. Zaterdagavond, Millar speelde. Zoals altijd was het Bach, de Ouvertüre nach französischer Art, die Hanna een keer had gespeeld op de zestigste of zeventigste verjaardag van een geliefde tante. Perlmann kwam zichzelf voor als een onwerkelijke gestalte, een wezen van een vreemde planeet, die in deze wereld verdwaald was geraakt, waar het er heel gewoon aan toe ging en waar niemand notitie nam van het inwendige gebeuren dat hem onstuitbaar naar de afgrond dreef. Opeens kreeg hij de hik, en het machteloze naar lucht happen in de verlaten lounge, waar elk geluid extra hard leek te weergalmen, versterkte zijn gewaarwording dat binnenin hem de regie was overgenomen door krachten waarop hij geen invloed meer had.

Hij waagde het niet op de zilveren bel te slaan en stond al op het punt het wachten, dat hij als een voorproef van zijn vernedering ervoer, te beëindigen en terug te gaan naar zijn kamer, toen signora Morelli uit de gang kwam die naar de salon leidde. Na een blik op Perlmann's gezicht begon ze sneller te lopen, het laatste stukje tot achter de balie holde ze bijna.

'De muziek,' zei ze verontschuldigend. 'Signor Millar speelt prachtig.' Haar glimlach drukte haar onuitgesproken verbazing uit over het feit dat hij niet ook bij de anderen was, en tegelijkertijd het besef dat het niet gepast was daar een vraag naar te stellen.

'Ik heb een kaart nodig van de omgeving,' zei Perlmann, en omdat hij verder niet op haar opmerking reageerde maar zich er krampachtig op concentreerde de zin zonder te hikken ten einde te brengen, klonk het bevelend, zodat ze schrok van zijn toon. 'Een gedetailleerde kaart,' voegde hij eraan toe. Hij wilde dat die toevoeging vriendelijker zou klinken en meer op een verzoek zou lijken, maar het laatste woord werd door zo'n stomme hik verminkt.

Signora Morelli liep naar het kantoor, zocht in een paar lades en kwam ten slotte met een wegenkaart van Ligurië terug.

'*Ecco!*' zei ze, en na een korte stilte waarin Perlmann opnieuw tegen de hik vocht, voegde ze eraan toe: 'Morgen belooft het een zonnige dag te worden.'

Perlmann nam de kaart aan, knikte haar bij wijze van dank toe en liep naar de lift. De dichtglijdende deur sneed dwars door een van de zware akkoorden van Millar heen.

De weg langs de kust, dacht hij, toen hij met de uitgevouwen kaart op zijn bed zat, was geen optie. Weliswaar kon je aan de vele ingetekende bochten zien dat er hele stukken met steile rotskusten waren, of in ieder geval met steile hellingen, maar zulke wegen waren meestal voor een deel uit de rotsen gehakt en hadden geen ruime bochten met de benodigde diepte. Ook waren ze in de regel beveiligd met vangrails. En ten slotte was het de weg die grote kustplaatsen als Recco en Rapallo met elkaar verbond, op een maandagmiddag tussen vier en vijf, dus in de spits, zou daar veel te veel verkeer zijn.

Hij moest de weg door de bergen nemen en vanaf Genua in de richting van Molassana rijden. Daarna waren er verscheidene mogelijkheden. Misschien was er een geschikte plek op het stuk dat in Bargagli begon en in de buurt van Lumarzo eindigde. In dat traject zaten klaarblijkelijk heel veel bochten, en de weg was groen gemarkeerd, het was dus een bergweg met bijzondere uitzichten. Dat betekende dat daar waarschijnlijk uitkijkpunten waren die hij kon gebruiken. Tenzij daar de vangrails een streep door de rekening zetten. Maar dan kon hij altijd nog een van de kleine met rood aangegeven weggetjes proberen die van de hoofdweg aftakten en met talloze bochten naar de kust leidden, bijvoorbeeld via Uscio. En als hij ook daar niets vond, kon hij altijd nog de weg proberen die vlak na Molassana aftakte en via Davagna naar de Passo di Scoffera voerde.

Toen het beeld opdoemde van een nauwe pas die langs zwarte, vochtig glanzende leisteenrotsen dwars door laaghangende wolken leidde, schrok Perlmann. Terwijl hij de kaart bestudeerde was hij een tijdlang alleen maar hoofd geweest, kil, berekenend verstand, zonder verbinding met andere delen van hemzelf. Nu riep het beeld van de sombere pas opnieuw ontzetting en vertwijfeling in hem op, zijn lege maag kromp samen en hij rook de scherpe, zure geur die het braaksel in zijn neus had achtergelaten.

Hij ging voor het gesloten raam staan en keek naar buiten, maar zonder iets te zien. Kon hij leven met die daad – met het beeld van de vooroverduikelende auto, met de herinnering aan Leskov's schreeuw, die door het open raampje naar buiten drong, met de geluiden van het neerslaan van de auto en van de explosie die daarop zou volgen?

Met het nuchtere, glasheldere besef dat hij een moord had gepleegd zou hij niet kunnen leven, dat wist hij zeker. Wat hem dan te wachten zou staan, was dit: dag in dag uit zou hij zichzelf voor moeten houden dat het een ongeluk was geweest; de scherpe, exacte herinnering aan de werkelijke daad zou hij iedere dag opnieuw onder heel nauwkeurige fantasiebeelden van een ongeluk moeten bedelven en begraven, net zo lang en hardnekkig totdat de oorspronkelijke, traumatische beelden voor altijd op de achtergrond zouden blijven en hij de fantasiebeelden kon oproepen alsof het echte herinneringen waren. Het ging erom het ene flinterdunne laagje zelfovertuiging over het andere te leggen, net zolang tot er een nieuwe, houdbare overtuiging ontstond waar hij zich niet meer dagelijks om hoefde te bekommeren omdat hij er blind op kon vertrouwen. Was zoiets mogelijk? Was het werkelijk mogelijk op zo'n systematische manier zelfbedrog te plegen, was het mogelijk om op zo'n ingewikkelde manier een levensleugen te fabriceren? Er zou dan een heel bijzondere, tot dusver ongekende afwezigheid van tegenwoordigheid ontstaan: de afwezigheid van tegenwoordigheid die op leugens berustte – een toestand waarin de tegenwoordigheid ontbrak omdat een fundamentele waarheid, een richtinggevende werkelijkheid van het eigen leven werd ontkend.

De telefoon ging. Hoewel Perlmann het toestel op de zachtste stand had gezet, klonk het gerinkel schel en doordringend in zijn oren, het leek wel alsof de hele wereld hem met dat geluid wilde aanvliegen. *Kirsten.* Hij liep naar het nachtkastje, stak zijn hand uit en legde die op de hoorn. Het verlangen naar haar heldere stem en zorgeloze gebabbel was overmachtig en deed pijn. Maar hij trok zijn hand weer terug, ging op de rand van het bed zitten en legde zijn hoofd op zijn beide vuisten. Naast hem, zag hij achter zijn gesloten ogen, lag de opengeslagen wegenkaart met de misdadige route. Het gerinkel ging maar door. Perlmann hield zijn oren dicht, maar tevergeefs, want nu hoorde hij het geluid in zijn verbeelding.

In de stilte die eindelijk intrad nam hij de rode aansteker in zijn hand. *Aan het doden moet een persoonlijke relatie ten grondslag liggen; anders is het pervers.* Opeens kwam alles wat hij de afgelopen uren had gedacht hem onwerkelijk voor, bijna grotesk. Leskov vermoorden was absoluut uitgesloten. Want zelfs als het werkelijk zou lukken zichzelf daarna een rad voor ogen te draaien: bij de eerste de beste ontmoeting met Kirsten, bij de eerste keer dat ze elkaar zouden aankijken, zou het hele leugenachtige gebouw als een kaartenhuis instorten. Dan zou hij tegenover haar staan in het overweldigende besef een moordenaar te zijn.

Onwillekeurig stond hij op om die ondraaglijke voorstelling te smoren door zich te bewegen. Hij pakte een sigaret en deed het raam open. Hij voelde zich ongelooflijk opgelucht dat de gedachte aan moord als een nare droom van hem afviel, en na enige tijd begon hij de lichtjes buiten waar te nemen. Gretig zoog hij ze één voor één op met zijn ogen. Nadat hij het beeld van de nacht in zich had opgenomen en rustig was geworden, stak hij zijn sigaret aan met de aansteker van Kirsten, die zachtjes klikte.

Bij de eerste trekjes lukte het hem zich helemaal op de gedachte te concentreren dat hij nu geen moordenaar zou worden, en hij beleefde een soort tegenwoordigheid – de tegenwoordigheid van een grote opluchting. Maar de hele toestand, daarvan was hij zich heel duidelijk bewust, had iets voorlopigs, iets van alleen maar even op adem komen, het was een toestand die bedreigd werd door de prangende vraag wat hem in godsnaam te doen stond nu hij ook de oplossing door middel van het plegen van een moord had opgegeven.

Hij voelde dat hij die vraag niet langer van zich af kon houden, ging naar de badkamer en nam de twee nog steeds wat vochtige pillen in. De kaart die hij opgevouwen op de ronde tafel legde, was nu al een rekwisiet uit een drama dat zich lang geleden in zijn fantasie had afgespeeld.

Toen hij het licht uitdeed, begonnen de pillen al te werken. Zijn linkervoet drukte de koppeling in, zijn rechter maakte voorzichtige rembewegingen. Terwijl hij nog bezig was met die dwangmatige bewegingen, waartegen hij zich vruchteloos verzette, viel hij in slaap.

De handrem zat vast, alsof hij in beton was gegoten, hij moest nog verder naar binnen kruipen en leunde met zijn knie op de bestuurdersstoel, maar hij kreeg de hendel geen millimeter van zijn plaats, ook niet toen hij hem met beide handen omhoog probeerde te trekken. In de knop, waarmee hij hem los zou kunnen maken, was ook al geen beweging te krijgen, die voelde aan als een steen. Opeens was er geen knop meer, en de druk van zijn duim vond geen weerstand, het kostte allemaal seconden, zijn hart ging als een razende tekeer, nu pakten zwetende, ruwe handen zijn arm beet, er volgde een gevecht, Leskov bleek sterk te zijn als een beer, maar was verder een tegenstander zonder gezicht, opeens kwam de auto in beweging, eigenlijk was het meer een soort glijden, waarvan het schrikbarende de geruisloosheid was waarmee het gebeurde, het gevecht was voorbij en ze duikelden voorover in een verblindend wit, langzaam als in een vertraagde film.

Maar toen voelde hij hoe zijn rechterhand de versnelling in zijn vrij sloeg, hij herhaalde die snelle, heftige beweging een paar keer, het was alsof hij alleen nog maar uit die arm en die hand bestond, wéér begon de auto te rijden, toen trok Leskov de handrem aan, het krakende geluid werd gevolgd door een eindeloze nagalm die over de parkeerplaats en de afgrond schalde, deze keer had hij een gezicht, een gezicht met wijd opengesperde, angstige ogen, dat veranderde in een triomfantelijk gezicht met een minachtende blik, het gezicht kwam opeens dichterbij en werd een close-up, en ten slotte was het een gezicht met een brede, pluizige snor dat snel veranderde in een honend grijnzende tronie.

29 Toen Perlmann badend in het zweet en nog volledig verdoofd ontwaakte, was het half negen en de zon stond evenals de beide voorafgaande dagen aan een onbewolkte hemel, zodat hij zich door zijn versuffing heen heel even kon voorstellen dat het pas vrijdagochtend was en dat alles nog in orde was. Eenmaal vervlogen bleek die illusie onherhaalbaar. Hij liep met langzame, onzekere stappen naar de badkamer. Een douche nemen was hem gisteren voorgekomen als iets waarop een bedrieger geen recht meer had. Vanochtend, na een nacht waarin ook nog heel andere dingen door zijn hoofd waren gegaan, leek hem dat gevoel achterhaald, bijna belachelijk. Onder het bruisende water verdween de verdoving, en de droombeelden, die teruggekeerd waren, verloren allengs hun macht.

Er is nog niets gebeurd, dacht hij opnieuw, ik heb nog dertig uur. Het hongerige gevoel waarvan hij zich bewust werd stond hem tegen, het liefst zou hij nooit meer iets eten. Maar het hinderlijke gevoel moest bestreden worden en daarom bestelde hij een ontbijt, hoewel hij het onaangenaam vond nu een bediende te moeten zien. Terwijl hij mechanisch croissants naar binnen propte en heel veel koppen koffie dronk, werd hem langzamerhand duidelijk dat er nog een andere mogelijkheid was waaraan hij gisteravond niet had gedacht: hij zou een auto-ongeluk kunnen ensceneren waarbij hij zichzelf zou doden en Leskov mee de dood in zou sleuren.

In eerste instantie waagde hij het niet zich voor te stellen hoe dat dan precies zou moeten gebeuren. Vervolgens was het van belang die gedachte in zijn abstracte vorm vast te houden. Hij merkte hoe hij sneller begon te ademen en zag hoe zijn hand trilde toen hij een sigaret opstak. En toch verbaasde het hem op hoe weinig verzet die nieuwe gedachte stuitte. Moord was het dan nog steeds. Maar dat leek vreemd genoeg bijzaak. Hoofdzaak was dat er dan alleen nog duisternis zou zijn en volmaakte stilte. Hij rookte met lange, diepe trekken terwijl hij helemaal in de voorstelling opging. Hoe langer hij erbij bleef, des te meer voelde hij zich ertoe aangetrokken. De hevige vermoeidheid waarmee hij de afgelopen dagen te kampen had gehad, leek als vanzelfsprekend op die zich voorgestelde stilte aan te sturen. En meer nog: opeens kwam het hem voor alsof hij al die maanden sinds Agnes' dood niets anders had gedaan dan wachten tot die stilte intrad. Zeker, het ging gepaard met een moord. Maar de gedachte aan Leskov bleef vaag, de nawerking van de slaappillen verlamden zijn voorstellingsvermogen, en achter Perlmann's zware oogleden kwam telkens weer de gedachte op: *Ik zal geen seconde met die moord hoeven te leven. Ik zal dus geen seconde van mijn leven een moordenaar zijn.* Hij merkte dat dat een sofisme was, een gewaagde drogredenering, maar hij bracht het niet op die te ontwarren en klampte zich vast aan de waarheid die die zinnen oppervlakkig gezien bevatten.

Hij schreef een briefje waarin hij zijn collega's meedeelde dat Vasili Leskov nu blijkbaar toch een manier had gevonden om in ieder geval een paar dagen hiernaartoe te komen, en dat hij morgenmiddag zou aankomen. De eerste zitting over zijn, Perlmann's tekst, zou daarom niet zoals gepland op maandagmiddag, na de receptie op het raadhuis, plaatsvinden, maar pas dinsdagochtend, omdat hij Leskov maandag van het vliegveld wilde afhalen. Hij schreef snel en zonder te aarzelen, en toen hij later geld en creditcard bij zich stak, de wegenkaart in zijn zak stopte en naar beneden ging, was hij blij en ontzet tegelijk over de zakelijkheid, de koelbloedigheid zelfs, die over hem was gekomen.

Hij gaf signora Morelli de opdracht het briefje te kopiëren en in de vakjes te leggen. Toen vertelde hij haar over Leskov's komst en liet een kamer voor hem reserveren, waarbij hij de naam spelde. Toen vroeg hij haar een taxi te bellen.

De anderen zaten op die zonnige, warme ochtend allemaal op het terras. Perlmann zette zijn zonnebril op, groette met een kort handgebaar en zonder zijn pas in te houden, en liep de bordestrap af. Zo-even had hij zich – dacht hij terwijl hij op straat op de taxi wachtte – op een bijzondere manier onkwetsbaar gevoeld toen hij, een beetje als een geest, langs de anderen was gelopen. Wel had hij het vermeden Evelyn Mistral aan te kijken. Maar dat was, leek hem nu, eigenlijk onnodig geweest want voortaan stond ze ver van hem af, als in een andere tijd. Dat was namelijk wat hem zo kalm en onkwetsbaar maakte: door de beslissing zichzelf dood te rijden had hij de normale tijd, die je met anderen deelt en waarin je met hen verbonden bent, verlaten. Hij bewoog zich nu in een eigen, persoonlijke tijd, waarin de klok weliswaar dezelfde tijd aangaf, maar die verder zonder enige verbintenis buiten de andere tijd om verliep. *Nu pas, nu ik de tijd van de anderen heb verlaten, kan ik me van hen afbakenen. Dat is de prijs.*

De nieuwe tijd, dacht hij in de taxi, was abstracter dan de andere, ook veel statischer. Ze stroomde niet, maar bestond uit een dorre opeenvolging van momenten die je, één voor één, moest doorleven, of beter: achter je moest brengen. Het ontbreken van tegenwoordigheid, stelde hij verbijsterd vast toen hij door het open raampje van de taxi naar het gladde, glinsterende water keek, was opeens geen probleem meer. In de nieuwe tijd, die tot morgenmiddag zou duren, om vervolgens samen met zijn bewustzijn uit de wereld te verdwijnen, bestond tegenwoordigheid niet eens als mogelijkheid, zodat je die ook niet kon missen. Wat er bestond was alleen nog dit: de koele berekening en het vasthouden aan het juiste tijdstip bij de voorbereiding en uitvoering van zijn voornemen. Perlmann draaide het raampje dicht, verzocht de chauffeur de radio uit te zetten en leunde achterover in de versleten stoel, waarvan de kapotte veren in zijn rug priemden. Hij deed zijn ogen pas weer open toen de taxi onder de geel geworden platanen voor het station stopte.

Maandagavond, toen hij met Kirsten op het perron had staan wachten, was hij dankbaar geweest voor het zinloze, schelle gerinkel. Het had hen beiden voor even verlost van hun verlegenheid tijdens hun zwijgende samenzijn. Perlmann zag weer Kirsten's bevrijde lach voor zich toen ze haar oren dichthield. Vandaag maakte dat indringende, eindeloze geluid hem weerloos. Hij liep weer naar buiten, naar de platanen.

Hij zou een briefje met Kirsten's telefoonnummer op zijn bureau laten liggen, zodat dan niemand in zijn spullen hoefde te rommelen. Dat zou heel vanzelfsprekend lijken, ten slotte woonde Kirsten nog geen drie maanden in Konstanz. Wie van de collega's zou haar bellen? Waarschijnlijk zou Von Levetzov het op zich nemen, een dergelijke jobstijding deed je zo mogelijk in je moedertaal, en Ruge zou zich terughoudend opstellen. Maar hoe zouden de collega's het eigenlijk te horen krijgen?

In zijn portefeuille moesten de carabinieri iets vinden waaruit zou blijken dat hij in het MIRAMARE logeerde. Maar de auto zou ook in vlammen op kunnen gaan. Het was voor het eerst dat Perlmann aan de mogelijkheid dacht dat hij achter het stuur zou kunnen verbranden, en het angstzweet brak hem uit bij het idee dat de vlammen hem zouden belagen terwijl hij nog lang niet dood en misschien alleen maar bewusteloos was. Het luchtte hem op dat het geluid van de binnenrijdende trein hem uit die voorstelling wegrukte.

Het ritmisch geratel van de wielen deed hem goed, het gaf hem het gevoel dat er nog niets vaststond en dat hij altijd nog kon terugkomen op zijn wanhopige besluit. Het liefst had hij zichzelf voor altijd met het ritmische geluid mee laten voeren, en het stoorde hem dat hij in een boemeltreintje terecht was gekomen dat bij elke halte stopte. Als het geratel van de wielen weer begon en sneller werd, slaagde hij er minutenlang in zijn toevlucht te nemen bij de gedachte dat het in feite helemaal niet zo erg was, het ging tenslotte alleen maar om een tekst, om een paar beschreven bladzijden dus, dat kon toch onmogelijk een reden zijn om op zo'n gruwelijke manier aan alles een einde te maken. Maar zodra de trein stilstond, raakte hij weer in paniek bij de gedachte dat zijn plagiaat zou worden ontdekt en dat hij de daaropvolgende uitstoting mee zou moeten maken. Minuut na minuut, uur na uur, dag na dag, tot aan het eind van zijn leven. Toen in Nervi een oude vrouw met een gehaakte, zwarte hoofddoek tegenover hem kwam zitten, een vriendelijke opmerking maakte en moederlijk naar hem glimlachte, stond hij zonder iets te zeggen op en zocht een andere wagon op met lege banken.

Het erge was dat hij, omdat het op een ongeluk moest lijken, voor zijn dood niets meer kon regelen. Hij had graag nog iets gezegd tegen een paar mensen. Vooral tegen Kirsten, hoewel hij niet kon bedenken wat dat precies moest zijn. Ook Hanna had hij graag nog een keer willen zien, hij was haar een verklaring schuldig voor het rare telefoontje waarmee hij haar had overvallen, en waarbij hij met geen woord naar haar eigen leven had geïnformeerd. Hij probeerde zich voor te stellen hoe ze er tegenwoordig uitzag. Hij zag het vlakke gezicht voor zich, omgeven door haar blonde haar met de donkere lok, maar haar gezicht bleef bevroren in zijn vroegere vorm, het lukte hem niet het te verouderen met de dertig jaar waarin hij haar niet had gezien.

Hij was graag nog een keer naar zijn lichte woning in Frankfurt gegaan, zou dan voor het laatst aan zijn bureau gaan zitten en voor het laatst de foto's van Agnes bekijken. En dan zijn dagboeken. Had hij maar de mogelijkheid die te vernietigen. Nu zou Kirsten ze aantreffen. Tevergeefs probeerde hij zich te herinneren wat er eigenlijk in stond. Hij hoopte maar dat hij zich vergiste, maar toen hij in Genua uit de trein stapte, had hij het nare gevoel dat hij een heleboel kitsch naliet.

Hij liep naar de zuilengalerij aan de voorkant van het station, moest een paar taxichauffeurs afwimpelen en vond ten slotte een rustig hoekje. Hij zou de kleinste wagen nemen die ze hadden, eentje met een korte motorkap en zonder kreukelzone, zodat het sneller zou gaan en hij er zeker van kon zijn dat het zou lukken. Opeens voelde het alsof hij diarree kreeg, hij haastte zich naar het toilet. Het was loos alarm. Zijn hart klopte in zijn keel toen hij daarna naar het loket van het autoverhuurbedrijf ging. In een hoek bleef hij staan en dwong zichzelf rustig te ademen. Het huren van een auto dwong hem goedbeschouwd nergens toe, hij kon hem elk moment terugbrengen alsof er niets aan de hand was. Hij moest het een paar keer tegen zichzelf zeggen, heel langzaam en geconcentreerd, voordat hij erin slaagde zijn opwinding te beteugelen en kon verwachten dat hij met vaste stem kon praten.

De loketten van alle drie de autoverhuurfirma's waren gesloten. Daar had hij niet op gerekend, toen hij er zonet vlak langs was gelopen, was het hem niet opgevallen. Een paar minuten lang bleef hij staan, zijn handen in zijn broekzakken, en staarde voor zich uit. Toen liep hij langzaam naar het bord met de vertrektijden en keek wanneer de volgende trein naar Santa Margherita vertrok. Op weg naar het perron stond hij abrupt stil, beet op zijn lippen en liep terug naar de taxistandplaats.

'Dus toch,' grijnsde de chauffeur die hij zo-even had afgewimpeld.

Perlmann knalde het portier dicht. 'Naar het vliegveld,' zei hij op een toon die de chauffeur aanleiding gaf zich om te draaien en hem een verbaasde blik toe te werpen voordat hij begon te rijden.

'Het spijt me, signore,' zei de zwaar opgemaakte hostess in het rode uniform van AVIS, 'ik heb nog maar één auto vrij, een grote Lancia. Alle andere zijn tot halverwege de week verhuurd, er wordt een grote industriebeurs gehouden in de stad.'

'Als dat zo is,' zei Perlmann geïrriteerd, 'waarom is uw loket op het station dan gesloten en waarom zijn de andere verhuurders hiernaast dan ook dicht?'

'Dat kan ik u niet zeggen, signore,' zei de hostess bits en concentreerde zich weer op haar computer.

Perlmann keek op zijn horloge. Half twaalf. Over ruim vijf uur begon het te schemeren, en om een geschikte plek te vinden had hij misschien meer tijd nodig.

'Goed, dan neem ik die,' zei hij.

De hostess nam de tijd voordat ze met het invullen van het formulier begon. Hoeveel dagen hij de auto wilde huren?

De vraag bracht Perlmann in verwarring, alsof ze iets obsceens had gevraagd. Dat hij informatie moest verstrekken over iets wat tot over zijn dood heen reikte en voor hem dus geen enkele betekenis had, maakte hem er opnieuw scherp van bewust hoe diep de kloof was geworden tussen zijn persoonlijke tijd, die nu afliep, en de openbare tijd, de tijd van contracten en geld, die altijd door zou gaan.

'Twee dagen,' zei hij schor.

Of hij hem dan morgenavond terugbracht?

Het duurde veel te lang voordat hij eindelijk, klakkeloos en met een gevoel iets heel toevalligs te zeggen, 'Ja' uit wist te brengen. Het was aan de hostess te zien dat het haar verbaasde hoe weinig deze cliënt, die zich zojuist nog zo arrogant had gedragen, op de hoogte leek te zijn van zijn eigen plannen.

Welke verzekering hij wilde afsluiten? Of er ook een casco- en een inzittendenverzekering bij moest?

'Wat zoal gebruikelijk is,' zei Perlmann toonloos.

'Pardon?' vroeg de hostess. Ze deed geen moeite haar ongeduld te verbergen.

'Wat zoal gebruikelijk is,' herhaalde Perlmann geforceerd stellig. Hij had het idee dat ze aan hem kon zien hoezeer zijn gezicht gloeide. In het ergste geval kon de politie altijd nog door middel van het huurcontract en AVIS bij het hotel uitkomen, dacht hij toen de hostess ten slotte zijn tijdelijke adres in Italië invulde.

Op weg naar de uitgang bleef hij bij de monitor staan waarop de binnenkomende vliegtuigen stonden vermeld. De momenteel laatste op de lijst was een vlucht uit Parijs, die om vijf voor drie zou landen. Het maakte ook helemaal niets uit waar Leskov's vlucht vandaan zou komen. Een rechtstreekse vlucht hierheen was er natuurlijk niet, maar het was totaal onbelangrijk waar Leskov over zou stappen. Bovendien hoefde de vlucht die hij morgen nam, niet dagelijks plaats te vinden. Toch bleef Perlmann staan, stak een sigaret op en staarde gefascineerd naar het flakkerende beeldscherm. En toen hij zijn tweede sigaret had uitgetrapt en weer opkeek, was het vliegtuig geland: AZ 00423, 15.05 uit Frankfurt.

Een fractie van een seconde lang zag Perlmann hoe Leskov, in de schamele loden jas die hij destijds had gedragen, zwaaiend met zijn armen en hijgend door de luchthaven in Frankfurt liep. Het was kinderachtig en gezien de situatie bizar, maar dat die man uitgerekend op de luchthaven van zijn woonplaats zou overstappen, maakte hem kwaad, hij had het gevoel dat Leskov daarmee zijn privacy schond. Geërgerd verjoeg hij het beeld en liep naar de parkeerplaats.

30 Toen hij in de donkerblauwe limousine stapte, viel zijn blik meteen op de handrem. In deze wagen zat die ongebruikelijk dicht bij de passagierstoel. Het was dus onvermijdelijk dat hij bij de afgrond Leskov's forse lijf bij het losmaken van de handrem zou aanraken. Het gaf hem een machteloos gevoel dat die voorstelling hem minutenlang bijbleef, hoewel die toch allang achterhaald was en geen praktische betekenis meer had. Eindelijk lukte het hem het beeld van zich af te zetten en hij vouwde de kaart open.

Voor een frontale botsing met een vrachtwagen, waarbij de tegenpartij geen letsel mocht oplopen, was de weg langs de kust niet geschikt. Grote vrachtwagens zouden daar niet veel rijden, en opnieuw gold dat er op het bewuste tijdstip veel te veel verkeer zou zijn. Voor het nieuwe plan kwam alleen de weg via Molassana naar Chiavari in aanmerking. Hij moest ervan uitgaan dat daar op een maandagmiddag ook vrachtwagens reden. Het beviel hem niet dat hij daardoor met zijn verschrikkelijke plan afhankelijk werd van andere mensen en hun tijdschema's. Vlak voordat zijn tijd in het donker en de stilte verdween, zou die zo de tijd van de anderen moeten kruisen. Toen hij de kaart naast zich op de stoel legde en een sigaret opstak, voelde hij afschuw wegens de enorme egocentriciteit die uit die gedachte sprak.

De handrem was stevig aangetrokken en hij kreeg hem pas los toen hij voor de derde keer op de knop drukte. Als in een droom, dacht hij toen hij de wagen onzeker uit het parkeervak laveerde. Hij reed als een beginneling, voordat hij goed op weg was had hij al een trottoirband geraakt en iemand geen voorrang verleend.

Naar de kaart te oordelen kwam de aftakking naar Molassana pas ten oosten van het centrum, en zo reed hij aanvankelijk langs industrieterreinen en de haven, over een verlaten weg met vervallen huizen, stilgelegde bouwplaatsen en grote hopen puin. Ondanks het stralende weer was het een naargeestig landschap. Hij reed zo snel over het hobbelige asfalt en de vele gaten in de weg dat het stuur een paar keer uit zijn hand werd geslagen. Hij zag geen richtingbord naar het centrum en juist toen hij het al te dol begon te vinden, ontdekte hij dat hij op de weg naar Nervi zat. Hij begon te transpireren en trok zijn jasje uit. Zo erg was het nu ook weer niet; hij had slechts een kwartier verloren, hooguit twintig minuten. Hij keerde en sloeg de eerstvolgende weg in, die meer in de richting van de huizen leidde. 'Gewoon rechtdoor blijven rijden,' zei de norse pompbediende die hij naar de weg vroeg.

Plotseling leek hij zich op een van de pleinen te bevinden waar hij – voor zijn gevoel een eeuwigheid geleden – op weg naar de platenzaak langs was gekomen. Aarzelend reed hij door, sloeg op goed geluk een zijstraat in, moest vanwege eenrichtingsverkeer een omweg maken en kwam toen weer op hetzelfde plein uit. Het stadscentrum lag er op deze zondagmiddag vreemd verlaten bij, van de beurs viel niets te bespeuren, en hij moest achter de schaarse voorbijgangers aan lopen om hen naar de weg te vragen.

'Almaar de rivier blijven volgen,' zei ten slotte een oude man die eruitzag alsof hij op weg was naar de kerk en die met zijn stok langs de donkere etalages schuifelde. Nu pas zag Perlmann de rivier op de kaart. Geërgerd over zichzelf reed hij in de aangewezen richting. Bij een eindhalte voor bussen vroeg hij aan een chauffeur opnieuw de weg.

'Molassana is een bekende wijk van Genua, een voorstad, daar heeft niemand een richtingbord voor nodig,' antwoordde de chauffeur op Perlmann's verwijtende opmerking, en hij keek hem daarbij aan alsof hij vond dat hij achterlijk was.

Perlmann zat achter het stuur te vloeken over de kaart, die alleen maar verwarring stichtte. Hij kalmeerde pas weer toen hij de rivier overstak, waar eindelijk een richtingbord stond. Hij had juist de vaart erin gezet toen hij op de rem trapte en stopte. *Ik mag morgen niet verkeerd rijden, dat zou een ramp zijn.* Even probeerde hij de rechtstreekse route naar dit punt in gedachten te reconstrueren door de verschillende omwegen af te snijden. Maar dat lukte niet, het heen en weer rijden was te ingewikkeld geweest. Vijf over één. *Over precies zesentwintig uur komt hij aan.* Hij nam haastig een paar trekjes, gooide de sigaret uit het raam en reed terug naar de weg langs de haven.

Toen hij opnieuw naar Molassana reed, stopte hij af en toe en prentte zich de plekken in waar het op aan kwam. Eerst kwamen de twee ijzerwarenwinkels die erg op elkaar leken: even groot, allebei op een hoek, allebei met roestige rolluiken. Sloeg je al bij de eerste af, dan was je door de spoorrails weer gedwongen terug te rijden naar de haven, terwijl een even onopvallende aftakking bij de tweede winkel naar het centrum leidde. *In geen geval al bij de eerste afslaan.* Vervolgens moest hij erop letten dat hij op het plein waar het gebouw met de zuilengalerij stond niet, zoals zonet, de tramrails naar rechts volgde, maar de bocht naar links nam. Bij de bouwplaats met de omleiding reed hij alweer verkeerd: om weer op de hoofdweg te komen moest hij meteen na de bakkerij opnieuw afslaan. En ten slotte was er de kritieke plek waar al die bushaltes waren: je moest niet de driebaansweg onder het viaduct door volgen, maar meteen links voorsorteren en in een scherpe hoek op de hoofdverkeersader met de rode klinkers terecht zien te komen. Het was al met al een nogal ingewikkelde route, dacht hij, waarschijnlijk was er één die gemakkelijker was. Maar meer tijd mocht hij nu niet verliezen.

Om twee uur was hij weer bij de rivier, waar hij was omgekeerd. Op de bijna verlaten weg reed hij veel te hard. Weliswaar huiverde hij bij de gedachte de plek te bereiken waar hij het ongeluk zou moeten laten plaatsvinden, maar nog erger was de onzekerheid, en met elke kilometer die niet in aanmerking kwam, werd die onzekerheid ondraaglijker. Waarschijnlijk zou hij een poosje op een vrachtwagen moeten wachten. Daarom moest er op de bewuste plek een berm zijn waar hij opzij van de rijbaan zou kunnen stilstaan. De vrachtwagen moest hij al van verre kunnen zien aankomen, zodat hij tijd genoeg had om de weg op te rijden en de auto op het laatste moment naar links te sturen. Verder moest het voor de chauffeur van de vrachtwagen onmogelijk zijn uit te wijken. Het beste was het als aan diens kant van de weg een rotswand was.

Op het steile stuk vlak voor de tunnel die dwars door een uitloper van het gebergte leidde en het hoogste punt van de hele route vormde, was zo'n plek. Perlmann zette de auto met bonzend hart stil. Nee, hier ging het niet, dacht hij, terwijl hij met een zakdoek zijn klamme handen afveegde. Nu zich tussen hem en de vrachtwagen zo'n robuuste motorkap bevond, kwam alles op een hoge snelheid aan, en zelfs met deze wagen was die bergopwaarts niet te bereiken. Bovendien konden de remmen van de vrachtwagen door de botsing onklaar raken, en dan zou hij door blijven rijden, het wrak van de Lancia voor zich uit schuivend, almaar sneller voortrazend, met onvoorspelbare gevolgen.

Na de tunnel kwamen een paar plekken die qua situatie wel in aanmerking kwamen. Maar daar stonden huizen met mensen die uit het raam hingen en naar het passerende verkeer keken. Zulke mensen zouden er morgen ook zijn, en het was uitgesloten het onder hun ogen te doen. Sowieso waren er veel te veel huizen, het ene dorp volgde op het andere. En overal mensen in de raamopeningen. Honderden, leek het wel. Zo had hij het zich niet voorgesteld; op de kaart was van die gehuchten niets te zien.

Meer dan de helft van de route had hij er al op zitten toen er een stuk weg kwam dat de juiste lengte had, licht daalde, en met aan de andere kant een steunmuur. Precies op de plek waar hij zich de botsing voorstelde, stond een bord met de naam van het dorp erop: PIAN DEI RATTI. Aan het eind, precies waar de vrachtwagen door de bocht zou komen, stond een huis, maar de rolluiken waren neergelaten, het zag er onbewoond uit. In de bocht waar hij zelf uit kwam was aan de linkerkant een open werkplaats waar leisteenplaten werden gesneden en geslepen. Morgen zouden ze daar aan het werk zijn. Perlmann reed door naar het punt waar ze hem vanuit de werkplaats door de bomen niet meer konden zien. Daarvandaan was de weg nog lang genoeg. Alleen stoppen was een probleem. Aan de rechterkant liep het steil af naar de rivier, en hoewel de vangrail kapot was, kon hij de auto slechts voor de helft op de smalle grasstrook parkeren. Toch, dacht hij, was het hier mogelijk. Alleen moest hij zich de plek wel heel precies inprenten om er morgen niet voorbij te rijden.

Hij keerde en reed terug naar het volgende naambord. PIANA heette het voorlaatste dorp dus. Na het bord kwam een grote fabriek, die verlaten leek, daarna twee goed onderhouden huizen en daar voorbij, waar de bocht begon, drie pijnbomen en een groot reclamebord van een RENAULT-garage. Meteen nadat hij dat bord was gepasseerd, zou hij ook al bij de werkplaats zijn, hij kon daarvandaan het bord met PIAN DEI RATTI zien, en dan was het nog maar vijftig meter.

Dat stuk weg wilde hij nu heel langzaam afleggen om het zo scherp en gedetailleerd mogelijk in zijn geheugen te griffen. Maar een auto met een bruidspaar erin en een hele staart klepperende conservenblikjes erachteraan toeterde als een gek, zodat hij daarna de indruk had zich niet helemaal op zijn herinnering te kunnen verlaten. Hij reed weer terug, draaide op de parkeerplaats voor de fabriek en legde het traject nog een keer af. Maar het was alsof zijn geheugen de beelden domweg niet wilde opnemen. Het leek wel tovenarij: elke keer weer als hij PIAN DEI RATTI las, leek alles wat hij zo-even had gezien uitgewist.

Hij moest veel verder van tevoren beginnen en meer ijkpunten zoeken. Zwetend reed hij twee dorpen terug en staarde elke keer net zo lang naar de naamborden tot zijn ogen pijn begonnen te doen: morgen zou hij eerst MONLEONE passeren en dan PIANEZZA, dat meteen in PIANA overging. Dan de pijnbomen en het bord, en ten slotte PIAN DEI RATTI.

Op de bewuste plek stopte hij en stak uitgeput een sigaret op. Toen hij voor zich uit keek om nog één keer de afstand in te schatten, zag hij dat bij het huis in de bocht een rolluik werd opgetrokken. Weer begon hij te zweten. Had hij dat daarnet over het hoofd gezien? Of was er intussen iemand thuisgekomen? Hij liet zijn bril wat zakken, maar kon nog steeds niet zien of er iemand voor het raam stond. Misschien waren de bewoners alleen vandaag weggeweest en leunden ze morgen, als hij met Leskov de bocht door kwam, uit het raam. Ze zouden zien hoe de Lancia op die onnatuurlijke plek stilhield, wie weet voor hoelang, en hoe die vervolgens de weg op schoot op het moment waarop beneden een vrachtwagen door de bocht kwam. En ze zouden zien hoe de Lancia plotseling de andere weghelft op schoot. Perlmann nam in gedachten de positie daar aan het raam in: het kon niet anders of voor ieder die het zag zou het opzet lijken. Daar was geen twijfel over mogelijk.

Het was moeilijk zijn ergernis over de vergeefsheid van het afgelopen halfuur te onderdrukken. Maar hij deed zijn best en reed geforceerd kalm verder. Twintig minuten later al kwamen de chique villa's van Chiavari in zicht, en hij had niet één plek gezien die in aanmerking kwam; er zaten te veel bochten in de weg, ofwel je kon niet stoppen, ofwel er stonden huizen, altijd weer huizen. Perlmann reed de eerste parkeerplaats aan de rand van Chiavari op en stapte uit. Half vier. Hij had kramp in zijn maag van de honger en inspanning. Hij liep naar het dichtstbijzijnde café, at een sandwich en vroeg de verbaasde serveerster om een groot glas lauw water.

De tunnel. Ik moet het in de tunnel doen. Dat idee kwam in hem op nadat hij een poosje met een totaal leeg hoofd aan de bar had gestaan en blijkbaar niet eens had gehoord dat de man pal naast hem om een vuurtje had gevraagd. Vlug legde hij geld op de toog, rende naar de auto en reed weg. Ik heb er niet op gelet, maar in die tunnel moeten ook plekken zijn waar je in geval van nood kunt stoppen, alle tunnels hebben van die plekken, dat is voorgeschreven, dacht hij terwijl hij roekeloos snel terugreed. PIAN DEI RATTI. Hij keek om naar het huis: nog steeds hetzelfde, één rolluik opgetrokken. Het laatste stuk bergopwaarts, waar de weg breder werd, reed hij over de honderd en hij remde pas af toen hij de tunnel binnenreed. Ja, aan beide zijden waren verscheidene parkeerhavens, dat zag hij meteen.

Weer buiten de tunnel reed hij nog een stuk door en keerde toen pas om. Ook hier wilde hij zich de dingen inprenten die de plek aankondigden. Maar eigenlijk was het heel gemakkelijk: eerst kwam er een verkeersbord dat aangaf dat je voor Piacenza linksaf moest slaan en naar Chiavari rechtsaf, en daarna, vlak voor de tunnel, kwam de kruising met de pijlen rechtdoor. Perlmann reed de met gravel bedekte parkeerplaats vlak voor de ingang van de tunnel op en zette de motor af.

Het getinte raampje gleed na een druk op de knop zacht zoemend naar beneden. Hij legde zijn elleboog in de raamopening en stak een sigaret op. Toen hij na een poosje wat was bijgekomen van de uitputting, gooide hij de sigaret weg en trok zijn arm weer naar binnen. Zo'n gemakkelijke, nonchalante houding leek hem hier, pal voor de fatale tunnel, obsceen. Het was dezelfde gewaarwording als gisterochtend aan de balustrade, vlak achter de vooruitspringende rots. *Alleen is nu alles erger, veel erger.* Nu wist hij opeens niet meer waar hij zijn handen moest laten. Uiteindelijk klemde hij ze tussen zijn knieën en staarde in elkaar gedoken over het stuur heen naar de tunnel voor hem.

Lang genoeg was de afstand ongetwijfeld, een kilometer of twee. Toch kon hij vanaf dit punt niet snel genoeg optrekken. Wanneer je op deze parkeerplaats stond, kon je niet ver genoeg de tunnel in kijken, en als je beter zicht wilde hebben, moest je een onnatuurlijke, opvallende positie innemen en half op de weg parkeren. Het zou morgen tamelijk lang kunnen duren, en ook hier waren huizen in de buurt met mensen die uit het raam leunden en naar de dure limousine zouden kijken. Daarom voelde Perlmann zich aangetrokken door de tunnel, omdat zich dan alles, het wachten evengoed als de botsing, in het verborgene zou afspelen.

Hij reed de tunnel in en stopte op het lichtkleurige asfalt waarmee de eerste parkeerhaven was geplaveid. Nu zag hij de uitgang van de tunnel, en in de zijspiegel kon hij, zonder dat hij zijn hoofd opvallend hoefde te verdraaien, in de gaten houden of achter hem alles vrij was. Maar op deze plek was ruimschoots plaats voor nog een andere auto. Hij moest morgen zo gaan staan dat niemand op het idee zou komen te stoppen en hulp aan te bieden. Het zou het beste zijn om schuin voor de hoop aarde te gaan staan waarin een schop stak. Hij kon alleen maar hopen dat er geen politie voorbijkwam. Bij die gedachte schrok hij en reed verder. Hij waagde het niet in de lege tunnel om te keren, reed eruit en daarna weer terug naar de parkeerplaats. Net als zojuist boog hij zich voorover en legde zijn voorhoofd op het stuur.

Het eerste wat hij van de vrachtwagen zou zien waren de koplampen, groter dan die van een personenauto, en hoger geplaatst. Hij zou pas optrekken als hij de chauffeurscabine duidelijk kon zien, zodat hij er zeker van kon zijn dat het een grote, robuuste wagen was. Het geschiktst zou zo'n Amerikaanse vrachtwagen zijn, die de kracht van een tank had. Wat hij vervolgens moest doen, tot en met de kleinste beweging, was hem veel minder duidelijk dan hij had aangenomen.

Om er zeker van te zijn dat ze allebei om zouden komen, moest hij frontaal op de tegenligger botsen. Daarvoor was het noodzakelijk op tijd en volledig van rijbaan te wisselen, alsof hij wilde inhalen. Daarmee zou voor iedereen die het zag, en in ieder geval voor de chauffeur van de vrachtwagen, duidelijk zijn wat de opzet was. En natuurlijk zou Leskov in de allerlaatste seconden waarin de voorkant van de vrachtwagen razendsnel op hen af zou komen, beseffen dat hij naast een moordenaar zat, een moordenaar en zelfmoordenaar, en hij zou naar het stuur grijpen, er zou een gevecht ontstaan, een gevecht met ongewisse afloop. *Ook dat als in de droom.*

Maar zou hij anderzijds het stuur pas vlak vóór de plaats van de botsing naar links gooien, dan zou, als hij ook maar heel even te laat was, de voorbumper van de vrachtwagen alleen de linkerkant van de Lancia raken, waardoor dan misschien alleen hij zelf zou worden gedood en Leskov in leven blijven, en dan zou Leskov kunnen getuigen van de zelfmoord. Deed hij het daarentegen iets eerder, zodat de Lancia in zijn gehele lengte op de andere rijbaan, schuin voor de vrachtwagen terecht zou komen, dan zouden eerst het rechterspatbord en dan het rechterportier worden geraakt, zodat Leskov gedood zou worden en tegen hem aan gedrukt, waardoor Leskov's dikke lijf hem bescherming zou bieden en hem het leven zou redden, en zo, begraven onder het lijk van Leskov, zou hij voelen hoe de vrachtwagen de in elkaar gedrukte Lancia nog een eind meesleurde voordat hij met een diepe zucht van de hydraulische remmen tot stilstand kwam.

Perlmann schrok van de macabere nauwkeurigheid van zijn fantasie. Hij verzette zich tegen de details die hem bestormden en zette de radio aan om de macht van de fantasiebeelden te breken. Toen dat niet hielp, stapte hij uit en liep gedachteloos heen en weer over de parkeerplaats. Af en toe bleef hij aan de rand ervan stilstaan, staarde met lege blik naar het afval en blies in zijn koude handen.

Wist hij maar hoeveel verkeer er was op een doordeweekse dag. Dat er vandaag maar weinig auto's langskwamen en tot dusver niet één vrachtwagen, zei helemaal niets. Wat te doen als er morgen hele colonnes auto's zouden zijn, zodat hij niets zou kunnen ondernemen zonder anderen in gevaar te brengen? *Maar dit is de enige mogelijkheid. En mijn plan opgeven kan ik niet. Ik kan niet elke dag als een betrapte bedrieger, als een getekend man, naar de universiteit gaan.*

Tien over half vier. Verderop, aan de kust, was het nu nog licht, maar hier beneden in het dal begon het al te schemeren. Rond deze tijd zouden ze hier morgen aankomen. Tegen de tijd dat Leskov met zijn bagage de douane was gepasseerd, zou het al wel half vier zijn. Hij zou morgen sneller kunnen rijden dan vandaag, hij hoefde dan immers niet meer te zoeken en allerlei plekken in zijn geheugen te prenten, maar ook zou er in Genua veel meer verkeer zijn dan vandaag, dat had hij gezien toen hij die cd had gekocht. In minder dan een uur zou hij hier niet kunnen zijn. Een verschrikkelijk, eindeloos durend uur, waarin hij met Leskov moest praten alsof er niets aan de hand was en hij blij was met zijn komst. En dan plankgas op de wit licht uitstralende koplampen van een vrachtwagen af razen.

Meer verkeer kon ook best praktisch zijn, bedacht hij, toen hij weer achter het stuur zat. In plaats van de wagen op de andere weghelft te sturen, kon hij het ook op een echte inhaalmanoeuvre laten lijken. Zoiets kwam vaak genoeg voor: dat iemand wilde inhalen en op de andere rijbaan frontaal op een tegenligger botste. Om het geloofwaardig te laten zijn moest het zicht van de chauffeur van de inhalende auto worden belemmerd. Omdat hij het op een tegemoetkomende vrachtwagen had gemunt, mocht de auto die voor hem reed geen personenwagen zijn. Hij zou achter een andere vrachtwagen of achter een bus moeten rijden, vervolgens plankgas de andere rijbaan op schieten, en wel exact op het moment waarop de bewuste tegenligger eraan kwam. Het moest allemaal zo gaan dat de voorligger, een vrachtwagen of een bus, om te voorkomen dat die bij het ongeluk betrokken raakte, de tegemoetkomende auto al was gepasseerd wanneer de botsing plaatsvond. Nee, een bus kon niet, in elk geval geen bus met passagiers. *Dat is dan dus het laatste wat ik doe in mijn leven: de snelheid inschatten van twee lichamen die op elkaar toe bewegen.*

Hij verwierp ook dat plan. Te veel dingen zouden samen moeten komen: een geschikte tegemoetkomende vrachtwagen, eentje die hij een paar seconden kon volgen, en verder een lege tunnel. Zo'n constellatie was hoogst onwaarschijnlijk, daar kon hij niet op rekenen. Er kwam nog bij dat in een tunnel met tegemoetkomend verkeer bijna nooit iemand inhaalde, de dubbele streep op het midden van de weg werd in een tunnel zelfs door bestuurders gerespecteerd die zich anders doldriest gedroegen. Het zou geen bewijs zijn, maar wel zou iedereen zich erover verbazen dat Perlmann als een woesteling had gereden.

Evenals drie uur geleden op het station werd hij even door een verlammende onverschilligheid overmand. Hij kwam in de verleiding gewoon naar het hotel te rijden en, zonder nog ergens aan te denken, in bed te gaan liggen. Midden in die onverschillige uitputting, die de wereld op een paar stappen afstand zette en in een grijs waas dompelde, dook in de tunnel een vrachtwagen op. Perlmann was opeens klaarwakker, stapte uit en keek op het open portier geleund gefascineerd naar de met grint beladen wagen. Uit de laadbak druppelde water. De bumper aan de voorkant hing er half bij en was met een touw provisorisch vastgemaakt. Hij werd gehypnotiseerd door dat beeld en zag niet dat de chauffeur naar hem zwaaide toen hij voorbijreed. Daarna keek hij naar het vochtige spoor en probeerde zich bewust te worden van wat hem opeens verontrustte. *De benzinetank.* Bij die oude, gammele vrachtwagens was die altijd vooraan geplaatst, de vulklep zat altijd vlak achter het voorwiel, en het had ernaar uitgezien dat de tank achter het wiel ook nog een heel eind naar voren doorliep. Zo'n vrachtwagen vloog dan meteen in brand: voor de chauffeur zou het absoluut de dood betekenen.

Het was in de haven waar hij vrijdag, vanaf de boot, de vele vrachtwagens had gezien die op het lossen van de goederen wachtten. Dat moest in de buurt zijn geweest van waar hij vanmiddag de onlangs geasfalteerde weg had gezien die rechtstreeks naar het haventerrein leidde. Daar zou hij kunnen zien of de tank bij modernere vrachtwagens inderdaad meer naar achteren zat en beter was beschermd. Maar hij kon hier niet weg voordat hij precies wist hoe het ongeluk zich zou afspelen, hoe hij de laatste bewegingen die hij in zijn leven zou maken, moest uitvoeren. Hij stapte weer in, liet het raampje omhoogglijden en zette de verwarming aan. De muziek die uit de radio kwam zette hij vlug uit toen hij tranen voelde opwellen. Iemand die zoiets vreselijks van plan was, had het recht verspeeld naar muziek te luisteren, en ook het recht op tranen.

Hij staarde in de schemering, waar het contrast tussen het licht in het inwendige van de tunnel en de wereld daarbuiten steeds zwakker werd. Ja, dat was het: hij zou de vrachtwagen die opdook aanvankelijk heel rustig tegemoet rijden en dan, zo'n twee- of driehonderd meter ervan af in de verder lege tunnel beginnen te slingeren, zodat de chauffeur en de politie wel moesten aannemen dat de stuurinrichting plotseling onklaar was geraakt. Om het even of de chauffeur nog zou proberen uit te wijken of alleen maar op de rem zou trappen: met zijn laatste slingerbeweging zou hij de Lancia exact op de motorkap van de vrachtwagen af sturen. Autopsie zou uitwijzen dat er geen alcohol in het spel was geweest.

Maar zou Leskov niet ook bij die variant het stuur vastpakken? Zou iemand die zelf niet autoreed zoiets doen? Hij zou het zeker doen als hij opzet in het spel achtte, het zou een reflex zijn. Maar hij zou het niet doen als Perlmann alleen zou fingeren dat het stuur onklaar was geraakt – als hij deed alsof hij de wagen uit alle macht onder controle probeerde te krijgen. Hij moest dat doen door een wanhoopskreet te slaken, door te vloeken bijvoorbeeld. In gedachten nam hij een paar mogelijkheden door. *Dus dan is het laatste wat ik in mijn leven doe een toneelspelletje, een stomme poging iemand voor de gek te houden, amateurtoneel.* Even kwam het in hem op dat het ergste aan zijn plan niet de meedogenloze en genadeloze kilte was, zelfs niet de ongemene bruutheid, maar de afschuwelijke laaghartigheid tegenover een man die in de gevangenis had gezeten, die onder veel ergere omstandigheden moest leven dan hij, en die nu voor het eerst in zijn leven met grote verwachtingen naar de door hem bewonderde collega's in het Westen reisde.

Hij wou dat hij het nu meteen kon doen en er verder vanaf was. Maar eerst zou hij nog een avondmaaltijd moeten doorstaan, en deze keer kwam hij er niet mee weg zwijgend aan tafel te zitten. Vanwege de ontvangst bij de burgemeester, morgen, zou ook Angelini erbij zijn. Ze zouden het over Leskov hebben, en nu hij morgen werd verwacht, zouden de anderen meer over hem willen weten dan een tijd geleden, toen hij zijn afzegging bekend had gemaakt. Hij zou op een natuurlijke, ontspannen wijze informatie moeten verstrekken, want dat zou het gesprek zijn dat de anderen zich zouden herinneren wanneer ze later van het ongeluk op de hoogte zouden worden gesteld. De indruk die hij achterliet moest zo zijn dat ze, voor het geval er toch nog een verdenking zou rijzen, allemaal zouden zeggen: Nee, onmogelijk, dan had hij gisteravond toch niet op die manier over Leskov kunnen praten.

En dan de ceremonie op het raadhuis, waarbij hij, terwijl hij in zijn hoofd bezig was met zijn afschuwelijke daad, tot ereburger van de stad zou worden benoemd. Een verbitterde, misselijkmakende woede kwam in hem op, woede op Angelini, die hem tot deze hele zaak had gedwongen en die hem daardoor in deze fatale situatie had gebracht, die blaaskaak met al zijn overdreven hoffelijkheid, die conventionele windbuil. Perlmann zag hem voor zich, de slanke Italiaan met zijn getailleerde jasje, zijn stropdas met die kunstige knoop. Zijn hele uiterlijk en zijn manier van doen, waar hij hem in het geheim om had benijd, kwamen hem nu alleen nog maar voor als gladjes, opgeblazen en weerzinwekkend. Hij greep het stuur beet en bonkte er met zijn voorhoofd op tot het geluid van de claxon hem tot bezinning bracht.

Het geluid waarmee de veiligheidsgordel vastklikte was al weggestorven en hij had zijn hand al aan het startslot, toen het tot hem doordrong. *De gordel, ik moet Leskov's gordel onklaar maken.* Hij maakte zijn eigen gordel weer los, deed de interieurverlichting aan en leunde over de passagiersstoel om de kunststoffen houder in ogenschouw te nemen waarin de heupgordel zat opgerold. De enige manipulatie die niet in het oog zou vallen bestond eruit de smalle gleuf waar de gordelriem doorheen liep, te blokkeren. Uit zijn jaszak haalde hij een handvol Italiaanse munten. De munten van honderd lire kwamen het meest in aanmerking. Maar die zaten alleen schijnbaar vast tussen de houder en de gordel; als je aan de gordel trok, kwamen de munten mee naar buiten of ze gleden terug in de houder. Perlmann's bewegingen werden steeds gejaagder, hij probeerde de ene munt na de andere uit, en ten slotte duwde hij in zijn wanhoop en zonder zich nog te kunnen beheersen ook munten in de gleuf die helemaal niet geschikt waren. Door de vele munten die erin waren gevallen, rammelde de houder een beetje als je aan de gordel trok, maar de riem zelf gleed nog steeds ongehinderd door de gleuf.

Perlmann ging rechtop zitten, liet zijn hoofd tegen de hoofdsteun rusten en dwong zichzelf door langzaam adem te halen tot rust te komen. In zijn achterzak voelde hij de portemonnee waarin hij nog steeds zijn Duitse geld had zitten, hoewel hij zich had voorgenomen het eruit te halen. Hij haalde hem tevoorschijn. De twee munten van vijf mark voelden veel steviger aan dan het Italiaanse geld, en toen hij het met één van die muntstukken probeerde, zat die veel vaster en bood, als je aan de gordel trok, ook weerstand. Maar bij de tweede, wat forsere ruk viel ook dat muntstuk zacht rinkelend in de houder bij de andere munten.

Toen hij in de zak van zijn jasje naar zijn aansteker zocht, voelde hij nog één overgebleven munt, een dunne munt van tweehonderd lire. Hij nam de sigaret uit zijn mond en legde de al behoorlijk zwart geworden messing munt op de laatste vijfmarkmunt. Met de hand lukte het hem niet de twee muntstukken tezamen in de gleuf te duwen, maar veel scheelde het niet. Perlmann stapte uit en zocht in de kofferbak naar gereedschap. Toen deed hij het rechterportier open, plaatste de twee munten met duim en ringvinger van zijn linkerhand voor de gleuf, zette er vervolgens met de wijsen middelvinger een schroevendraaier tegenaan waar hij met een Engelse sleutel voorzichtig op tikte. Zachtjes hameren leverde geen resultaat op en toen hij een flinke klap gaf, gleed de schroevendraaier weg. Eén keer scheelde het een haar of de Italiaanse munt was in de gleuf gegleden. Toen hij zich oprichtte en zijn pijnlijke rug strekte, kwam er juist een fietser in werkkleding en met een pet op zijn hoofd langs. '*Buona sera*,' zei hij met een nieuwsgierige blik. '*Buona sera*,' wilde Perlmann antwoorden, maar hij wist even later niet zeker of hij het inderdaad had uitgesproken of alleen maar gedacht.

Toen de schroevendraaier weer weggleed en een kras maakte op de zwarte kunststoffen houder, verloor hij zijn geduld en gaf een enorme klap. De schroevendraaier raakte het topje van zijn ringvinger en reet hem open, hij liet alles vallen, stak de vinger in zijn mond en stond te trappelen van pijn. Na een poosje wikkelde hij zijn zakdoek om de vinger en deed een laatste poging. De twee munten kwamen eindelijk vast te zitten, en nu tikte hij ze voorzichtig, millimeter na millimeter, verder de gleuf in. Eén keer hoorde hij iets kraken en het leek niet veel te schelen of de houder brak. Maar dat gebeurde niet, en uiteindelijk zat de gordel klem. Perlmann ging zitten en probeerde het uit. De ronde zijkanten van de munten bleven zichtbaar, maar verder kon hij ze niet de gleuf in tikken want dan zouden ze erdoorheen glippen. Als Leskov goed zou kijken wanneer hij merkte dat de gordel klemzat, kon hij altijd nog hoofdschuddend een opmerking over vandalisme maken.

Eerst had hij de wegenkaart geleend, toen de auto gehuurd, en nu dit. Hij raakte steeds meer verwikkeld in zijn plan, zijn handelingen werden almaar gerichter, zijn afwegingen slimmer, zijn sporen opvallender. En toch, dacht hij toen hij het gereedschap opborg, leek het allemaal op een naar binnen lopende spiraal, die hem helemaal vanzelf, zonder zijn toedoen, steeds meer insloot en hem uiteindelijk met zijn eigen daad zou wurgen.

Met zijn hand nog op de kofferbak zag hij hoe een vrouw aan de andere kant van de kruising de deur van een winkeltje opende en het licht aandeed. Hij rende erheen en ging het winkeltje binnen. Het witte haar van de oude vrouw was zo slap en dun dat het leek alsof ze kaal was. Haar ingevallen mond en priemende kin deden hem denken aan de tandeloze oude vrouw in het raam in Portofino.

'Gesloten,' zei ze en ze stak haar spitse kin nog verder naar voren.

'Ik wil alleen iets vragen,' zei Perlmann.

Ze keek hem wantrouwig aan.

'Komen hier veel vrachtwagens langs?'

'Wat?'

'Of hier veel vrachtwagens langskomen. Of er veel verkeer is. Door de tunnel, bedoel ik.'

'Vandaag niet,' grijnsde ze, en in haar mond zag hij een paar stompjes.

'Op een doordeweekse dag, bedoel ik.'

'Nou... soms meer, soms minder.'

'En op maandag?'

'Zoals ik al zei, soms meer, soms minder.'

'Waar hangt dat vanaf?' Perlmann stak zijn handen in zijn zakken om vuisten te kunnen maken.

'Geen idee. In de zomer is er meer verkeer.'

'Maar zijn er dan rond deze tijd ook vrachtwagens?'

'Natuurlijk zijn er vrachtwagens. Die maken een rotlawaai. En ze stinken. Maar waarom wilt u dat eigenlijk allemaal weten?'

'We nemen een film op, en daarvoor moeten er vrachtwagens langskomen,' zei Perlmann. Hij had geen idee waar hij het vandaan haalde, maar de reactie kwam prompt.

'Een film? Hier in dit gat?' Ze lachte hinnikend en duwde het puntje van haar tong tussen haar lippen.

'En om hoe laat dan? Vanaf wanneer is er 's avonds minder verkeer?'

'U wilt het allemaal heel precies weten, hè?' zei ze, en ze trok nu een nieuwsgierig gezicht, alsof ze het verhaal van die film begon te geloven. 'Vanuit de richting van Piacenza komt na vier uur niets meer. En van de kant van Chiavari door de tunnel – nou ja, vanaf half vijf wordt het een stuk rustiger, *c'è meno*.' En toen voegde ze er plotseling heel kwaad aan toe: 'Tegenwoordig houden ze al om vijf uur op met werken!'

'Dus na halfvijf komen er niet veel vrachtwagens meer langs?'

'Dat zei ik toch.'

Perlmann wilde de vraag eigenlijk nog een keer herhalen, hoe zinloos dat ook was. Maar hij waagde het er niet op.

'Een echte film?' Ze zei het toen hij zich wilde omdraaien. Hij had het gevoel te stikken in het winkeltje en knikte alleen maar.

'Eerst zien, dan geloven!' mompelde ze.

Ze keek hem na toen hij terugliep naar de auto. Hij was blij dat het nu te donker was om de auto goed te kunnen zien. Toen hij de auto keerde en wegreed in de richting van Genua, stond ze nog steeds in de deuropening.

31 De douanecontrole op de luchthaven van Genua had niet veel om het lijf, dacht hij, en hij nam gas terug nadat hij in een nauwe bocht op een haar na een aanrijding had veroorzaakt. Hij had zich op de tijd verkeken. Als het vliegtuig op tijd was, kon Leskov al om kwart over drie door de controle zijn, en dan zouden ze op de bewuste plek aankomen terwijl er nog vrachtwagens op de weg zaten. Als zijn inschatting van de tijd voor de rit van morgen, waarbij hij in het spitsverkeer terecht zou kunnen komen, tenminste klopte. Hij moest ervoor waken dat Leskov in de gaten zou krijgen dat hij haast had en naar de reden zou vragen.

En hoe moest hij hem uitleggen dat ze de kustweg noch de autosnelweg namen, maar de route door dit saaie, troosteloze dal kozen, waar absoluut niets te zien was? Perlmann zette de auto stil toen hij begon te zweten bij die gedachte. Maar hij kon geen enkele smoes bedenken die ook maar een beetje plausibel klonk. Hij kon helemaal niets meer bedenken, de afgelopen uren hadden hem compleet gesloopt. Zijn vinger deed pijn. En hoe zouden de anderen die vreemde route verklaren? Zijn collega's? Kirsten? De politie? Hij reed weer verder. *Ik heb nu nog eenentwintig uur.*

Voordat het hem lukte zich te oriënteren, was hij al bij de haven op een terrein dat gehuld lag in dichte mist waar bundels koud, roestrood licht van hoge schijnwerpers doorheen priemden. Je zag geen hand voor ogen, en het licht van zijn eigen koplampen maakten het alleen nog maar erger. Hij stapte uit. Afgezien van het geluid van het water was het volmaakt stil. Hij had geen idee hoe hij het wagenpark moest vinden, maar uitgeput als hij was, was hij dankbaar voor de dichte mist en liep almaar verder.

Plotseling werd de mist wat minder dicht, en tussen twee flarden door zag hij een paar honderd meter verderop de rij vrachtwagens die hij vanaf het schip had gezien. Hij zette de kraag van zijn jasje op en stapte er huiverend op af. Het gaas zag hij pas toen het vlak voor zijn gezicht opdook. Het hoorde bij een metalen hek dat op rails liep en blijkbaar het hele wagenpark omsloot. Het was een meter of drie, vier hoog, schatte hij. Ontmoedigd bleef Perlmann staan en rookte een sigaret, maar door de regen werd die vochtig en smaakte vies. Hij gooide hem weg en begon te klauteren.

Het was lastig, de mazen van het hek waren klein en boden weinig plaats aan zijn schoenneuzen, en zijn handen, waarvan hij alleen de rechter goed kon gebruiken, dreigden steeds af te glijden op het vochtige metaal wanneer hij wegens de pijn zijn greep losser maakte. Eindelijk kreeg hij de stang aan de bovenkant te pakken, en na een adempauze, waarin hij als een zak aan het hek hing en het vocht door zijn broek voelde dringen, lukte het hem een been over de bovenkant van het hek te slaan. Toen hij zijn andere been omhoog wilde trekken, bleef zijn broek achter een schroef hangen. Ter hoogte van zijn dij kwam er een lange scheur in, het geluid van de openscheurende stof leek over het hele haventerrein te schallen. Beneden aangekomen had hij het gevoel dat hij iets totaal zinloos had gedaan, en alleen zijn pijnlijke handen en een wanhopige koppigheid verhinderden dat hij meteen rechtsomkeer maakte.

Met uitgestrekte armen, als een blinde, liep hij naar de vrachtwagens toe. Het eerste wat hij aanraakte, was een koplamp. Toen vond hij op de tast een bumper en gleed er met zijn hand langs, van links naar rechts en weer terug. Hij zette zijn door de nevel beslagen bril af en bekeek de bumper van heel dichtbij, betastte het metaal en de rubberen beschermlaag, schatte de hoogte en vergeleek die met de motorkap van de Lancia zoals hij zich die voorstelde. Hij bevoelde de metalen steunen waarop de bumper was bevestigd en schudde eraan, in het vertwijfelde besef dat hij zich volstrekt belachelijk maakte. Vervolgens tastte hij de zijkant van de vrachtwagen af en zocht naar de vuldop van de benzinetank. Hij vond hem pas aan de andere kant, nadat hij half onder de laadbak was gekropen. De tank bevond zich in het midden, en tussen tank en chauffeurscabine zat een aanzienlijke afstand. Uitgeput leunde hij tegen de bumper, keek naar zijn met olie en vochtig roest besmeurde handen en verwijderde de vuile zakdoek van de wond, wanhopig om de bittere gedachte dat het nu toch echt overbodig was geworden om zo zorgzaam te zijn voor zichzelf.

Heel even leek het beeld van de gammele vrachtwagen met de losse bumper verdreven, en hij was al op de terugweg. Maar toen werd hij toch naar een andere vrachtwagen getrokken, die hij even nauwkeurig onderzocht nadat hij had vastgesteld dat het een heel ander type was. De derde wagen had vooraan een constructie van twee zware metalen balken en leek daardoor op een voertuig dat was ontworpen om alles plat te walsen wat hem voor de wielen kwam. Perlmann zag de wagen in zijn voorstelling op een muur van rode baksteen af rijden en er, alsof het een kartonnen filmcoulisse was, zonder enige moeite dwars doorheen rijden. Hij deed een paar stappen achteruit in de roodkleurige mist en liep toen langzaam op het front van de wagen toe, in gedachten achter het stuur en met zijn voet op het gaspedaal.

Hij huiverde, zijn kleren waren klam en zijn been in de kapotte broekspijp was ijskoud. Zijn neus liep en het had geen zin hem met het laatste schone puntje van zijn zakdoek te snuiten, want meteen daarna begon hij alweer te lopen. Perlmann's drang om door te gaan werd sterker naarmate het gevoel toenam dat hij met iets totaal absurds bezig was. Hij was intussen te moe om bij alle vrachtwagens naar de benzinetank op zoek te gaan. Hij voerde zijn onderzoek steeds oppervlakkiger uit en beperkte zich er ten slotte toe alleen de bumpers af te tasten. In het begin deed hij het nog door er, met zijn nutteloze bril in zijn linkerhand, met samengeknepen ogen naar te kijken en elk nieuw type bumper met alle vorige te vergelijken. Daarna, toen hij er allang geen idee meer van had hoeveel wagens hij al had onderzocht, streek hij alleen nog maar met zijn rechterhand over het klamme metaal. Nog maar zelden bleef hij stilstaan bij een vrachtwagen, en uiteindelijk draafde hij er nog slechts langs en liet hij zijn arm van de ene bumper naar de andere springen. Het was een beetje zoals vroeger in Hamburg, waar hij op weg naar school zijn hand langs de gietijzeren afrasteringen van de tuinen had laten glijden, hier en daar onderbroken door lage tuinhekjes.

Pas toen hij ook de laatste vrachtwagen had aangeraakt, keerde hij om. De mist was zo dicht als een lap waar je met elke stap tegenop leek te botsen. Graag had hij nog een keer de auto met de robuuste metalen balken aangeraakt. Maar de mist had hem nu van elk besef van afstand beroofd, en een moment lang, waarin hij, blind achter zijn geheel beslagen bril, het gevoel had dat de vaste grond onder zijn voeten werd weggeslagen, was hij er zelfs niet meer zeker van of die auto wel bestond.

Hij gleed twee keer weg voordat hij eindelijk met zijn hoofd naar beneden over het metalen hek hing. Zijn vieze zakdoek, waarvan hij walgde, had hij weggegooid, zijn kapotte vinger brandde, en zijn neus liep zo hevig dat hij er met tegenzin toe overging hem met gebruikmaking van twee vingers te snuiten. Het laatste stuk liet hij zich domweg vallen en was blij dat hem dat niet nog meer pijn deed.

Hij vreesde even dat hij zijn auto niet meer zou kunnen vinden. Maar opeens, zonder overgang, trok de mist helemaal op, hij stond in een heldere avond en zag de Lancia meteen. Eerst aarzelde hij om met zijn vochtige, vuile kleren op de chique, onberispelijk schone stoel te gaan zitten. Toen slikte hij een paar keer, zeeg doodmoe neer achter het stuur en zette de verwarming in de hoogste stand. Kwart over zeven. *Over twintig uur staat hij achter de douane op zijn bagage te wachten. Of hij komt juist naar buiten en ziet mij.*

Voorbij Santa Margherita nam Perlmann de autosnelweg en lapte de maximumsnelheid aan zijn laars. Hij wilde uit de kleren en onder de douche. *Lichamelijke behoeftes blijven dezelfde, ze zijn zelfs sterker dan ooit.* De hoge snelheid hielp hem nergens aan te denken. Het was tien over acht toen hij de Lancia bij het benzinestation naast het hotel parkeerde. De banden zaten vol lichtkleurige klei.

32 In de hal liep hij zijn collega's tegen het lijf, die met Angelini voor de deur van de eetzaal stonden. Ze keken hem verbijsterd en geschrokken aan.

'Wat is er met u gebeurd?' vroeg Von Levetzov, en hij wees naar Perlmann's broek, waaraan de rafelige driehoek van de gescheurde stof bungelde, die bij elke stap opwipte.

'Ik heb iemand geholpen die pech met zijn auto had, en ik moest onder de wagen kruipen,' zei Perlmann zonder te aarzelen, 'en toen ben ik ergens aan blijven haken.' Hij had geen idee waar hij die zin vandaan haalde, het was alsof er een onzichtbare buikspreker naast hem stond.

'Ik wist niet dat u zoiets kon,' zei Millar met gebogen hoofd. Het was aan hem te zien hoe groot de tegenzin was waarmee hij zijn beeld van Perlmann herzag.

'O, jawel,' glimlachte Perlmann. Het luchtte hem op dat hij zich weer beheerst kon uitdrukken. 'Van auto's weet ik wel iets.'

Zo onbekommerd, zo losjes had hij zijn hele leven nog niet gelogen. Een uitbundig gevoel van vrijheid overviel hem, een gevoel van speelse mateloosheid in het aangezicht van zijn de uren wegtikkende horloge. Hij was er nu toe bereid alles over zichzelf domweg uit zijn duim te zuigen, elk verhaal was goed, hoe vermeteler hoe beter.

'Ik ben vroeger namelijk een goede rallyrijder geweest, daarbij doe je ook een heleboel technische kennis op,' voegde hij eraan toe, en demonstratief liep hij met twee treden tegelijk de trap op.

Het quasi-feestelijke gevoel dat hij met enige moeite overeind had weten te houden tijdens het douchen en omkleden, bloeide weer helemaal op toen hij tijdens het eten zijn verhaal over de autopech nog eens flink aandikte en als bestuurder van de auto een vrouw uit zijn duim zoog die hij ook nog eens voorzag van de eigenschappen van de nieuwslezeres van de lokale televisiezender. Losjes, en alsof het nauwelijks het vermelden waard was, vlocht hij er zijn huurauto en de tocht door de bergen doorheen. Zijn verhaal, dat hij vergezeld liet gaan van temperamentvolle gebaren die hem in wezen vreemd waren, lokte bij de anderen anekdotes uit. Er werd veel gelachen, Perlmann lachte het hardst, hij dronk het ene glas na het andere en stortte zich in een vertwijfelde uitgelatenheid. Dat zijn lachen telkens weer hindernissen moest overwinnen die door zijn ziel werden opgeworpen, werd hij zich gewaar doordat het zich vertaalde in het trekken van zijn gelaatsspieren, een mechanisch proces waarvan hij het onaangenaam warm kreeg. Af en toe werd hij zich op ijskoude en pikzwarte momenten van zijn toestand bewust, dan kwam hij zich voor als een geraffineerd aangestuurde marionet, een dode die de anderen met zijn lachen in de waan liet dat hij nog leefde. Dan vroeg hij de ober nog eens bij te schenken, dronk en bleef net zo lang lachen tot hij weer in de oude stemming kwam, die iets weg had van onzichtbaar onder spanning staand glas, dat bij één verkeerde belasting in duizend stukken uiteen zou spatten.

Laura Sand had hem waarschijnlijk al een hele tijd geobserveerd toen hij haar peinzende blik opving. Hij draaide zich om, gaf de ober een teken en vroeg om meer brood. *Nee, het is uitgesloten dat ze me doorziet. Ze zal me vanavond wel wat vreemd vinden, en misschien zal ze er morgenavond, als het bekend wordt, aan terugdenken. Maar ook zij weet niets dat haar aanleiding kan geven een verband tussen beide dingen te leggen. Helemaal niets.*

'Dat signor Leskov toch nog een paar dagen kan komen, is zeer verheugend,' zei Angelini naast hem, en na een veelzeggende stilte voegde hij eraan toe: 'Ik heb het van de anderen gehoord.'

Onder normale omstandigheden zou Perlmann in de val zijn gelopen en gedienstig een verklaring hebben gegeven voor zijn verzuim. Nu kon het hem geen barst schelen dat hij was vergeten voor Angelini een bericht achter te laten.

'Heeft u mijn bericht dan niet ontvangen?' vroeg hij op een koele, bijna onverschillige toon. Hij nam een slok.

'Nee,' zei Angelini, nu weer vriendelijk, 'maar nu ik het weet zal ik ervoor zorgen dat er wat contanten voor hem klaarliggen als hij aankomt. Voor mensen in zijn situatie is geld iets heel anders dan voor ons. Overigens,' ging hij toen zachtjes in het Italiaans verder, terwijl hij zijn hand op Perlmann's arm legde, 'bij de receptie hebben ze me het exemplaar van uw tekst gegeven die eigenlijk voor Giorgio was bestemd, en op mijn kamer heb ik er ook al in zitten lezen. Ik ben erg benieuwd wat uw collega's zullen zeggen over dat zeer ongebruikelijke onderzoek. Maar u zult zich ongetwijfeld goed kunnen verdedigen.'

'Absoluut,' zei Perlmann. Hij wendde zijn hoofd naar de ober, die koffie bracht. Terwijl hij hem uitbundig bedankte, alsof hij zojuist een enorm geschenk had ontvangen, ging opeens al zijn angstaanjagende vrolijkheid als een nachtkaars uit en wist hij niet hoe hij het aan deze tafel nog een seconde langer moest uithouden.

De vragen over Leskov, die zoals verwacht nu werden gesteld, beantwoordde hij kortaf, hopend dat niemand in de gaten had dat hij alleen maar voortdurend aan zijn sigaret trok en naar zijn lege kopje greep omdat hij bang was dat zijn stem hem in de steek zou laten.

Bij het naar buiten gaan draaide hij zich nog een keer om. Hier had hij dus zijn laatste avondeten genuttigd. Lang moest hij daar alleen maar hebben gestaan, want Evelyn Mistral, die de deur voor hem openhield, leunde er met de armen voor haar borst en gekruiste benen tegenaan en keek naar hem als naar iemand die je niet graag in zijn gedachten stoort.

'*Gracias*,' zei hij zacht en liep haar snel voorbij.

De kamer tolde toen Perlmann zich met kleren en al op het bed liet vallen. Tegen beter weten in overviel hem de angst dat de alcohol morgen, als het erop aankwam, nog niet zou zijn uitgewerkt. En met die angst kwam ook een gevoel op dat hij niet meteen herkende: een slecht geweten, niet vanwege de voorgenomen daad, maar omdat hij op de laatste avond van zijn leven een beetje dronken was geworden. Erover nadenken kostte moeite omdat hij tegelijkertijd tegen een op de loer liggende misselijkheid moest vechten. En toen hij er eindelijk achter kwam waarom het ging, maakte die ontdekking zijn wanhoop alleen maar groter. Het betekende immers dat er een perverse verandering van zijn normbesef had plaatsgevonden: hij vond het verwerpelijk dat hij in het aanschijn van de dood niet de gepaste nuchterheid en wakkerheid in acht had genomen; hij verweet het zichzelf, zoals een doodziek iemand het zichzelf zou kunnen verwijten, voor wie het van groot belang was tot het allerlaatste moment bij zichzelf te blijven. Maar het monstrueuze, het misdadige van zijn plan had hij dus al zover van zich afgezet – of hij was er in de loop van die ene dag al zo aan gewend geraakt – dat hij zichzelf daar geen verwijten over maakte, en zelfs nu hij er innerlijk op terugkwam, verontrustte het hem nog steeds niet, ook niet toen hij zich dat kille, afstotelijke gegeven kwalijk nam en huiverend merkte dat elk verwijt op zijn ongevoeligheid afketste.

Toen de spiraal van zijn zelfwaarneming opnieuw versmolt met het tollen van de kamer, hield hij het niet meer uit en ging onder de koude douche staan tot hij begon te rillen. Daarna, onder het dekbed, voelde hij zich beter. Hij stond nog een keer op, deed mechanisch een pleister op de gloeiend hete, bloeddoorlopen vinger en nam een schone zakdoek mee naar bed om eindelijk een einde te maken aan zijn gesnotter. De kamer draaide niet meer rond en de misselijkheid maakte plaats voor een moeheid die hij als een verlossing ervoer. Hij hoorde alleen zijn bloed in zijn oren ruisen. Hij luisterde ernaar en gleed in een oppervlakkige slaap waaruit hij ontwaakte omdat de plafondverlichting hem stoorde.

Het was half twaalf. Zijn hoofd was weer helder. Hij ging aan zijn bureau zitten en schreef Kirsten's telefoonnummer met grote, overduidelijke cijfers op een papiertje, zette haar volledige naam en haar adres in Konstanz er onder.

Het had geen zin haar te bellen. Hij had geen idee wat hij zou moeten zeggen. Zelfs de gewone zinnen die ze altijd met elkaar wisselden, schoten hem niet te binnen.

Hij ging op bed zitten en draaide haar nummer. Ze nam op met alleen 'Kirsten'. In haar stem zat nog een lach, blijkbaar had ze bezoek en kwam ze net uit een geanimeerd gesprek.

Perlmann hing op. Hij probeerde zich te herinneren wat het laatste was wat ze had gezegd toen ze drie dagen geleden had gebeld. Het was iets vrolijks, iets overmoedigs geweest, ja, inderdaad, de groeten aan Silvestri. *Maar niet al te vriendelijk!*

Voor haar studie was gezorgd, en met het geld zou ze het ook daarna nog geruime tijd kunnen uitzingen. Dat wist hij zonder erover na te hoeven denken. Toch nam hij de financiën nog een keer door, de spaartegoeden, de paar aandelen, de levensverzekering waarop Agnes had aangedrongen.

Agnes. Hij deed het licht uit. Zij, die altijd wat minder gevoelig was geweest dan hij, zou hem hebben aangeraden toe te geven dat hij op dit moment geen tekst kon overleggen. Onlangs, op de boot, was hij er helemaal van overtuigd geweest dat zo'n advies alleen kon komen van iemand die de academische wereld niet uit eigen ervaring kent, daarom had hij het een waardeloos advies gevonden. Nu, kort voor het einde, leek het hem het enig juiste advies.

Zijn bedrog zou voor altijd tussen hen in zijn blijven staan, dacht hij. Toch was het niet uitgesloten dat ze er ook begrip voor had kunnen opbrengen. Ook zij had het misschien als een vorm van noodweer gezien. En dat hij na ontvangst van Leskov's telegram aan zelfmoord had gedacht, zou ze weliswaar idioot hebben gevonden, als een typisch mannelijke overreactie hebben beschouwd, maar ze zou hem er niet om hebben veroordeeld. Dat hij daarentegen in staat was een geraffineerd moordplan uit te denken – dat had haar ongetwijfeld alleen maar ontzetting en afschuw ingeboezemd, ze zou een stap achteruit hebben gedaan en hem met ongelovige ogen hebben aangekeken, alsof hij een monster was.

Hij deed het licht aan. Opeens wist hij niet meer zo zeker hoe hij haar werkelijk had ervaren. Hij haalde haar foto uit zijn portefeuille. Zou hij haar deelgenoot hebben gemaakt van zijn nood? Zou ze hem voor de ramp hebben behoed? Hoe had ze eigenlijk gereageerd destijds, toen hij weleens had laten doorschemeren dat zijn vak hem door de vingers glipte? Was het destijds tot haar doorgedrongen hoe hard hij had moeten vechten om zich innerlijk te kunnen handhaven tegenover de verwachtingen van andere mensen? Hij kreeg steeds meer de indruk dat hij haar niet goed genoeg had gekend, vooral wat het beeld betrof dat zij van hem had. Toen hij de foto ten slotte op armlengte afstand hield, overviel hem een gevoel van totale vervreemding. Hij meende er zeker van te zijn dat ze hem niet had kunnen helpen. Voor de tweede keer nam hij afscheid van haar. Het was nog moeilijker dan aan het graf.

In de donkere kamer, die slechts werd verlicht door het zwakke, koude licht van de maan, zat Perlmann aan het hoofdeinde van het bed rechtop met zijn rug tegen de muur. Echt gaan liggen, zich op zijn zij draaien en het dekbed over zijn oren trekken, was met zo'n plan in zijn hoofd onmogelijk. *Goed slapen om fit te zijn voor de rit naar de dood.* Hij huiverde toen die woorden in hem opkwamen en hij stak een sigaret op om ze te verjagen. Als hij elke smakeloosheid wilde vermijden, was het eigenlijk onmogelijk om nu nog iets anders te doen dan die dingen, die de noodzaak om het plan uit te voeren vergrootten. Alles wat niets met het plan te maken had, was hoon, was cynisch, zelfs wanneer het niet zo was bedoeld en niemand behalve hij het zag.

Hij wist niet goed waarom, maar dat leek hem vooral te gelden voor lezen, voor zijn behoefte zich nu in een boek te verdiepen. Hoe graag had hij niet nog eens het verhaal van Robert Walser opgeslagen. Dat had hem zeker nog kunnen raken. Maar alleen dat al was te veel. Boeken waren nu verboden objecten. Hij had het gevoel dat door die genadeloze gedachten ook zijn laatste contact met de wereld werd verbroken. Hier, op dit bed, in de ongemakkelijke houding waarin rug en nek pijn begonnen te doen, voelde hij zich als op een eiland waar hem, van alles afgesneden, niets anders te doen stond dan stil te blijven zitten totdat het zover was.

Hij begon de route naar Genua te recapituleren. Rechts eerst het industrieterrein met de witte rook, dan de eerste hijskranen aan de haven. In geen geval al bij de eerste ijzerwarenwinkel afslaan. Maar pas op: na die eerste was het nog maar een kleine driehonderd meter. Bij de zuilen niet de tramrails volgen, maar links afslaan. De plek waar de weg was opgebroken, bij de omleiding, waar hij twee keer verkeerd was gereden, was heel verraderlijk omdat de omleiding je om het pleintje met het speeltuintje heen in zo'n natuurlijke, bijna dwingende bocht dwong dat je de afslag, die half verborgen werd door het huis dat ervoor stond, te laat zag, en dan kwam je in een wirwar van straten met eenrichtingsverkeer terecht, waar je nooit meer uit kwam. Je moest, als je bij dat plein kwam, helemaal rechts aanhouden en de andere auto's voorbij laten, en dan kwam het erop aan de bakkerij in het gele huis op tijd in het zicht te krijgen en af te remmen, ook al was er nog niets van een aftakking te zien. En ten slotte de plek waar de bussen keerden: uiterst links voorsorteren, zodat je niet door de verkeersstroom gedwongen werd onder het viaduct door te rijden; dat was morgen, als het spitsuur begon, van bijzonder groot belang.

Verder kon er eigenlijk niet veel gebeuren, zei hij tegen zichzelf.

Toen schoot hem te binnen dat hij niet meer wist of hij bij het grote plein met de zuilen de tweede of de derde zijstraat moest nemen. Dat was iets wat hij zichzelf niet goed genoeg had ingeprent. Vermoedelijk omdat het vanzelfsprekend had geleken. Maar was het dat ook? Het zweet brak hem uit, en heel even overwoog hij er nu meteen naartoe te rijden en zich ervan te vergewissen. Maar na drie dagen en nachten waarin hij de ene angstaanval na de andere had moeten doorstaan, was die laatste schrik, ook al was die relatief mild, gewoon te veel. Al het gevoel stroomde weg uit Perlmann, en zonder dat hij het merkte gleed hij onder het dekbed.

Het was misschien wel de honderdste munt die weggleed en door de gleuf in de houder viel. De gordel had door al het metaal eigenlijk allang van binnenuit geblokkeerd moeten zijn, maar hij liep nog steeds soepel en glad als een aandrijfriem en sneed in zijn vingers, zodat hij die hand niet meer kon gebruiken toen hij wilde voorkomen dat hij met zijn hoofd voorover van het hek in de rossige mist viel. Zijn been was door de kou stijf en gevoelloos geworden en hij liep kreupel terwijl hij, voortdurend zijn neus ophalend, met zijn hand over de eindeloos vele bumpers gleed, die aanvankelijk bedrieglijk stevig aanvoelden, maar dan plotseling omknikten alsof ze van vochtig geworden karton waren. Met uitgestrekte armen raakte hij de grill aan, die geruisloos in tweeën spleet toen hij er volgas op afraasde. Hij botste ertegenop en reed door rode watten die geen weerstand boden en waarin hij de Lancia niet meer onder controle had, het leek alsof de auto op rails liep, aan het stuur draaien had geen enkele zin. Toen waren de watten verdwenen en de auto raasde met slingerende bewegingen door de tunnel. Als een autootje op de kermis botste hij rechts en links tegen de vangrails, en opeens hoorde en voelde hij tot zijn ontzetting dat zijn eigen bumper over het asfalt schuurde, hij zag een fontein van vonken die almaar hoger en hoger werd, hij wilde stoppen maar de wagen ging vanzelf steeds sneller rijden en raasde rechtstreeks op de reusachtige, verblindende koplampen van de vrachtwagens af die in een gesloten breed front zonder enige tussenruimte op hem af kwamen rijden. Hij sloeg zijn armen voor zijn hoofd, wachtte op de klap en werd wakker in de verdovende stilte die in plaats daarvan intrad.

33

Hij bleef liggen tot het bonzen van zijn hart minder werd. Deze keer was het ontwaken uit een nachtmerrie heel anders dan anders, want de opluchting van de eerste seconden werd weggevaagd door de tot hem doordringende zekerheid dat een gebeurtenis als in de droom zich over enkele uren in de werkelijkheid zou herhalen. Voordat die gedachte hem helemaal kon verlammen, deed Perlmann het licht aan en stond op. De wekker gaf even na zessen aan, en hij rekende uit hoeveel tijd hem nog restte. Bij de douche aarzelde hij en staarde voor zich uit, toen liet hij heel kort een dunne straal water over zijn huid lopen. Bij het afdrogen voelde hij jeuk op zijn hoofd, maar verwierp het idee nu zijn haar te wassen. Dat was onmogelijk. In zijn badjas belde hij om koffie en probeerde het tot het slaperige keukenmeisje door te laten dringen dat hij verder geen ontbijt wilde.

Toen ging hij aan het bureau zitten. In zijn hoofd heerste een gevoelloze, kristallen wakkerheid, die alle innerlijke stormen op een afstand hield. Hij begon met de laatste voorbereidingen, geconcentreerd en systematisch, alsof hij een reeks colleges of een lange reis plande.

Hij zou de moord moeten plegen in de beste kleren die hij mee had genomen, in zijn donkergrijze flanellen broek en de blazer met de goudkleurige knopen, en met zijn zwarte schoenen aan, die hij sinds de eerste avond niet meer had gedragen. Want na de receptie nog een keer teruggaan naar het hotel om zich om te kleden, dat was uitgesloten. *Iets gemakkelijks aantrekken voor de moord.* Die gedachte dreef het bloed naar zijn gezicht, hij beet hard op zijn lippen en verbande de woorden vol afschuw uit zijn bewustzijn. Toen trok hij zijn grijze broek en een wit overhemd aan, hing de blazer aan de kastdeur en legde de donkerblauwe stropdas met het rode motief klaar.

Niet alleen lezen, eten en lichaamsverzorging waren onmogelijk geworden, dacht hij toen de kelner de deur achter zich dicht had getrokken. Ook iemand groeten, hem bedanken en zijn glimlach beantwoorden waren dingen die nu stuitend onoprecht aanvoelden, cynisch, obsceen. De melk en de suiker schoof hij opzij toen hij koffie inschonk. Alleen met roken was het anders: het prikkelende gevoel op zijn tong en de steken in zijn longen pasten bij angst en vernietiging.

Uit de informatiemap van het hotel haalde hij een kaartje met het adres, schreef zijn naam erop en deed het bij zijn pas in zijn portefeuille. De benzinetank was nog meer dan half vol, dacht hij, en door met zijn duimen en wijsvingers op zijn oogballen te drukken verdreef hij het beeld van vlammen. Het parkeergeld voor de luchthaven en eventueel bij het raadhuis, het bedrag dat hij voor de autostrada moest betalen, één of twee koppen koffie. Verder was er niets meer waarvoor hij geld nodig zou hebben. Hij stak een paar kleine geldbiljetten in de zak van zijn blazer. Toen haalde hij zijn creditcards uit zijn portefeuille en deed ze samen met de grote geldbiljetten in het binnenvak van de koffer bij de reischeques. Het was een vreemde ontdekking die hij toen deed: het liefst zou hij helemaal geen geld bij zich hebben als hij straks de wagen startte.

Daarna doorzocht hij zijn koffer. Hij stopte zijn pyjama in de plastic zak met vuile was en knoopte de zak dicht. Maar de plastic zak liet hem niet met rust. Hij haalde de boeken met vakliteratuur uit de koffer en deed de plastic zak erin. Onderweg zou hij de zak ergens weggooien.

Hij keek een tijdje naar de boeken die over het bed verstrooid lagen. Toen begon hij ze op het bureau op stapels te leggen.

Buiten begon het langzaam licht te worden. *Nu zal hij al wel zijn opgestegen.* Perlmann pakte de Russische tekst en zijn met de hand geschreven vertaling uit de onderste lade van de garderobekast. De bladen met het ongebruikelijke formaat en de slecht gekopieerde cyrillische letters stopte hij naast de waszak in de kleine handkoffer. De vertaling hield hij besluiteloos in zijn hand en hij ging op de rand van het bed zitten. Ze namen aan dat hij de tekst hier had geschreven, ze wisten dat hij het liefst met de hand schreef, en het zou daarom heel natuurlijk zijn als de met de hand geschreven versie in zijn kamer werd aangetroffen. Hij bladerde door de dikke stapel papier. Waren correcties die je tijdens het vertalen maakte niet heel anders dan de correcties bij het schrijven van een eigen tekst? Er waren bijvoorbeeld veel plaatsen in de tekst waar hij verschillende varianten van een woord of een zin met een schuine streep van elkaar had gescheiden, en ten slotte had hij ze op één na allemaal doorgestreept. Wellicht zouden ze aannemen dat hij onzeker was geweest over de juiste Engelse term; of ze zouden hem voor een fanatieke stilist houden. Maar als iemand er nauwkeuriger naar keek en goed nadacht, zou hij het wellicht een vreemde zaak kunnen vinden, temeer daar nergens iets te vinden was van bepaalde nog niet uitgewerkte ingevingen, wat normaal gesproken zou blijken uit doorgestreepte alinea's, ingelaste passages of veranderingen in de opbouw van de tekst.

Het was te riskant. Hij moest ook deze stapel papier meenemen en onderweg weggooien. Weliswaar hadden de meeste mensen die met een handgeschreven versie begonnen een sentimentele band met die tekst, maar hij kende ook anderen, die het manuscript weggooiden zodra de tekst eenmaal was geprint. Hij propte ook die papieren in de koffer naast de vuile was. Een deel ervan knikte daarbij om, schoof half tussen de Russische bladzijden, er kwamen scheuren in, en dat geluid van scheurend papier had op zijn gevoelens de uitwerking van een signaal, of werkte als een katalysator. Machteloze woede beving hem. Verblind door tranen greep hij met beide handen in de papiermassa alsof het een klomp deeg was, hij verfrommelde de papieren, trok eraan en hamerde er met zijn vuisten op tot hij buiten adem raakte en hijgend ophield, vuurrood en met een hoofd dat jeukte als een gek.

Hij waste zijn gezicht, en nadat hij met kleine, langzame slokjes een kop koud geworden koffie had gedronken en voor het open raam een sigaret had gerookt, kon hij weer verder. Wat hij ook moest laten verdwijnen, was het woordjesschrift. Hij nam het in zijn hand, en zoals een oververmoeid lichaam zichzelf tegen iemands wil in korte momenten van slaap gunt, dwong Perlmann's ziel, zonder dat hij er iets tegen kon doen, hem een pauze af door hem zijn situatie te doen vergeten en zijn nieuwsgierigheid de vrije loop te laten. Hij bedekte met zijn ene hand de rij Engelse woordjes en testte hoeveel woorden hij uit zijn hoofd kende. Vervolgens deed hij het in omgekeerde richting. Pas na een paar minuten werd hij zich zijn situatie weer bewust, voelde zich betrapt en scheurde het woordjesschrift na twee vergeefse pogingen in het midden door voordat hij het bij de andere slordige hoop papieren in de koffer stopte.

De drie woordenboeken en de Russische grammatica, vol onderstrepingen en verwijzingen. Die zouden, als ze ze hier aantroffen, verwondering wekken, want hij had beweerd dat hij geen woord Russisch kende. Maar op zich was het niet iets verdachts; je kon het ook als bescheidenheid zien, als koketterie, of gewoon als vreemd gedrag. Evelyn Mistral zou eraan terugdenken hoe ze hem bij het zwembad met de Russische tekst had betrapt en hoe hij haar bij het avondeten een samenzweerderige blik had toegeworpen toen hij loog. Maar zonder verdere aanwijzingen zou het niet echt argwaan wekken; het simpele feit dat de tegelijk met hem verongelukte Leskov een Rus was, zou ook voor haar los blijven staan van de woordenboeken.

Anderzijds: waarom had Perlmann die woordenboeken hier eigenlijk staan – bovendien was het Russisch-Engelse woordenboek nog zo'n enorme pil ook – als er nergens Russische teksten te vinden waren?

Perlmann wist niet meer welke verdenking waarschijnlijk was en welke niet, hij hield op met ernaar te gissen en wist opeens alleen nog maar dit: hij wilde hier geen cyrillische letters achterlaten, niet één. Niemand mocht een relatie leggen tussen hem en de Russische taal, en als iemand zich zo'n relatie herinnerde, moest die zo snel mogelijk worden vergeten. Zijn blik ging tussen de vier boeken en de volgepropte handkoffer heen en weer; toen draaide hij de koffer resoluut om en stortte de inhoud uit op het bed. De verfrommelde en gescheurde bladzijden vormden boven op de zak met vuile was een hele berg, en een deel van de papieren gleed op de grond. Hij stopte de boeken in de handkoffer, trok zijn gewone jasje aan en ging naar beneden, naar de achteruitgang van het hotel. De deur zat nog dicht. Met een vastberadenheid die elk ander gevoel verdrong, liep hij door de hal, knikte Giovanni, die zat te telefoneren, toe, en liep de bordestrap af naar de parkeerplaats bij het benzinestation.

Afgeschermd door de open klep van de kofferbak duwde hij de boeken onder de plaat die het reservewiel bedekte. Even verontrustte het hem dat de plaat door de dikke woordenboeken niet meer goed sloot en een beetje bewoog; toen schoof hij zijn zorgen geïrriteerd terzijde en liep met snelle passen door de hotelhal terug naar de lift. Terwijl hij stond te wachten, kwamen Ruge en Von Levetzov de trap af, op weg naar het ontbijt. Ze waren verbaasd hem al zo vroeg te zien en wierpen een vragende blik op de koffer.

'Tot straks,' zei Perlmann met vaste stem en hij verdween in de lift.

Boven stopte hij de vuile was en de papieren weer in de koffer en haalde de uitdraai van de vertaling van onder de overhemden in de bovenste lade van de garderobekast tevoorschijn. Waar moest hij die laten? Het meest voor de hand liggend was het bureau. Maar daar verzette zich iets tegen wat langzaam tot hem begon door te dringen: hij wilde niet dat de blikken van degenen die hier binnen zouden komen, of het nu zijn collega's, het hotelpersoneel of politieagenten waren, als eerste op die noodlottige tekst zouden vallen. Hij zou hem niet kunnen verraden, die tekst, absoluut niet, ook al zouden ze hem duizend keer lezen en er net zolang naar kijken als ze wilden. En toch wilde hij niet dat die stapel papier, die van hem een moordenaar had gemaakt en hem de dood had ingedreven, als blikvanger op de glazen plaat van het bureau zou liggen – ook al hadden ze stuk voor stuk precies zo'n stapel in hun hand.

Hij wilde het ook niet vanwege Kirsten. De bedrieglijke tekst moest niet het eerste zijn wat ze vond als ze zijn spullen kwam ophalen. Ook haar zou die tekst niets verraden, en die Martin van haar net zomin. Maar als hij op het bureau lag, zou ze hem meteen oppakken. *Het laatste wat papa heeft geschreven.* Ze zou de titel herkennen en zich de onenigheid herinneren van een week geleden, toen hij zo ongeduldig had gereageerd op haar voorstel het artikel tijdens de treinreis te lezen. Dat idee was ondraaglijk. Perlmann keek de kamer rond. Uiteindelijk duwde hij de tekst in de bureaulade onder het telefoonboek.

Het was al bijna half negen. Hij telde de uren niet meer. Hoeveel tijd hem nog restte zat nu in zijn gevoel. Minutenlang dacht hij aan helemaal niets, keek alleen nog maar naar het bleke zonlicht dat buiten over de baai lag. Hij had graag geweten hoe je dat deed: afscheid nemen van een plek, om de dood te zoeken. Hij dacht dat alles wat hij zag nu eigenlijk een bijzondere kwaliteit zou moeten hebben. Het zou helderder en rustiger moeten zijn omdat je op zo'n moment niets meer op de dingen projecteerde – omdat je eigen gevoelens geen schaduw meer wierpen over de dingen en ze verduisterden. Want door het besluit te sterven had je jezelf helemaal teruggetrokken uit de wereld, verwikkelingen hadden hun macht over je verloren, je stond ernaast en kon alles zonder vertekening zien. Daarmee kwam je zo dicht als maar mogelijk was bij het standpunt van de eeuwigheid. Dat was wat het je opleverde wanneer je bereid was alles in te zetten.

Maar na een poosje moest hij zichzelf bekennen dat er geen sprake van was dat hij dat allemaal beleefde. Hij stond voor het open raam, zoals altijd twee stappen van de vensterbank, buiten lag de baai in de dunne ochtendnevel, het verkeerslawaai, een scheepssirene, een slijmprop in zijn keel van het vele roken. Dat was alles.

Hij deed zijn stropdas om, trok zijn blazer aan en ging in de rode fauteuil zitten wachten, de handkoffer naast zich. Een plek willen verlaten maar nog even moeten wachten, zoals bij een vliegreis: op zulke momenten, dacht hij, had het vaak de schijn gehad alsof ook hij tegenwoordigheid zou kunnen beleven. Je had een stuk tijd voor je, één uur, twee uur misschien, waarin je niets hoefde te doen, je had het excuus van het gedwongen wachten en kon je helemaal overgeven aan het gevoel van innerlijke vrijheid dat zich ontvouwde wanneer je die tijd bij vol bewustzijn domweg liet verstrijken. In die toestand had hij zich altijd voorgesteld hoe het zou zijn hier te leven en tegenwoordigheid te ervaren; en precies hetzelfde had hij ook gedaan als hij met het vliegtuig van huis vertrok. Zijn inbeeldingsvermogen bracht dan moeiteloos tot stand wat anders zo onbereikbaar leek: doordat het het beeld van een geleefde tegenwoordigheid ontwierp, verleende het ook aan het moment van ontwerpen zelf de kwaliteit van tegenwoordigheid. Die tegenwoordigheid was erg broos, en je moest goed weten hoe je ermee om moest gaan. Op het moment namelijk waarop je werkelijk begon op die plek te leven, al was het alleen maar op een vliegveld, en alleen maar door iemand een kleinigheid te beloven, bijvoorbeeld: op een koffer te passen of geld voor iemand te wisselen – op datzelfde moment was het ook al voorbij met de tegenwoordigheid. Het was een tegenwoordigheid naast de koffer, en het was zaak dat geen enkele verplichting, ook geen gesprek, de ban van loslating, van totaal losgelaten wachten, doorbrak of zelfs alleen maar beroerde. En omdat dat door de mensen die in zijn buurt kwamen telkens weer dreigde te gebeuren, was hij in de vertrekhal van het vliegveld met zijn koffer altijd radeloos van de ene plek naar de andere gelopen.

Nu, nu hij nog maar een paar uur te leven had, was alles anders. De delicate operatie van door jezelf tegenwoordigheid voor te stellen de werkelijke tegenwoordigheid te vinden, kon alleen slagen wanneer je een open toekomst voor je had, waarin je jezelf als een heel ander iemand kon voorstellen. Maar hij wist nu alles over zijn verstikkend korte en onstuitbaar krimpende toekomst. Hij zou tot in detail kunnen opschrijven wat hem nu nog allemaal te wachten stond, en daarom was het uur dat hem nog restte voordat hij zou opbreken niets anders dan een abstract, leeg stuk tijd, dat uitsluitend bestond uit een onwrikbare, onbeïnvloedbare dimensie van de fysieke wereld waarin je kon waarnemen hoe de zon opkwam en waarin je kon tellen hoe vaak iemand op de weg langs de oever claxonneerde.

Verveling is het niet, in godsnaam, nee, verveling mag het niet zijn. En dat was het ook niet, dacht hij opgelucht. Het was heel anders dan vroeger, als hij als kind in bed lag, met kamillethee, warme omslagen en steeds hetzelfde plaatjesboek. Want wat dit wachten hier zo verschrikkelijk levenloos maakte, was niet een belemmering, een beperking, een gebrek aan gelegenheid. Het was een innerlijke verstarring die hij vergeefs probeerde te verdrijven, totdat hij eindelijk besefte dat die verstarring het enige was wat hem beschermde tegen het schrikbeeld dat geruisloos, hoog en verblindend uit de tunnel op hem af kwam.

Eén keer stond hij op, pakte twee pakjes sigaretten uit de kast en stak een sigaret op. Later ging hij naar de badkamer en waste zijn handen. Bij het afdrogen hield hij opeens op en probeerde de trouwring aan zijn rechterhand af te doen. Hoewel hij het ook met zeep probeerde, ging het moeizaam, het deed pijn. Hij hield de ring besluiteloos tussen duim en wijsvinger, toen stopte hij hem in de grote koffer bij zijn andere spullen. Kirsten zou hem vinden, en hij wist zeker dat ze dan aan Evelyn Mistral zou denken. Onverschillig liet hem dat niet; maar hij merkte hoe de gedachte aan de anderen van uur tot uur aan invloed verloor, en nu stond hij blijkbaar ook op het punt zich van zijn dochter los te maken.

Even voor halfelf zette hij zijn koffer bij de deur. Toen liep hij langzaam door de kamer. Voor het bureau bleef hij staan en legde het briefje met Kirsten's telefoonnummer midden op de glazen plaat. Na een onderzoekende blik schoof hij het vervolgens naar de rechter benedenhoek, daarna naar de rechter bovenhoek. Hij pakte de rode aansteker van de ronde tafel en legde die ernaast. Hij was al op weg naar de deur toen hij omkeerde, de aansteker teruglegde op de ronde tafel en er net zo lang met een vinger tegen duwde tot de plek waar hij terechtkwam hem toevallig genoeg leek.

Bij de deur liet hij zijn blik nog één keer door het vertrek dwalen. De witte rand papier die onder het half van het bed gegleden dekbed uitstak, zag hij pas op het allerlaatste moment. Vlug trok hij het papier tevoorschijn. Het was een gekreukt en ingescheurd vel van de Russische tekst. Perlmann sloeg het dekbed terug, knielde neer en onderzocht alles. Telkens weer tastte zijn blik de ruimte onder het bed af, alsof zich tussen twee blikken door opeens een nieuw vel zou kunnen materialiseren. Eindelijk trok hij het dekbed weer naar beneden, stopte het blad in zijn handkoffer en wachtte met zijn voorhoofd tegen de deur geleund tot zijn hartslag weer normaal werd. Toen liep hij zonder om te kijken de kamer uit.

34

In de hal kwam Millar naar hem toe, die juist een gesprek met signora Morelli had beëindigd. Hij droeg zijn donkerblauwe double-breasted jasje en de stropdas met het geborduurde anker. Zijn gezicht en zijn bewegingen vertoonden het elan van een organisator.

'Hebt u eraan gedacht een exemplaar van uw tekst in Leskov's vakje te laten leggen?' vroeg hij met opgetrokken wenkbrauwen op de verwijtende toon van iemand die er zeker van is een negatief antwoord te krijgen.

Perlmann was erop voorbereid zich zoals gewoonlijk schrap te moeten zetten tegen zijn angst voor Millar. Maar opeens voelde hij toch iets van de distantie tot de dingen waarop hij eerder vergeefs had gewacht. Het lukte hem drie, vier seconden lang niet te reageren en langs Millar naar de deur te kijken. Hij genoot van het uitblijven van de angst en de verleiding gedienstig te zijn. Toen keek hij in de blauwe ogen, waarin al een zweem van irritatie lag, wachtte nog een paar seconden en zei toen met koele onverschilligheid: 'Nee, daar heb ik niet aan gedacht.'

'Dat had ik al wel gedacht,' zei Millar met een stem waarin Perlmann iets van verbijstering en zelfs onzekerheid meende waar te nemen. Zo had Perlmann hem in al die weken nog niet eerder meegemaakt.

'Ik heb signora Morelli daarom mijn eigen exemplaar van de tekst gegeven, zodat zij er een kopie van kan maken. Het is aardiger wanneer Leskov bij aankomst de tekst meteen in handen krijgt. Een kwestie van stijl.'

'Oké,' zei Perlmann, keerde hem de rug toe en liep naar de receptiebalie, waar hij signora Morelli zijn sleutel gaf. Dat hij dat gebaar veel langzamer en veel bewuster maakte dan anders, viel alleen hemzelf op, want voordat hij ermee klaar was, ging de telefoon.

Buiten, op het bordes, bleef hij even staan en zette zijn zonnebril op. Geen angst voor Millar en geen behoefte gedienstig te zijn, iets waartoe hij zichzelf niet eens had hoeven dwingen – dat was dus wat hij door zijn besluit te sterven had verworven. Hij stak een sigaret op en liep langzaam naar de Lancia. Hij wilde zo lang mogelijk genieten van de ervaring van zonet. Hij zette de koffer op de achterbank en bleef een poosje onbeweeglijk achter het stuur zitten.

Het was een ogenblik van tegenwoordigheid – of dat had het kunnen zijn als het bij een leven met een open toekomst had gehoord, een leven vol verwachtingen, plannen en hoop. Hier bij dit benzinestation, zijn hand aan de contactsleutel van de auto waarmee hij het later op de dag zou laten gebeuren, besefte Perlmann voor het eerst hoezeer het vermogen zich innerlijk tegenover andere mensen af te bakenen, samenhing met de ervaring van tegenwoordigheid. Met een helderheid die hem bijna duizelig maakte, besefte hij dat de telkens weer mislukkende pogingen zichzelf af te bakenen en het hem altijd weer ontglippende gevoel van tegenwoordigheid twee facetten van een en hetzelfde probleem waren, dat in zijn leven een rode draad vormde en van hem iemand had gemaakt die zelfs in de rustigste fasen van zijn leven – ook als hij het zelf niet eens goed in de gaten had – altijd buiten adem was. En met dezelfde helderheid besefte hij dat de gedachte aan de nabije dood, waardoor de afbakening nu mogelijk was en die ook de voorwaarden schiep voor een beleefde tegenwoordigheid, diezelfde tegenwoordigheid tegelijkertijd tenietdeed door hem van zijn toekomst te beroven en hem een besef van schuld te bezorgen dat elk beleven deed bevriezen.

Toen hij de weg langs de oever op reed, daalden de anderen juist de bordestrap af. Alleen Angelini was er niet bij.

'Perlmann!' riep Von Levetzov, die bij zijn donkere pak een grijs vest droeg dat hem een gedistingeerd aanzien gaf.

Perlmann had automatisch naar hem gekeken, en nu was het onmogelijk zomaar door te rijden. Hij stopte.

'*Nice car*,' zei Millar en gleed met zijn vingertoppen over de glanzende spatborden. Zonder zich iets van de toeterende auto's aan te trekken liep hij met kennersblik om de auto heen en keek Perlmann toen aan met een blik waarin verbazing, nieuwsgierigheid en erkenning elkaar afwisselden. *Nu maakt dit moordwapen, dat ze me vanwege de jaarbeurs hebben opgedrongen, ook nog een man met stijl van me.*

'Alleen die klei aan de banden past er niet bij,' grijnsde Ruge, die ook bij deze gelegenheid zijn bruine pak met het open overhemd droeg. Hij nam plaats op de achterbank.

'Geen probleem,' zei hij toen Perlmann de handkoffer wilde pakken om hem in de achterbak te doen. 'Het is zelfs heel comfortabel,' voegde hij eraan toe en zette zijn elleboog erop. *Er kan niets gebeuren, zelfs niet als hij erin kijkt. Hij kent geen Russisch, niemand hier kent Russisch.*

Toen ook Millar en Von Levetzov waren ingestapt, deed Perlmann automatisch zijn gordel om en startte de motor. Het geluid waarmee de gordel vastklikte deed ook Millar naar de gordel grijpen. Hij trok er twee keer aan, en toen de gordel niet meegaf, draaide hij zich op zijn stoel half om en trok er met beide handen aan. Perlmann hield zijn adem in. Hij voelde zijn kapotte vinger en merkte dat zijn andere hand, die de versnellingspook in de vrijstand heen en weer bewoog, nat was van het zweet.

'Het is maar een klein eindje,' zei Von Levetzov achter hem toen Millar juist een knie onder zich wilde trekken om beter te kunnen bekijken wat eraan schortte.

'Gelijk heb je,' zei Millar, en hij liet zich met over elkaar geslagen benen achteroverzakken in zijn stoel. 'Toch,' zei hij, terwijl Perlmann fors optrok, 'zou je verwachten dat de gordels in zo'n slee perfect functioneren.'

Voordat Perlmann de bocht nam, wierp hij in de achteruitkijkspiegel een laatste blik op het gehate hotel en op de scheefgegroeide pijnbomen die over de weg hingen. Toen haalde hij de beide vrouwen in, die liever te voet hadden willen gaan. Evelyn Mistral droeg een wijde plissérok die met elke stap meedeinde, en een rood jakje waarvan ze de kraag had opgezet, zodat het blonde haar dat erop rustte naar buiten welfde. Toen ze met haar stralende lach naar hen zwaaide, sloot Perlmann zijn ogen en raakte bijna een fietser die plotseling van het trottoir de weg op reed. Tijdens de paar minuten vanaf het benzinestation was elk gevoel van distantie en de grote helderheid die zo stabiel, zo definitief hadden geleken, vervlogen. Hij kreeg ruimtevrees in de grote wagen, zijn lijf verkrampte en hij chauffeerde stuntelig als iemand die zijn rijbewijs nog moet halen.

Millar en Ruge spraken over de veiligheidsnormen voor auto's, over kreukelzones, flexibele stuurkolommen die bij een frontale botsing omknikten, en over airbags. Ruge reed een Volvo, Millar een Saab.

'Van deze auto heb ik onlangs een test gezien,' zei Millar, en hij keek Perlmann van opzij aan. 'Het schijnt de veiligste Italiaanse wagen te zijn die er bestaat.'

'Heus?' mompelde Perlmann, en beantwoordde Millar's blik iets te laat.

Voor het raadhuis negeerde hij de vrije parkeerplaatsen waarop de anderen hem attent maakten omdat hij vreesde dat ze voor de Lancia te nauw waren. Hij wilde zich niet blameren bij het inparkeren van de grote wagen. *Alsof dat nu nog van belang is.* Onder het onthutste zwijgen van de anderen reed hij een zijstraat in waar voldoende ruimte was. Nadat hij was uitgestapt, wierp Von Levetzov nog een blik door het al halfgesloten portier.

'Vreemd,' zei hij, 'de gordelhouder is helemaal bekrast.' Toen deed hij het portier dicht.

Millar, die zijn deur al met een zwaai had geopend en naar een etalage toe liep, draaide zich om. Maar voordat hij met zijn hand bij de portiergreep was, had Perlmann al op de knop voor de centrale vergrendeling gedrukt en liet de sleutel in zijn broekzak glijden.

Op het plein voor het raadhuis stapte juist Angelini, die onderweg de beide vrouwen had opgepikt, uit zijn rode Alfa Romeo. Hij droeg een decent grijs pak met brede revers waarop een klein insigne was bevestigd, en een roze overhemd met een blauwe das. Hij nam zijn sigaret uit zijn mondhoek en vertelde iets over de figuur op het met klimop begroeide monument, een man met de armen gekruist voor zijn borst, een nadenkend genegen hoofd en een schriftrol in zijn hand. Perlmann nam er geen woord van op, hij draaide alleen zijn hoofd in Angelini's richting toen hij merkte dat de Italiaan voortdurend zijn blik zocht.

Hij had gedacht dat hij alles al wist van de ellende van ontbrekende tegenwoordigheid. Nu merkte hij dat het nog erger kon. Terwijl de stem van Angelini als van heel ver tot hem doordrong, trok de tegenwoordigheid zich terug uit alles wat hem omringde. Ze trok zich terug uit de dingen en liet een wereld achter die hem als een levenloze coulisse van papier-maché voorkwam, waarin alle bewegingen even doelloos en kunstmatig leken als bij de figuren van een klokkenspel in een toren. Hij was blij toen hij eindelijk naar het huis met de verbleekte gele gevel, de groene luiken en de twee palmen voor de ingang toe liep en weer wat werkelijkheid terugvond.

Er was niemand om hen te ontvangen. De deuren van de raadszaal en van de burgemeesterskamer zaten op slot. In de gang op de eerste verdieping, van waaruit je neerkeek in het stoffige trappenhuis en de hal met het afbrokkelende stucwerk, liepen rokende en pratende ambtenaren, die totaal geen aandacht schonken aan de wachtende groep en in verschillende kamers verdwenen.

Terwijl de anderen een beetje verlegen op hun voeten wipten of naar de glazen kast met mededelingen liepen, genoot Laura Sand van de situatie. Op haar gezicht lag een spottende tevredenheid, in haar zwarte pantalon en een elegant lichtgrijs jasje slenterde ze door de gang en zei geamuseerd tegen Perlmann dat ze allemaal eigenlijk een beetje te chic gekleed waren. Angelini, die de hele tijd op hete kolen had gezeten, draaide met een ruk zijn hoofd om toen hij haar opmerking hoorde. Met het ijzige gezicht van een bovenbaas trapte hij zijn zojuist opgestoken sigaret uit op de tegelvloer en betrad zonder aan te kloppen het eerste het beste kantoor.

Toen hij weer naar buiten kwam, werd hij gevolgd door een kleine bleke man met een zwarte hoornen bril, die eruitzag en zich gedroeg als de karikatuur van een gedienstige kantoorklerk in een film. Nadat hij eerst twee verkeerde sleutels had geprobeerd, deed hij eindelijk de kamer van de burgemeester voor hen open.

Het vertrek werd gedomineerd door een zwart gebeeldhouwd bureau en een stoel die met zijn ornamenten en de hoge leuning aan een kerkgestoelte deed denken. Daarachter was tussen twee zilveren, geciseleerde staken de vlag van Santa Margherita gespannen, twee gele leeuwen op een groen-wit fond. Naast de Italiaanse vlag in de hoek hing een foto van de president van de republiek. Met een gekweld glimlachje, dat zijn ergernis niet kon verhelen, maakte Angelini het gebaar van een gastheer en nodigde iedereen uit op de rode leren banken met de gouden noppen plaats te nemen. Toen ging hij de kamer uit.

De burgemeester kwam binnen midden in het gelach dat Ruge door een opmerking over de dikke stoflaag op het bureau had uitgelokt. Met zijn buik, zijn vettige haar en zijn snor deed hij Perlmann aan de hoteleigenaar in Portofino denken. Hij verontschuldigde zich hijgend voor de vertraging en wierp Angelini, die de deur dichtdeed, een verlegen blik toe. Toen deponeerde hij het meegebrachte platte doosje en een papierrol op het bureau, en terwijl het opstuivende stof langzaam neerdaalde, haalde hij met veel omhaal een paar vellen papier uit zijn zak.

Het was hem een grote eer en het verheugde hem, begon hij, professor Philipp Peremann en zijn groep in de stad welkom te mogen heten.

'Perlmann,' siste Angelini vanaf de bank, '*con l*.'

'*Scusie*,' zei de burgemeester, en hij keek hoofdschuddend naar zijn tekst, waarin blijkbaar een schrijffout zat. Hij verzocht Perlmann naar zijn bureau te komen, schudde hem de hand en ging toen door met het voorlezen van de voorbereide Engelse tekst, waarbij hij zijn vrije hand heen en weer bewoog en af en toe zijn broek optrok, die van zijn buik dreigde te glijden.

Perlmann keek van opzij naar het bezwete gezicht van de burgemeester, zijn slecht uitgeschoren hals en de gore boord van zijn overhemd. Zonet, toen hij de hal was binnengekomen en per ongeluk de hand had aangeraakt van Evelyn Mistral, die de deur voor hem openhield, had hij gedacht dat hij hierboven alle wilskracht waarover hij nog beschikte nodig zou hebben om aan de allesoverheersende drang tot vluchten weerstand te kunnen bieden. Intussen had de komische, bizarre gang van zaken bij de ontvangst hem in een toestand van geamuseerde, bijna overmoedige onverschilligheid gebracht, die hij zo lang mogelijk probeerde vast te houden, alhoewel die onverschilligheid op een onaangename wijze kunstmatig aanvoelde, alsof een of andere drug er de oorzaak van was. Hij moest ervoor waken nu niet iets onmogelijks te doen, bijvoorbeeld heel dicht bij de burgemeester gaan staan en met een '*Permesso!*' diens das rechttrekken.

Hij hield zijn blik op het bureau gericht waarop, als in een kerk, door de hooggeplaatste ramen bundels zonnestralen vol dansende stofdeeltjes vielen. Slechts één keer keek hij op. Toen viel zijn blik op Millar, die zich een beetje had weggedraaid en uit het raam keek. Perlmann kon het eerst niet geloven, hij ging opnieuw zijn gevoelens na, maar zijn haat voor Brian Millar was verdwenen, was er simpelweg niet meer, was in het niets opgelost. En toen hij Millar's blik volgde en zag dat hij naar een enorme luchtballon zat te kijken met daarop geschilderd een pruilende vrouwenmond in knallend paars, die traag over het monument op het plein dreef, moest hij aan Sheila's kus denken, en opeens voelde hij sympathie voor de knappe Amerikaan met zijn naïeve zelfverzekerdheid en de aparte rossige gloed in zijn donkere haar.

Toen hun blikken elkaar ontmoetten, glimlachte Perlmann naar hem. Millar aarzelde, zijn gezicht verduisterde en hij trok geïrriteerd zijn wenkbrauwen op. Hij leek te geloven dat Perlmann de draak met hem stak. Maar toen zag hij dat Perlmann's volgehouden glimlach een andere glimlach was, geen ironische of vijandige. Hij knipperde een paar keer met zijn ogen, greep toen naar zijn bril en deed een eerste, nog voorzichtige poging terug te glimlachen. Wel stond er nog scepsis op zijn gezicht, en pas na weer een aarzeling veranderde de uitdrukking in een ontspannen, blijde glimlach die uitgroeide tot een brede, warme grijns zoals Perlmann nog nooit bij hem had gezien. *Hij is ook blij, net zo blij als ik. Was die haat nodig?*

Dat de burgemeester was opgehouden met praten merkte Perlmann pas toen hij hem nadrukkelijk zijn keel hoorde schrapen. Hij had een gouden medaille uit het doosje gehaald, die aan een lint in de kleuren van het stadswapen was bevestigd. Nu kwam hij op een lachwekkend plechtige manier naar Perlmann toe, die zich ver voorover boog om een aanraking met de burgemeestersbuik te vermijden. De burgemeester deed het lint om zijn nek en overhandigde hem toen de uitgerolde oorkonde waarop hij tot ereburger van de stad werd verklaard. Toen schudde hij eindeloos lang zijn hand, waarbij hij in het Italiaans de geijkte woorden sprak. Tot Perlmann's ergernis begon Angelini te applaudisseren en bleef net zo lang applaudisseren tot de anderen ook begonnen te klappen, aarzelend en kennelijk pijnlijk getroffen door zoveel leeg ceremonieel. Maar de opluchting over de in het niets opgeloste haat jegens Millar nam Perlmann nog een poosje met zich mee, hij sprak een kort dankwoord en slaagde er zelfs in een grapje te maken. Die opluchting en het vleugje tegenwoordigheid die die in zich borg, vaagden al het andere weg; hij wisselde een glimlach met Evelyn Mistral, en heel even leek het alsof eindelijk alles weer in orde was. Hoe ongelooflijk het hem later in de auto ook voorkwam, hij vergat domweg dat hij over amper vier uur een moord zou begaan en een einde aan zijn leven zou maken.

Het gouden boek van de stad was in rood leer gebonden en de twee leeuwen van het stadswapen waren er met dunne zwarte lijntjes in gestanst. De burgemeester had het boek uit een lade van het bureau gehaald en verzocht nu eenieder naderbij te komen en zijn naam in het boek te zetten. Perlmann ging als eerste op de stoel met de hoge leuning zitten, schoof hem dichter bij de tafel en trok het opengeslagen boek naar zich toe. Automatisch greep hij naar de linker binnenzak van zijn blazer, maar daar zat geen pen. Hij probeerde het rechts en in de buitenzakken en wilde juist om een pen vragen, toen hem van bovenaf een vulpen werd aangereikt. Hij keek langs de arm omhoog en zag eerst alleen Von Levetzov; vervolgens drong het tot hem door dat ze allemaal in een halve cirkel om het bureau heen stonden en op hem neer keken. En terwijl hij de dop van de pen schroefde, ontdekte hij dat er intussen ook een paar ambtenaren waren binnengekomen, die vanaf de tweede rij naar hem keken.

Op dat moment zakte binnen in hem alles in wat hem sinds het begin van de ontvangst op de been had gehouden. Hij voelde zich in het brandpunt van al die blikken verstijven, zijn neus begon te lopen, zijn hand, die de vulpen vasthield, leek gevoelloos van kou, en toen hij zijn naam wilde schrijven zag hij tot zijn onbeschrijflijke schrik dat zijn hand trilde als bij een hevige koortsaanval. Twee, drie seconden lang probeerde hij tevergeefs zijn hand tot rust te brengen door zijn onderarm tegen de tafelrand te duwen. Toen legde hij de trillende vulpen met een luide klap naast het boek en trok zijn zakdoek uit zijn broekzak. Terwijl hij zijn neus snoot, sloot hij zijn ogen en probeerde zich bij het uitademen te ontspannen. Intussen kwam het hem voor alsof dat neussnuiten, dat toch aan zijn eigen wil was onderworpen, nooit meer zou ophouden, het leek op het begin van een eindeloze snuitdwang, die maar bleef voortduren in de tijd, totdat die bijna stil leek te staan.

Verbeten, alsof hij de beweging op vijandige machten moest veroveren, stopte hij de zakdoek weer in zijn zak, waar hij zijn hand tot een vuist balde om zich ervan te vergewissen dat hij er weer macht over had. Toen probeerde hij het opnieuw, pakte de vulpen met een vliegende beweging op en liet hem zo snel als hij kon over het papier glijden, waarbij hij alleen de *P* duidelijk schreef, de *e* alleen nog maar aanduidde en de rest van de letters gladstreek tot een enkele lijn, die door de grote druk op de pen in het midden een dunne witte streep liet zien. Dat was niet zijn handtekening, hij leek er zelfs niet op. Feitelijk was het niet eens een mogelijke handtekening voor zijn naam, want er kwam nergens ook maar de aanduiding van de hogere letter *l* in voor. Ook zag hij, toen hij automatisch de dop op de pen schroefde, dat de zogenaamde handtekening idioot schuin liep en op de blanco pagina veel te laag begon. Bovendien, dacht hij terwijl hij opstond, diende je bij een dergelijke gelegenheid met je naam voluit te ondertekenen. Hij vergat Von Levetzov de pen terug te geven, liet hem gewoon liggen en trok zich, zonder nog iemand aan te kijken, in een hoekje naast de deur terug, waar hij onder de verbaasde blik van een van de ambtenaren een sigaret opstak.

Toen er champagne werd geserveerd, kwamen de collega's naar hem toe om de medaille van dichtbij te bekijken. Over zijn trillende hand zei niemand iets, en ook in hun blikken kon hij niets bijzonders ontdekken. Het lint met de medaille eraan ging van hals tot hals, de grappen over de hele ceremonie werden almaar frivoler en zotter, en één keer gaf Millar Perlmann lachend een klap op zijn schouder. Perlmann deed zijn best niet op te vallen en lachte mee, het was een lach zonder inwendige weerklank, een lach met een aanloop, een soort gelaatsgymnastiek. Maar opeens welden er tranen bij hem op die hij niet meer kon tegenhouden. Hij was blij dat het Ruge lukte nog een schepje boven op een zojuist gemaakte grap te doen, wendde zich af en deed alsof hij krom lag van het lachen. Terwijl hij weer overeind kwam, veegde hij, onderbroken door weer een lachaanval, zijn tranen weg.

Toen de vrolijkheid wat afnam, merkten ze een beetje beschaamd dat zowel de burgemeester als de ambtenaren al weg waren gegaan. Behalve zijzelf waren er alleen nog twee ambtenaren in het vertrek, die met een leeg glas in hun hand ergens over discussieerden.

Perlmann keek naar de klok boven de deur: tien voor half een. *Nu zal hij al wel in Frankfurt zijn.* Weer begon zijn neus te lopen, zijn zakdoek viel op het glimmende parket, en toen hij zich weer oprichtte, werd het hem heel even zwart voor de ogen. Hij was al met de anderen op de trap toen Laura Sand zijn arm aanraakte en hem met een spottende glimlach de oorkonde overhandigde. Terwijl ze naast elkaar de trap af liepen, zei ze plotseling en zonder hem aan te kijken: 'Het gaat niet zo best met u, nietwaar?'

Het was de eerste keer dat ze iets zo persoonlijks tegen hem zei, en nog nooit had hij in haar rokerige stem zo'n warme klank gehoord. Uit alle macht probeerde hij zijn tranen tegen te houden en drukte de oorkonde zo hard tegen zich aan, dat er een knik in kwam. Hij slikte twee keer, wierp haar een korte blik toe en slikte opnieuw.

'Het gaat wel,' zei hij zachter dan hij had gewild, en voegde er wat luider aan toe: 'Ik heb heel slecht geslapen.'

'*See you later*,' zei ze toen ze in de hal uit elkaar gingen. Hij keek haar na, zag hoe ze de zware deur openduwde, ertegen leunde en met haar grote aansteker een sigaret aanstak voordat ze het plein op liep. Het luchtte hem op dat hij de enorme verleiding had weerstaan haar in vertrouwen te nemen. Maar tegelijkertijd had hij het gevoel dat hij zojuist zijn allerlaatste kans voorbij had laten gaan.

Vlug ging hij naar het toilet, dat eigenlijk alleen voor het personeel was bestemd. Het was geen diarree, maar weer alleen dat bedrieglijke gevoel in zijn onderlijf. Toch bleef hij een tijdje zitten, met zijn hoofd in zijn handen, en dacht aan niets. Pas toen hij het te koud kreeg, stond hij op. Het ging moeizaam, alsof hij van lood was.

Voor de deur stond Evelyn Mistral te wachten.

'Je moet toch naar het vliegveld?' vroeg ze in het Spaans. Op haar gezicht stond nog een restje terughoudendheid, maar vooral de hoop dat de vervreemding van de afgelopen dagen voorbij was.

'*Sí*,' zei Perlmann. Hij merkte hoe de verwachting van wat er zou volgen hem de keel snoerde.

'Heb je er iets tegen dat ik meerij? Het weer is zo mooi! En dan die fantastische auto! Ik dacht dat we misschien de kustweg konden nemen. Hoeveel tijd heb je nog tot Leskov aankomt?'

Perlmann bleef heel even roerloos staan en staarde voor zich uit, het leek alsof hij er nog nooit van had gehoord dat je op vragen antwoord diende te geven. Toen keek hij op de omslachtige manier van een geestelijk gehandicapte op zijn horloge en zei op monotone, afwezige toon: 'Nog ruim twee uur.'

Terwijl ze wachtte tot hij verder zou gaan, stak Evelyn Mistral haar handen in de zakken van haar jasje, kruiste haar benen en glipte met één voet half uit haar schoen. Na een stilte die een eeuwigheid leek, keek ze op.

'*Forget it*,' zei ze, wierp hem met halfgeloken ogen een korte blik toe en draaide zich om.

'*No, por favor, no*,' zei Perlmann haastig, pakte haar bij haar arm en trok haar, een claxonnerende auto tot een noodstop dwingend, de straat over.

Aan de overkant aangekomen maakte ze zich zachtjes los uit zijn greep. '*Seguro?*'

Perlmann knikte alleen maar en liep voor haar uit naar de zijstraat. *Zelfs nu ben ik niet in staat een grens om me heen te trekken en nee te zeggen. Zelfs nu niet, nu het erop aan komt.*

Hij had de portieren al ontgrendeld en Evelyn Mistral had het rechterportier al vast, toen ze plotseling met haar vlakke hand tegen haar voorhoofd sloeg.

'Ach, verdorie,' riep ze uit, 'dat kan helemaal niet. Ik moet immers op dat stomme telefoontje uit Genève wachten!' En toen vertelde ze Perlmann over het dak van de auto heen over haar ellende met de afgewezen financiering van een project.

Toen hij eindelijk in de auto zat en haar in de achteruitkijkspiegel nakeek, zag hij hoe ze, voordat ze de hoek om sloeg, zich nog één keer omdraaide en daarbij het haar uit haar gezicht streek. Ze was nog maar net verdwenen of hij begon over zijn hele lichaam te trillen. Dat trillen was veel heftiger dan eerder bij de handtekening, en hij wist heel zeker dat het nooit meer zou ophouden.

35

Bij Rapallo, vlak voor de oprit van de autosnelweg, ontdekte hij een vuilniscontainer waarbij hij zich niet bekeken voelde. Tot aan die plek had hij drie kwartier nodig gehad. Want hij had de zijstraat bij het raadhuis nog niet verlaten of hij was in een hele reeks verkeersopstoppingen terechtgekomen die door bestelwagens werden veroorzaakt die, net als destijds in Genua, ongegeneerd midden op straat stopten om hun goederen uit te laden. Al zijn wanhoop was getransformeerd in een grenzeloze, krankzinnige woede op de chauffeurs van die bestelwagens, die, wanneer ze de deuren van hun uitgeladen wagens hadden gesloten, tergend langzaam naar voren liepen en vaak ook nog een paar woorden met deze of gene kennis wisselden voordat ze eindelijk begonnen te rijden. Zwetend had hij het raampje opengedaan, maar het vervolgens meteen weer gesloten omdat het woedende getoeter in de rij wachtende auto's op zijn zenuwen werkte. Zijn stropdas had hij samen met de medaille en de oorkonde op de achterbank gegooid. Telkens weer probeerde hij zich voor te stellen wat er zou zijn gebeurd wanneer Evelyn Mistral het telefoontje was vergeten. Maar door een verlammende moeheid in zijn hoofd verzandde elke poging om het zich ook werkelijk voor te stellen.

Nu zette hij zijn koffer op de grond en duwde het zware deksel van de container met beide handen naar achteren. Een scherpe geur van rottende groente sloeg hem tegemoet. De container zat halfvol bruine, al bijna zwarte kolen, die een warme stank uitwasemden. Perlmann deed de koffer open en keek om zich heen. Het maakte totaal niets uit of de vrouw aan het stuur van de naderende auto het zou zien of niet. Toch liet hij haar passeren voordat hij de zak met vuile was en de twee gevaarlijke teksten boven op de kolen kieperde. Met dichtgeknepen neus keek hij gefascineerd toe hoe de bladen de donkere smurrie opzogen die zich tussen de kolen had gevormd. Zo ongeveer had hij zich, toen hij in Portofino op het hotelbed lag, de latere vernietiging van de leugenachtige tekst voorgesteld. Waar hij zich toen druk om had gemaakt, leek hem nu een fluitje van een cent, niets bijzonders, en hij had er alles voor over om de tijd achtenveertig uur terug te kunnen draaien.

Uit de kofferbak haalde hij de vier boeken. Als eerste gooide hij het gele woordenboek bij de stinkende kolen. Toen het boek erop viel, hoorde hij een zompig geluid. Nu het Russisch-Italiaanse woordenboek. Perlmann deed een stap achteruit toen er donkerkleurig sap opspatte. Vervolgens was het grote rode woordenboek aan de beurt. Het viel halfgeopend op de bruine smurrie en het grijzige papier begon meteen op te zwellen. Het langst aarzelde hij met de grammatica. Hij sloeg het boek open en bladerde erin. In de marges stonden verschillende lagen met in minuscule letters geschreven notities, in verschillende periodes van zijn leven ontstane sedimenten van noeste studie, die je kon herkennen aan de verschillende kleuren inkt. Als je er vanuit een zekere innerlijke distantie, met halfgesloten ogen naar keek, was het alsof je door een lange herinneringscorridor tot ver in je eigen verleden keek. Wat hij nu in zijn hand hield, dacht hij, was het meest waarachtige, het meest werkelijke dat hij in zijn leven had gedaan. Thuis, in een van Agnes' boekenkasten, die hij nog steeds met geen vinger had aangeraakt, stond dezelfde grammatica ook. Perlmann merkte hoe ongerijmd het was zich aan die gedachte vast te klampen; hij sloeg het boek geforceerd vastberaden dicht en gooide het in de container. Voordat hij het doffe geluid hoorde waarmee het op de kolen viel, had hij zich al omgedraaid.

Hij zette de lege koffer terug op de achterbank. De medaille en de oorkonde... Die had hij al in zijn hand en hij deed een paar stappen in de richting van de container, toen hij zichzelf tot de orde riep. *Nee, natuurlijk niet. Die moeten ze aantreffen in de auto.* Hij ging achter het stuur zitten.

De vele tunnels op de route waren een marteling. Gisteravond in het donker had hij er niet zo veel last van gehad, maar nu zag hij in elk paar brandende koplampen dat hem op de andere rijbaan uit een tunnel tegemoet kwam, een vrachtwagen. Hij was blij met de stoffige struiken en de dubbele vangrails tussen de rijbanen. Toch kreeg hij voor elke tunnel hartkloppingen. Even wenste hij dat de weg ook boven op de berg, waar hij straks met Leskov zou rijden, door van elkaar gescheiden tunnels zou lopen. Maar die wens leidde niet tot een gedachte en liet in zijn geheugen ook geen enkel spoor na.

Toen hij bij de luchthaven uitstapte, merkte hij dat de blazer op zijn rug kletsnat was en aan de leren stoelleuning bleef plakken. Hij deed de auto op slot en had al een paar passen gelopen, toen hij omkeerde en weer terugging. Het was beter om de auto nu al van de handrem te zetten. Straks zat daar Leskov's been. Dit is de laatste keer, dacht hij terwijl hij de hendel naar beneden drukte.

Bij het betreden van de aankomsthal viel zijn blik op de digitale klok op de muur, hij stond nog precies op 14.00 uur. Maar een fractie van een seconde later, terwijl zijn blik er nog op gericht was, veranderde het getal in 14.01. De cijfercombinatie 01 en haar geruisloze verschijnen waren voor Perlmann een signaal: de tijd die hem nog restte kon je nu al in minuten uitdrukken. Hij voelde zijn bloed kloppen, en de blijde kreten van passagiers die zojuist waren aangekomen en van kinderen die stonden te wachten, drongen, terwijl hij naar de klok bleef staren tot het vijf over twee was, als van heel ver tot hem door. Toen zette hij zijn polshorloge gelijk. Hij kon zich met geen mogelijkheid tegen die totaal zinloze handeling verzetten.

De vlucht uit Frankfurt stond op de monitor en ook al op het zwarte bord met de aankomsten. Perlmann leunde tegen een pilaar, stak automatisch de laatste sigaret uit het pakje op en gooide het pakje in de afvalbak naast hem. Hij had graag iets meer gedaan met de verstrijkende minuten dan naar de zwarte rubberen vloerbedekking staren. Maar zijn hoofd was niet meer in beweging te krijgen, zijn denken leek uitgedroogd en zelfs het vermogen om aandachtig op te letten leek hij kwijt te zijn. Alleen zijn lichaam was er, plomp en afstotend. Hij had jeuk op zijn hoofd en krabde tot zijn huid begon te bloeden. Daarna veegde hij automatisch de roos van zijn schouders. Zijn schoenen, die hij nog maar weinig had gedragen, knelden. Toen hij zich bukte om de veters wat losser te maken, begon zijn ijskoude neus te lopen.

En opeens kwamen de gedachten. De anderen hadden in het raadhuis zijn trillende hand gezien, ze zouden daaraan terugdenken als ze van het ongeluk hoorden. Hij zag Ruge voor zich, hoe die zijn provisorisch gerepareerde bril schuin zette en op de plaats van het ongeluk peinzend naar de lege koffer keek. Het zou bekend worden dat Leskov geen gordel om had gehad, en dan zouden Von Levetzov en Millar elkaar een veelbetekenende blik toewerpen. Ze zouden het vreemd vinden dat hij praktisch geen geld bij zich had gehad en zijn creditcards in de koffer had gelaten. *En die munt van vijf mark, lieve hemel, die zal me verraden, er is nog maar weinig gereden met die auto, en ik ben waarschijnlijk de enige Duitser die hem heeft gehuurd.* Perlmann had de impuls ogenblikkelijk naar de auto te rennen, maar toen was hij al met de volgende gedachte bezig: *De schop, waarom stak er in die hoop klei bij de tunnel een schop, wat moet ik doen als er straks precies op die plek iemand aan het werk is.* Die gedachte werd verdrongen door de volgende: *Kirsten. Ze zal willen weten waar de Russische boeken zijn gebleven, vooral het grote woordenboek met dat nare papier, dat Martin niet kent. Ze zal de kwestie niet laten rusten, ze is eigenzinnig en kan heel hardnekkig zijn, ze zal het de anderen vragen, ieder apart, en dat raadsel zal in de hoofden worden verbonden met de andere merkwaardige dingen, bijvoorbeeld met de ongebruikelijke route.* En toen kwam er naast die reeks gedachten nog een laatste gedachte in hem op, en die deed Perlmann verstijven: *Dat oude wijfje. Als ze in de lokale krant een foto van de dode ziet, zal ze haar mond opendoen. Het was stom, gewoon krankzinnig met haar te praten en de aandacht op mijzelf te vestigen, bovendien met dat krankjorume verhaal over een film. Hopelijk ben ik na het ongeluk niet meer te herkennen.*

Perlmann hield het niet meer uit hier nog langer te blijven staan en liep in de richting van de vertrekhal. Voordat hij de roltrap nam, wierp hij een blik op het bord met de aankomsttijden. *In ritardo* stond nu achter de vlucht uit Frankfurt. *Na halfvijf is er minder verkeer, c'è meno,* hoorde hij de oude vrouw zeggen en hij zag haar tandstompjes voor zich. Hij rende de trap op naar een loket van Alitalia.

'Een kwartiertje maar,' antwoordde de hostess op zijn vraag, en ze keek hem om zijn opwinding verbaasd aan.

Dat is nog in te halen. Nu dus nog drie kwartier. Hij liep naar de stoelen waar hij nu alweer veertien dagen geleden vroeg in de ochtend had zitten wachten en zich zonder boek onveilig had gevoeld. Die herinnering was ondraaglijk, en ten slotte liep hij naar de bar en bestelde een espresso.

Naast hem vouwde iemand een krant open. Perlmann las de koppen en keek naar de foto's. Op de voorpagina een foto van Milaan in dichte smog en op de laatste pagina een foto van een missverkiezing. Achter hem begon een vrouw met een heel hoge stem luid te lachen en riep toen: '*Ancora!*' Hij draaide zich om en zag hoe haar metgezel, een man met een lange witte sjaal en het uiterlijk van een filmster, een eindje van haar wegliep, zich toen omdraaide en heel even stilstond als iemand die een aanloop neemt voor een flinke sprong. Toen deed hij met een blasé gezicht een paar gespeeld sloffende stappen, en opeens, met een onverwachte, ongelooflijk snelle beweging, knikte hij zijn voeten naar buiten en liep met snelle stappen op de binnenkant van zijn schoenen door, waarbij hij, met zijn tong tegen zijn wang gedrukt, het gezicht trok van een idioot. Het zag er zo waanzinnig komisch uit dat alle mensen aan de bar, inclusief de bediende, brulden van het lachen.

En toen gebeurde er iets wat Perlmann niet voor mogelijk had gehouden: de komiek overweldigde ook hem, er brak iets in hem en hij barstte uit in bevrijd, luid gelach – geen geforceerde, hysterische lach zoals eerder in het raadhuis, maar een lach die hem bedrieglijk dicht bij de tegenwoordigheid der dingen bracht, het leek wel alsof die opeens voor het grijpen lag. Dat lachen zorgde voor een uiterst snelle erosie van het verkrampte, verharde bouwwerk van gevoelens waarop zijn besluit was gebaseerd om te doden en te sterven, de hele innerlijke structuur stortte in, en op dat moment zag zijn hele moorddadige plan eruit als iets heel vreemds en vers, iets dat onmogelijk was en volkomen belachelijk.

Hij hoopte dat de man nog een act zou doen, maar die lag intussen, nog steeds met het gezicht van een idioot, in de armen van de vrouw en leunde met gespeelde slapte zo zwaar tegen haar aan dat ze haar evenwicht verloor en met haar schouder tegen Perlmann stootte. Hij ving haar verontschuldigende glimlach op, rook haar parfum en keek langs haar glanzend zwarte haar door het grote raam van de hal naar buiten, waar in een door daken en stangen gevormde rechthoek een vliegtuig met glanzende vleugels opsteeg. Hij wist niet dat het bestond: een levenswil die warm en verdovend door je heen kon stromen als een drug. Hij bestelde nog een espresso, deed er drie klontjes suiker in en liet ze met kleine slokjes op zijn tong smelten. Daarna at hij een panettone, en nog één, en samen met nog een espresso at hij de derde. Hij trok zijn blazer uit, hing hem aan een vinger over zijn schouder en liet zijn arm met de sigaret op de bar rusten. Zoals de vrouw naast hem de *e* hard en scherp uitsprak, beviel hem, en terwijl hij op die klank wachtte, begon hij zich af te vragen waar hij heen zou kunnen vliegen. *Wanneer vertrekt uw vliegtuig? Waarheen? Nergens heen.*

Maar nadat de vrouw en de komiek waren weggegaan en de bediende achter de bar zijn hulp begon af te snauwen, stortte het allemaal weer in, verdween als een luchtspiegeling, was er nooit geweest, en wat bleef was het trillen ten gevolge van de vele koffie.

Perlmann keek op zijn horloge: tien over drie. Langzaam liep hij terug naar de aankomsthal. Dit waren de laatste minuten van zijn leven die hij met zichzelf alleen kon zijn. Ondanks de zwoele lucht in het gebouw had hij het koud. En als het nu eens niet deze maandag was? In het telegram had geen datum gestaan. Maar hij had Leskov destijds meegedeeld van wanneer tot wanneer de groep bijeen zou komen. En vandaag was de laatste maandag die in aanmerking kwam.

De monitor meldde dat Leskov's toestel al was geland. Perlmann kreeg kramp in zijn maag. Hij ging helemaal achteraan in de groep wachtenden staan. Hij wist niet waar hij zijn handen moest laten. Ten slotte legde hij ze op zijn pijnlijke maag en masseerde die. Intussen nam hij in gedachten nog een keer de route door. Pas bij de tweede ijzerwarenzaak. Niet de tramrails volgen. Bij de bakker meteen rechts afslaan. Voor het viaduct links voorsorteren. Op het plein met de zuil was het eerder de derde dan de tweede zijstraat. Zijn handen waren ondanks het masseren ijskoud. Ook zijn natgezwete overhemd was op zijn rug koud en plakte. *Was die Hermitage er maar niet geweest.* Hij wou dat Leskov destijds aan de oever van de Neva niet had voorgesteld elkaar te tutoyeren.

Hij zocht naar het doosje lucifers in de zak van zijn jasje en kreeg het parkeerbiljet pakken. En toen voelde hij dat hij alleen nog maar een paar munten had en geen enkel geldbiljet meer. Hij keek naar de munten: zeshonderd lire. *Ik kan er niet meer uit,* dacht hij. *Ik kan het parkeergeld niet betalen.* Toen zag hij Leskov.

36

Hij droeg dezelfde sjofele loden jas die Perlmann al kende en maakte een nog veel grovere en vormlozere indruk dan hij zich herinnerde. In zijn ene hand had hij een grote, voorwereldlijk uitziende koffer die met zijn verbleekte, vlekkig bruine kleur van karton leek. In zijn andere hand had hij een kleine handkoffer met een buitenvak. Leskov bleef staan en keek door zijn dikke brilleglazen onzeker om zich heen, vanwege de zware koffer een beetje voorovergebogen. Perlmann had het gevoel dat hij stond te bibberen van de kou terwijl hij naar hem keek. De afgelopen weken was Leskov de onzichtbare auteur van een tekst geweest, een stem zonder lichaam, die hij met het vorderen van de vertaling steeds meer had gemogen en bewonderd, een stem met een indringende toon waarmee hij zich af en toe had kunnen identificeren. Nu stond hij daar, een man die een verloren indruk maakte, met een slordige, zweterige krans haar en een stoppelbaard die al een beetje grijs werd. In gespannen verwachting hield hij het puntje van zijn tong tussen zijn tanden geklemd. Perlmann vond hem afstotelijk. Ook had zijn aanblik iets lachwekkend pathetisch. Maar die waarneming verzachtte niet de schok die hij ervoer bij de gedachte dat hij die lijfelijk aanwezige mens daar, die nu, in plaats van zijn koffer gewoon neer te zetten, wijdbeens zijn gewicht verplaatste, moest doden.

Perlmann baande zich een weg door de wachtende afhalers en liep stijfjes naar hem toe, zijn handen in zijn broekzakken. Toen Leskov hem zag, begon zijn hele gezicht te stralen, hij zette zijn bagage neer en spreidde zijn armen. Eerder dan nodig trok Perlmann zijn rechterhand uit zijn zak en zette de laatste stappen met uitgestrekte arm. Zijn gezicht was gevoelloos en gehoorzaamde hem niet. Hij wist niets anders te doen dan zijn blik strak op de open kraag van Leskov's blauwgeruite overhemd te richten. Leskov negeerde zijn uitgestrekte hand, pakte hem met beide handen bij zijn schouders en sloot hem zwijgend in zijn armen, waarbij hij Perlmann's formele 'Goedendag' onder zich begroef.

Hij rook naar zoetige tabak en zweet. Perlmann verstijfde toen Leskov hem stevig tegen zich aan drukte, het liefst was hij helemaal ineengeschrompeld. Maar Leskov mocht niet merken dat hij van hem walgde, en dus legde hij enigszins vertraagd zijn armen om hem heen en drukte hem even licht tegen zich aan. Hij probeerde zich los te maken uit de omarming, maar Leskov bleef hem vasthouden, en Perlmann had de neiging hem ruw van zich af te duwen. Eindelijk liet ook Leskov los, en nu, ingegeven door zijn slechte geweten, greep Perlmann zijn bovenarm vast en bewoog zijn hand op en neer alsof hij hem wilde strelen. Het was een mechanisch gebaar, overbodig en leeg, en toch was het pure hoon. Perlmann besefte het en was het liefst onder de aardbodem verdwenen.

'Philipp...' zei Leskov, en hij pauzeerde dramatisch, 'wat heerlijk je weer te zien! Fantastisch! Je kunt je niet voorstellen hoe blij ik ben!'

'Ja,' was het enige wat Perlmann uit kon brengen. Hij kon Leskov's blik maar een paar seconden uithouden, toen bukte hij zich snel naar de koffer. In zijn onnoemelijke bevangenheid kwam het hem allemaal heel onwerkelijk voor, alsof het niet echt plaatsvond en slechts een mogelijkheid was, iets wat zich in zijn fantasie afspeelde.

'Een ogenblik alsjeblieft,' zei Leskov toen Perlmann hem haastig voorging, alsof ze een trein moesten halen. 'Ik moet even wat geld wisselen.' Hij haalde omslachtig zijn portemonnee uit zijn achterzak en trok er een biljet van vijftig dollar uit. 'Ik heb niet veel,' zei hij met een verlegen glimlach, 'maar dit heb ik nog snel ergens kunnen opscharrelen en ik wil het meteen omwisselen.'

In zijn op details verzotte fantasie had Perlmann zich alles exact voorgesteld, elke stap had hij geprobeerd te berekenen, elke factor te beheersen, teneinde zo min mogelijk aan het toeval over te laten. Maar aan één ding had hij niet gedacht: dat Leskov een mens van vlees en bloed was, die zijn eigen wil en zijn eigen trots bezat. In zijn fantasie was hij een figuur met een bepaald uiterlijk geweest, ook iemand met een verleden, en natuurlijk met een wetenschappelijke stem, bovendien een figuur die zich, heel algemeen en abstract gezegd, als een mens gedroeg, zodat je in grove lijnen alles kon berekenen – maar niet meer dan een figuur dus waarmee je in je verbeelding alles kon doen, een wezen zonder de bijzondere, verrassende en hardnekkige verlangens en voorliefdes die de weerstand, de zelfstandigheid en de eigengereidheid van een mens uitmaakten.

Heel langzaam zette Perlmann de koffer neer, hij zuchtte diep en bleef langer dan nodig gebukt staan, zijn ogen gesloten. Het was maar goed dat hij met zijn gezicht naar de deur stond en Leskov het niet kon zien. Toen hij zich oprichtte en zich omdraaide, had hij zichzelf weer onder controle. Verderop bij het loket van de bank ging juist de vierde passagier in de rij staan. Maar het was niet alleen het tijdverlies. Veel erger was dat het wisselen van geld een daad was die op een open, veelbelovende toekomst was gericht, die voor

Leskov, die Perlmann's blik had gevolgd en al naar het loket wilde gaan, nog maar een paar uur zou duren.

'Dat is niet nodig,' zei Perlmann. Het luchtte hem op dat alleen het eerste woord schor had geklonken. 'In het hotel ligt geld voor u.'

Leskov aarzelde en keek naar het bankbiljet in zijn hand. 'Ik stel prijs op mijn eigen geld,' zei hij met een verontschuldigende glimlach waarin tevens zelfverzekerdheid lag. 'En het duurt ook niet lang,' voegde hij eraan toe en wees naar de eerste van de vier wachtenden, die juist wegliep van het loket.

'Maar het is werkelijk niet nodig,' herhaalde Perlmann op onbeheerst scherpe toon. 'Bovendien kunt u in het hotel tegen precies dezelfde koers wisselen,' voegde hij er ter verzoening aan toe, en hij maakte een gebaar dat de zaak als van geen enkel belang afdeed. Toen, zonder nog een reactie af te wachten, pakte hij de koffer op en liep naar de deur, die hij, zonder zich om te draaien, net zo lang voor Leskov openhield tot er voor hem niets anders meer op zat dan Perlmann te volgen.

Nu pas, nu hij naar het huisje met de kassa toe liep, schoot hem het parkeergeld weer te binnen. *Idioot die ik ben. Dan had hij tenminste geld gehad.* Hij liep naar het loket en schoof de parkeerbon onder het ruitje door. Binnen in het hokje kwam uit een transistorradio oorverdovende muziek. De man met de rode pet keek hem met een lege blik aan en wachtte.

Perlmann boog zich voorover naar de opening en schreeuwde: 'Hoeveel?'

Zonder zijn hoofd om te draaien wees de man naar het bordje: 1000 L. Perlmann deed alsof hij zijn portefeuille zocht, tastte aan beide zijden in zijn blazer, klopte met zijn handen op zijn zakken en haalde ten slotte zeshonderd lire tevoorschijn, die hij de man toeschoof.

'Dat is alles wat ik bij me heb,' schreeuwde hij met zijn lippen vlak voor het glas. 'Ik ben mijn portefeuille vergeten!'

De man met de pet wees weer naar het bordje met de tarieven en wiegde zwijgend mee met het ritme van de muziek. Perlmann boog zich weer naar de opening en schreeuwde: 'Portefeuille vergeten! Verder geen geld bij me!'

De man met de rode muts had zijn ogen nu half gesloten en wees opnieuw naar het bordje, waarbij hij niet eens meer zijn hele arm bewoog maar alleen nog met een geïrriteerde korte ruk vanuit de pols zijn hand even liet wapperen.

Toen Perlmann voelde dat zijn gezicht van ergernis rood werd en hij zich oprichtte zonder een idee te hebben wat hij nu verder moest doen, raakte Leskov zijn arm aan en hield met een grijns waarin ook triomfantelijkheid zat een briefje van tweeduizend lire voor zijn neus, dat in het midden met cellotape was geplakt. 'Een souvenir, van mijn zwager gekregen.'

Zonder iets te zeggen nam Perlmann het briefje aan en wachtte ongeduldig op zijn voeten wippend tot de man met de pet, die de melodie nu mee floot, hem het wisselgeld gaf. Hij stak Leskov de zestienhonderd lire toe. 'Bedankt,' zei hij stijfjes. 'De rest komt later.' Hij voegde eraan toe dat hij vanmiddag wat laat was geweest en in de haast zijn portefeuille in het hotel had laten liggen.

Maar Leskov weerde met zijn hand het geld af. Blijkbaar was het bijna niets waard, lachte hij.

Terwijl Perlmann de bagage in de kofferbak deed en de mat rechttrok die een beetje was verschoven toen hij de boeken eruit had gehaald, trok Leskov zijn jas uit en keek om zich heen. Het licht, zei hij, en hij hield zijn hand ter bescherming boven zijn ogen, zulk licht had hij nog nooit gezien. '*Kakoj svet!*' Als student was hij ook een keer in het zuiden geweest, in *Gruzija*, maar dat was lang geleden en, zei hij, het licht was daar niet zo intens.

'Niet zo *sijajuščij*. Het straalde daar ook niet zo sterk van binnenuit als dit licht hier. Terwijl dit licht eigenlijk helemaal niet... hoe zeg je dat, fel is?'

'Ja,' zei Perlmann, en hij draaide de beide koffers zonder reden nog een keer om.

Leskov keek nu naar de violette bergen en naar de bruine waas die aan een zandstorm deed denken. 'Zoals het erbij ligt in dit licht,' zei hij dromerig, 'heeft Génuja iets van een oosterse stad, een stad in de woestijn.'

Perlmann had geweten dat het komende uur moeilijk zou zijn. Ontzettend moeilijk, moeilijker dan al het voorafgaande. En dat het hem eindeloos zou lijken. Hij had het gisteren telkens weer tegen zichzelf gezegd en had geprobeerd zich erop voor te bereiden. En toch, dacht hij bij het instappen, had hij er geen idee van gehad hoe groot de ellende werkelijk zou zijn. Eerst de macabere ironie dat hij op Leskov's geld was aangewezen om de dodelijke, de moorddadige autorit te kunnen beginnen. Vervolgens Leskov's zo nauwkeurige waarneming van het zuidelijke licht, en zijn blijdschap. En nu die opmerking over de stad, die exact was wat hij zelf ook had gedacht toe hij vrijdag Genua vanaf de boot had zien liggen. De gelijkluidendheid van hun waarnemingen hief de distantie op die door Leskov's afstotelijke uiterlijk was ontstaan, en toen hij de sleutel in het startslot stak, moest Perlmann, om verder te kunnen, tegen zichzelf zeggen: *Hij is degene die me zou kunnen ontmaskeren. Door hem word ik een geminachte, uitgestoten man. Er is geen andere oplossing, ik heb er lang genoeg over nagedacht.*

Toen hij de sleutel één keer omdraaide, lichtte het digitale klokje op: tien over half vier. Leskov liet zich met een zucht achteroverzakken en legde zijn handen in zijn schoot. Hij maakte geen aanstalten zijn gordel om te doen, maar zat in de lichtgrijze leren stoel als in een clubfauteuil. Perlmann merkte dat hij naar hem keek, en hij kon niet anders dan zijn hoofd naar Leskov toe draaien. Het zou het moment zijn geweest om te zeggen hoe fijn het was dat hij toch nog had kunnen komen, en om eraan toe te voegen: 'Vertel!' In plaats daarvan wendde Perlmann zijn blik weer af. Een fractie van een seconde lang had hij de impuls de veiligheidsgordel te pakken, maar hij wist zijn hand, die naar links bewoog in plaats van naar de startsleutel, nog net op tijd te bedwingen. *Niet doen, anders probeert hij het ook.* Opgelucht dat hij het nog op tijd had gemerkt, wilde hij de auto starten. Meteen klonk een hoog, doordringend gepiep, dat op Perlmann het effect had van een elektrische schok en hem even totaal van zijn stuk bracht. *Het signaal voor de gordel die nog om moet. O, god, ik zal het met dat vreselijke geluid moeten doen.* Zijn mouw bleef steken achter de hendel voor het licht voordat hij eindelijk de motor weer uitzette. Met zo onopvallend mogelijke bewegingen trok hij de heupgordel over zijn schoot en maakte hem heel voorzichtig vast. In die handeling lag de behoedzaamheid van iemand die wil voorkomen dat hij een kind wakker maakt. Angstig wachtte hij af.

'Ongelooflijk, dat licht,' zei Leskov.

Perlmann begon te rijden alsof de auto van porselein was. Pas na enige tijd gaf hij werkelijk gas.

Ja, zei Leskov, het was allemaal totaal onverwachts gekomen. Zijn moeder was tien dagen geleden overleden, door haar ziekte niet geheel onverwachts, maar toch veel eerder dan verwacht. Zijn zuster, Larisa, was uit Moskou gekomen en had, toen hij haar over Perlmann's uitnodiging had verteld, erop aangedrongen toch nog een poging te doen een uitreisvisum te bemachtigen. Dat aandringen, voegde hij er na een korte stilte aan toe, had er waarschijnlijk mee te maken dat Larisa een slecht geweten had: sinds ze na haar trouwen naar Moskou was verhuisd, had hij helemaal alleen voor hun moeder moeten zorgen.

In Perlmann's voorstelling was de man naast hem iemand geweest die zich om zijn moeder bekommerde, maar die verder helemaal alleen stond en niemand had die hem zou missen. Alles wat Leskov nu over zijn zuster vertelde, uitvoerig en op liefdevolle toon, snoerde Perlmann de keel. Met elke verdere karaktereigenschap van die Larisa die zichtbaar werd, kwam de onzichtbare strop nog strakker te zitten. Langzaam en onopvallend haalde hij adem en hij probeerde zichzelf af te leiden door op allerlei dingen langs de weg te letten die voor het rijden van generlei belang waren.

Het verkeer nam almaar toe, en twee gevaarlijk inhalende motorrijders, voor wie hij moest uitwijken, hielpen hem geen acht te slaan op wat de man naast hem allemaal vertelde. Leskov had er sowieso geen enkel besef van dat iemand die achter het stuur zit op het verkeer moest letten, hij praatte als een waterval. En toen kwamen de roestige rolluiken van de eerste ijzerwarenzaak al in zicht. Perlmann voelde hoe zijn rug en zijn nek nog meer verkrampten. *In geen geval al bij de eerste.* Met koude handen greep hij het stuur steviger beet en keek gespannen voor zich uit, om de tweede ijzerwarenwinkel vooral niet te missen.

Er klopte iets niet. Het langgerekte rode gebouw ginds kon hij zich niet herinneren. Het zweet brak hem uit. Hij keek uit naar de rolluiken, draaide zich om en keek achter zich. Eén angstig moment lang wist hij niet wat er aan de hand was. Toen drong het tot hem door dat hij op neergelaten rolluiken had gewacht. Het beeld van de roestige vlakken had zich vastgezet in zijn verwachting en was niet beïnvloed door de waarneming dat de winkels vandaag open waren. Maar de eerste ijzerwarenwinkel was ook open, er waren geen rolluiken, de hele straathoek zag er daardoor totaal anders uit, en zo was hij er zonder er iets van te merken langsgereden tot aan de tweede winkel, waarvan de rolluiken nog steeds dicht zaten.

Hij trapte met volle kracht op de rem, gooide het stuur om en sloeg vóór de rolluiken af. Achter hem en op de rijbaan voor het tegemoetkomende verkeer weerklonken piepende remmen, er werd getoeterd, en de bestuurder van de auto waar hij pal voor langs was geschoten, tikte tegen zijn voorhoofd. Perlmann zette de auto langs de kant en stak een sigaret op. 'Neem me niet kwalijk,' zei hij en diep inhalerend sloot hij zijn ogen.

Nu kwam Leskov met een diepe zucht in beweging en zocht naar de gordel. Perlmann verstijfde.

'Die gordel is kapot,' zei hij toonloos, en toen Leskov aan de riem begon te trekken, herhaalde hij het luider dan nodig: 'De gordel aan die kant is kapot.'

Moeizaam draaide Leskov zich weer naar hem toe en keek hem rustig aan. 'Je ziet bleek,' zei hij op zijn vaderlijke toon. 'Dat is me zonet ook al opgevallen. Is er iets niet in orde?'

'Nee, nee,' zei Perlmann snel, en hij startte de auto weer. 'Ik voel me vandaag niet zo goed. Maar nu iets anders, hoe ging dat eigenlijk met dat visum?'

Ondanks de ingrijpende veranderingen in de politieke top van het land was het bij grote delen van het ambtelijk apparaat nog bij het oude gebleven, vertelde Leskov, en hij liet zich weer terugvallen in zijn stoel terwijl Perlmann langzaam doorreed en merkte dat zijn hartslag rustiger werd.

'Daar zitten nog steeds dezelfde mensen aan dezelfde bureaus. En zwarte lijsten zijn er ook nog steeds,' zei hij met een nuchterheid waarin ervaring en leed mee vibreerden. Die nieuwe wetten die de gegarandeerde vrijheid van reizen regelden, zouden nog wel even op zich laten wachten. Daarom had hij weinig vertrouwen gehad in de nieuwe aanvraag. Maar deze keer had hij het via de rector magnificus van de universiteit gedaan en dat was een goed idee geweest, hoewel hij hem tot dusver niet voor een machtig man had gehouden. Hoe dan ook, vrijdag was in alle vroegte een telefoontje gekomen dat hij zijn pas met het visum kon komen afhalen. Leskov haalde een legergrijze portefeuille tevoorschijn, nam zijn pas eruit en keek naar het stempel.

'Exact een week hebben ze me gegeven,' zei hij bitter. 'Geen dag langer. Zondagavond moet ik weer in Moskou zijn.' Hij haalde zijn pijp uit zijn zak en begon die omslachtig te stoppen.

De plek waar hij de tramrails moest verlaten waren ze al voorbij. Perlmann had het goed gedaan, het was alleen vervelend dat hij op een tram had moeten wachten die door een verkeerd voorgesorteerde auto niet verder kon, en dat hij daardoor een tijdlang het hele verkeer achter hem had opgehouden.

Nu kwam het eerste omleidingsbord. Perlmann was opgelucht dat het verkeer ook hier vlot doorstroomde, hij dacht aan de bakkerij in het gele huis, volgde bij het grote hotel de auto's voor hem de bocht door, en zat opeens midden in een file waarin woedend werd geclaxonneerd en een paar ongeduldige bestuurders al uit hun auto waren gestapt en met hun vingers op het dak trommelden. Op de klok was het één minuut over vier. *Ze zei niet dat er na halfvijf helemaal geen vrachtwagens meer langskomen, maar alleen dat het er minder waren, c'è meno. Er konden er altijd nog een paar komen.*

Leskov had het knopje voor de elektrische raambediening ontdekt en had er plezier in als een kind. Het was, zei hij, trouwens helemaal een droom van een wagen. Perlmann begon meteen over iets anders en vroeg hoe de vlucht was geweest.

Die vlucht boeken was nogal een drama geweest, zei Leskov lachend, en terwijl Perlmann op het dashboard de minuten zag verstrijken, vertelde Leskov dat hij van vrienden geld had moeten lenen, dat het op het reisbureau en later op het telegraafkantoor uren en uren had geduurd en dat hij gisteren naar Moskou was gevlogen, waar hij bij Larisa had overnacht.

'Ik heb nauwelijks geslapen,' zei hij, 'zo opgewonden was ik. Je moet niet vergeten dat dit mijn eerste reis naar het Westen is.' En na een korte stilte: 'Hoe ik de zaterdag ben doorgekomen, weet ik niet eens meer zo goed. O ja, natuurlijk, Juri kwam langs. Weet je, de man die me die vijftig dollar heeft gegeven. Jaren geleden mocht hij een keer zijn vader in de Verenigde Staten bezoeken, toen die op sterven lag. Hij was het die me stond op te wachten toen ik uit de gevangenis werd ontslagen. En nu... hoe moet ik het zeggen. Weet je, hij gunde me deze reis van ganser harte. Echt van ganser harte. Zoiets zeg je gemakkelijk. Maar bij Juri is het nog iets anders, hij is de enige die werkelijk kan weten wat het voor mij betekent dat ik hiernaartoe kan. Naar de Middellandse Zee. Naar de Rivièra.'

Een politieagent met een walkietalkie kwam de hoek om en liep langs de rij auto's die met een slakkegang vooruitkwamen. Perlmann dook in elkaar en toen de politieagent, een boom van een kerel met lange bakkebaarden, opeens bleef staan, naar de Lancia keek en vervolgens recht op hem af liep, kreeg hij hartkloppingen en een droge mond. De reus beduidde hem het raampje te openen. Twee keer drukte Perlmann met een klamme vinger op de verkeerde knop. Hij had het gevoel dat in zijn hele leven een gezicht nog nooit zo dicht bij hem was gekomen als dat grote, donkere gezicht achter de ruit.

'Uw lichten branden,' zei de reus vriendelijk.

'O, ja, *mille grazie*,' stamelde Perlmann onderdanig.

Meteen daarop kon het verkeer weer doorrijden. Afslaan bij de bakkerij was geen probleem omdat een andere politieagent het verkeer stond te regelen, en bij het grote plein met de zuil was het vanzelfsprekend de derde zijstraat.

Perlmann ontspande. Heel even genoot hij van dat gevoel en hij leunde helemaal achterover in zijn stoel. Toen schrok hij op. Het was een gevoel zoals wanneer je zonder aanleiding opschrikt uit een dutje: hoe kon hij zich ontspannen terwijl hij de dood tegemoet reed.

Terwijl Leskov over de vertragingen en de chaos op de luchthaven van Moskou vertelde en wolken zoetig ruikende tabaksrook tegen de voorruit blies, kwam het viaduct in zicht. Perlmann wilde juist links voorsorteren, toen er van achteren een Jaguar aan kwam razen die hem opzij dwong. Bijna verloor hij zijn zenuwen. Opeens ontlaadden zijn angst en wanhoop zich in de kokend hete, onweerstaanbare wens het stuur om te gooien en met volle kracht op die donkerrode, glimmende carrosserie in te rijden. *In godsnaam, nu geen aanrijding.* De waarschuwing leek van heel ver te komen en de kracht ervan leek door die grote afstand verzwakt, maar Perlmann klampte zich er met het laatste restje van zijn wil aan vast, remde bruusk, zodat Leskov opnieuw naar voren duikelde, en toen de Jaguar voorbij was, schoot hij vlak voor de betonnen sokkel die het begin van het viaduct markeerde het stuk weg met de kinderhoofdjes op. Meteen gaf hij weer gas, en vroeg aan Leskov, die de handgreep boven de deur had beetgepakt, hoe het overstappen in Frankfurt was geweest.

'Lastig,' zei hij. En verdwaald was hij ook. 'Daar heb je van die eindeloze gangen en je krijgt het gevoel dat je nergens uit komt.'

'Ik weet er alles van,' zei Perlmann. Hij had niet meer de kracht zijn irritatie te verbergen.

Het was tien voor halfvijf toen ze bij de rivier aankwamen en door Molassana reden. *Halfvijf, dat was alleen maar een vage aanduiding, dat kan variëren, vooral in het begin van de week, dan wordt er misschien meer vervoerd dan anders.*

Toen het bergopwaarts ging, vroeg Leskov, na een lange tijd waarin ze beiden hadden gezwegen, wanneer ze de weg langs de kust zouden bereiken. 'Die is hier toch zeker?'

Perlmann trok de aansteker, die zo-even een klik had gegeven, uit het contact en hield hem lang tegen zijn sigaret. Terwijl hij hem weer in het contact stopte, liet hij de rook langzaam door zijn neus ontsnappen.

'Jawel,' zei hij toen met een rust waarachter het van spanning zinderde, 'er is een kustweg, maar die is op het moment vanwege een ernstig ongeluk afgesloten, hoorde ik over de radio. Daarom rijd ik achterom door de bergen.'

De zinnen kwamen er vlot uit, ze klonken een beetje alsof hij ze oplas. Hij diepte ze simpelweg op uit zijn geheugen, nadat hij ze op weg naar de luchthaven had bedacht en gerepeteerd, waarbij hij erop had gelet dat ze niet al te kort en ook niet onnodig lang uitvielen.

'O,' zei Leskov teleurgesteld. 'En de autosnelweg? We zijn zojuist langs een paar groene borden gekomen met AUTOSTRADA erop.'

'Daar is het op het moment waanzinnig druk,' zei Perlmann, en hij haalde zachtjes adem. Nu had hij het erop zitten. Het was twee minuten voor halfvijf.

Van de andere kant kwamen nog steeds vrachtwagens. Perlmann begon naar de bumpers te kijken. Bij het voorbijrijden keek hij vlug waar de benzinetank zat. Zonder er iets tegen te kunnen doen zakte hij steeds verder weg in de toestand waarin hij gisteravond in de rode nevel van de haven zijn hand over de vochtige bumpers had laten glijden, en na een poosje merkte hij dat ook de droombeelden van de afgelopen nacht tot zijn bewustzijn doordrongen.

'Heb je nog naar mijn tekst kunnen kijken?' vroeg Leskov opeens. Zijn stem was veranderd, er lag een bange verwachting in die iets onderdanigs had.

Op deze vraag was Perlmann niet voorbereid. Het was onvoorstelbaar, zonder meer onmogelijk, nu met Leskov over die heilloze tekst te praten, de tekst die alles had verwoest en die hen beiden over enkele minuten zou doden. Het was zo'n ondraaglijke, al zijn krachten te boven gaande gedachte, dat Perlmann als verlamd achter het stuur zat en door het rood van de gedroomde nevel heen naar de bumper van de volgende vrachtwagen staarde, die hoog en wit op hen af kwam. *Over een paar minuten is alles voorbij.* Aan die wanhopige gedachte hield hij zich vast toen hij – de vrachtwagen was voorbij – weer rechtop ging zitten en zei: 'Ik ben eraan begonnen, maar verder dan de eerste paar zinnen ben ik niet gekomen. Ik moest de tekst wegleggen. Die is gewoon nog veel te moeilijk voor me. Ik kom er later misschien aan toe.'

'Maar dan moet je niet de eerste versie lezen, maar de nieuwe,' zei Leskov, wiens stem nu weer zelfverzekerd klonk. 'Ik heb de afgelopen maanden de tekst namelijk drastisch herzien. Hij is nu veel beter. Eigenlijk is het een geheel nieuwe tekst geworden. Toen ik onlangs de eerste versie weer eens doorlas, vond ik die vreselijk primitief en warrig. Die kun je nu weggooien. Ik ben blij dat ik die tekst niet heb laten ronddelen aan de groep. De nieuwe tekst is het beste, het meest zelfstandige wat ik tot dusver heb geschreven. Met het woord origineel moet je voorzichtig zijn, maar ik denk dat er het een en ander in zit dat werkelijk origineel is. In ieder geval heb ik het gevoel dat het helemaal uit mijzelf alleen is gekomen. Ik ben er echt een beetje trots op. Ook koester ik de hoop dat ik door dat artikel eindelijk een baan krijg. Er is namelijk juist een plek vrijgekomen.' Hij had de tekst bij zich, vertelde hij, en wilde er met de groep over discussiëren. Helaas had hij alleen een met de hand geschreven exemplaar, dat veel te onoverzichtelijk was om te kopiëren, en voor anderen bovendien onleesbaar. Zodra hij een nettere versie klaar had, zei hij, zou hij Perlmann meteen een kopie sturen. 'Ik weet namelijk heel zeker,' zei hij gespeeld overmoedig, en hij raakte even Perlmann's arm aan, 'dat jij die tekst zult begrijpen. Als je er tenminste de tijd voor neemt.'

Perlmann voelde zich misselijk worden, hij kreeg ook weer kramp in zijn maag. Weer leek het alsof hij diarree had. Hij schakelde terug. Zijn lichaam had sneller gereageerd dan zijn verstand. Nu pas drong het tot hem door waaruit de schok bestond die Leskov's woorden hadden veroorzaakt: wanneer de wagen niet geheel en al uitbrandde, zou de bewuste tekst in de kofferbak de botsing overleven, ze zouden hem vinden, en dan bestond de mogelijkheid dat zijn bedrog alsnog werd ontdekt – met alle gevolgen die dat ook voor de verklaring van het zogenaamde ongeluk had. Dat zouden ook de veranderingen in de tweede versie niet kunnen voorkomen. Zeker, zei hij voor de zoveelste keer tegen zichzelf, in het hotel kende niemand Russisch. Maar als de spullen van de slachtoffers na identificatie in het hotel werden afgeleverd, kon het gebeuren dat beide teksten, de Russische en de Engelse, samen in een en hetzelfde vertrek kwamen te liggen, wie weet zelfs op dezelfde tafel, vlak naast elkaar. En alleen al de mogelijkheid, louter het idee dat iemand bij die tafel zou komen die beide talen beheerste, dreef Perlmann het angstzweet op het voorhoofd.

Voordat ze bij de tunnel zouden aankomen, kwam nog een benzinestation. Daar moest hij Leskov's manuscript laten verdwijnen, het achter de opengeslagen klep van de kofferbak vlug uit zijn handkoffer nemen, ergens achter verstoppen en dan meteen doorrijden.

'Ik moet even naar de banden kijken,' zei hij toen het benzinestation in zicht kwam.

Hij stopte bij de console met de bandenspanningsmeter, deed van binnenuit de kofferbak open en liep met haastige stappen naar de achterzijde van de auto. De riemen van Leskov's handkoffer had hij al los toen hij de auto een beetje voelde schudden. Hij keek langs de klep van de kofferbak naar voren en zag hoe Leskov met veel gesnuif bezig was uit te stappen. Hij hield zich met beide handen vast aan de daklijst en trok zichzelf omhoog. Het portier klapte tegen de console. Bliksemsnel deed Perlmann de kofferbak weer dicht en bukte om de spanningsmeter te pakken.

'Ik heb vandaag al zo lang gezeten, en die stoelen in een vliegtuig bieden maar weinig plaats,' zei Leskov met een geeuw. Hij rekte zich uit. 'Ik moet even de benen strekken.'

Perlmann draaide van een van de banden het ventiel open en deed alsof hij de spanning mat. Zijn woede over de vormloze Rus, die nu een paar gymnastiekoefeningen deed en daarbij ongegeneerd de meest onappetijtelijke geluiden maakte, veranderde in pure haat. Die haat zou hem straks van pas komen, dacht hij. Hij verafschuwde zichzelf om die gedachte, waardoor de haat alleen maar erger werd. Hij begon aan de andere achterband. Leskov boog juist diep voorover en stak hem zijn brede achterwerk toe, een lachwekkende en walgelijke aanblik. Nee, hij kon er niet van op aan dat die gymnastiekoefeningen lang genoeg zouden duren, temeer daar hij eerst weer naar voren moest om de kofferbak van binnenuit voor de tweede keer open te doen. Hij zette de spanningsmeter terug op de console en ging achter het stuur zitten. Daar zonk hij diep in zichzelf weg en was bereid naar het hotel te rijden en de dingen op hun beloop te laten. Uitgeput sloot hij zijn ogen. Slapen, heel lang slapen, net zo lang tot alles voorbij was, zijn ontmaskering, de smaad, alles.

Leskov's hoofd verscheen in de portieropening. 'Denk je dat ze hier een toilet hebben?' vroeg hij onzeker.

'Geen idee,' zei Perlmann vermoeid.

Leskov scheen erop gerekend te hebben dat Perlmann met hem meekwam om het na te gaan. Nu liep hij in zijn eentje op de pompbediende af en maakte drukke gebaren. Perlmann pakte de hendel voor de kofferbak vast en zat klaar, zijn voeten al op de plaveisel. Maar de pompbediende schudde zijn hoofd, één keer, toen nog een keer.

Leskov kwam met zijn waggelende gang terug naar de auto en wierp een blik op de achterbank. 'Daar ligt een medaille. Aan een lint. Lijkt op een onderscheiding. Mag ik weten wat dat te betekenen heeft?'

Waarom heb ik daar niet aan gedacht. Ik had die spullen beter in mijn koffer kunnen doen. 'Wat zeg je? O, dat. Geen idee. Heeft iemand zeker laten liggen.' Het had hem weinig moeite gekost zijn stem onverschillig te laten klinken. Door de uitputting was het vanzelf gegaan.

'De rol die ernaast ligt lijkt op een oorkonde. Zullen we eens kijken?'

Perlmann slikte. 'Ik wil nu verder,' zei hij gesmoord.

Over Leskov's gezicht gleed een schaduw. 'Natuurlijk.' Met enige moeite nam hij weer plaats. Eén bretel bleef haken achter de handgreep van het portier. 'Hoe ver is het nog?'

'Niet ver meer,' zei Perlmann. Hij had zijn stem niet meer onder controle.

37

Het was zes minuten voor vijf toen Perlmann met ontstoken lichten weer de weg op reed. Er kwamen wolken aan drijven die door de laatste zonnestralen een paarse tint kregen. Er hing een merkwaardig, vijandig schemerlicht. Hij reed langzaam, nog geen veertig, en hield zo veel mogelijk rechts.

'Is er iets?' vroeg Leskov na een poosje.

Perlmann gaf geen antwoord maar keek naar voren naar de bocht, waar juist een enorme vrachtwagen opdook die groot licht voerde. Toen stopte hij, duwde op de hendel voor de kofferbak en kon in een reflex nog net voorkomen dat een inhalende wagen het geopende portier raakte. Terwijl hij snel naar de achterkant van de Lancia liep, zette hij zich innerlijk schrap tegen het woedende getoeter en de lichtsignalen van de koplampen, deed de klep van de kofferbak open en trok de ritssluiting van Leskov's handkoffer open. Die zat boordevol papieren. Hoe moest hij in godsnaam in die chaos de bewuste, de gevaarlijke tekst vinden? Koortsachtig woelde hij in de papieren, allemaal Russische teksten, sommige ervan getypt, wat moest hij doen, het was om gek van te worden. Hij trok de ritssluiting van het buitenvak open. Daar zat maar één manuscript in, een dikke stapel vaalgele vellen papier, bijeengehouden door een rood elastiek. Hij trok het eruit, het elastiek bleef aan de ritssluiting haken en brak. Dat was de tekst, met de hand geschreven, het opschrift in zorgvuldige, bijna gekalligrafeerde letters: O ROLI JAZYKA V FORMIROVANII VOSPOMINANIJ. De titel was dus niet veranderd. Met trillende vingers deed Perlmann de beide ritssluitingen dicht en maakte de riemen weer vast. Toen, terwijl hij het gescheld van een automobilist die vanwege het tegemoetkomende verkeer niet kon passeren van zich af liet glijden, bukte hij en legde de stapel papier onder de uitlaat. Hij knalde de klep van de kofferbak dicht en stapte in.

'Ik moest toch nog even naar de banden kijken,' zei hij zonder zijn hoofd naar zijn passagier te draaien. Leskov mocht nu in geen geval in de buitenspiegel kijken. 'Daarginds, links, wordt een beroemde wijn verbouwd,' zei hij en hij trok met een ruk op, zijn ogen op de achteruitkijkspiegel gericht.

De tekst waarvan slechts dat ene exemplaar bestond, de versie waar Leskov zo trots op was en die hem moest helpen vooruit te komen in zijn carrière, fladderde uiteen, de gele pagina's vlogen hoog op in de lucht en vingen het licht van de koplampen van de andere auto's op, ze dansten en zeilden vervolgens de donkere berm in. De wagen achter hem probeerde voor de fladderende papieren uit te wijken alsof het zware voorwerpen waren, de auto daar weer achter leek precies over de rest van de stapel papieren te zijn gereden, want opnieuw stoof er een wolk van dwarrelende bladen op. Toen waren ze de bocht door en de bladen verdwenen uit Perlmann's gezichtsveld. Leskov had zijn dikke bril schuin gezet en keek nog steeds naar de helling aan de linkerkant van de weg.

'Niets meer van te zien,' zei hij.

Nu kunnen het nog maar drie of vier bochten zijn. Opeens wist Perlmann niet meer of hij gas moest geven of juist langzamer moest gaan rijden. De klok stond precies op vijf uur. Gisteren, vlak voor de tunnel, toen hij het graag meteen had gedaan, had hij de resterende tijd nog als een hindernis ervaren, als een massa waar hij met zware benen doorheen moest waden. En ook in het raadhuis had hij het gevoel gehad dat hij elke beweging tegen de weerstand van de stroperige tijd in moest voltrekken. Op weg hierheen was het omgekeerde het geval geweest, de tijd was hem door de vingers geglipt, de minuten verstreken in een razend tempo, het was een rit tegen de klok geweest, tegen de veel te snel wisselende cijfers op de digitale klok op het dashboard. Nu, juist op het moment waarop hij de bochten die nog zouden komen begon af te tellen, merkte Perlmann dat er in de diepte iets veranderde, dat er iets verschoof: zelfs nu wilde hij de tijd tegenhouden, uit alle macht zelfs; maar het was heel anders dan tot dusver, want tegelijkertijd wilde hij ook de weg tegenhouden die onder hem door naar achteren schoof, waar hij hem niet meer zou kunnen zien. In ruimte noch tijd wilde hij bij de tunnel aankomen. Kostbaar was de tijd al gedurende de hele rit geweest, omdat het verkeer immers na halfvijf minder werd, *c'è meno.* Maar nu was diezelfde tijd opeens in een heel andere, veel meer omvattende zin kostbaar. Hij drong zich in Perlmann's bewustzijn op als het laatste korte traject van zijn leven, als een overzichtelijke reeks minuten die meedogenloos en onstuitbaar wegtikten en daardoor het definitieve donker en de definitieve stilte naderbij brachten.

Vlak achter hem lichtten de koplampen van een enorme vrachtwagen op, en nu hoorde Perlmann ook het harde, dreigende geluid van de dieselmotor. Hij schrok, maar het was een vreemde, niet eerder gekende schrik want die werd ogenblikkelijk gevolgd door de hevige, bijna weldadige wens dat de vrachtwagen met zijn licht, zijn lawaai en zijn tonnen aan gewicht gewoon over hen heen zou rijden en hen zou vernietigen. Hij ging sneller rijden, nam de volgende bocht en zag het verkeersbord met de pijlen naar Piacenza en Chiavari. In de achteruitkijkspiegel kwam de hoge voorkant van de vrachtwagen snel dichterbij, hij hoorde de chauffeur gas geven en schakelen, nu waren ze op de kruising en zagen de tunnel, de vrachtwagen dreunde en nam een aanloop voor het rechte stuk dwars door de berg. Perlmann trapte het pedaal in, reed naar rechts de parkeerplaats voor de tunnel op, en stopte met slippende banden.

'Toch is er iets met je,' zei Leskov, en terwijl hij zich naar hem toe boog legde hij zijn hand op zijn arm. 'Ben je ziek?'

Perlmann rook tabak en zweet. 'Ik voelde me alleen even een beetje duizelig worden,' zei hij. 'Straks gaat het wel weer.' Hij stak een sigaret tussen zijn lippen en tastte naar de lucifers in zijn jaszak omdat hij niet wist hoe hij de seconden door moest komen die hij voor de aansteker nodig zou hebben.

'Dat kun je dan maar beter laten,' zei Leskov, die juist met zijn door de tabak geel geworden duim zijn pijp had uitgemaakt en het raampje naar beneden had gedaan.

Perlmann hield midden in de beweging waarmee hij zijn sigaret wilde aansteken stil, sloot even zijn ogen en stapte zonder iets te zeggen uit. Hij liep naar de kant van de weg, stak toen zijn sigaret aan en keek de tunnel in. De schop was er niet meer, de hoop klei nog wel. Van de andere kant kwam af en toe een auto. Hij keek op zijn horloge: vijf uur dertien. Toch was er zojuist nog die vrachtwagen geweest. Waarom zouden er dan niet nog meer komen?

Nu moest hij een beslissing nemen. Het was een keuze tussen moord en dood aan de ene kant en het leven van een man die zijn ondergang als wetenschapper en de publieke schending van zijn reputatie door zou moeten maken aan de andere kant. Als hij nu de tunnel in reed, langs de hoop klei, en er aan de andere kant weer uit reed, zou Leskov een uur later alles ontdekken. Bij het avondeten zouden de anderen erover horen, hij zou niemand meer onder ogen kunnen komen, en vanaf dat moment zou zijn bedrog de ronde doen, zou het almaar de ronde doen, tot al zijn collega's het wisten. *En Kirsten zou er getuige van zijn. Kirsten, wie ik het nooit zou kunnen uitleggen.*

Hij had naar de grond staan staren en zag nu pas de vrachtwagen in de tunnel, die aan kwam rijden. Meteen liet hij de sigaret vallen en draaide zich om naar de auto. Leskov stond wijdbeens met zijn rug naar hem toe aan de rand van de parkeerplaats te plassen. *Het was toch al te laat geweest.* Weer stak hij een sigaret op, het was de op één na laatste. Langzaam liet hij zijn blik ronddwalen. Het rommelwinkeltje van de tandeloze oude vrouw was zwak verlicht. In het westen een laatste streep licht in een rossige hemel. *Het laatste licht.*

Leskov zat weer in de auto en keek naar hem. Anders dan hij gewend was rookte Perlmann de sigaret tot aan het filter op, de hete rook prikte in zijn longen, en nu proefde hij ook nog de vieze smaak van nicotine op zijn tong. Hij had een gevoel alsof dadelijk alle kracht uit zijn lichaam zou vloeien. Stijf en met gebogen hoofd liep hij naar de auto, stapte in en deed zijn gordel om.

'Het spijt me wat ik zo-even heb gezegd,' zei Leskov. 'Ik wilde je niet bevoogden.'

'Laat maar,' zei Perlmann zachtjes en hij startte de motor. Hij maakte op de parkeerplaats een grote boog en reed de auto de lege weg op. Even liet hij de wagen uitrollen, toen gaf hij gas en reed de tunnel in. Hij keek omhoog naar de verlichte boog van de tunnelingang, en toen ze die passeerden, had hij het gevoel dat hij de wereld verliet.

Vlak voor de eerste vluchthaven greep hij naar zijn voorhoofd, remde en reed de zanderige uitham op. Hij stopte precies in het midden tussen de beide uiteinden van de vangrails en trok de handrem niet aan. Hij maakte zijn gordel los en sloeg beide handen voor zijn gezicht.

'Ik ben alweer duizelig,' zei hij tussen zijn handen door.

Leskov raakte licht zijn arm aan en zei niets. Pas na een lange stilte, waarin Perlmann tussen zijn vingers door de tunnel in de gaten hield, vroeg hij: 'Denk je dat je het hotel nog kunt halen?'

Op dat moment dook in de buitenspiegel het blauwe zwaailicht van een politieauto op. De wagen schoot voorbij, remde toen abrupt en kwam met een jankend geluid slingerend achteruitrijdend terug. De bijrijder stapte uit, zette zijn pet op en boog zich voorover naar het raampje van Perlmann.

'Hier kunt u niet parkeren,' zei hij bars. 'Dit is alleen voor noodgevallen.'

'Ik werd opeens... misselijk, daarom moest ik stoppen,' zei Perlmann met een droge mond. Het Italiaanse woord voor duizelig was hem ontschoten, en in die ene zin had hij twee fouten gemaakt.

'Buitenlander?' vroeg de agent, deed een paar stappen naar voren en keek naar het nummerbord. 'Gehuurd?'

'Ja,' zei Perlmann. Hij slikte.

'Hebt u hulp nodig? Moeten we een ambulance laten komen?'

'Nee, nee,' bracht Perlmann haastig uit, 'dank u wel, het gaat wel weer.'

'Maar dan moet u nu wel meteen doorrijden,' zei de agent terwijl hij hem onderzoekend aankeek. 'Meteen na de tunnel is een parkeerplaats.' Toen tikte hij tegen zijn pet en richtte zich op.

'*Va bene*,' zei Perlmann. Verder deed hij niets.

Gedurende de korte tijd die de agent nodig had om bij zijn wagen te komen, ervoer Perlmann het incident als een verlossing. Het liefst had hij overgegeven om de ontzaglijke spanning niet langer uit te hoeven houden. Die agenten hadden hem ervoor behoed een moordenaar te worden. Hij hoefde nu alleen maar de contactsleutel om te draaien, de auto in de eerste versnelling te zetten en met Leskov naar het hotel te rijden. Verder niets.

Maar het beeld van het gehate hotel dat nu voor hem opdook, stond hem in de weg. Hij zag zichzelf naast Leskov, die zijn sjofele koffer zeulde, de bordestrap op lopen en naar de receptiebalie gaan, waar in Leskov's sleutelvakje ook de verraderlijke tekst lag die Millar erin had laten leggen. Weer verborg hij zijn gezicht in zijn handen. Hij kon nu alleen maar hopen dat de carabinieri niet deden wat de politie bij hem thuis zou doen: wachten tot hij eindelijk doorreed.

'Wat wilde hij?' vroeg Leskov.

Perlmann zweeg.

De agent nam zijn pet af en stapte in. Hij had niet omgekeken. De wagen bleef staan. Ze hielden hem nu via de achteruitkijkspiegel in de gaten. De bijrijder stak een sigaret op, blies de rook uit het raampje, legde zijn arm op het portier, beide agenten lachten, toen reed de wagen met piepende banden weg. *Zij zullen bevestigen dat ik me niet goed voelde. Dat is prima.* Het was tien over halfzes.

Zolang de politieauto nog te zien was, had zijn blik houvast. Toen de achterlichten in het donker waren verdwenen, werd het in de tunnel leeg en stil. Perlmann had graag de laatste sigaret gerookt, zijn verlangen ernaar was groter dan ooit. Maar dat kon hij niet riskeren; hij wilde het niet met een sigaret in zijn hand doen. Vanuit zijn ooghoeken zag hij Leskov's dikke benen in de bruine broek, de hoge schoenen met de dikke zolen en de in zijn schoot rustende gevouwen handen met de gele duimen en de vieze nagels. De spanne tijds die twee mensen in een stilstaande auto naast elkaar kunnen zitten zonder elkaar aan te kijken, was allang overschreden. Perlmann probeerde krampachtig het onmogelijke waar te maken: de absolute contactloosheid tussen twee mensen die slechts een paar handbreedten van elkaar af zitten. Hij merkte dat Leskov naar hem keek en sloot zijn ogen. Zijn hoofd jeukte en zijn neus begon te lopen. Hij was blij dat hij iets te doen had en tastte met zijn ijskoude hand naar zijn zakdoek.

'Je moet nog vaak aan Agnes denken, is het niet?' doorbrak Leskov de stilte.

Door alle kou en angst heen laaide in Perlmann een ongelooflijke woede op, woede over die overdreven milde, bijna tedere toon die Leskov had aangeslagen, een toon die je tegenover kinderen aanslaat, of tegenover zieken. Maar veel erger nog was zijn woede dat die vette, afstotelijke vent naast hem, die de schuld van alles was, het zomaar had gewaagd over Agnes te beginnen en zich had aangematigd in die open wond te roeren en hem daarmee ten diepste te raken. En het was ook een woede over zichzelf, dat hij dat destijds in de ijzige lucht van Sint-Petersburg zonder enige aanleiding allemaal over zichzelf had prijsgegeven. Die woede, alsof hij zich midden in het leven bevond en niet aan de rand, baande zich een weg en beving hem alsof er geen tunnel vol dodelijke stilte en geen wachten op witstralende lichten in een hoog, naderbij denderend front bestonden. Het was een zo heftige woede dat hij er regelrecht door werd verdoofd. Hij begroef zijn gezicht in zijn zakdoek en de woede ontlaadde zich in het snuiten van zijn neus – hij bleef snuiten, hoewel de zakdoek allang droop van het snot en hij ervan walgde. Steeds dieper haalde hij adem voordat hij snoot, hij snoot steeds heftiger, maar tevergeefs, zijn neus bleef lopen, ergens vandaan kwam almaar meer snot, het stroomde en bleef maar stromen, Perlmann zette kracht en hield pas op toen het vocht uit zijn koude neus opeens warm werd en de zakdoek rood kleurde. Terwijl hij de lap van zich af hield en verbaasd naar het bloed keek, vielen er druppels uit zijn neus, en toen hij omlaag keek, zag hij dat zijn witte overhemd en het lichtgrijze leer van zijn stoel tussen zijn benen vol bloedvlekken zaten. Hij staarde roerloos naar de vlekken, die langzaam groter werden, hij werd erdoor gehypnotiseerd en vergat de zakdoek weer tegen zijn neus te houden, zodat het bloed gestaag bleef vloeien.

Dat was de reden waarom hij het zo laat merkte: een licht, onregelmatig trillen van de bodem, dat zich rechtstreeks voortzette in de auto en in zijn lichaam. Nog steeds bevangen door de aanblik van het bloed wierp Perlmann een snelle blik over het stuurwiel heen naar voren, en zag toen de twee oranje knipperlichten. Ze behoorden bij een enorme bulldozer die al een heel eind gevorderd was in de tunnel en op rupsbanden reed die breed waren als de rupsbanden van een tank. Het gevaarte naderde een beetje hortend en stotend. De twee knipperlichten waren bevestigd aan twee stangen die aan de zijkanten uitstaken en de breedte aangaven van het gevaarte, dat zo dicht mogelijk bij de vangrail bleef en toch een heel eind over de middenstreep heen kwam. Het duurde één, twee seconden voordat Perlmann zich had losgerukt van de bloedvlekken en de aanblik van de buitenproportionele schuif van de bulldozer – een lichtgebogen, hoge wand met spitse tanden aan de rand – volledig tot hem was doorgedrongen. Maar toen reageerde hij bliksemsnel. Hij liet zijn zakdoek vallen, trapte de koppeling in en startte de motor. De doordringende pieptoon verraste hem, hij had er niet meer aan gedacht en schrok net zo hard als bij de eerste keer. Weer draaide hij de contactsleutel om, een krakend geluid, door het gepiep had hij niet gehoord dat de motor al liep. Hij greep het stuur stevig vast en begon te rijden.

De Lancia, *de veiligste auto die er bestaat*, trok pijlsnel op, maar Perlmann bleef in de eerste versnelling rijden, zodat de motor luid begon te janken, het bloed stroomde warm over zijn lippen en zijn kin, het gepiep was om gek van te worden, hij keek strak voor zich uit, zijn armen gestrekt, nog een kleine kilometer, nu zag hij boven, in de gele cabine, de chauffeur, een tengere man in een blauwe overall en een baret op zijn hoofd, de gewelfde wand met resten van lichtkleurige aarde was hoog, *die is hoog genoeg, er zal hem niets overkomen*, nu was het dus zover, de laatste seconden van zijn leven, *en zelfs nu geen tegenwoordigheid*, hij reed nu boven de honderd, dat zou snel genoeg zijn, zijn hoofd werd volkomen leeg, aan slingerende bewegingen en doen alsof de auto onbestuurbaar was geworden dacht hij niet meer, hij wist alleen nog dat hij het stuur op tijd een ruk naar links moest geven, maar met het oog op Leskov niet te vroeg, nu hoorde hij de knetterende motor van de bulldozer, het vibreren van de grond versmolt met de gewaarwording van snelheid, het krankzinnige gepiep en Leskov's angstige stem, en toen was het opeens heel stil, alles geschiedde geruisloos, als in watten en sneeuw, nog hooguit honderd meter, *mijn bril*, hij rukte die van zijn gezicht, nu moest hij het doen, *nu*, hij drukte zichzelf in zijn stoel, sloot zijn ogen en haalde zijn bezwete handen van het stuur.

Naast zich, slechts een paar centimeter van het autoraam verwijderd, zag hij een rode flits, hij deed zijn ogen open, ze waren erlangs, maar alles was vaag, de lijnen gebroken als onder water, hij stootte met zijn hand tegen het stuur, de wagen schoot naar links, Perlmann trok hem terug en gaf te veel stuur, het rechterspatbord knalde tegen de vangrail, de wagen schuurde over zijn hele lengte langs het metaal, er klonk een oorverdovend geknars, nu hoorde hij ook het piepen weer, hij trok de wagen naar links, naar het midden van de tunnel, maar nu kwamen er vanuit het donker twee felle lichten op hem af, elk ervan een rafelige bundel oplichtende kristallen die naar elkaar toe leken te schuiven en in elkaar overvloeiden, Perlmann trok het stuur naar rechts, weer een klap en geknars, door alles heen het waanzinnige gepiep, maar hij hield het stuur stevig naar rechts gedraaid, de tegemoet komende auto was voorbij, nog meer geknars, en toen waren ze de tunnel uit en in het donker, Perlmann stuurde lukraak naar rechts, trapte met beide voeten op de pedalen, de wagen slingerde, slipte door, en eindelijk, na een eeuwigheid, kwam hij pal voor een berg afval tot stilstand.

Eerst was Perlmann alleen maar dankbaar dat het gepiep was opgehouden. Hij voelde zijn bloed kloppen, van zijn hoofd tot aan zijn voeten, zijn aderen leken op het punt van openbarsten te staan. Toen, met bijna een halve minuut vertraging, begon hij te schudden. Het was geen beven of trillen, het was een oncontroleerbaar, hevig schokken van zijn ledematen zoals hij nooit eerder had meegemaakt. Om het te verbergen legde hij zijn armen, die daarbij tegen het stuur stootten, op zijn bovenbenen. Nu merkte hij dat ook zijn broek vol bloedvlekken zat en dat zijn neus nog steeds bloedde, erger dan zonet. Hij bukte zich naar zijn zakdoek, die tussen de pedalen lag. Hij zat vol bloed en snot. Toen hij zich oprichtte, viel er een druppel bloed op de revers van zijn blazer. Hij legde zijn hoofd tegen de hoofdsteun en hield de zakdoek met bevende hand tegen zijn neus gedrukt.

'Neem de mijne,' zei Leskov, die zich op zijn stoel naar hem toe had gedraaid en hem een gekreukte zakdoek toestak. Het was het eerste wat hij zei nadat ze tot stilstand waren gekomen. Perlmann had geen idee wat Leskov op dit moment dacht en hoe zijn gezicht stond. Maar hij verbaasde zich over de kalme zakelijkheid van zijn stem. Dat had hij niet verwacht van de man die op de luchthaven zo angstig om zich heen had gekeken. Hij walgde van de zakdoek, die naar zoetige tabak rook. 'Dank je,' zei hij, en stapte uit.

Hij hield zijn hoofd achterover terwijl hij langs de oude autobanden op de berg afval liep. Langzaam en diep ademde hij de koude avondlucht in. De neusbloeding werd minder en ook het schokken hield een beetje op, alleen af en toe kwam er een onverwachte stuiptrekking. Aan de kant van de weg bleef hij staan en stak zijn laatste sigaret tussen zijn lippen; maar uit angst voor een nieuwe neusbloeding durfde hij hem niet aan te steken. De ramen van de huizen onder aan de weg waar hij gisteren langs was geraasd, waren verlicht. Hij zag schaduwen die bewogen. *Ik ben geen moordenaar geworden.*

'De rechterkoplamp is kapot,' zei Leskov twee stappen achter hem, 'en de auto zit vol diepe krassen.' Nu legde hij zijn hand op Perlmann's schouder. 'Maar verder is er niet veel gebeurd. Alleen blikschade. Maar een grote schrik was het wel. En dan ook nog zonder gordel.'

Weer begon Perlmann te schokken, minder erg dan zonet, maar toch duidelijk zichtbaar.

'Je staat te trillen als een elpenblad,' zei Leskov. 'Zo zeg je dat toch?'

De taalfout die hij maakte en de trouwhartige navraag dreven Perlmann de tranen in de ogen, hij wist niet waarom.

'Espenblad,' bracht hij na enige moeite uit, en hij probeerde te glimlachen. 'Ik kreeg het helemaal op mijn heupen toen ik die bulldozer zag,' voegde hij er even later aan toe. 'Het spijt me.'

'Je... kreeg... het... op... je... heupen?' vroeg Leskov, terwijl hij de woorden afhakte en achter elkaar zette als iemand die zo'n woordvolgorde nog nooit had gehoord.

Perlmann voelde zijn darmen. Hij slikte en keek Leskov in de ogen. Nee, het was geen bijtend sarcasme, zoals het aanvankelijk had geklonken. Hij was alleen maar geïnteresseerd in de uitdrukking. Zijn schrik sloeg om in irritatie.

'Paniek,' zei hij gesmoord. 'Ik ben in paniek geraakt toen ik dat gevaarte zag. Ik moest er zo snel mogelijk langs.'

'Maar waarom dan?'

'Weet ik veel,' zei Perlmann grof. 'Dat heb ik altijd gehad.'

'En wat was er met je bril?'

Nee, het klonk niet wantrouwig, de vraag getuigde van een werkelijke belangstelling die Perlmann's grofheid gewoon negeerde.

'Ik had weer een duizeling, ik heb onwillekeurig naar mijn hoofd gegrepen en toen heb ik mijn bril per ongeluk van mijn neus getrokken.'

Het was niets nieuws meer. De afgelopen dagen had hij zichzelf als een getalenteerde, koelbloedige leugenaar leren kennen. Niet als iemand die zich af en toe van een leugentje om bestwil bedient, maar als iemand die heel geroutineerd de ene na de andere leugen kon ophoesten.

Perlmann nam de schade aan de auto op als iemand die er niets mee te maken had, zwijgend en vluchtig. Wat hem stoorde, waren de bloedvlekken op het lichte leer. Hij maakte het laatste schone puntje van zijn zakdoek vochtig en wreef erover; maar daardoor werd het alleen maar erger. Leskov frummelde aan zijn gordel toen Perlmann weer achter het stuur ging zitten. Eén keer gaf hij er een snelle, harde ruk aan. Perlmann hield in het donker zijn adem in, tot hij besefte: *het maakt nu toch niets meer uit.* De twee munten hielden stand.

Leskov was zwijgzaam toen ze verder reden, en toen Perlmann een keer heimelijk naar hem keek, zag hij dat hij zijn ogen had gesloten. De zwijgende gestalte in het donker kwam hem voor als de vleesgeworden argwaan. *Nee, hij koestert geen verdenking. Omdat hij het motief niet kent. Maar over een uur kan dat anders zijn.* Hij zou de auto bij het benzinestation naast het hotel parkeren en misschien een paar vragen moeten beantwoorden in verband met de beschadigde wagen, dan naast Leskov de bordestrap op lopen, links van hen de veranda, verwelkoming door signora Morelli, die Leskov de tekst overhandigde, Leskov zou een beetje willen uitrusten, daarna moest hij hem bij het avondeten voorstellen aan de collega's, wat dan volgde was het gebruikelijke begroetingsritueel, de clichés, de vormelijke glimlachjes, de wellevende, gladde woorden van Angelini, en dan, weer op zijn kamer, zou Leskov het ontdekken. Hij zou het buitenvak van zijn handkoffer opendoen om de ongelooflijke ontdekking bevestigd te krijgen, ontsteltenis, en dan, zodra de eerste verlamming voorbij was, zou hem een licht opgaan en dan zou hij alles weten.

Ofwel Leskov was vanavond te moe om nog te lezen, dan zou het morgenochtend gebeuren, als hij, Perlmann, aan het hoofd van de tafel in de veranda zat. Of misschien was Leskov zo nieuwsgierig dat hij ondanks de lange reis meteen begon te lezen, wie weet al in de lift, ze zouden in de elegante eetzaal onder de kroonluchters tegenover elkaar komen te staan, en dan... Op dat punt begaf Perlmann's voorstellingsvermogen het, de beelden losten op en het werd vanbinnen grijs, donkergrijs, maar vooral ondoorzichtig, ondoordringbaar en dof, verlammend dof.

Hij wist dat hij niet de kracht had dat te doorstaan. *Pian dei Ratti*, schoot het door zijn hoofd, *Pianezza, Piana, Pian dei Ratti.* Die namen, zwarte letters op een witte achtergrond, waren verweven met de beklemming en de haast, en inwendig trilden ze na met een duizendvoudige echo. Bij de leisteenslijperij was om deze tijd niemand meer, en in het donker leunden ook geen mensen meer uit het raam. Op die plek zou het ook niets uitmaken als er in het huis na de bocht mensen waren. Hij aarzelde. Het was zeer de vraag of er nu nog een vrachtwagen zou komen, het was intussen al tien voor half zeven. Maar dat was het helemaal niet. Perlmann voelde dat hij gewoon niet meer de kracht had voor een tweede poging. Hij kon er de wil niet meer voor opbrengen, en toen hij zichzelf die wil uit alle macht probeerde aan te praten, ontstond er een wil die vanbinnen hol was en op elk moment, bij de minste geringste tegenstand, ineen zou storten.

Ze waren nu Lumarzo gepasseerd, en zo meteen zou de eerste van de twee zijwegen komen die rechtstreeks naar de kust leidden en die de route die hij gisteren had genomen naar Chiavari, bekortten. Perlmann remde af toen het richtingbord in zicht kwam.

'Is er eigenlijk al gediscussieerd over jouw bijdrage?' vroeg Leskov, toen Perlmann de richtingaanwijzer aan zette.

Bij de eerste poging iets te zeggen had Perlmann geen stem. 'Nee,' bracht hij eindelijk uit. Het klonk als gekraai. Hij remde nog meer af, tot ze nog maar heel zachtjes vooruitkwamen.

'O, dan heb ik dus geluk gehad. Waar gaat je bijdrage over?'

Vlak bij de afslag, midden op de linker weghelft, trapte Perlmann zachtjes op de rem, zodat ze een ademtocht lang helemaal stil stonden. Toen deed hij de richtingaanwijzer uit, trapte de gaspedaal in en reed richting Chiavari. Hij gaf geen antwoord op Leskov's vraag. Hij moest maar denken dat Perlmann de vraag niet had gehoord omdat hij moest nadenken over de route, of omdat hij zich afvroeg hoe hij het onderwerp het beste kon omschrijven.

'Is het iets formeels, iets technisch?' informeerde Leskov.

'Nee,' zei Perlmann zachtjes.

'Daar ben ik blij om. Hoe dan ook, ik verheug me erop. Wanneer is de zitting?'

'Morgenochtend.'

'Het lijkt wel alsof je op mij hebt gewacht,' lachte Leskov.

Ik moet het hem vertellen. Nu. Hier. Perlmann had geen idee hoe Leskov op zijn bekentenis zou reageren. Hij gedroeg zich zo vaderlijk tegenover hem, zoals hij wel vaker deed tegenover mensen die praktisch even oud waren als hij. Zouden die gevoelens iets uitmaken? Natuurlijk zou hij geschokt zijn door de mededeling. *Maar misschien kan hij het als een geval van noodweer zien als ik hem uitleg hoe ik ertoe ben gekomen.* En het ongeluk van Agnes was hij blijkbaar niet vergeten. Wat bij hem zo-even nog een blinde, verlammende woede had opgeroepen, was nu opeens hoop, een strohalm waaraan Perlmann zich vastklampte. Misschien kon Leskov het bedrog zien als de daad van iemand die door een smartelijk verlies totaal uit zijn evenwicht was geraakt en die niet meer zichzelf was.

Maar het was ook mogelijk, en dat was heel wat waarschijnlijker, dat Leskov zo ontdaan zou zijn dat Perlmann hem met geen mogelijkheid kon verzoeken de kwestie geheim te houden. Hij zou tijd nodig hebben om de portee te bevatten van wat er was gebeurd, het zou pas langzamerhand tot hem doordringen hoe ongelooflijk Perlmann's bekentenis was. Hij, die voor de uitnodiging verantwoordelijk was, had schaamteloos misbruik gemaakt van Leskov's probleem met het verkrijgen van een uitreisvisum, van Leskov's politieke onvrijheid dus. Bovendien had hij misbruik gemaakt van Leskov's relatie met zijn moeder, die ook een morele verplichting was. Misbruik had hij gemaakt van zijn vertrouwen, dat Leskov had ingegeven hem de eerste versie van zijn tekst, een onvoltooide en in die zin dus intieme tekst, zonder enige restrictie toe te sturen.

De collega's hadden nu die voorlopige, ruwe tekst in handen, een tekst die onorthodox was en aanstoot kon geven. Het was toch al gewaagd zo'n tekst aan de groep voor te leggen, Leskov zou zich te kijk gezet voelen, zelfs als hij niet op Perlmann's verzoek zou ingaan om te verzwijgen dat hij de auteur ervan was.

'Is er al een zitting gepland voor mijn bijdrage?' vroeg Leskov.

'Donderdag,' zei Perlmann. Die dag leek hem oneindig ver weg, het was een dag waarvan hij zich niet kon voorstellen dat hij die ooit zou bereiken, een dag die weliswaar op de kalender voorkwam en zogezegd in theorie bestond, maar een onwerkelijke dag, zonder ochtend, middag en avond, een dag die hij niet meer zou meemaken.

Perlmann's verzoek zou betekenen van Leskov te verlangen dat hij zou zeggen dat hij niets te vertellen had, hij, de eenvoudige Rus die uit medelijden met zijn politieke lot was uitgenodigd, als iemand die ontwikkelingshulp behoeft. Dat betekende, zou Leskov zeggen, dat hij ook niets had aan de tweede versie, die achter in de kofferbak lag, die zou hij dan ook niet meer kunnen aanbieden. Hij kon dan helemaal niets meer zeggen over zijn ideeën, niets vertellen over wat hij de afgelopen tijd had gedaan. Want dan zou het lijken alsof hij degene was die Perlmann kopieerde, dat hij diens thema gewoon had overgenomen. Hoe dan ook zou het wel heel sterk opvallen dat ze allebei over erg op elkaar lijkende problemen schreven op een zeer verwante, onorthodoxe wijze. Argwaan was onvermijdelijk, en natuurlijk zou de vraag naar de originaliteit niet ten gunste van hem, de onbekende Rus, worden beantwoord. Niemand zou op het idee komen dat het omgekeerde het geval was, temeer daar Perlmann een echte tekst had voorgelegd, terwijl Leskov op zijn hoogst mondeling over zijn werk kon berichten.

'Weet je, ik heb het idee dat je je, door te vertellen, je eigen verleden kunt toe-eigenen,' zei Leskov, die lang had zitten nadenken. 'Vooral dat idee is in de nieuwe versie veel beter uitgewerkt. Ik heb er lang voor nodig gehad. Ik wil namelijk tegelijkertijd duidelijk maken dat herinneren in zekere zin ook verzinnen is.' Hij lachte. 'Dat moet jou, als je het zo opeens hoort, nogal vreemd in de oren klinken. Maar ik ontwikkel het idee in de tekst stap voor stap. En neem nu eens aan, puur hypothetisch, dat het geen onzin is, dan krijg ik natuurlijk meteen te maken met de vraag wat toe-eigening in het geval van eigen verzinsels eigenlijk te betekenen heeft. Dat bleef in de eerste versie, die jij hebt, nog onduidelijk. Maar nu heb ik, geloof ik, de oplossing. Het is een nogal gecompliceerd verhaal, en ik ben blij dat het me voor mijn vertrek eindelijk is gelukt het op te schrijven.'

Osvaivat'. Zich toe-eigenen. Dat klopt dus. Die gedachte, die hem onwillekeurig door het hoofd ging, voelde vreemd aan, alsof hij losstond van alles. Of eigenlijk voelde die gedachte helemaal niet aan. Ze was helemaal niet werkelijk, als een eigen gedachte. Het was eerder alsof hij de gedachten van een ander dacht. Alsof hij alleen maar dacht dat iemand anders nu die gedachten had.

Leskov haalde de zakdoek tevoorschijn die hij zojuist aan Perlmann had aangeboden, en snoot uitvoerig zijn neus. 'En toen was ik die tekst ook nog bijna vergeten. Het was nog een beetje te vroeg om naar het vliegveld te gaan, ik bladerde er nog een keer in en maakte een paar notities. Toen kwam dat telefoontje waarover ik me verschrikkelijk opwond, iets over die aanstelling waar ik op hoop. Het duurde maar en duurde maar, opeens moest ik haast maken, ik pak mijn beide koffers en loop naar de deur, nog steeds woedend, en pas wanneer ik het buitenvak van de handkoffer open zie staan, schiet het me te binnen. Ik zou een idioot figuur hebben geslagen.'

Ik zou hem ook moeten vertellen over de tekst op de weg. Want als hij het verlies ontdekt, weet hij meteen hoe laat het is. Dat rare stoppen midden op de weg, en daarna geen woord meer over de achterbanden. Zijn woede zou gigantisch zijn, ten eerste natuurlijk over de vernietiging van de tekst, en ten tweede dat hij, Perlmann, de lafaard, niet eens de moed had gehad hem de hele waarheid te vertellen. En die woede zou hem ertoe kunnen brengen toch zijn mond open te doen.

Nu kwam de zijweg naar Uscio, en dan verder langs de kust naar Recco. Perlmann stopte. 'Ik moet even,' zei hij.

Als hij nu die weg insloeg, zou er geen tweede poging zijn; het was immers geen weg voor grote vrachtwagens. Dan liep hij straks naast Leskov de bordestrap op en kon de catastrofe beginnen. Er was dan niets meer wat hen tegen kon houden. Reed hij nu rechtdoor, dan waren ze over tien minuten in Pian dei Ratti. Perlmann stond roerloos, zijn hand ter camouflage op zijn gulp. Hij kon de hele bekentenis inclusief de uitvoerige uitleg niet achter het stuur uitspreken. Op zeker moment zou hij Leskov in zijn lichtgrijze ogen moeten kijken en tegen hem zeggen dat hij zijn tekst had vernietigd. De tekst waar hij alles in had gestopt. De tekst die hem aan een baan zou hebben geholpen. Dat hij hem gewoon op de weg onder de uitlaat had gelegd als een hoopje afval, als vuilnis.

Het was onmogelijk.

Pian dei Ratti. De fabriek, de pijnbomen, het affiche van RENAULT. Op het front met de grote koplampen wachten. Weer stil en zwijgend naast Leskov zitten. Weer optrekken, weer die pieptoon en het gedoe met zijn bril.

Het was onmogelijk.

Perlmann stapte in en reed verder in de richting van Uscio en Recco. Hij reed met flinke snelheid over de bijna verlaten weg, net zo snel dat Leskov niet zou protesteren. Hij wilde niet meer denken. Hij wilde dat zijn hoofd nooit meer ook maar één enkele gedachte zou denken. De Lancia nam de vele bochten moeiteloos. Alleen één keer, in een bocht naar rechts, leek het even alsof de banden het ingedeukte spatbord raakten.

'Ik had gedacht dat we sneller bij het hotel zouden zijn,' zei Leskov een keer. 'Hoe laat wordt er gegeten?'

Toen ze in Recco de smalle straat in reden die op de kustweg uitkwam, was het even voor zevenen. Perlmann stopte bij een benzinestation. 'Heel even,' zei hij, en hij verdween in het toilet, waar de stank van urine hem de adem benam. Hij zette zijn handen op de wasbak en gaf over. Maar behalve slijm en maagzuur kwam er bijna niets, uiteindelijk stond hij alleen nog maar te kokhalzen. Zijn gezicht in de spiegel was lijkbleek, onder zijn neus en op zijn kin zat opgedroogd, bijna zwart bloed, het haar op zijn voorhoofd was vochtig van het zweet. Hij plensde met zijn handen koud water in zijn gezicht en wreef het daarna met de mouw van zijn jasje droog.

Hij zou zich tegenover die dikke Rus, van wie hij walgde en wiens vaderlijke toon hij ondraaglijk vond, als tegenover een biechtvader moeten gedragen, met de hoop op absolutie. En hij zou voor eeuwig met huid en haar aan hem zijn overgeleverd. Het was onvoorstelbaar.

Maar je kon ook het volgende bedenken: dat het bedrog onontdekt bleef, was nu niet meer mogelijk; er was niets meer, absoluut niets, wat hij nog kon doen om de ontmaskering te voorkomen. Nu was het dus alleen nog de vraag hoeveel mensen ervan zouden horen – of de ontdekking bij Leskov halt hield of ook bij de anderen terechtkwam. En als je het nuchter bekeek viel er veel voor te zeggen ten minste een poging te doen. Te verliezen had hij niets meer.

Een dikke man kwam binnen. Perlmann schrok, heel even dacht hij dat het Leskov was. Op dit moment kon hij hem nog niet zien, hij was nog niet zo ver. Hij wilde niet dat het een bekentenis in een stinkend toilet zou worden. Hij sloot zich op in een cabine. Hij was graag gaan zitten, met zijn hoofd in zijn handen, maar de wc was zo'n gat in de vloer, zodat hij alleen tegen de deur kon leunen, zijn voorhoofd en neus hard tegen de vuile kunststof gedrukt.

Het klopte niet dat hij niets te verliezen had. Maar het duurde een tijdje voordat Perlmann zich weer voldoende kon concentreren. Ja, wat er niet klopte was dit: als hij niet ook meteen zijn moordplan opbiechtte, en dat was absoluut ondenkbaar, dan had hij geen plausibele verklaring voor het feit dat hij de tweede versie had weggegooid. Die speelde immers geen enkele rol wanneer Leskov de Engelse tekst als de zijne herkende. Wat had hij dus eigenlijk voorgehad met het weggooien van de tekst? *Dan had je mij eigenlijk ook moeten elimineren*, zou Leskov kunnen zeggen. De scheidingswand die dan nog tussen die uitspraak en het vermoeden van de waarheid stond, zou flinterdun zijn en kon elk moment instorten als Leskov nog eens nadacht over de tunnel.

En toen had Perlmann opeens het visioen dat Leskov, die nu alle morele autoriteit bezat, hem zou vragen om te keren, terug te rijden en de verstrooide en overreden vellen papier op te rapen. Hij zag zichzelf in het donker rondkruipen in de berm en voor aanstormende en toeterende auto's met oplichtende koplampen heen en weer springen over de rijbaan.

Perlmann zette zich schrap tegen de scherpe stank van urine, haalde diep adem en liep toen langzaam naar buiten. Een bekentenis was onmogelijk. Het was onmogelijk.

'Zo heb ik me de Rivièra bij avond altijd voorgesteld,' zei Leskov, toen ze neerkeken op Recco en later op Rapallo. 'Precies zo, het is fantastisch!'

Perlmann keek niet naar beneden. Hij staarde naar de weg, die door maar één koplamp werd verlicht. Hij reed en concentreerde zich iedere meter erop: dat hij reed. Hoewel het maagzuur nog in zijn keel brandde, had hij alles overgehad voor een sigaret. Maar de zestienhonderd lire, *zijn geld*, was niet voldoende om een pakje te kopen. Aan de rand van zijn bewustzijn, met doffe onverschilligheid, registreerde hij dat hij het juiste had gedacht: de kustweg kwam voor het eerste plan, de vrachtwagen die op hen af kwam rijden, niet in aanmerking.

'Wie is de laatste die deze week nog een tekst aanbiedt?' vroeg Leskov toen de lichtjes van Santa Margherita in zicht kwamen.

Alweer, de laatste keer op deze rit, schrok Perlmann. Tijdens de vier ellendige, spannende uren die achter hem lagen, was het hem gelukt Leskov niet rechtstreeks aan te spreken en het 'je' te vermijden. Dat was vaak heel lastig geweest en had alles van zijn taalvaardigheid gevraagd. Maar hij had het domweg niet over zich verkregen. Er moest een zin zijn, dacht hij, die het ook nu voor elkaar zou krijgen. Maar zijn hersenen wilden niet meer, en dus zei hij het maar: 'Jij.'

Ze reden de hoek om. De scheve pijnboom. De lampen. De neonletters. De beschilderde kozijnen. De vlaggen. Bij Millar, Ruge en Evelyn Mistral brandde licht. Perlmann reed de parkeerplaats bij het benzinestation op. Het was gesloten. Dus geen vragen over de blikschade. Toen hij Leskov's handkoffer uit de achterbak haalde, zag hij een stukje van het rode elastiek, dat aan de ritssluiting van het buitenvak was blijven haken. 'Hierheen,' zei hij, en alsof hij Leskov's bediende was, nam hij in elke hand een koffer.

38 Wat er nu gebeurde had Perlmann al zo vaak als angstig visioen voor zich gezien, dat het door al dat zich voorstellen geen bedreiging meer was. Nu het daadwerkelijk plaatsvond was het alleen nog een uitentreuren gerepeteerde toneelscène – slap, gekunsteld en zonder er iets bij te beleven; het enig werkelijke was het hoekige houten handvat aan Leskov's koffer, dat in zijn hand sneed. Maar deze onwerkelijkheid ging niet gepaard met opluchting. De gewaarwording van iets afgezaagds en doods terwijl hij de bordestrap op liep was integendeel – en Perlmann wist het – de uitdrukking van mateloze ontzetting. Hij liep moeizamer dan door de koffer kon worden veroorzaakt, zijn lichaam leek op dat van een marionet waarvan je elke beweging tot in detail bewust in gang moest zetten. Het kostte een gigantische wilskracht zijn lichaam stap voor stap naar de ingang van het hotel te verplaatsen.

Toen hij de zuilengalerij had bereikt, merkte hij dat Leskov hem niet meer volgde. Die was halverwege de bordestrap blijven staan en keek omhoog naar de verlichte gevel van het hotel.

'Fantastisch,' riep hij Perlmann buiten adem toe, en zijn arm met de eroverheen geslagen jas maakte een beweging die het hele hotel omvatte. Toen draaide hij zich om, leunde tegen de balustrade en keek naar de baai, die in het donker lag.

Perlmann zette de koffers op de grond. Het wachten op Leskov was ondraaglijk. Het betekende weliswaar dat het tijdstip van de ontmaskering nog even werd uitgesteld, maar het wachten was erger dan elk ander wachten, erger dan het wachten die middag op de luchthaven. Daar was het een wachten geweest aan het eind waarvan hij zelf de regie zou voeren – een bloedige, moordbeluste regie weliswaar, maar hij kon tenminste iets doen: wat er vervolgens zou gaan gebeuren en wanneer, was aan hem. Nu kon hij helemaal niets meer doen, hij nam niet langer actief deel aan wat er verder zou gebeuren, hij was alleen nog het slachtoffer, een speelbal. Machteloos wachtte hij tot Leskov uit zijn beschouwelijke stemming ontwaakte en binnen de tekst in ontvangst zou nemen die Perlmann's einde betekende. En hij moest dat wachten volhouden, ongeacht of het uren, dagen of jaren zou duren. Die vernedering had hij aan zichzelf te wijten, uitsluitend aan zichzelf. Maar dat inzicht was niet om uit te houden, hij kon er niet langer dan heel even alleen mee blijven, hij zou ontploffen als hij zich er helemaal mee in zichzelf zou opsluiten, zoals bij de verschrikkelijke logica van de zaak zou passen. Hij had iemand nodig die hem ontlastte, iemand die zou helpen in ieder geval een deel van zijn schuld te dragen, en zo sloeg het gevoel van vernedering om in pure haat jegens Leskov, die er nu eindelijk aan kwam met een dromerige en enthousiaste uitdrukking op zijn pafferige gezicht.

Hij raakte Perlmann's arm aan. 'Ik zal nooit vergeten,' zei hij, 'dat jij me hebt uitgenodigd naar deze schitterende plek te komen.'

Er was niemand in de hal toen ze over de glanzende marmeren vloer naar de receptie liepen. Perlmann zag de tekst al van verre, er was maar één sleutelvak waaruit een stapel papier stak. En nu viel de angst weer terug in zijn gebruikelijke vorm en Perlmann voelde zijn hart kloppen in zijn keel. Achter de balie stond niemand. *Ik loop er gewoon heen en pak die tekst zelf.* Die gedachte overweldigde hem, hij liet geen andere gedachte meer toe, geen afweging en geen tegenspraak. Snel liep hij om de balie heen en haalde de tekst uit het vak. Hij wilde hem juist oprollen om te voorkomen dat Leskov er een blik op zou werpen, toen achter hem signora Morelli zei: 'Neemt u mij niet kwalijk, signor Perlmann, dat ik u heb laten wachten.'

Perlmann verstijfde. De last van de gedachte die hem naar de tekst had doen grijpen, moest eerst minder worden voordat hij kon reageren.

'O, ik heb u laten schrikken,' zei signora Morelli. 'Dat was niet mijn bedoeling.' En nu, nu Perlmann zich naar haar had omgedraaid, zag ze het bloed op zijn kleren. '*Dio mio!*' riep ze uit en sloeg haar hand voor haar mond. 'Wat is er gebeurd?'

Perlmann keek langs zijn jasje naar beneden alsof hij zich op iets moest bezinnen wat hij allang was vergeten. 'O ja, dat,' zei hij toen op een toon alsof signora Morelli op een bizarre wijze elk gevoel voor verhoudingen had verloren. 'Ik had een beetje last van een bloedneus.' Hij rolde de tekst stevig op, zo krachtig alsof hij hem per buizenpost wilde versturen. 'Ik... ik wilde signor Leskov alvast zijn tekst geven.' Naast haar staand maakte hij over de balie heen een gebaar van voorstellen. 'Dit is professor Vasili Leskov, over wie ik u al heb verteld,' zei hij in het Engels.

'*Benvenuto!*' lachte ze en ze schudde verbaasd de hand die Leskov haar over de balie heen toestak.

Terwijl Perlmann met de tekst in zijn hand om de balie heen weer naar Leskov liep, had hij het gevoel dat hij met zijn zo-even getoonde tegenwoordigheid van geest het allerlaatste restje kracht had verbruikt. Voortaan zou hij nooit meer tot een prompte en adequate reactie in staan zijn, nooit meer. *En waarom nog al die moeite om het te verbergen. Als hij boven de tekst meteen begint te lezen, is alles over een paar minuten toch voorbij. En tot overmaat van ramp moet ik hem de tekst nog zelf overhandigen ook.*

Signora Morelli had Leskov het blok met aanmeldformulieren toegeschoven, en nu was hij druk doende met invullen. Hij reageerde geïrriteerd toen ze zei dat ze zijn pas even wilde behouden, en vroeg bezorgd wanneer hij hem terug zou krijgen, zijn visum zat er immers in. De signora stelde hem gerust, na het avondeten kon hij de pas weer terugkrijgen, het was allemaal slechts routine. Toen ze zijn kamersleutel van het bord haalde, stokte ze even, viste van helemaal achter in het vak een envelop tevoorschijn en overhandigde die aan Leskov. In de benedenhoek stond decent, in olijfgroene drukletters, de naam van de firma Olivetti.

'Signor Angelini heeft me verzocht u dit te overhandigen. U zult later bij het eten kennis met hem kunnen maken.' Met neergetrokken mondhoeken sloeg ze gade hoe Leskov de envelop betastte en hem toen met de stunteligheid van iemand die in verlegenheid is gebracht in zijn jaszak stopte. Toen sloeg ze op de bel om een piccolo te waarschuwen voor de bagage.

Nu was het zover. Perlmann stak Leskov de tekst toe. Het gebaar bezegelde zijn einde en ging vergezeld van de oorverdovende stilte van een nachtmerrie. Hij kreeg geen woord over zijn lippen, en hun blikken ontmoetten elkaar slechts vluchtig.

Leskov nam de tekst een beetje verstrooid in ontvangst, de piccolo had juist zijn koffer op de lorrie getild en hij scheen er niet veel vertrouwen in te hebben. Hij bukte zich naar zijn handkoffer en deed de ritssluiting van het buitenvak open. Het stukje elastiek bleef hangen. *Nu merkt hij het. Nu.*

'*Good evening*,' zei Brian Millar, die met Adrian von Levetzov naar hen toe was gekomen. Leskov richtte zich op, de tekst nog in zijn hand.

'Ik neem aan dat u Vasili Leskov bent,' zei Millar met zijn sonore stem. 'Het verheugt me met u kennis te maken.' Hij keek naar Leskov's hand. 'Zoals ik zie hebt u de tekst al gekregen.'

'Wat is er in godsnaam met u gebeurd?' riep Von Levetzov midden door de begroeting heen, en hij wees naar Perlmann's kleren.

'Philipp heeft onderweg een bloeding uit zijn neus gehad,' zei Leskov toen hij zag dat Perlmann erbij stond als een slaapwandelaar. Het was de eerste keer dat Perlmann hem Engels hoorde praten. De onbeholpen zin en de stroeve, nasale uitspraak kwamen als hoon op hem over. Het was alsof daarmee het spitsroeden lopen was begonnen.

Ze wilden nu niet langer storen, zei Von Levetzov en hij wees naar de wachtende piccolo. Ze zouden elkaar om halfnegen wel bij het eten zien.

De handkoffer met het open buitenvak stond intussen ook op de lorrie. 'Tot straks dan,' zei Leskov, zwaaide even met de tekst en volgde de piccolo naar de lift.

Perlmann keek hem na. Hij was nog nooit flauwgevallen. Nu zou hij willen dat het gebeurde, zodat hij dan niet langer het gevoel hoefde te verdragen van inwendig neerstorten en eindeloos vallen.

'U ziet warempel lijkbleek,' zei signora Morelli. 'Voelt u zich niet goed? Wilt u niet even gaan liggen?'

'Het is niets,' zei Perlmann en hij keek haar lang aan, zodat ze verlegen werd en naar haar kapsel tastte. *Ik moet het tegen iemand zeggen, voordat de anderen het te weten komen, waarom niet tegen haar, maar nee, dat is onmogelijk, wat moet zij beginnen met die bekentenis, en veranderen doet het immers toch niets.*

Ze stak hem zijn sleutel toe en trok een moederlijk gezicht, zoals hij nog nooit bij haar had gezien. 'Het was zeker een vermoeiende rit, van Genua hiernaartoe,' zei ze. 'Op maandag is er altijd veel verkeer, vooral veel vrachtwagens.'

'Ja,' zei Perlmann nauwelijks hoorbaar. Hij nam de sleutel aan en liep naar de lift.

Hij ging op bed zitten en liet zich achterovervallen. Zonet, toen hij de deur achter zich had gesloten en de ruime kamer voor zich had gezien, was er een moment van opluchting geweest: na de volle vier uur die hij bijna lijf-aan-lijf met Leskov had doorgebracht, was hij eindelijk weer alleen. Hij was een poosje blijven staan, tegen de deur geleund, en had van het opgeluchte gevoel genoten, in de wetenschap dat het een gestolen gevoel was, een leugen die elk moment door angst kon worden weggevaagd. Maar het was niet eens een kwestie van wegvagen geweest. Het wanhopige besef van zijn situatie was eerder van onderaf naar binnen gesijpeld, gestaag en onstuitbaar, en had alle andere gevoelens van kleur veranderd en ze vernietigd. Hij was naar de kast gelopen en had de sigaret waarnaar hij zo vurig had verlangd uit het haastig geopende pakje gehaald en tussen zijn lippen gestoken. Maar na twee trekjes had hij hem weer uitgemaakt.

Nu was er nog maar voor één gevoel plaats: het gevoel niet te weten waar hij heen moest met zichzelf. In gedachten kon hij zich op elke mogelijke plek, in elke hoek van het universum voorstellen – maar altijd ervoer hij precies hetzelfde: *Ik heb niet het recht hier te zijn.* Het kwam hem voor alsof hij elke ademhaling die hij deed op dat genadeloze, vernietigende besef moest veroveren. Er was een punt waarvan alles wat hij ervoer uitging en waarheen alles terugstroomde, het inwendige centrum dat hij voortdurend met zich meedroeg. Perlmann deed steeds opnieuw een poging zich in dat centrum terug te trekken en in de kern ervan vaste voet te krijgen om daarmee wat ruimte te scheppen tussen zichzelf en het allesoverheersende, allesbepalende gevoel van schuld en schaamte, een distantie die hem in staat zou stellen te zeggen: *Ik ben toch ook nog iets anders; jullie kunnen me toch niet alleen maar in het licht van deze ene misstap beoordelen.* Maar elke poging daartoe mislukte. Schuld en schaamte bleven hem achtervolgen, hoe hij zich ook wendde of keerde, ze volgden hem als een schaduw tot in het diepst van zijn wezen. Hij probeerde weg te duiken en telkens weer een stap achteruit en naar binnen te zetten, maar er was geen ontkomen aan. Hij zei tegen zichzelf, en duwde daarbij zijn vuisten tegen zijn slapen, dat hij toch ook een verleden had en dat daarin dingen waren die hij goed had gedaan. Maar ook dat had geen zin, de gevoelens die hem in een wurggreep hielden, lieten zich niets gelegen liggen aan dat appèl, aan die verdediging.

Uitgeput door alle vergeefse pogingen zich te handhaven kwam het hem schier onmogelijk voor ook de volgende seconde door te komen, die bovendien eindeloos op zich liet wachten. En dat was iets heel anders dan de zich almaar uitdijende tijd vol angst en onzekerheid, die voorafging aan een beslissing. In zo'n geval had die uitdijende tijd een doel, je wist dat de spanning op een bepaald moment zou ophouden, zelfs als het niet goed afliep, en dat je daarna weer terecht zou komen in de normaal verlopende tijd, in een normaal tempo. Nu was er geen doel en geen onzekerheid meer, en daarom was er ook geen hoop meer dat hij zich binnenkort weer zou kunnen overgeven aan de vanzelfsprekendheid en de onopvallendheid van de gestaag verstrijkende tijd. Zijn particuliere tijd voorbij elk gevoel van tegenwoordigheid, dat gisterochtend was voortgekomen uit zijn voornemen een moord te plegen, was ergens achter in de tunnel in het niets opgelost, en hij verlangde ernaar om naar de gewone, de gedeelde tijd terug te keren. Ook dat was nu echter niet meer mogelijk: die tijd leidde immers naar een open toekomst, maar voor hem bestond die open toekomst niet meer. De ontdekking van het bedrog door de anderen sloot zijn tijd in zekere zin af, metselde die dicht, beëindigde die als iets in het verloop waarvan zijn eigen beleving zich kon ontwikkelen. De tijd was nu alleen nog maar dit: een reeks trage, eeuwigdurende momenten zonder mogelijkheden. Elk van die momenten moest hij in zijn pure vergaan laten passeren, het ene moment na het andere, in alle eeuwigheid en zonder enige hoop. Het was de hel.

Het liefst was hij in een diepe bewusteloosheid geraakt waarin geen belevingskern meer was en daardoor ook niemand meer wiens aanwezigheid onrechtmatig was. Maar over een minuut kon Leskov bellen of aankloppen. Hij was verstrooid geweest toen hij de tekst aannam; maar intussen was hij op zijn kamer en hoefde zich geen zorgen meer te maken om zijn bagage. Misschien nam hij eerst een douche, kleedde zich om en keek nog eens uit het raam naar de baai. Het was ook mogelijk dat hij zenuwachtig was vanwege het avondeten met de collega's en de tekst voorlopig gewoon terzijde had gelegd. Maar het was evengoed mogelijk dat hij al in de lift een eerste blik op de tekst had geworpen. De gewijzigde titel had hem dan heel even op het verkeerde been gezet, en ook verder had hij de tekst niet meteen hoeven herkennen als de zijne, hij was in het Engels en dus vervreemd. Maar niet veel later was hij met stomheid geslagen, vervuld van een ongeloof dat slechts langzaam oploste terwijl hij doorlas, tot het vage gevoel van vertrouwdheid met de tekst veranderde in zekerheid. *Dat kon op dit moment gebeuren. Exact nu.*

Onderweg had Perlmann zich voorgesteld dat Leskov al op dit moment de volle waarheid zou kennen. Maar, dacht hij nu, dat lag toch niet voor de hand. Omdat Perlmann's naam er niet op stond, zou Leskov geen moment aan plagiaat denken. Hij zou in plaats daarvan aannemen dat Perlmann voor een perfecte verrassing had gezorgd, door hem tijdens de autorit eerst te vertellen dat de Russische tekst bij nader inzien veel te moeilijk voor hem was, om hem vervolgens hier zonder commentaar de vertaling die hij ervan had gemaakt, te overhandigen. Hij zou zich gevleid, wellicht bijna overweldigd moeten voelen bij de voorstelling dat een man als Philipp Perlmann zoveel tijd had besteed aan de vertaling van een dergelijke omvangrijke tekst. Perlmann moest het artikel dus wel erg de moeite waard vinden, voortreffelijk zelfs, anders was het niet te verklaren. Opgewonden en dankbaar zou Leskov de telefoon pakken of naar zijn kamer komen. Perlmann kon hem al bijna horen aankloppen. Of het ging Leskov nu door het hoofd hoe spijtig het was dat het niet een vertaling was van zijn andere, veel betere versie. Hij tastte in het open buitenvak van zijn koffertje en verstijfde. Hij begreep er niets van en doorzocht de hele koffer, steeds weer. Maar argwaan koesterde hij niet, integendeel, opnieuw was hij Perlmann uitermate dankbaar voor het geschenk, want nu kon hij in ieder geval de eerste versie presenteren. En alweer meende Perlmann Leskov's stappen in de gang al te horen.

Hier kon hij niet blijven. Hier zou hij zich doof moeten houden en het geluid van de telefoon of het kloppen op de deur angstig moeten negeren. En Leskov zou het lang volhouden en het steeds opnieuw proberen, want signora Morelli zou hem verzekeren dat Perlmann zijn kamer niet had verlaten. Hij stond op, en zonder het echt in de gaten te hebben, was hij blij dat hij nu even een doel had, ook al was het nogal vaag.

Hij trok zijn schoenen uit, en nu pas, nu hij ze niet meer voelde knellen, drong het tot hem door dat zijn tenen al urenlang pijn deden en door de doffe pijn een gevoelloze klomp waren geworden. Maar voor een massage van zijn tenen had hij geen tijd. Haastig trok hij een andere broek aan. Hij stond op het punt zijn schone overhemd erin te stoppen toen hij merkte dat hij de broek met de gescheurde pijp had aangetrokken. Nu had hij alleen nog maar een lichte broek, zelfs in het zuiden veel te dun voor een avond in november. Voor een riem was geen tijd, Leskov was al onderweg, een trui en een jasje, gelukkig had hij 's ochtends niet de code van het slot gewijzigd, geld, reischeques en creditcards, sigaretten, nog een beetje koud water in zijn gezicht, het doosje met slaappillen, hij stopte het allemaal in zijn broekzak, zonder er verder bij stil te staan, als in een reflex. Pas toen hij op de drempel stond keek hij op zijn horloge: twee minuten over half negen. Hij deed de deur weer dicht. Minstens vijf minuten moest hij wachten, anders liep hij mogelijk de anderen tegen het lijf.

Dus had Leskov de tekst nog niet gelezen. Of hij was van plan hem bij het eten voor de vertaling te bedanken, luid en voor iedereen duidelijk hoorbaar. Toen Perlmann naar het raam liep, zag hij op het bureau het briefje liggen met het adres van Kirsten. Het was verschoven, en ook de rode aansteker op de ronde tafel lag anders dan vanochtend. Het kamermeisje.

Op zijn laatst nu namen ze allemaal aan tafel plaats. Leskov was onrustig en ondanks zijn dankbaarheid een beetje geïrriteerd dat zijn gastheer er nog niet was om hem te introduceren. Millar wond zich erover op dat Perlmann het opnieuw liet afweten, in ieder geval vandaag had hij toch eens op tijd moeten zijn. Hij aarzelde niet plaatsvervangend de rol van *host* op zich te nemen – Perlmann hoorde hem dat woord uitspreken, zelfingenomen en beschuldigend. Maar wie weet was Angelini hem te snel af geweest en had hij met geroutineerde charme de regie op zich genomen.

Perlmann verschoof Kirsten's aansteker een stukje en legde het papiertje met haar adres recht. Hij had juist de deur opengedaan toen het hem te binnen schoot: *de tekst.* Hij moest de tekst laten verdwijnen die hij vanochtend onder het telefoonboek had gelegd. Die gedachte was niet het resultaat van nadenken, geen gevolgtrekking uit iets anders, hij was er opeens, en met hem de onweerstaanbare drang zich van die papieren te ontdoen. Hij haalde ze uit de lade van het bureau. Zijn adem ging sneller, waar moest hij ze laten, zo zichtbaar kon hij er niet mee door het hotel lopen. Zijn koffer lag nog in de auto. Uiteindelijk stopte hij de papieren tussen de omslagen van de grote infomap van het hotel bij de menukaart, de folders en het briefpapier. Met zijn hand op de deurklink draaide hij zich nog een keer om: wat er verder ook gebeurde, deze kamer zou hij nooit meer betreden. Hij had geen idee wat er van zijn spullen terecht zou komen, zijn kleren, zijn boeken en papieren – waar ze heen zouden worden gebracht en door wie. Hij wist alleen dit: hier, in dit hotel, zou hij nooit meer iemand onder ogen komen.

Toen hij de deur in het slot liet vallen, ging binnen de telefoon. *Ze zijn begonnen me te zoeken.* Ongezien verliet hij het hotel door de achteruitgang.

39

Achter de uitstekende rotspunt, waar je de weerschijn van de lichtjes van de stad niet meer kon zien, werd het al snel donker, en het stille zwarte vlak van het water leek heel bedreigend. Aan de overkant van de baai, bij Sestri Levante, gleed een eindeloze reeks autolichten voorbij, en veel verder weg zag hij een schip met op de boeg een licht dat ritmisch knipperde. In de lange pauzes tussen de af en toe passerende auto's luisterde hij naar het zachte kabbelen van de golfjes. De uitputting, die hem gevoelloos maakte, hielp hem aan niets te denken. Eén keer schrok hij toen een innig omstrengeld jong stel hem passeerde. En nu pas, nu de hotelmap bijna over de balustrade gleed, besefte hij hoe absurd, hoe compleet krankzinnig het was geweest zijn exemplaar van Leskov's tekst het hotel uit te smokkelen, terwijl de anderen immers allemaal een exemplaar in handen hadden. 'Nu verlies ik ook nog bij de simpelste dingen het overzicht,' zei hij hardop, en het beangstigende gevoel besloop hem dat hij zijn gedachten niet meer onder controle had en dat zijn denkvermogen hem ontviel.

Hij begon het koud te krijgen. Verder lopen in de richting van Portofino was onmogelijk, daar waren de kat met de rossig-witte snoet en de waard met bretels, die op de kamerdeur trommelde. Bovendien was het in die richting donker, donker en koud. Perlmann liep aarzelend terug naar de uitspringende rots, de map onder zijn arm, zijn handen in zijn zakken. Hij keek naar de hotels en verder naar de stad en haar lichtjes als iemand die op de drempel naar een verboden wereld staat.

Hotel MIRAMARE zag eruit als op een reclamefolder, elegant, het licht van de zuilengalerij en het licht van de schijnwerpers in de pijnbomen verleenden het iets geheimzinnigs, verlokkends, verleidelijks, en dan ook nog die witte neonletters op de pauwblauwe achtergrond – filmbeelden, droombeelden. De voorste ramen van de eetzaal waren door de zuilen die ervoor stonden van hieruit niet te zien, maar door de achterste ramen zag hij een kroonluchter.

Hij kon niet naar die glitterwereld toe, en ook niet terug naar het donker. Hij had het gevoel dat hij nooit meer een stap kon zetten, alsof hij gedoemd was voor altijd op deze plek te blijven staan.

Voor hotel REGINA ELENA stopte een taxi; de chauffeur hielp een oude vrouw bij het uitstappen. Perlmann begon te rennen alsof het om de laatste taxi op aarde ging. De map zat hem in de weg, het omslag werd door de dikke stapel papier uit elkaar geduwd, hij zwaaide en riep. Toen hij buiten adem aankwam, had de chauffeur de motor al gestart. Hij stapte achter in en zei dat hij naar hotel IMPERIALE wilde. Toen ze langs het MIRAMARE reden, verborg hij zijn hoofd achter de hotelmap en kwam zichzelf daarbij voor als in een tweederangskrimi vol kitsch en clichés. Op de oprit van het IMPERIALE schoot hem te binnen dat hij het hotel niet binnen kon gaan met een map in zijn hand waarop met grote gouden letters MIRAMARE stond. Hij haalde de tekst eruit en schoof de map onopvallend onder de passagiersstoel.

De zithoek bij het raam, waar hij met Kirsten had gezeten, was bezet door een paar elegant geklede gasten die iets te vieren hadden, champagne dronken en op het moment waarop Perlmann binnenkwam hard lachten. Hij ging in de donkere hoek zitten, waar de lamp blijkbaar kapot was, en bestelde een whisky en een flesje mineraalwater. Kirsten was ervan onder de indruk geweest dat er hier een ober was die de lange weg van de bar naar hier aflegde om hen te bedienen. *Je komt jezelf zo belangrijk voor, en rijk*, had ze gezegd, en hij had aan haar kunnen zien dat de geneugten van het mondaine leven, waarvan ze nu de smaak te pakken kreeg, in conflict raakten met andere opvattingen waarvan ze al langere tijd iets liet doorschemeren en die typisch waren voor haar generatie.

Hij legde Leskov's tekst met de beschreven kant naar beneden op het lage marmeren tafeltje en stak een sigaret op. Na de twee pakjes die hij vandaag had gerookt voelden zijn longen vuil en plakkerig aan; zonet in de taxi had de droge hoest hem erg pijn gedaan en hij had bijna niet meer op kunnen houden. Maar dat was nu niet meer van belang. Honger had hij niet, maar hij had een flauw gevoel in zijn maag en een vreemde, ongekende zwakheid in zijn hele lichaam gaf hem het merkwaardige gevoel dat hij in de diepe pluchen fauteuil met de hoge armleuningen niet op zijn gemak was. Toen de ober de drankjes bracht, bestelde hij een belegd broodje. Hij zou het alleen met de grootste moeite op kunnen eten. Maar hij moest echt even iets tot zich nemen.

Nooit eerder was het hem overkomen dat hij op zo'n manier geen flauw idee had hoe het de komende minuten met zijn gedachten, als die tenminste nog zouden komen, verder zou gaan. Het was geen blindheid, geen kortzichtigheid, maar het gevoel van uitzichtloosheid die op zijn fantasie neerdaalde als meeldauw, haar bedekte met een ondoorzichtig, ondoordringbaar wit en haar volledig verlamde. En toch: nu, aan het einde, uit puur lichamelijke zwakte een fout maken, dat wilde hij niet.

Vijf minuten voor half tien. Nu wisten ze het allemaal. Tijdens het eten hadden ze over de zitting van morgen gepraat, en Leskov had willen weten of er een tekst van Perlmann was; tijdens de autorit, had hij gezegd, was hij vergeten hem ernaar te vragen. Millar had hem verbaasd aangekeken. Hij had een exemplaar van Perlmann's tekst in zijn vakje laten leggen, had hij gezegd, en hij, Leskov, had die immers in zijn hand gehad toen ze elkaar begroetten. Nee, nee, had Leskov verbaasd geantwoord, dat was een heel andere tekst, dat was de verrassing die Perlmann hem had bezorgd: de Engelse vertaling van een tekst van hemzelf. Hij was totaal perplex geweest bij die ontdekking, had hij gezegd, wat een enorme inspanning had Perlmann zich getroost, hij kon het eigenlijk nog steeds niet geloven. Wat een overweldigende vriendelijkheid! Ook leek het een voortreffelijke vertaling te zijn; alleen met de titel had Perlmann zich vreemd genoeg vergist. Hij was hem speciaal dankbaar omdat hij hun nu allemaal iets schriftelijks ter hand kon stellen, vooral omdat er iets verschrikkelijks was voorgevallen doordat hij een andere tekst, die hij hier had willen presenteren, namelijk de nieuwe versie van de door Perlmann vertaalde tekst, thuis in Sint-Petersburg had laten liggen, hoewel hij had durven zweren dat hij hem bij zich had gestoken. Maar dat was nu niet zo erg, had hij verder gezegd, hij kon de veranderingen ten opzichte van de eerste tekst mondeling toelichten. Morgen zou hij er meteen voor zorgen dat er kopieën werden gemaakt, als voorbereiding op de zitting van donderdag, als het zijn beurt zou zijn, zoals Perlmann had gezegd.

Eerst, dacht Perlmann, was er een stilte gevallen. Evelyn Mistral had opeens begrepen waarom hij zijn kennis van het Russisch geheim had willen houden. Hij zag haar lachende gezicht voor zich toen ze had verteld dat ze van zijn geheim wist. De verwarring was pas iets later ontstaan, toen het tot haar was doorgedrongen dat die geheimhouding niet echt logisch was: als hij Leskov had willen verrassen, waarom hadden de anderen het dan niet mogen weten? En als zijn geheimzinnige gedoe erop gericht was geweest Leskov bij zijn aankomst te verrassen, waarom had het dan al weken vóór het telegram gespeeld, toen hij nog helemaal niet kon weten dat Leskov alsnog zou komen? Maar tot die vragen was het toen niet eens meer gekomen.

Het was Achim Ruge, stelde Perlmann zich voor, die de doorslaggevende, allesvernietigende vraag had gesteld. Hij had hem heel nuchter gesteld en hij had – als een teken van zijn gespannen voorgevoel – zijn Zwaabse accent zwaar aangezet: hoe de titel luidde van Perlmann's foutieve vertaling? THE PERSONAL PAST AS LINGUISTIC CREATION, zei Leskov. Een ernstige en zelfs onbegrijpelijke vertaalfout, maar wel een mooie titel, veel mooier dan zijn eigen titel, en heel treffend. Hij zou Perlmann vragen of hij die titel voortaan mocht gebruiken, vanzelfsprekend keurig onder verwijzing naar hem.

Het was heel stil geworden aan tafel, dacht Perlmann, griezelig stil. Hij zag hoe de anderen ophielden met eten en naar hun bord staarden. Ze wisten niet wat ze hoorden; wat uit die mededeling volgde was te verschrikkelijk. Ze keken elkaar aanvankelijk niet aan, ieder voor zich vroeg zich af of er niet een andere, een onschuldiger verklaring was.

'U bedoelt dus,' had Millar na een poosje langzaam en dreigend gevraagd, 'dat de tekst met de titel THE PERSONAL PAST AS LIN-

GUISTIC CREATION een tekst is die door u is geschreven en die uiteindelijk door Perlmann is vertaald?'

'Eh... ja, zo is het,' had Leskov onzeker geantwoord, in verwarring gebracht en gealarmeerd door Millar's toon en de hakkende, stekende bewegingen die hij tijdens het spreken met zijn mes maakte.

De stilte die toen viel, moest verpletterend zijn geweest.

'Dat is niet te geloven,' had Millar gemompeld, 'gewoonweg niet te geloven.' Toen hij Leskov's vragende blik opving, ging hij verder: 'Ziet u, Vasili, het is helaas een feit dat wij allemaal, ieder van ons, een kopie van exact die tekst hebben gekregen. Weliswaar staat Phil's naam er niet op, maar we moesten aannemen dat het zijn bijdrage voor de zitting van morgen is. Hij heeft geen andere tekst van zichzelf rondgedeeld en ook verder niets gedaan om ons duidelijkheid te verschaffen. En daar komt nog bij,' zou hij eraan hebben toegevoegd, 'dat de tekst is verspreid op een moment dat nog niemand op de hoogte was van uw komst, ook hij niet. Dat noopt ons aan te nemen dat Perlmann ons heeft willen bedriegen door uw tekst als de zijne uit te geven. Plagiaat dus. *Plagiarism.* Het is niet te bevatten; maar er is geen andere verklaring voor. En nu hoeven we ons er ook niet meer over te verbazen dat hij niet is komen opdagen voor het eten.'

Het duurde eindeloos voordat Perlmann de eerste hap van zijn broodje had weggewerkt. Hij kauwde en kauwde, elke beweging van zijn kaken was een inspanning, de zalm en het ei smaakten naar niets, en de barrière die zich voor zijn slokdarm had gevormd, kon hij uiteindelijk alleen overwinnen door met gesloten ogen en met enorme kracht te slikken. Natuurlijk, het was Millar die het had uitgesproken. Perlmann voelde de oude haat oplaaien en zijn wanhoop kleurde die haat donkerder dan ooit. Hij legde het broodje weer op het bord en dronk met kleine slokjes zijn whisky.

Leskov's gezicht van na de openbaring van de waarheid durfde hij zich niet voor te stellen. Na de eerste schok was hij koortsachtig aan het nadenken geslagen. Al die dingen die hem tijdens de autorit waren opgevallen, kon hij zich opeens weer herinneren en vormden nu een patroon: Perlmann's irritatie op de luchthaven; zijn nervositeit achter het stuur, zijn zwijgzaamheid; de merkwaardige route; dat hij zich niet goed had gevoeld; zijn krankzinnige rijgedrag in de tunnel en de vage verklaring erna. Bewijzen kon hij niets, ook al had hij constant op hem gelet. Er was niet één verkeerde beweging geweest, niets wat onmiskenbaar en onweerlegbaar op een poging tot moord had geleken. Dat iemand op het moment waarop het erom ging een brede wagen door een nauwe opening te sturen, zijn handen van het stuur nam en zijn ogen dichtdeed, was onvoorzichtig, riskant en nog onverantwoordelijker dan het te snelle rijden. Ook was het, oppervlakkig gezien, onbegrijpelijk en het duidde op een duister punt in de persoonlijkheid van de bestuurder. Maar er was geen aanwijzing, geen spoor van een bewijs voor een moord met voorbedachten rade. Dat zag Leskov wel in, en daarom zou hij het aan niemand vertellen; een dergelijke beschuldiging zou absoluut ongehoord zijn. Ook onder vier ogen kon hij hem niet beschuldigen. Hij kon niet bewijzen dat het verhaal over het zich niet lekker voelen en de verklaring met zijn panische angst voor bulldozers, sluwe leugentjes waren. En toch was Perlmann er heel zeker van dat Leskov vanavond, *nu, op dit moment*, alles wist. Het was volstrekt uitgesloten die man, die hem als zijn moordenaar zou beschouwen, ooit nog onder ogen te komen.

Toen Perlmann's hand per ongeluk langs de tafelrand gleed, raakte de pleister om zijn vinger los. Nu pas merkte hij dat de vinger helemaal gezwollen was. Rond de plek van de bloeduitstorting was hij geel en groen, de huid stond strak gespannen en was heel warm. En nu had hij ook weer jeuk op zijn hoofd. Hij haalde het doosje met slaappillen uit zijn zak, hield het onder zijn jasje, keek verstolen om zich heen en haalde er een pilletje uit. Na een korte aarzeling brak hij het doormidden en slikte de helft door, samen met de helft van het flesje mineraalwater.

Ze zouden morgen allemaal zwijgend op hem zitten te wachten als hij de Marconi-veranda betrad.

'Jullie hebben nu allemaal die tekst gekregen,' zou hij glimlachend kunnen zeggen. 'Ik hoop dat jullie hem niet per abuis voor mijn eigen tekst hebben gehouden, hoewel mijn naam er niet eens op staat. Intussen weten jullie ongetwijfeld dat het een tekst is van onze Russische collega, die ik heb vertaald. Ik heb hem laten ronddelen omdat hij als uitgangspunt moet dienen voor het betoog dat ik nu wil houden. Het is een gelukkig toeval dat Vasili er nu zelf bij kan zijn. Ik heb er hoge verwachtingen van.'

Het was blufpoker. Perlmann werd duizelig bij de voorstelling ervan, en die duizeligheid versmolt met de werking van de halve slaappil die hij nu begon te voelen. Ze zouden er geen woord van geloven, geen woord. Ze wisten dat hij een bedrieger was, een charlatan, en nu leerden ze hem ook nog als een koelbloedige leugenaar kennen. Hij zou niet de kracht hebben hun minachtende blikken zo lang met uitdagende hardheid te pareren tot ze onzeker werden. Onzeker zouden ze hooguit worden wanneer hij vervolgens een zeer origineel, briljant betoog zou houden. Maar hij had immers niets te zeggen, helemaal niets. Hij zou voor de groep staan als iemand die zwijgend naar lucht snakt.

Of moest hij tegenover de collega's gaan zitten en in karige bewoordingen en met een versteend gezicht de waarheid vertellen? Met welke woorden moest hij dat doen? Hoeveel zinnen zou hij daarvoor nodig hebben? En als hij alles had gezegd: wat dan? Kon je voor iets dergelijks je verontschuldigingen aanbieden? Was het niet bijna honend om domweg te zeggen: '*I am terribly sorry*'? En dan? Opstaan en weggaan? Waarheen?

Kon je verder leven na zo'n debacle? Echt leven en je innerlijk ontwikkelen, en niet een bestaan in de schaduw moeten leiden, een soort van volhouden en overleven, een soort vegeteren? Hij zou een mogelijkheid moeten zoeken zich volstrekt onafhankelijk te maken van zijn behoefte aan erkenning door de anderen. Vrij worden, werkelijk vrij. Opeens voelde Perlmann zich rustiger. De golven van paniek en wanhoop bedaarden, hij had het gevoel vlak voor een beslissend, verlossend inzicht te staan, het belangrijkste inzicht van zijn hele leven. Waarom zou het eigenlijk niet mogelijk zijn zich helemaal terug te trekken uit zijn professie, uit zijn openbare identiteit, zich helemaal terug te trekken in de private, werkelijke persoon die hij was, in de identiteit waar het uiteindelijk op aan kwam?

Op de keper beschouwd was het toch vooral zijn plezier in vertalen, zijn oude liefde voor het heen en weer springen tussen taalwerelden, zijn tolkendroom dus, die hem telkens weer naar Leskov's tekst had doen grijpen. Zo was het gegaan, daar was toch niets ergs aan, daar kon hij voor uitkomen. Geen moment was het zijn bedoeling geweest de anderen te bedriegen, noch bewust noch als een verborgen onderstroom. Dat wist hij absoluut zeker, dat was zo, dat hoefde hij zichzelf niet aan te praten. En de rest – de rest was gewoon noodweer. Hij had Leskov's tekst als een schild voor zich uit gedragen, als bescherming tegen de opdringerige blikken van de anderen, tegen hun eeuwige, altoos dezelfde, gemakkelijk voorspelbare verwachtingen, waarmee werd gedaan alsof mensen zich lineair ontwikkelden en zonder breuken – alsof een geslaagd leven eruit bestond aan een vroeg, veel te vroeg vastgelegde beroepskeuze, die die naam bovendien nauwelijks verdiende, in totale identificatie, dus zonder enige distantie, tot aan je pensioen vast te houden. *Wat wil je later worden, je moet iets worden, wat is er van hem geworden* – dat waren de zinnen waarmee zijn ouders hem zowel bij het middageten als het avondeten tal van keren hadden lastiggevallen, en ze waren tot grote diepte tot hem doorgedrongen, dieper dan wie of wat ook. Het waren zinnen die nooit ter discussie hadden gestaan, ze kwamen met een hypnotische vanzelfsprekendheid, en door hun monotone, ongereflecteerde herhaling waren ze een fermate geworden, een constante grondtoon die met zijn duivelse onopvallendheid zo allesomvattend en bepalend was dat je er ook later geen idee meer van had hoe je leven er zonder die grondtoon uit zou zien.

Je moet iets worden, anders ben je niets. Zo luidde het axioma in zijn perfide eenvoud en eenduidigheid. Hij zou het oppakken, dat onontkoombare axioma, dacht Perlmann, hij zou al zijn krachten vergaren, ook de krachten uit de verste uithoeken van zijn ziel, en dan zou hij het met die gebundelde krachten net zo lang buigen tot het brak. Wat hij was geworden, een hoogleraar die in aanzien stond, gelauwerd en wel en met een uitnodiging van Princeton, dat was hij vanaf vanavond niet meer, dat was vernietigd. Maar daarom was hij nog lang niet niets. Er bleef nog veel van hem over, nog heel veel, en daarvan hadden de anderen geen idee. Daarin zou hij zich nestelen, en dan was het van belang zijn ziel helemaal rond te maken en met was te bekleden, zodat alles ervan af zou glijden en druppelen, ook de vijandige blikken van de anderen. Hij zou kaarsrecht, met opgeheven hoofd, over straat lopen.

Het was een bevrijdende gedachte. Maar ze was nog nieuw en

dreigde hem daarom, ook al was hij nog maar net gevormd, al weer te ontglippen. Hij zou hem nog vaak moeten herhalen en hem als het ware inwendig moeten opvoeren, totdat hij vast verankerd was.

Perlmann nam de andere helft van de slaappil uit het doosje en nam die met de rest van de whisky in. De huid van zijn vinger stond nu niet meer zo strak, en de jeuk op zijn hoofd was minder geworden. Hij at het broodje op. Hij had weer een toekomst. In de diepe fauteuil voelde hij zich behaaglijk en het beviel hem dat hij de melodie die in de bar werd gespeeld meteen herkende. Het belangrijkste was de proporties niet uit het oog te verliezen. Wat maakte het vanuit het standpunt van de eeuwigheid gezien nou uit of die drieënzeventig pagina's, die uiteindelijk volkomen onbelangrijk waren, uit zijn pen waren gekomen of uit de pen van Leskov? Wie maakte zich daar nou druk over? Er waren legio melkwegen aan het firmament, en daarachter nog veel meer melkwegen, eindeloos, en hier, op dit kleine stukje aarde, gekerkerd in hun betekenisloze kleine leven dat over enkele tientallen jaren volledig vergeten zou zijn, maakten mensen het leven tot een hel vanwege een handjevol letters. Het was ridicuul, domweg ridicuul. Perlmann probeerde zich voor te stellen hoe het samenleven van de mensen eruit zou zien als ieder zichzelf en de anderen altijd vanuit het standpunt van de eeuwigheid zou bekijken. Maar dat lukte hem niet zo goed, hij kreeg niet goed greep op de vraag en hij liet hem telkens door zijn vingers glippen. Maar wat deed het er ook toe. Hoofdzaak was de juiste proporties niet uit het oog te verliezen. De juiste proporties. De proporties.

Toen hij, door de ober aangesproken, uit zijn halfslaap opschrok, was het vijf voor elf, en er was verder niemand meer. Hij wilde zo gaan sluiten, zei de ober, of meneer nog een wens had. Hij bestelde mineraalwater. Hij had een droge mond en een dikke, logge tong. Van wat er het afgelopen uur was gebeurd, had hij geen idee meer. Hij had het koud. Hij wist niet meer wat te doen. Niets. Vier slaappillen had hij nog. Dat was niet genoeg. Hij pakte de tekst en liep naar buiten, zonder op de ober te wachten en zonder te betalen.

De koele nachtlucht maakte hem duizelig, maar deed hem ook goed. Op weg naar beneden, naar het grote plein, zag hij in een zijstraat een vuilniscontainer staan. Die scheen bij een hotel of een restaurant te horen, want uit de ventilator erboven kwamen keukenluchtjes en hij hoorde het gerammel van vaatwerk. Op een berg aardappelschillen na was de bak leeg. Het was nu al de derde keer dat hij een tekst weggooide. Hij was er goed in, het kwam hem voor alsof hij al weken met niets anders bezig was geweest. Maar deze keer was het iets bijzonders. Deze keer was het totaal zinloos. Het was alsof iemand zijn exemplaar van een krant vernietigde in de hoop dat een bericht zich niet verder zou verspreiden.

Perlmann legde zijn armen op de rand van de vuilniscontainer en begon zachtjes te lachen. In de hoop er opgelucht van te geraken, probeerde hij die lach zo lang mogelijk vast te houden en van binnenuit op te drijven, maar het was een hysterische lach, die spoedig verstikt raakte en ophield. De stapel papier viel met een plof op het afval.

Op de Piazza Vittorio Veneto hield hij een taxi aan en liet zich naar hotel REGINA ELENA rijden. Hij vroeg de chauffeur op een donkere plek net voorbij het hotel te stoppen. Hij bladerde door zijn stapel bankbiljetten en gaf de man toen het grootste, een biljet van honderdduizend lire. 'Houdt u de rest maar,' zei hij.

'*Ma no, signore*,' stotterde de chauffeur, 'dat kan ik niet aannemen. Ziet u niet wat u mij hebt gegeven?' Hij hield het biljet vlak onder het lampje aan het plafond.

'Het is goed zo,' zei Perlmann en stapte uit.

Hij ging helemaal vooraan op het muurtje rond de smalle strook zand voor de hotelgasten zitten en legde de slaappillen naast zich. Met kleren en al het water in lopen en de baai in zwemmen, almaar verder, tot hij geen kracht meer had. Sinds die dag in het overdekte zwembad was het altijd een drama geweest als hij bij het zwemmen met zijn hoofd onder water kwam. Maar de pillen zouden hem helpen. Hij zou er niet veel van merken en al snel het bewustzijn verliezen.

Een golf van door de pillen veroorzaakte moeheid overviel hem, en toen was er leegte. Hij was blij dat het strand niet verlicht was. Hij kon nog maar heel langzaam denken en raakte steeds vaker de draad kwijt.

Het was een niet-theatrale, geruisloze manier om uit het leven te stappen. Geen toeschouwers, geen opwinding na een enorme knal. Morgen zou een politieboot hem uit het water vissen. Dat was alles. Het paste bij zijn wens zonder opzien te baren uit de wereld te verdwijnen. Hij wou dat hij op magische wijze ook nog kon bereiken dat alle sporen die hij in de hoofden van de anderen had achtergelaten, werden uitgewist.

Een zelfmoord als in een leerboek, dacht hij, bijna klassiek: een man die geen andere mogelijkheid meer ziet aan de schande te ontkomen. Achtenveertig uur geleden, nadat hij vanaf zijn balkon naar beneden had gekeken, had hij die oplossing verworpen. Toen had de gedachte aan het oordeel van de anderen hem ervan weerhouden naar beneden te springen. Maar op dat moment leek er nog speelruimte te zijn voor andere oplossingen, op dat moment kon hij nog dingen bedenken die zijn ontmaskering konden voorkomen. En die vermeende speelruimte had een standpunt geschapen van waaruit er nog iets af te wegen en te verwerpen viel. Nu als enige mogelijkheid het zwarte water hier voor hem was overgebleven, had hij, nu hij aan de anderen dacht, een nieuwe, merkwaardige ervaring. Eigenlijk was die te gecompliceerd voor zijn zware hoofd, en tussendoor hield dan ook alles op, als bij een film die breekt. Toen begon hij in zijn dunne broek op de koude stenen des te heviger te bibberen. Toch kwam hij telkens weer op die ervaring terug, hij probeerde haar in te kapselen en slaagde er uiteindelijk in er exacter en betrouwbaarder de vinger op te leggen.

Het was de ervaring van een onverwachte, innerlijke losmaking. Hij moest zich op een van de gevreesde personen concentreren, op het gezicht, maar meer nog op wat er om die persoon heen gebeurde, op het soort situatie dat die persoon door zijn aanwezigheid schiep. Waar het vervolgens op aankwam was de bedreigende en bijna ondraaglijke gevoelens niet uit de weg te gaan die in hem opkwamen als hij aan het oordeel dacht dat die persoon daarginds in de verlichte hotelkamer zich intussen over hem had gevormd, een oordeel dat morgen, nadat ze hem hadden gevonden, misschien nog zou worden aangevuld met het idee van lafheid. Het ging erom die gevoelens zonder verzet toe te laten en ze met gedisciplineerde rust stand te laten houden. Na enige tijd gaf de betreffende persoon dan zijn dreigende, deprimerende nabijheid op en begon zich terug te trekken. De gebutste ziel werd weer rond, de nare gevoelens losten langzaam op, en hij was vrij. Het was een etherische en wankele vrijheid die daardoor ontstond, en een ongrijpbare tegenwoordigheid waarbij je op de punt van een naald leek te balanceren. Hij bevond zich op de smalle strook niemandsland tussen het leven dat achter hem lag en dat met de anderen verbonden was geweest, en het donker vóór hem, waarin geen leven meer zou zijn. Op die manier vrij zijn had een vorm van geluk kunnen zijn als daar vóór hem niet het zwarte water was, dat met elke stap hoger zou komen. En zonder dat water, dat voelde hij heel duidelijk, zou die vrijheid er niet zijn. Draaide hij zich nu om en liep hij weer in de richting van het land, dan zou die ogenblikkelijk vervlogen zijn, en de anderen zouden hem onder hun blikken begraven.

Het enige gezicht dat zich maar niet terug wilde trekken, was dat van Kirsten. Integendeel, hoe langer hij haar voor zich zag, des te moeilijker werd het haar los te laten. Hij had niet meer de gelegenheid gehad het haar uit te leggen. Het bericht van zijn zelfmoord en daarna het bericht over zijn bedrog zou een enorme klap voor haar betekenen. Die twee berichten zouden voor haar stijf en stom naast elkaar staan: hij had bedrog gepleegd, en toen dat bedrog was uitgekomen, was hij het water in gelopen. Het zou klinken als het verhaal over een ondergeschikte die een greep in de kas heeft gedaan.

Het was zo schamel, zo ongelooflijk schamel, dat bekende verhaal, dat in zijn beknoptheid nooit klopte, ook niet bij ondergeschikten. Wellicht zou Kirsten in de gaten hebben dat het verhaal ook bij hem niet klopte. Maar ze had geen mogelijkheid vanuit zichzelf op het ware verhaal te komen, zelfs niet in de buurt ervan. Hij had tegen haar nooit gezegd dat zijn beroep hem dreigde te ontglippen. Of met haar over mislukte pogingen gesproken zichzelf af te bakenen. Of over zijn omgang met talen, en dat die een poging was af en toe een glimp op te vangen van de vluchtige tegenwoordigheid der dingen. Dat waren kleine dingen, die je iemand van haar leeftijd niet kon uitleggen. In ieder geval had hij dat altijd aangenomen.

Maar misschien was dat wel onjuist, dacht Perlmann, en hij begon hardop met zijn dochter te praten. In het begin kwamen zijn woorden er hakkelend uit, hij sprak ze tegen het stille, donkere water en keek slechts zelden op om in Kirsten's gezicht naar het teken te zoeken dat ze hem begreep. Later kwam wat hij te zeggen had er veel vlotter uit, hij kreeg ook voor zichzelf meer overtuigingskracht, en Kirsten begon te knikken. Maar zijn tong bleef zwaar, zijn lippen gehoorzaamden hem niet altijd, en menig woord bracht hij er bijna onverstaanbaar uit. Kirsten nam daar geen aanstoot aan, ze begreep ook die woorden, zodat hij zich niet hoefde te generen en door kon gaan met praten, almaar door, tot alles volkomen duidelijk was, feilloos te volgen en tot in details begrijpelijk. Zodat hem vergeven kon worden.

Hij stak de pillen in zijn zak, stond met stijve, onzekere bewegingen op en liep terug naar de weg. Zelf rijden kon hij in zijn toestand niet. Maar hij kon proberen een taxichauffeur zover te krijgen zijn paspoort te gaan halen en hem naar Konstanz te rijden. Als hij een vorstelijke beloning in het vooruitzicht stelde, zou er wel één te vinden zijn. Hij kon op de achterbank slapen, en als ze morgenochtend aankwamen, had hij weer een helder hoofd en kon hij weer verstaanbaar praten. Dan kon hij Kirsten alles vertellen, haar alles uitleggen, net zoals hij zo-even had gedaan, alleen veel uitvoeriger en veel beter.

40

In de hal van hotel REGINA ELENA hing een groep luidruchtige, aangeschoten bruiloftsgasten rond die de nachtportier, die zijn irritatie achter een zuur glimlachje probeerde te verbergen, een glas champagne opdrongen. Hem kon hij onder deze omstandigheden onmogelijk verzoeken een taxi te bellen, hij was niet eens een gast van dit hotel. Telefoonmunten had hij niet, van een telefooncel kon hij dus ook geen gebruik maken. Hij liep naar het MIRAMARE en leunde aan de voet van de bordestrap tegen de muur. Even naar binnen glippen, tegen Giovanni de paar woorden zeggen en dan weer vlug hiernaartoe om op de taxi te wachten. Hij zou nog geen tien seconden binnen hoeven zijn. Dat hij uitgerekend dan een van de anderen tegen zou komen, was onwaarschijnlijk, het was al half één. Maar uitgesloten was het niet. Laura Sand bijvoorbeeld maakte vaak nog rond deze tijd een wandeling.

Perlmann liep de eerste treden op, tot hij over de rand van het terras heen de ingang kon zien. Hij had hartkloppingen en ademde onwillekeurig heel licht. Giovanni had zijn ellebogen op de balie gezet en las de krant. *Nog even nadenken.* Weer leunde hij tegen de muur. Anders moest hij in de stad naar een taxistandplaats zoeken. Of hij kon helemaal naar het station lopen. Maar midden in de nacht stopte hier heel zelden een trein, dus hadden taxi's daar niets te zoeken. En een andere taxistandplaats kon hij zich niet herinneren. Hij zou met loodzware ledematen door de stille straatjes dwalen, elke stap een kwelling. Weer wierp hij een blik op de receptie. Giovanni leunde nu met uitgestrekte armen tegen de balie en las iets onder aan de pagina. In de bar bewogen schaduwen, en even later liep een grijsharige man door de hal naar de lift. Het was te gevaarlijk. Hij moest nog één of twee uur wachten. Hij sloot zijn ogen. Een verlammende besluiteloosheid beving hem.

'*Buona sera, dottore*,' zei signora Morelli, die met energieke tred en wapperende jas de trap af kwam. 'Is... is er iets niet in orde? Wacht u op iemand?'

'Nee, nee... niets,' antwoordde Perlmann geschrokken. Hij had moeite met zijn articulatie. En omdat het onmogelijk was verder niets te zeggen, voegde hij eraan toe: 'Nog steeds hier?'

'Ja, jammer genoeg,' zei ze en ze trok een grimas. 'De belastingen hè, we hebben niets dan ellende met de belastingen. Het wordt elk jaar erger. Ik ben er tot zonet mee bezig geweest.' Ze glimlachte. 'Nou ja, het is ook raar dat er in zo'n groot hotel niet meer leidinggevend personeel is, het lijkt wel een familiebedrijf.'

Het was de eerste keer dat hij haar iets zo persoonlijks hoorde zeggen, en als hij nog bij haar wereld, bij de wereld in het algemeen, had gehoord, dan zou hij, in plaats van zwijgend te knikken, er graag op in zijn gegaan.

'Ach, overigens,' zei ze, nadat ze zich al bijna had omgedraaid om verder te lopen, ik heb het origineel van uw tekst in uw vakje gelegd. Zaterdag heb ik het in de haast naast het kopieerapparaat laten liggen. Ik hoop dat u het niet heeft gemist.'

Perlmann begreep er niets van. En hij wilde het ook niet begrijpen. Hij wilde nooit meer een zin moeten begrijpen waarin woorden als tekst, origineel en kopie voorkwamen. Nooit meer.

'*Venga*,' zei de signora toen ze zijn uitdrukkingsloze gezicht zag, en ze liep de trap weer op. Het was onmogelijk haar niet te volgen. Ze duwde Giovanni, die verbaasd opkeek van de krant en groette, opzij en haalde een tekst uit Perlmann's vakje. '*Eccolo*,' zei ze. 'Maar nu moet ik echt gaan. *Buona notte!*'

Giovanni keek hem vragend aan toen ze buiten was.

'Een taxi,' zei hij, 'ik heb een taxi nodig.' Giovanni greep naar de hoorn.

Dat hij in verwarring was merkte Perlmann alleen doordat hij tegen zijn voornemen in bleef staan terwijl Giovanni telefoneerde. De tekst hield hij in zijn neerhangende hand, hij hield hem vast als iets wat je bij de eerste de beste gelegenheid in de goot laat vallen. Hij wilde nooit meer een tekst in zijn hand houden. Nooit meer.

De taxicentrale nam de tijd en het zwijgende wachten was erg onplezierig. Het was enkel en alleen om iets tegen dat wachten te doen dat Perlmann naar zijn hand met de tekst keek. Het duurde even voordat hij het langwerpige kaartje ontdekte dat onder de paperclip zat die de stapel papieren bij elkaar hield. Al voordat hij wist wat erop stond, begon er iets in hem te vibreren. Met een ruk boog hij zijn arm, bracht het kaartje naar zijn ogen en las: *6 copie. Per il gruppo di Perlmann. Distribuire, come sempre.* Hij snapte het niet, *Het origineel heb ik toch zojuist weggegooid,* maar zijn adem ging sneller en hij las het nog een keer, tilde het kaartje op, en toen zag hij de titel: MESTRE NON È BRUTTA. Daaronder zijn naam.

Een paar seconden bleef hij roerloos staan, blind en doof voor zijn omgeving, met bonkend hart. *Maria. Het telefoontje uit Genua. Ze heeft mijn aantekeningen toch nog klaar gekregen. Ondanks de mensen van Fiat.*

Het duurde even voordat die gedachte de weg naar zijn lichaam had gevonden. Toen begon Perlmann te rennen, hij stootte zich aan de deur, zwikte op de trap door zijn enkel, verloor een schoen, maar ondanks de pijn en het koude plaveisel rende hij zoals hij nog nooit had gerend, de opgerolde tekst als een estafettestokje in zijn vuist. Hij kreeg pijn in zijn zij en moest hoesten, *goeie genade, hopelijk klopt het wat ik denk,* nu zag hij de gestalte van signora Morelli, die langs de jachthaven liep, hij rende met longen die op barsten stonden, voor roepen had hij geen adem meer, en eindelijk, toen zijn weke knieën hem al niet meer wilden dragen en hij begon te struikelen, had hij haar ingehaald. Hij kon geen woord uitbrengen, kreeg een hoestbui, bukte zich ademloos en duwde zijn handen in zijn zij vanwege de steken.

'Deze notitie hier,' bracht hij eindelijk stamelend uit, en nu kon het hem niets meer schelen dat zijn mond hem niet gehoorzaamde, 'wil dat zeggen dat u de tekst zes keer hebt gekopieerd?'

'*Sì, dottore*,' zei ze, en op haar gezicht maakte de aanvankelijke verrassing plaats voor een afwerende en verdedigende uitdrukking.

'En dat waren de kopieën die u zaterdagochtend in de vakjes van mijn collega's hebt gelegd?'

'*Sì*.'

'En u hebt geen andere tekst gekopieerd en uitgedeeld?'

'*No, signor Perlmann*,' zei ze, nu duidelijk geïrriteerd over het ademloze verhoor. 'Dat is de tekst die Maria voor me heeft neergelegd. Een andere tekst heb ik niet gekregen.'

Hij hield de tekst heel dicht voor het gezicht van signora Morelli, alsof ze halfblind was.

'Deze tekst hier? Deze? Geen andere tekst?'

Signora Morelli's toon veranderde toen Perlmann de papieren liet zinken en ze zag dat hij op het punt stond in huilen uit te barsten. 'Welzeker, *dottore*,' zei ze zachtjes. 'Het was deze tekst, precies deze, en geen andere. Wat heb ik in godsnaam verkeerd gedaan?'

'Verkeerd gedaan? Niets, niets,' stamelde hij tussen zijn tranen door die niet meer tegen te houden waren. 'Integendeel het is... het is mijn redding.'

Hij draaide zich om en zocht tevergeefs naar zijn zakdoek. Toen veegde hij met de mouw van zijn jasje over zijn ogen en keek haar weer aan.

'Neemt u mij niet kwalijk,' zei hij zacht en hij probeerde vergeefs nieuwe tranen tegen te houden, 'ik kan het u onmogelijk uitleggen, maar ik ben nog nooit zo opgelucht geweest als nu. Mijn opluchting is... onbeschrijflijk groot. Gewoon onbeschrijflijk.'

Toen hij zijn hand van zijn ogen nam, keek ze hem aan met een blik alsof ze hem voor het eerst werkelijk waarnam. Ze glimlachte en legde haar hand op zijn arm. 'Dan moet u nu maar gaan slapen,' zei ze. 'U ziet er doodmoe uit.'

Hij keek haar na tot ze, zonder zich nog een keer om te draaien, in een zijstraat verdween. Het was een ogenblik van tegenwoordigheid. De tegenwoordigheid van een niet meer voor mogelijk gehouden, op een wonder lijkende verlossing.

Toen hij, om van dat kostbare gevoel van tegenwoordigheid te genieten, heel langzaam naar het hotel terugliep, leek het alsof er naalden in hem prikten als hij zijn ijskoude voet neerzette, en ook in zijn longen voelde hij af en toe een stekende pijn. Maar dat kon hem niets schelen. Niets kon hem nog iets schelen, behalve de overweldigende opluchting. *Geen plagiaat. Ik heb geen plagiaat gepleegd.* Het leek alsof hij langzaam, vol ongeloof, omhoogkwam uit een heel grote, heel donkere diepte, een omhoogkomen dat vergezeld ging van een schrik die hij in elke vezel van zijn lichaam voelde. Weer las hij Maria's opdracht op het kaartje. En toen nog twee keer. Het was deze tekst die signora Morelli had gekopieerd, deze tekst, en alleen deze. Dat had ze gezegd. *Heeft ze dat gezegd?*

Toen hij de hoek om sloeg en de scheve pijnbomen zag die op dit tijdstip niet meer verlicht waren maar zich alleen nog met hun donzige groen tegen de donkere hemel aftekenden, brak zijn opluchting, en het kwam hem voor alsof hij door een tonnenzware last opnieuw de diepte in werd geduwd. *Giovanni moet de kopieën zelf hebben gemaakt en verdeeld, daarom weet zij niets van Leskov's tekst.* Een ijzeren klauw greep hem bij de borst en elke steek in zijn voet werd een ware marteling toen hij terughompelde, op de trap zijn verloren schoen aantrok en zwaar ademend naar de receptie liep.

'Vrijdagavond,' stootte hij uit, 'toen op de televisie die voetbalwedstrijd was, heb ik u een tekst gegeven. Wat heeft u daarmee gedaan?'

Giovanni sloeg zijn ogen neer. 'Eh... niets,' zei hij en nam een lange trek van zijn sigaret. Toen, nadat hij de rook helemaal had uitgeblazen, keek hij Perlmann onzeker aan. 'Het was namelijk zo... Ik had mijn hoofd er niet bij, zogezegd, omdat... Ziet u, het was juist de gelijkmaker in de negentigste minuut, en toen de strafschoppen... en daarna wist ik niet meer goed wat u tegen me had gezegd, en toen heb ik de tekst maar in uw vakje gelegd. Het spijt me als er daardoor iets verkeerd is gegaan, maar het was zo spannend dat ik...'

Perlmann sloot even zijn ogen en ademde heel langzaam uit. Toen legde hij zijn hand op die van Giovanni. 'U hebt het juiste gedaan,' zei hij, 'precies het juiste. Ik ben erg blij. *La ringrazio. Mille grazie. Grazie.*'

Giovanni viel een steen van het hart. 'Werkelijk? Ik... Weet u, ik had nogal een slecht geweten... Kan ik misschien nu nog iets voor u doen?'

'Nee, niets,' zei Perlmann glimlachend, 'en nogmaals hartelijk bedankt!'

Giovanni maakte een onbeholpen, halverwege afgebroken beweging met zijn arm, die beter dan ieder woord of welke gezichtsuitdrukking ook zijn verwondering uitdrukte.

Perlmann liep naar de lift, maar wachtte er niet op en begon de trap op te strompelen. Hij nam de tijd. Hij was te opgewonden om een heldere zin te formuleren. Maar het gevoel was er: hij kon zich weer vrij bewegen in het hotel. Hij was geen bedrieger.

Toen hij het geruis op de lijn hoorde, legde hij de hoorn weer neer. Wat had hij eigenlijk tegen haar willen zeggen? Bovendien in een alarmerend telefoongesprek om kwart voor twee 's nachts? En met zijn zware tong. In zijn hand hield hij de rode aansteker. Nu hoefde hij haar niets uit te leggen, zich nergens voor te verontschuldigen. Hij kon zijn dochter weer net als vroeger tegemoet treden. Hij was terug uit het niemandsland. *Geen plagiaat. Geen plagiaat, en geen moord.* Hij herhaalde de woorden telkens weer hardop en in gedachten, net zo lang tot ze, uitgehold door zijn vermoeidheid, niet meer de uitdrukking van een gevoel waren maar alleen nog een mechanische inwendige echo, die almaar trager werd.

Als ik door in die havenkroeg iets te schrijven niet meer zelfvertrouwen had gekregen en niet de moed had vergaard mijn eigen aantekeningen in te zien, dan had ik Maria niet gebeld en dan zou de tekst niet op tijd klaar zijn geweest. Als ik die rondvaart door de haven niet had gemaakt en mijzelf niet de rol van tolk had opgelegd, zou ik er niet toe zijn gekomen in die havenkroeg iets op te schrijven. Dus had exact de neiging die hem het meest in gevaar had gebracht, namelijk zijn fascinatie voor taal, hem tegelijkertijd ook gered. Perlmann slaakte een zucht. Die samenhang gaf hem het gevoel dat hij de verlossende wending der dingen niet alleen te danken had aan een reeks toevalligheden, maar dat die haar oorsprong in hemzelf had, in zijn manier van denken en voelen.

Hij nam een douche en waste zijn haar. De vele opengekrabde plekken brandden. Maar het was een heilzaam branden, het zorgde ervoor dat de nevel van alcohol en tabletten langzamerhand oploste. Hij douchte heet en daarna koud en toen hetzelfde nog een keer, nieuw leven stroomde door hem heen, hij voelde zich weer helemaal nuchter en helder.

Er klopte helemaal niets van dat hij zichzelf had gered. Het tegenovergestelde was het geval: *Als ik Maria niet had gebeld, waren de vakjes zaterdagochtend leeg gebleven, dan had ik Leskov's tekst weer meegenomen en had ik die nachtmerrie in de tunnel niet door hoeven maken.* Dat fanatieke vertalen van hem had hem niet alleen aan de rand van plagiaat gebracht, maar ook aan de rand van moord en zelfmoord. Het fanatieke, wanhopige zoeken naar tegenwoordigheid in de vertrouwdheid van de vreemde talen had hem in Genua heel even de moed geschonken zichzelf aan de anderen bloot te geven, en door die moed was het dus zover gekomen dat hij drie eindeloze dagen en nachten lang in een wereld van waanvoorstellingen en verschrikkingen had geleefd, die met de werkelijke wereld helemaal niets gemeen had.

Gered ben ik enkel en alleen door toevalligheden, banale toevalligheden en onachtzaamheden. In Perlmann's hoofd ging een sluis open en een stortvloed van als-dan-gedachten overstroomde hem. *Als er geen gelijkmaker was gescoord zouden er geen strafschoppen zijn geweest, zou Giovanni zijn hoofd erbij hebben gehad en zou hij de opdracht Leskov's tekst te kopiëren, hebben doorgegeven. Dan hadden zaterdagochtend allebei de teksten in de vakjes gelegen en had ik het allemaal zonder gezichtsverlies kunnen uitleggen. Als Giovanni had gedaan wat hij moest doen en als Maria door toedoen van de mensen van Fiat er niet mee klaar was gekomen, dan had alleen de fatale tekst in de vakjes gelegen, en in plaats van alleen in mijn voorstelling had de catastrofe dan in de werkelijke wereld plaatsgevonden. Als Giovanni Leskov's tekst in het vak onder de balie gewoon was vergeten, zou mijn vakje zaterdagochtend als enige leeg zijn gebleven, dan had ik navraag gedaan, de ware toedracht vernomen, en dan was ik nooit op het idee gekomen Leskov te vermoorden. Maar wie weet had ik geen navraag gedaan, verlamd als ik was. Als Giovanni de tekst in het vak onder de balie was vergeten, dan zou het signora Morelli bij het verdelen zijn opgevallen dat mijn vakje als enige leeg bleef, en dan had ze bij de kopieermachine naar het origineel gezocht. Als mijn vakje op dezelfde rij als die van de anderen was geweest, als ik dus niet van kamer was veranderd, dan had signora Morelli geaarzeld, vervolgens gezien dat de tekst in mijn vakje een andere was, ze had dan bij de kopieermachine naar het origineel gezocht, ik had, toen ik uit Portofino terugkwam, twee teksten gehad, en door het kaartje van Maria was de zaak meteen opgelost. Als ik dus niet die overdreven behoefte aan lege ruimte had gehad, dan was de tunnel me bespaard gebleven. Als er zaterdag bij mijn terugkeer uit Portofino niet dat geluid in de kamer naast de mijne was geweest, dan had ik Silvestri's exemplaar uit het vak gehaald en de juiste toedracht geweten. En als ik, toen ik samen met Leskov aankwam, een blik had geworpen op de gevreesde tekst in mijn hand, er alleen maar heel even naar had gekeken, dan had ik in gedachten niet dat zwarte water in hoeven lopen.*

Perlmann wist dat die orgie van irreële voorwaardelijke zinnen absurd was, en niet alleen dat, de orgie slokte ook de opluchting op, zodat hij nu met tranen in zijn ogen terugverlangde naar het eerdere gevoel van verlossing. Maar dat besef hielp niets, de zoektocht naar almaar meer causale verbanden was een verslaving. *Als Larissa geen slecht geweten had gehad, dan had ze er niet bij Leskov op aangedrongen opnieuw een aanvraag te doen, dan was er geen telegram gekomen en geen angst vóor ontmaskering; en waaraan dan vannacht een einde was gekomen, was niet het plan om zelfmoord te plegen, maar alleen een knagend schuldgevoel. Had de ober me het telegram niet precies op het moment gebracht waarop ik Evelyn Mistral wilde aanspreken over Leskov's tekst, dan had ik aan haar uitlatingen gemerkt dat er iets niet klopte, en dan zou de bulldozer me bespaard zijn gebleven. Was er in* REGINA ELENA *geen trouwpartij geweest, dan had ik daar wellicht een taxi laten bellen en dan had ik Kirsten in Konstanz over plagiaat verteld dat helemaal niet heeft plaatsgevonden.* Perlmann hield ermee op.

Nu hadden ze dus al een paar dagen zijn aantekeningen in handen, met een Italiaanse titel die gemaakt en opschepperig op ze over moest komen. Hij pakte de uitgeprinte tekst op. Tweeënvijftig bladzijden waren het geworden. *Ik had het aan de omvang, aan de dikte van de stapel kunnen merken. Drieënzeventig bladzijden in mijn vakje tegenover tweeënvijftig in de vakjes van de anderen, dat is een verschil dat ik al van veraf had kunnen zien. En vanavond, bij mijn aankomst, had ik met mijn hand kunnen voelen dat het niet Leskov's tekst kon zijn, dat de stapel daarvoor te dun was.*

Hij liet de pagina's door zijn vingers glijden en woog de stapel in zijn hand. Echt erin bladeren en er gedeelten van lezen durfde hij niet, en hij waakte ervoor dat zijn blik niet op de bovenste bladzijde bleef hangen. Nu hij zich de overlevende van een ramp voelde, wilde hij niet ook nog in die vorm van zichzelf moeten schrikken, bijvoorbeeld van kitschachtige metaforen of een larmoyante toon. En ook met zijn geschreven Engels wilde hij nu niet geconfronteerd worden, een Engels dat zelden helemaal fout was, maar dat toch nooit de souplesse en precisie had waar hij prijs op stelde. Hij liet de stapel papieren in de lade van het bureau glijden.

Angelini's opmerking van zondagavond, dacht hij, kwam nu in een heel ander licht te staan. *Un lavoro insolito*, had hij de tekst genoemd. Ook was het geen wonder dat verder niemand een woord over de tekst had gezegd. Dat ze hem zogezegd hadden doodgezwegen.

Over zesenhalf uur moest hij de drie treden naar de veranda op lopen en tegenover de anderen gaan zitten. Ieder die daar zat en naar hem keek, had zijn tekst voor zich liggen, en ze hadden die tekst van de eerste tot de laatste bladzijde paraat. *Alleen ik, ik alleen, weet niet wat erin staat.* Dat was een verkeerde, paradoxale gedachte, en Perlmann wist het. Vrijdag nog, op de boot, had hij de aantekeningen in gedachten doorgenomen. Maar toch kwam hij niet van het idee af, het drong zich zelfs nog meer op. Zij wisten meer over hem dan hijzelf. Zij zaten te wachten, en hij had niets te zeggen. Zij vroegen, en hij had geen antwoorden. Zij leverden kritiek, en hij kon die niet pareren.

Het kon toch niet zo zijn dat de ongehoorde opluchting die hem nog geen uur geleden geheel had vervuld, nu alweer door nieuwe angst werd verstikt. *Ik ben geen bedrieger en ook geen moordenaar geworden. Waar moet ik dan nu nog bang voor zijn?* Perlmann hield lang aan die gedachte vast en probeerde toen in één klap de innerlijke vrijheid te pakken te krijgen die hem immuun zou maken voor alles wat de anderen zouden zeggen of niet zeggen, voor hun gezichten en blikken, en ook voor de blikken die in de pijnlijke stilte op het glimmende tafelblad vielen.

Hij belde Giovanni. Hij kon nu toch iets voor hem doen, zei hij, en hem twee kannen sterke koffie brengen. Hij had nog zes uur de tijd. Voor een volledige lezing was dat te kort, maar hij kon een exposé schrijven waarop hij mondeling kon voortborduren. Waar het op aankwam was iets abstracts te bedenken en in grote lijnen een concept te schetsen. Daar zou de discussie dan over gaan. De uitgedeelde tekst, zou hij gemakkelijk kunnen zeggen, was in feite bijzaak, hij had daarmee alleen maar enig inzicht willen geven in de observaties waarvan hij oorspronkelijk was uitgegaan.

Perlmann had hartkloppingen toen hij aan het bureau ging zitten. Hier zitten had tot dusver ingehouden: Leskov's tekst vertalen; urenlang, dagenlang was hij steeds verder van de werkelijkheid af komen staan. Elke vertaalde zin had de fatale stilte in de tunnel dichterbij gebracht. Hij voelde een lichte duizeling toen hij zijn stoel zorgvuldig neerzette, een sigaret opstak en een balpen pakte. Vier weken lang was hij dit moment uit de weg gegaan. Zijn handen waren plakkerig, en ook de balpen werd plakkerig. Hij stond op, waste in de badkamer zijn handen en veegde de pen af. Giovanni kwam de koffie brengen. Perlmann zette die eerst rechts op het bureau, toen links. Het papiertje met het adres van Kirsten gooide hij in de prullenbak. Hij legde een extra pakje sigaretten klaar en pakte de rode aansteker van het nachtkastje. In de badjas zou hij het gauw te koud krijgen. Hij kleedde zich helemaal aan. Zijn lichte broek was nu te koud, maar de scheur in de andere broek stoorde hem. Dan dus maar de donkere flanellen broek met de bloedvlekken. En het was toch beter de wat dunnere trui aan te trekken. Dan kon hij ook de verwarming hoger zetten. Weer verschoof hij de stoel. Die moest vlak bij het bureau staan. Maar toch ook weer niet te dichtbij.

Waarom had hij het niet al veel eerder geprobeerd. De zinnen kwamen toch wel. Ze kwamen inderdaad, de een na de ander. Aanvankelijk was hij nog bang voor elke punt, want daarna kon alles hem ontglippen. Maar toen hij het eerste blad had volgeschreven, verdween de angst, zijn gevoel kwam steeds meer op de achtergrond te staan en de rustige logica van de zinnen nam de regie over. Maanden, jaren bijna, had hij voor elke zin een gevecht moeten leveren, het was geweest alsof hij voor de rest van zijn leven alleen nog in heel kleine eenheden kon denken. En nu volgden de zinnen opeens als vanzelf op elkaar, er ontstond iets, hij schreef een tekst, een werkelijke tekst. *Ik kan het nog. Nu is alles weer in orde.*

De balpen vloog letterlijk over de bladzijden, het kostte Perlmann moeite om alle gedachten die hem bestormden op papier vast te leggen. Eindelijk was het probleem opgelost. Hij had weer iets te zeggen. Hij nam de pen alleen maar van het papier om een nieuwe sigaret op te steken of nog een kop koffie in te schenken. Hij rookte met zijn linkerhand, en ook het kopje bracht hij met die hand naar zijn mond, onwennig, maar zijn rechterhand mocht niet gestoord worden bij het schrijven. *Geen exposé, het wordt een lezing, een complete lezing.* Door de ongewone manier waarop hij zijn sigaret vasthield, kwam er steeds vaker rook in zijn ogen, het prikte, en zijn ogen traanden, maar zijn rechterhand ging almaar door met schrijven. Hij was verbaasd en blij, wat goed, wat waren de formuleringen die hij zo vanzelfsprekend op papier bracht toch treffend, een paar ervan, vond hij, hadden een bijna poëtische kracht. Hopelijk had hij voldoende papier, anders moest hij ook de achterkant van de bladzijden beschrijven. Op een bepaald moment zou hij geen koffie meer hebben. Wat een geluk dat er in de kast nog meer sigaretten lagen. Hopelijk hield de aansteker er niet opeens mee op. Eén keer pauzeerde hij even en sloot zijn ogen. *Tegenwoordigheid. Dit is het. Nu beleef ik die eindelijk. Al die toestanden zijn nodig geweest om er eindelijk vat op te krijgen.*

Om vijf uur deed hij het raam open. Hele rookwolken dreven de nacht in. Hij ademde de koele lucht diep in. Hij werd er duizelig van en moest zich aan de raamgreep vasthouden. Hij had het gevoel dat hij bezig was een gedurfde tocht over flinterdun ijs te maken. De lichtjes aan de overkant van de baai flakkerden stil en regelmatig. Toen zijn blik langs het muurtje van het strandje bij hotel REGINA ELENA gleed, deed hij vlug het raam dicht. Hij wilde zichzelf doen geloven dat die dingen heel lang geleden waren gebeurd.

Hij wist niet meteen hoe hij de volgende alinea moest beginnen en raakte in paniek. Maar toen las hij opnieuw de laatste drie bladzijden en kwam hij weer terug in de roes van het schrijven. Na een tijdje, toen hij geen koffie meer had, begon zijn tong op te zwellen. De onderbreking irriteerde hem toen hij naar de badkamer ging en een glas water dronk. Hij was gewend aan zijn bleke, door angst getekende gezicht, hij had het de afgelopen dagen vaak genoeg gezien. Maar nu schrok hij toch. Zijn wangen waren ingevallen en zijn gezicht stond vertrokken. Hij dacht aan foto's van mensen die aan een veelvoud van de normale zwaartekracht werden blootgesteld. Maar dat was nu niet van belang. Wat van belang was waren de zinnen die achter dat gezicht geboren werden en zijn rechterhand in stroomden. Het was absoluut raadselachtig hoe dat in zijn werk ging, er was een afgrond van onbegrepen dingen, en heel even ervoer Perlmann de fascinatie van de wetenschapper voor een raadselachtig fenomeen, een fascinatie die hij kwijt was geraakt. *Het komt allemaal weer in orde.* Hoewel hij geen hoofdpijn had, pakte hij uit het doosje dat op het plateautje voor de spiegel lag twee aspirientjes en nam ze in. Toen ging hij met een glas water terug naar het bureau.

Even voor zevenen begon het te schemeren. Zonder het donker van de nacht voelde hij zich kwetsbaar en hij raakte uit balans. De zinnen lukten niet meer zo goed, hij moest er een paar doorstrepen, en even later moest hij een heel vel verfrommelen en in de prullenbak gooien. De mengeling van lamplicht en opkomend daglicht maakte hem razend. Toen hij naar de staande schemerlamp liep en die uitdeed, voelde hij bij elke stap hevige steken in zijn enkel, waarin hij bovendien een onplezierige krachteloosheid voelde. Helemaal zonder elektrisch licht ging het toch niet, en hij deed de bureaulamp weer aan. Zijn geheugen begon het te begeven, de simpelste Engelse woorden schoten hem niet meer te binnen, en opeens was hij er ook niet meer zeker van dat hij geen schrijffouten maakte.

Even uitrusten. Voordat het echt licht werd, kon hij even gaan liggen. Een paar minuten maar. Daarna had hij nog anderhalf uur om de lezing te voltooien.

41 Door het luide getoeter van auto's op de weg langs de oever schrok hij wakker. Hij wist niet goed waar hij was en zakte meteen terug in een loodzware moeheid. Zijn oogleden leken verlamd, hij kreeg ze pas open nadat hij zich met uiterste wilskracht had opgericht en op de rand van het bed was gaan zitten. Bij de minste of geringste beweging deed zijn hoofd pijn en zijn aderen leken te nauw voor zijn hevig pulserende bloed. Het verkeerslawaai was ondraaglijk. Het was zeven minuten voor negen.

Geen tijd meer om te douchen en zich te scheren, en ook koffie kon hij niet meer bestellen. Opgelucht stelde hij vast dat hij weer heer en meester was over zijn tong, hoewel die dik was en brandde. Hij plensde met beide handen water in zijn gezicht en moest daardoor weer aan het toilet van het benzinestation in Recco denken. *Geen moord. Geen plagiaat.* Snel raapte hij de papieren bijeen die op bureau lagen. Het waren minstens twintig bladzijden, schatte hij. De laatste pagina was voor de helft doorgestreept. *Aan het eind moet ik improviseren.*

De lift was bezet. Twee minuten over negen. Perlmann zette zijn tanden op elkaar en strompelde de trap af. Hij was de uitdraai van zijn aantekeningen vergeten, en toen hij zich ervan wilde vergewissen dat hij in elk geval een pen bij zich had, zag hij dat er dwars over zijn jasje twee dikke vuile strepen liepen. *De vuilniscontainer bij de ventilator.* Hij keek naar zijn broek: overal bloedvlekken. In de hal aangekomen zag hij door de glazen deur van de ingang de zee, die lag te glanzen in de ochtendzon. Op een gegeven moment tijdens de nacht, dat wist hij nog, was hij ervan overtuigd geweest dat hij eindelijk tegenwoordigheid kon ervaren. Een illusie die het resultaat was van een mengeling van opluchting, alcohol en pillen. De tegenwoordigheid der dingen stond verder van hem af dan ooit.

De deur naar de veranda stond open. Perlmann voelde geen steken meer toen hij er door de salon naartoe liep en de drie treden nam. De angst legde zich over hem heen als een verdovende sluier. Hij was nog niet eens helemaal in het vertrek toen hij al zag dat ze er allemaal waren, ook Silvestri en Angelini. En rechts achterin Leskov, met zijn pijp in zijn mond. Perlmann trok zijn blik meteen terug. Hij wilde zich door geen van die gezichten laten verwonden. Net als gedurende de nacht wilde hij helemaal in zichzelf opgesloten blijven, onbereikbaar voor de anderen.

Zoals altijd stond er koffie op de tafel, één kan speciaal voor de spreker. Perlmann ging zonder te groeten zitten, schonk zichzelf een kop koffie in en concentreerde zich erop niet te trillen. De koffie was heet, hij kon alleen heel langzaam drinken. Het was onmogelijk onder de blikken van de anderen het hele kopje leeg te drinken. Na drie slokken zette hij het weer neer. Hij had een paar woorden ter inleiding willen zeggen: over de rondgedeelde tekst en hoe die gerelateerd was aan wat hij nu zou voorlezen. Maar zulke woorden had hij niet met neergeslagen blik kunnen uitspreken, en hij kon het nu niet verdragen de blikken van de anderen te ontmoeten. Niet voordat ze de tekst van vannacht hadden aangehoord, die hem zou rehabiliteren. Hij nam nog een slok koffie, stak een sigaret op en begon voor te lezen.

De inleidende zinnen waren te omslachtig. Hij merkte het meteen, werd ongeduldig en raffelde ze snel af, om eindelijk bij de stelling aan te komen die door haar originaliteit, dat wist hij zeker, meteen de aandacht zou krijgen van alle aanwezigen. Hij legde de eerste pagina ter zijde en was blij te zien dat er nog maar drie regels waren voordat hij bij de beslissende passage zou zijn. Toen hij die had opgelezen, nam hij twee grote slokken koffie, keek heel even op en stortte zich weer op zijn betoog.

Wat hij voorlas was zo ongelooflijk pover dat de zinnen letterlijk in zijn keel bleven steken. Er was een bijzondere inspanning voor nodig, bijna een soort kokhalzen, om elke zin af te maken. Het was je reinste kitsch, allemaal sentimenteel gedoe, bedacht door iemand die aan het eind van zijn krachten was en die bovendien onder invloed was van alcohol en pillen, zodat elk kritisch vermogen, elke zelfreinigende censuur volledig buitenspel was komen staan. Perlmann was het liefst door de grond gezakt, en toen hij, met steeds zachter wordende stem, verder las, was dat alleen omdat hij niet wist hoe hij de stilte zou moeten uithouden die zou vallen zodra hij ophield.

Leskov had zich in de rook verslikt en kreeg een hoestbui. Hij boog zich met een vuurrood hoofd voorover en zijn gehoest was zo luid dat elke spreker zich erdoor had laten stoppen. Perlmann keek naar hem, en op dat moment drong de gedachte tot zijn bewustzijn door die hij tot dusver op een of andere wijze had onderdrukt: *Ik had hem helemaal voor niets vermoord. Het zou een volkomen zinloze moord zijn geweest. Een moord ten gevolge van een vergissing.* Zonder dat hij het goed in de gaten had gleden de papieren uit zijn hand, zijn mond bleef halfopen staan en zijn blik werd leeg. Hij had het koud. Hij hoorde het penetrante, hoge piepen en zag de enorme shovel met de stalen tanden op hem af komen. Het werd heel stil, als in watten en sneeuw. Hij nam zijn ijskoude, kletsnatte handen van het stuur. Toen was er alleen nog zwakte en duisternis. Perlmann's sigaret viel uit zijn hand, en in een merkwaardig vertraagde vloeiende beweging gleed hij zijdelings op de grond.

Het was een prettig, moeiteloos omhoogglijden door steeds dunnere, steeds lichtere lagen. Aan het eind kwam een zachte, lichte schrik, de wereld stond heel stil, en met een minimale vertraging, die hij nog net merkte en die hij meteen daarna weer vergat, besefte Perlmann dat de indrukken die door zijn open ogen tot hem doordrongen, wakker zijn betekenden.

Hij lag met zijn kleren aan in bed, alleen zijn jasje en zijn schoenen had hij niet meer aan. In de rode fauteuil bij het open raam zat Giorgio Silvestri met zijn rug naar hem toe de krant te lezen. Perlmann was blij dat hij rookte. Daardoor had de situatie niet het karakter van een ziekenbezoek. Hij zou graag op zijn horloge kijken. Maar Silvestri zou het horen, en hij wilde nog even met zichzelf alleen zijn. Hij sloot zijn ogen en probeerde zijn gedachten te ordenen.

Hij was rustig geworden door het flauwvallen, en ook al ging door de vermoeidheid alles langzamer, toch had hij het gevoel dat hij helder kon denken. De details van wat er in de veranda was voorgevallen herinnerde hij zich niet meer. Wat hij zich nog wel herinnerde was de ontsteltenis over zijn beschamende tekst, en de hoestende Leskov, waarna hij opeens was bestormd door een wirwar van beelden van de tunnel. *Ik heb me onsterfelijk belachelijk gemaakt. Het was absoluut gênant. Maar nu is het voorbij. Ik heb geen bedrog en geen moord gepleegd. En ik hoef nooit meer tegenover de anderen in de veranda te zitten. Nooit meer.*

Waarschijnlijk hadden twee mannen hem naar zijn kamer gedragen. Perlmann was blij dat ze hem niet hadden uitgekleed. Wie had Silvestri geholpen? Was er behalve die twee mannen nog iemand anders in de kamer geweest? In de zak van zijn jasje zaten de slaappillen. Had Silvestri die gevonden? Had hij aan hem gezien dat hij vergiftigd was en had hij toen naar die pillen gezocht? Of waren ze wellicht bij het naar boven dragen uit zijn zak gevallen?

Leskov's tekst. Lieve hemel, hopelijk hebben ze die niet gevonden. Onwillekeurig richtte Perlmann zich op. Silvestri draaide zich om, stond op en keek hem aan met een gezicht waarop op een wonderlijke manier zowel een warme glimlach als een zakelijke, medische uitdrukking te lezen stonden.

'Ik ben gelukkig net op tijd teruggekomen,' zei hij.

'Hoelang ben ik bewusteloos geweest?' vroeg Perlmann.

Silvestri keek op zijn horloge. 'Een paar minuten maar. Wees maar gerust, er is geen reden u zorgen te maken.'

Perlmann liet zich weer in het kussen vallen. *Een paar minuten. Dat kunnen er tien zijn, of twintig. In elk geval genoeg om de tekst te vinden. Als ze er donderdag achter komen dat wat Leskov te vertellen heeft praktisch hetzelfde is als wat er in die tekst staat, zullen ze weten dat er iets niet klopt, en dan gaan ze dingen combineren. Het is nog niet voorbij.*

'Is Leskov ook hier binnen geweest?' vroeg hij schor.

'Jazeker,' zei Silvestri glimlachend. 'Hij stond erop Brian Millar te helpen met dragen. Hij raakte behoorlijk buiten adem. Een aardige vent.'

Dan heeft hij zijn tekst hier gezien, en nu zal hij terugdenken aan de tunnel. Perlmann begon te zweten en vroeg om een glas water.

Terwijl hij dronk keek Silvestri hem peinzend aan. Hij aarzelde zich als een arts te gedragen. Maar toen voelde hij toch Perlmann's pols. 'Hebt u zoiets wel eens vaker gehad?'

Nee, zei Perlmann, het was de eerste keer.

'Gebruikt u slaappillen?' Silvestri liet de vraag onschuldig klinken, bijna terloops.

Perlmann loog en wist meteen dat Silvestri hem doorzag.

Nadat hij de krant had opgevouwen en een Gauloise had opgestoken, leunde Silvestri tegen het bureau en zei een tijdlang niets. Perlmann stond op het punt hem alles te vertellen. Alleen om niet meer alleen te hoeven zijn met zijn gedachten. Om eindelijk rust te hebben.

'Weet u,' zei Silvestri langzaam en zonder een spoor van betweterij of bevoogding in zijn toon, 'u bent in een toestand van grote uitputting. Nog niet echt gevaarlijk. Maar u moet wel een beetje oppassen. En uitrusten. Veel slapen. En thuis naar een dokter gaan. Die moet u uit voorzorg grondig onderzoeken. Als u iets nodig hebt, moet u me bellen.' Hij liep naar de deur.

'Giorgio,' zei Perlmann.

Silvestri draaide zich om.

'Ik... ik ben blij dat u er was. *Grazie.*'

'*Di niente,*' glimlachte Silvestri en hij pakte de deurklink beet. Maar toen liet hij die weer los en kwam twee stappen terug. 'Overigens vind ik veel observaties in uw tekst erg interessant, vooral wat u zegt over het talig invriezen van belevenissen en uw stelling dat zinnen de fantasie kunnen stimuleren, maar ook verlammen.' Hij grijnsde. 'De anderen hadden natuurlijk iets anders van u verwacht. Maar daar zou ik me maar niet veel van aantrekken. En in het algemeen moet u wat hier gebeurt niet al te serieus nemen,' zei hij met een gebaar dat het hele hotel omvatte.

Perlmann knikte zwijgend.

Meteen nadat de deur was dichtgevallen sloeg hij het dekbed terug en strompelde snel naar zijn koffer. Tot zijn ontzetting zag hij dat de code van het slot precies de juiste combinatie aangaf. Er zat geen tekst meer in. De aderen in zijn hoofd leken bij elke hartslag te zullen springen. Hij ging op de rand van het bed zitten, maar sprong meteen weer op. *Het telefoonboek.* Met zijn hand op zijn hoofd gedrukt trok hij de lade van het bureau open. Onder het telefoonboek lag ook geen tekst. Hij wist dat het vergeefs zou zijn, maar toch keek hij ook in het nachtkastje en in de kast. Ze hadden het dus ontdekt en de tekst als bewijsstuk meegenomen. Leskov zou de tekst identificeren. Poging tot plagiaat. Dat was de enige verklaring voor het door Perlmann zorgvuldig geheimgehouden bestaan van de tekst. En in dat licht werd ook het voorval in de veranda begrijpelijk. Vandaag zouden ze hem nog ontzien, in zekere zin was hij nu even niet toerekeningsvatbaar. Maar morgen zouden ze hem aan de tand voelen.

Perlmann drukte zijn sigaret uit en was blij dat zijn misselijkheid minder werd toen hij weer ging liggen. Nee, voor een welkomstgeschenk kon hij de tekst niet door laten gaan. Het was nog geen drie dagen geleden dat hij van Leskov's komst had gehoord. En waarom had hij hem het geschenk dan niet allang overhandigd? Hij had de tekst zo goed gevonden dat hij van plan was geweest de voltooide vertaling naar Sint-Petersburg te sturen en Leskov voor te stellen hem in een toonaangevend tijdschrift te publiceren. Maar toen hij van zijn komst had gehoord, had hij de tekst als verrassing klaargelegd. Vanavond, tijdens het eten, had hij hem willen overhandigen. *Dat kan, dat klinkt niet ongeloofwaardig. In elk geval kunnen ze er niets tegen inbrengen.* Perlmann trok het dekbed op tot aan zijn kin. Het kloppen in zijn hoofd werd minder. *Het is voorbij. Sommigen zullen een verdenking blijven koesteren. Meer kan er niet gebeuren. Het is voorbij.* Hij ging op zijn buik liggen en duwde zijn gezicht diep in het kussen.

Maar die tekst was hier toch helemaal niet meer. Die heb ik vannacht weggegooid. Hij ging rechtop zitten en sloeg zijn armen om zijn knieën. De grote vuilniscontainer onder de ventilator was op de aardappelschillen na leeg geweest. En het opengeklapte deksel was tegen de ventilator aan gekomen. Hij haalde zich zoveel mogelijk details voor de geest om er zeker van te zijn dat het om herinneringen ging en niet om een poets die zijn voorstellingsvermogen hem bakte. Hij hoorde opnieuw het doffe geluid waarmee de stapel papier was neergekomen, en hij rook opnieuw de keukenluchtjes die uit de ventilator waren gekomen. Het was lastig het allemaal terug te halen, want het was allemaal gehuld in een dunne nevel die ook met de grootste concentratie niet kon worden opgelost – alsof die nevel de herinnerde dingen niet alleen versluierde, maar bij hun wezen hoorde. Ook bewogen de beelden voortdurend en waren ze moeilijk vast te houden, het was alsof de waarnemingen van de afgelopen nacht niet goed de gelegenheid hadden gehad zich in zijn hoofd vast te zetten. Toch nam de zekerheid toe dat het echte herinneringen waren. Zijn fantasie zou geen beelden leveren die ondanks de nevel zo precies en coherent waren. Gisteravond, dat herinnerde hij zich nu ook, had hij het weggooien van de tekst het toppunt van zinloosheid gevonden. Nu was hij blij met die dwaze ingeving. Enorme hopen afval waren intussen op de gevaarlijke tekst gevallen en hadden die onder zich bedolven.

Toen hij in zijn pyjama uit de badkamer kwam, viel zijn blik op het lichte jasje dat ze over de stoelleuning hadden gehangen. Er zaten niet alleen twee vuile strepen op de borst, ook de beide mouwen waren aan de buitenkant, onder de elleboog, vies. Daarmee had hij op de vuilniscontainer geleund. En ook de hotelmap ontbrak. Nu was het duidelijk: er was niets meer, niets, wat hem nog kon verraden.

Achter op het bureau lag, met een hoek onder de voet van de lamp, een stapel papier. Het was de tekst die hij afgelopen nacht had geschreven. *De kitschtekst.* Daar hadden ze hem dus neergelegd. Discreet, met de voorzijde naar beneden. Wie had hem in zijn hand gehad bij het naar boven brengen? Silvestri? Millar? Zijn handschrift op de bladzijden was groter dan anders, de letters zwieriger, met lange halen. Op de laatste bladzijde stond veel wat hij niet meer kon ontcijferen. Perlmann scheurde elk blad een paar keer door en liet de snippers in de prullenbak vallen.

Toen kroop hij in bed. Hij zou het liefst een jaarlang slapen. Silvestri had zijn aantekeningen niet onmogelijk gevonden. Hij zag diens glimlach voor zich toen hij over de verwachting van de anderen had gesproken. Die spottende distantie die geen hatelijkheid nodig had – Perlmann had nog nooit iemand zo hevig om iets benijd. Hij probeerde zich helemaal in te leven in die glimlach – iemand te zijn die op die manier over de hele kwestie kon glimlachen. En terwijl hij daarmee bezig was gleed hij, voor het eerst sinds dagen, in een diepe, droomloze slaap.

42 Het was even voor drieën toen hij werd gewekt door de telefoon. Alsof hij nooit een ander gevoel had gekend, deinsde hij voor het gerinkel terug als voor een aanval. *Maar ik hoef me nu toch helemaal niet meer te verstoppen. Het is immers voorbij.* Hij nam op en hoorde Leskov's veel te luide stem. Of hij hem mocht komen bezoeken. Natuurlijk alleen als hij niet stoorde. In Perlmann's hoofd begon het te kloppen en zijn door de slaap nog warme gezicht begon te gloeien alsof hij urenlang in de ijskoude winterlucht had gelopen.

'Ben je er nog?' vroeg Leskov.

Perlmann zei dat hij blij was met bezoek. Hij wist niet wat hij anders had moeten zeggen.

De hemel was betrokken en uit het lichte grijs viel wat regen. *De tweede versie. De regen valt op de gele bladzijden.* De rit via Recco en Uscio zou hoogstens een uur duren. Als hij weer snel van Leskov af zou zijn, kon hij er op tijd zijn om de papieren nog bij daglicht op te rapen. Hij haalde de autosleutel uit zijn zak en trok zijn vuile jasje aan. Zo was het duidelijk dat hij op het punt stond weg te gaan.

Leskov had zich nog niet in de rode stoel laten zakken of hij haalde zijn pijp uit zijn zak en vroeg of hij mocht roken.

'Ja, natuurlijk,' zei Perlmann. Hij had het niet hoeven zeggen. Liever niet, had hij in plaats daarvan kunnen zeggen. Uit de mond van iemand die zichzelf moest ontzien was dat voldoende geweest. Twee korte woorden. Hij had ze niet gezegd. Hij was er niet toe in staat geweest. Nu rook hij de zoetige tabak. Die zou blijven hangen. Die zou hij dagenlang moeten ruiken. Hij haatte de Rus.

Hij had iedereen behoorlijk laten schrikken, zei Leskov. Natuurlijk had hij er meteen aan moeten denken dat hij tijdens de autorit ook al niet goed was geworden, en aan de commotie in de tunnel. De anderen wisten daar overigens niets van. Hij had gisteravond, om Perlmann's afwezigheid bij het avondeten te verklaren, alleen vaag iets gezegd dat hij zich wellicht niet goed voelde. De details, zei hij met een glimlach, gingen behalve hen beiden verder niemand iets aan, nietwaar.

De intimiteit die hij hem met die opmerking opdrong, kon niet de intimiteit van de chantage zijn. Perlmann wist dat, ook al voelde die zekerheid nog heel vers en een beetje wankel aan. Toch was het een ondraaglijke intimiteit, en die maakte Perlmann zo razend dat het hem opeens niets meer kon schelen dat het steeds harder leek te gaan regenen.

'Overigens,' zei Leskov, 'hebben ze me intussen verteld over de ontvangst op het raadhuis.' Hij glimlachte. 'Dus waren het jouw medaille en jouw oorkonde op de achterbank. En nu begrijp ik ook dat daar een stropdas rondslingerde, alsof iemand die woedend naar achteren had gesmeten. Je zult het allemaal wel verschrikkelijk beschamend en afschuwelijk hebben gevonden! Bij het middageten hebben we krom gelegen van het lachen toen Achim het hele gedoe schilderde.'

Over Perlmann's tekst was Leskov enthousiast. Hij was de afgelopen nacht nog lang opgebleven om hem helemaal te lezen. Hij had niet alles precies begrepen, een paar Engelse woorden en uitdrukkingen kende hij niet. Maar zowel de thema's als de manier waarop ze waren verwoord – dat had allemaal een verrassend grote overeenkomst met zijn eigen werk. Het was heel jammer dat Perlmann de Russische tekst toch te moeilijk had gevonden. Anders zou hij de overeenkomst zelf ook meteen hebben gezien. Maar de titel had hij toch wel begrepen?

Perlmann knikte.

'We zouden samen eens een tekst moeten schrijven,' zei Leskov en hij raakte even zijn knie aan.

In elk geval had Perlmann's tekst hem de moed gegeven hier over zijn eigen dingen te praten. Een beetje zenuwachtig was hij in elk geval wel geweest. In zo'n illuster gezelschap. Hij vond het echt fantastisch dat iedereen hier zo open was en dat er niet zo'n strak academisch regime heerste. Als die vreselijke stommiteit met zijn tekst maar niet had plaatsgevonden. Hij blies haastig grote rookwolken uit, die zich in de kamer allengs verdichtten tot een dikke deken van blauwe waas, die op hoofdhoogte in het vertrek bleef hangen.

'Maar natuurlijk, dat kun jij nog helemaal niet weten,' onderbrak hij zichzelf en hij gebaarde druk. 'Ik heb je toch over de tweede versie van mijn tekst verteld, en dat ik die vanwege dat irritante telefoontje bijna thuis had laten liggen.' Leskov wachtte tot Perlmann knikte. 'En nu lijkt het erop dat dat inderdaad is gebeurd. Gisteravond, toen ik terugkwam van het eten, voelde ik namelijk in het buitenvak van de koffer, waar de tekst had moeten zitten. Maar er zat niets in, helemaal niets. Leeg.' Leskov duwde zijn vuisten tegen zijn slapen. 'Het is me een volkomen raadsel. Ik zou zweren dat ik hem op het laatste moment toch bij me heb gestoken. Ik werd er immers bij het weggaan aan herinnerd doordat het buitenvak open stond.'

Perlmann trok het raam open, leunde naar buiten en keek naar het noordwesten. In die richting waren er minder wolken. Misschien bleef het daar boven droog.

'Heb je echt geen last van de rook?' vroeg Leskov.

'Helemaal niet,' antwoordde Perlmann in de richting van de regen, en hij wierp een verstolen blik op zijn horloge. Vijf over half vier.

Hij had de hele nacht liggen piekeren, ging Leskov verder. En tussendoor had hij het gevoel gehad dat zijn herinnering aan het in de koffer stoppen van zijn tekst misschien alleen maar verbeelding was, en dat die zo levendig was omdat zijn vurige wens erin tot uitdrukking kwam.

'Het is erg vervelend,' zei hij, 'en niet alleen vanwege die tekst. Ik krijg er het gevoel door dat ik me niet meer op mezelf kan verlaten. Heb jij dat ook weleens?'

Ja, zei Perlmann terwijl hij omstandig een sigaret opstak, dat gevoel had hij ook weleens.

Hij had de gewoonte, zei Leskov nadenkend, om altijd meteen iets te gaan lezen als hij ergens moest wachten. En daarom vroeg hij zich nu al de hele tijd af of hij de tekst onderweg wellicht uit zijn koffer had gehaald en ergens had laten liggen. Niet in Sint-Petersburg, daar was het veel te hectisch geweest op de luchthaven. En ook niet tijdens de vlucht naar Moskou, waar hij door een beschonken oorlogsveteraan naast hem voortdurend was lastiggevallen. Bij Larisa en Boris, bij wie hij had gelogeerd, was hij de hele tijd door de kinderen in beslag genomen. Op de luchthaven van Moskou misschien. Of later, in het vliegtuig. Of in Frankfurt, toen hij op de volgende vlucht wachtte. Het was krankzinnig: omdat er geen spoor van een herinnering aan een dergelijke handeling was, moest hij nu over zichzelf nadenken als over een vreemde, helemaal van buitenaf zogezegd. Intussen hoopte hij vurig dat alles wat hij dacht niet klopte. Weliswaar stond aan het eind van de tekst zijn adres, dat zette hij er altijd onder, zelfs bij een manuscript. Maar hij dacht niet dat iemand de moeite zou nemen hem de tekst na te sturen. Op de luchthaven van Moskou zeker niet. En in Frankfurt was er niemand die de tekst kon lezen. Misschien zou Lufthansa wel iets doen als de tekst in het vliegtuig zou worden gevonden. Anderzijds: de schoonmaakbrigade zou een stapel onleesbare papieren toch zeker gewoon bij de rest van het afval gooien. 'Of wat denk jij ervan?'

'Ik... ik weet het niet,' zei Perlmann toonloos.

Leskov zweeg even en keek met half dichtgeknepen ogen voor zich uit. Perlmann wist wat er nu zou komen. Er was nog iets, ging Leskov verder, wat hij bijna niet durfde te vermelden, zo belachelijk klonk het: aan de ritssluiting van het buitenvak was een stukje elastiek blijven hangen. Dat kreeg hij maar niet uit zijn hoofd, want het zou kunnen betekenen dat de tekst eruit was gehaald en dat daarbij het elastiek waarmee de papieren bij elkaar werden gehouden, was gebroken. Hij sloeg met de knokkels van zijn vingers tegen zijn voorhoofd. 'Kon ik me maar iets herinneren!' Na een poosje deed hij zijn ogen open en keek hij naar Perlmann, die naar de grond staarde. 'Het spijt me dat ik je ermee lastigval. In jouw toestand. Maar je weet immers hoeveel er voor mij van die tekst afhangt. Ik heb al geprobeerd vrienden te bellen en ze te vragen bij mij thuis te gaan kijken. Maar ik kreeg geen verbinding.' Hij legde zijn pijp op de ronde tafel en verborg zijn gezicht in zijn handen. 'Ik hoop in godsnaam maar dat de tekst daar ligt. Anders... Ik durf er niet aan te denken.'

Het was opgehouden met regenen. Perlmann ging naar de badkamer en leunde met zijn rug tegen de wasbak. Hij beefde, zijn hoofd stond op springen. *Ik moet die papieren gaan oprapen. Koste wat het kost.* Vijf over vier. Als Leskov nu wegging, zou hij het nog redden. *Je kunt die papieren ook in de schemering nog zien.* Hij trok de wc door. Toen balde hij zijn vuisten om het trillen van zijn handen te onderdrukken en ging terug naar de kamer.

Leskov was opgestaan. Hij moest weer aan het werk, zei hij. Tot zijn zitting, aanstaande donderdag, was er immers niet veel tijd meer.

'Waarschijnlijk ligt de tekst gewoon thuis. Het kan niet anders. Ik zou me anders toch iets moeten herinneren. Iets.'

Perlmann kon zijn vragende blik niet lang uithouden en ging hem voor naar de deur. Voordat hij de gang op liep bleef Leskov vlak voor hem staan. Perlmann rook zijn tabakadem.

'Denk je dat er iemand te vinden is die mijn tekst kan vertalen?' vroeg hij. 'Ik wil graag dat hij door jou en anderen wordt gelezen. Vooral nu ik jouw tekst ken. Het honorarium zou natuurlijk een probleem zijn, dat besef ik.'

'Ik zal erover nadenken,' zei Perlmann.

Het kostte hem enorme moeite de deur zachtjes te sluiten.

Kort daarna verliet hij de kamer en nam na een korte aarzeling de weg door de hal. Daar ving Maria hem op, die met een zakdoek in haar hand snotterend uit haar kantoor kwam. Of het weer wat beter met hem ging? Ze had van signora Morelli gehoord dat hij verbaasd was geweest toen hij had gemerkt dat de tekst die zij vrijdag klaar had gemaakt, was rondgedeeld.

'Mijn excuses als ik iets verkeerd heb gedaan. Maar toen u vrijdag aan de telefoon tegen me zei dat het haast had, heb ik automatisch aangenomen dat het de tekst voor uw zitting was, en daarom heb ik de kopieeropdracht eraan bevestigd. Ook uw naam heb ik eraan toegevoegd, geloof ik.'

De mensen van Fiat?

'Ach, die,' lachte ze en ze snoot haar neus. 'Ik had niet de indruk dat die vreselijk hard aan het werk waren. En toen ik iets zei over de onderzoeksgroep en een belangrijke tekst, zei Santini dat ik mijn gang kon gaan. Een prima vent. Hij is hier al vaak geweest met mensen.' Ze wreef in haar rood doorlopen ogen. 'U had weliswaar gezegd dat zaterdagmiddag ook vroeg genoeg was. Maar toen voelde ik al aankomen dat ik verkouden zou worden dus heb ik die klus vrijdag afgemaakt, om zaterdag in bed te kunnen blijven. Ach, een moment graag,' zei ze. Ze beduidde hem te wachten en verdween in het kantoor.

Als ze niet verkouden was geworden zouden de vakjes zaterdagoch-

tend leeg zijn gebleven en dan had ik Giovanni's verzuim meteen ontdekt. Zelfs als hij die fout niet had gemaakt, zou haar verkoudheid mijn redding zijn geweest.

'Alstublieft,' zei Maria, en ze overhandigde hem het schrift met het wasdoeken kaft. 'Ik typ uw dingen graag uit. Ze zijn niet zo technisch als de teksten van de anderen, en niet zo gortdroog. Dat was bij die andere tekst ook al zo, die tekst over de herinnering. En die had bovendien zo'n originele titel. Die beviel me. Is er voor u dus echt niets verkeerd gegaan? Had ik misschien die andere tekst nog een keer moeten uitprinten en kopiëren?'

'Nee, nee,' zei Perlmann, en hij moest de agitatie in zijn stem onderdrukken. 'U hebt precies het juiste gedaan. *Mille grazie.*'

In het daglicht zag de schade aan de Lancia er vreselijk uit. De donkerblauwe lak was over de hele lengte overal opengereten, de schrammen zaten tot diep in het blik, en bij de rechter koplamp was het spatbord danig gedeukt. Perlmann pakte zijn stropdas, de medaille en de oorkonde van de achterbank en stopte ze samen met het zwarte schrift in de lege handkoffer. Toen reed hij weg.

Hij was nog niet eens bij de grote havenkade of hij besefte dat hij het niet meer zou redden. Hij zat te trillen van zwakte en zijn reactievermogen was absurd traag, alsof zijn hersenen het compleet lieten afweten. Terwijl een politieagent toekeek, stopte hij op een plek waar dat niet was toegestaan en veegde hij het zweet van zijn koude handen.

Juist toen hij wilde keren en terugrijden, viel zijn blik op hotel IMPERIALE boven op de heuvel. Er was iets mee. Weer namen zijn hersenen beangstigend ruim de tijd. *De ober. Ik heb niet op hem gewacht. En ik heb niet betaald. Dan ben ik dus ook nog een wanbetaler.* In vergelijking met al het andere was dat zo'n belachelijk idee dat Perlmann moest grijnzen. Heel langzaam reed hij naar het hotel en voordat hij de oprit in sloeg, wachtte hij minutenlang tot er in de verste verte geen tegenligger te bekennen was.

Het was dezelfde ober. Hij nam Perlmann met een minachtende blik op. Het bleke, ongeschoren gezicht. Het besmeurde jasje. De met bloed bevlekte broek. De ongepoetste schoenen.

'Ik heb gisteravond helemaal vergeten te betalen,' zei Perlmann, en hij haalde een handvol geldbiljetten uit zijn zak.

'We zijn dat soort gasten hier niet gewend,' zei de ober stijfjes.

'Het is ook niet mijn gewoonte,' zei Perlmann met een vermoeide glimlach. 'Het was, geloof ik, een belegd broodje, een whisky en een mineraalwater.'

'Twee mineraalwater,' zei de ober bits.

'Neem me niet kwalijk. Ik was gisteren niet... ik was er niet helemaal bij met mijn hoofd.'

'Dat dacht ik al. En wat ik u verder nog wil zeggen, wij stellen geen prijs meer op uw bezoek,' zei de ober en hij stak het briefje van tienduizend lire zonder meer in de zak van zijn rode jasje.

Die twee dingen samen, dat hij eruit werd gegooid en dat gebaar, voegden zich voor Perlmann's gevoel tezamen tot iets wat hem op een merkwaardige manier bevrijdde. Hij keek de ober met onverholen minachting aan. 'Weet u wat u bent? *Un stronzo*.' En omdat hij er niet zeker van was of dat scheldwoord wel erg genoeg was, voegde hij er de letterlijke vertaling aan toe: 'Een klootzak. Een enorme klootzak.' Het gezicht van de ober trok wit weg. '*Stronzo*,' zei Perlmann nog een keer, en liep toen naar buiten.

Op de terugweg reed hij al zekerder, en opeens had hij honger – een gevoel dat hij de afgelopen dagen bijna was vergeten. In een cafetaria waar je alleen staand aan een tafeltje kon eten, verorberde hij een paar punten pizza. Op de televisie achter de toonbank was juist het nieuws van vijf uur voorbij en er werd ingezoomd op de weerkaart. Perlmann staarde naar de wolken ten oosten van Genua. Die waren wit, niet grijs. Maar dat waren wolken op dat soort kaarten altijd. Of niet?

'Kent u de weg van Genua via Lumarzo naar Chiavari?' vroeg hij aan de man in onderhemd die met een lange schuif de pizza's uit de oven haalde.

'Natuurlijk,' zei de man, zonder zijn bewegingen te onderbreken.

'Denkt u dat het daar vannacht regent? Bij de tunnel, bedoel ik.'

De man hield abrupt op met waar hij mee bezig was, liet de schuif half in de over en draaide zich om.

'Wilt u me soms voor de gek houden?'

'Nee, nee,' zei Perlmann vlug, 'ik moet het echt weten, het is erg belangrijk.'

De man in onderhemd nam een trek van zijn sigaret en keek hem toen aan op de manier waarop je een niet al te snugger, wie weet zelfs gestoord iemand aankijkt.

'Man, hoe zou ik dat nou moeten weten?' zei hij mild.

'Ja,' zei Perlmann zachtjes en hij liet een veel te grote fooi liggen.

'Ons gesprek van gisteravond laat,' zei Perlmann tegen signora Morelli, toen ze de gele envelop van mevrouw Hartwig en een wat kleinere envelop voor hem op de balie legde. 'Ik...'

Ze vouwde haar handen en keek hem aan. Het bijna onmerkbaar bewegen van haar mondhoeken kon ook verbeelding zijn.

'Welk gesprek?'

Perlmann slikte en verschoof de twee enveloppen tot ze precies parallel aan de rand van de balie lagen. '*Grazie*,' zei hij zachtjes en keek haar aan.

Haar knikken was slechts een aanduiding.

De kamer rook naar Leskov's zoetige tabak. De rook was weg, maar tegen de penetrante geur had ook het open raam niets kunnen uitrichten. Nu was het alleen koud. Perlmann gooide een berg as en zwartgeblakerde tabak uit Leskov's pijp in het toilet en sloot het raam.

In de envelop van mevrouw Hartwig zaten twee brieven. De ene was de uitnodiging van Princeton, geschreven op duur papier dat aan perkament deed denken, en ondertekend door de rector magnificus. De uitnodiging werd gedaan op grond van zijn *uitmuntende wetenschappelijke prestaties*, stond er. En de rector magnificus verzekerde hem dat het voor de hele universiteit *een grote eer* zou zijn hem enige tijd als gastdocent te hebben. Perlmann las de brief niet nog eens over maar stak hem meteen weer terug in de envelop en gooide die in zijn handkoffer.

De andere brief was een uitnodiging voor een gastcollege. Hij zou een reeks colleges moeten openen, en de organisatoren hechtten er grote waarde aan dat hij de eerste spreker was. In de brief was sprake van een onderzoek dat hij al drie jaar geleden had voltooid, maar dat pas aan het begin van het jaar was gepubliceerd. Toen, dacht hij, leek alles nog in orde. Alleen was het onderzoek hem steeds meer gaan vervelen. En soms was hij midden in de nacht wakker geworden en wist hij niet meer hoe het verder moest. Op die momenten had hij geen lange zelfgesprekken gevoerd. Bij dergelijke gelegenheden kwamen er altijd maar heel weinig gedachten in hem op. Hij luisterde dan naar muziek, en meestal stond hij daarbij voor het grote raam. Agnes was verbaasd als ze hem dan al zo vroeg aantrof aan zijn bureau.

In de andere envelop zat een briefje van Angelini. Helaas, schreef hij, moest hij vanmiddag alweer terug naar Ivrea. Hij wenste hem beterschap. Hopelijk was het niets ernstigs. Hij zou proberen vrijdag bij het laatste diner aanwezig te zijn, maar wist het nog niet zeker. Of hij zo vriendelijk wilde zijn hem te bellen voordat hij vertrok. Onder aan het briefje stond zijn telefoonnummer.

Het waren vriendelijke zinnen, ook al waren ze erg vormelijk. Perlmann las ze een paar keer over. Hij dacht aan hun eerste ontmoeting en aan de enthousiaste telefoontjes daarna. Je kon niet zeggen dat er teleurstelling sprak uit deze zinnen. Absoluut niet. Ook geen distantie of kilte. Maar die voelde hij wel. Hij, Philipp Perlmann, was een slechte investering geweest.

Hij stemde de televisie af op het nieuws van zes uur. Maar op dit kanaal lieten ze alleen een schematische weerkaart zien, waar hij niets mee opschoot. Voor morgen waren geen grote veranderingen te verwachten. De straten waren zojuist al weer bijna droog geweest. Hij liep naar het raam. Nu naar de donkere hemel zonder sterren te staren was zinloos.

Hij stond lang onder de douche en ging toen in bed liggen. Het kussen rook naar Leskov's tabak. Uit de kast haalde hij een ander kussen. Ook in het dekbed zat die geur. Hij haalde het eraf en dekte zich toe met de extra deken uit de kast. De verwarming versterkte de geur. Hij zette haar uit en het raam open. Zijn lichaam zinderde van uitputting, maar de slaap wilde maar niet komen. Een slaappil innemen wilde hij niet. Op het nieuws van zeven uur zagen de wolken in de omgeving van Genua er dikker uit dan twee uur geleden. Buiten bleef het droog. Hij had het koud en haalde de laatste deken uit de kast. Het verkeer op de weg langs de oever maakte te veel lawaai en hij deed het raam weer dicht.

Als hij om halfzes zou vertrekken, zou hij er bij het eerste licht zijn. Hij zette de wekker op vijf uur. Tegen achten viel hij in slaap.

Hij zag geen bulldozers en ook niet de wanden van de tunnel. Eigenlijk zag hij helemaal niets. Van zien was geen sprake. Het was alleen maar zo dat hij de kracht niet had zijn handen van het stuur te nemen. Hij hield het vast en draaide het naar links, steeds verder naar links. Het was mogelijk dat hij het zelf was die draaide. Of het was iets in hem, een kracht, een wil, maar dan een wil die hem vreemd was en die niet werkelijk bij hem hoorde. En misschien was het stuur wel zelfstandig geworden en leidde het zijn hand, tegen zijn wil in. Hij wist niet meer waar hij was, de indrukken overweldigden hem en hij wist niet waar hij het meest bang voor moest zijn. De angst verlamde hem totaal, hij had het gevoel de controle over zijn lichamelijke functies te verliezen, vooral over zijn onderlijf. Het leek een eeuwigheid te duren, waarin hij elk moment de botsing verwachtte, en toen werd hij wakker met schokken door zijn hele lichaam; het was vreselijk, angstaanjagend, het onttrok zich volledig aan zijn controle, het waren animale, biologische stuiptrekkingen die uit een gebied diep in zijn hersenen leken te komen.

Perlmann sprong uit bed en onderzocht de matras. Die was schoon. Toen ging hij op de rand van het bed zitten roken. Af en toe voelde hij de lichamelijke nawerking van een draaiing naar links. Later trok hij zijn natte pyjama uit en ging onder de douche. Het was even na middernacht. De weg langs de oever was nat. Maar nu regende het niet meer.

In de uren daarna ontwaakte hij met korte tussenpozen uit dezelfde droom, om vervolgens opnieuw weg te doezelen.

Deze keer was het geen nachtmerrie, maar een ingewikkelde en lachwekkende verzameling van dingen die voor de dromer geen enkel verband met elkaar hielden. Zo was er de naam Pian dei Ratti, die zo frequent terugkeerde dat het op een permanent achtergrondgeluid leek, een aanhoudende echo die de inwendige ruimte tot in alle hoeken vulde. En die naam had een geur. Hij was gehuld in een geur van zoetige tabak en nevel, het was alsof die geur aan de naam kleefde, zodat de naam zonder die geur geen enkele betekenis meer had. Doordat die naam er steeds was en weergalmde, had hij het de hele tijd koud en moest hij snotterend naar munten zoeken, die voortdurend pijnlijk schurend door zijn vingers gleden. Zijn schoenen kiepten opzij en de vrouwen lachten. Toen lag alles opeens vol gele bladen, en het had geen zin zich in de kofferbak heel klein te maken.

Perlmann deed een nieuwe pleister om zijn vinger. De ontsteking begon minder te worden. Elke keer als hij wakker werd, deed hij even het raam open. Buiten regende het licht. De droom had de voorspelbaarheid en de monotonie van een grammofoonplaat waarbij de naald in een groef blijft steken. Om half vijf nam hij een douche, schoor zich en kleedde zich aan.

'*Buon giorno,*' zei Giovanni; hij wreef in zijn ogen en keek op zijn horloge.

In de deuropening draaide Perlmann zich nog een keer om. 'Die gelijkmaker onlangs, die tot die strafschoppen leidde. Wie had die gemaakt?'

Giovanni wist even niet hoe hij het had. 'Baggio,' zei hij toen grijnzend.

'Van welke club?'

Giovanni keek hem aan alsof hij had gevraagd van welk land Rome de hoofdstad was.

'Juve. Juventus, uit Turijn.'

'*Grazie,*' zei Perlmann. Hij voelde hoe Giovanni's verbaasde blik hem volgde.

Hij was een zonderling geworden.

43 De kustweg was zo verlaten en stil dat Perlmann de drie of vier auto's die hem tegemoet kwamen, in hun korte, spookachtige aanwezigheid meteen weer vergat. Rapallo was een donker, scherp uitgesneden silhouet met onbeweeglijke lichtjes, dat aan een kopergravure deed denken. De knipperende stoplichten in de uitgestorven straten van Recco gaven hem het gevoel door een spookstad te rijden, en de twee oude mannen die dicht langs de huizen sjokten, versterkten die indruk alleen maar. In de boerderijen langs de weg naar Uscio zou misschien al licht branden. Het gekraai van de overal aanwezige hanen klonk boven het zachte geluid van de motor uit. Perlmann probeerde niet aan maandag terug te denken. Het belangrijkste was dat het hier de afgelopen uren blijkbaar niet had geregend. Voorbij Lumarzo was de versnellingspook toch ineens nat van het zweet en hij moest steeds vaker slikken. Toen hij de tunnel naderde, hield hij het stuur met gestrekte armen vast en hij nam zich voor niet om zich heen te kijken en nergens aan te denken.

Hij remde af. Daar, op de lichtgrijze vangrail, zaten donkere strepen. Hij gaf gas – alleen om meteen daarna weer vaart te minderen. *Hier, precies op deze plek, heb ik mijn handen van het stuur genomen.* Hij stopte. Er was niets te zien. Het was krankzinnig. Woedend liet hij de banden piepen en trapte meteen daarna vol op de rem, alsof hij in de lege tunnel een botsing moest voorkomen. Over het grootste deel van het lichte leem lag een zeil, dat op de hoeken met bakstenen was verzwaard. Tegen de muur stond een lege kruiwagen, eronder lag een slordig opgerold touw. Hij had nooit begrepen waar ze op deze noodparkeerplaats eigenlijk mee bezig waren, en ook deze recente verandering gaf daar geen opheldering over. Hij wist dat het onzin was en in de buurt van paranoia kwam, maar hij kon zich niet aan de indruk onttrekken dat ze hem, speciaal hem, en hem alleen, een poets wilden bakken: dat er iemand was die de dingen op deze plek telkens opnieuw arrangeerde, met als enige doel hem in de war te brengen, zijn nutteloze gedachten te prikkelen en zijn gevoel van beklemming te verhevigen. Hij beet op zijn lippen en reed de tunnel uit. Het winkeltje van de tandeloze oude vrouw lag in het donker en kwam hem voor als een in onbruik geraakte coulisse. Het was kwart over zes en nog pikdonker.

Het kon nog maar twee, hoogstens drie kilometer zijn. Een paar bochten nog. Maar voorbij de eerstvolgende bocht was hij nog niet, en ook niet voorbij de daaropvolgende. Vanuit deze richting zag alles er anders uit. Plotseling, zo snel dat hij het niet kon geloven, was hij al bij het benzinestation waar hij de eerste poging had gedaan om Leskov's tekst – *te elimineren.* Ja, dat was het juiste woord. Hij stopte voor het donkere huisje en probeerde zich te herinneren hoe het daarna was gegaan. Het herinneren ging moeizaam, niets kwam vanzelf terug. In de auto was het warm en bedompt, hij had al die tijd met de verwarming in de hoogste stand gereden. Maar met het raampje open werd het hem te koud en hij deed het weer dicht. De huid van zijn gezicht stond gespannen en voelde aan als papier.

Waarom was hij hier eigenlijk? Straks zou hij een stapel vuile en gescheurde vellen papier in zijn hand houden. En dan? Wat moest hij in godsnaam tegen Leskov zeggen als hij hem die stapel overhandigde? Het was duidelijk dat het een verhaal moest zijn over een vergissing, een onhandigheid, een onbedoelde stommiteit. En bovendien moest het verhaal een verklaring bevatten voor het feit dat hij zijn stommiteit pas vandaag, uitgerekend vandaag, had ontdekt. Perlmann merkte hoe zijn hoofd leeg werd en hoe die leegte door een verlammende moeheid werd gevuld. Het kon met de beste wil van de wereld en ook niet met inzet van de meest avontuurlijke fantasie verklaard worden, hoe de tekst uit de gesloten handkoffer en de gesloten kofferbak in de modder terecht was gekomen zonder dat iemand daar bewust de hand in had gehad.

Een eerste vleug diffuus, grijs licht verlichtte het gesloten wolkendek. Af en toe kwam er nu een auto voorbij. Als hij nu meteen doorreed naar Genua, was hij even voor achten op de luchthaven en dan zou spoedig ook het loket van AVIS opengaan. *Maar ik kan die papieren hier toch niet zomaar in de modder laten liggen. Dat is uitgesloten. Hij moet die tekst terugkrijgen. Hoe dan ook.*

Perlmann reed langzaam verder, nog langzamer dan maandag. Daar in die bocht was de vrachtwagen met groot licht opgedoken, die hij eerst nog voorbij had laten gaan. En inderdaad: net vóór de bocht zag hij al het eerste vel papier in de berm liggen. Hij kreeg een schok toen hij het zag, en opeens was hij klaarwakker. Snel, alsof het papier zich op het laatste moment aan zijn greep kon onttrekken, stapte hij uit en bukte zich. Het was een stuk halfdoorzichtig, gekreukt pakpapier. Hij kon zijn hand niet tegenhouden, die moest en zou het aanraken. Nu zat er mayonaise aan zijn vingers. Vol walging wreef hij ze af aan zijn broek en stapte weer in.

De volgende bocht kon het ook niet zijn, daar was nergens een stuk papier te bekennen. Het was twee bochten verderop. Perlmann zag de vele lichtgetinte bladen in de berm al van verre en reed er met een vaart op af alsof hij aan een Formule 1-race meedeed. Hij parkeerde met twee wielen in de berm, klom uit de schuinstaande wagen en liep gespannen op de bladen af. De meeste lagen een heel eind van elkaar af, maar op twee plaatsen waren er verschillende op elkaar terechtgekomen en vormden een slordige hoop. Perlmann legde ze op de motorkap. Gisteren had hier waarschijnlijk de zon geschenen, de beide bovenste bladen waren droog. Het vale geel was nu helemaal verbleekt, de bladen waren kromgetrokken en gebobbeld. Daaronder zaten er een paar die nog vochtig waren, en daar weer onder een aantal die in het midden van de stapel hadden gezeten en bijna helemaal droog waren gebleven. Alleen aan de randen waren ze nat en grijs van het vuil. Op de bovenste bladen was de inkt uitgelopen, de twee eerste waren bijna niet meer te lezen, maar daarna werd het beter.

Tot nu toe waren het zeventien bladzijden, waaronder pagina 77. Nu was het de beurt aan de andere, ver uit elkaar liggende bladen in de berm. Toen Perlmann bukte om het eerste vel op te rapen, reed er net een auto langs, en de turbulentie die die veroorzaakte woei drie bladen van de motorkap. Hij liep er haastig naartoe en raapte ze op. Eén ervan was onder de banden gekomen en gescheurd. Geïrriteerd legde hij de hele stapel op de vloermat voor de passagiersstoel. Uit de berm wist hij ruim twintig bladzijden te redden. De helft ervan was heel vies, maar Leskov's tekst zou toch nog gereconstrueerd kunnen worden. Bij de andere, die met de beschreven zijde naar beneden hadden gelegen, was het beter. Ook daarop waren de ronde letters van Leskov's zorgvuldige handschrift aan de randen veelal uitgelopen en uiteengevloeid. Op die plaatsen was de ondergrond niet meer geel, maar vaalblauw met een groenachtige tint. Maar de tekst was leesbaar. De bladen die in een geul hadden gelegen, waren door de zon gedroogd en kromgetrokken, de andere waren doorweekt en heel onprettig om aan te raken.

Daarna moest Perlmann vaak ver de steile berm afdalen om het volgende blad te kunnen pakken. Op veel vellen zat aarde, een paar waren gekreukt en ingescheurd. Eén keer gleed hij uit op de vochtige grond, het leek wel alsof er een mes in zijn enkel werd gestoken, en het scheelde weinig of hij was gevallen. Op het laatste moment kon hij zich vastgrijpen aan een graspol. Nu zat er vuil onder zijn nagels. Vanaf deze plek kreeg hij veertien bladzijden te pakken, onder andere pagina 79, waarvan onderaan weliswaar een stuk blanco was, maar die nog niet de laatste bladzijde kon zijn, want er stond geen adres op. Er ontbraken dus nog minstens vijfentwintig pagina's. Uitgeput leunde hij tegen de motorkap en stak een sigaret op.

Intussen was het tien over half acht, het was helemaal licht geworden. Het werd drukker, nu kwam ook de eerste vrachtwagen eraan. Die had een veel te smalle bumper en een benzinetank die niet was beveiligd. Toen hij voorbij was, drong het tot Perlmann, die midden in een zwarte rookwolk stond, door dat hij geen hartkloppingen had gekregen. Dat verbaasde hem. Wel had hij ongemerkt zijn sigaret op de weg laten vallen. Het was, dacht hij, alsof er tussen hem en de vrachtwagen voor het eerst een dunne scheidingswand was komen staan, het begin van een veilige afstand die mettertijd almaar groter zou worden, tot hij op een dag ook de rode nevel zou kunnen vergeten. *Aangenomen dat Leskov dan zijn tekst weer had.*

Het was verbazend hoeveel bladzijden in de berm waren gewaaid die aan de andere kant van de straat steil afliep. De bodem was daar zacht en vochtig en één keer zakte Perlmann tot de rand van zijn schoenen in de prut. De bladen hadden op het hoge gras gelegen en waren maar een beetje vuil geworden. Op twee vellen na hadden ze met de beschreven zijde naar beneden gelegen, ze waren nog leesbaar. Nu had hij in totaal zevenenzestig bladen verzameld. Hij speurde de wijde omgeving af, langzaam, systematisch, plekje na plekje, in totaal drie keer. Geen spoor van geel viel er nog te ontdekken. De opkomende zon drong door het wolkendek en Perlmann keek met knipperende ogen omhoog. Bij twee hoge struiken hing ook nog een blad in de top. Het was om wanhopig van te worden, zo lang duurde het voordat ze naar beneden kwamen zeilen, en hij moest met zijn verwoede geschud een komische indruk hebben gemaakt, want een gele schoolbus reed opvallend langzaam voorbij en de kinderen wezen lachend naar hem.

Dat ene blad was de eerste pagina, met de titel. Een naam stond er niet onder. Er zat een vouw in het blad en door een tak was er een gat in gekomen, maar lezen was geen probleem. Nu ontbraken er nog minstens elf pagina's. Perlmann keek naar de wielen van de voorbijrijdende auto's en stelde zich voor dat de bladen misschien aan zo'n wiel waren blijven hangen, vervolgens ritmisch tussen rubber en asfalt waren geplet, tot ze ten slotte in flarden ergens waren blijven liggen.

Toen er een tijdlang geen verkeer voorbijkwam, viel zijn blik op een bruine rechthoek die een deel van de witte streep op het midden van de weg bedekte. Het was een bladzijde van Leskov's tekst, van regen en vuil doordrenkt en talloze keren overreden. Hij trok aan een hoek van het blad, maar het papier was half verpulverd en scheurde meteen. Iets om eronder te schuiven. Radeloos deed hij het handschoenenvak open en zag de wegenkaart die signora Morelli hem zaterdag had geleend. Hij vouwde de kaart voor de helft open en duwde die voorzichtig, centimeter voor centimeter, onder het halfvergane blad. Op de klep van de kofferbak begon hij het blad met zijn zakdoek zorgvuldig droog te deppen, alsof het om een waardevolle archeologische vondst ging.

Het was pagina 58. In het midden had Leskov een tussenkop geschreven. Je kon nog net zien dat het om twee tamelijk lange woorden ging, met het getal 4 ervoor. Maar de inkt was bijna helemaal uitgelopen, had zich vermengd met het vuil, en wat ervan restte was een smeerboel. Perlmann veegde met een andere punt van de zakdoek nog een keer over de woorden. Misschien kon je iets van de oude letters, die in Sint-Petersburg op papier waren gezet, zichtbaar maken door de verdunde en uitgelopen inkt die er nu overheen lag, voorzichtig te verwijderen. En inderdaad werden de plekken waar de pen was neergezet dan zichtbaar. Maar dat was niet voldoende om een eenduidige woordvolgorde te kunnen vaststellen. Hij stak een sigaret op. Het laatste woord, dat wist hij steeds zekerder, moest *prošloe*, verleden, zijn. Maar hij kon zich nu minstens drie varianten voorstellen: *iskažennoe prošloe*, het vervormde verleden; *pridumannoe prošloe*, het verzonnen verleden; *obmančivoe prošloe*, het bedrieglijke verleden. En zelfs nog een vierde variant: *zastyvšee prošloe*, het gestolde verleden. Dat hij het woord *zastyvat'*, stollen, kende, had hij te danken aan iemand die Agnes' foto's had bekeken en het had gewaagd haar speciale manier van levendige tegenwoordigheid vastleggen te vergelijken met een stollingsproces. Haar woede was enorm geweest, want stollen was voor haar een woord voor het proces waarbij mensen door hun conventies tot levenloze figuren verstarren. En om niet te stikken in haar woede had ze later thuis iets gedaan wat normaal zijn gewoonte was: ze had het woord opgezocht in alle woordenboeken waar ze de hand op kon leggen.

Nerveus rokend vergeleek Perlmann de woorden die hij kon bedenken telkens met de vage inktsporen. Maar op grond van de half uitgewiste lijnen kon hij geen keuze maken. Hij mat zijn vermoedens af aan wat hij van Leskov's ideeën in zijn hoofd had, en aan de woordenschat die hij zich op grond van zijn tekst eigen had gemaakt. Maar ook dan kreeg hij geen uitsluitsel. De invloed van taal op de manier waarop wij ons iets herinneren, kon volgens de eerste versie op alle vier manieren worden getypeerd. Bovendien was de tekst die hij kende geen betrouwbare maatstaf, omdat Leskov volgens eigen zeggen die tekst ten behoeve van de tweede versie grondig had bewerkt.

Wat had hij maandag tijdens de autorit ook al weer over de nieuwe versie gezegd? Midden in het steeds drukker wordende verkeer, waaronder zich nu steeds meer vrachtwagens bevonden, probeerde Perlmann zich de woorden van Leskov te herinneren. Hij had ze gehoord, dat wist hij zeker. En onderwijl was er ook iets door zijn hoofd gegaan. Hij sloot zijn ogen. Op zijn gezicht voelde hij de warmte van de uitlaatgassen. De versnelling van een passerende vrachtwagen kraakte. Hij zag de lichtbundel van de linker koplamp weer voor zich en herinnerde zich dat de rechter koplamp kapot was. Verder herinnerde hij zich niets. Heel even, het was een verschrikkelijk moment, had hij de indruk dat hij niet meer wist hoe je zoiets deed, je iets herinneren. Toen legde hij de kaart met het blad op de stapel en stapte in.

Hij had de bladen graag willen ordenen om te zien hoeveel er ontbraken – of het telkens slechts een paar opeenvolgende pagina's waren, die Leskov relatief gemakkelijk zou kunnen reconstrueren, of dat er grotere stukken van de tekst ontbraken, wat hem weken zou kosten omdat hij dan opnieuw een heel betoog zou moeten opzetten. Maar in de toestand waarin de bladen nu waren, kon hij dat niet doen zonder nog meer schade aan te richten.

Hij was er zeker van dat 79 het hoogste getal was dat hij op een van de pagina's had zien staan, daar had hij goed op gelet, en die bladzijde lag apart naast de stapel. Hij pakte hem en vertaalde moeizaam de laatste regel, die Leskov in minuscule letters tussen twee doorgestreepte regels in had gepriegeld. *Maar dat zou een verkeerde conclusie zijn. In plaats daarvan zou men...*

Daarna was het niet onmogelijk dat de tekst op de volgende pagina werd beëindigd, zodat er in totaal slechts tien pagina's ontbraken. De juiste conclusie trekken zou de retorische afsluiting en het hoogtepunt van het hele betoog kunnen zijn, en dat zou heel goed op een enkele pagina passen. Maar het was evengoed mogelijk dat Leskov op dat punt nog eens breed uithaalde en met een nieuw idee kwam. En om dat nieuwe idee uit te werken had hij misschien nog eens vijf of zes pagina's nodig gehad.

Over het onderste blad waren veel banden gereden. Geregend had het maandag niet. Toch kon het vuil op de banden en op de weg als een soort lijm hebben gewerkt, zodat aan een van de banden een heel pak bladen ineens was blijven hangen. Zeker geen twintig, want dan zouden een paar van de onderste zijn losgeraakt en had hij die ergens moeten zien liggen. Tien? Vijf? Drie? Perlmann keerde om en reed naar Genua, langzaam en met beide handen stevig aan het stuur.

44

In het eerste grote warenhuis dat hij zag ging hij naar de schrijfwarenafdeling en vroeg om driehonderdtwintig vel vloeipapier. Verbaasd herhaalde de verkoopster het getal voordat ze naar het magazijn ging. Perlmann legde de vier pakken vloeipapier in de auto en liep toen radeloos, met aarzelende passen, de straat door. Hij stelde zich een goedverlichte leeszaal voor, leeg en stil, waar hij op lange tafels de bladen van Leskov's tekst één voor één schoon kon maken en tussen twee vloeibladen kon leggen. Doelloos stak hij de straat over en sloeg een stillere zijstraat in. Aan het eind ervan klonk het gejoel van schoolkinderen die speelkwartier hadden. Tien uur. Hij stond even stil en wipte op zijn hakken. Toen liep hij verder, ontweek de spelende kinderen op het schoolplein en ging de school binnen.

Op de gang kwam hem een vrouw tegemoet die er in haar witte jasschort uitzag als een dokter. Of ze misschien een leeg lokaal voor hem hadden, vroeg Perlmann. Voor een halfuur ongeveer. Hij moest belangrijke papieren droogmaken. 'Ik... ik weet dat het een ongewoon verzoek is,' voegde hij eraan toe toen hij zag dat de vrouw haar onderlip iets naar voren schoof.

Ze nam haar bril af en wreef in haar ogen, alsof ze een drogbeeld wilde verjagen. Toen nam ze hem van boven tot onder op, van zijn dodelijk vermoeide gezicht tot aan zijn schoenen, die onder de opgedroogde modder zaten.

'Wat denkt u wel dat dit hier is?' vroeg ze bits. 'Een tehuis van het Leger des Heils?' Ze draaide hem de rug toe en deed de deur van haar kantoor achter zich dicht.

Een paar straten verderop kwam hij langs een meubelmaker. Midden in de werkplaats stonden twee lange, lege tafels. Een man zat in een stoel de krant te lezen. Perlmann was erop bedacht dat hij er opnieuw uitgegooid zou worden en ging naar binnen. Of hij de beide tafels een paar minuten mocht gebruiken om belangrijke papieren te... ordenen. Hij zou ervoor betalen, de tafels in zekere zin huren, voegde hij eraan toe toen de man een ernstig gezicht trok.

'*Chiuso*,' zei de man nors en hij hield de krant voor zijn gezicht.

De idioot met de belangrijke, natte papieren. *De gek van Genua met de duizend vloeibladen.* Perlmann ging in een portiek staan en wachtte tot de stortbui over was.

Hij kon hem de tekst anoniem nasturen naar Sint-Petersburg. Mevrouw Hartwig op het instituut had Leskov's adres. Maar hoe was de onbekende afzender aan dat adres gekomen, terwijl de laatste bladzijde ontbrak? Dat ging niet. Dat zou heel verdacht zijn. Hij kon hem de tekst niet geven, en ook niet toesturen. Wat wilde hij hier dan nog met die honderden vloeibladen? *De gek met de vloeibladen.*

Niet ver van de auto kwam hij in een zijstraat voorbij een bar waar ze langs de wanden brede planken hadden aangebracht waar de gasten hun consumpties op konden zetten. Of hij op die planken even een paar papieren mocht uitspreiden, vroeg hij, nadat hij een kop koffie en een broodje had genuttigd.

'Als u er maar geen klanten mee wegjaagt,' was het antwoord.

'*Mamma mia*,' zei de kastelein toen hij Perlmann zag terugkomen met de vochtige, aan de zijkanten neerhangende stapel papier en twee pakken vloeipapier.

Perlmann begon elk blad heel zorgvuldig van de stapel los te maken en tussen twee vloeibladen te leggen. Nu had hij nog een vel papier nodig om iets op te schrijven, zei hij tegen de kastelein.

'Verder nog iets?' zei de man ironisch en hij overhandigde hem een bonnetjesblok dat er bijna net zo uitzag als het blok in de havenkroeg van afgelopen vrijdag. 'Kan ik u misschien van dienst zijn met een pen?'

Perlmann trok een grijns en haalde zijn eigen pen uit zijn jasje. Hij noteerde de nummers van de pagina's en maakte verschillende stapeltjes. Het vloeipapier werd blauw en bruin. De kastelein kwam achter de toog vandaan en wierp een nieuwsgierige blik op de gele stapel.

'Wat is dat voor taal?'

'Russisch,' zei Perlmann.

'Dus u kent Russisch?'

'Nee,' antwoordde Perlmann.

'Nu begrijp ik er helemaal niets meer van,' zei de kastelein. 'En dan al dat vuil op die papieren! *Mamma mia!*'

De gek met de smerig geworden Russische tekst die hij niet kan lezen.

Aan de bladzijden 30 tot 40 ontbraken drie bladzijden, en aan het eind twee opeenvolgende bladzijden. Verder ontbrak er hier en daar slechts één. Op pagina 3 kwam de eerste tussenkop: *1. Vspomniščiesja sceny. Herinnerde scènes.* De tussenkoppen 2 en 3 moesten op de ontbrekende bladen staan. En waarschijnlijk was er tegen het einde van de tekst ook een paragraaf met de titel *Toe-eigening*, of iets dergelijks.

Het had nog veel erger kunnen zijn, dacht Perlmann toen hij de bladzijden met vloeipapier en al op een stapel legde. Tenzij aan het eind nog een lang en belangrijk stuk ontbrak, zou Leskov er tevreden mee zijn.

'*Mamma mia!*' riep de kastelein en stak ironisch theatraal zijn handen in de lucht toen Perlmann hem ook nog om een stuk touw vroeg. Hij keek toe hoe hij de stapel papier voorzichtig dichtbond. 'En wat gaat u daar nu mee doen?'

'Geen idee,' zei Perlmann en hij nam een hap van zijn broodje.

'*Buona fortuna!*' riep de kastelein hem achterna. Het klonk alsof hij een hopeloos verward, uiterst gevaarlijk persoon de ongenaakbare wereld in stuurde.

Samen met de rest van het vloeipapier stopte Perlmann het pak in zijn handkoffer. Toen reed hij naar de luchthaven. De man met de rode muts stond verveeld naast zijn huisje te roken. Perlmann wist niet waarom, maar de man, bij wiens aanblik hij begon te zweten, herinnerde hem eraan dat hij nog iets had willen doen, iets heimelijks. Hij keerde om, reed een eindje terug en bleef achter een heg staan. De uitputting blokkeerde zijn geheugen. Pas toen zijn blik op de pleister om zijn vinger viel, schoot het hem te binnen. Hij pakte de schroevendraaier en de Engelse sleutel uit de kofferbak. Toen keek hij even om zich heen en plantte de schroevendraaier precies op de plek waar de twee munten elkaar raakten. Bij de derde klap kraakte het zwarte kastje en de munten vielen op het andere geld. De gordel maakte een beetje een schurend geluid, maar deed het verder zonder mankeren. Toen hij het portier dichtsloeg, zag hij onderaan in de hoek lakschade. Die kwam niet van de vangrail in de tunnel. Het moest zijn gebeurd toen Leskov zich bij het benzinestation met veel moeite uit de wagen had gehesen en het portier tegen de betonnen console van de bandenspanningsmeter was gestoten. *Op de plek waar hij me bijna had betrapt.*

Perlmann pakte de handkoffer van de achterbank, sloot de auto af en wierp nog een blik op de chauffeursstoel. De bloedvlekken op het lichte leer waren zwart geworden.

'Op deze wagen wachten we al twee dagen, signore,' zei de mevrouw van AVIS. Nu herkende ze hem weer en haar toon werd ijzig. 'Waarom hebt u niets laten horen? Wij moeten toch ook ons werk kunnen doen.'

Aan het verstrijken van de huurtermijn had Perlmann nog geen moment gedacht. Verbaasd merkte hij dat hij de vrouw dankbaar was voor het standje. Aan een contract herinnerd te worden betekende dat hij werd teruggehaald naar de normale wereld, het normale leven, waar de dingen hun gewone gangetje gingen. Het was alsof hij toestemming kreeg de privétijd van zijn nachtmerrie met zijn wezenloze hectische gedoe te verlaten en terug te keren naar de openbare, de in normaal tempo verstrijkende tijd.

'Het... ging niet anders,' zei hij en hij probeerde te glimlachen. 'Het spijt me, maar het ging echt niet anders.'

'Bijzondere omstandigheden?' vroeg de vrouw weinig toeschietelijk, en ze zette haar hippe bril recht.

Perlmann haalde diep adem. 'Ja,' zei hij. 'Ik werd gesneden en kwam tegen de vangrail terecht. De rechterkant van de wagen is beschadigd.'

'Is de politie erbij geweest?'

'Nee,' zei hij en snel voorkwam hij haar volgende vraag. 'De auto in kwestie was al verdwenen voordat ik stilstond.'

'Toch had u de politie erbij moeten halen,' zei ze bits en ze haalde een formulier uit een la. 'Waar is het gebeurd?'

Hij verstrekte de nodige informatie en ondertekende.

'Een half miljoen eigen risico,' zei ze na een blik op de verzekeringspolis. 'Wordt van uw rekening afgeschreven, tegelijk met de rest.'

Perlmann pakte zijn handkoffer en liep de trap op naar de bar. Vandaag was er een andere bediende en verder was er alleen nog een jong meisje op sneakers. Ze lepelde een portie ijs en keek steeds op haar horloge. Nu pas merkte hij hoe opgelucht hij was dat hij van die auto af was. De hemel was betrokken geraakt en de hal lag in een somber novemberlicht gehuld. De nuchterheid van dat licht beviel hem. Hij werd rustig, en terwijl hij met langzame, diepe trekken rookte, dacht hij almaar: *Het is voorbij. Voorbij.* Zaterdag ging iedereen weg, Leskov zondagochtend. Over vier dagen zou hij rond deze tijd zelf op de terugreis zijn en 's avonds zijn vertrouwde woning betreden. Zijn uitputting maakte allengs plaats voor een vaag vertrouwen. Hij betaalde en slenterde met zijn handen in zijn broekzakken naar de trap die toegang gaf tot het panoramaterras. Hij wilde de startbaan langs het water zien en zich voorstellen hoe zijn vliegtuig zondag boven de zee in een ruime bocht steeds meer hoogte zou winnen.

'Uw koffer, signore.' Het meisje met de sneakers had gerend. Perlmann nam de handkoffer van haar over en probeerde zijn gevoelens te verbergen.

'O, ja, hartelijk dank, heel aardig van je.'

Het meisje ging terug naar haar ijs. Hij werd door een machteloze woede gegrepen en bleef met lege blik op de trap staan. Zonet, met zijn handen in zijn zakken, had hij zichzelf merkwaardig licht en vrij gevoeld, onwerkelijk vrij bijna. Maar hij had niet willen weten waarom en had met gewilde gedachteloosheid toegegeven aan de impuls tegelijk met de auto ook de afgelopen dagen achter zich te laten, met alles wat erbij had gehoord. Het was als de eerste onbelemmerde ademhaling nadat je bijna was gestikt. En nu hing het koffertje met Leskov's tekst, een krankzinnige hoeveelheid vloeibladen, het zwarte wasdoeken schrift en de belachelijke rekwisieten uit het raadhuis, loodzwaar aan zijn arm. Hij had het gevoel dat de nachtmerrie van de afgelopen dagen in compacte vorm in die koffer zat, waarop zijn initialen waren gegraveerd.

Hij liep het terras op en leunde over de balustrade. Een vliegtuig van Lufthansa taxiede naar de startbaan. Hij keek op zijn horloge. *Mijn vliegtuig.* Toen het met veel geraas opsteeg, precies op het moment waarop de achterste banden het contact met de startbaan verloren, had hij het gevoel dat hij het geen minuut langer uit kon houden. Het moest afgelopen zijn met al die aantekeningen en teksten en vertalingen en kopieën en leugens en smoesjes en geheimzinnigheid. Het moest nu ophouden. Het moest ophouden. Nu, exact *nu.*

Zijn voet stootte tegen het koffertje. Als in trance stak hij beide handen in de zakken van zijn blazer, boog zijn hoofd en liep met grote stappen en fladderende broekspijpen naar de deur. Bijna kwam hij in botsing met het meisje met de sneakers. Ze keek op haar horloge en wees naar een vliegtuig dat de landing had ingezet. '*Mio padre!*' Toen glipte ze langs hem door de deur en liep naar de trap. Perlmann gaf het op. Langzaam volgde hij haar. Toen ze zich omdraaide en lachend naar de koffer wees, stak hij zijn hand op om haar te bedanken. Het vliegtuig van Lufthansa verdween in het wolkendek.

Het probleem met het adres, dat de anonieme afzender niet kon kennen, was niet het enige, dacht Perlmann in de trein. Voor Leskov kwamen er maar drie plekken in aanmerking waar hij de tekst had kunnen laten liggen: Moskou, Frankfurt, of in het vliegtuig. En hoe kon je verklaren dat de vellen papier op de terminal van een luchthaven of in een vliegtuig in zo'n toestand waren gekomen. En hoe er een groot aantal spoorloos had kunnen verdwijnen.

Als je alles bij elkaar optelde, bleef er voor Leskov maar één hypothese over: iemand die zijn adres onafhankelijk van de tekst kende, had in de open lucht iets vreemds gedaan met die papieren en ze hem uit een slecht geweten toegestuurd. En op de bewuste dag was er slechts één persoon die met hem samen in de open lucht was geweest en die bij zijn handkoffer had gekund: Philipp Perlmann, die zijn adres al een hele tijd kende. Wanneer Leskov de autorit in gedachten langsging, zou hij meteen zien dat er feitelijk maar twee plekken waren waar het had kunnen gebeuren: het benzinestation en de plaats waar ze daarna ergens langs de weg waren gestopt. De korte afstand tussen beide plaatsen kon maar één ding betekenen: Perlmann had iets vreemds, iets onverklaarbaars met de tekst gedaan – hij had hem gewoon weggegooid.

Maar waarom in godsnaam? Had de tekst hem kunnen deren? Wat had hij te vrezen van een tekst die hij niet eens kende? Hij was in het bezit van de eerste versie, en wie weet had hij die toch gelezen. Maar dan was er... ja, precies, dan was er slechts één situatie waarin die tweede versie een bedreiging voor hem had kunnen zijn: als hij de eerste versie, natuurlijk in vertaling, voor zijn eigen tekst had laten doorgaan.

Daar aangekomen zou Leskov heel, heel voorzichtig worden, en hij zou blij zijn dat de gedachten heel aarzelend kwamen: het was onlogisch de gevaarlijke tekst weg te gooien terwijl de auteur ervan, die het plagiaat veel overtuigender en sneller had kunnen vaststellen, naast hem in de auto zat. Logisch was het alleen als... De tunnel.

Het was onmogelijk de tekst naar Sint-Petersburg te sturen. Er bleef slechts één ding over: hem voor de tweede keer weggooien. Hij moest de zorgvuldig geconserveerde, in zekere zin gerestaureerde tekst in een vuilnisbak gooien, daar had hij ervaring mee. Zich er onopvallend van ontdoen. Perlmann wierp een blik op de initialen naast het slot van zijn koffertje. Terwijl Santa Margherita door de luidspreker werd aangekondigd, haalde hij met koude vingers de oorkonde, de medaille en het zwarte schrift eruit. De koffer liet hij in de lege coupé op de bank staan, en door het gangpad liep hij snel naar de deur. De wielen piepten op de rails. Iemand die naast hem stond deed de deur open. *Je weet wat er voor mij allemaal van die tekst afhangt. De zwarte lijsten bestaan nog steeds, en ik sta op een aantal ervan.* Perlmann liep op een drafje terug, pakte de koffer en stapte uit.

Leskov zat naast Maria in het kantoortje en staarde voorovergebogen en met zijn handen tussen zijn knieën naar het computerscherm. Perlmann begreep niet meteen waarom hij schrok van wat hij zag. Pas in de lift wist hij het: zijn vertaling, de leugenachtige tekst, stond nog ergens op de harde schijf van de computer. Zeker, Maria had geen reden om die tekst in Leskov's aanwezigheid op het scherm te halen. Maar zoiets kon heel gemakkelijk per ongeluk gebeuren. Hoogstwaarschijnlijk had ze voor de groep een speciale file gemaakt. Eén of twee verkeerde toetsen en Leskov zou lezen: THE PERSONAL PAST AS LINGUISTIC CREATION. De titel zou hem een schok geven en hij zou zich nog verder vooroverbuigen om de eerste zinnen te lezen. Van wie is die tekst? zou hij ontdaan vragen. Maria kon afgeleid zijn, of moe, of onhandig, en dan had je de poppen aan het dansen. Tegenover Leskov was een eenvoudige verklaring dan niet meer mogelijk – nu niet meer, drie hele dagen na zijn aankomst. Om maar te zwijgen van een gesprek over de vermiste tekst. Dat zou hem alleen maar aan het denken zetten.

Een vervloeking, dacht hij. Leskov's tekst rustte op hem als een vervloeking waar hij nooit meer van af zou komen, waarheen hij ook ging. Het koffertje waar hij niet van af had kunnen komen. En nu de sporen in de computer, die alles zouden verraden als Maria slechts een kleine, een heel onschuldige vergissing zou maken. Hij zette zijn koffertje in de kast, deed die op slot en legde de sleutel in de lade van het nachtkastje. Maar hij had de zware overgordijnen nog niet dichtgetrokken en was op bed gaan liggen, of hij stond weer op en haalde de koffer uit de kast. Met de zorgvuldigheid van een restaurator verving hij de oude, vlekkig geworden vloeibladen door nieuwe. De behandeling had geholpen. De uitgevloeide inkt was opgezogen en de oorspronkelijke pennestreken waren nu veel duidelijker zichtbaar. Het vuil was droog en veel lichter van kleur geworden. Perlmann zette het koffertje met de tekst terug in de kast en kroop onder het dekbed. Als Maria nu iets had uitgetypt voor Leskov, had ze een nieuw bestandje aangelegd. Er was dan geen reden een ander, al bestaand bestand te openen. Een vergissing was dan onmogelijk. En als ze om een uur of vijf, zes naar huis ging, zette ze de computer gewoon uit.

Straks. Straks zou hij zich toegang verschaffen tot het kantoor en het gevaarlijke bestand eigenhandig wissen. Onmogelijk was dat niet. Hij ontspande zich.

Het meisje met de sneakers liep met het handkoffertje boven haar hoofd te zwaaien alsof het zo licht was als een veertje. Maar toen hij het zelf probeerde op te tillen, leek het wel een stuk lood dat door een magneet naar de grond werd getrokken. Een zee van vloeibladen om hem heen begon donker te kleuren en vormde uiteindelijk een enorme plaat roest. Of hij soms dacht dat dit een ijzerwarenwinkel was, vroeg de bleke lerares en ze nam haar hoed van het Leger des Heils af. 'Nee!' schreeuwde hij met overslaande stem en hij trok aan de handkoffer, die klem was komen zitten tussen het portier van de auto. Terwijl hij op het station de steeds sneller optrekkende trein probeerde bij te houden, zag hij de zwarte tunnel almaar dichterbij komen.

45 Het was pikdonker toen Perlmann door het zoemende geluid van de telefoon werd gewekt. Hij wilde zich verontschuldigen dat hij niet bij het avondeten kon zijn, zei Leskov. Maria had zich bereid verklaard samen met hem nog wat door te werken op de computer, zodat zijn tekst op tijd klaar zou zijn voor de zitting van morgen.

'Ik zou niet weten hoe het anders moet,' zei hij. 'Ik ben er nog maar net mee klaar, hoewel ik bijna de hele nacht heb doorgewerkt. En dat alleen omdat ik die vervloekte tekst ben vergeten, idioot die ik ben!'

Perlmann haalde de tekst uit de kast. Op de nieuwe vloeibladen zaten nog geen vlekken. Het grootste deel van de vellen papier was intussen droog. Het grootste probleem was het vel dat midden op de weg had gelegen, de bladzijde met de vierde tussenkop. En lastig was het ook met het vel uit de berm dat zo nat was geweest dat het onder een druppende boom moest hebben gelegen. Die twee bladen legde hij tussen nieuwe vloeibladen. De handkoffer deed hij weer achter slot en grendel in de kast. Toen ging hij eten. In al die weken was het de eerste keer dat hij op tijd was.

Wat moest hij denken van de vriendelijkheid, van de warmte zelfs waarmee ze hem begroetten toen hij op de tafel toe liep? Het was niet gespeeld en ook niet opdringerig, dacht hij terwijl hij zijn soep at. En toch was het moeilijk te verdragen. Want het had allemaal iets van de vriendelijkheid en het gespeelde medeleven waarmee je een patiënt bejegent – iemand die je een adempauze en een time-out door de vingers ziet. Een tijdlang schortte je al je vanzelfsprekende verwachtingen en eisen op. En dat betekende: je nam iemand tijdelijk niet helemaal serieus. Perlmann was blij toen Silvestri over de tafel heen op zakelijke toon vroeg of het mogelijk was dat hij vrijdag toch nog met iets kleins kwam.

De waarneming die hem in beslag nam toen hij naar het gesprek luisterde dat aan tafel werd gevoerd, had tijd nodig om goed tot hem door te dringen. Terwijl hij in zijn waan en angst opgesloten had gezeten, waren de anderen gewoon doorgegaan met hun leven. En dat hadden ze ook gezamenlijk gedaan, als een groep waarin tal van relaties waren ontstaan. Voortdurend vielen er gekscherende opmerkingen en toespelingen op gedeelde herinneringen. Er klonk ironie door in wat men zei en men liet doorschemeren dat men op de hoogte was van elkaars vergeeflijke zwakheden. Er werd gespeeld met kritiek en zelfhandhaving, men had plezier in intellectueel en persoonlijk gekissebis. En was sprake van gemeenschappelijke belevenissen in het dorp, in cafés en restaurants, in kerken, op het postkantoor – dingen die de anderen hadden beleefd terwijl hij met de kroniek op een binnenplaats had gezeten en pogingen had gedaan om dwars door het verleden heen tegenwoordigheid te vinden. Het stak hem, en hij moest aan schoolreisjes denken, waarbij hij ook vaak het vijfde wiel aan de wagen was geweest.

Achim Ruge – ook dat merkte Perlmann met een verbazing, alsof hij hier vandaag pas was aangekomen – was in de tussentijd blijkbaar zoiets als de ongekroonde koning van de groep geworden. Zijn kirrende lach werkte vaak aanstekelijk op de anderen, en bij elk nieuw onderwerp leek het wel alsof het gezelschap op een laconieke opmerking van hem wachtte. Bij de discussie over Laura Sand's film, een paar weken geleden, had Ruge iets persoonlijks laten zien. Verder wist Perlmann over die Achim Ruge eigenlijk niets.

Ik heb de anderen nooit de kans gegeven mij beter te leren kennen. Nooit had hij zich anders dan van zijn zakelijke kant laten zien. Zijn angst had de anderen van meet af aan tot eendimensionale, schematische figuren gereduceerd. Ze waren in eerste instantie tegenstanders. Dat gold uiteindelijk ook voor Evelyn Mistral. Voortdurend had hij geprobeerd de anderen de maat te nemen. Inwendig had hij harde oordelen over hen geveld. Terwijl hij behoudens wat uiterlijkheden zo goed als niets van hen wist. De panische angst ontmaskerd te worden had zijn waarneming gereduceerd tot een schrikbarende oppervlakkigheid. Nog twee dagen, dan ging iedereen zijns weegs. Hij was niets over hen te weten gekomen, had niets van hen geleerd en de enige relatie die zich tussen hen had ontwikkeld, bestond eruit dat hij had getracht zich van hen te isoleren en zich tegen hen te beschermen.

Leskov had echt pech met zijn vergeten tekst, zei Von Levetzov. Hij had die lange reis gemaakt, was voor het eerst in het Westen, en nu zat hij sinds gistermiddag de hele tijd op zijn kamer om zich voor te bereiden. En dan moest hij zondag ook alweer terug.

'Soms,' voegde hij eraan toe, 'lijkt het wel alsof hij bang is dat hij die tekst tijdens de reis verloren is. Dat liet hij vanmiddag doorschemeren. Hij leek erg in de war. Er schijnt ook wat zijn carrière betreft nogal wat van af te hangen.'

Perlmann liet het dessert staan en ging naar Maria's kantoor. Toen Leskov hem door de glazen deur zag, kwam hij met een dodelijk vermoeid en van opwinding rood aangelopen gezicht naar hem toe.

'We zijn bijna klaar. Ongelooflijk wat zo'n computer allemaal kan! Dat je je tekst met één druk op een toets zomaar op het beeldscherm kunt krijgen! Door één keer op een toets te drukken! Je hoeft alleen maar de cursor op de juiste plek te zetten!'

Perlmann ging naar het terras en rookte een sigaret. Hij zag Maria's vingers met de rode nagels en de twee zilveren ringen voor zich. Zij zou voorzichtig zijn met de cursor. Zij wist heel goed wat ze deed. Voordat hij zich omdraaide naar de deur keek hij onwillekeurig naar het raam van zijn kamer. De enige rij ramen zonder balkon.

Of zijn vader nog leefde, vroeg Laura Sand hem bij de koffie.

'Hij had het namelijk echt bij het verkeerde eind: in Mestre zijn ook heel mooie hoekjes te vinden. Als je er oog voor hebt. Ik ervaar die bescheiden, hard werkende stad altijd als een verademing na het spectaculaire en op een of andere manier onwerkelijke Venetië. Ik neem altijd een hotel in Mestre, nooit in Venetië. David vindt dat een vreemde gewoonte. Maar mij bevalt het heel goed. Nog los van de prijs.'

'Ik vind Mestre helemaal niks,' zei Millar en hij keek Perlmann aan met een grijns waarin verzoenende spot lag. 'Ik moest er een keer overnachten omdat er tijdelijk iets niet in orde was met die dijk naar Venetië. Er leek geen einde te komen aan de avond.'

Perlmann was hem dankbaar voor die opmerking. Millar minachtte hem niet wegens gisteren. *Hij heeft me naar mijn kamer gedragen.* Hun blikken ontmoetten elkaar. Ook hij scheen aan het moment in het raadhuis te denken.

'Ik heb ooit een meisje gekend uit Mestre,' zei Silvestri zonder een spier te vertrekken. 'Een fantastische stad.'

'*Well,*' zei Millar en hij fronste ironisch zijn voorhoofd.

'*Ecco!*' zei Silvestri en hij blies rook in Millar's richting.

'Mijn eerstvolgende vakantie ga ik naar Mestre,' kirde Ruge toen ze de tafel ophieven, 'en dan ga ik niet één keer naar Venetië.'

De twee bladzijden die er het ergst aan toe waren, hadden nog meer vocht afgegeven aan de nieuwe vloeibladen. Maar droog waren ze nog lang niet, en Perlmann legde ze samen met een paar andere op de verwarming. Toen maakte hij de ronde tafel vrij, pakte zijn tandenborstel en begon het vuil van de droge bladen te verwijderen.

Er bleven veel lichtbruine, hier en daar ook gespikkelde vlekken achter. Die spikkels kreeg hij niet weg, en op plaatsen waar dikke waterdruppels op het papier waren gevallen, was het papier door het drogen gaan bobbelen. Maar de tekst, alhoewel verbleekt, was weer leesbaar, en Leskov zelf zou ook bij de vormeloze inktvlekken nog wel weten wat er moest staan. Perlmann werd steeds handiger met de tandenborstel, hij had nu een gevoel ontwikkeld voor de juiste hoek. Tussendoor haalde hij uit de badkamer een handdoek om de tandenborstel mee schoon te maken. Hij schommelde bij het schoonmaken lichtelijk met zijn bovenlichaam en maakte met zijn voet ritmische bewegingen.

Hij was juist aan pagina 49 begonnen, het was halftwaalf, toen er op de deur werd geklopt.

'Ik ben het,' zei Leskov. 'Kan ik even binnenkomen? Ik moet met je praten.'

Ik moet met je praten. Perlmann verstijfde en had opeens het gevoel al urenlang in de bittere kou te zitten. *Ze heeft zich vergist met de cursor. Hij heeft de tekst gezien. Hij weet alles.*

'Philipp?' Leskov klopte opnieuw.

'Een moment alsjeblieft,' riep Perlmann. Hij kon niet voorkomen dat zijn stem hysterisch piepte. 'Ik moet me eerst aankleden.'

Koortsachtig legde hij de stapel met de gereedgekomen bladzijden op de andere en pakte de bladzijden die op de verwarming lagen. Daarbij viel de ernstig beschadigde pagina met de tussenkop tussen de vloeibladen uit, viel op de grond en toen Perlmann hem opraapte, kwam er een scheur in. Waardevolle seconden verstreken, Perlmann keek paniekerig om zich heen en schoof toen de hele stapel onder het bed. Op weg naar de deur gooide hij handdoek en tandenborstel in de badkamer op de vloer. Voordat hij de deur opendeed, keek hij achterom. De prullenbak van gevlochten metaaldraad zat vol besmeurde vloeibladen. Op het duifgrijze tapijt lag een laagje lichtkleurig stof. De tafel was onnatuurlijk leeg. *Te laat. Nu is het zover. Hij heeft me dus toch nog te pakken gekregen.*

'Neem me niet kwalijk dat ik zo laat nog stoor,' zei Leskov en blies nerveus grote rookwolken uit. Hij legde een uitgeprinte tekst op de tafel. Dat, zei hij, was de tekst voor morgen. Pas bij het doorlezen was hij onzeker geworden of het zo wel kon – of hij de tekst wel aan iedereen kon voorleggen. Hij had de indruk dat er een paar tegenstrijdigheden in zaten, een paar ongerijmdheden. 'Maar ik heb geen vertrouwen meer in mijn vermoeide hoofd. Ik had maar heel weinig tijd en heb het zonder mijn tekst moeten doen. Het was gewoon veel te veel. Wil jij de tekst nog een keer doorlezen?'

Perlmann nam de zes pagina's aan en hield ze voor zijn neus. Hij was niet in staat ook maar één woord met enig begrip te lezen. Zijn bloed klopte tot in zijn koude vingertoppen. De enige geluiden in de kamer waren Leskov's gepaf en het ruisen van de verwarming. Hij schatte hoeveel tijd het zou kosten om een pagina te lezen en sloeg toen een bladzijde om. Toen het tijd werd voor de derde bladzijde, had hij het gevoel dat hij dringend naar het toilet moest. Hij keek even over de rand van de bladzijde naar Leskov. Die keek hem onzeker aan. Of hij snel even gebruik mocht maken van het toilet?

Perlmann wierp de sprei over het bed en trok eraan tot die aan de kant van het raam op de grond hing. Toen leunde hij met gesloten ogen achterover, Leskov's papieren voor het grijpen in zijn schoot. Maria had netjes opgepast met de cursor. Maria wist heel goed wat ze deed. En Leskov's tekst, waarvan de samenvatting in zijn schoot lag, lag onder het bed. Die bleef onzichtbaar, ook als Leskov zich zou bukken. Toch ging de angst niet weg. Perlmann voelde steken in zijn hartstreek. Uit Leskov's pijp in de asbak steeg dunne rook op. Het zou weer de hele nacht zoetig ruiken. Hij haatte Leskov. Nee, zo was het niet. Hij wilde alleen dat hij verdween. Dat alles verdween, zijn geur, zijn tekst, hij zelf. Dat alles spoorloos verdween. Voor altijd.

'Jij denkt dus echt dat het zo kan?' Op Leskov's opgeluchte gezicht stond nog een restje angst en twijfel.

Perlmann knikte.

'En de tegenstrijdigheden? Weet je, wat me het meest irriteert is dat ik het ingewikkelde verhaal over de verenigbaarheid van verzinsel en toe-eigening niet meer voor elkaar krijg. Terwijl het er allemaal duidelijk in staat, zwart op wit. In Petersburg. Hopelijk.'

'Wat je in dit stuk beweert, is verdedigbaar, dat weet ik zeker,' zei Perlmann en hij reikte hem de bladen aan met een gebaar dat zo beslist was dat het bijna heftig leek. Hij zag het gebaar met verbazing en stelde verwonderd vast hoe luid en zeker zijn stem klonk. Het was een stem, dacht hij even later, waarmee je iemand een plechtige belofte doet.

De twijfel verdween van Leskov's gezicht en hij hield opgewonden een lucifer bij zijn pijp. Of Perlmann nu zag hoe verwant hun beider teksten waren?

Perlmann knikte.

Leskov wilde juist over die verwantschap beginnen toen hij zichzelf onderbrak. 'Ik laat je nu maar liever slapen. Je ziet er nog steeds erg moe uit.' Bij de deur gaf hij Perlmann tot diens verrassing een hand. 'Dit was erg belangrijk voor me,' zei hij met een dankbare glimlach. Langzaam strekte hij zijn hand uit naar de deurklink achter zijn rug. 'Weet je, in mijn kamer, aan het bureau, werd ik telkens weer overvallen door de gedachte: De tekst is verloren gegaan, alles wat ik in handen heb zijn deze paar bladzijden hier. Hoe vermoeider ik werd hoe vaker die gedachte zich opdrong.' Hij glimlachte. 'Het is hoog tijd dat ik weer eens een nachtje slaap.'

Perlmann keek naar de grove hand die de dampende pijp vasthield, en knikte. Het moment waarop de deur in het slot viel wilde maar niet komen.

Met het raam wijd open begon Perlmann ook de rest van de tekst schoon te maken. Morgenochtend, als hij Leskov de veranda zou zien binnenkomen en aan het hoofdeinde van de tafel plaatsnemen, wilde hij eraan kunnen denken dat het manuscript boven in zijn kamer klaarlag – klaar om elk moment teruggegeven te worden. Maar opeens was alle vaardigheid die hij de afgelopen uren bij het schoonmaken had ontwikkeld, verdwenen. Hij borstelde ofwel te zachtjes ofwel te hard, en vergat in zijn ongeduld dat de droog uitziende korrels aarde vanbinnen nog vochtig konden zijn. Steeds vaker maakte hij er een smeerboel van, en nu ontdekte hij dat er tot overmaat van ramp vocht in de tandenborstel was gekomen, waarschijnlijk doordat er water op de badkamervloer had gelegen, en dat er via de haartjes van de borstel nog veel meer vocht op het papier terecht dreigde te komen. Onder aan bladzijde 57 gaf hij het op, en toen hij het blad opzij legde, zag hij dat zijn hand trilde.

Nu was de problematische bladzijde 58 aan de beurt, die hij zojuist opnieuw tussen verse vloeibladen had gelegd en die nu weer op de verwarming lag. *Pridumannoe prošloe*, het verzonnen verleden, dacht hij, was het meest voor de hand liggende dat hij van het verbleekte schrift kon maken. Hij zette zijn bril af en hield de glazen als een loep boven het papier. Nu ontdekte hij dat er voor het eerste woord een potloodstreepje stond, bestemd voor een toevoeging. Van de eveneens met potlood geschreven toevoeging zelf waren alleen de letters *n* en *o* min of meer leesbaar, die het begin en het einde van slechts een enkel woord vormden. *Nevol'no pridumannoe prošloe*, het onvrijwillig verzonnen verleden, dacht hij. Dan had Leskov zijn onderwerp in de tweede versie dus uitgebreid: behalve om het verleden dat door taal werd gevormd, ging het nu ook om waarheid en bewuste controle.

Perlmann wierp nog een keer een onderzoekende blik op de weinige sporen: niets van wat hij kon lezen bevestigde dat voorbarige vermoeden werkelijk. Geïrriteerd dekte hij de pagina met een vloeiblad toe. Toen hij het weer wegtrok en begon te lezen, voelde hij de beklemming van een verslaafde.

Het lezen vorderde langzaam, omdat hij geen ervaring had met Russisch handschrift. Maar hij ging met brandende ogen door totdat hij onder aan de bladzijde drie aaneengesloten woorden niet kende. Hij stak een sigaret op, en terwijl zijn ogen op de regel gericht bleven, zocht hij met zijn hand steeds ongeduldiger wordend naar het woordenboek. Een paar keer moest hij mistasten voordat het eindelijk tot hem doordrong dat er helemaal geen woordenboek meer was. Hij schrok op als uit een verboden dagdroom. Zijn gezicht gloeide. Vlug legde hij de tekst in de kast en ging huiverend voor het raam staan.

'Ik moet even bij de computer,' zei hij kort daarna tegen Giovanni, die achter de balie stond. 'Even mijn tekst controleren. Voor morgen.' Van zijn nek tot in zijn rug voelde hij zich verkrampen, hij had het gevoel zijn hoofd niet meer te kunnen bewegen.

Giovanni wilde net een lade opentrekken toen hij opeens aarzelde. Hij keek op en wierp Perlmann een onzekere blik toe. 'Het kantoor... Niemand... Ik heb de opdracht...' Hij sloeg zijn ogen neer en wreef verlegen over de greep van de lade.

'Ik snap het,' zei Perlmann, en hij wilde al weggaan.

Maar toen keek Giovanni hem grijnzend aan en zei: 'Ach wat, voor u maken we een uitzondering.' Hij haalde een sleutel uit de lade, ging Perlmann voor en deed de deur open. 'Met de computer zult u wel raad weten,' zei hij terwijl hij het licht aandeed, 'want ik...'

'Vanzelfsprekend,' zei Perlmann vlug. 'Hartelijk bedankt.'

Hij hoopte dat Giovanni zich zou terugtrekken. Maar hij bleef achter de balie staan, knikte glimlachend en stak even zijn hand op. Perlmann vervloekte de glazen deur van het kantoor. Nu moest hij het pal onder Giovanni's ogen doen. Hij trok de stoel recht voor het beeldscherm en zette de knop aan de achterkant van de computer om. Er gebeurde niets. Hij zette de knop nog een paar keer om, maar nog steeds zonder effect. Hij liep om de tafel heen en keek. Het was de juiste knop. Giovanni trok vragend zijn wenkbrauwen op en maakte aanstalten naar binnen te komen. Snel beduidde Perlmann hem te blijven waar hij was: *Tutto bene!* Zijn handen waren vochtig en de kramp in zijn nek werd weer erger. Met een lege blik staarde hij voor zich uit. *De stekker.* Langzaam rolde hij met de stoel achteruit en keek onder de tafel. Alle stekkers zaten in stekkerdozen. Hij vermeed het naar de balie te kijken. Nu pas ontdekte hij het ronde slot zonder sleutel. *Afgesloten. Natuurlijk, de administratie van het hotel.* Hij draaide zich om naar de zijtafel met de laden en schermde zijn handen met zijn rug voor Giovanni's blikken af. In de laden die niet op slot zaten, zaten alleen kantoorartikelen, dat zag hij meteen toen hij ze een eindje opentrok. De sleutel van de computer zou wel in de smalle bovenste lade liggen, maar in het slot daarvan stak ook al geen sleutel. In het enige doosje op het bureau zaten alleen paperclips.

Perlmann haalde twee keer langzaam adem. Zijn rug ontspande. Naast zijn vermoeidheid voelde hij ook opluchting. Dat hij bij het opstaan het doorzichtige doosje met diskettes zag, kwam doordat het neonlicht aan het plafond in het plexiglas werd weerspiegeld. Hij gleed met zijn stoel naar de tafel naast het bureau en klapte het doosje open. De diskette waarop zijn naam stond, was de tweede van voren. Onder zijn naam stond PERSONAL PAST. MESTRE op het etiket.

Perlmann zorgde ervoor dat Giovanni zijn bewegingen goed kon zien toen hij weer terugrolde naar de computer en de diskette in het apparaat schoof. Achter het donkere scherm nam hij de pose aan van iemand die zich concentreert, en hij deed alsof hij iets typte. De diskette kon hij laten verdwijnen. Wie weet had Maria alleen maar daarmee gewerkt en had ze de tekst niet opgeslagen op de harde schijf. Hij voelde zich rustiger worden. Met een pen die op het bureau lag tikte hij een paar keer tegen zijn neus en stak hem toen tussen zijn lippen terwijl hij achterover geleund en met zijn benen gestrekt deed alsof hij voor zich uit staarde. Toen maakte hij nog een paar typebewegingen, haalde de diskette uit de gleuf en zette de schakelaar om. Met zijn rug naar Giovanni gekeerd stak hij de diskette onder zijn trui achter zijn riem, klapte het doosje demonstratief dicht en ging naar buiten.

'Dat was alles,' zei hij. 'Bedankt.'

Onder de zuilengalerij haalde Giovanni hem in.

'Gisteren vroeg u toch naar Baggio?'

'Ja?'

'Vanavond heeft hij weer een doelpunt gemaakt. Tegen Bayern München!'

'Blijkbaar een goede spits,' zei Perlmann, en een ontroering die maar moeilijk van pure vermoeidheid te onderscheiden was, dreef de tranen in zijn ogen.

'*E come!*' zei Giovanni.

'*Ciao*,' zei Perlmann en legde heel even zijn hand op Giovanni's schouder.

'*Ciao*,' zei ook Giovanni. Hij zei het aarzelend en zachtjes, en het klonk alsof hij het niet kon geloven.

Toen Perlmann naar de pier bij hotel REGINA ELENA keek, zag hij daar een groepje jongelui die juist applaudisseerden omdat een opgeschoten jongen een meisje kuste dat ondanks haar opgestoken haar nauwelijks tot zijn borst reikte. Dat was niet zijn pier, niet het houten plankier dat naar het zwarte water leidde. Het was alsof de pier van eergisternacht door de jongelui was uitgewist, of beter, uit de wereld was geduwd.

Hij liep achter de vooruitspringende rots verder tot waar het helemaal donker werd. Toen wierp hij de diskette ver de zee in. De beweging kwam uit zijn pols en zijn schouder tegelijk, het kleine schijfje draaide snel om zijn as, steeg even in een vlakke baan op, viel toen kantelend naar beneden en sneed bijna verticaal het water in. Perlmann hoorde een zachte klets, maar hij wist niet zeker of hij het zich niet verbeeldde.

Vanaf de vooruitspringende rots keek hij naar hotel MIRAMARE. Een van de middelste neonletters leek te flakkeren. Ergens in de donkere heuvels daar stonden de vuilnisbakken waarin hij de eerste versie van Leskov's tekst had gedeponeerd. Morgen, meteen na de zitting, zou hij de tweede versie helemaal schoonmaken. Vanuit Italië kon hij de tekst in geen geval opsturen. Hooguit vanuit Frankfurt. Maar het had geen zin daar over na te denken. Het was onmogelijk om Leskov de tekst toe te sturen.

De jongelui waren doorgelopen. Er was niemand meer op de pier. Zijn steiger was er weer, in de werkelijkheid, omgeven door het zwarte water. Perlmann merkte dat iets in hem begon af te brokkelen. In zijn inwendige gewelf kwamen kleine, verraderlijke scheuren. Vlug liep hij terug naar het hotel.

In zijn kamer was het koud en het rook er nog steeds zoetig, hoewel Leskov de asbak deze keer alleen voor een lucifer had gebruikt. Perlmann hield de tandenborstel lang onder de kraan om hem schoon te maken. Maar het leek wel alsof het vuil er helemaal in was getrokken. Toen hij zijn tanden poetste, was het schuim van de tandpasta een beetje bruin.

Morgenochtend, dacht hij in het donker, zou Leskov in de veranda voor de groep zitten, angstig en met bijna lege handen. Hij wist het niet, maar Perlmann had hem beloofd zijn tekst, waarvan hij de tweede versie niet eens kende, te verdedigen.

Het was een voorwereldlijk beeldscherm, giftig lichtgroen op dof donkergroen, en het flakkerde zo erg dat zijn ogen meteen begonnen te tranen. Er kwam een walgelijke, zoetig ruikende lucht uit. Dat kon helemaal niet, maar het was zo, en toen hij aan de plek rook waar de warmte van het apparaat uit ontsnapte, kwam er ook nog rook uit, een verraderlijke rook die eerst niet eens zichtbaar was, maar toen opeens een dikke, verstikkende wolk vormde. Een stroom van onbegrijpelijke Italiaanse termen en bestandsnamen vulde het scherm. Uiteindelijk kreeg hij op de een of andere manier de juiste tekst op het scherm, maar Leskov's tekst kreeg hij niet gewist, ook al drukte hij herhaaldelijk op de deletetoets, honderden keren zelfs, tot er niets meer over was van de toets, maar Leskov's tekst met Perlmann's naam onder de titel bleef almaar flakkeren. Eindelijk zette hij de netschakelaar om, maar er gebeurde niets, ook niet toen hij de stekker uit het stopcontact trok. Leskov's tekst flakkerde en flakkerde, en nu stond Perlmann's naam er plotseling in grote hoofdletters onder. Toen pakte hij met twee handen een enorme moker. Maar zo gemakkelijk ging het niet. Hij moest met een zijwaartse, zwaaiende beweging flink uithalen en dan de moker voor de beslissende klap hoog boven zijn hoofd tillen. Eindelijk was het zover, de moker ging omhoog, hij passeerde het evenwichtspunt, maar toen had het ding opeens geen substantie en geen gewicht meer, en in plaats van dat hij met geweld op de computer neerkwam, werd Perlmann met een krampachtig gebalde vuist op het dekbed wakker.

46 Desondanks had hij het gevoel dat hij sinds lange tijd weer eens een hele nacht goed had geslapen. Bij het aankleden stelde hij vast dat hij geen schoon ondergoed meer had en hij zag de volle plastic zak voor zich die op de stinkende kool viel. De wond aan zijn vinger was niet meer vochtig, de bloeduitstorting en de zwelling waren veel minder geworden. Maar bij de minste of geringste druk deed het vingertopje nog steeds zo pijn dat hij er tranen van in zijn ogen kreeg. Hij deed er de laatste pleister op.

Precies om acht uur ging hij naar het ontbijt. Als ze het zo opvatten dat hij zich, na zijn blamage, eindelijk met hangende pootjes weer bij het gezelschap voegde, moesten ze dat maar doen. Signora Morelli stond onder de zuilengalerij en trok een tafeltje recht. Ongezien boog hij over de receptiebalie en schoof de vlekkerig geworden wegenkaart, die hij die nacht op de verwarming had laten drogen, tussen andere papieren in het vak.

De eetzaal was helemaal leeg. Aan de tafel van de groep was geen enkel bord gebruikt. De ober, die hem koffie en een ei bracht, was duidelijk in verlegenheid. Met elke minuut die verstreek zonder dat er iemand verscheen, voelde Perlmann zich meer voor gek zitten.

De ober vragen of de ontbijtgewoontes van zijn – ja, van zijn – groep waren veranderd, was onmogelijk.

Om kwart over acht verscheen Adrian von Levetzov. Voor het eerst zag Perlmann hem zonder vest en zelfs zonder stropdas. Met zijn bleke, rimpelige hals zag hij er oud uit.

'Ach, Perlmann, goedemorgen,' zei hij matter dan anders en hij wreef zijn ogen uit. 'We zijn gisteren allemaal nog tot heel laat uit geweest. Iedereen is al in een afscheidsstemming.'

Perlmann knikte en nam nog een broodje. En daarna nog één. Het zwijgen was ondraaglijk. Op het tafelkleed zaten vlekken. De bewegingen van de ober vond hij aanstellerig.

'Ik wist niets over het ongeluk van uw echtgenote,' zei Von Levetzov met zijn koffiekopje in zijn hand, 'tot Leskov ons er dinsdag over vertelde. Vreselijk. Het moet u veel verdriet hebben gedaan.'

Leskov: de man die de anderen heeft uitgelegd waarom ik ben ingestort. 'Ja,' zei Perlmann en hij schonk zichzelf nog een keer koffie in.

Iemand had met de vochtige lepel in de suiker gezeten, in de suikerpot zaten donkere klontjes. In de ongebruikte asbak zat een stukje kauwgom waaraan een waterdruppel hing.

Hij wilde Adrian von Levetzov heus wel tegemoetkomen, maar hij had geen idee hoe hij dat moest doen.

'Tja, nu moeten we weer met ons gewone leventje beginnen,' glimlachte Von Levetzov. 'Waar geeft u dit semester college over?'

Terwijl hij bezig was heel vaag zijn collegereeks te beschrijven, gebeurde er in Perlmann geruisloos iets dramatisch: hij nam het besluit zijn leerstoel op te geven.

Wat zich in hem voltrok was geen inwendige handeling. Het was helemaal niet iets actiefs. Het leek meer op wat er gebeurt wanneer een radertje aan een pin al heel lang en onstuitbaar op een slot heeft toe bewogen, er opeens in valt en daardoor iets veel groters, iets zeer revolutionairs in gang zet. Hij had nooit gedacht dat het al zover was. En toch leek het volstrekt vanzelfsprekend dat het uitgerekend nu gebeurde – op het moment waarop de lege eetzaal zijn vervreemding van zijn collega's en hun wereld zo aanschouwelijk maakte alsof een regisseur er een filmbeeld bij had bedacht.

Met een blik op zijn horloge stond Von Levetzov op. 'Ik moet nog telefoneren,' zei hij verontschuldigend. 'Tot zo.'

Perlmann nam de lege ruimte in zich op. Aan deze zaal en aan dit moment zou hij altijd weer terugdenken. Boven de baai was het heiig, het was onduidelijk of de zon nog zou doorbreken. Hij rookte langzaam een sigaret en streek op weg naar de deur met zijn hand langs de tafelranden.

Toen stootte iemand met zijn schouder de deur open. Het was Millar, die zijn bril had afgezet en juist met zijn hand over zijn gezicht wreef. Daarna kwam Ruge binnen. 'Koffie alstublieft!' riep hij naar de ober. Evelyn Mistral, die achter hem liep, lachte haar parelende lach. Ze had haar haar opgestoken en droeg een schrijfblok met het wapen van Salamanca onder haar arm.

'Tot zo,' zei Perlmann en onttrok zich aan de verbaasde blikken.

'Signor Perlmann!' Maria had de deur van het kantoor opengelaten en kwam nu van achter haar bureau naar hem toe. 'Ik hoorde van Giovanni dat u gisteren de computer wilde gebruiken. Is er iets niet in orde? Ik sluit hem 's avonds altijd af. Voor de veiligheid. Als ik had geweten...'

Perlmann keek naar haar handen – vingers die zich niet vergisten, die in geen geval een verkeerde toets mochten aanslaan.

'Het was niet zo belangrijk,' zei hij quasi-onverschillig. 'Ik wilde alleen iets met mijn tekst uitproberen, iets... eh... wat je niet met de uitdraai kunt doen.'

'Ik weet wat u bedoelt, iedereen zegt dat dat mogelijk is.'

Ze streek met haar hand door haar haar, en automatisch vroeg Perlmann zich af of er geen haarlak aan haar vingers bleef zitten. *Je loopt ver achter. Out. Mega-out.*

'En om welke van de twee teksten ging het?' vroeg ze met een glimlach. 'Was het de tekst over de herinnering?'

'Nee, de andere,' zei Perlmann, en hij slikte.

'Dat doet me eraan denken,' riep ze terwijl ze zich omdraaide naar het kantoor, 'dat ik u de diskette nog moet geven!'

Terwijl ze het doosje opendeed en begon te zoeken, leunde Perlmann met voor zijn borst gekruiste armen tegen de deurpost. *Ze zal het nooit te weten komen.*

'Daar begrijp ik niets van,' mompelde ze, ging zitten en bladerde de diskettes nog een keer door, langzaam, één voor één. 'Hij zat hierin, en nu is hij weg.' Ze zocht overal in het bureau en wierp hem tussendoor een schroomvallige glimlach toe. 'Anders ben ik nooit zo slordig.' Verward en vol ongeloof doorzocht ze de laden, en aan het rimpeltje bij haar neusvleugels kon je zien dat ze zich ergerde over zichzelf.

Opeens maakte ze een wegwerpgebaar. 'Wat doet het er ook toe. Ik maak van beide teksten nog snel even een kopie.' Ze zette de computer aan en schoof een diskette in de gleuf.

Op dat moment hoorde Perlmann achter zich de stem van Leskov. 'Beginnen we op tijd?' Hij draaide zich om. Leskov droeg zijn gifgroene overhemd en een bruine stropdas, en zijn grijze vest spande over zijn buik.

'*Ecco!*' zei Maria juist, 'dus eerst maar de tekst over de herinnering... Onder welke naam heb ik die ook alweer opgeslagen... O ja, ik weet het alweer.'

Hij verstaat geen Italiaans. Het ratelende geluid waarmee de kopie werd gemaakt, begon. Perlmann keek onnodig lang op zijn horloge. 'Ja, het is bijna zover,' zei hij.

Leskov liep naar Maria toe en wilde haar een hand geven.

'*Un momento*,' glimlachte ze. 'Nu de andere. Dat was... O ja, gewoon, Mestre.' Haar vingers vlogen over de toetsen. '*Ecco!*' Weer het geluid. Nu gaf ze Leskov, die naar het beeldscherm keek, een hand. '*Good morning.*'

'Ongelooflijk hoe vlug dat gaat,' zei Leskov vol eerbied. Toen wees hij Maria op de stapel kopieën die hij onder zijn arm droeg. 'De tekst van gisteren. Nogmaals hartelijk dank.'

Terwijl Leskov het kantoor verliet, haalde Maria de diskette uit het apparaat en plakte er een etiket op.

'Eh... dat is niet nodig,' zei Perlmann vlug toen ze een pen wilde pakken. Hij liet de diskette in de zak van zijn jasje glijden. 'En nu kunt u de tekst gerust wissen.' De hese klank en het inwendig voelbare trillen van zijn stem maakte van wat hij zei de karikatuur van een terloopse opmerking.

'Zal ik nog wel eens doen,' zei ze en schakelde de computer uit. 'Dat heeft de tijd. Deze computer heeft een enorm geheugen!' Ze stond op en keek naar haar gevouwen handen. 'Weet u, ik haat het om teksten te wissen die ik zelf heb getypt. Al dat werk, en dan met één druk op de toets – paf!' Ze stak haar handen in de lucht en keek hem aan met een verlegen glimlach die hij nog nooit bij haar had gezien. 'Ik weet dat het misschien onverstandig is, want met de teksten die er nu in zitten gebeurt immers niets meer zodra iedereen is vertrokken. Maar... zo ben ik nu eenmaal.'

Perlmann knikte. 'Bedankt,' zei hij en hij klopte op zijn jaszak.

Leskov had zijn tekst al rondgedeeld en zat voor de groep met zijn papieren te schuiven. Toen hij begon te spreken omklemde hij met beide handen zijn pijp. Over de pech met zijn tekst had hij al verteld, zei hij. Zijn toon verraadde dat hij zich vast had voorgenomen er niet meer over te beginnen. Maar toen, van de ene seconde op de andere, keek hij met een afwezige blik voor zich uit, wreef met zijn wijsvinger peinzend over zijn pijp, en je kon bijna voelen hoe hij opnieuw werd meegesleurd door zijn herinneringen.

Zoals zo vaak in dit vertrek verborg Perlmann zijn gezicht achter zijn gevouwen handen, terwijl Leskov delen van zijn verhaal herhaalde. Pijlsnel, en zonder dat hij wilde weten waarom het gebeurde, veranderde Perlmann's gevoel van schuld in woede: het was toch krankzinnig en onvergeeflijk lichtzinnig geweest van Leskov om zo'n belangrijke tekst, waarvan zijn hele carrière afhing, mee te nemen op reis zonder er eerst een kopie van te maken! Hoe had hij dat in godsnaam in zijn hoofd gehaald!

Toen Leskov allang met zijn uiteenzetting was begonnen, voerde Perlmann nog steeds innerlijk strijd met hem. Tot hij opeens bedacht: *Wat zou er zijn gebeurd als hij me vóór de tunnel over zo'n kopie had verteld?* Hij haalde zijn handen van zijn gezicht en probeerde te luisteren.

De anderen, met hun onuitgeslapen gezichten, namen de Rus niet serieus. Het contrast tussen de stropdas die Leskov bijna keelde en het openstaande overhemd van Von Levetzov was zo veelzeggend dat Perlmann opnieuw woedend werd. Maar deze keer was het een woede die de kant van Leskov koos en die zo ver ging dat hij, als puntje bij paaltje kwam, zelfs zijn groene overhemd zou verdedigen. Millar, die nog nooit zonder papieren op een zitting was verschenen, droeg een windjack en had een fototoestel voor zich op de tafel liggen. En Evelyn Mistral, die anders altijd met een pen in de aanslag naar de anderen had geluisterd, beschreef met haar dichtgeklapte bril cirkels op haar niet-opengeslagen schrijfblok. Het enige nieuwsgierige gezicht was dat van Giorgio Silvestri.

Bij de discussie werd Leskov aanvankelijk ontzien, er was een hautaine welwillendheid merkbaar. Maar Leskov had intussen zijn bevangenheid afgelegd en verraste iedereen met zijn hardnekkigheid. Hij stond voor wat hij te beweren had, en tot Perlmann's stomme verbazing ging hij algauw tot de aanval over. Geen spoor meer van de angst waarmee hij gisteravond in zijn kamer tegenover hem had gezeten als een student die zijn eerste referaat moest houden. Dat zijn aanvallen ondanks hun inhoudelijke scherpte nooit beledigend of kwetsend waren, kwam onder andere doordat zijn gebrekkige Engels een geheel eigen charme bezat. Veel van zijn uitdrukkingen waren niet helemaal correct en hadden een onbedoeld grappig effect, wat hij zelf pas merkte als hij het van de gezichten van de anderen kon aflezen. Dan moest hij er meestal ook zelf om lachen. Degenen die door hem werden aangevallen waren vaak onzeker: meende hij het serieus of niet? Vooral Achim Ruge, die vandaag geen greintje humor leek te bezitten, had problemen met die onzekerheid, en toen hij een doosje aspirine tevoorschijn haalde, begon Laura Sand hard te lachen.

Leskov merkte het nu steeds sneller als de anderen zijn beweringen in twijfel trokken. Dan herhaalde hij zijn argument met andere woorden, en meestal werd door die andere manier van uitdrukken duidelijk dat hij inderdaad precies had bedoeld wat hij had gezegd. Na een poosje verdween bij de anderen de scepsis en werd hij al bij zijn eerste formulering serieus genomen; doordat het bovendien minder belangrijk werd hoe hij zich uitdrukte, werd de discussie directer en zakelijker. Evelyn Mistral schreef nu af en toe iets op, en Millar hing zijn fototoestel over zijn stoelleuning. De zoetige geur van de tabak vulde de hele veranda. Von Levetzov zette een raam open.

Hij, Philipp Perlmann, was kort geleden nog in staat geweest die man daar, die nu in alle oprechtheid en zonder ijdelheid zijn zaak verdedigde, koelbloedig te vermoorden. Terwijl hij zogenaamd iets op de achterkant van Leskov's tekst krabbelde, zocht Perlmann wanhopig naar een houding, een innerlijke manoeuvre, die hem zou kunnen helpen niet te stikken in zijn gevoelens van schaamte en schuld, die al het andere verdrongen. Hij probeerde Leskov alleen uiterlijk, zogezegd alleen als lichaam te zien, en zich te concentreren op wat hem afstootte: het zweet op zijn kale hoofd, de plooien van zijn stierenek, zijn buik, zijn op worstjes lijkende vingers. Het was een goedkoop, gemeen trucje, en achteraf was zijn schaamte des te groter.

Ook hij moest iets zeggen. En veel langer kon hij het niet uitstellen. Hij huiverde, door het openstaande raam kwam opeens ijskoude lucht naar binnen. Zo ongeveer, dacht hij, moest een sporter zich voelen voor zijn eerste wedstrijd na een blessure. Boven de baai leek de zon het af te leggen tegen de sluierbewolking; het ochtendlicht werd matter. John Smith stond besluiteloos aan de rand van het zwembad. Millar trok een spottend gezicht toen hij hem zag.

Wat die ochtend in de lege eetzaal was gebeurd, had het gevoel van iets absoluuts, iets definitiefs bij hem achtergelaten; de indruk van weggevloeide spanning. Maar het langverbeide gevoel van bevrijding was uitgebleven. Wellicht was het slechts een kwestie van tijd. Het besluit was ook nog maar een uur oud. Maar diep in zijn hart wist Perlmann wel beter. Het was echt iets heel anders dan toen hij vroeger op het conservatorium uit de kamer van de directeur was gekomen en de straat was opgelopen. Ondanks de regen had hij lang door de stad gezworven, zonder paraplu, in zijn aktetas de spullen uit zijn leeggehaalde kastje. Toen was hij met de tram naar de haven gereden. Destijds was grote bevrijding het overheersende gevoel geweest. Weliswaar wist hij dat daarachter, vooralsnog in het verborgene, andere, veel complexere en minder aangename gevoelens op hem wachtten, maar op dat moment genoot hij ervan bevrijd te zijn van de tucht van het eeuwige oefenen. Het was een verlossing dat er een eind was gekomen aan zijn strijd met zijn twijfels, en hij voelde zich met zijn nog maar net eenentwintig jaar ongelooflijk volwassen. Wel was er daarna een gevoel van leegte over hem gekomen, na het opstaan wist hij niet goed wat hij met de vele vrije tijd moest beginnen, en hij was blij dat hij al snel met zijn studie aan de universiteit van Hamburg kon beginnen. Maar de sfeer van bevrijdend inzicht, van afsluiting en van het begin van iets nieuws was gebleven. Nu, ruim dertig jaar later, werd hij ook door een inzicht geleid. Maar dat was ingebed in een ander, veel duisterder besef van vervreemding, vermoeidheid en schuld. Alleen angst zat er niet bij. Hij zou heus wel iets anders vinden. Wat dan ook. *Voor Kirsten is gezorgd.* Perlmann was verbaasd dat de angst uitbleef. Hij durfde die waarneming nauwelijks te vertrouwen. Iets in hem was veranderd. Er was een ontwikkeling in gang gezet. Opeens voelde hij zich licht, bijna vrolijk.

Er was een stilte gevallen. Perlmann schrok op. 'Dit is dus mijn gedachtengang,' zei Leskov, en hij pakte een andere pijp.

Toen Perlmann het woord nam, had hij nog geen idee van wat hij zou gaan zeggen. Hij was veel te veel met zichzelf bezig geweest om goed te kunnen luisteren naar de toelichting die Leskov bij zijn uitgedeelde tekst had gegeven. Om toch iets te hebben waar hij over kon praten, begon hij te vertellen hoe hij Leskov's gedachtengang had geïnterpreteerd. Men luisterde welwillend naar hem. Hun bereidheid hem niet te veroordelen om wat er dinsdag was gebeurd, hem toch serieus te nemen, sportief te zijn – die bereidheid dacht hij bijna zintuiglijk te kunnen waarnemen als de intense stilte die intrad toen hij begon te spreken. Hij koos nadrukkelijk voor eenvoudige formuleringen en maakte gebruik van de clichés die bij de academische retoriek hoorden, die hij verfoeide. Om te laten zien dat hij die retoriek nog steeds beheerste. Eerst schrok hij ervan toen hij merkte hoe hij stap voor stap zijn vertaling van Leskov's tekst volgde. Hij wilde het liefst stoppen en gewoon niets meer zeggen. Maar hij had zichzelf niet meer in de hand. De tekst, die hij na de moeizame vertaling bijna uit zijn hoofd kende, sleurde hem mee, en opeens merkte hij dat hij als een gokker genoot van het risico dat hij nam. Zijn betoog, dat inmiddels veel langer duurde dan voor de bijdrage aan een discussie gebruikelijk was, werd steeds geraffineerder, vlotter en vuriger. Hij vulde leemtes in de gedachtengang aan, legde een paar nieuwe verbanden, somde mogelijke misverstanden op en weerlegde ze. Evelyn Mistral speelde met haar rode schoenen terwijl ze notities maakte. Laura Sand wreef langzaam over haar voorhoofd. Ruge en

Millar pakten bijna tegelijkertijd hun pen. *Ik ben gerehabiliteerd. Met behulp van Leskov's tekst.*

Het had onnatuurlijk geleken, bijna verraad, als hij tijdens het spreken niet af en toe in Leskov's richting had gekeken. Hij redde zich door zijn blik op de belachelijke kwasten langs de muur te fixeren, die ter hoogte van Leskov's hoofd hingen. Daarbij dook een keer het beeld van Kirsten op, die aan de kwasten trok en om de stofwolken moest lachen. Hij begon te aarzelen en pakte de draad pas weer op nadat hij zijn ogen had gesloten en opnieuw met een grimas had geopend die de anderen wellicht aan een epileptische stuiptrekking deed denken. Af en toe, als het niet anders ging, keek hij Leskov aan, maar dan haalde hij de focus uit zijn blik en draaide zijn hoofd snel weer weg. Pas toen hij klaar was, draaide hij zich helemaal naar hem toe en deed alsof hij hem vragend aankeek.

Leskov had de hele tijd achterovergeleund in zijn stoel gezeten, zijn dikke bovenbenen over elkaar geslagen. Uit zijn mondhoek had hij af en toe een sliert rook laten ontsnappen. Nu hij zich naar voren boog en zijn ellebogen op de tafel plantte, had zijn gezicht een uitdrukking die het midden hield tussen blijdschap en ongeloof. Uitvoerig dankte hij voor Perlmann's samenvatting. Die was, zei hij, tamelijk exact, nee, heel exact de manier waarop hij zijn ideeën oorspronkelijk op papier had gezet. Hij zweeg even, keek Perlmann peinzend aan en liet zijn blik toen even op de tafel rusten terwijl hij met zijn duim de tabak in de pijpenkop duwde. *Hij weet zeker dat ik de tekst heb gelezen. Absoluut zeker. Maar hij zal het nooit kunnen bewijzen.* Maar intussen, ging Leskov verder, had hij verder gedacht, en hij wees naar zijn tekst. Toen nam hij zijn nieuwe inzichten nog een keer door en lette erop of Perlmann hem met zijn notities bij kon houden.

Doordat Perlmann een dikke streep onder zijn tot dusver gemaakte aantekeningen zette en in zijn precieze handschrift nu echt notities maakte, begon hij na te denken. Hij ging aan het werk. Het was alsof er iets op zijn plaats viel wat lange tijd in zijn hoofd had rondgespookt en door gebrek aan functie alleen maar wrijving had veroorzaakt. Al heel lang was hij niet meer zo wakker geweest. Alleen hij en Leskov waren nog aanwezig in het vertrek. Hij stelde vragen, recapituleerde, deed voorstellen voor aanvullingen, alles om te testen of hij het goed had begrepen. Uit zijn ooghoeken zag hij schrijvende handen en verraste, nieuwsgierige gezichten. Zo hadden ze hem hier nog niet meegemaakt. Hij genoot van zijn concentratie, zijn overzicht en zijn alertheid, en af en toe, als hij meer aandacht aan zichzelf kon besteden omdat Leskov aan het woord was, meende hij zeker te weten dat er eindelijk, langzaam en onopvallend, iets voelbaar werd van een innerlijke bevrijding, en dat zijn nieuwe wakkerheid – die, heel anders dan maandagavond, nu niet meer zo geëxalteerd was – verband hield met het besluit dat hij vanochtend had genomen.

En toen, toen Leskov's nieuwe gedachtengang hem helemaal duidelijk was, begon hij de vroegere Leskov tegenover de latere te verdedigen. Het had een spelletje kunnen zijn, en aanvankelijk verdacht hij zichzelf er ook van een spelletje te spelen, alsof hij door de duivel was bezeten. Maar algauw stelde hij vast dat hij werkelijk geloofde in hetgeen hij verdedigde. *Dan zou het eigenlijk helemaal geen plagiaat zijn geweest.* Hij raakte tijdens het praten steeds meer verhit, als in een roes. Leskov zat stilletjes te glimlachen als iemand die maar al te vertrouwd is met dat soort opmerkingen. Af en toe keek hij verbaasd, fronste zijn wenkbrauwen, haalde zijn pijp uit zijn mond en schreef iets op. Evelyn Mistral's gezicht verraadde hoe blij ze was dat Perlmann zichzelf eindelijk weer in de hand had. Ze knikte herhaaldelijk, en voor het eerst was Perlmann niet meer bang voor haar brille.

Eén keer, toen Leskov iets in het midden bracht waarmee hij zijn nieuwe opvattingen verdedigde, ging Perlmann te ver: 'Maar het eerdere argument is toch zeker veel overtuigender!' riep hij uit.

Adrian von Levetzov drukte zijn bril met zijn wijsvinger op zijn neuswortel en keek hem vragend aan. Leskov trok eerst een begrijpende glimlach, maar richtte opeens zijn hoofd op en keek hem met samengeknepen ogen aan. Hij bedoelde het argument waarover ze destijds in Sint-Petersburg hadden gesproken, zei Perlmann na een moment van schrik, en hij trok een gezicht dat van binnenuit ondoorzichtig en onaantastbaar aanvoelde. Heel even staarde Leskov met knipperende ogen voor zich uit. Toen begon hij te knikken. Hij keek hoogst verbaasd. Dat was hem nog nooit overkomen, dat iemand zich na zo lange tijd precies herinnerde wat hij had gezegd. Zo belangrijk waren zijn gedachten nog nooit voor iemand geweest. Hij leek zich zelfs een beetje te generen voor de anderen. Perlmann zocht naar tekenen van argwaan. Het was niet te zien of hem misschien toch nog een licht opging of dat Leskov's gezicht alleen maar ongeloof en verbazing uitdrukte.

Ongeduldig geworden brachten nu de anderen hun twijfel aan de juistheid van Leskov's methode naar voren. Perlmann vond dat Leskov zich op dat punt niet goed verdedigde. Voor het eerst besefte hij dat tijdens de weken waarin hij aan de vertaling had gewerkt al die tegenwerpingen en zelfs een hele reeks andere gedachten in hem waren opgekomen, en dat hij alle mogelijke tegenargumenten al had bedacht. *Dan heb ik al die tijd dus toch gewerkt. Dan hoor ik er dus toch nog steeds bij.* Hij mengde zich in de discussie. Hij bracht zijn argumenten rustig en kalm, en één keer slaagde hij er zelfs in een ironische opmerking te maken. En toen, terwijl hij nadrukkelijk rustig, bijna onderkoeld, een reeks retorische vragen afsloot en de anderen beurtelings aankeek, brak eindelijk het bevrijdende effect van zijn besluit helemaal door. Het gebeurde met de kracht van een fysiek voelbare duw. De laatste die hij aankeek was Silvestri. In de ogen van de ongeschoren Italiaan stond klinische nieuwsgierigheid. Die blik, dacht Perlmann, was het enige wat hij niet aan de man mocht.

Iets waar hij nog helemaal niet over had gesproken, zei Leskov, was het idee dat je je het eigen verleden kon toe-eigenen door erover te vertellen. Voor iemand als hij, die de nadruk wilde leggen op het fabulerende, creatieve karakter van de herinnering, was dat natuurlijk een ingewikkelde zaak. En voor meer dan een summiere uitleg was nu geen tijd meer. Hij wierp Perlmann een blik toe. 'Vooral moet duidelijk zijn dat het vertellende zelf niets anders is dan de vertelde verhalen. Behalve de verhalen is er niets. Of beter gezegd: niemand.' Hij glimlachte. 'De meeste mensen vinden dat een schokkende bewering. Ik heb nooit begrepen waarom. Ik vind het heel plezierig dat het zo is. Op de een of andere manier... bevrijdend.'

'Eén vraag, Vasili,' zei Millar. 'Bedoelt u werkelijk *creating* en *inventing*, als u het over het herinneren hebt? Ik vermoed eerder dat u *creative* en *inventive* bedoelt. Dan kan ik al veel beter met u meekomen.'

Leskov keek naar Perlmann. 'Wat is het verschil?'

'Scheppend en fabulerend tegenover creatief en vindingrijk,' zei Perlmann.

Leskov glimlachte. 'O, zo. Nee, Brian, ik bedoel het eerste.'

Millar keek op zijn horloge. Ruge schoof zijn papieren bijeen en begon met zijn potlood te spelen. Maar Laura Sand had nog een vraag. Of het uiteindelijk niet op de bewering neerkwam dat wat je voor je eigen verleden hield, gewoon fictie was?

Leskov tuitte zijn lippen en knikte met lachende ogen. Een van de ondertitels in zijn nieuwe tekst luidde: *Neizbežno vydumannoe prošloe*, Het onvermijdelijk gefingeerde verleden, zei hij.

'Wacht even.' Ruge schoof zijn onderlip naar voren en leunde op zijn ellebogen ver over de tafel. 'Bestaat er dan eigenlijk wel een waar verhaal over wat iemand in het verleden heeft beleefd?'

Silvestri inhaleerde hoorbaar de rook van zijn sigaret. Laura Sand trok speels een haarlok voor haar gezicht. Je kon aan Leskov zien dat hij dit moment het liefst voor altijd wilde vasthouden. Nog nooit, leek het, had de man zo van een ogenblik genoten. Perlmann had zo'n gezicht niet van hem verwacht. Het was het ontspannen gezicht van iemand die elke angst heeft afgelegd en die nu helemaal bij zichzelf is. Perlmann vond het prachtig.

'Nee, een waar verhaal over het verleden dat iemand heeft doorgemaakt, bestaat niet,' zei Leskov met de pijpesteel tegen zijn lip. 'Natuurlijk niet. Klim Samgin.' Zijn grijze ogen waren heel licht en heel helder, en de uitdaging in die ogen bestond uit niets anders dan die lichtheid en helderheid.

Het potlood in Ruge's hand brak met een luide krak in twee stukken. Millar haalde een filmrolletje uit de zak van zijn windjack en pakte zijn camera. Von Levetzov glimlachte begrijpend toen hij dat zag.

Bij het opstaan liep Silvestri naar voren en nodigde Leskov uit voor een drankje in de bar. Of ze mee mocht komen, vroeg Laura Sand. Over die gedurfde stelling wilde ze graag méér horen.

47 De passen waarmee Perlmann later in zijn kamer heen en weer beende waren overdreven behoedzaam en doelloos tegelijk. Vaak onderbrak hij zijn rusteloze geloop, kruiste zijn armen voor zijn borst en boog zijn hoofd. Hoe deed je dat: je leerstoel opgeven? Hoe luidden de zinnen in de vereiste brieven? Laconiek moesten die klinken. Hij ging aan het bureau zitten en maakte een paar concepten. De brieven werden steeds korter. Maar ook het minimaal vereiste aantal woorden kwam hem bij herlezing totaal overbodig voor. Het liefst had hij alleen maar geschreven: *Ik heb er genoeg van en dien hierbij mijn ontslag in.* Maar ze zouden redenen willen horen. Na een poosje merkte hij dat hij in gedachten tegenover de rector magnificus zat, een kleine, bleke man met een scheve mond, een kaarsrechte scheiding en onberispelijke vouwen in zijn broek. *U wilt weten waarom? Heel gewoon, ik heb onlangs ontdekt dat ik onmachtig ben mijn beroep uit te oefenen.* Dat was de motivering die hem het beste beviel. Vooral wanneer het hem zou lukken die zin lachend uit te spreken. Van het onthutste gezicht van de rector kon hij maar geen genoeg krijgen. Maar opeens zakte de hele voorstelling in elkaar en hij voelde zich doodmoe, alsof hij een uren durende rede had uitgesproken. De bladzijden met de concepten scheurde hij in kleine stukjes. Nu was hij alleen nog maar bang.

De tandenborstel had hij die ochtend niet gebruikt. Hij haalde Leskov's tekst uit de kast. Op veel plekken waar gisteren nog een restje vocht had gezeten kon hij het vuil er na een korte behandeling met de borstel gewoon af blazen. Maar niet alleen daarom was het werk vandaag heel anders. Perlmann had opeens geen belangstelling meer voor de gele vellen papier. Nee, zo kon je het natuurlijk niet zeggen. Hij was absoluut van plan de tekst terug te geven. Hij hoefde er maar aan te denken hoe virtuoos Leskov die middag de kern van zijn gedachten had uitgespeeld: die man moest zijn tekst terugkrijgen, los van de vraag of zijn carrière ervan afhing. Nee, het was iets anders. Het liet hem opeens koud dat hij de Russische woorden voor onvermijdelijk en gefabuleerd, die Leskov zo snel en onduidelijk had uitgesproken, niet kende, en dat hij ze in gedachten geen plaats kon geven tussen de inktvlekken in de tussenkop. En dat het een Russische tekst was – zelfs dat liet hem koud. Hij maakte de bladen nu schoon alsof het om een willekeurig stuk papier ging. Hij begreep de samenhang niet, maar het had ermee te maken, dacht hij, dat er in de veranda over de tekst was gesproken. Het was alsof de anderen de tekst, doordat ze nu op de hoogte waren van de inhoud, van hem hadden gestolen – maar zonder hem er daardoor van te bevrijden.

Perlmann belde mevrouw Hartwig.

'U wordt gemist,' zei ze. 'Iedereen wil weten wanneer u terugkomt.'

Hij liet zich het privé-adres van Leskov geven, het enige waarover ze beschikten. Hij wilde zo snel mogelijk een einde maken aan het gesprek en merkte dat het mevrouw Hartwig kwetste dat hij zo kortaangebonden was.

'Wat moet ik tegen de anderen zeggen als ze vragen wanneer u terugkomt?'

'U moet helemaal niets zeggen.'

'Ik bedoel alleen maar,' zei mevrouw Hartwig stijfjes.

Perlmann keek naar het briefpapier van het hotel met daarop het adres. Het was op een straathoek geweest, met hele bergen goor geworden sneeuw. Leskov had de map als steun gebruikt en het adres op een papiertje geschreven dat in de wind fladderde.

'Neemt u me niet kwalijk, mijn handschrift is een ramp,' had hij gezegd toen hij merkte dat Perlmann het met moeite kon lezen. Hij had een ander gekreukt papiertje tevoorschijn gehaald en het adres nog een keer opgeschreven, nu in Latijnse blokletters. 'Als u mij schrijft, dan graag naar dit adres,' had hij gezegd. 'Dat is veiliger.' Perlmann herinnerde zich de verlegen uitdrukking op zijn gezicht, want het was die uitdrukking die hem ervan had weerhouden te vragen of het met het oog op de geheime politie was of omdat hij geen kamer had op de universiteit.

Wat voor nut had dat adres voor hem? Bij Leskov thuis zou een envelop met de tekst worden bezorgd waarvan de laatste pagina met zijn adres ontbrak. Nadat hij zich eerst ongelooflijk opgelucht had gevoeld, zou hij gaan piekeren. Waar had de onbekende, die de papieren ergens op zijn reisroute had gevonden, zijn adres vandaan? De zending kwam uit het Westen. Wie in het Westen, behalve Perlmann, kende zijn adres?

Dat had hij gisteren ook al een keer gedacht. Maar was het voor Leskov echt onontkoombaar hem te verdenken? Hij zou er niet meteen op komen, moest misschien eerst een tijdlang nadenken, maar ook de volgende verklaring was mogelijk: degene die de tekst had gevonden en verstuurd, was verstrooid geweest of afgeleid en had na het overschrijven van het adres vergeten ook de laatste pagina in de envelop te doen. Een slordigheid, een vergissing. Iets wat binnen het kader viel van wat normaal was, geenszins onmogelijk. En lag dat niet veel meer voor de hand dan Perlmann van een verschrikkelijke daad te verdenken?

Misschien waren de redenen die Leskov destijds in verlegenheid hadden gebracht van dien aard, dat hij ook bij een dergelijke tekst zijn privé-adres gebruikte. Maar misschien ook niet. In ieder geval doceerde hij aan de universiteit, en daar zou hij ook blijk van willen geven, ook al had hij er dan geen eigen kamer. En het onderwerp was politiek neutraal, in ieder geval in de ogen van de handlangers van de geheime politie. Bovendien, zeiden ook andere collega's uit het Oostblok niet vaak dat het werkadres meestal het veiligst was? Maar als Leskov zijn werkadres op de laatste pagina had geschreven, dan moest het hem een raadsel zijn waarom de onbekende niet dat adres had gebruikt, maar zijn privé-adres, dat de afzender onmogelijk kon kennen. In dat geval was een verdenking niet te vermijden: Perlmann was de laatste bladzijde kwijtgeraakt en had het enige adres gebruikt waarover hij beschikte. Ook Leskov zou zich herinneren hoe ze op die straathoek hadden gestaan.

Maar wat moest hij doen? Hij kende niet eens de naam van de universiteit in Sint-Petersburg, laat staan de naam van het instituut en de straat. En iets vaags op de envelop schrijven was te riskant, wie weet waar de tekst dan terechtkwam of bleef liggen. Om er maar niet aan te denken dat het niet te verenigen viel met de andere, simpele verklaring: ofwel de onbekende had het adres, en dan had hij het exact. Ofwel hij had het niet, maar dan kon hij onmogelijk weten dat het Sint-Petersburg was.

En Leskov gewoon naar zijn werkadres vragen? Maar waarom die vraag nu hun correspondentie, op uitdrukkelijke wens van Leskov, tot dusver via zijn privé-adres was gelopen? Nadat de tekst was aangekomen zou Leskov zich op een gegeven moment die vraag herinneren, en hij zou zich ook herinneren dat hij de vraag een beetje vreemd had gevonden. En als het bovendien zo was dat onder aan de tekst inderdaad zijn privé-adres had gestaan...

Zou hij onder wetenschappelijke teksten gewoonlijk zijn privé- of zijn werkadres zetten? Zo'n terloopse vraag was onder collega's normaal. Je zou hem ook heel in het algemeen kunnen stellen: wat was gebruikelijk in Rusland? Een vraag uit pure belangstelling voor de usances in een vreemd land dat tegenwoordig iets meer in het vizier kwam. Maar ook die vraag zou Leskov zich herinneren wanneer hij nadacht over de envelop met de postzegel uit het Westen. En als Perlmann het antwoord kreeg dat over het algemeen het werkadres werd gebruikt, dan zou het nog veel erger zijn dan eerder: als hij dan naar dat adres vroeg, zou die vraag het eerste zijn wat bij het openen van de envelop bij Leskov op zou komen.

Hoe graag hij ook wilde, het was gewoon niet uitvoerbaar. Niet zonder zichzelf bloot te geven.

Er werd op de deur geklopt. Terwijl hij snel de papieren bijeenveegde en het stof van het bureau blies, merkte Perlmann tot zijn verbazing dat paniek uitbleef. Zonder te aarzelen, bijna geroutineerd, schoof hij de stapel onder de bedsprei en liet de tandenborstel in zijn broekzak glijden.

Het was het nieuwe kamermeisje, dat een hotelmap kwam brengen. Al dagen had ze die willen brengen, zei ze, maar ze was het telkens vergeten. Of er hier eigenlijk nooit zo'n map had gelegen? 'Jawel,' zei Perlmann, en hij kon zijn tong wel afbijten. Het kamermeisje keek hem even verbaasd aan en plukte aan de zak van haar jasschort. Toen vroeg ze of alles in orde was en ging weg.

Nog zo'n tien pagina's moest hij schoonmaken. Dat de bladzijden zeventig tot tachtig niet erger toegetakeld waren, was merkwaardig. Daar moesten toch heel wat banden overheen zijn gegaan. Betekende het dat er nog een dik pak onder had gelegen? Of was juist het tegendeel het geval?

Midden onder dat zinloze gepieker ging de telefoon.

'Ik heb al een paar dagen vergeefs geprobeerd je 's avonds te bereiken,' zei Kirsten. 'Toen dacht ik dat ik het maar eens overdag moest proberen. Hoewel dat een smak geld kost. Is alles oké?' Of hij intussen al aan de beurt was geweest, wilde ze weten. 'Ging het goed?'

Perlmann ging op de rand van het bed zitten en slikte moeizaam. De hoorn werd vochtig.

'Sorry, naar zoiets hoef ik toch zeker niet te vragen,' zei Kirsten met een verlegen lachje. 'Natuurlijk ging het goed. Bij jou gaan dat soort dingen immers altijd goed. Maar ja, eergisteren is Astrid – mijn vriendin uit de woongroep, ik heb je over haar verteld – helemaal onderuitgegaan met haar referaat. Lasker mag haar blijkbaar niet en maakte haar compleet af. Ik kreeg er achteraf de rillingen van.'

Zondag zou hij weer naar huis gaan, antwoordde Perlmann op haar vraag.

'Je klinkt moe. Je bent blij dat het nu gauw voorbij is, niet?'

Hij bleef op de bedrand zitten tot de zon, die een gat had gevonden in de sluierbewolking, hem verblindde. Toen trok hij een overgordijn dicht en borstelde de laatste twee bladzijden schoon, waarbij alleen op de randen nog vuil zat. Langzaam bladerde hij door de papieren en legde ze ten slotte op de millimeter precies op een stapel. Leskov zou er wel raad mee weten. Als hij alles overtypte kon hij de ontbrekende delen vanuit zijn geheugen aanvullen. Tenzij er aan het eind een groot stuk ontbrak. *Weet je, wat me het meest irriteert is dat ik dat ingewikkelde verhaal over de verenigbaarheid van verzinsel en toe-eigening niet meer voor elkaar krijg. Terwijl het er allemaal in staat, zwart op wit. In Petersburg. Hopelijk.*

Perlmann nam de laatste bladzijde onder handen. Als hij zich door het slagveld van doorhalingen en toevoegingen heen werkte, zou hij misschien kunnen inschatten of er daarna nog veel pagina's volgden. Maar al meteen bovenaan stonden twee woorden die hij niet kon ontcijferen, en een woord dat vlak daarna kwam, kende hij niet. Een verlammende vermoeidheid overviel hem. *Nooit meer.* Hij schoof het blad onder de stapel.

De envelop waarin hij Leskov's tekst zou verzenden, moest heel stevig zijn. Min of meer tegen alles bestand. Perlmann zag hem op een open kar van de posterijen liggen. Op een verlaten Russisch station, het werd donker en sneeuw daalde in dikke vlokken neer. Het had geen zin tegen zichzelf te zeggen dat het onzin was, de zending werd immers per vliegtuig rechtstreeks naar Sint-Petersburg gevlogen. De hele weg naar de schrijfwarenwinkel, en ook op het moment waarop hij zijn hand energiek op de klink van de winkeldeur legde, zag hij het verlaten perron voor zich en de sneeuw die op de envelop viel.

De winkel was nog gesloten. De siësta vergeten en dan schaapachtig voor een gesloten winkel staan – opeens kwam het hem voor als de herkenningsmelodie van zijn hele verblijf hier. Beschaamd keek hij om zich heen of iemand hem had geobserveerd. Maar behalve een kromme oude man die door zijn hond werd meegetrokken, was er niemand te zien. In de etalage, waar de kroniek had gelegen, was al een kerststal opgebouwd. Langzaam begon hij aan een wandeling rond het blok. Toen op de hoek iemand met een stang het metalen rolluik van een apotheek omhoogschoof, wachtte hij even en kocht er even later een nieuwe tandenborstel.

Wanneer hij precies de tekst moest voorleggen om de baan te bemachtigen, had Leskov niet gezegd. Maar ook los daarvan had Perlmann de tekst het liefst nog vandaag op de post gedaan. Zondagavond, als Leskov opgewonden zijn woning binnen zou gaan, kon de tekst er in geen geval al zijn. Maar de gedachte aan de dagen die Leskov zou moeten doorbrengen met het idee dat de tekst onherroepelijk verloren was, was ondraaglijk, en Perlmann wilde dat die nachtmerrie voor hem geen uur, geen minuut langer duurde dan strikt noodzakelijk.

Maar natuurlijk was het uitgesloten de tekst van hieruit te versturen, met het poststempel van Santa Margherita. Zou hij straks naar Genua gaan en hem daar afgeven? Eergisteren, bij het opsommen van de plaatsen waar hij de tekst kon hebben laten liggen, was Leskov opgehouden in Frankfurt. Dat hij hem in het toestel van Alitalia had achtergelaten, leek voor hem geen optie. Of was het alleen toeval dat hij daar niet over had gesproken? Maar als er een reden voor was en hij de zekerheid had dat er op de vlucht naar Genua niets kon zijn gebeurd, dan was het poststempel van Genua nauwelijks minder verraderlijk dan dat van hier. Nee, vanuit Italië kon hij de tekst in geen geval versturen. Hij moest het vanuit Frankfurt doen. Maar daar zou hij pas zondagmiddag zijn, en dat betekende dat Leskov drie dagen langer moest wanhopen.

Perlmann keek op zijn horloge. Er was nog een late vlucht, om zes uur. Maar dan kon hij vandaag niet meer terug, en na alles wat er was gebeurd kon hij morgenochtend onmogelijk bij de zitting van Silvestri ontbreken. Morgenmiddag en morgenavond ging ook niet: dat waren de laatste gezamenlijke uren van de groep, en hij zou zich definitief onmogelijk maken als hij er dan niet was. Wat overbleef was zaterdag, als met uitzondering van Leskov iedereen in de loop van de ochtend vertrok. Leskov kon de middag in zijn eentje doorbrengen, en hij zou op tijd terug zijn om 's avonds samen met hem te eten. Dat betekende in ieder geval één dag vol wanhoop minder.

Perlmann zette de pas erin en ging naar het reisbureau, dat in een ander deel van het plaatsje lag. Ook daar moest hij nog tien minuten wachten, en hij beende rusteloos op en neer. Hoelang deed een luchtpostzending van Frankfurt naar Sint-Petersburg er over? En hoe zeker kon je ervan zijn? Als expreszending kon hij de tekst niet versturen: het personeel van een luchtvaartmaatschappij zou een manuscript niet zo vreselijk urgent vinden. Maar misschien zouden ze het wel als aangetekende post accepteren?

Het computerprogramma voor de ticketreservering gaf de geest, men verzocht hem later terug te komen. Perlmann was blij dat het een hele afstand was naar de schrijfwarenwinkel, lopen hielp tegen zijn machteloze woede. Behalve de dikke vrouw stond er vandaag een uit de kluiten gewassen jongeman met een gezicht vol pukkels achter de toonbank. Op aanwijzing van de vrouw legde de jongen zwijgend een paar enveloppen voor hem neer. De gewone enveloppen zonder versterking en de ongewatteerde enveloppen schoof Perlmann meteen aan de kant. Toen pakte hij een envelop met een kartonnen rug en boog hem een paar keer door, zodat het karton bijna omknikte. De stevigheid beviel hem, maar het papier was niets bijzonders, en bovendien was hij er niet zeker van dat het formaat groot genoeg was voor de stapel gele bladen. Hij maakte zijn wijsvinger met zijn tong vochtig en wreef het speeksel uit op het papier, dat donkerbruin werd en laagje voor laagje losliet.

‘Wees maar niet bang, ik betaal hem natuurlijk,’ zei hij tegen de vrouw, die verontwaardigd snoof.

De beide gewatteerde enveloppen, die hem wat formaat betrof precies goed leken, waren van mat papier, dat minder stevig geperst was dan de glanzende enveloppen en onder het speeksel beangstigend snel losliet. Bij de ene envelop puilde er daarna een pluk walgelijk uitziende grijze watten uit, bij de andere envelop bestond de beschermlaag uit doorzichtige kunststof. Het geribbelde folie zou het vocht afstoten. Maar wat als onder de sneeuw tegelijk met het uiteenvallende papier ook het adres verdween? Perlmann schoof ook die envelop aan de kant. Terwijl de jongen gefascineerd naar hem bleef kijken, haalde de vrouw geagiteerd haar neus op en trok een gezicht alsof hij op het punt stond de hele winkel kort en klein te slaan.

‘U hoeft zich echt geen zorgen te maken,’ probeerde Perlmann haar gerust te stellen, en hij haalde een paar geldbiljetten uit zijn jaszak. ‘Ik zal ze heus allemaal betalen.’

De laatste envelop was van goed gelijmd, glanzend papier, maar de beschermlaag was veel dunner dan bij de andere en hij was veel te groot. De bladzijden zouden gaan glijden en daardoor nog meer beschadigd raken. Hij liet zich door de jongen, die een angstige blik op de vrouw wierp en nog steeds geen woord had gezegd, een stapel schrijfmachinepapier geven en probeerde het uit door de envelop woest heen en weer te schudden. Het resultaat was minder erg dan hij had verwacht, maar toch waren een paar bladzijden verschoven en gekreukt. Hij liet zich een paar nietmachines tonen, maar met geen ervan kon je een hele rij nietjes aanbrengen die de envelop tot het juiste formaat zou verkleinen. Wel doorstond het papier de speekseltekst goed. Besluiteloos draaide Perlmann de envelop om en om en vroeg toen opeens om een glas water.

Hij moest het verzoek herhalen. Terwijl de jongen naar achteren liep, stak de vrouw met een gedecideerd gebaar een sigaret op. De man met een kruk en met een voet in het gips die op dat moment binnenkwam en haar als een oude bekende begroette, wierp ze een veelbetekenende blik toe. Perlmann liep met het glas water naar buiten en gooide het leeg over de envelop. Twee, drie seconden lang leek het alsof het water meteen van het glanzende papier af droop en geen sporen achterliet. Maar toen kwamen er opeens allemaal donkere vlekken op, die snel groter werden en uiteindelijk één groot nat vlak vormden. Perlmann betastte de envelop vanbinnen en voelde het vocht. Het beeld van het Russische perron dook weer op, en deze keer begon de sneeuw te smelten. Toen hij zich omdraaide zag hij de drie gezichten achter de ruit. *De gek met het water over de envelop.*

Zwijgend, en met het gezicht van iemand die blij is dat hij een goede ingeving heeft, beduidde de jongen hem te wachten en liep naar achteren. De man met de kruk stak zijn portemonnee bij zich en verliet hoofdschuddend de winkel. Perlmann betaalde en klemde de gebruikte enveloppen onder zijn arm. Hij las vaak in de kroniek, zei hij toen tegen de vrouw, die een sigaret rookte en naar de grond keek. Maar die leek ze zich niet te herinneren en Perlmann was blij dat de jongen eindelijk een einde maakte aan de pijnlijke stilte.

De envelop die hij hem aanreikte was ideaal, Perlmann zag het meteen. Het was een gebruikte envelop, met een adres erop en een Amerikaanse afzender. De postzegels, maakte hij uit zijn gebaren op, had de jongen eraf geweekt. De envelop was van dik, geel karton dat een beetje als wasdoek aanvoelde, had een kunststoffen beschermlaag en versterkte hoeken, en het formaat was precies goed.

'*Perfetto*,' zei Perlmann tegen de jongen, die hem stralend aankeek en verontwaardigd weigerde geld van hem aan te nemen.

'Drieduizend,' zei de vrouw, die heel even opkeek.

Terwijl Perlmann haar het geld gaf, pakte de jongen met een woedend gezicht de envelop, zocht in een lade en plakte ten slotte twee ongebruikte etiketten over adres en afzender. Zonder de vrouw een blik waardig te keuren gaf hij de envelop aan Perlmann en maakte voor de grap een saluerend gebaar.

Op de eerstvolgende hoek gooide Perlmann alle andere enveloppen in een vuilnisbak. Toen hij de straat overstak, zag hij de man met de kruk, die hem blijkbaar de hele tijd had gadegeslagen. *De gek met de weggegooide enveloppen.* Bij de fontein van een schoolgebouw sprenkelde hij wat water over de gele envelop. Er vormden zich kogelronde druppels die meteen verdwenen toen hij de envelop schudde en erop blies. Het Russische perron was opeens niet meer belangrijk.

Op het reisbureau boekten ze voor hem op zaterdag rond het middaguur een vlucht naar Frankfurt. Voor de terugreis om vijf uur konden ze hem alleen op een wachtlijst zetten. Daarna liep Perlmann langzaam in de richting van het hotel en vroeg zich af hoe hij zijn handschrift kon vervormen als hij Leskov's adres op het etiket schreef. Maar wélk adres?

48 Een hand greep hem van onderen bij zijn mouw, en toen hij geschrokken opkeek, keek hij in het lachende gezicht van Evelyn Mistral, die aan een tafeltje op een caféterras zat. Ze trok een stoel voor hem bij en wenkte de ober. Aarzelend legde Perlmann de gele envelop op de tafel. *Het is ongevaarlijk, ze weet immers niet waarvoor die is.* Terwijl hij op zijn koffie wachtte en ze erover praatten hoe warm het nog steeds was hoewel het al begon te schemeren en aan de tafels de lichtjes aangingen, vroeg hij zich krampachtig af wat hij moest zeggen als ze over de envelop zou beginnen. Toen hij even later in zijn koffie roerde, legde ze kort haar hand op zijn onderarm. Wat er toch aan de hand was geweest de afgelopen dagen, vroeg ze. Ze hadden hem nauwelijks te zien gekregen, en als hij er was, had hij heel vreemd gedaan. '*Reservado*,' glimlachte ze. En dan dat flauwvallen. Ze waren allemaal nogal radeloos geweest, en bezorgd.

Perlmann nam nog wat meer suiker. Hij wist niet waar hij zijn handen moest laten, en toen hij ze in de zakken van zijn blazer stak, voelde hij de diskette, waaraan hij al die tijd niet meer had gedacht. Alsof hij iets gloeiend heets of iets heel vies had aangeraakt haalde hij zijn handen meteen weer uit zijn zakken en stak een sigaret op. Toen keek hij een poosje naar de aan de kade liggende jachten die schommelden op de golven van een passerende motorboot.

'Ik weet het zelf niet,' zei hij eindelijk, en hij vermeed het haar aan te kijken. 'Ik... ik ben gewoon een beetje uit mijn doen.'

'En je had ook helemaal geen zin om iets voor te dragen, nietwaar?' vroeg ze en ze streek het haar uit haar gezicht, dat ze op haar open hand liet rusten. Perlmann keek naar de vlakker wordende golven en knikte. Het liefst was hij weggegaan, en tegelijkertijd hoopte hij dat ze door zou vragen.

'Mag ik je iets zeggen? Maar je moet me beloven dat je het me niet kwalijk neemt.'

Perlmann probeerde te glimlachen en knikte.

'Als ik het zo mag uitdrukken: ik denk dat je dom bent geweest. Je had meteen aan het begin moeten zeggen dat het momenteel allemaal een beetje moeilijk voor je is, en je had ook heel gewoon kunnen zeggen dat je geen zin had om een voordracht te houden. Het verlies van je vrouw – daar zou iedereen toch meteen begrip voor hebben gehad. Nu dachten de meeste collega's dat je gedrag, bij het eten en zo, voortkwam uit pure arrogantie. Tot Vasili opheldering verschafte. Wij wisten er immers niets van.'

Dus was het toch goed dat ik hem destijds, bij de vesting, over Agnes heb verteld. Daardoor kon hij mij, door het verder te vertellen, redden. De man die ik op een haar na had vermoord.

De verraderlijke eenvoud waarmee Evelyn Mistral het had gezegd, gaf Perlmann de kans zichzelf voor de gek te houden, en hij kon er op dit moment geen weerstand aan bieden. Hij had zich in sociaal opzicht onhandig gedragen, had gewoon een stommiteit begaan. Hij wilde van de rust genieten die dat inzicht hem gaf. Het had iedereen kunnen overkomen. Zoiets kon je herstellen. Je kon het in de toekomst vermijden. En over drie dagen was hij rond deze tijd thuis.

'Je hebt volkomen gelijk,' zei hij, 'het was stom van me om er niets over te zeggen.' Het klonk vlak, bijna als een opmerking omwille van de lieve vrede, daarom voegde hij er na een korte stilte aan toe: 'Het is erg moeilijk soms.' Hij hoopte dat hij er een niet al te treurig gezicht bij trok.

Ruge, Millar en Von Levetzov lieten zich overdreven vermoeid in de stoelen vallen en zetten de plastic tassen met cadeaus onder het lege tafeltje naast het hunne. Perlmann had ze van verre zien aankomen en had de envelop met een beweging die op een reflex leek van de tafel genomen en tegen de stoelpoot gezet.

'Precies op de gebruikelijke tijd,' glimlachte Evelyn Mistral met een blik op haar horloge.

'Ja,' zei Millar met een nostalgische zucht. 'De eerste keer, een maand geleden, was het rond deze tijd nog licht. Ik zal dit dagelijkse borreluurtje missen.' Hij keek Perlmann aan. 'Alleen jammer dat u er niet bij was.'

De anderen knikten. Perlmann huiverde, en toen hij zijn jasje dichtknoopte, sloeg de diskette met een zachte, doffe tik tegen de armleuning.

'Maar wanneer ik me voorstel dat mij hetzelfde zou overkomen als u,' ging Millar verder, 'nou, ik geloof dat ik dan nergens meer zin in zou hebben. Behalve in zeilen,' voegde hij er grijnzend aan toe.

De opmerking benam Perlmann heel even de adem en hij voelde zijn ogen vochtig worden. Achim Ruge moest de verandering op zijn gezicht gezien hebben. Op een toon die Perlmann niet voor mogelijk had gehouden begon hij over zijn veel jongere zusje te vertellen, van wie hij zo veel had gehouden. Nooit van zijn leven had hij verwacht dat ze aan de verdovende middelen zou raken. Totdat ze haar dood hadden aangetroffen.

'Weet u,' zei hij in het Duits tegen Perlmann, en zijn lichtgrijze ogen leken nog wateriger dan anders, 'daarna is er bijna een jaar lang praktisch niets uit mijn handen gekomen. Op het lab wist ik me vaak geen raad, ik moest colleges afzeggen en mijn prikkelbaarheid was voor al mijn collega's een crime. Niets leek meer zin te hebben.'

Oppervlakkig, dacht Perlmann. *De angst voor deze mensen heeft me verschrikkelijk oppervlakkig gemaakt.* Zo oppervlakkig dat hij van hen zelfs niet de meest elementaire, de meest vanzelfsprekende gevoelens en reacties had verwacht. Anders zou hij nu niet zo stomverbaasd zijn. Angst maakte de anderen groter en sterker dan ze waren, en tegelijkertijd werden ze kleiner en banaler. Had hij zaterdagochtend niet naar hen toe moeten gaan en hun moeten uitleggen waartoe zijn paniek hem had gebracht? En zou dat niet ook op een later tijdstip nog mogelijk zijn geweest?

'Ik kan me voorstellen,' zei Von Levetzov, 'dat de uitnodiging om naar Princeton te komen u nu niet erg gelegen komt.'

Perlmann knikte, en weer was hij verbaasd over het begrip dat hij opeens genoot. Was het misschien zo dat de angst hem oppervlakkig had gemaakt, maar ook dit: die angst was ontstaan doordat zijn blik a priori oppervlakkig was geweest, omdat hij zijn collega's niet in staat had geacht begrip te kunnen opbrengen, en dat hij dus ook geen diepgang van hen had verwacht?

'Zo'n uitnodiging kun je uitstellen,' voegde Von Levetzov eraan toe.

'Geen probleem,' bevestigde Millar, die hij vragend had aangekeken.

Daar dacht hij inderdaad aan, zei Perlmann, en hij probeerde Von Levetzov met een bijzonder open en persoonlijke blik aan te kijken om zich voor zijn botheid bij het ontbijt te verontschuldigen. Een persoonlijke relatie met Adrian von Levetzov lukte in aanwezigheid van de anderen gemakkelijker dan onder vier ogen. Toen Perlmann dat besefte, raakte hij in grote verwarring. Opeens had hij de indruk geen enkel benul te hebben van mensen en hun onderlinge betrekkingen.

De anderen schenen Leskov niet te zien, die schommelend en met maaiende armen in de richting van het centrum liep. Perlmann herkende hem eerst niet, want vanavond had hij een pet op die op de dikke plooien van zijn nek rustte en daardoor te klein leek. *Liep hij maar wat harder.*

'Wacht even, dat is Vasili toch!' riep Von Levetzov. Hij sprong op en liep hem achterna.

Perlmann greep naar de envelop naast de poot van zijn stoel. Nee, daar beneden viel hij minder op dan boven op het andere tafeltje.

Leskov had plezier in de grappen die over zijn pet werden gemaakt, hij liet hem van hand tot hand gaan en hing de clown uit. Later, toen het gesprek op de zitting kwam, legde hij zijn hand op Perlmann's schouder en zei dat hij werkelijk stomverbaasd was geweest over wat hij allemaal had gezegd.

'Ik had mijn hoofd eronder verwed dat je mijn tekst toch hebt gelezen,' lachte hij, 'en nog heel nauwkeurig ook. Ik heb hem namelijk de vroegere versie gestuurd,' zei hij tegen de anderen. 'Maar hij bestrijdt dat hij die heeft gelezen. Blijkbaar is mijn Russisch nog te moeilijk voor hem.'

'Nou moet u niet beweren dat u ook nog Russisch kent,' zei Von Levetzov met een gezicht waarin irritatie en bewondering elkaar in evenwicht hielden.

Perlmann ontweek Evelyn Mistral's blik, zette zijn bril af en wreef in zijn ogen. *Het is niet van belang. Ik heb geen plagiaat gepleegd. Geen plagiaat.* 'Een paar woorden maar,' zei hij.

De stilte die viel hield hij niet lang uit, en na zich verontschuldigd te hebben ging hij naar binnen. Aan het eind van de gang, waar ook de toiletten waren, stond een deur open waardoorheen je aan de andere kant van de kademuur kwam. Hij liep naar het water. Onder hem dreef keukenafval. Hij haalde de diskette uit zijn jaszak en keek om zich heen. Toen hij hem losliet, kwam de wind eronder en hij viel met een klapperend geluid op de grond. Weer keek hij om zich heen; toen schopte hij het ding in het water.

'We hebben het net over die geweldige envelop,' zei Leskov, en legde hem op de tafel. 'Hij viel om toen je opstond. Brian kent dat soort enveloppen van bij hem thuis. Ik zou willen dat wij ook zoiets hadden.'

'Ik verstuur altijd alles wat belangrijk is in zulke enveloppen,' zei Millar, 'vooral manuscripten.' Hij wreef met duim en wijsvinger over het karton. 'Die dingen zijn zo goed als waterdicht.'

Perlmann had het gevoel alsof plotseling alle kracht uit hem wegvloeide, zodat het hem zelfs bijna te veel was zijn koffiekopje op te tillen. Een overweldigend gevoel van vergeefsheid sloeg hem lam. Zonder aan een antwoord te kunnen denken wachtte hij op de vraag hoe hij eigenlijk aan die envelop was gekomen. Maar die vraag kwam niet.

Het gesprek ging nu over het avondeten. De anderen hadden zin om ten minste één keer niet in het MIRAMARE te eten. Opeens zei Millar, die zijn handen achter zijn hoofd had gelegd en naar de berghelling aan de overkant keek: 'Waarom gaan we niet naar dat witte hotel daar boven? Hoe heet het ook alweer?'

'Imperiale,' zei Von Levetzov. 'Ik heb er een keer iets gedronken. Het restaurant zag er prima uit.'

Silvestri en Laura Sand moesten gewaarschuwd worden, en ook signora Morelli moest op de hoogte worden gebracht. Perlmann knikte. Op weg naar het hotel kwam Leskov naast hem lopen en overhandigde hem met een glimlach de gele envelop.

De lamp in de hoek van de salon waar hij maandagavond had gezeten, brandde weer. Op de stoel waren twee kinderen aan het stoeien, die met moeite door hun grootmoeder in bedwang werden gehouden. Daardoor leek alles heel gewoon, heel banaal. *Het standpunt van de eeuwigheid*, daarover had hij in die hoek zitten nadenken. De angst waartegen hij zich toen met dat idee had verzet, was verschrikkelijk geweest, maar had aan zijn gedachten een gewicht en een diepte verleend die inmiddels ver te zoeken waren. Nu, te midden van zijn goedgeluimde collega's, die zich al in de menukaarten verdiepten, vond hij de gedachten die hij had ontwikkeld eigenlijk nogal vlak en slap, veel meer dan een reeks woorden hielden ze niet in.

Ook verder stoorde de aanwezigheid van de anderen hem, en hij moest ervoor oppassen dat zijn prikkelbaarheid, die hem ertoe had gebracht bij het omkleden twee knopen van zijn hemdsmouwen te trekken, niet nog erger werd. Dit hier was de plek waar Kirsten hem had gevraagd of hij gelukkig was geweest met Agnes. En het was de plek waar hij de diepste wanhoop had gekend. Het was zijn hotel. De anderen hadden hier niets te zoeken.

Door de klapdeur van de keuken betrad de ober die hij een klootzak had genoemd het restaurant. Hij droeg hetzelfde rode jasje als dinsdag, en nu haalde hij een bestelblok uit zijn zak en kwam bij de tafel staan. Aanvankelijk zag hij Perlmann niet, hij nam de bestellingen van Ruge en Silvestri op. Toen, terwijl Laura Sand haar bestelling opgaf, liet hij zijn blik een stoel verder glijden. Perlmann wachtte met halfgesloten ogen en ergerde zich eraan dat hij zijn hart voelde kloppen. De ober draaide zijn hoofd terug en noteerde. Midden in de schrijfbeweging stokte hij, zijn ogen vernauwden zich, en nadat hij nog even roerloos was blijven staan, draaide hij met een ruk zijn hoofd opzij en keek Perlmann aan, die onder tafel zijn handen samenkneep. De ober schoof zijn onderlip naar voren, wendde zijn blik langzaam af, en even leek het alsof hij gewoon verder zou schrijven. Maar toen liet hij potlood en schrijfblok in de zak van zijn jasje glijden, draaide zich abrupt om en liep met vlugge stappen naar de klapdeur.

'Wat heeft die man toch?' vroeg Laura Sand geïrriteerd en tikte met de rug van de menukaart ritmisch tegen de tafelrand.

'Geen idee,' zei Perlmann toen ze hem vragend aankeek.

De gerant in zijn zwarte smoking bleef met gekruiste armen voor de klapdeur staan en volgde de ober, die naar hun tafeltje terugkeerde, met een woedende blik. De ober wendde zich tot Laura Sand.

'*Scusi, signora*,' zei hij met afgeknepen stem. 'Zou u uw bestelling willen herhalen?'

Daarna sloeg hij een blaadje van zijn blok om en zonder Perlmann een blik waardig te keuren, keek hij naar Millar. Die, verbaasd over de stilte, keek op, wierp een zijdelingse blik naar Perlmann naast hem en zei op een koele toon waar Perlmann hem om benijdde: 'U schijnt iemand te vergeten.'

De ober verroerde zich niet en keek over Millar's hoofd heen de zaal in. De gerant wilde juist in beweging komen toen Perlmann op een droge, kortaffe manier zijn bestelling deed. De ober zette zijn potlood op het blok, maar schreef niets op. Toen keek hij Millar weer aan, die hem na een korte aarzeling met opgetrokken wenkbrauwen zei wat hij wenste te eten.

Ze had er niets van geweten dat zijn vrouw was verongelukt, zei Laura Sand. Waarom hij er niets over had gezegd. Het zou dan allemaal veel begrijpelijker zijn geweest.

'Ze heeft gelijk,' zei Millar, en bij hem klonk het meteen weer als een schrobbering.

'Ik weet niet,' zei Perlmann, en hij was blij dat er in zijn stem nog niets van de irritatie doorklonk die hij voelde opkomen. Nu, nadat ze zijn debacle hadden meegemaakt en hij voorlopig was uitgeschakeld als rivaal en tegenstander op het academische strijdtoneel, nu waren ze opeens allemaal zo vol begrip en grootmoedigheid en leken ze er geen idee van te hebben hoe stuitend morele zelfgenoegzaamheid kon zijn. Zouden ze ook zo gedacht en gesproken hebben als hem niet zoiets dramatisch was overkomen, iets wat te vergelijken was met een ziekte? Oppervlakkigheid als gevolg en oorzaak van angst; dat klopte. Anderzijds: hoe precies had hij het dan wel moeten zeggen? Welke woorden had hij voor zijn verklaring moeten kiezen? Hoe zou hun gezicht eruit hebben gezien als hij opening van zaken had gegeven? En wanneer precies had hij dat moeten doen? Perlmann wond zich erover op hoe oppervlakkig hun ruimhartigheid was, hoe groot hun gebrek aan fantasie. Met elke vraag naar details die hij kon bedenken, werd zijn woede groter, hij had ogen noch oren voor zijn omgeving en merkte niet dat een lang stuk as van zijn sigaret op het smetteloos witte gesteven tafelkleed viel.

De anderen hadden hun eten al een hele tijd voor zich staan, maar Perlmann had nog steeds niets. De ober, die bij het serveren deed alsof hij lucht was, liet eindeloos op zich wachten en er viel een verlegen stilte waarin de anderen radeloze blikken wierpen op de lege plek voor hem. Perlmann wilde juist zijn stoel naar achteren schuiven om de gerant te gaan zoeken, toen de ober hem met een ijzig gezicht zijn Piccata Milanese bracht en het bord met veel lawaai op het onderbord zette, waarbij hij er met welbewuste achteloosheid voor zorgde dat het scheef kwam te staan. De anderen hervatten hun gesprek.

Perlmann wist het al na de eerste hap: dit gerecht was na het bereiden een tijd in de koelkast gezet. Binnenin was het nog warm, maar aan de oppervlakte was het afgekoeld, en de kou voelde op zijn tong kunstmatig aan. De tomatensaus was wel heel erg koud geworden, en de buitenste laag kaas leek wel van rubber. Hij zocht met zijn ogen de gerant, stond toen op en liep naar de klapdeur. De ober, zoveel was er nog van hem te zien, had achter het raampje van de deur de boel in de gaten gehouden. Nu duwde hij het deurtje met zijn voet open en stelde zich uitdagend voor Perlmann op.

'Mijn eten is koud,' zei Perlmann zo luid dat de mensen aan de andere tafeltjes zich omdraaiden. De ober kauwde op zijn lippen en keek hem met een van haat vervulde, minachtende grijns aan. Toen liep hij overdreven sjokkend naar Perlmann's plaats, pakte het bord en verdween ermee in de keuken, veelzeggend met zijn hoofd schuddend, wat op Perlmann's querulantengedrag moest duiden. Toen het eten even later weer voor Perlmann stond, smaakte het opgewarmd en doorgekookt, en na een paar happen liet hij het staan.

Het was niet alleen dat ze een veel te simpele voorstelling van zaken hadden nu ze hem het vriendschappelijk bedoelde verwijt maakten dat hij niets had gezegd en geen appèl had gedaan op hun begrip. Veel erger was het dat hij op geen enkel begrip zou kunnen rekenen als hij hun nu de volle waarheid vertelde: dat de wetenschap en de manier van leven die erbij hoorde hem al lang geleden waren gaan tegenstaan en vreemd waren geworden. Terwijl hij, om niet al te zeer op te vallen, af en toe met zijn vork in zijn eten prikte, dat hij nu alleen nog maar als een geel-rode, walgelijke smurrie kon zien, besefte Perlmann dat de laaiende woede die hij voelde eigenlijk veel meer gericht was op dat veel dieper gaande onbegrip dan op het versimpelende gepraat over een niet gedane mededeling aangaande zijn persoonlijke situatie.

Eerder, op het terras, had hij zich heel even overgeleverd aan de gedachte dat zijn ellende inderdaad door de schok was veroorzaakt die Agnes' dood voor hem had betekend. Zoiets bestaat dus, dacht hij nu verbaasd: je neemt je toevlucht tot een gedachte die je al talloze keren als niet-adequaat hebt ontmaskerd, en toch doe je dat en geef je er de voorkeur aan je ogen ervoor te sluiten omdat je rust wilt, rust voor de vragen die je als dwaallichten in verwarring brengen en je in het nauw drijven zodra je de waarheid onder ogen ziet. En natuurlijk had wat er eerder was gebeurd ook te maken met het feit dat het uitgerekend Evelyn Mistral was die hem die oude, verleidelijke gedachte had voorgehouden. Maar nu, terwijl hij vol afschuw naar zijn bord keek en wachtte tot hij eindelijk weer kon roken, stak de woede opnieuw de kop op bij de gedachte dat ze hem door hun onbegrip dwongen het excuus met Agnes onweersproken te laten en door een leugen ook nog een karikatuur te maken van zijn verdriet.

Hoe was het werkelijk gesteld met het onbegrip? Eindelijk kon hij een sigaret opsteken, en de concentratie op die vraag hielp hem de ober te negeren die bij het afruimen opzettelijk met het bord langs zijn mouw streek. Hij ging de collega's stuk voor stuk na door telkens als iemand iets zei even een verstolen blik op zijn gezicht te werpen. Nee, bij deze vraag was het niet zo dat hij de anderen uit angst onderschatte. Zelfs door het gezicht van Evelyn Mistral, dat door de wijn en het lachen een beetje rood was geworden, mocht hij zich niet om de tuin laten leiden. Als hij zijn ogen sloot, schoof haar hoofd met het opgestoken haar en de bril voor het zo-even waargenomen gezicht. De enige van wie hij enig begrip kon verwachten, was Giorgio Silvestri. Maar die was toch al niet representatief voor de gevreesde en gehate academische wereld. En dan nog: zou hij werkelijk kunnen begrijpen dat iemand overvallen wordt door een ongeneeslijke onverschilligheid tegenover alles wat met onderzoek en honger naar kennis te maken heeft? Perlmann betwijfelde het toen hij naar hem keek en zag hoe hij zich bij het praten gespannen over de tafel boog en met duim en wijsvinger een teken maakte dat op exactheid duidde.

Bij de koffie kwam het gesprek op de colleges en werkgroepen die hun allen te wachten stonden zodra ze weer thuis waren. Midden onder het luisteren schoot het Perlmann te binnen dat hij vanochtend bij het ontbijt, toen Von Levetzov ernaar had geïnformeerd, niet de komende colleges had beschreven, maar zijn colleges van het afgelopen semester. En terwijl hij steeds hectischer begon te roken, stelde hij met toenemende beklemming, die al aan paniek grensde, vast dat het hem met de colleges die volgende week al begonnen verging als met een naam waar je niet op kunt komen: het onderwerp ervan lag op het puntje van zijn tong, het lag in de vorm van een vage notie als het ware voor het grijpen, maar elke poging zijn aandacht erop te focussen mislukte, de titel en de precieze vraagstellingen wilden maar niet komen. *Wanneer kan mijn ontslag rechtsgeldigheid hebben? Kan ik zomaar wegblijven? Eigenlijk kan me niets meer gebeuren. Nu niet meer.*

Komend semester, zei Ruge met een zucht, was het zijn beurt om het introductiecollege te verzorgen. Terwijl Millar en Von Levetzov daar met veel meegevoel op ingingen, zag Perlmann zichzelf op de laatste vakgroepvergadering, waarop het programma van het volgende semester werd besproken. Zijn collega's hadden het buitengewoon collegiaal gevonden dat hij bereid was het introductiecollege te verzorgen, nu al voor de derde keer achtereen. Maar toch was er even een stilte gevallen, en de verbazing was bijna voelbaar geweest. Hadden de gezichten alleen uitgedrukt dat men erover nadacht, of was er toch iets van argwaan te bespeuren geweest? *Ik ga dat steeds belangrijker vinden*, had hij gezegd. *Ik werk graag met studenten die net beginnen. Die staan nog overal voor open.* Het was een verklaring waar niets tegen in te brengen was. En toch had de decaan zich ertoe moeten zetten met de vergadering door te gaan.

Perlmann richtte dat college elk semester een beetje anders in, en het nieuwe was zijn steeds duidelijker tentoongespreide distantie tot de stof. Steeds vaker lardeerde hij zijn betoog met opmerkingen als: 'Op dit punt kun je de vraag stellen... Je hoeft hem misschien niet te stellen, maar als je hem stelt, dan...', of: 'Nu kun je hierbij het volgende onderscheid maken...' en dan verviel hij in een demonstratief gepeins dat bij de toehoorders de indruk moest wekken dat hij dat onderscheid onnodig vond, of zelfs onzinnig. Hij liep het gevaar te overdrijven en een beetje de komediant uit te hangen. Vooral op dagen waarop het niet zo goed met hem ging. De studenten vonden het prachtig. Maar zodra ze begonnen te lachen, haatte hij zichzelf om zijn vertoon. Want het ging hem er helemaal niet om een toneelstukje op te voeren, het was hem bittere ernst met zijn distantie tot zijn vak, die almaar toenam en niet te stuiten was, een proces dat hij met steeds groter wordende wanhoop gadesloeg.

Leskov was al die tijd met zijn pijp bezig geweest en had af en toe aan zijn koffie genipt. Gebruikmakend van een stilte zei hij nu dat hij graag zou willen dat hij ook zo kon klagen. Hij wist vaak vlak voor het begin van een semester nog niet eens of hij wel een tijdelijke aanstelling als docent zou krijgen. Hij zei het heel nuchter en zonder een spoortje zelfmedelijden.

'Maar als ik nu die nieuwe tekst indien, verandert dat misschien,' glimlachte hij en hij keek in de richting van Perlmann. 'Aangenomen dat die weer opduikt,' voegde hij er met een gezicht aan toe waarin de geforceerde humor de op de loer liggende paniek nauwelijks kon verhullen.

Perlmann maakte een hulpeloos gebaar en had geen idee of dat wat hij met zijn aangezichtsspieren probeerde, een glimlach opleverde of een grimas. Maar aan wélk adres, dacht hij krampachtig, aan wélk adres. En de envelop. En de wachtlijst voor de vlucht.

Terwijl de anderen allemaal een fooi gaven, telde Perlmann alleen het precieze bedrag van de rekening neer en schoof de biljetten zo ver naar het midden van de tafel dat de ober ver voorover moest buigen om ze te kunnen pakken. Maar de man deed opnieuw alsof hij lucht was en liet het geld gewoon liggen. Laura Sand wees er bij het opstaan naar en wierp Perlmann een vragende blik toe. Hij deed alsof hij het niet had gemerkt. Hij liet de anderen voorgaan en wachtte in de hal tot de ober, die toch zijn geld was gaan halen, uit de eetzaal kwam.

'Weet u,' zei hij, en hij probeerde hem de grond in de kijken, 'ik had gelijk. U bent er werkelijk één. En wat voor één.'

'*Stronzo*,' siste de ober terug, zonder zijn lippen te bewegen.

Perlmann keerde hem de rug toe en liep naar de anderen, die buiten op de taxi's wachtten.

49

Toen hij de volgende ochtend tegen zevenen wakker werd, dacht Perlmann eerst dat zijn keelpijn door zijn woedende geschreeuw op de kamer van de rector magnificus kwam. Maar toen begon het tot hem door te dringen dat het droge gekriebel moest zijn veroorzaakt doordat hij met open mond had liggen ademen en dat zijn opwinding blijkbaar een figuur in zijn droom had gegolden. Aan het einde van de droom was dat de rector geweest, maar toen herinnerde hij zich dat die figuur oorspronkelijk was voortgekomen uit de ober. Hij had in aanwezigheid van de anderen met die man de vloer aangeveegd. Hij was van tafel opgestaan, had zijn koude eten op het onberispelijke tafellaken gekieperd en daarna had hij, terwijl hij elk woord met een bruuske beweging van zijn hand ondersteunde, een paar keer zijn gebrekkige repertoire aan Italiaanse scheldwoorden afgedraaid, waarbij zijn razernij werd aangewakkerd door zijn waarneming dat er grenzen werden gesteld aan zijn uitdrukkingsvermogen. Hoe langer het duurde des te meer was het uiterlijk van de ober veranderd en was hij steeds meer op Leskov gaan lijken. In een vertrek dat niet meer de eetzaal was, had Perlmann hem voor de voeten geworpen dat hij van zijn tekst geen kopie had gemaakt, waarbij zijn verwijten steeds luider klonken omdat de figuur in zijn droom de indruk maakte geen moment naar hem te luisteren. De stille, onbereikbare Leskov was toen veranderd in een bleke, bijna gezichtsloze figuur, die ondanks zijn schimmigheid toch onmiskenbaar de rector was. Perlmann had zo genadeloos en grondig met de man afgerekend als hij nog nooit met iemand had gedaan. Met bonzend hart had hij er luid schreeuwend de ene na de andere aanklacht uitgegooid, totdat zijn stem het had begeven. Hij stelde de rector verantwoordelijk voor de hele bureaucratische dooie boel op de universiteit, hij stelde hem verantwoordelijk voor het wantrouwen, de afgunst en de angst die in die wereld de boventoon voerden, hij schold hem uit als de aanstichter van het gebruikelijke haantjesgedrag, en ten slotte stelde hij hem persoonlijk aansprakelijk voor de tientallen jaren van zijn leven die hij door zijn beroep had verloren. Op het moment waarop hij de rector de vraag naar het hoofd slingerde waarom hij hem had verhinderd tolk te worden, merkte hij dat er helemaal niemand meer in het vertrek was en dat zijn met hese stem uitgesproken woorden in een naargeestig lege ruimte nagalmden. Met het gevoel van onmacht dat hem daarna was overvallen, was hij ten slotte ontwaakt.

Hij bestelde koffie en ging na het douchen aan het bureau zitten. Waren gisteren zijn brieven aan de rector almaar korter geworden, nu gebeurde het omgekeerde. Wel onderdrukte hij uit alle macht de verbittering en de opwinding die ook nu nog in hem nazinderden. Hij wilde niet dat de brief waarmee hij ontslag nam door die gevoelens werd bepaald – dat die brief in zekere zin een voortzetting van zijn droom zou worden. Elk agressief woord streepte hij meteen weer door en verving het door een uitdrukking die uitgesproken neutraal en beheerst was. Op die manier kwamen teksten tot stand waarvan de toon steeds meer op de toon ging lijken die doorgaans in officiële brieven wordt gehanteerd. En toch kon hij niet voorkomen dat zijn concepten steeds meer op een aanklacht gingen lijken, en dat hij er almaar uitvoeriger motiveringen bij leverde waarin hij het ene bewijs op het andere stapelde ter ondersteuning van de bewering dat een leven dat door de wetenschap en de academische wereld werd bepaald, noodgedwongen een vervreemd leven was, een leven dat het niet waard was leven genoemd te worden. Als een verslaafde kon hij maar niet ophouden met schrijven, en elk nieuw concept werd nog breedsprakiger en uitvoeriger dan het vorige.

Het was al halfnegen toen hij bevend van moeheid stopte. Even stond hij voor het raam en keek naar de stromende regen. Nog twee dagen. Over vijftig uur was hij op de luchthaven en wachtte hij op zijn vlucht. En morgen zou hij bijna de hele dag op pad zijn. Met wachtlijsten had hij bij vliegreizen tot dusver altijd geluk gehad.

Snel nam hij de laatste bladzijde die hij had geschreven door. Toen schoof hij alle papieren bij elkaar en gooide de hele stapel in de prullenbak. Het was niet een algemeen probleem van wetenschappers, of een probleem van de wetenschap zelf. Het was een probleem dat met zijn persoonlijke levensgeschiedenis te maken had. Meer niet. Daarvan een ideologie te maken was *not done.* In de grond van de zaak had hij dat ook altijd geweten. Uiteindelijk was al dat geschrijf van vanochtend toch gewoon een verlengstuk van zijn droom geworden. En nu liep hij ook nog het ontbijt mis waarin hij, zoals hij verbaasd vaststelde, vandaag juist heel veel zin had.

De zitting van Giorgio Silvestri was één grote chaos. Het begon ermee dat hij de helft van zijn papieren in zijn kamer had laten liggen en dus nog een keer naar boven moest. Toen hij eindelijk zijn zaakjes op orde had, begon hij aan een voordracht zonder enige structuur en, zo leek het lange tijd, ook zonder doel. Hij had het over typische taalstoornissen bij schizofrene mensen, die voortkwamen uit denkstoornissen. Zijn technische jargon, kreeg je de indruk, was eigenhandig in elkaar geflanst en erg eigenzinnig, en hij deed geen enkele moeite iets te verduidelijken. Wel kon je na enige tijd tamelijk gemakkelijk bedenken hoe je zijn jargon in een meer gebruikelijke terminologie kon omzetten. Maar het was tamelijk irritant dat je dat allemaal zelf moest doen. Er kwam nog bij dat Silvestri's uitspraak van het Engels vanochtend veel slechter was dan anders; om de een of andere reden had hij geen macht over zijn tong. Dat stoorde het meest bij voorbeeldzinnen, die hij alleen in het Italiaans voor zich had liggen en die hij voor de vuist weg vertaalde. Vaak wist je niet wat je van de merkwaardige toon van een zin aan de patiënt moest toeschrijven en wat aan de stroeve manier waarop Silvestri de zin voorlas, en had je geen idee of het toch al lastige materiaal niet ook nog door de vertaling werd verminkt. Algauw begonnen de collega's poppetjes te tekenen op hun papieren, en zelfs Evelyn Mistral, die in het begin uit sympathie voor Silvestri nog had geglimlacht over de chaos die de man veroorzaakte, begon tekenen van ongeduld te vertonen.

Het was weer eens zo ver, dacht Perlmann; hij voelde zich in de steek gelaten door iemand aan wie hij zich innerlijk had vastgeklampt. Silvestri – dat was toch de man met dat belangrijke en eerlijke beroep dat hem de nodige innerlijke distantie gaf, zodat hij met de krant over zijn hoofd in een ligstoel kon liggen en tijdens de zittingen zijn stoel op de achterpoten kon laten balanceren; de man die hem had aangeraden er niet zo zwaar aan te tillen; en ten slotte ook de man die iets aan zijn aantekeningen had kunnen hebben. En nu zat hij daar voor de groep, hield nu al voor de tweede keer de lege koffiekan boven zijn kopje en keek steeds vaker onzeker in het rond. Zijn baardstoppels waren opeens niet meer het symbool van zijn onafhankelijkheid en integriteit, maar waren nu alleen nog maar een teken van onverzorgdheid. Zijn huid leek Perlmann nog bleker dan anders, en nu ontdekte hij voor het eerst ook een kleine steenpuist op zijn kin. *Jouw verbruik van helden*, hoorde hij Agnes zeggen, en hij wist niet aan wie hij zich meer moest ergeren: aan haar of aan die Italiaan, die haar weer eens gelijk leek te geven.

Nu schoof Silvestri zijn papieren opzij, stak weer een sigaret op en begon de basisgedachten van zijn onderzoek uiteen te zetten. Hij was geen goede redenaar, en het werd geen vlotte, meeslepende voordracht. Toch luchtte het Perlmann op dat de man wel degelijk iets te zeggen had. Ook Leskov, die tot dusver erg ongelukkig had geleken en een paar keer zachtjes een zucht had geslaakt, ontspande zich, en Laura Sand begon aantekeningen te maken. Er zat vele jaren ervaring met schizofrene patiënten in wat Silvestri te zeggen had, en een schier onuitputtelijk geduldig luisteren. Zijn bleke gezicht met de donkere ogen stond nu strak geconcentreerd, en toen hij met bewondering over Gaetano Benedetti sprak, die hij als de belangrijkste onderzoeker naar schizofrenie beschouwde, merkte je met welke hartstocht hij zijn werk deed.

Het geluid van scheurend papier doorbrak de stilte die was gevallen toen Silvestri een citaat van Benedetti wilde opzoeken. Millar had een blad uit zijn notitieboek gescheurd, schreef er iets op en schoof het met een nonchalant gebaar naar Ruge, die veel meer naar achteren was gaan zitten dan normaal. Op het allerlaatste moment moest hij gemerkt hebben dat hij iets ongepasts deed, want zijn arm maakte een beweging alsof hij het briefje tegen wilde houden. Maar het was te laat, het briefje gleed van de tafel en zeilde op de grond, waar het voor Silvestri's ogen bleef liggen. Perlmann moest zijn nek uitsteken om te kunnen lezen wat erop stond: *De Benedetti?!*

Silvestri, die het citaat eindelijk had gevonden, keek op, volgde de blikken van de anderen en las het briefje. Ogenblikkelijk verstarde hij, er kwam een blos op zijn gezicht en hij sloot zijn ogen. Niemand verroerde zich. Millar keek voor zich op de tafel. Eigenlijk, dacht Perlmann, was het alleen maar een grap, een puberale streek. Maar op dat speciale moment moest het voor Silvestri een klap in zijn gezicht zijn: niet lang geleden had Carlo De Benedetti, de president van Olivetti, in verband met zijn vroegere betrokkenheid bij het faillissement van een bank voor de rechter gestaan. Als je dat wist, riep het papiertje op het glanzende parket de wereld op van geld, macht en corruptie. Het was slechts een grap, en in geen geval een gemene toespeling. Dat moest ook Silvestri inzien. Maar op dat moment was het voor hem toch te veel dat iemand, terwijl er over het opofferende werk van Gaetano Benedetti, over zijn imponerende levenswerk werd verteld, in gedachten bij die andere, die weerzinwekkende wereld was, ook al was de associatie op zo'n simpele, onschuldige manier tot stand gekomen. Blijkbaar ervoer hij het als een persoonlijke aanval – alsof daarmee indirect ook zijn eigen engagement werd miskend of zelfs belachelijk gemaakt.

Silvestri had niet gezien waar het briefje vandaan was gekomen. Hij moest Millar's handschrift hebben herkend, bedacht Perlmann, want toen hij opkeek, richtte hij zijn blik eerst op hem. Hij fixeerde hem een paar seconden, en de verticale rimpels boven zijn neus gaven aan zijn magere gezicht met de ingevallen wangen een boze, onverzoenlijke uitdrukking. Terwijl hij zijn blik, die nu iets verslagens had, opnieuw op het briefje richtte, pakte hij zijn balpen en liet die langzaam klikken. Dat herhaalde hij een paar keer, het ritme was traag, alsof het bij een vertraagd afgespeelde film hoorde, en elke klik klonk in de beklemmende stilte als een schot. Perlmann hield onwillekeurig zijn adem in. Nu leunde Silvestri achterover, legde zijn gevouwen handen op zijn hoofd, en terwijl hij diep inademde keek hij Millar recht in de ogen. En hoewel hij niet het doelwit was, kromp Perlmann ineen onder de hardheid van die donkere blik. Silvestri's stem, als hij nu iets ging zeggen, zou scherp klinken.

Op dat moment ging de deur open en signora Morelli kwam met een briefje in haar hand de veranda binnen. De stilte in het vertrek moest haar hebben verrast, want ze aarzelde en liet haar hand op de klink rusten voordat ze zich met een '*Scusatemi*' vermande en op Perlmann toe liep. 'Ik dacht dat u het misschien meteen wilde weten,' zei ze toen ze zich naar hem toe boog en hem het briefje overhandigde.

Ze had het zachtjes gezegd, en toch was de Italiaanse zin in het hele vertrek te horen geweest. *Telefoontje reisbureau: vlucht Frankfurt-Genua morgen 17.00 bevestigd,* stond er op het papiertje.

'*Grazie,*' zei Perlmann schor, vouwde het papiertje op en liet het in de zak van zijn jasje glijden. Hij durfde Leskov, die naast hem zat, niet aan te kijken en wist daarom niet of hij zich alleen maar verbeeldde dat die zijn hoofd nu pas wegdraaide.

Toen de deur in het slot viel, merkte Perlmann pas dat Silvestri was opgestaan en blijkbaar heen en weer had gelopen. Nu maakte de Italiaan zijn sigaret uit, aarzelde even, ging op de tafel zitten, zwaaide zijn benen eroverheen en stond in het midden van de hoefijzervormig opgestelde tafeltjes. Met een stijve beweging raapte hij het briefje op, ging voor Millar staan en liet het papiertje woordeloos en zonder hem aan te kijken behoedzaam op zijn tafel glijden. Toen werkte hij zich opnieuw met een zwaai over de tafel, trok zijn stoel overdreven precies recht en vervolgde zijn verhaal. Na een paar zinnen ademde hij weer normaal. Laura Sand slaakte een zucht.

Toen de discussie begon, maakte Millar eerst minutenlang zijn bril schoon. Even later, toen Silvestri moeizaam Leskov's vragen probeerde te beantwoorden, die vandaag veel minder helder geformuleerd waren dan anders, staarde hij met een geconcentreerde maar lege blik naar buiten, naar het zwembad, waar dikke regendruppels het water hoog deden opspatten. Af en toe wierp Silvestri hem vanuit zijn ooghoeken een snelle blik toe. Maar verder leek zijn opwinding geluwd, en ook nu toonde hij zich een goede luisteraar, die zijn gesprekspartner door een knikje en een vaag glimlachje aanmoedigde zijn gedachten verder te spinnen.

Waar Perlmann hem in het bijzonder om benijdde, was dat hij uitvoerig de tijd nam voordat hij een vraag beantwoordde. Je kreeg de indruk dat hij zich door geen enkele vraag van zijn stuk zou laten brengen. Vragen waren niet iets waardoor hij zich onder druk gezet voelde. Die zetten in eerste instantie aan tot nadenken, onverschillig hoelang dat duurde. *Geen wonder dat Kirsten hem meteen mocht.* Perlmann verborg zijn gezicht weer eens achter zijn gevouwen handen en probeerde inwendig na te voelen hoe het levensgevoel was van iemand die zo weinig angst kende voor de anderen en hun vragen. Hij werd er bijna duizelig van toen hij zich met grote inspanning op het gevoel concentreerde dat hij zou hebben als het hem zou lukken al zijn angsten één voor één de baas te worden en ze in een andere manier van ervaren te veranderen.

Het was het gutturale lachje van Ruge dat een einde maakte aan zijn gepeins. Het sloeg blijkbaar op de manier waarop Silvestri zich verdedigde tegen de twijfels die men aan zijn methode had. Hij had zich zo lang en zo vol overgave met zijn patiënten beziggehouden, dat hij de onomstotelijke zekerheid bezat het patroon van hun taal- en denkstoornissen door en door te begrijpen. Wat hem wetenschappelijk gezien kwetsbaar maakte was zijn weigering iemand over zijn schouder mee te laten kijken als hij aan het werk was en zich te laten controleren. Een theoretisch verband was er niet, dacht Perlmann, maar om de een of andere reden kon die weigering eigenlijk niemand verbazen die de gevaarlijke glinstering in Silvestri's ogen kende wanneer gesloten inrichtingen ter sprake kwamen. Die man was een einzelgänger en een fanatiekeling als het om zijn onafhankelijkheid ging, een man die in een kliniek waarschijnlijk een soort anarchist was, ook al was hij een anarchist in wiens kantoor het licht nog brandde als zijn collega's allang thuis waren. *Jouw heldenbeluste fantasie.* Agnes was trots geweest op dat door haarzelf bedachte adjectief.

'Naar veel van die mensen heb ik jarenlang geluisterd,' zei Silvestri onverstoorbaar. 'Ik weet hoe ze spreken en denken. Ik weet het precies. Echt heel precies.'

Ruge gaf het met een zucht op en er viel een onbehaaglijke stilte, zodat Silvestri zijn spullen bijeen begon te garen. Toen richtte Millar zich demonstratief op in zijn stoel, zette beide ellebogen op de tafel en wachtte tot Silvestri hem aankeek.

'*Look*, Giorgio...' begon hij, en het gebruik van de voornaam klonk als hoon. En toen leerde hij Silvestri een lesje over de betrouwbaarheid en het gebruik van empirische gegevens, over de kans op vergissingen en het gevaar van artefacten, over de procedure van contra-expertise en ten slotte over het idee van objectiviteit. Hij verviel steeds meer in de toon van iemand die aan eerstejaarsstudenten de beginselen van een wetenschappelijke aanpak uitlegt en die daarbij zijn toehoorders een middelmatige intelligentie toeschrijft.

Silvestri staarde over de tafelrand heen naar het parket, naar de plek waar zojuist het briefje had gelegen. Zijn gezicht wisselde van uitdrukking. De aanvankelijke uitdrukking van ergernis en misnoegen maakte plaats voor allerlei schakeringen van geamuseerdheid en zelfs overmoed, maar af en toe ook van ironie en minachting, die elkaar snel en zonder vaste volgorde afwisselden. Toen hij merkte dat Millar aan het eind kwam van zijn betoog, trok hij zich helemaal uit zijn gezicht terug, bracht met een verstrooid gebaar opnieuw zijn papieren op orde en ging toen op het puntje van zijn stoel zitten. Zijn lange witte vingers trilden een beetje toen hij zijn aansteker bij zijn sigaret hield. Evelyn Mistral sloeg haar handen voor haar gezicht als iemand die geen ooggetuige wil zijn van een onafwendbare catastrofe.

'Ik geloof, professor Millar,' zei Silvestri zachtjes en met een uitspraak die nu onberispelijk was, 'dat ik u heel goed heb begrepen. U wilt herhaalbare experimenten. U wilt rustige, stabiele objecten onder condities als in een laboratorium. Beheersbare variabelen. Vergis ik me of wilt u ook deze mensen het liefst vastbinden op hun stoel?' Hij doofde zijn nog maar net aangestoken sigaret, pakte zijn spullen en was met een paar stappen de veranda uit.

Millar had rode vlekken op zijn gezicht en leek even verdoofd.

'*Well*,' zei hij toen quasi-opgewekt, en stond op. Zijn rubberzolen piepten luid op het parket toen hij met ferme stappen wegliep.

Nu pas kwamen de anderen in beweging.

50 Het was opgehouden met regenen en het wolkendek was gebroken. Perlmann stond voor het raam en probeerde Silvestri's uitglijder te verontschuldigen, zonder daarbij Millar onrecht te doen. Het wilde maar niet lukken. Hij verviel van het ene uiterste in het andere, zonder voor zijn oordeel en zijn gevoel een rustpunt te vinden. In zijn herinnering was Silvestri's stem in gesis veranderd, en het viel Perlmann niet moeilijk de haat te voelen die achter dat gesis had gezeten. Je kon er moeiteloos begrip voor opbrengen als je bedacht hoe walgelijk schoolmeesterachtig Millar had geklonken. En niemand kon van Silvestri verlangen dat hij op zo'n moment begrip kon opbrengen voor de voor iedereen duidelijke poging van Millar zijn faux pas met het briefje goed te maken door een kinderachtige vlucht naar voren. Maar toen zag Perlmann Millar's gezicht met de rode vlekken steeds voor zich, het gezicht van iemand die innerlijk aan het wankelen wordt gebracht door de kracht van een totaal onverwachte vuistslag. Hij had er erg kwetsbaar uitgezien, die Brian Millar, helemaal niet als de onmens zoals Silvestri hem met zijn onzalige opmerking had neergezet. Oké, hij vond de doodstraf aanvaardbaar, en dat maakte een heel vreemd mens van hem. Maar op die bewuste avond, die Silvestri waarschijnlijk nooit meer zou vergeten, had hij er geen pleidooi voor gehouden, hij had de doodstraf niet met hand en tand verdedigd. Silvestri had gelijk: op een bepaalde manier speelde bij Millar gebrek aan fantasie een rol, een soort naïviteit. Maar maakten dat gebrek aan fantasie en die naïviteit van Millar niet juist iemand die je onmogelijk van perverse, onmenselijke ideeën kon betichten, zoals in de perfide vraag van Silvestri had doorgeklonken? Of was het precies omgekeerd?

Perlmann probeerde zich voor de geest te halen wat er vandaag nog moest gebeuren. Maar het lukte hem niet zich te concentreren, en dus ging hij aan het bureau zitten en maakte een lijstje. Het duurde eindeloos en hij moest elk punt op de hem verlammende weerzin veroveren. *Reisbureau.* Hij voelde de drang zijn ticket zo meteen te gaan ophalen. *Schrijfwarenwinkel.* Nog een keer terug naar die jongen die niet kon praten, was onmogelijk. Er zou zeker nog een andere winkel zijn waar je enveloppen kon kopen. *Trattoria.* De lichte binnenplaats kwam hem nu ver en vreemd voor. Maar de kroniek daar gewoon laten liggen en zonder iets te zeggen vertrekken, kreeg hij niet over zijn hart. Ook wegens Sandra niet. *Maria.* Van haar moest hij vandaag afscheid nemen, want morgen werkte ze niet. En dan was er nog iets. Juist: *Angelini.* Perlmann voelde zijn maag. Moest hij gewoon afwachten of hij bij het avondeten verscheen? Maar als hij niet kwam, moest hij hem morgen op zijn privé-nummer bellen dat hij op het papiertje had geschreven. Daar had hij niet veel zin in. Na alles wat er was gebeurd wilde hij hem graag heel formeel en zakelijk bedanken en vaarwel zeggen.

Hij stond op het punt Angelini's nummer bij Olivetti op te zoeken toen Silvestri binnenkwam om afscheid te nemen. In plaats van een koffer droeg hij een soort plunjezak over zijn schouder.

'Ik ga weg,' zei hij gewoon, en hij gaf Perlmann een hand. 'Nog bedankt voor de uitnodiging. Bel me als u een keer in Bologna bent. En als u weer zo'n tekst hebt zoals onlangs: ik zal hem lezen.'

Hij had zich al half omgedraaid toen hij opeens bleef staan, naar de grond keek en met de punt van zijn schoen een halve cirkel trok op het tapijt.

'Bij elk bijzonder onderwerp verlies ik altijd de controle. Een oude kwaal,' zei hij met ingehouden, zachte stem. Toen keek hij Perlmann met een glimlach aan waarin verlegenheid, koppig zelfbehoud en schalksheid samenvloeiden, en voegde eraan toe: 'Ongeneeslijk.'

Al terwijl hij bezig was dat allemaal in zich op te nemen, wist Perlmann dat hij het beeld van die Italiaan met de plunjezak, het schuin naar boven gewende gezicht en de veelzeggende, zowel krachtige als kwetsbare glimlach nooit zou vergeten. Het zette zich in hem vast als een bevroren beeld aan het eind van een film.

'O ja, de hartelijke groeten aan uw dochter,' zei Silvestri vanuit de deuropening. 'Als ze al bereid is die in ontvangst te nemen,' voegde hij er met een grimas aan toe. 'En heus, u moet thuis naar de dokter, u ziet er nog steeds slecht uit.' Toen wuifde hij kort en was verdwenen.

Toen Perlmann hem beneden uit het hotel zag komen, liep Evelyn Mistral naast hem. Ze knikte. Ze liepen langzaam, als op een verlaten perron. Vlak voor de trap liet Silvestri de plunjezak op de grond glijden en stak zijn armen uit om haar naar zich toe te trekken. Maar zij deed vlug een stap achteruit en stak hem haar hand toe. Automatisch pakte hij die, en na een aarzeling legde hij met een onhandig gebaar zijn andere hand op haar schouder. Hij leek haar daarna niet meer aan te kijken maar bukte zich, gooide de plunjezak met een zwaai – misschien ook was het een kwaad gebaar – over zijn schouder en liep vlug de trap af. Hij was al bijna beneden toen Evelyn Mistral's lippen een woord vormden dat waarschijnlijk *Ciao* was. Ze greep met beide handen naar haar haar en kneep het samen alsof ze een paardestaart wilde maken. Ze liet het weer vallen, en terwijl ze achter haar rug een pols vastpakte, liep ze terug naar de deur.

Toen Perlmann het raam dicht wilde doen, zag hij Silvestri in zijn oude Fiat voorbijkomen. Hij gooide juist een peuk uit het schuifdak en boog zich voorover om de radio aan te zetten. Wat zou er zijn gebeurd als hij die man, die hij zou missen en toch nooit zou opzoeken, in vertrouwen had genomen?

De telefoon ging. Hij kon helaas toch niet bij het avondeten zijn, zei Angelini. Er was iets heel vervelends tussengekomen: een onenigheid met een vertaler die hij het bedrijf had aanbevolen en die zich als een nietsnut had ontpopt. Perlmann hield de hoorn steviger in zijn hand dan nodig en luisterde aandachtig: nee, het was niet zo dat Angelini het allemaal zo uitvoerig vertelde om te verhullen dat het een smoesje was. Integendeel, hij leek die zorg op bijna vriendschappelijke wijze met hem te willen delen. Alsof er geen kitschtekst, geen flauwvallen en geen teleurstelling waren geweest.

'*Senta, Carlo,*' zei Perlmann vanuit een ingeving, en het voelde aan als een bevrijdende sprong in het diepe. 'Ik zou graag iets met u willen bespreken. Iets persoonlijks. Kan ik in Ivrea bij u langskomen?'

Dat zou hem zeker verheugen, zei Angelini meteen. Maar zondag... nee, zondag ging het helaas met de beste wil van de wereld niet. Wel morgenmiddag of maandagochtend.

Perlmann aarzelde. Leskov's tekst was dan allang verstuurd, en op de universiteit moesten ze dan nog een dag langer op hem wachten. Maar dat maakte nu toch niets meer uit.

'Maandagochtend,' zei hij ten slotte. 'Om negen uur?'

'Lieve help, nee,' lachte Angelini. 'Ze krijgen daar een rolberoerte als ik zo vroeg kom aanzetten.' De stilte die viel klonk alsof hij op zijn lippen beet. 'Laten we zeggen, iets na tienen? En zal ik dan van zondag op maandag een hotelkamer voor u reserveren?'

Perlmann sloeg het aanbod af.

'Zeg tegen de taxichauffeur gewoon: "Olivetti, hoofdingang." Bij de receptie helpen ze u dan verder,' zei Angelini.

Angelini vragen of hij die baan van vertaler kon krijgen. Of anders iets vergelijkbaars. Perlmann rookte gehaast terwijl hij heen en weer liep. Het besluit van gisterochtend was één ding, het idee van een concreet alternatief iets heel anders. Een behaaglijk warm gevoel van bevrijding vervulde hem. Algauw veranderde het in het gevoel dat de bodem onder zijn voeten bewoog. En toen, van het ene moment op het andere, begon hij te aarzelen. Hoe zat het met een werkvergunning in Italië? En wat had hij eigenlijk te bieden? Geen vertalersopleiding, geen diploma's, niets. Zou Angelini daar geen punt van maken? Kon hij dat zomaar? Ook als hij niet rechtstreeks onder hem zou hoeven werken: op de een of andere manier zou hij voortaan afhankelijk zijn van die vlotte man in zijn als gegoten zittende maatpakken en zijn loszittende das. Opeens zag Perlmann het chef-gezicht voor zich dat hij had opgezet toen het hem in het raadhuis te dol was geworden. Op dat moment was dat gezicht niet echt tot hem doorgedrongen, het had bij de wereld gehoord waar hij zelf elke minuut verder van af was komen staan. Nu hij zich een leven voorstelde waarin hij dat gezicht voortdurend voor zich zou zien, leek het hem opeens hard, bruut en afstotelijk. En dan het leeftijdsverschil, dat maandag meteen een probleem zou opleveren: de oudere die de jongere om iets verzoekt. Hij kon het altijd nog afzeggen, dacht Perlmann. Eén telefoontje was genoeg. En de vlucht van zondag zou hij gewoon laten staan.

Op het reisbureau was hij de laatste voor de siësta. Hij kocht de ticket voor de volgende dag en betaalde een krankzinnige prijs omdat hij in verband met de korte boekingstijd geen aanspraak kon maken op prijsreductie. Voor maandag liet hij een plaats op de late middagvlucht van Turijn naar Frankfurt reserveren. *Misschien heb ik als ik in dat vliegtuig zit al een nieuwe baan.* Ten slotte het hotel in Ivrea. De jongeman met het lange haar en de vele zilveren ringen aan zijn vinger werd tijdens het telefoneren ongeduldig en keek telkens weer op de klok aan de muur. Perlmann waagde het zelfs niet tegen de toonbank te leunen voordat de man eindelijk een kamer had gevonden, waarvoor hij een woekerprijs moest betalen. Om het reisbureau uit te komen moest hij de sleutel omdraaien die de andere medewerker eerder bij het afsluiten in het slot had laten zitten.

De wind was toegenomen, de wolken dreven vanuit de zee snel over de stad, en telkens weer dompelde de zon een paar seconden lang alles in een vreemd, koud, glazig licht. Perlmann voelde zich licht en een beetje beverig als iemand die de langverwachte eerste stap naar een nieuwe toekomst heeft gezet. Een afspraak voor een gesprek, een hotelreservering, een geboekte vlucht: dat was niets, en toch was het al met al heel veel. Terwijl hij naar de haarscherpe schaduw keek die hij in het buitengewone licht wierp, voelde hij verbazing over zichzelf – dat hij er nu echt een begin mee had gemaakt zijn besluit, dat nog geen dertig uur oud was, in daden om te zetten. Ook een beetje trots voelde hij. En na een poosje begon hij te beseffen dat hij een ervaring als deze nog nooit had gehad: bijna op de minuut af te weten wanneer hij werkelijk in een besluit was gaan geloven. Hij zag zichzelf al zitten in een kantoor vol zuidelijk licht, verdiept in wat hij het liefste deed sinds hij geen piano meer speelde: helemaal opgaan in woorden en uitdrukkingen, en uitvoerig onderzoeken of de uitdrukking in de doeltaal wel de juiste nuance had. De beelden en gevoelens die nu in hem opkwamen waren zo precies en zo machtig, dat hij bijna ongemerkt na een paar passen telkens even stil bleef staan en met een lege blik roerloos voor zich uit staarde. Toch weer geschrokken van zijn op hol geslagen, oververhitte fantasie die een gedroomde toekomst uit alle macht naderbij probeerde te brengen, wreef hij in zijn ogen en liep met afgemeten passen door, waarbij hij om zichzelf af te leiden de etalages aandachtiger bekeek dan zijn gewoonte was.

Toen hij het gordijn met de glazen kralen uiteenduwde, merkte hij meteen dat de trattoria hem vreemd was geworden. Heel even vroeg hij zich af of het misschien aan het ongewone licht lag dat door het glazen dak viel. Maar dat was het niet. Het restaurant was hem nu even vreemd als een plek waar je heel lang geleden hebt gewoond en waar je er moeite mee hebt je het leven van destijds voor te stellen.

'*Professore*,' riep de waardin. 'We dachten al dat er iets met u was gebeurd!'

Het luchtte Perlmann op dat ze hem niet, zoals het er even naar uitzag, probeerde te omhelzen. Met de blijde voortvarendheid waarmee je een lang vermist gewaand familielid vertroetelt, zetten zij en haar man, die zijn onvermijdelijke witte schort voor had, het eten voor hem neer en drongen hem nog een portie op.

'U ziet er doodmoe uit, u moet iets eten!'

Hoewel de pasta zwaar op zijn maag lag, at Perlmann veel, blij dat hij door te kauwen een reden had om niet te praten. De familiaire sfeer die hij eerder had gewaardeerd, kwam hem nu voor als een sentimentele, goedkope leugen, en met vrees zag hij de koffie aankomen, waarbij duidelijk zou worden dat hij deze mensen, wier spraakzame hartelijkheid hem vandaag ongepast en bijna absurd voorkwam, absoluut niets te zeggen had. De situatie werd door Sandra gered, die bij binnenkomst haar schooltas in een hoek smeet en huilend over een mislukt dictee in het Engels vertelde.

Toen de waard hem de kroniek bracht en Sandra met zachte stem maande de *professore* niet langer te storen, leek het wel alsof het om een heilig boek ging, terwijl Perlmann de foto's op het glanzende omslag vandaag erg opdringerig en smakeloos vond. Moe en met een vol gevoel in zijn maag bleef hij voor het ongeopende boek zitten, zodat de waard hem voordat hij in de keuken verdween een verbaasde blik toewierp. Lusteloos begon hij erin te bladeren. Maar de geschiedenis van de wereld, die parallel was verlopen aan zijn eigen geschiedenis, interesseerde hem geen biet meer, en het hele idee zich zijn eigen in het verleden liggende aanwezigheid in de wereld toe te eigenen door zich de loop van de ver van hem afstaande wereld voor de geest te halen, kwam hem nu voor als mystieke onzin.

Weer drongen zich beelden van het lichte kantoor aan hem op, en Perlmann ontwierp achter gesloten oogleden verschillende silhouetten van de stad Ivrea, waarop hij vanuit grote hoogte zou neerkijken. Het vertaalwerk onderbreken en naar die weinig spectaculaire, misschien zelfs lelijke Italiaanse stad kijken: dat zou, dat wist hij heel zeker, zijn nieuwe tegenwoordigheid zijn – de eerste die hem werkelijk zou lukken.

Opeens begon hij met grote haast de toevallig opgeslagen bladzijde van de kroniek te vertalen. Op kantoor zou hij zoiets heel vlug moeten doen, het was een concern, daar ging het om de centen. Zou zijn Italiaans goed genoeg zijn? In de tekst die voor hem lag kwamen woorden voor die hij niet kende. En het Italiaans van de zakenwereld? Hij zag zichzelf tot laat in de avond op een zolderkamer zitten en de hiaten in zijn woordenschat aanvullen. Bij dat nieuwe beeld veranderde zijn uitbundige stemming, die overging in een beklemming zoals je die voelt wanneer je opnieuw in een allang overwonnen gewaande slechte gewoonte vervalt. Maar pas later op straat besefte hij dat hij zich met het beeld van de zolderkamer zijn tijd als scholier en student voor de geest had gehaald, dat door niets zo sterk was bepaald als door het gevoel dat de tegenwoordigheid in een nog verre toekomst lag.

Toen de eigenaren van de trattoria van hem hoorden dat dit zijn laatste bezoek was, wilden ze geen geld van hem aannemen voor het eten. Hun overdreven gebaren en hun pogingen hem met gloedvolle woorden te overreden, stonden in krasse tegenstelling tot zijn haast om weg te gaan. Sandra was met haar gedachten blijkbaar nog steeds bij het mislukte dictee. Toch stelde het Perlmann teleur dat ze hem slechts vluchtig een hand gaf en meteen verdween. Heel even zag hij haar weer met de op haar enkel gezakte kniekous op bed liggen. Zijn oorspronkelijke idee haar de kroniek cadeau te doen, was opeens verdwenen. Hij nam het zware boek onder zijn arm. Met zijn vrije hand opende hij voor de laatste keer het kralengordijn. Hij liet de koele, gladde kralen langzaam over de rug van zijn hand glijden. Hij had het gevoel dat er daarbij iets brak, iets ongrijpbaars, iets kostbaars.

Perlmann legde de kroniek op het stoepje voor de winkel met

schrijfwaren die de waard hem had genoemd. Hij vormde met zijn handen een trechter en staarde ingespannen de winkel in, waar nog geen licht brandde. Maar het was onzin, dacht hij, zo kon je natuurlijk niet zien wat voor soort enveloppen ze verkochten. Naast de winkel was een zaak met tafellakens, servetten en dat soort spullen in de etalage. Terwijl hij op het einde van de siësta wachtte, wierp hij af en toe een peinzende blik op de uitgestalde waar. Bij de derde of vierde keer zag hij opeens de oplossing. Helemaal achter in de hoek lag, verpakt in een plastic hoes met een ritssluiting, een set zakdoeken. Onwillekeurig was zijn aandacht voor de inhoud overgegaan op de verpakking, en nu vergeleek hij in gedachten de omvang van de hoes met het formaat van Leskov's tekst. De gele bladen zouden in die hoes bij het transport misschien een beetje heen en weer schuiven. Maar verder was het werkelijk de oplossing: als hij papieren en hoes ook nog in een gewatteerde envelop stopte, kon er ook als het regende of sneeuwde niets met de tekst gebeuren.

Tenzij het water door de ritssluiting dringt. Perlmann was blij dat de eigenares van de winkel verscheen en door haar drukke gebabbel voorkwam dat die angstige gedachte in hem post kon vatten. Hij kocht de zakdoeken en in de winkel ernaast een gewatteerde envelop waar de plastic hoes gemakkelijk in kon. Voor het adres dat hij er later op wilde schrijven zocht hij de duurste viltstift uit. Op de hoek van de straat keerde hij nog een keer om, om een plastic tasje te gaan halen. Van dat soort enveloppen bestonden er duizenden. Maar toch mocht niemand deze ene zien als hij het hotel binnenging.

51

Adrian von Levetzov zwaaide zo uitbundig dat Perlmann niet anders kon dan over het hotelterras naar de tafel te gaan waar ze met z'n allen zaten.

'We zijn juist een weddenschap aan het afsluiten over wanneer de eerste druppel zal vallen,' zei Von Levetzov. Hij wees naar de dreigende wolkenwand die zich boven de bergen verhief en de baai binnen kwam drijven. 'Wie er het dichtstbij komt, krijgt van de anderen duizend lire.' Hij trok een stoel bij voor Perlmann. 'Doe mee!'

Aarzelend legde Perlmann de kroniek op de tafel. Een andere plek voor het boek was er niet. De plastic tas leunde tegen de stoelpoot. Hij was blij dat Leskov ver van hem af zat. Terwijl hij wachtte tot zijn hartslag wat rustiger werd, keek hij geconcentreerd naar de lucht, alsof hij heel zorgvuldig afwoog welk tijdstip hij zou noemen.

'Er komt helemaal geen regen,' zei hij ten slotte, hogelijk verbaasd over zichzelf. Hij had het gevoel dat hij met die ene zin de hele wereld had uitgedaagd.

Millar boog zijn hoofd, op zijn gezicht kwam een brede grijns. '*I like that, Phil*,' zei hij, en uit zijn toon sprak spijt dat hij er niet zelf op was gekomen.

'Mag ik?' vroeg Von Levetzov en hij pakte de kroniek. Hij sloeg lukraak een paar bladzijden op en bladerde toen verder, tot er plaatjes kwamen. 'Aha,' zei hij opeens, en hij hield het boek rechtop en met een genietende uitdrukking op zijn gezicht een eindje van zich af. Toen draaide hij het om en liet de anderen de foto bekijken. Het was een foto van Christine Keeler, de prostituee die in 1963 tot de ondergang had geleid van John Profumo, de Britse minister van Defensie. Ze zat schrijlings op een stoel en was helemaal bloot. Ruge's en Leskov's lach klonk onbevangen, terwijl de grijns van Millar iets verlegens had.

'Die pose doet een beetje denken aan *The Sun*,' zei Laura Sand terwijl Von Levetzov al verder bladerde. Perlmann voelde zich alsof ze hem zo-even met *Bild-Zeitung* of een pornoblaadje hadden betrapt. *Nu koopt de man die wetenschappelijk is mislukt ook nog boeken op het niveau van de roddelblaadjes.*

'Hier heb ik nog iets beters!' riep Von Leventzov en draaide het boek weer om. Een kwart van een bladzijde werd ingenomen door een foto waarop Cicciolina te zien was, de Italiaanse pornoster die in het parlement was gekozen. Ze was naakt en voelde zich duidelijk prettig in die prikkelende pose. Millar werd rood en trok zijn bril recht. Ook de twee andere mannen keken er maar heel even naar. Evelyn Mistral stak zonder een spier te vertrekken haar onderlip naar voren en streek haar haar van haar voorhoofd.

'Het talent van die fotograaf is nogal beperkt,' zei Laura Sand droogjes. Dankbaar voor die opmerking barstten de anderen uit in een gelach dat een beetje te luid en te lang was.

Perlmann zag Cicciolina voor zich, hoe ze in een bontjas het stemlokaal betrad en in het felle licht van de flitsende camera's heel koket haar stembiljet in de stembus liet vallen. *Niet uitdoen!* had Agnes gezegd toen hij naar de afstandsbediening tastte. *Ik vind haar te gek. Echt fantastisch.* Op haar gezicht had een uitdrukking gelegen die hij nog nooit bij haar had gezien. *Dat had je niet gedacht zeker*, had ze gelachen.

'Naar aanleiding van de laatste verkiezingen heeft ze de Partij van de Liefde opgericht, de *Partito d'Amore*,' zei Perlmann, en hij wist meteen dat dat het stomste was wat hij op dit moment had kunnen zeggen. De anderen keken hem verbaasd aan. *Van zoiets is hij op de hoogte.*

'Nooit gedacht dat u op de hoogte bent van dat soort dingen,' zei Laura Sand en zorgde opnieuw voor gelach.

Perlmann sloot heel even zijn ogen. *Agnes' foto's zijn toch beter dan de hare. Veel beter.* Hij pakte de plastic tas en stond op. Het gelach brak af onder het luide geluid van zijn terugschuivende stoel. Op de gezichten die hij vanuit zijn ooghoeken waarnam, stond radeloosheid. Na een paar stappen draaide hij zich nog een keer om en duidde met zijn hoofd naar de lucht. 'Nog steeds geen druppel.' Hij probeerde te glimlachen. Niemand reageerde erop. Vlug liep hij naar de ingang en ging naar zijn kamer.

Daar liep hij meteen naar het raam en keek naar het terras beneden. Evelyn Mistral had de opengeslagen kroniek voor zich en las er uit voor met de vage en zoekende gebaren van iemand die voor de vuist weg vertaalt. De anderen lagen krom van het lachen.

Ze lachten om het boek waarin hij op zoek was gegaan naar tegenwoordigheid. Het boek dat hem had verleid en van zijn werk had gehouden. Maar ook het boek waardoor hij zich hier staande had gehouden. Een in enorme aantallen verkocht, populair geschreven, oppervlakkig boek, dat hem in zijn hele hoedanigheid vreemd was. Een boek dat hem zojuist in de trattoria had afgestoten en verveeld. En toch een boek waarvan hij was gaan houden. Een intiem boek. Zijn heel persoonlijke boek. En zij zaten erom te lachen.

Hij ging onder de douche.

Het had nog steeds niet geregend en de anderen zaten nog steeds buiten toen hij naar beneden ging om afscheid te nemen van Maria. Ze was juist bezig haar bureau op te ruimen.

'Kan ik nog iets voor u doen?' vroeg ze.

'Nee, dank u wel,' zei hij. Toen haalde hij de Bach-cd uit zijn jaszak en gaf hem haar. 'Die is voor u. U hebt immers geholpen hem op te sporen.'

'*Mille grazie*,' stamelde ze, 'maar heeft u hem dan niet meer nodig?'

Hij schudde zijn hoofd. Hij vond de woorden niet meer die hij had bedacht. Ze keek hem vragend aan, en toen de stilte haar te lang duurde, pakte ze een sigaret.

'Op de een of andere manier zal ik de groep missen,' zei ze, en zoals altijd liet ze al pratend de rook uit haar mond ontsnappen.

Nu wist hij waar hij bang voor was: dat zijn woede op de anderen hem ertoe kon verleiden van dit afscheid iets onnodig gevoeligs, iets sentimenteels te maken. *Het zou niet de eerst keer zijn.* Hij slikte en keek naar de grond.

'Overigens,' zei ze met een glimlach, 'ik heb familie in Mestre. Een mooie stad kun je het natuurlijk niet noemen. Maar lelijk... nee, lelijk is het er echt niet. Een beetje klein misschien. Maar ook sympathiek.'

'Ja, zo heb ik het ook beleefd,' zei Perlmann, dankbaar voor het onderwerp. 'Vooral de Piazza Ferretto beviel me. En de kleine Galleria ernaast.'

'Dus u bent er echt geweest?'

'Twee dagen maar.'

'In verband met uw werk?'

Perlmann schudde zijn hoofd en keek haar aan. Haar ogen begonnen merkwaardig te glanzen en ze trok met haar mond.

'Toch zeker niet alleen vanwege die zin?'

Perlmann knikte, en nu slaagde hij er ook in te glimlachen.

'U bedoelt dat u vanwege die ene zin speciaal van Duitsland naar Mestre bent gereisd?'

Hij knikte.

Ze boog haar hoofd terwijl ze een lange trek van haar sigaret nam.

'Dat is, als ik het zo mag zeggen, een beetje... vreemd. Maar nu ik uw tekst ken... nou ja, zo heel verbazingwekkend is het dan ook niet meer. Uw woede over die zin is heel begrijpelijk. Ik moest lachen toen ik die passage uittikte. Hebt u die zin na dat bezoek... overwonnen?'

'Ja,' zei Perlmann. 'Maar er zijn nog een heleboel andere zinnen.'

Lachend maakte ze haar sigaret uit en keek op de klok. 'Ik moet ervandoor. Uw teksten blijven gelukkig behouden,' voegde ze eraan toe en klopte op de computer. 'Misschien lees ik ze nog een keer in alle rust.' Toen gaf ze hem een hand. '*Buona fortuna!*'

'U ook,' zei Perlmann, 'en bedankt voor alles.'

Een paar minuten later zag hij haar vanuit zijn kamer bij de anderen staan. Leskov omarmde haar bij het afscheid. Even voordat Perlmann haar uit het zicht verloor, zag hij hoe ze met haar hand door haar glanzende haar streek. *Out. Mega-out.*

Leskov's tekst paste nog beter in de plastic hoes dan hij had verwacht. De bladen konden nauwelijks verschuiven. Perlmann pakte de liniaal en nam de maten op: 16 cm breed en 19 cm hoog. Maar de ritssluiting had hij alleen met veel moeite open gekregen. Het was geen solide ritssluiting, en twee tandjes leken na één keer openen al een beetje los te zitten. Hij mocht hem in geen geval al te vaak open- en dichtdoen. Waarom had hij die watertest eigenlijk niet meteen gedaan? Geïrriteerd haalde hij de bladen er weer uit. Bij het dichtdoen moest hij in het begin tamelijk veel kracht zetten, en hij schrok toen het uitgerekend bij de loszittende tandjes opeens even heel snel ging, waarna alles weer klem kwam te zitten en hij de rits alleen met de grootste moeite helemaal dicht kreeg. Voorzichtig dompelde hij de bovenste rand van de hoes in de volle wasbak. Aan de buitenkant, bij de ritssluiting, vormden zich blaasjes. Die waren heel klein en eigenlijk nauwelijks te zien. Maar toch: luchtdicht was de ritssluiting niet. Perlmann hield de hoes een volle minuut in het water voordat hij hem eruithaalde en zorgvuldig droogmaakte. Bij het openen was een van de loszittende tandjes nog meer beschadigd, en een van de andere stond ook helemaal scheef. Nog één keer dichttrekken – meer zou de ritssluiting niet kunnen verdragen. Perlmann streek met een vinger langs de binnenkant van de sluiting. Was wat hij voelde alleen het koude metaal of was er ook sprake van vocht? Hij keek naar zijn vinger en wreef erover: droog. Maar wat als de envelop urenlang in de regen zou liggen? Helemaal waterdicht, dat had hij nu wel gezien, was de sluiting niet.

Hij duwde zijn gezicht in de volle wasbak. Daarna voelde hij zich beter. Hij keek in zijn handkoffer of hij geen blad was vergeten. Toen telde hij de bladzijden en streek de meest verfomfaaide nog een keer glad. Eindelijk schoof hij de hele stapel voorzichtig in de hoes en kreeg de ritssluiting na eindeloos gepriegel dicht. Leskov zou zich er wel over verbazen dat Lufthansa zich zo veel moeite had getroost met de hoes. Behalve voor de envelop moest hij morgen op de luchthaven van Frankfurt ook voor de hoes een sticker van Lufthansa zien te bemachtigen. Dan zag die er nog meer uit als een gewone verpakking.

Nu legde hij de envelop klaar en pakte het briefje met Leskov's privé-adres. *Laat ik het maar riskeren.* Leskov zou toch al aan zijn geheugen twijfelen. Als hij zijn werkadres onder de tekst had geschreven, dan zou hij in zijn onzekerheid ook die correcte herinnering voor een vergissing houden. Perlmann zette de speciaal voor het adres aangeschafte viltstift op de envelop en trok hem meteen geschrokken terug, alsof hij iets per ongeluk bijna in brand had gestoken. Het vervormen van zijn handschrift had hij nog helemaal niet geoefend. Hij kalkte een groot aantal bladen vol voordat hij eindelijk koos voor een achteroverhellend, stijf handschrift, dat van alle uitgeprobeerde varianten het meest van zijn eigen handschrift leek te verschillen. Zorgvuldig schreef hij letter voor letter de tekst op de envelop, zodat die gek genoeg wel gekalligrafeerd leek. Bij twee letters had hij een beetje gebeefd. Maar het adres was duidelijk te lezen. De envelop zou aankomen.

Uitgeput schoof hij de hoes met de tekst in de envelop en sloot die met twee klemmetjes. Daarna scheurde hij de bladen waarop hij had geoefend in kleine snippers. Toen hij ze in de prullenbak gooide, kwam hij zichzelf voor als een valsemunter die zijn werkplaats opruimt.

Op het terras was het nog steeds droog. Daar zaten nu alleen nog Leskov en Laura Sand, die intussen haar warme vest was gaan halen. Leskov rookte zo te zien een van haar sigaretten. De kroniek lag opengeslagen op de tafel. *Eerder twijfelt hij aan zijn eigen geheugen dan dat hij mij verdenkt.*

Perlmann bekeek het adres. Iets eraan beviel hem nog niet helemaal. Precies: de Latijnse letters. Voor de Duitse post waren die natuurlijk noodzakelijk. Maar hoe zat het met de Russische postbodes? Konden die mensen dat werkelijk allemaal lezen? Hij draaide de envelop om. Op de achterkant zou hij het adres er met cyrillische letters op kunnen schrijven. Ja, dat was de oplossing. Hij trok de dop van de viltstift. Bij de cyrillische letters was het niet nodig zijn handschrift te vervormen. Maar was het werkelijk een goed idee? Ze zouden het in het Russisch geschreven adres kunnen aanzien voor de afzender, een andere afzender was er immers niet.

Perlmann deed de dop weer op de viltstift en ging voor het raam staan. Nu zat Leskov in zijn eentje op het terras, en de kroniek lag niet meer op de tafel. *Maar dan zou de envelop toch nog bij hem aankomen.* Hij schrok: hij had er de lengte van een hele sigaret voor nodig gehad om dat te bedenken.

Aarzelend ging hij zitten en pakte opnieuw de viltstift. Hoe waarschijnlijk was het dat een Lufthansamedewerker van de afdeling verloren voorwerpen een adres in het Russisch kon schrijven? Weer was het alsof hij zich bij het denken door een onzichtbaar, verraderlijk en weerbarstig medium heen moest werken. Natuurlijk: als iemand in staat was het adres dat op de tekst stond te lezen, was zo iemand ook in staat het te schrijven, of in elk geval om het letter voor letter te kopiëren. Perlmann begon te schrijven.

Halverwege Leskov's naam stokte hij. Er bestonden verschillende variaties voor de transcriptie. Vooral bij de sisklanken, waarvan het adres wemelde, was dat heel vervelend. Welk systeem had Leskov gebruikt toen hij zijn adres destijds op die winderige straathoek nog een keer voor hem had opgeschreven? Als hij nu een fout maakte, kwamen de letters in een andere volgorde te staan dan die welke Leskov onder de tekst had geschreven. Voor de post zou dat geen probleem zijn. Maar voor Leskov zou het er alleen maar raadselachtiger op worden: waarom had de Russisch lezende employé in Frankfurt zo veel fouten gemaakt terwijl hij het adres toch alleen maar over had hoeven schrijven? En als hij dan lang genoeg nadacht...

Perlmann streepte de regel net zo lang met de viltstift door tot er alleen nog maar een ondoorzichtige zwarte balk stond. Toen stopte hij de envelop in zijn handkoffer, die hij voor morgen klaarzette.

52

Laura Sand stond met de kroniek in haar hand in de hal op hem te wachten. In haar blik ontbrak de gebruikelijke toornige uitdrukking.

'Het spijt me van die opmerking van daarnet,' zei ze. 'Die was niet op zijn plaats. En die Partij van de Liefde is eigenlijk een heel grappige gag.'

'Is al goed,' zei Perlmann, die wilde dat hij niet zo geïrriteerd had geklonken. Je moest iemand labiel, bijna zielig vinden om hem voor zo'n onschuldige grap je excuses aan te bieden. Zonder nog iets te zeggen nam hij de kroniek van haar aan en hij verzocht signora Morelli, die nieuwsgierig naar het omslag keek, die tot later in bewaring te houden.

Vergiste hij zich of gedroegen ook de anderen zich tegenover hem heel omzichtig, als tegenover iemand die herstellend is van een ernstige ziekte – net als gisteravond? Het was toch opvallend hoe snel Evelyn Mistral haar hand terugtrok toen ze allebei tegelijk naar het zoutvaatje grepen. En lag over haar glimlach niet alweer een waas van bevangenheid?

'Misschien helemaal geen slecht idee om een kroniek op die manier samen te stellen,' zei Von Levetzov toen hun blikken elkaar ontmoetten. 'Welbeschouwd zijn dat inderdaad de dingen die je je herinnert.'

'En die serieuze artikelen leest toch niemand, die zijn zo gortdroog,' grijnsde Ruge.

Perlmann zag de anderen voor zich zoals ze eerder, toen hij er nog niet bij was, hadden kromgelegen van het lachen. Hij keek naar zijn bord en at het met tegenzin leeg, hoewel het middageten in de trattoria nog zwaar op zijn maag lag. *Een uur nog maar. Wie weet zelfs korter. En morgen afscheid nemen. In Ivrea zal het heel anders zijn. Vrijer. Veel vrijer.*

Toen de ober het nagerecht serveerde, tikte Brian Millar tegen zijn glas. Perlmann schrok. Een toespraak. Een toespraak waarop hij zou moeten reageren. Hij was er absoluut niet op voorbereid. Alsof hij zoiets nooit eerder had meegemaakt. Hij dacht terug aan de eerste zitting in de veranda, toen hij koortsachtig had zitten denken over het onderwerp dat hij zou kunnen noemen.

Het waren heerlijke weken geweest, zei Millar. De levendige gedachtenwisselingen. De collegiale, bijna vriendschappelijke sfeer. Het fantastische hotel. Het charmante stadje.

'Ik wil u uit naam van ons allen bedanken, Phil.' Hij hief zijn glas. 'U hebt het fantastisch gedaan. En we weten allemaal hoeveel werk het voor u is geweest. We hopen dat u er zelf ook iets aan hebt gehad – ondanks uw moeilijke situatie.'

Nu in geen geval iets zeggen dat als een verontschuldiging zou kunnen klinken, dacht Perlmann terwijl hij een sigaret pakte om tijdens het lange applaus zijn handen iets te doen te geven. Hij schoof zijn stoel achteruit, sloeg zijn benen over elkaar en wilde juist aan een antwoord beginnen, toen Leskov met een diepe zucht opstond.

Hij had er helaas maar heel kort bij kunnen zijn, zei hij plechtig, maar voor hem waren het onvergetelijke dagen. Nog nooit had hij in één keer zo veel vrienden gemaakt en nog nooit in zo korte tijd zo veel geleerd. Hij was immers slechts een buitenstaander, om niet te zeggen een solist, glimlachte hij. Des te meer wilde hij iedereen bedanken voor de vriendelijkheid en het begrip die hij had genoten. Hij keek Ruge aan. 'Ook al heb ik dingen beweerd die wellicht idioot klonken.' Ruge grijnsde. Maar het meest wilde hij zijn vriend Philipp bedanken. 'Hij heeft me uitgenodigd terwijl hij niet veel van mij wist. Ooit hebben we één enkel gesprek gevoerd, in het verloop waarvan, zoals ik hier heb ervaren, hij meer van mijn ideeën heeft begrepen dan wie ook – bijna beter dan ik zelf. Dat vertrouwen en dat begrip waren een geweldige ervaring. Ik zal het nooit vergeten.' Hij sloeg zijn handen ineen en maakte het gebaar van dank.

Ook hij had veel aan het verblijf hier gehad, begon Perlmann. Veel meer dan hij misschien had doen blijken. Heel veel meer. Voor sommigen had het er misschien een enkele keer op geleken dat hij met zijn vak overhoop lag. Maar exact het tegendeel was het geval.

Tot zijn ontsteltenis merkte Perlmann dat hij wat er nu kwam niet meer kon tegenhouden. Hij sprak heel rustig en nam zelfs de pose van nadenkendheid aan. Maar intussen hield hij met zijn linkerhand, die bijna begon te trillen, de pols van zijn rechterhand, die op zijn knie lag, stevig vast.

Al heel lang, zei hij, werkte hij namelijk aan een boek over de grondslagen van de linguïstiek. Millar en Von Levetzov trokken bijna tegelijkertijd hun wenkbrauwen op, en Ruge greep naar de plek waar zijn bril aan elkaar was geplakt. Door het werk aan dat boek was hij zichzelf steeds principiëlere vragen gaan stellen, zoals bijvoorbeeld deze: hoe de belangrijkste vragen in zijn vakgebied eigenlijk ontstonden; hoe je vragen die nieuwe gebieden konden ontsluiten, kunt onderscheiden van vragen die nergens toe leiden; wat de linguïstiek eigenlijk wil begrijpen van de taal, en in welke zin. Enzovoorts.

Roerloos hield Leskov's vuist zijn uitgedoofde pijp omklemd. Hij glimlachte samenzweerderig. Het ijsdessert in het glazen schaaltje voor hem smolt.

En één speciale vraag, ging Perlmann verder, hield hem daarbij vooral bezig: of het vak zoals het momenteel werd bedreven wel bij kon dragen aan een beter begrip van de belangrijke rol die de taal bij de gevarieerde, facettenrijke ontwikkeling van de beleving speelt. Bij veel dingen die hier waren besproken, was het om die vraag gegaan, besloot hij. Daarbij had hij vaak de advocaat van de duivel gespeeld. Om van de anderen te leren.

'Dat heeft me een heel eind verder gebracht. En daarvoor wil ik iedereen bedanken.'

Het was nog te vroeg om zijn sigaret aan te steken. Het was mogelijk dat zijn hand trilde. Slecht had het niet geklonken. Zelfs min of meer overtuigend. Maar in het hoofd van iedereen aan tafel moest nu dezelfde vraag oprijzen: *Waarom is hij niet met iets uit dat boek op de proppen gekomen, en heeft hij ons in plaats daarvan verveeld met iets heel anders, iets heel merkwaardigs?* Met een snelle beweging, waarmee hij het gevreesde trillen van zijn hand hoopte te beheersen, haalde hij een sigaret uit het pakje en hield toen de aansteker, in de hoop dat zijn handen elkaar in bedwang konden houden, op zo'n manier vast dat het leek alsof er juist een geweldige windvlaag door de eetzaal woei. De rook smaakte vreemd, alsof het niet zijn eigen merk was. Hij probeerde uit alle macht aan het lichte kantoor in Ivrea te denken en trachtte zelfs zich het bureau dat daar stond in detail voor te stellen. Toch maakte de sigaret hem duizelig.

Wanneer dat interessante boek ging verschijnen, vroeg Von Levetzov, en hij leek daarmee Millar de woorden uit de mond te nemen. Hij wilde de tijd nemen, antwoordde Perlmann. Hij liet de as naast zijn knie op het tapijt vallen om niet met zijn hand naar de asbak te hoeven reiken. Of de publicatie van wat er hier allemaal was besproken geen ideale gelegenheid was om zijn ideeën te presenteren, vroeg Von Levetzov. Toen hij zag dat Perlmann aarzelde, kwam er iets van argwaan op zijn gezicht.

'De publicatie van onze teksten gaat toch wel door, hoop ik?'

'Jazeker,' hoorde Perlmann zichzelf zeggen. 'Maar je weet hoe zoiets gaat: een uitgever zoeken, onderhandelen... de gebruikelijke dingen. Ook moet ik het met Angelini nog over de financiering hebben. Ik houd jullie allemaal op de hoogte.'

'Ik kan me goed voorstellen dat mijn uitgever in New York erin geïnteresseerd is,' zei Millar. 'Overigens ook in een boek als dat van u. Zal ik eens met hem praten?'

Perlmann knikte. Hij had geen idee wat hij anders had moeten doen. De sigaret brandde zijn vingers. Hij liet hem vallen en trapte hem uit op het lichte tapijt. Leskov trok met de steel van zijn lepel lijnen op het tafellaken. *Hij denkt aan een vertaling van zijn tekst. Morgen vraagt hij me er weer naar.*

Signora Morelli kwam naar hen toe en bood aan voor iedereen koffie en cognac te serveren in de salon. '*La ultima serata!*' In de hal keerde Perlmann om en ging terug naar de eetzaal. Hij raapte de sigarettepeuk op en veegde met zijn servet over de plek. Er bleef een grote zwarte vlek zichtbaar. In de zaal zat verder alleen nog een stelletje. Dat ging helemaal in elkaar op en wierp hem alleen een vluchtige blik toe.

'Ik ben even buiten geweest,' zei Millar toen Perlmann in de salon in een fauteuil plaatsnam. 'Het is nog steeds droog. Nu kan het geld alleen nog naar u of naar Vasili gaan, die op één uur heeft gegokt.' Hij haalde een biljet van tienduizend lire uit zijn zak. 'Laten we de inzet maar vast klaarleggen.' Op het stapeltje biljetten dat bijeen werd gelegd, zette hij een asbak. 'Tot hoe laat loopt de weddenschap? Zullen we zeggen tot middernacht?'

53

Perlmann had nooit gedacht dat hij het zou doen. Hij merkte het pas op het moment waarop Millar zijn armen op de leuning van zijn stoel legde en achteroverleunde voor de aanzet om op te staan. Het kwam Perlmann voor alsof een onzichtbare macht, die meer van hem wist dan hij zelf, hem een duw gaf. Met een vloeiende beweging kwam hij overeind en liep met snelle passen naar de vleugel. Voordat hij ging zitten schermde hij met zijn lichaam zijn handen af en trok de pleister van zijn vinger. Terwijl hij de klep omhoog zette, zag hij vanuit zijn ooghoek dat Millar van het puntje van zijn stoel weer naar achteren gleed.

Hij hoefde niet na te denken. Nocturnes waren het enige wat hij aandurfde nadat hij bijna een jaar niet had gespeeld. Alle andere stukken van Chopin waren technisch te moeilijk, het gevaar zich te blameren te groot. Ook zou hij zich bij de nocturnes op zijn geheugen kunnen verlaten. Met die stukken was hij opgegroeid, honderden keren had hij ze gehoord en gespeeld.

Als dat vervloekte probleem met het ritme er maar niet was. Hij had een zeer exact en zuiver gevoel voor ritme. Maar het duurde altijd even voordat hij er goed in zat en zijn inwendige metronoom begon te tikken. De eerste maten speelde hij als iemand die net uit zijn slaap is gerukt, had Bela Szabo weleens tegen hem gezegd. En hij had gelijk, zodra hij het ritme eenmaal te pakken had, was het alsof hij ontwaakte, er kwam een ontspannen zekerheid in zijn hoofd en zijn handen, en altijd had hij dan de indruk dat hij nooit eerder zo wakker was geweest, zo wakker als op dat moment. Hij had zich aangewend zich eerst door die korte, onzekere fase heen te spelen voordat hij iemand liet meeluisteren. Maar nu zouden ze het allemaal kunnen horen.

Hij begon met opus 9, nummer 1 in B kleine terts. Zonder pleister leek de ringvinger van zijn linkerhand kouder dan de andere vingers, en toen hij de toetsen aanraakte, voelde hij niet zoals hij had verwacht pijn, maar een dun, kleverig laagje. Toch lukte zijn aanslag goed, vond hij, de gevreesde vreemdheid verdween al na een paar klanken. Hij was juist goed op gang gekomen en concentreerde zich op de merkwaardige mengeling van vertraging en versnelling, toen het onweer met een oorverdovende donderslag losbrak. Die eerste knal klonk nog na toen het naargeestige, koude licht van een bliksemschicht zich al met het gouden licht van de kroonluchters in de salon mengde. Meteen daarna trilde alles onder de volgende, nog luidere donderslag. Perlmann nam zijn handen van de toetsen. Iedereen keek nu naar het raam waardoorheen je boven het meer de ene bliksemschicht na de andere zag oplichten, felle vertakkingen die meteen weer verdwenen. Hij pakte zijn zakdoek, bevochtigde hem en maakte zijn ringvinger schoon. Daarna was er alleen nog het brandende gevoel rond het litteken.

Toen het natuurschouwspel voorbij leek en het afgezien van een ver gerommel rustig bleef, begon Perlmann van voren af aan. Nu was het gevoel voor ritme er meteen, hij had het hele stuk helder voor ogen en werd rustig. Ja, hij beheerste ze nog, zijn tedere en toch glasheldere Chopin-klanken – het enige wat Szabo altijd had geprezen en waarom hij hem zelfs een beetje had benijd. Met een soortgelijke aanslag, stelde Perlmann zich voor, had Glenn Gould gespeeld. *Kristallijnen helderheid met randen van goud.* Ook met de sprankelende loopjes was hij tevreden. Maar dromerig klonk het niet. En dat kwam niet doordat zijn linker ringvinger, die nu meer werk te doen had, behoorlijk pijn begon te doen, en ook niet doordat de beide vingers van zijn rechterhand, die zo-even zijn sigaret hadden vastgehouden, brandden zodra ze tegen elkaar aan kwamen. Maar wat was het dan?

Om applaus te vermijden ging Perlmann zonder onderbreking door met de tweede nocturne uit hetzelfde opus. Weer donderde het, maar de ontlading was niet meer vlak boven het hotel. Hij speelde door.

'Nu moet ik toch even kijken of het regent,' zei Millar zachtjes, en hij stond op. Evelyn Mistral hield haar vinger voor haar lippen. Millar ging naar buiten.

Dat was het, dacht Perlmann, hij vergeleek zijn klank de hele tijd met de klank van Millar's Bach. Dat belemmerde hem, het verhinderde hem in de juiste gemoedstoestand te komen. Hij sloot zijn ogen, gaf zich over aan de klanken en probeerde te vergeten. De derde nocturne lukte beter. Alleen de zere vinger werd langzamerhand een probleem.

Tegen het einde van het stuk kwam Millar terug, zijn kuchje klonk boven alles uit.

Het volgende dat Perlmann koos, was nummer 1 in F grote terts uit opus 15. Dat dat een risico inhield, merkte hij pas toen hij al midden in het thema zat. Opeens werd hij zich ervan bewust dat hij een gezicht had. Achter zijn gesloten ogen begon het te branden. *In godsnaam.* Onwillekeurig rechtte hij zijn rug en kneep in een geforceerde grimas zijn ogen dicht. Seconden van angstig afwachten. Nee. Het was nog net goed gegaan. Op het allerlaatste moment had hij zijn tranen terug kunnen dringen. *Het stuk in Des grote terts moet ik dus niet spelen. In geen geval.*

Zojuist had hij twee keer een fout gemaakt, maar de opluchting zorgde ervoor dat hij dat meteen weer vergat, en nu kwam de dramatische, technisch lastige passage. Hij had geen tijd meer om er bang voor te zijn, en opeens explodeerde het in zijn handen en speelde hij de passage foutloos, alsof hij die vanochtend nog had geoefend. Een geweldig gevoel van opluchting, bijna overmoed, nam bezit van hem. De pijn in zijn vingers was nu van geen belang, en terwijl hij het stuk ten einde speelde, wist hij opeens heel zeker: *nu lukt me ook de polonaise.*

Maar eerst moest hij zich erop voorbereiden. Daarvoor leende zich dit derde, technisch gezien gemakkelijke stuk uit opus 15, waarbij hij bovendien zijn zere vingers kon ontzien. Hij was er niet meer helemaal bij met zijn hoofd, hij bereidde zich voor op de polonaise en daarom leek het eerste gedeelte een reeks vlakke en glansloze klanken. Maar toen kwamen de Debussy-passages, zoals Szabo ze tijdens hun discussie had gedoopt. De melodieuze structuur werd zwakker, de klanken leken doelloos uiteen te vallen en kregen iets willekeurigs, iets afwachtends, bijna iets toevalligs. *Perlmann,* placht Szabo met een geïrriteerde zucht te zeggen, *u kunt dat niet spelen alsof het Debussy is. Het is nog altijd een duidelijke melodie, met een onmiskenbare logica. Het lijkt wel alsof u een pleidooi houdt voor de melancholie van de ontbinding. Zwaarmoedigheid: best. Maar Chopin!* Perlmann gaf de klanken zoveel onbestemdheid als maar mogelijk was. *Je kunt me wat, Szabo!* Het was een oorlogsverklaring aan Millar en diens structuurbezetenheid, en Perlmann kon nauwelijks weerstand bieden aan de verleiding hem een blik toe te werpen. Hij voelde hoe er binnen in hem iets los begon te raken. Hij was bezig zich tegenover die Brian Millar te revancheren en zich ook tegenover de anderen te verdedigen. En nu deed hij iets wat hij tijdens een openbaar optreden voor ondenkbaar zou hebben gehouden: iets verderop in het stuk herhaalde hij twee van de passages waarin hem die innerlijke bevrijding het beste tot uitdrukking leek te komen. Hij had zichzelf bij de kraag moeten vatten om de innerlijke aanwezigheid van Szabo van zich af te zetten, en nu hielden zijn eigenwijsheid en zijn slechte geweten elkaar in evenwicht.

Zich nu meteen op de polonaise in As grote terts te storten – nee, dat was te gewaagd. Eerst had hij nog iets nodig dat technisch meer eisen stelde dan wat hij tot dusver had gespeeld. De wals in As grote terts uit opus 34. Een stuk dat hij vroeger bij veel feestelijke gelegenheden had gespeeld, tot vervelens toe bijna. Dat moest hij ook nu nog moeiteloos kunnen. Er zaten een paar akkoorden in die op akkoorden in de polonaise leken. En daarna zou hij op de toonsoort zijn ingespeeld.

In het begin maakte hij twee pedaalfouten, en één keer sloeg hij een toets te veel aan. Verder ging het onberispelijk. Toen het weer begon te donderen en het onweer dichterbij leek te komen, bleef hij moeiteloos in de maat. Hij voelde een lichte huivering, maar dat was niet, zoals zo vaak in de afgelopen dagen, een teken van angst, maar van gespannen verwachting. Hij kon de polonaise spelen. Hij zou die spelen. Dat zeiden zijn armen en handen hem, die nu heel zeker en sterk aanvoelden.

Aan het litteken had hij helemaal niet meer gedacht, maar opeens leek het wel of er een naald in zijn vinger prikte. Hij moest drie aanslagen van zijn linkerhand overslaan, verloor zijn concentratie en verpestte de volgende reeks akkoorden van zijn rechterhand. Weliswaar vond hij even daarna zijn evenwicht weer terug, maar zijn vertrouwen was verdwenen. De machtige akkoorden van de polonaise, waar het allemaal op aankwam, zag hij voor zich als enorme horden, en nu deden ook de kapotte vingers van zijn rechterhand meer pijn dan zonet. Het steken was voorbij, maar de rest van zijn spel was aarzelend, en dat leidde tot een vertraging die de wals niet verdroeg. *Het is onmogelijk. Hierna stop ik ermee.* Toen het slot in zicht kwam, versnelde hij nog een keer. De pijn die hij nu voelde was niet meer zo hevig als zonet, maar erg genoeg om de slotpassage helemaal te verpesten, zodat hij de laatste akkoorden afraffelde.

Het was beschamend zo te moeten eindigen, Perlmann werd woedend op zichzelf als hij eraan dacht dat hij door het moordplan, dat totaal onnodige moordplan, nu ook nog deze poging zich te handhaven kapot had gemaakt. Hij zou zijn opgestaan en naar zijn plaats zijn teruggekeerd als niet Millar op datzelfde moment met de geldbiljetten van de weddenschap had gewapperd. Terwijl de regen tegen de ruiten sloeg, hield hij ze lachend voor de neus van Leskov, zonder zich er iets van aan te trekken dat die het geïrriteerd wegwuifde en dat ook de anderen een geërgerd gezicht trokken. Eerst die poging de zaak te verstoren, en nu dit. Het was te veel. Midden in het inzettende applaus begon Perlmann met opus 53, de polonaise in As grote terts, die Chopin *De heroïsche* had gedoopt.

Vanaf de eerste maat hoorde hij de angstpassage. Maar tot daar zou het nog bijna zeven minuten duren. Reeds de eerste akkoorden en loopjes vereisten meer druk dan alle vorige stukken, en Perlmann beet van pijn op zijn lippen. Maar algauw kon de pijn hem niets meer schelen. Zoals altijd werd hij door de muziek overweldigd, die spon hem in en gaf hem het gevoel dat hij de wereld moeiteloos op afstand kon houden. Na een halve minuut begon de aanloop naar het grote thema, dat in krachtige, van boven neerruisende akkoorden was gevat. De laatste maten voor die majestueuze akkoorden moesten iets langzamer worden gespeeld, om het inzettende thema beter tot zijn recht te laten komen. Dat was ook de opvatting van Szabo geweest. Maar Perlmann – dat verwijt had hij constant van Szabo gekregen – overdreef het tot het onaanvaardbare. Hij neigde ernaar de inzet van het bovenste akkoord met meer dan een seconde te vertragen. Daardoor, vond hij, werd de spanning pas echt voelbaar en de daarop volgende bevrijding intenser. En om die bevrijding ging het. *U maakt misbruik van die passages,* had Szabo gezegd. *U moet Chopin spelen, en niet uzelf. Neem een voorbeeld aan Alfred Cortot.*

Szabo's stem zweeg, en Perlmann kwam al spelend in een roes. Met zekere grepen hamerde hij de verlossende akkoorden in de toetsen, en steeds vaker kwam hij daarbij omhoog van de pianokruk om zijn aanslag nog meer druk te kunnen geven. Zonder nog langer te aarzelen vertraagde hij de voorbereidende maten, en met elke keer maakte het inzettende akkoord nog meer de indruk van een bevrijdende muzikale ontketening. Toen vervolgens het onweer losbarstte, kwam dat hem goed uit. Want nu, over drie minuten, kwam de eerste van de beide passages waarbij hetzelfde donkere akkoord zeven keer achtereen moest worden aangeslagen. Nog nooit, dacht hij, had hij akkoorden met zo veel kracht gespeeld. Het laatste restje terughoudendheid van zich afzettend ramde hij al zijn woede in de toetsen, de woede op Millar en alle anderen die hem op de huid zaten, de woede op Szabo, de woede op het onweer dat hij moest overstemmen, en vooral de machteloze woede op zichzelf, op zijn onzekerheid, zijn angst en leugenachtigheid die hem de fatale stilte van de tunnel hadden ingedreven.

Daarna deden zijn zere vingers een tijdlang zo veel pijn dat hij tranen in zijn ogen kreeg. Heel even had hij de voorstelling dat het litteken op zijn ringvinger bij de volgende heftige aanslag zou openbarsten, dat het bloed over de toetsen zou stromen en in de ruimte tussen de toetsen zou sijpelen, en dat zijn vingers in de rode smeerboel zouden uitglijden. Maar het beeld was te vluchtig om te kunnen beklijven en tijdens de volgende, vierde minuut werd Perlmann helemaal in beslag genomen door de inspanning die het kostte om het aanzwellen van aanvankelijk rustige, bijna saaie maten tot een opwindend, overweldigend klankbeeld, even soepel en dwingend te spelen als destijds op het conservatorium, toen hij er veel lof mee had geoogst. Daarbij droeg de linkerhand het meeste bij aan de intensivering, en hij was blij dat de stekende pijn in zijn vinger intussen een constante pijn was geworden waarop hij zich kon instellen en die hem niet meer in de vorm van onberekenbare episoden onverhoeds overviel. De hele passage mondde wederom uit in een donderende herhaling van één enkel akkoord. Dat herhaalde zich daarna nog een keer, maar deze keer volgde een verrassende ontspanning in een reeks lichte, opgewekte maten. Ze werden gevolgd door een lyrische passage die, op de manier waarop Perlmann haar speelde, de toehoorders aan de dromerige sfeer van de nocturnes moest doen denken.

Nu was het al de zesde minuut. Terwijl de klanken almaar zachter werden, brak Perlmann het angstzweet uit, en zijn vingers leken van het ene moment op het andere vochtig te zijn geworden. Straks kwam de aanloop voor de laatste herhaling van het thema, en vanaf het eerste akkoord, dat wist hij ook nu nog heel precies, duurde het veertig seconden tot de angstpassage. Drieënveertig, misschien vierenveertig als hij, deze keer uit berekening en pure paniek, weer zou vertragen. De passage zelf duurde nog geen tien seconden. Daarna kwam nog een versnelde en verkorte versie van het thema met zeven gescandeerde slotakkoorden, dan was het voorbij.

Perlmann vertraagde de laatste lyrische klanken, tot hij het versnellen niet meer kon uitstellen en hij ter voorbereiding van het thema moest overgaan op de lage akkoorden. En toen hij, zich uit alle macht verzettend tegen zijn angst, het eerste akkoord van het thema aansloeg, voelde hij zich weer als iemand die na een reeks vernietigende nederlagen alles wat hij nog te bieden had op één kaart zette, in de wetenschap dat zijn kans om te winnen praktisch nihil was. *Het is absurd op een krachtige donderslag te hopen tijdens de beslissende seconden.* Hij probeerde zich de kale oefenruimte van het conservatorium voor te stellen – hij had altijd het liefst helemaal alleen gespeeld. Die poging slaagde en hielp hem ook, maar hij was er te laat mee begonnen, nu kwam de lange loop van onderaf, en dan was het zo ver.

Hij wist later niet meer hoe hij het had gedaan, maar opeens zat hij weer midden in het thema en herhaalde twee lange passages uit het begin. In verwarring gebracht door zijn eigen manoeuvre concentreerde hij zich weer op het spelen in het lege vertrek. De angstpassage nog een keer uitstellen kon niet. Hij hoorde de twee razendsnelle loopjes, die zo snel door de andere klanken heen speelden dat je ze pas werkelijk gewaar werd wanneer opeens de laatste, hoge toon oplichtte. Met de andere loopjes was het eigenlijk redelijk goed gegaan. Onmogelijk was het dus niet, hoewel de beide kritieke klankreeksen, die bijna rechte lijnen moesten zijn, nog tot een geheel andere categorie van moeilijk te spelen passages behoorden.

Voor de allerlaatste keer het volle thema. De lange loop van onderaf, die nog een menselijk tempo had. Een serie vertrouwde, lichte akkoorden. *Nu.* Perlmann voelde niets meer toen zijn vingers over de toetsen gleden. Ook de angst was weg. Een kleine tien seconden lang beleefde hij een tegenwoordigheid vol gevoelloze spanning, tijdens welke hij alleen nog maar bewegende handen en gehoor was. En toen, met het lichte eindpunt van de tweede loop, wist hij het, hoewel hij het niet kon geloven: *geen fout. Geen enkele. Niet één fout.* De rest was een koud kunstje.

Als verdoofd bleef hij even zitten. Hij huiverde van uitputting en het eerste moment wilden zijn benen hem bij het opstaan niet gehoorzamen. Een kostbaar moment van tegenwoordigheid. Hij had er alles voor over gehad dat moment voor altijd te kunnen vasthouden.

Het applaus, waaraan ook andere hotelgasten deelnamen, was luid en langdurig. Het luidste geklap kwam uit de gang, waar Perlmann Giovanni en signora Morelli zag staan. Toen hun blikken elkaar ontmoetten, stak Giovanni als teken van erkenning zijn duim op. Het was alsof hij hem feliciteerde met een doelpunt. Zijn gebaar betekende op dat moment voor Perlmann meer dan al het applaus. Maar nog veel belangrijker was de blik van signora Morelli. Het was dezelfde blik waarmee ze hem maandagavond had aangekeken, toen hij met tranen in zijn ogen over zijn opluchting had verteld. Nu glimlachte ze naar hem en bracht het applaus nog een keer op gang. Het was alsof die zwijgende ontmoeting, over de grote afstand tussen hem en haar heen, hem immuun maakte voor de mening van de anderen. In feite liet het hem min of meer koud wat ze dachten.

Leskov was de laatste die met klappen ophield. 'Ik had geen idee...' begon hij, en de anderen knikten instemmend.

Perlmann was terughoudend met zijn informatie, maar genoot van alles wat hij zei.

Waarom hij niet al eerder...?

'Ik houd niet van optredens,' zei hij, en hij keek pal langs Millar heen. 'Met muziek ben ik het liefst alleen.'

De manier waarop de anderen hem bekeken was in het achterliggende halfuur veranderd. In ieder geval wilde hij dat uit alle macht geloven. En de stilte die nu viel, waarin zijn spel leek na te klinken, leek het te bevestigen.

Millar speelde met de opgerolde bankbiljetten. 'In mijn herinnering was die polonaise korter,' zei hij, en hij zette zijn bril zo langzaam recht dat het op een film in slowmotion leek. 'Maar het is lang geleden, en ik ben geen kenner van Chopin.'

Heel even zag Perlmann alleen de weerkaatsing van de kroonluchter in zijn brilleglazen. In de blik die hij daarna opving lag geen argwaan. Maar er zat wel een fonkelende nadenkendheid in die, zo leek het, in een verdenking zou kunnen uitmonden. Perlmann reageerde met een nietszeggende glimlach.

'Ik houd van de indringende wijze waarop het thema telkens terugkeert,' zei hij.

Toen Millar plotseling opstond en achter de vleugel ging zitten, verwachtte niemand iets anders dan Bach. Maar wat hij vervolgens speelde, had helemaal niets met Bach te maken. Het was het allegro agitato molto uit de *Études d'exécution transcendante* van Franz Liszt. Perlmann kende het stuk niet, maar hij wist meteen dat het Liszt moest zijn. Millar speelde het niet foutloos, en af en toe moest hij het tempo een beetje terugnemen. Toch was zijn spel een enorme prestatie voor een amateur, en Perlmann voelde af en toe een steek van jaloezie als hij hoorde hoe Millar technische moeilijkheden klaarde die alle problemen in de polonaise in As grote terts in de schaduw stelden.

Hij was zelf altijd met een grote boog om Liszt heen gelopen. Iets aan diens bijzondere vorm van geëxalteerdheid stootte hem af. En wanneer iemand Chopin en Liszt in één adem noemde, werd hij razend. Dat Liszt hem meer dan andere componisten aan de grenzen van zijn technische vermogens herinnerde, wist hij, en hij wist ook dat angst een rol speelde bij zijn overtuiging dat hij niets van Liszt moest hebben. Maar veel verder dan dat was hij niet gekomen met zijn analyse.

Toen het stuk ten einde was, trok Millar zijn blazer uit en gooide die over een stoel. Zijn gezicht was bezweet. Niemand applaudisseerde, zijn energieke bewegingen kondigden onmiskenbaar een voortzetting aan. Wat hij nu speelde was La leggierezza, een van de *Trois études de concert* van Liszt. Het stuk kwam Perlmann bekend voor, ook al kon hij zich de titel niet herinneren. Opnieuw voelde hij afgunst, vooral bij bepaalde loopjes en trillers. Toch was het een troost dat Millar bij de ongelooflijk lange loop, die met kristallijnen lichtheid neerdwarrelde, even in de war raakte en zachtjes vloekte.

Het was kort na die loop dat Perlmann het merkte. *Het zijn geen golven, Philipp*, hoorde hij Hanna zeggen, *het zijn linten, kleurige, golvende linten, zoals meisjes bij het turnen achter zich aan trekken.* Vanaf dat moment had hij altijd dat beeld voor zich gehad wanneer hij Chopin's etude in F kleine terts uit opus 25 hoorde of speelde, waarbij de rechterhand een bijna onafgebroken reeks van regelmatige achtsten moest doorlopen, en de charme van het stuk eruit bestond dat je je geen beter medium voor het thema kon voorstellen dan juist die regelmatigheid. En nu hoorde hij dat soort linten ook in het stuk van Liszt. Ze waren niet helemaal zo lang en regelmatig, en soms deed ook de linkerhand eraan mee. Maar het was hetzelfde muzikale idee. En terwijl Perlmann innerlijk de vergelijking maakte, drong er iets tot zijn bewustzijn door waarvan hij tot dusver alleen een heel vaag en vluchtig besef had gehad: het eerste stuk van Liszt, dat Millar had gespeeld, en Chopin's etude in F kleine terts hadden thematisch een grote verwantschap. Ook de toonsoort was dezelfde. Hij begon zich steeds meer op te winden en probeerde de herinnering aan Chopin's etude over de zojuist beluisterde klanken van Liszt heen te leggen. Het stuk dat Millar nu speelde stoorde erbij en hij trachtte er niet naar te luisteren. Was die thematische verwantschap er echt? Het ene moment was hij er heel zeker van, het andere moment wantrouwde hij zijn indruk. Kon hij maar een paar minuten passages van de beide stukken achter elkaar horen.

Perlmann schrok op uit zijn concentratie toen hij het applaus hoorde en zag dat Millar zijn blazer over zijn schouders legde voordat hij zich in zijn stoel liet vallen.

'Liszt?' vroeg Von Levetzov.

'Ja,' glimlachte Millar. 'De enige twee stukken die ik kan spelen. En ik heb altijd gevonden dat ze op de een of andere manier bij elkaar horen.'

Bij die laatste opmerking sprong Perlmann overeind als bij een tegenzet tijdens een schaakpartij, waaraan je meteen ziet dat die de hele partij kan beslissen.

'Dat is ook zo,' hoorde hij zichzelf zeggen. 'Liszt heeft ze allebei gepikt. Van Chopin. Uit hetzelfde stuk, namelijk de etude in F kleine terts uit opus 25.'

Toen Millar het woord *cribbing* hoorde, schoot het bloed naar zijn gezicht, alsof het woord hem had gegolden. Heel even staarde hij als verdoofd voor zich uit.

'Pikken,' vroeg Leskov, 'wat betekent dat?'

'*Spisyvat*',' zei Perlmann prompt.

Leskov grijnsde verbaasd en verbeterde zijn klemtoon. 'Nou zie je eens. Je kent zelfs dat soort woorden al...'

Perlmann tastte naar zijn pakje sigaretten.

Millar had zichzelf weer onder controle. 'Ik denk, Phil,' zei hij geforceerd kalm, 'dat u het met me eens zult zijn dat een man als Franz Liszt het niet nodig had iets van een ander over te nemen. Van Chopin al helemaal niet, die háált het niet eens bij hem.'

Perlmann kookte van woede en hij voelde dat zijn vingers, die nu allemaal pijn deden, koud waren geworden. Het was idioot geweest, dacht hij, nu ook nog deze confrontatie aan te gaan, geen twaalf uur voordat Millar zou vertrekken. En toch genoot hij er ook van: zijn angst voor het publiekelijke conflict bracht hem niet zoals hij had verwacht van zijn stuk. Hij voelde een zekerheid die nieuw voor hem was.

'Of hij het nodig had of niet om Chopin tot in detail te imiteren, weet ik niet,' zei hij terwijl hij naar de vleugel liep. 'Feit is dat hij het in dit geval heeft gedaan.'

Hij speelde lichter en vrijer dan hij met het oog op zijn zinderende woede had verwacht, en de korte etude, die geen noemenswaardige technische problemen bevatte, speelde hij onberispelijk. Ze klonk alleen een beetje zacht, omdat hij terugschrok voor een forsere aanslag.

'Toegift!' riep Giovanni, die samen met signora Morelli iets terzijde had plaatsgenomen. Maar Perlmann reageerde niet op zijn geroep en liep terug naar zijn stoel. Toch had Giovanni, zijn fan aan de rand van het speelveld, bij hem een klein wonder volbracht: het conflict met Millar, waarin hij zich zojuist nog had vastgebeten, verloor opeens zijn macht over hem en kreeg iets speels. Gelaten stak hij een sigaret op en blies, precies zoals Silvestri een paar keer had gedaan, de rook in de richting van Millar's stoel. Evelyn Mistral boog licht haar hoofd en knikte.

'Ik hoor geen enkel spoor van plagiaat,' zei Millar, en zijn oostkust-accent leek sterker dan anders.

Ruge zette zijn bril af en streek met zijn hand over zijn hoofd. 'Ik ben een verschrikkelijke leek. Maar toch, Brian, had ik de indruk dat er wel iets klopte van Philipp's bewering.'

'Ook ik...' begon Von Levetzov.

'*Nonsense*,' onderbrak Millar hem geïrriteerd, duidelijk gekrenkt dat zijn beide bondgenoten hem op het cruciale moment in de steek lieten. 'Die paar maten van Chopin stellen niets voor. Heel simpel in elkaar gezet. Bijna onnozel. Maar wat Liszt heeft gemaakt is altijd geraffineerd.'

Perlmann voelde zijn gezicht gloeien. Giovanni was vergeten. Hij keek Millar aan. 'Je zou ook kunnen zeggen: opgesmukt; of: geforceerd; of: gekunsteld; of: bombastisch; of: geaffecteerd.' Het was verleidelijk er nog meer *of*s aan toe te voegen, op het gevaar af dat hij niet nog meer woorden paraat had. Hij had niet geweten dat hij al die Engelse woorden kende en had het vreemde, beangstigende gevoel dat ze hem alleen bij deze ene gelegenheid te binnen waren geschoten, om vervolgens spoorloos uit zijn woordenschat te verdwijnen.

Millar zette zijn bril af, sloot zijn ogen en pakte zijn neuswortel beet. Toen zette hij zijn bril zo zorgvuldig op alsof hij in een brillenzaak was, sloeg zijn armen voor zijn borst en zei: 'Indrukwekkende woordenschat. Maar aangeleerd. Het is te merken dat je een buitenlander bent. En met Franz Liszt hebben die woorden natuurlijk helemaal niets te maken.'

Laura Sand legde vlug haar hand op Perlmann's arm. 'Uw Chopin is me heel goed bevallen. Vooral de lyrische dingen. Echt jammer dat u niet al eerder hebt gespeeld.'

Toen iedereen opbrak, stak Leskov het geld van de weddenschap in zijn zak. Hij legde zijn hand zwaar op Perlmann's schouder. 'Je bent me er eentje. Je speelt de sterren van de hemel en vertelt me er niets over. En je kent de meest uitzonderlijke Russische woorden!' Hij lachte. 'Weet je wat jouw probleem is? Je houdt te veel voor je. Maar zo zie je maar, uiteindelijk komt toch alles uit!'

Het grootste deel van de nacht lag Perlmann wakker. De onweerswolken waren weggetrokken. Over de baai lag bleek maanlicht. Het was stiller dan anders. Urenlang hoorde hij geen enkele auto. De vijf weken waren voorbij, het gebergte van tijd zonder tegenwoordigheid was eindelijk geslecht. Ze hadden zijn aantekeningen gelezen en zijn Chopin gehoord. Nu wisten ze wie hij was. Hij had altijd gedacht dat dat in geen geval mocht gebeuren. Dat het neerkwam op vernietiging, wanneer anderen op die manier bij hem naar binnen konden kijken. Het verwarde hem dat de catastrofe uitbleef. Hij wachtte. Misschien kwam die met vertraging, en dan des te heviger. Maar hij begon niet.

Langzamerhand begon hij te vermoeden dat hij tientallen jaren met een verkeerde voorstelling had geleefd. Het was helemaal niet waar dat afbakening betekende jezelf af te schermen en op te sluiten in een innerlijke vesting. Waar het om ging was iets heel anders: dat je, als de anderen het te weten kwamen, onbevreesd en rustig stond voor wat je was, diep in jezelf. En het kwam Perlmann voor alsof dit inzicht ook de sleutel was tot de tegenwoordigheid waarnaar hij zo verlangde, maar die altijd zo ongrijpbaar en vluchtig was gebleven als een luchtspiegeling.

Af en toe dommelde hij in. ... *not a trace of plagiarism*, hoorde hij Millar zeggen. Hij reageerde erop door hem allemaal onbekende Engels woorden toe te schreeuwen, tot hij eindelijk merkte dat het steeds een en hetzelfde woord was: *spisyvat'*. *Het komt allemaal uit!* lachte Leskov, en in zijn mond zaten alleen nog maar een paar stompjes, net als bij de oude vrouw bij de tunnel. *Net als in een film!* zei ze. *'Eerst zien, dan geloven!'* En wierp toen de anderen, die krom lagen van het lachen, de kroniek toe.

Eén keer maakte Perlmann licht en keek in zijn koffertje of de envelop met de tekst van Leskov er nog was.

De maan was verdwenen. Achter een mistbank waren vaag de stille lichtjes van Sestri Levante te zien. Gelukkig had hij de verleiding weerstaan om de nocturne in Des grote terts te spelen. Waarom hij in godsnaam dat stuk niet wilde spelen, had Szabo gevraagd. Daarom niet, had Perlmann geantwoord terwijl hij naar de toetsen staarde. Nu hoorde hij de nocturne, maat na maat. Haar gouden haar met de donkere lok.

54 Toen de beide taxichauffeurs de hal betraden, ging alles plotseling zo snel dat Perlmann, die de uren had geteld, er helemaal niet op was voorbereid.

'En u moet zich er maar niets van aantrekken,' zei Ruge, nadat hij voor alles had bedankt. 'Er zijn ergere dingen!'

Perlmann voelde hoe die zin een wond openreet. De woorden veronderstelden dat er iets was gebeurd wat iemand zichzelf kon verwijten: een tekortkoming, een blamage, een stommiteit zelfs. Terwijl hij slechts één enkele keer een zwakkere voorstelling had gegeven dan normaal. Eén keer slechts in zijn hele glanzende carrière. En daarbij was hij flauwgevallen, welzeker. Maar daar kon niemand iets aan doen. Verder was er, vanuit de optiek van de anderen, helemaal niets gebeurd. Waarom dan die zin, die sneed en brandde, en die door het afschuwelijk kleinburgerlijke Zwaabse accent nog onverteerbaarder werd? *Wat,* schreeuwde hij Ruge onhoorbaar na, *wat moet ik me niet aantrekken?* Von Levetzov gaf hem al een hand en zei iets over een conferentie waar ze elkaar ongetwijfeld zouden zien, toen Perlmann nog steeds met Ruge's woorden worstelde. Had hij het flauwvallen bedoeld? Of de aantekeningen? Of de kitschtekst? Waarom had hij dat gezegd? En waarom uitgerekend op dit moment, dat een bijzonder gewicht verleende aan wat hij bedoelde? Hij probeerde zich Ruge's gezicht voor te stellen en de toon van zijn stem in herinnering te roepen toen hij over de dood van zijn zuster had gesproken. Maar hoe meer hij zich inspande om die dingen terug te roepen, des te meer ontglipten ze hem. Waren al die dingen werkelijk voorgevallen?

Laura Sand wist niet waar ze haar sigaret moest laten en klemde hem ten slotte tussen de vingers waarmee ze haar tas vasthield. 'Ik zal u een paar foto's sturen,' zei ze, en ze klopte op het fototoestel. 'Foto's die ook Chopin zouden zijn bevallen,' voegde ze er met haar spottende glimlach aan toe. Op de drempel struikelde ze over haar lange zwarte jas. Perlmann sloot even zijn ogen om er zeker van te zijn dat het innerlijke beeld van haar spottende gezicht hem elk moment ter beschikking zou staan.

Wat er nu kwam had hij zich die nacht meerdere keren getracht voor te stellen, maar zijn fantasie had hem in de steek gelaten.

'*Thanks for everything*,' zei Millar, en hij drukte hem stevig de hand. Hij zei het geroutineerd. Dit was zijn manier van afscheid nemen. En toch was het niet alleen het voltrekken van een formaliteit. Op zijn gezicht was opeens een verandering gekomen waarmee hij wat gisteravond was gebeurd achter zich had gelaten. 'En wat uw boek betreft, ik zal meteen volgende week met mijn uitgever praten. Ik zal het hem heel warm aanbevelen.'

Perlmann knikte zwijgend en het kwam hem voor alsof hij vijf weken lang op alles wat tegen hem was gezegd altijd alleen maar op die manier had gereageerd: een hoofdknik.

Millar trok de ritssluiting van zijn windjack dicht en pakte zijn koffer op. Na twee stappen zette hij hem weer neer en draaide zich om. 'Overigens, uw Chopin... die klonk eigenlijk tamelijk goed. En zoveel beter is Liszt nu ook weer niet. Niet te vergelijken met Bach,' grijnsde hij.

Perlmann dacht aan Sheila en de luchtballon. 'Zoals u Bach speelde heb ik het nog nooit gehoord,' zei hij. 'Een geheel eigen stijl.'

Millar bloosde. 'O, hartelijk bedankt. Dat heeft nog nooit iemand tegen me gezegd. We hadden al veel eerder...'

Perlmann knikte zwijgend. Voordat Millar in de taxi stapte, keek hij nog een keer omhoog naar Perlmann en stak zijn hand op. Toen de taxi wegreed overviel Perlmann een gevoel van leegte en vergeefsheid.

Leskov zat op het terras in de zon toen Perlmann en Evelyn Mistral een halfuur later naar buiten kwamen. Haar trein naar Genua vertrok om elf uur, antwoordde ze op zijn vraag.

'Dan ben jij om één uur allang weer hier,' zei Leskov tegen Perlmann. 'Omdat onze boot dan vertrekt,' ging hij verder toen hij Perlmann's vragende gezicht zag. Hij nodigde hem uit met dit stralende weer een tochtje naar Genua te maken, inclusief havenrondvaart. 'Ik heb nog bijna niets gezien van de omgeving. Onlangs konden we immers ook al niet de kustweg nemen. Betalen doe ik hiermee!' zei hij lachend, en hij haalde het gekreukelde geld van de weddenschap uit zijn broekzak.

Perlmann merkte dat het handvat van zijn koffer vochtig werd. Roerloos keek hij naar de rode schoenen van Evelyn Mistral.

'Dat kun je onmogelijk afslaan,' zei ze in het Spaans tegen hem, en liet haar stem erbij dalen.

Nog twee dagen wanhoop voor hem. Tenzij ik Ivrea laat schieten. Dan is het er nog maar één.

'Heb je geen zin?' vroeg Leskov. De teleurstelling in zijn stem en zijn angstige gezicht waren niet om uit te houden.

'Jawel, natuurlijk wel,' zei Perlmann schor, 'en om één uur ben ik in ieder geval terug.' Hij was blij dat hij beneden de taxi hoorde claxonneren.

Het werd een zwijgzame treinreis. Perlmann vocht zonder succes tegen het beklemmende gevoel dat hem de keel snoerde. Elk woord dat hij sprak kwam er met moeite uit en hij wist niet hoe hij moest voorkomen dat Evelyn Mistral zijn zwijgzaamheid aan zichzelf toeschreef. Terwijl zij uit verlegenheid probeerde over het boek te praten dat ze aan het lezen was, vroeg hij zich de hele tijd weer af of hij haar Leskov's tekst zou geven en haar verzoeken die in Genève op de post te doen. *Twee dagen. In ieder geval één.* Zij kon nergens van verdacht worden, zij was nooit ook maar in de buurt van Leskov's handkoffer geweest. Misschien zou Leskov aannemen dat zijn vliegtuig vanaf Frankfurt was doorgevlogen naar Genève, waar men de tekst ten slotte had ontdekt. Maar hoe moest hij haar in godsnaam uitleggen dat de envelop zo snel mogelijk naar Sint-Petersburg moest worden verstuurd, terwijl ze allebei nog maar een halfuur geleden tegenover de geadresseerde hadden gestaan?

'Je had de middag liever voor jezelf alleen gehad, nietwaar?' vroeg ze toen de trein het station van Genua binnenreed.

Perlmann knikte.

'Maar hij leek zich als een kind op dat tochtje te verheugen.'

Weer knikte hij zonder iets te zeggen.

De grote koffer met de rode olifant op het deksel sloeg tegen de treden van de wagon toen ze instapte. Perlmann nam de koffer van haar over en liet haar zijn handkoffer dragen. Toen ze in de lege coupé, waar het muf rook, tegenover elkaar stonden, streek hij over haar pas gewassen, strogele haar. Na een aarzeling, waarbij ze zijn gezicht probeerde te lezen, legde ze haar armen om zijn hals en leunde speels achterover.

'*No te pierdas!*'

Hij knikte, pakte zijn handkoffer en was met een paar stappen buiten. Toen hij zich omdraaide stond ze in de open wagondeur.

'Die eerdere tekst van Vasili, die heb je gelezen, toch?'

Perlmann haalde diep adem en keek haar aan. 'Ja. Maar dat is een lang verhaal.' Hij keek even naar de grond en toen weer naar haar. 'Blijft het ons geheim?'

Een stralende lach trok over haar gezicht. 'Ik houd van zulke geheimpjes. En ik kan zwijgen als het graf.'

De conducteur liep langs de trein en sloot de deuren. Ze stond aan het raam van haar coupé. Het was duidelijk dat haar iets bezighield. De nieuwsgierigheid overwon.

'Was het de tekst die je destijds op het terras, toen ik aankwam, bij je had?'

Perlmann knikte.

'En is dat de reden waarom je niet wilde dat de anderen...'

'Ja,' zei hij.

De trein begon te rijden.

'Daar zou je een heleboel verhalen bij kunnen bedenken,' lachte ze. 'Ik zal het tijdens de reis proberen. Om de tijd te doden!'

Perlmann was blij dat hij, in plaats van te moeten praten, kon zwaaien. Hij bleef dat doen tot de trein niet meer te zien was. Pas toen hij zijn arm liet zakken, merkte hij dat hij het handvat van zijn handkoffer zo stevig omklemd hield dat hij in zijn hand sneed.

In de stationsrestauratie bestelde hij koffie. De wijzer van de grote wandklok achter het gebarsten glas wees even na elven aan. Om kwart over twaalf ging het vliegtuig dat hij had willen nemen. Nu wist Leskov ook nog te verhinderen dat hij zijn daad zo snel mogelijk goedmaakte. Slechts met moeite lukte het Perlmann zijn machteloze woede in bedwang te houden, en de jonge vrouw naast hem keek verbaasd naar zijn vuist met de witte knokkels, die de suikerlepel heel lang omklemd hield voordat hij hem weer in de suikerpot terugzette. *Dat kun je onmogelijk afslaan.* Maar zij wist immers van niets. De teleurstelling wegens een boottochtje dat niet doorging tegenover twee extra dagen vol wanhoop, dat was de verhouding. En het was niet alleen de wanhoop. Misschien waren het uitgerekend de twee dagen die Leskov zijn baantje konden kosten omdat die hem ontbraken om op tijd klaar te zijn met het overschrijven en het opnieuw formuleren van de ontbrekende bladzijden.

Perlmann nam de bus naar het vliegveld. Inwendig sloot hij zijn ogen voor de herinneringen en liep zonder om zich heen te kijken naar de incheckbalie en meteen door naar de controle. Op het röntgenscherm was Leskov's tekst niet meer dan een vage schaduw. Ongeduldig zat hij in de wachtruimte en keek naar het vliegtuig waar juist de containers met de catering werden ingeladen. Het water aan de andere kant van de startbaan glansde in het zonlicht. Hoe had Leskov het zuidelijke licht genoemd? *Sijajuščij. Ik heb nog bijna niets gezien van de omgeving. Onlangs konden we immers ook al niet de kustweg nemen.*

Perlmann begon heen en weer te lopen. Dan moest hij, zoals oorspronkelijk de bedoeling was, morgen vliegen. Hij stond nog steeds voor die vlucht geboekt. Eén dag slechts die Leskov langer op zijn tekst moest wachten. Dat betekende dat Perlmann Ivrea moest laten schieten. Of in ieder geval uitstellen. Hij zag het lichte kantoor voor zich. Of hij vloog morgenmiddag weer naar hier terug en nam een late trein naar Ivrea. Hij keek naar zijn boardingcard. *Ja.* Hij maakte een prop van het groene stuk karton, gooide die in een afvalbak en drong ondanks de protesten van de veiligheidsbeambten tussen de wachtenden door, terug naar de hal.

Op de vlucht van Frankfurt naar Genua was er morgenmiddag geen plaats meer, en de wachtlijst was al vrij lang. Perlmann voelde nog de druk van de verfrommelde boardingcard in zijn handpalm. Hoe zat het met vluchten van Frankfurt naar Turijn? Lusteloos zocht de hostess het op in de computer en maakte daarbij een paar typfouten. Alle vluchten waren vol, maar bij één ervan stond nog maar één naam op de wachtlijst. Perlmann liet de zijne erbij zetten.

Tien over twaalf. Met de cheque die hij in Frankfurt had willen verzilveren ging hij naar de bank in de aankomsthal. Terwijl hij in de rij stond, beleefde hij, zonder zich ertegen te kunnen verzetten, nogmaals Leskov's aankomst. *Ik stel prijs op mijn eigen geld.* Toen rende hij, al het geld nog in zijn hand, naar een taxi en verzocht de chauffeur hem zo snel mogelijk naar Santa Margherita te rijden.

55

Tegenover de aanlegsteiger stond Leskov op het trottoir gespannen naar het verkeer te kijken. Met zijn ene been stond hij op de weg, het andere was op een merkwaardige manier geknikt en stond nog op het trottoir. Zijn bovenlichaam hield hij vol verwachting voorovergebogen en zijn hoofd met de grote bril, die hij met één hand vasthield, probeerde hij rechtop te houden. Toen de taxi die een eindje voor Perlmann uit reed, dichterbij kwam, bukte Leskov om de passagier beter te kunnen zien. In die houding bleef hij staan toen hij Perlmann's taxi aan zag komen. Opeens rechtte hij zijn rug, zette zijn bril een beetje schuin om zich van zijn waarneming te vergewissen en ging toen met zwaaiende armen, die elkaar boven zijn hoofd kruisten, midden op de rijweg staan, alsof hij midden in de nacht op een verlaten weg de enige passerende auto wilde tegenhouden.

Met een verbaasde kreet stopte de chauffeur. Vanaf het moment waarop hij Leskov zag, was Perlmann niet meer in staat geweest iets te denken. Alleen had hij het handvat van zijn handkoffer nog steviger vastgepakt. Nu gaf hij de chauffeur een flinke fooi en stapte uit.

'Ik dacht al dat je helemaal niet meer kwam,' zei Leskov, en hij probeerde de verwijtende toon in zijn stem meteen weer terug te nemen. 'De boot is er al!'

Gedurende het eerste halfuur van de tocht viel het niet op dat

Perlmann bijna niets zei. Leskov vond het fantastisch voor op het bijna lege schip te staan en naar het stille, verblindend schitterende water te kijken. Na een poosje haalde hij een landkaart uit zijn zak. Die had hij van signora Morelli geleend. Perlmann herkende de vuile plekken erop meteen: het was dezelfde kaart die hij bij de voorbereiding van zijn daad had gebruikt en die hij bij het verzamelen van de gele bladen onder de al halfvergane bladzijde met de ondertitels had gelegd. Nee, zei hij, toen Leskov naar Portofino wees, daar was hij nog nooit geweest. En ook de haven van Genua kende hij niet.

Toen Leskov later terugkwam van het toilet ging hij naast Perlmann op de bank zitten, en terwijl hij een pijp opstak, bekeek hij de handkoffer. Steeds als hij in de afgelopen dagen een handkoffer had gezien, zei hij, had hij aan zijn vermiste tekst moeten denken. En aan het stuk elastiek in de ritssluiting van het buitenvak.

'Jij vindt het toch ook het waarschijnlijkst dat ik hem thuis heb laten liggen? Ik bedoel, na alles wat ik je erover heb verteld?'

Perlmann knikte en tastte naar zijn sigaretten. 'Hoe dan ook geloof ik niet dat de tekst domweg verloren is,' zei hij, blij dat zijn stem heel vast klonk. 'Lufthansa staat bekend om de zorgvuldigheid waarmee ze verloren gegane bagage afhandelen.'

'Jij denkt dus echt dat ze me de tekst terugsturen?'

Perlmann knikte.

'Maar het adres heb ik er in het Russisch op gezet,' zei Leskov. Achter zijn dikke brilleglazen waren zijn ogen onnatuurlijk groot, en daardoor leek ook de angst in zijn ogen groter.

Perlmann draaide vlug zijn hoofd weg. 'Lufthansa is een van de grootste internationale luchtvaartmaatschappijen, en vliegt ook op Rusland. Die hebben absoluut mensen in dienst die Russisch kennen.'

Leskov zuchtte. 'Misschien heb je gelijk. Als ik nu maar zeker wist dat ik mijn adres erop heb geschreven. Eergisteren begon ik er opeens aan te twijfelen.'

Perlmann sloot zijn ogen. Zijn hart ging als een razende tekeer. Hij nam een aanloop: 'Welk adres schrijf je meestal onder zo'n tekst?'

'Wat? O, het adres van de universiteit.' Hij keek Perlmann aan. 'Je vraagt het omdat ik je heb verzocht alleen mijn privé-adres te gebruiken? Nee, weet je, in zo'n geval is dat iets heel anders.'

Perlmann excuseerde zich en liep naar binnen, waar hij naast de wc-pot tegen de muur leunde. Het gebonk in zijn borst werd heel langzaam minder. Nee, het was te riskant hem dat adres te vragen. Nog afgezien van het feit dat hij er geen goede reden voor kon bedenken. Hij zou Leskov moeten verzoeken het adres op te schrijven, en het zou er allemaal alleen maar toe leiden dat hij zich dat voorval als iets opvallends zou blijven herinneren. Langzaam liep hij terug, deed in de deuropening een stap opzij om een matroos langs te laten, en betrad het dek.

Zijn hart stond stil. Leskov had de handkoffer op zijn knieën gezet en liet juist de beide sloten dichtklappen. Nu zette hij de koffer weer op de grond. Perlmann deed een paar stappen opzij. Nee, hij had niet de envelop in zijn hand, maar stond nu op en stopte aan de reling zijn pijp. Perlmann liep langzaam naar hem toe en ging daarbij met zijn hand heel even over de leuning van iedere bank die er stond, alsof hij zich ervan wilde verzekeren dat hij er in geval van nood steun bij zou kunnen zoeken.

'Jullie in het Westen hebben maar mooie spullen,' zei Leskov, en duidde met de steel van zijn pijp op de handkoffer. 'Dat leer. En die geraffineerde, elegante sloten. Om jaloers op te worden.'

Perlmann hield zich aan de reling vast tot zijn knieën hem weer gehoorzaamden.

Toen ze in Genua van boord gingen, bleef Leskov opeens staan. 'Laten we aannemen dat ik de tekst in het vliegtuig heb laten liggen. Weet je waar ik dan het bangst voor ben? Voor de schoonmaakploeg. Hoezo kunnen die mensen weten dat wat ze vinden waardevol is?'

Het ging niet meer anders. Perlmann moest en zou het weten. En dit was zijn kans.

'Bij zo'n dik pak papier wordt iedereen wantrouwig. Zo'n stapel ziet er niet uit als iets onbelangrijks. Het was bijna een half boek, toch?'

Leskov knikte. 'Dat klopt. Het waren zevenentachtig bladzijden.'

Dan zijn het dus zeventien bladzijden die hij opnieuw moet schrij-

ven. Dat is bijna de omvang van een heel artikel. Maar het zit immers allemaal nog in zijn hoofd. Zoiets houd je meestal heel lang in je hoofd.

Perlmann meed het havencafé van waaruit hij ruim een week geleden Maria had gebeld. Maar het was lastig in de buurt iets anders te vinden, en uiteindelijk gingen ze aan de enige tafel voor een snackbar zitten, waar het naar vis en verbrande olie rook. Perlmann was blij met het verkeerslawaai en de kinderen die op hun skateboards vlak voor hen langs gleden. Die dingen zouden de vraag die hij nu niet langer voor zich kon houden, terloops laten klinken.

'Wanneer moet je die tekst uiterlijk inleveren? In verband met die baan, bedoel ik.'

'Over twee weken.'

Perlmann kon zich niet meer inhouden. 'Dan heb je dus nog precies veertien dagen?'

Leskov keek hem met verstrooide verbazing aan. 'Dertien,' zei hij toen met een glimlach. 'De zaterdag telt niet mee.'

'Wat zou er gebeuren als je de tekst pas op de maandag daarna zou inleveren?'

De verbazing op Leskov's gezicht was nu groter dan zonet.

'Het interesseert me te weten hoe pietluttig ze bij jullie zijn,' zei Perlmann vlug.

'Ze zouden hem vermoedelijk ook dan nog accepteren,' zei hij nadenkend. 'Maar je weet maar nooit. Het zijn bureaucraten. Het is beter ervoor te zorgen dat ze je niet om formele redenen kunnen uitsluiten. En de sluitingsdatum is ook geen probleem,' voegde hij er rustig aan toe terwijl een bediende het eten voor hen neerzette. 'Ik hoef de tekst eigenlijk alleen nog maar over te typen, en daar ben ik snel in. Voor de voetnoten heb ik hooguit een halve dag nodig.'

Perlmann werkte met tegenzin zijn portie schapenkaas naar binnen en had kramp in zijn maag. *Vóór vrijdag heeft hij de tekst niet. Dan rest hem nog een week. Dat zou voldoende kunnen zijn. Maar wat als hij hem pas de maandag daarna krijgt, of zelfs pas op dinsdag?*

'Hoelang heeft mijn brief er eigenlijk over gedaan?' vroeg hij.

Heel even begreep Leskov de vraag niet. 'O,' zei hij toen. 'Je denkt aan de zending van Lufthansa. Ik weet het niet meer precies, ongeveer een week, geloof ik.' Afwezig prikte hij met zijn vork in de salade. 'Goed dat je het vraagt. Dat betekent namelijk dat de tekst nog onderweg kan zijn als ik hem morgenavond niet aantref. Er kunnen gemakkelijk een paar dagen mee gemoeid zijn voordat ze het probleem met het Russische adres hebben opgelost. Dan moet ik dus niet meteen gaan wanhopen. Vooral omdat er op maandag zelden post komt. Maar als er woensdag of zelfs donderdag nog steeds niets is... Ach, onzin,' zei hij met een geforceerd glimlachje, en hij stak een hele vork salade in zijn mond. 'De tekst ligt thuis op mijn bureau, midden tussen de rotzooi, ik zie de gele bladen zo voor me.'

Sinds twee dagen waren de havenrondvaarten voor dit jaar gestaakt. Pas begin maart zouden ze weer beginnen. Leskov las de Engelse tekst op het bordje drie keer hardop voor. Opeens stortte zijn enthousiasme voor de omgeving en het zuidelijke licht in, en al zijn vertrouwen was verdwenen.

'Nu heb ik mijn enige hoop op een vaste aanstelling en een beetje rust zelf om zeep gebracht,' zei hij toen ze in een taxi door de bovenstad reden om, zoals Perlmann had gezegd, daar van het mooie uitzicht te genieten. En toen, op een terras met een schitterend uitzicht, vertelde hij over de strijd om de macht en de intriges in het instituut en over zijn wankele positie. Het was niet zo dat de anderen hem niet waardeerden. Eigenlijk was het tegendeel het geval: ze waren bang voor zijn eigenzinnige aanpak, en benijdden hem erom. Bovendien verleende de tijd die hij in de gevangenis had doorgebracht hem een zekere morele autoriteit, zei hij met wrange spot, en dat beviel hem helemaal niet, want het gaf hem ongewild een aura van respect en maakte de mensen bevangen, zodat bepaalde gesprekken afbraken als hij binnenkwam.

En nu was onlangs die plek vrijgekomen.

'Ik ben de logische kandidaat. Maar je kunt je indenken dat ze me om al die redenen niet willen.' En er was een argument: hij had te weinig gepubliceerd. Leskov zette een voet op de balustrade, sloeg zijn handen om zijn knie en keek naar de blauwe zee in de verte, waar het licht al iets van zijn gloed had verloren. Zijn gezicht vertrok en trilde. 'Je wordt in de gevangenis gestopt en vervolgens krijg je het verwijt dat je te weinig hebt gepubliceerd. Zie je, daarom is die tekst zo belangrijk. Of zou hij zo belangrijk zijn geweest. Het argument waarmee ze schermden had erdoor aan gewicht verloren. Wat ik vaak heb horen zeggen: was er van u maar een recente tekst van enige omvang! En nu ligt die tekst ergens op een vuilnisbelt. Foetsie. Had ik er maar een kopie van gemaakt! Maar door al dat wachten op het reisbureau en op het postkantoor om dat telegram te versturen, was het te laat; fotokopieën laten maken is bij ons namelijk nog altijd erg ingewikkeld en kost veel tijd.'

Perlmann draaide zich weg en raakte daarbij met zijn voet het koffertje aan. Hij bedekte zijn gezicht met zijn hand. *Ik hoef hem er alleen maar uit te halen. Maar nee, het is onmogelijk. Er is domweg geen simpele verklaring voor te geven. Ooit zou hij achter de waarheid komen. Zou hij erachter moeten komen.*

Leskov raakte zijn arm aan. 'Laten we nog een eindje te voet gaan. En nu praten we niet meer over mij!'

De zee had de kleur van koper toen ze op de terugreis naast elkaar aan de reling stonden. Ze hadden een tijdlang niets tegen elkaar gezegd, en Perlmann had het gevoel alsof er door elke minuut die ze nog langer zwegen een ongewilde intimiteit ontstond, net als destijds in de tunnel. Straks zou Leskov over Agnes beginnen.

'Aan het eind van de zitting,' zei hij, toen Leskov zich naar hem toe keerde, 'heb je een verrassende opmerking gemaakt, namelijk dat er geen waar verhaal over ons beleefde verleden bestaat.'

Leskov grijnsde. 'De bewering die Achim een potlood heeft gekost.'

'En toen heb je er twee woorden aan toegevoegd, Russische woorden waarschijnlijk, die ik niet kon verstaan. Wat was daarmee?'

'Dat heeft dus toch iemand gemerkt,' lachte Leskov. 'Ik dacht al dat iedereen het gewoon voor onverstaanbaar Russisch gebrabbel had gehouden. Maar jou is het dus wel opgevallen.'

Perlmann had het gevoel alsof hij in de klas als modelleerling werd voorgesteld.

'Klim Samgin luidden die twee woorden. Zo heet de hoofdpersoon in de laatste roman van Maksim Gorki, een roman in vier delen met in totaal tweeduizend bladzijden, die de titel draagt: *Žizn' Klima Samgina. Het leven van Klim Samgin.* Met die figuur creëert Gorki een vertelperspectief van waaruit hij veertig jaar Russische geschiedenis beschrijft. Een belangrijk motief daarbij is dat Samgin een gereflecteerde, je zou ook kunnen zeggen: gebroken verhouding heeft tot de werkelijkheid, waarbij ook telkens radicale twijfels aan de vertellingen van de anderen en aan de eigen waarnemingen een rol spelen. Zo laat Gorki die Klim al als kleine jongen de ontdekking doen dat het verzinnen van dingen een belangrijk bestanddeel is van het leven, iets waarzonder je niet kunt bestaan. Er staan schitterende zinnen in, zoals... Wacht even... Ja: *I vsegda nužno čto-nibud' vydumyvat', inače nikto iz vzroslych ne budget zamečat' tebja i budeš' žit' tak, kak budto tebja net ili kak budto ty ne Klim.* Begrijp je dat?'

Perlmann schudde zijn hoofd.

'Wacht even,' zei Leskov, sloot zijn ogen en mompelde de Russische zin nog een keer. 'Het betekent zoiets als: *Je moet voortdurend iets verzinnen, anders slaan de volwassenen geen acht op je, en dan zou je leven alsof je er helemaal niet was, of alsof je niet Klim was.* Of een andere zin...' Leskov bewoog, terwijl hij de woorden inwendig uitsprak, onhoorbaar zijn lippen. 'Ongeveer zo: *Klim kon zich niet herinneren wanneer het was dat hij had gemerkt dat men hem verzon, en hij daarop zelf was begonnen zichzelf te verzinnen.* Gorki gebruikt altijd hetzelfde woord: *vydumyvat'*; dus verzinnen, fantaseren. En in de ondertitels van mijn nieuwe tekst, die ik tijdens de zitting heb vermeld, neem ik dat woord over in de bijzondere betekenis die het bij Gorki krijgt.'

Perlmann zag het met bruin straatvuil bedekte blad voor zich zoals het op de landkaart had gelegen die nu uit Leskov's jaszak stak.

'Een klein beetje plagiaat,' glimlachte Leskov, 'een heel klein beetje maar.'

Perlmann haalde zijn hand met de sigaret bij wijze van proef van de reling. Nee, zo te zien trilde die niet, het trillen was alleen te voelen. Hij inhaleerde diep, en vanuit het brandende gevoel in zijn longen kwam de wens in hem op de macht te bezitten dat vreselijkste van alle woorden, plagiaat, met één klap uit de hoofden van alle mensen te verwijderen, zodat hij het nooit, nóóit meer zou hoeven horen. Daarvoor, dacht hij, was hij tot elk, werkelijk tot elk verbond met de duivel bereid.

'Het thema dat met dat woord is verbonden,' ging Leskov verder, 'neemt bij Gorki vervolgens een dramatische vorm aan doordat het met het idee van een trauma wordt verbonden.' Hij zag hoe Perlmann zijn hoofd wegdraaide. 'Verveel ik je?'

Perlmann keek hem even aan en schudde zijn hoofd.

'Klim Samgin ziet namelijk op een dag hoe een andere jongen, die hij haat, bij het schaatsen door het ijs zakt en samen met zijn metgezellin in het gat verdwijnt, waarbij het meisje zich aan hem vastklampt en hem naar beneden trekt. Hij ziet de rode handen van de jongen, die zich aan de rand van het wak vastklampen, en zijn glimmende hoofd met het bebloede gezicht, dat af en toe uit het zwarte water opduikt en om hulp schreeuwt. Klim, die op het ijs ligt, werpt hem het uiteinde van zijn broekriem toe. Maar als hij voelt dat hij steeds dichter naar het water toe wordt getrokken, laat hij de riem uit zijn hand glijden en wijkt achteruitkruipend terug voor de rode handen die, doordat ze steeds meer ijs afbreken, op hem af komen. En opeens is er alleen nog maar de muts van de jongen, die op het water drijft.'

Leskov zweeg en zocht Perlmann's blik. De rode handen die steeds dichterbij komen: of hij niet ook vond dat dat een beeld was dat je niet meer losliet?

Perlmann knikte. Hij was blij dat het nu snel begon te schemeren.

'Gorki noemt die handen niet alleen rood. Hij gebruikt een uitdrukking die sterker is, indringender. Maar ik kan er nu niet opkomen,' zei Leskov. 'Hoe dan ook, aan het eind van die scène laat hij iemand zeggen: *Da-byl li mal'čik-to, možet, mal'čika-to i ne bylo?*'

Perlmann, die het meteen had begrepen, reageerde met een hoofdknik op zijn vragende blik.

'*Ja – is er eigenlijk wel een jongen geweest, misschien was er wel helemaal geen jongen?* Zo zou je het waarschijnlijk moeten vertalen,' zei Leskov. 'En je ziet: die vraag, die verderop als een leidmotief terugkeert, werpt het thema van het verzinnen op.'

De lichtjes van Portofino kwamen al in zicht toen Leskov over de gevangenis begon te vertellen. Bijna drie jaar hadden ze hem opgesloten. Nee, geen martelingen, en ook geen isoleercel. Heel gewone gevangenschap, in het begin met z'n vieren in een cel, later alleen. Niet kunnen lezen, dat was de eerste maanden het ergste geweest. Na een halfjaar hadden ze, het was een wonder, zijn moeder toegestaan hem de roman van Gorki te geven. Ze had geen idee van de inhoud, ze had de roman in een winkel met ramsjboeken zien liggen en had hem vooral vanwege de omvang gekocht. Tweeduizend bladzijden voor een schijntje!

'Wat het destijds voor mij betekende die vier delen in handen te houden en het gewicht ervan te voelen – daar zijn geen woorden voor,' zei Leskov zachtjes. Hij had de roman in de resterende tijd in de gevangenis veertien keer gelezen. Honderden passages kende hij uit zijn hoofd.

'Het thema van het verzinnen sprak me meteen aan. Maar het duurde heel lang voordat het de vorm aannam die het nu in mijn tekst heeft. Bij Gorki gaat het aanvankelijk om het verzinnen van dingen en gebeurtenissen in de buitenwereld, of, als Klim Samgin over het verzinnen van zichzelf spreekt, om biografische gebeurtenissen. En wat teleurstelt in de roman, is dat Gorki je het onderwerp presenteert zonder het verder echt te ontwikkelen. Hoewel dat verhaal over het gat in het ijs zich daar uitstekend voor leent. Er komt namelijk een moment, zoals Gorki zegt, waarop Klim ervan geniet zijn vijand, die zich anders zo superieur gedraagt, in die wanhopige situatie te zien. En zo wordt de vraag opgeworpen of hij de riem uit pure angst loslaat, of dat ook haat er een rol bij speelt. Omdat het een traumatische ervaring is, zal Klim ook daarbij iets moeten verzinnen, en deze keer is het het verzinnen van de wereld die hij innerlijk met zich meedraagt. Hij zal zichzelf zijn innerlijk verleden moeten vertellen. En er is niets, helemaal niets waaraan hij zich kan vastgrijpen als hij zich afvraagt welk van de verschillende verhalen het ware is.'

Leskov hield vuur bij zijn gedoofde pijp. Hij stond nu met zijn rug naar het water, staarde, leek het, naar de getallen op de boeg van een reddingsboot, en toen hij weer begon te praten klonk het alsof het van heel ver kwam.

'Ik had toen een merkwaardige ervaring. Terwijl week na week verstreek in die verschrikkelijke grijze eentonigheid, die erger is dan alle pesterijen bij elkaar, raakte ik allengs het gevoel voor mijn eigen innerlijke verleden kwijt. Je weet na verloop van tijd gewoon niet meer hoe je de dingen beleefde voordat je in die gevangenis terechtkwam. Voor een buitenstaander moet het idioot klinken, maar je verliest een zekerheid die eerder zo vanzelfsprekend was, dat je er geen besef van had. Het is een geruisloos, sluipend, onstuitbaar verlies van je innerlijke identiteit. Je vecht ertegen zoals je eerder nog nooit hebt gevochten. Je vertelt jezelf telkens opnieuw je eigen innerlijke verleden om te voorkomen dat het je ontglipt. Maar hoe vaker je dat doet, des te sterker dringt zich de twijfel op: klopt het wel, of verzin ik al die dingen die ik in het verleden heb beleefd alleen maar? En je kunt je ongetwijfeld voorstellen hoe Gorki's thema en mijn eigen ervaring steeds meer met elkaar versmolten, zodat de naam Klim Samgin in mij het symbool voor die afgrond van identiteitsverlies is geworden.'

Leskov verliet het schip als in trance en bleef na een paar stappen staan. 'En desondanks was ik daarmee nog niet uitgekomen bij mijn krankzinnige stelling. Daarop kom je pas als je er de gedachte bij betrekt dat de belevenis door het vertellen niet wordt afgebeeld, maar in zekere zin wordt geschapen... het idee dus dat je uit mijn eerdere tekst kent.'

Op de bordestrap van het hotel bleef Leskov opnieuw even staan. 'Toen ik eenmaal op vrije voeten was en weer in staat was werk te verrichten, had ik niet meer de moed mijn belangrijkste stellingen op te pakken, en zo hield ik me in de eerste versie alleen nog maar bezig met de scheppende rol van de taal voor de beleving. Alleen af en toe liet ik daarin iets van de meer radicale gedachten doorschemeren. Ik geloof dat ik bang was dat ik in de gevangenis tijdelijk mijn verstand had verloren. Pas in de loop van de zomer begon ik me er weer heel voorzichtig mee bezig te houden. En toen ik het uiteindelijk allemaal opschreef, was het een proces waarin ook mijn gevangenschap aan de orde kwam en hopelijk werd verwerkt. Een soort genezingsproces.' Voor de zuilengalerij zette Leskov zijn bril af en streek over zijn ogen. 'Daarom moet ik die tekst aantreffen als ik thuiskom. Dat moet gewoon. Niet alleen vanwege die baan. Die tekst... is een stuk van mijn ziel.'

'Hebt u een goede vlucht gehad?' vroeg signora Morelli.

'Ja, dank u wel,' zei Perlmann als iemand die zojuist uit zijn slaap is gehaald.

'Ze vroeg dat zeker in verband met dat briefje van gisterochtend?' vroeg Leskov in de lift.

Perlmann knikte. 'Een misverstand.'

In zijn kamer liet hij zich op het bed vallen. Hij deed het zonder zijn handkoffer neer te zetten – alsof hij ermee was vergroeid. Toen hij hem ten slotte losliet, zag hij dat het leren handvat door het zweet zwart was geworden.

Veel om over na te denken was er niet meer. Het was nu alleen nog maar een kwestie van wilskracht. Bevend wachtte hij tot schuldgevoel en schaamte over zijn schandelijke gedrag, waarmee hij verbinding probeerde te krijgen, de overhand zouden krijgen over zijn angst. Pas dan kon de tijd weer doorstromen en hem meenemen, waarheen ook.

Er waren nog geen vijf minuten verstreken of hij richtte zich op. Langzaam haalde hij de envelop uit het koffertje, verwijderde de klemmetjes en trok de plastic hoes eruit. Met de beschadigde tandjes van de ritssluiting hoefde hij nu niet meer voorzichtig te zijn. In één ruk, waar hij zijn hele vertwijfeling in legde, trok hij de rits open. Een van de loszittende tandjes werd er afgetrokken en viel tussen de papieren. Hij dwong zichzelf een paar keer rustig adem te halen en haalde de tekst er voorzichtig uit. Met de rug van zijn hand streek hij een paar keer over het bovenste, golvende blad. Het gat met rafelige, bruine randen, waar de tak doorheen had gestoken, was groter dan hij zich herinnerde.

Hij waste zijn gezicht en kamde een vreemd rechtopstaande pluk haar weg. Een schoon overhemd. Ja, ook een jasje. Veel zou het warme water niet uitrichten tegen zijn koude handen, maar toch ging hij nog een keer naar de badkamer. De kamerdeur trok hij zo zacht achter zich dicht alsof er iemand lag te slapen.

Toen hij de gang in sloeg naar de kamer van Leskov, begon hij langzamer te lopen. Twee deuren ervóór keerde hij om, liep naar de lift en ging in een grote rieten stoel zitten. Te bedenken was er niets meer. Hij gaf hem de tekst – en dan moest hij alles bekennen. Hij gaf hem de tekst niet – en dan kreeg Leskov door zijn toedoen de baan niet. Dat was duidelijk, dat was zo helder als glas. Er was geen reden hier in deze rieten stoel te zitten. Wachten bood nu geen enkele oplossing meer.

Perlmann wachtte. Graag had hij een sigaret opgestoken. John Smith uit Carson City, Nevada, die in trainingspak uit de lift kwam, liet hem de koppen van zijn krant zien en schudde afkeurend zijn hoofd. Twee Franse zakenlieden met diplomatenkoffertjes kwamen de gang uit en liepen druk converserend naar de trap. Een kamermeisje met een stapel lakens op haar arm slofte voorbij.

Perlmann liep opnieuw door de gang. De blauwe loper was van synthetisch materiaal en was overdreven dik, hij had het gevoel te waden. Naast Leskov's deur leunde hij tegen de muur. Toen hield hij zijn oor tegen de deur en hoorde Leskov hoesten. Hij rolde de tekst op en hield hem in zijn linkerhand achter zijn rug. Een laatste aarzeling voordat zijn gekromde vinger, een lelijke, afstotelijke vinger, het hout beroerde. Hij klopte twee keer. Leskov scheen het niet te horen. Perlmann's neus begon te lopen. Hij deed een paar stappen terug, klemde de rol onder zijn arm en snoot zijn neus. Nadat hij opnieuw had geklopt, hoorde hij Leskov naar de deur komen. Hij hoestte even voordat hij de deur opendeed.

'Ach, Philipp, ben jij het,' zei Leskov. 'Kom binnen.'

Het was onmogelijk het te doen. Onmogelijk. Dat was geen inzicht, geen weten, geen beslissing. Zelfs een gedachte was het niet. Ook met de wil had het eigenlijk niets te maken. Het was niet iets waarvan Perlmann zich bewust was; niet iets waarover hij het voor het zeggen had. Later kwam het hem voor alsof hij er niet bij was geweest. Zijn lichaam kon niet uitvoeren wat hij zich had voorgenomen. Tegenover zijn bedoelingen stonden enorme, onoverwinnelijke krachten, die niet weken. Op die krachten gleed zijn voornemen machteloos af. Het systeem viel uit. Een witte, totaal gevoelloze paniek stelde alles buiten werking.

'Kom toch binnen,' herhaalde Leskov met een hartelijke, maar ook een beetje verbaasde glimlach.

'Nee, nee,' hoorde Perlmann zichzelf zeggen. 'Ik wilde alleen even weten hoe laat je vliegtuig morgen vertrekt. Zodat ik het aan Angelini kan doorgeven.'

'O ja. Wacht even, ik zal gauw even kijken. Maar kom toch alsjeblieft zolang binnen.'

Terwijl Leskov het vliegticket uit zijn koffer haalde, leunde Perlmann met zijn rug tegen de deur. Op de plek waar zijn hand de bladen vasthield, waren ze vochtig.

'Om vijf over negen,' zei Leskov. Hij wees naar een stoel. 'Even een rokertje samen?'

'Nee, echt niet. Ik heb Angelini beloofd hem meteen terug te bellen. Hij wacht.'

Perlmann deed een stap opzij, trok de deur met zijn rechterhand open en liep rugwaarts naar buiten. Leskov bleef in de deuropening staan en keek hem na. Perlmann liep een paar passen rugwaarts door. Toen draaide hij zich met een snelle beweging om zijn as en trok de opgerolde tekst met een tegengestelde beweging tegen zijn borst. Met een paar snelle passen was hij op de trap.

Op zijn kamer zat hij minutenlang roerloos op het bed en staarde voor zich uit. Toen pakte hij de grote koffer. Daarin lagen, ten dele in elkaar geschoven, een ongeopende envelop met post van mevrouw Hartwig, de uitnodiging van Princeton, het zwarte wasdoeken schrift, het boek van Robert Walser, de oorkonde en de medaille. Perlmann wist niet meer wanneer hij al die dingen erin had gegooid. Hij staarde naar het slordige hoopje. Het kwam hem voor als een depot van mislukking, schuld en verzuim. Hij wist niet wat hij ermee moest beginnen. Vermoeid legde hij zijn kapotte en met bloed bevlekte broek eroverheen, daarna het vuile, lichte colbert. Het zou er idioot uitzien als hij het hoofdkantoor van Olivetti in zijn blazer boven de veel te lichte broek betrad.

In een ander vak stopte hij de kroniek. Toen deed hij de boeken, waarvan hij er in al die vijf weken niet één had opengeslagen, in de handkoffer. De ritssluiting van de plastic hoes kreeg hij nog maar voor de helft dicht. Hij had geen fut meer om erover na te denken, deed Leskov's tekst weer in de envelop en stopte die tussen de boeken. In de badkamer pakte hij zijn toilettas in en nam een hele slaappil. Uit de lade van het bureau haalde hij de uitdraai van zijn aantekeningen. Hij scheurde alle bladzijden door en gooide ze in de prullenbak.

Voordat hij het licht uitdeed, belde hij Leskov en verontschuldigde zich voor het avondeten. Toen hij de wekker zette, voelde hij aan zijn vingertoppen dat de slaappil begon te werken.

56

Leskov's vlekkerige koffer stond naast de receptiebalie toen Perlmann naar beneden kwam. Op de glanzende marmeren vloer van de elegante hal leek hij een relict uit een ander tijdperk. Het was even over zeven en Giovanni wachtte op signora Morelli, zodat hij dan naar huis kon gaan.

'*Buona fortuna!*' zei Perlmann toen hij hem de hand schudde.

'Dat wens ik u ook,' antwoordde Giovanni, hij bleef maar schudden. 'En eh... ik wilde nog zeggen dat u echt fantastisch piano speelt. Echt te gek!'

'Dank je,' zei Perlmann en wisselde een verlegen blik met hem. 'Is er binnenkort misschien ergens een wedstrijd waar ik Baggio kan zien, bij ons op de televisie?'

'Binnenkort speelt Juventus in Stuttgart. Ik kan wel even kijken...'

'Dat is niet nodig,' zei Perlmann, 'dat merk ik vanzelf. Hoe luidt eigenlijk zijn voornaam?'

'Roberto.'

Voor de deur van de eetzaal draaide Perlmann zich nog een keer om en stak zijn hand op: '*Ciao.*'

Giovanni groette ook, en nu kwam het gemakkelijker en zekerder over zijn lippen dan woensdagavond. Het klonk bijna even vanzelfsprekend als onder oude vrienden.

Leskov had zijn handkoffer naast zich op een stoel gezet. Perlmann schrok toen hij hem zag, en meteen zocht zijn blik het stukje elastiek in de ritssluiting van het buitenvak. Het was weg.

'Nogal schamel vergeleken met de jouwe, niet?' zei Leskov toen hij Perlmann naar de koffer zag kijken.

Perlmann maakte een vaag gebaar en pakte de koffiekan.

'Als ik je onlangs goed heb begrepen, wil je met Angelini ook over de mogelijkheid van een publicatie spreken,' zei Leskov aarzelend, terwijl hij zijn servet opvouwde.

Perlmann knikte. Hij had het zien aankomen. *Maar over ruim een uur is alles voorbij. Definitief.*

'Het is in verband met de vertaling van mijn tekst... Denk je...?'

'Ik zal het er met hem over hebben,' zei Perlmann. Hij schoof zijn stoel achteruit. 'Ik laat het je weten.'

Van signora Morelli, die juist haar jas uittrok, had Perlmann graag alleen afscheid genomen. Leskov's aanwezigheid stoorde hem, en toen hij diens overdreven woorden van dank hoorde, ging hij naar het toilet.

Maar toen hij terugkwam, stond Leskov nog steeds naast haar. Ze had vandaag een zwarte doek met een smalle witte rand om, die haar nog wat slaperige gezicht nog bleker deed uitkomen dan anders.

Perlmann gaf haar een hand en was blij dat Leskov zich nu naar zijn koffer bukte. 'Bedankt,' zei hij eenvoudig, 'en het allerbeste.'

'Dat wens ik u ook,' zei ze. Toen legde ze heel even ook haar andere hand op de zijne. 'Rust maar goed uit. U ziet eruit alsof u doodmoe bent.'

Leskov gaf de taxichauffeur een teken en liep moeizaam de bordestrap af. Perlmann zette zijn koffers neer en liep terug naar de hal. Hij keek signora Morelli aan en had geen idee wat hij had willen zeggen.

'Is er nog iets?' vroeg ze glimlachend.

'Nee, nee. Ik... eh... wilde alleen zeggen dat het goed was dat u er was, al die weken.' En toen, toen haar hand verlegen naar haar omslagdoek tastte, voegde hij er vlug aan toe: 'Bent u nu klaar met de belastingaangifte?'

'Ja,' lachte ze, 'godzijdank.'

'Dan ga ik maar,' zei hij.

'Ja. Goede reis.'

Perlmann was blij dat Leskov naast de chauffeur was gaan zitten. Hij leunde achterover en sloot zijn ogen. De nawerking van de slaappil drukte op zijn ogen. Tegen zijn gewoonte in had hij zich zonet, toen de taxi de bocht om reed, niet omgedraaid naar het hotel. Nu zag hij het nog een keer in alle details voor zich, en ook liep hij nog een keer de treden op naar de Marconi-veranda. Het was voorbij. *Voorbij.*

'Voor een publicatie zou ik een beknoptere versie kunnen maken,' zei Leskov. 'Wat vind jij?' Ondanks zijn met diepe zuchten gepaard gaande pogingen was het hem niet gelukt zich helemaal om te draaien, en hij keek langs het achterhoofd van de chauffeur naar het linker zijraampje.

Perlmann duwde zijn vuisten in de zitting. Hij moest eerst nog eens heel goed over de publicatie nadenken, zei hij.

Na een lange stilte, waarin hij half in slaap was gevallen, voelde hij opeens de rugleuning van de stoel voor hem tegen zijn knieën. Leskov had de veiligheidsgordel losgemaakt, wentelde zich moeizaam zo ver mogelijk op zijn rechterzijde en probeerde, ook nu tevergeefs, zich helemaal naar Perlmann om te draaien.

'Ik durf er bijna niet over te beginnen,' zei hij op onderdanige toon, 'maar heb jij er misschien zelf zin in om mijn tekst te vertalen?'

Perlmann verstijfde en was blij dat de chauffeur vloekend met een gevaarlijke inhaalmanoeuvre bezig was.

'Ik dacht alleen, omdat jij zo goed weet waar het mij om gaat, en er zo in geïnteresseerd bent,' voegde Leskov er aarzelend, bijna schuldbewust aan toe toen hij geen antwoord kreeg.

Nu pas slaagde Perlmann erin zijn verstarring van zich af te schudden. 'Ik denk dat ik er geen tijd voor zal hebben,' hoorde hij zichzelf met holle stem zeggen. 'Het semester begint en...'

'Dat weet ik,' zei Leskov snel, 'en je wilt natuurlijk ook verder schrijven aan je boek. Ik wilde je overigens vragen of ik wat er al van klaar is zou mogen lezen. Je kunt je voorstellen hoezeer het me interesseert.'

Perlmann had het gevoel dat een loden last op zijn borst hem de adem benam. 'Misschien later,' zei hij eindelijk, toen Leskov zijn gordel allang weer had vastgeklikt.

'De man met de pet heeft ook vandaag dienst,' lachte Leskov toen de taxi langs het huisje van het parkeerterrein naar de ingang van de luchthaven reed. 'Die man zal ik niet licht vergeten. Wat een stijfkop!'

Toen ze voor de incheckbalie in de rij stonden, zei hij opeens dat hij hoopte dat het toestel niet zo vol zat als op de heenreis, toen hij vanwege zijn handkoffer niet had geweten waar hij zijn voeten had moeten laten. Uiteindelijk had een stewardess hem verlost door de handkoffer ergens achterin te stouwen.

'Daardoor weet ik heel zeker dat ik de tekst niet op die vlucht ben vergeten,' zei hij met een scheve glimlach. 'Je moet voor me duimen dat ik hem aantref als ik over... wacht even... over vijftien uur thuiskom.'

Langzaam liepen ze naar de pascontrole. *Nog twee, drie minuten.*

Leskov zette zijn handkoffer neer. 'Als jij je huis binnenkomt, komt het je zeker nog steeds heel leeg voor. Niet?'

Heel even voelde Perlmann dezelfde woede als in de stille tunnel, het was alsof die woede slechts voor de duur van een paar minuten was verdwenen en niet al sinds verscheidene dagen.

'Kirsten zal er zijn,' loog hij. En toen, tegen zijn bedoeling in, vroeg hij het toch: 'Klim Samgin... Op welke manier verwerkt die het trauma? Of komt hij er nooit overheen?'

Leskov trok het gezicht van iemand die eraan gewend is genegeerd te worden en opeens merkt dat men zich voor hem, voor hem persoonlijk, interesseert.

'Daarover heb ik veel nagedacht. Maar het is vreemd, Gorki beantwoordt die vraag niet. Enerzijds flakkert de herinnering aan het gat in het ijs telkens weer op; anderzijds hoor je niets over hoe het Klim verder vergaat. Als je het mij vraagt: over een dergelijk trauma kan iemand niet werkelijk heen komen. Het is immers niet zo dat hem gewoon iets vreselijks is overkomen waar hij niets aan kon doen, zoiets als mijn gevangenschap. Hij laat de broekriem los, dat wil zeggen, hij doet iets, voltrekt een handeling. En bovendien loopt hij met die haat rond. Of er in zo'n geval iets mogelijk is wat een echte verzoening met zichzelf kan betekenen en niet alleen een krampachtig sussen van het eigen geweten, dat betwijfel ik. Die rode handen zullen hem wel nooit meer los hebben gelaten. Of wat denk jij?'

Perlmann kreeg er geen woord uit en haalde zijn schouders op. Leskov deed een stap naar hem toe en sloot hem in zijn armen. Stijf als een paspop liet Perlmann het over zich heen komen.

'Ik zal je meteen laten weten hoe het met die tekst is afgelopen!' riep Leskov terwijl de douanebeambte door zijn paspoort bladerde. 'En natuurlijk stuur ik je een kopie zodra hij is overgetypt!'

Niet in staat tot reageren keek Perlmann toe hoe Leskov met zijn paspoort zwaaide voordat hij verdween. Met een totaal leeg hoofd bleef hij staan waar hij stond. Minutenlang nam hij niets waar van de drukte om hem heen. Pas toen een rennend kind tegen zijn koffer botste, drong het tot zijn bewustzijn door. *Voorbij.* Telkens weer sprak hij alleen dat ene woord uit, eerst alleen innerlijk, toen halfluid. Het had geen effect. De langverbeide opluchting bleef uit. Hij deed een paar stappen en leunde tegen een zuil. Vijftien uur, dan zouden voor Leskov de dagen van wanhoop beginnen, de machteloze woede over zichzelf en de almaar zwakker wordende hoop op een zending van Lufthansa. Onwillekeurig trok Perlmann zijn hoofd tussen zijn schouders en kruiste zijn armen voor zijn borst. *Die rode handen zullen hem wel nooit meer los hebben gelaten.*

Op de wachtlijst voor de middagvlucht van Frankfurt naar Turijn was niets veranderd. Nog steeds was er één man vóór hem. Perlmann ging naar de bar. Maar al voordat de koffie voor hem stond, legde hij een geldbiljet op de toog en liep naar het panoramaterras. Zijn bagage zette hij zo ver mogelijk weg van de plek waar hij, lange tijd geleden, de handkoffer zou hebben achtergelaten als dat meisje met de sneakers er niet was geweest. De piloten zaten al in de cockpit, en nu verlieten twee schoonmaaksters met grote vuilniszakken het vliegtuig. *Weet je waarvoor ik het meest bang ben? Voor de schoonmaakploeg.*

Leskov verliet als een van de eersten de bus die in een grote bocht naar het toestel was gereden. Met zware stappen liep hij de vliegtuigtrap op, en even leek het alsof hij op de zoom van zijn loden jas trapte. Boven aangekomen leek het of hij zich wilde omdraaien, maar hij werd door de andere passagiers naar binnen geduwd.

Perlmann wilde gaan. Hij bleef staan. Achter welk raampje zou Leskov zitten? Het toestel reed tergend langzaam naar de startbaan en leek de tijd tot het uiterste te rekken. Nadat het was gekeerd stond het, alsof er geen beweging in te krijgen was, stil in het bleke licht van de ochtend, dat door dunne sluierwolken viel. Ook verder bewoog er op de lege landingsbaan niets. Perlmann hield zijn adem in en voelde zijn bloed kloppen. Hij had het gevoel dat die stilte en onbeweeglijkheid helemaal alleen voor hem in scène werden gezet, zonder dat hij kon zeggen waarom en met welke boodschap. Minutenlang kwam het hem voor alsof de hele wereld in een onbegrijpelijk wachten was verstard. Pas door het loeien van de motoren werd de tijd weer op gang gebracht. Zonder te weten waarom, gevangen in blinde spanning, concentreerde hij zich op het moment waarop de banden loskwamen van de startbaan. Toen het toestel vervolgens in een trage bocht over de zee vloog, stelde hij zich het uitzicht voor dat Leskov nu had. *Zo heb ik me de Rivièra voorgesteld, precies zo*, hoorde hij hem zeggen. Naar zijn bagage bukte hij zich pas toen er achter de sluierbewolking geen spoor meer van het toestel te zien was.

Hij gaf zijn reiskoffer af en haalde de boardingcard voor de vlucht van elf uur naar Frankfurt tevoorschijn. Hij zou, dacht hij in de bar, op de luchthaven van Frankfurt vijf lange uren moeten wachten op zijn vlucht naar Turijn, zonder te weten of hij een plaats zou krijgen. Zo niet, kon hij altijd nog de auto nemen naar Ivrea. Morgen om tien uur kon hij er gemakkelijk zijn. Dat zou betekenen dat hij niet vóór woensdag op de universiteit kon zijn. Maar met het vooruitzicht van zijn nieuwe werkzaamheden op het lichte kantoor in Ivrea konden verwijtende blikken hem niet deren.

In de hal ging hij in een hoekje zitten en haalde zijn boeken uit zijn handkoffer. Hij nam ze een voor een in zijn handen en onderzocht elk boek met een verbaasde grondigheid, alsof het een voorwerp was uit een verre, zeer vreemde cultuur. De meeste titels las hij nu aandachtig. Hij nam de inhoudsopgaven door, en hoewel hij met al die onderwerpen vertrouwd was, verbaasde het hem dat er zo veel was. Op goed geluk sloeg hij een paar bladzijden op en las. Het was zeer recent uitgekomen vakliteratuur, op de flaptekst aangeprezen als revolutionair, maar hij had het gevoel allemaal dingen te lezen die hij allang kende. Hij knakte de ruggen van de boeken als hij een nieuwe steekproef nam. De bladzijden in hoogglans met de afbeeldingen en tabellen roken penetrant naar verse drukinkt.

Ten slotte deed hij de boeken weer allemaal in zijn handkoffer, alleen Leskov's tekst hield hij erbuiten. Nee, zijn in de koffer gestanste initialen konden hem niet verraden. Opeens walgde hij van de donkere zweetplekken op het handvat. Op weg naar een toilet droeg hij de koffer in zijn armen als een vormeloos pakketje. Hij verstopte hem achter de afvalbak onder een wastafel en ging toen vlug door de veiligheidscontrole, waar de envelop met Leskov's tekst wantrouwig werd onderzocht.

Sven Berghoff zat met zijn rug naar hem toe toen hij de wachtruimte betrad. Perlmann herkende hem meteen aan zijn warrige rode haar, de opgeslagen kraag van zijn jasje en het lange sigarettenpijpje van ivoor dat zijdelings uit zijn mond stak. Hij was de enige die een probleem had gemaakt van het extra verlof dat Perlmann had gekregen. Dat was zijn wraak voor het feit dat Perlmann, die altijd volle collegezalen trok, op zoek naar een krijtje nog niet zo lang geleden onaangekondigd Berghoff's collegezaal was binnengekomen, waar maar zes studenten zaten. Berghoff was rood geworden, had beweerd dat er geen krijt was, terwijl er naast de spons een heleboel krijtjes lagen, en hoewel Perlmann, om hem niet voor schut te zetten, zonder krijtjes was weggegaan, werd hij sindsdien door Berghoff genegeerd.

Zijn aanblik bracht Perlmann in grote paniek. Opeens was er geen Leskov meer en geen tekst die hij op de post moest doen. Er waren alleen nog maar de donkere gangen in het instituut, collegezalen en werkgroepruimtes, verwachtingsvolle gezichten van studenten, afkeurende en zalvende opmerkingen van collega's. Hij maakte rechtsomkeer, klom over een afzetting en holde met Leskov's tekst stevig tegen zijn borst gedrukt naar een taxi, waardoor hij zich naar het station liet rijden. Hij kwam pas weer tot rust toen de trein naar Ivrea zich in beweging zette.

57

Het was koud toen hij in Ivrea het stationsplein op liep. Een ijskoude wind woei het zand van een verlaten bouwplaats in zijn ogen. Hoewel het pas even voor vieren was, voerden auto's al licht. Een taxistandplaats leek er niet te zijn. Hij stopte de hand waarmee hij Leskov's tekst vasthield onder zijn jas en wandelde in de richting van het centrum.

In het hotel vroegen ze hem verbaasd of hij helemaal geen bagage bij zich had. De gereserveerde kamer, die opeens meer kostte dan was overeengekomen, leek hem na de luxe van hotel MIRAMARE nogal schamel. Nadat hij een douche had genomen, kleedde hij zich weer aan en ging voor het raam staan. Op de bergtoppen van het Aosta-dal lag sneeuw. Het licht in het westen was koud en afwijzend.

Bij de receptie hadden ze kluisjes, maar voor Leskov's tekst waren die te klein. Ze zouden de envelop ergens anders bewaren. 'Er gebeurt niets mee,' zei de man achter de balie glimlachend toen Perlmann zich bij de deur nog een keer omdraaide.

Om bij het hoofdkantoor van Olivetti te komen, moest hij een rechte straat volgen die de stad uit leidde. Het imposante gebouw was donker en de zwarte gevel, die een stompe hoek vormde, maakte een dreigende indruk. Op het enorme parkeerterrein stond slechts één auto. Perlmann liep een stukje om het stervormige complex heen en probeerde iets van de binnenkant van het gebouw te zien. Achter een zijdeur zat een bewaker in uniform aan een zwakverlicht bureau. Toen hij Perlmann zag, stond hij op en scheen met een zaklamp naar buiten. Perlmann keerde om en liep terug naar het hotel. De hele weg lang lag de toast die hij in de trein had gegeten zwaar op zijn maag.

Hij lag nog maar net op bed met een deken over zich heen die hij uit de kast had gehaald, toen hij al in een doffe slaap viel waarin de priester met het scherpe, boosaardige gezicht rondspookte die tijdens de treinreis tegenover hem had gezeten en hem bij elke sigaret afkeurend had aangekeken.

Het was half twaalf toen hij met stijve ledematen ontwaakte. Half negen was het toen Leskov het over 'vijftien uur' had gehad. Dan betrad hij dus nu, nu het bij hem half twee moest zijn, zijn woning in Sint-Petersburg. Hij haastte zich naar zijn bureau en woelde in de chaos: niets. Hij zocht op alle mogelijke en onmogelijke plaatsen, nog steeds met zijn loden jas aan. Ten slotte gaf hij het op, werd stil en staarde voor zich uit. Langzamerhand zou dan de hoop in hem opkomen dat de tekst met de post zou komen, mogelijk morgen al, maar in elk geval dinsdag. Op zijn laatst woensdag. Hij zou iedere ochtend naar het instituut gaan op het tijdstip dat daar de post werd bezorgd, om de zending persoonlijk in ontvangst te kunnen nemen. En iedere ochtend zou hij opnieuw teleurgesteld worden.

Perlmann ging naar de receptie en verzocht de brommerige nachtportier hem de envelop met Leskov's tekst te geven. Hij legde hem naast zijn hoofdkussen en kroop in bed nadat hij zijn jas over de deken had gelegd.

Nu zou Kirsten hem proberen te bereiken in Frankfurt om te vragen of hij een goede reis had gehad. Hij was blij dat hij niet met haar hoefde te praten. Hij dacht aan Giovanni, die voor de televisie zat. En aan signora Morelli. Hij wist niet eens in welke straat ze woonde. Hij zag zichzelf nog een keer met Evelyn Mistral in de treincoupé staan en voelde haar handen in zijn nek. Ze had geen woord gezegd over zijn aantekeningen. Misschien was dat de reden waarom hij nu niet langer aan haar dacht. In plaats daarvan zag hij Brian Millar, zoals hij, voordat hij in de taxi stapte, zich nog één keer omdraaide en zijn hand opstak. *Dat heeft nog nooit iemand tegen me gezegd. We hadden al veel eerder...* Perlmann begroef zijn hoofd in het kussen.

Ook het ochtendlicht was hier heel anders dan aan zee, harder en nietszeggend, zonder betovering en belofte. Perlmann nam een douche en poetste zijn tanden met de natte punt van de handdoek. Zijn baardstoppels deden hem aan de ochtend denken waarop hij was flauwgevallen. Voordat hij ging ontbijten, vergewiste hij zich ervan dat Leskov's tekst nog in de envelop zat.

Toen hij later met de hoorn in zijn hand op de rand van het bed zat, kon hij niet meer op het nummer van mevrouw Hartwig komen. Een vreemd gevoel van zwakte, als bij een opkomende koorts, verhinderde hem na te denken. Uiteindelijk was het zijn motorische geheugen dat hem bij het intoetsen van het nummer hielp.

'Vandaag om vier uur is die belangrijke vergadering,' zei mevrouw Hartwig. 'Ik wilde u er nog maar eens aan herinneren.'

Het was alsof de irritatie aan het einde van hun laatste gesprek zich gewoon voortzette – een irritatie die er in de zeven afgelopen jaren nooit was geweest.

Perlmann hield de hoorn van zich af en ademde geconcentreerd langzaam uit. 'Zoals ik al heb gezegd,' antwoordde hij toen rustig, 'ik ben morgenochtend op het instituut. Tegen tienen waarschijnlijk. En het collegerooster blijft zoals afgesproken.'

Leskov's tekst gaf hij bij de receptie weer in bewaring. Ja, die had hij nodig gehad de afgelopen nacht, antwoordde hij op de verbaasde vraag. Buiten begon het werkverkeer op gang te komen. Over enige tijd zou hij 's ochtends met de stroom van de anderen mee naar zijn werk gaan. Of in een stampvolle bus staan en de krant lezen.

’s Middags in een bar een broodje eten, daarna een kop koffie drinken. In de bar zou hij elke dag dezelfde mensen zien, en er zouden van die heerlijk lichte, vrijblijvende contacten ontstaan. Aan het eind van de dag naar huis, naar een eenvoudige, waarschijnlijk gehorige flat. Het zou enige tijd duren voordat hij aan het lawaai, aan het geschreeuw van kinderen, was gewend. Maar daar stond tegenover dat hij vrij was en net als de anderen ’s avonds uit het raam kon hangen of voor de televisie kon zitten. Boeken – daar zou hij nog even mee wachten. En dan alleen Italiaanse boeken, fictie. Na enige tijd zou hij misschien aan het vertalen van een roman durven beginnen. Als hij daar na het werk niet te moe voor was. Want nu was hij, voor het eerst in zijn leven, iemand die vrije avonden had. Iemand met een echt beroep. Met eerlijk werk. Iemand die over tegenwoordigheid beschikte.

Voor een drogisterij bleef hij staan wachten tot die om negen uur openging. Kirsten. Hij stelde zich voor hoe ze zijn nog provisorisch ingerichte flat binnenkwam nadat ze door een verveloze gang met vochtige muren was gelopen. Een beetje gênant vond ze het wel, dacht hij, maar ze was ook onder de indruk, en op een gegeven moment zou ze zeggen dat ze het fantastisch vond een vader te hebben die zoiets ongewoons deed.

Hij kocht de noodzakelijke toiletartikelen. Toen ging hij terug naar het hotel om zich te scheren en zijn tanden te poetsen. Al een hele week hetzelfde ondergoed. Hij haalde zijn stropdas uit de zak van zijn blazer en deed die om. Het boord van zijn overhemd was niet meer helemaal smetteloos, en de bloedvlek op de revers van de blazer was duidelijk zichtbaar.

Hoe dichter hij bij het Olivetti-gebouw kwam, hoe meer zijn vertrouwen verdween. Na het scheren met het apparaat waaraan hij niet gewend was, voelde de wind op zijn wangen guur aan, en dat gevoel ging over in een gevoel van algehele kwetsbaarheid. Wat moest hij eigenlijk zeggen tegen die Angelini? Hoe moest hij zijn verzoek inkleden, hoe moest hij het motiveren om te voorkomen dat het allemaal als een romantisch waanidee klonk, als de wegloopfantasie van een puber? En hoe kon je vermijden dat Angelini een verband zou leggen met dat flauwvallen? Het moest, dacht hij, licht en in geen geval dramatisch klinken, bijna speels. Maar niet grillig. Ondanks alles moest achter de lichte woorden te merken zijn dat het om een serieuze, weldoordachte zaak ging.

Het parkeerterrein was bijna vol, en nog steeds stroomden er mensen naar het enorme gebouw. Perlmann telde zeven verdiepingen. De ruiten van de voorgevel hadden een koperen gloed. Erachter zaten in fel verlichte, grote kantoren allemaal mannen in pak. Van daaruit had je een schitterend uitzicht op de bergen. Als de zon scheen, moesten die vertrekken baden in het licht, van vroeg in de middag tot 's avonds.

Het was kwart voor tien. De deur waarachter gisteren de bewaker had gezeten, was de uitgang waardoor medewerkers het gebouw verlieten. Als ze dat deden, staken ze een kaart in een automaat. *De elektronische prikklok.* Perlmann schrok. Misschien had het ook alleen maar iets met veiligheid te maken. Anderzijds: iedereen kon ongehinderd door de hoofdingang naar binnen. Hij zou het nog wel te horen krijgen. Ook hij zou een kaart krijgen.

Toen hij al in de deuropening stond, keek hij nog een keer naar de weg. In de verre omtrek geen bar te bekennen. Wat hij nu betrad was een soort getto midden in het vrije veld. Wel hadden ze ongetwijfeld een eersteklas cafetaria. Dat had ook zijn voordelen.

Angelini's kantoor lag op de vierde verdieping van een zijvleugel en had een secretariaat van waaruit je nog twee andere vertrekken kon betreden. De secretaresse streek het lange, blonde haar van haar voorhoofd terwijl ze in de agenda keek. Zijn naam stond er niet in, zei ze en ze keek hem met haar gezicht vol zomersproeten ietwat meewarig aan. De afspraak was puur privé, zei Perlmann, en hij probeerde zich niet te laten intimideren door de scherpe neus en de dunne mond. Ze keek naar zijn lichte broek, en ook op de revers van zijn blazer bleef haar blik kort rusten. Toen duidde ze schouderophalend op een stoel en concentreerde zich weer op haar beeldscherm.

Angelini verscheen tegen half elf. Op zijn slapen zag je nog de afdruk van zijn hoofdkussen. De secretaresse overhandigde hem ongevraagd een kop koffie, die hij meenam naar zijn kantoor. De manier waarop hij zich ervoor verontschuldigde dat hij zo laat was en Perlmann de stoel naast zijn bureau aanwees, was zo geroutineerd dat het een persiflage leek. Hij liet een stapel brieven door zijn vingers glijden, bladerde terug en trok een envelop uit de stapel die hij met een fraaie briefopener opensneed. Terwijl hij de tekst met gefronst voorhoofd doornam, nam hij af en toe een slok koffie. 'Een momentje nog,' zei hij en hij verdween in het secretariaat.

Het enige wat Perlmann beviel aan de kamer waren de litho's van Miró en Matisse. Maar ook die hingen boven de conventionele, chique meubels alsof dat zo hoorde. De bureaustoel van wijnrood leer was te pompeus en paste niet bij het zwarte bureau; maar die combinatie was het enige wat een beetje individualiteit uitstraalde. Het uitzicht was niet de moeite waard. Je zag een heuvel met bomen en struiken waaraan nog maar een paar vergeelde bladeren hingen. Alleen als je uiterst links ging staan kon je nog een blik opvangen van de bergen.

Angelini excuseerde zich nog een keer toen hij achterover leunde in zijn stoel en een sigaret opstak. Zijn gezicht was nu ontspannen en straalde nieuwsgierige vriendelijkheid uit. 'Wat kan ik voor u doen?'

Perlmann keek naar de gekruiste voeten onder het bureau, die iets boven de vloer bungelden, en toen ontdekte hij op de enkel van Angelini's rechtervoet een gat in zijn sok. Opeens voelde hij zich zeker; zijn met moeite onderdrukte neiging in lachen uit te barsten gaf zijn stem de noodzakelijke losheid.

'Ik wilde vragen of het bedrijf misschien een baan voor me heeft. Als vertaler bijvoorbeeld. Of iets dergelijks.'

Dat was wel het laatste wat Angelini had verwacht. Zijn linkervoet hield op met heen en weer bewegen. Zonder Perlmann aan te kijken pakte hij zijn koffiekopje en dronk het met langzame slokken leeg. Hij had tijd nodig. Voor de derde keer streek hij met de sigaret langs de binnenrand van de asbak. Toen keek hij op.

'U bedoelt...?'

'Ja,' zei Perlmann, 'ik geef mijn leerstoel eraan.'

Angelini drukte zijn sigaret uit. Zijn gezicht zag er nu uit alsof het niet wist welke expressie het moest kiezen.

'Mag ik vragen waarom? Heeft het iets met...'

'Nee, geenszins,' zei Perlmann vlug. 'Ik ben het al heel lang van plan. Ik wil gewoon iets nieuws beginnen. In een nieuw land.'

Angelini pakte een sigaret en ging voor het raam staan. Toen hij zich weer naar Perlmann omdraaide, stond zijn gezicht vol verbaasde bewondering.

'Weet u,' zei hij langzaam, 'daar ben ik diep van onder de indruk. Een man van uw wetenschappelijk formaat, met uw reputatie. Zoiets heb ik nog nooit gehoord. Ik sta paf. Grandioos.'

Perlmann voelde zijn maag. *Die rode handen zullen hem wel nooit meer los hebben gelaten.*

Angelini ging aan het bureau zitten en speelde met zijn balpen. 'Ik heb dat probleem gehad met die vertaler,' zei hij. 'Ik heb u er over de telefoon over verteld, geloof ik.'

Perlmann knikte.

'Ze verweten me dat ik hem niet grondig genoeg heb getest.' Hij aarzelde en wierp Perlmann een verlegen blik toe. 'En de volgende keer willen ze absoluut een proeftijd.'

Perlmann schrok. Daar had hij niet aan gedacht. 'Vanzelfsprekend,' zei hij.

Angelini trok met zijn balpen lijntjes op de bureauonderlegger. 'Anderzijds, een man met uw kwalificaties...' Hij liep naar de deur. 'Het zal even duren. Ik zal ook meteen vragen hoe ze de mogelijkheid van een werkvergunning inschatten.'

De secretaresse bracht Perlmann koffie. Opeens ging alles hem veel te snel. *Proeftijd.* Hij voelde zich zenuwachtig als voor een examen. In het gesprek met Angelini had hij voor zover hij wist niet één fout gemaakt in het Italiaans. Hij had natuurlijk ook niet veel gezegd, en geen ingewikkelde dingen. Maar die fouten zouden ongetwijfeld nog komen. Met elke minuut die verstreek voelde hij zich logger, trager en onnozeler worden. Echt begaafd was hij nu eenmaal niet, met talen was dat niet anders dan met muziek. Hij had een goed geheugen en was ijverig. Meer zat er niet in. Hij was geen Luc Sonntag.

Angelini glimlachte tevreden toen hij terugkwam. 'De proeftijd zou in uw geval slechts een maand zijn. Puur een formele kwestie. En onze juridische afdeling verwacht geen problemen met de werkvergunning. Als het om talen gaat, staan de zaken er meestal goed voor.' Aan zijn blik was te zien dat hij in Perlmann's gezicht iets miste. 'En u weet heel zeker dat u het wilt? Sorry voor de vraag. Het is alleen... het is gewoon heel uitzonderlijk.'

'Dat weet ik,' zei Perlmann.

Ook nu had Angelini wat meer reactie verwacht, en hij aarzelde even. Maar toen zette hij zich eroverheen. 'Kunt u twee januari beginnen? De firma zal u binnenkort een aanbod doen. En met een woning zullen we u ook proberen te helpen.'

Perlmann knikte bij alles.

'Nu u toch hier bent,' zei Angelini, kan ik u meteen uw toekomstige werkplek laten zien.'

Het was een klein kantoor met twee bureaus die pal tegenover elkaar stonden. Het lag aan de achterkant, op het oosten. Door het raam keek je neer op een laag gebouw dat met een loopbrug met het hoofdgebouw was verbonden. Daarachter, op de helling, stond een elektriciteitshuisje. In de maanden dat de zon erin zou slagen net boven de heuvel uit te komen, zou je 's ochtends twee of drie uur zonlicht hebben.

De vrouw aan het andere bureau had de lamp aangedaan. 'Dat is signora Medici,' zei Angelini. 'Ons hoofd vertalingen. Ze komt uit Tirol en beheerst vijf talen. Of hoeveel zijn het er?'

'Zes,' zei de vrouw en ze gaf Perlmann een slap handje.

Het contrast tussen de naam en haar uiterlijk was zo groot dat hij het liefst hard had gelachen. Ze was een mollige matrone met kniekousen en sandalen, en op haar platte neus zat een hoornen bril met glazen zo dik als loepen.

'We kunnen Duits spreken,' zei ze toen Perlmann de ene fout na de andere maakte.

Na die opmerking was hij als lamgeslagen, en later herinnerde hij zich alleen nog dat hij naar de muur met de vele ansichtkaarten had gestaard, die er precies zo uitzag als de muur in de kamer van mevrouw Hartwig.

Ja, zei hij later op het kantoor van Angelini, het werken met de groep was een groot succes geweest. Wat de publicatie betrof zou hij binnenkort contact opnemen.

'Weet u,' zei Angelini bij het afscheid, 'ik kan het nog steeds niet geloven dat u dat allemaal wilt opgeven. Nou ja, u kunt er nog even over nadenken nu u meer weet. En zeg tegen Carla, mijn secretaresse, hoeveel onkosten u hebt gemaakt. Ze schrijft dan een cheque voor u uit. Dit was immers in zekere zin een sollicitatiegesprek.'

De secretaresse zat aan de telefoon. Perlmann knikte haar toe en ging naar buiten. Op weg naar het hotel botste hij twee keer per ongeluk tegen iemand op. De man aan de receptie, die hem de envelop met Leskov's tekst overhandigde, wees naar het adres.

'Sint-Petersburg. Komt zoiets wel aan? Ik bedoel, doet de post zijn werk wel in Rusland? Met die chaos daar?'

Terwijl Perlmann in de trein naar Turijn zat te soezen, achtervolgde die vraag hem hardnekkig. De envelop hield hij tijdens de reis zo stevig vast dat er later zweetplekken op zaten. Tussendoor hoorde hij telkens weer de stem van signora Medici, die Duits met een Tirools accent sprak.

Bij de incheckbalie op het vliegveld deed hij alsof hij geen woord Italiaans kende. Hij kocht twee Duitse kranten, hoewel de koppen van de Italiaanse kranten hem meer interesseerden. Duits, dat was de taal die hij beheerste. De enige. Zich iets anders verbeelden was ijdel en dwaas.

Toen het vliegtuig opsteeg, zag hij het terrein van de Fiat-fabrieken. *De mensen van Fiat. Santini.* Hij sloot zijn ogen. Bij het vliegen, dat had hij vaak meegemaakt, vormden zich gedachten die je later, zodra je de luchthaven betrad, vergat alsof je ze nooit had gedacht, zodat het voor altijd onduidelijk bleef of het werkelijk gedachten waren. *Een standpunt buiten jezelf vinden om van daaruit binnenin jezelf in grotere vrijheid te kunnen leven.* Dat kon een doel zijn, dacht hij, een ideaal. Maar misschien was het slechts een hersenspinsel, het effect van zijn vermoeidheid. Hij pakte de beide kranten en las ze van de eerste tot de laatste bladzijde. Elk artikel dat hij had gelezen, vergat hij meteen weer. Maar zo hoefde hij niet na te denken, noch over wat er was gebeurd, noch over wat er zou komen.

Eén keer onderbrak hij zijn lectuur en keek neer op de besneeuwde bergen. *Het standpunt van de eeuwigheid.* Als je alles wat je deed vanuit dat standpunt bekeek, zou dat dan niet betekenen dat je de tegenwoordigheid der dingen meteen weer verloor – zo totaal dat je die niet eens meer miste? Was het, om het zo uit te drukken, niet een voorwaarde voor het beleven van tegenwoordigheid, dat het vliegtuig op een gegeven moment weer tot onder het wolkendek daalde en op de grond terechtkwam?

58 In Frankfurt goot het, en de wind sloeg het water zo heftig tegen het toestel dat Perlmann achter het raampje onwillekeurig terugschrok. Leskov's tekst had tijdens de hele vlucht in het netje aan de rugleuning van de stoel voor hem gezeten. In zo'n net, zou Leskov denken, had hij de tekst vergeten. Bij het uitstappen klemde Perlmann de envelop onder zijn linkerarm en hield hem ook nog met zijn rechterhand vast.

Hij had het bij het rechte eind gehad. Bij het loket waar hij naar zijn koffer informeerde, lag een stapel stickers van Lufthansa. Terwijl de medewerker zijn koffer ging halen, liet Perlmann er drie in zijn zak glijden. In de buurt van het loket voor postzaken ging hij zitten, deed de envelop open en plakte een van de etiketten op de plastic hoes. De beide andere stickers plakte hij op de envelop, de ene linksboven, de andere rechtsonder. Met gestrekte armen hield hij de envelop van zich af: het zag er goed uit, heel zakelijk. Het privé-adres. *Een adres dat hier behalve ik niemand kan kennen.* Perlmann voelde dat het hele raderwerk van angstige overwegingen zich in beweging wilde zetten. Hij duwde heel even zijn vingers tegen zijn voorhoofd, stond op en liep naar het loket.

Toen de loketbediende de postzegels en de sticker voor expres-post op de envelop plakte, vroeg Perlmann hem hoelang de zending er volgens hem over zou doen. De man haalde zijn schouders op. 'Drie dagen, een week, geen idee.'

Hoezo kon het een hele week duren, vroeg Perlmann geïrriteerd. De man gooide de envelop in een mand, telde het geld en keek Perlmann toen een paar seconden zonder iets te zeggen aan. 'Zoals ik al zei: geen idee,' antwoordde hij ten slotte.

Waarom maakt u me dan bang! schreeuwde Perlmann inwendig tegen hem. Hardop zei hij: 'Neem me niet kwalijk. Het is... er hangt heel veel vanaf. Weet u misschien... Ik bedoel, kunt u inschatten hoe groot de kans is dat de zending zoek raakt?'

De uitdrukking die nu op het gezicht van de loketbediende kwam, herinnerde Perlmann aan de pizzabakker in Santa Margherita, aan wie hij had gevraagd of het bij de tunnel zou regenen.

'Bij ons raakt er niets zoek. Hoe het met de Russische post is... geen idee.'

Langzaam, alsof er nog een innerlijk obstakel moest worden

overwonnen, liep Perlmann naar de uitgang. Hij vermeed het naar de boekenmolen te kijken waarin hij bijna drie weken geleden tot zijn schrik het boek van Nikolaj Leskov had zien staan. Exact op het moment waarop hij de sensor passeerde en de schuifdeur van de uitgang openzoefde, schoot het hem te binnen. *Een kopie. Ik moet voor alle zekerheid een kopie van de tekst maken.* De weg terug naar het postloket rende hij bijna, en één keer viel zijn koffer, die op wieltjes liep, bijna om. Er stond nu een lange rij. Perlmann ging op zijn tenen staan; zijn envelop was onder een hele stapel andere terechtgekomen, maar de mand met het blauwe etiket erop stond er nog.

'Alsof we niets anders te doen hebben,' bromde de bediende toen hij de envelop er weer uithaalde.

Waar was hier ergens een kopieerapparaat? Toen iemand hem in een heel ander deel van het gebouw eindelijk toeliet tot de ruimte achter een winkel met kranten en tijdschriften, was het buiten al donker. De halfgesloten ritssluiting van de plastic hoes kreeg hij alleen met veel geweld open. Nu waren er zes tandjes kapot, en nog een keer dichtritsen kon hij wel vergeten. Na vijfenzestig bladzijden zat er geen papier meer in het kopieerapparaat, en Perlmann moest een kwartier wachten voordat een medewerker zich vrij kon maken en de papierlade kon navullen. Twee kopieën vielen op de stoffige vloer. Terwijl hij ze met zijn zakdoek schoonmaakte, had hij het gevoel dat Leskov's tekst hem nooit, helemaal nooit meer los zou laten, en hij ademde zwaar. De sluitklemmetjes van de envelop waren door het vele buigen veel te slap geworden, merkte hij. Hopelijk braken ze onderweg niet af.

Bij het naar buiten gaan stopte hij de beduusd kijkende medewerker een biljet van vijftig mark toe en liep toen de lange weg terug naar het postloket. Aan de loketbediende, die zwijgend voor zich uit bleef staren nadat hij hem had herkend, vroeg hij of het raadzaam was de zending per aangetekende post te versturen, of dat zoiets de boel alleen maar zou vertragen.

'Wat nu weer?' was de enige reactie die hij kreeg.

Dan is hij net even niet thuis en nemen ze de envelop weer mee.

'Niet aangetekend,' zei hij.

De taxi schoot in het drukke stadsverkeer nauwelijks op. Perlmann had zijn ogen gesloten en probeerde met behulp van zijn uitputting alle gedachten van zich af te houden. De opgerolde kopie in zijn handen begon te plakken. *Die heeft nu helemaal geen zin meer. Ik zou hem nooit aan hem kunnen geven zonder mijzelf te verraden.* Hij gaf het op en had op dat moment de indruk dat dat opgeven alles omvatte wat hij had, en dat het een zo totaal opgeven was als hij nog nooit het meegemaakt. Terwijl de regen neergutste op de taxi, zag hij de zwarte lijnen van de viltstift uitlopen en het adres op de envelop vervagen tot het niet meer leesbaar was.

Toen de taxi was weggereden en hij naar zijn huissleutel zocht, vielen er, zonder dat hij het merkte, vanaf de dakgoot een paar druppels op Leskov's tekst.

DEEL III

Het bericht

59 Gedurende de eerste nacht kreeg Perlmann een hartaanval en hij werd met een ambulance naar het ziekenhuis gebracht. De dienstdoende arts zag evenwel geen aanleiding hem daar te houden; alle waarden waren normaal. Hij constateerde een toestand van totale uitputting, gaf hem ter kalmering een injectie en zei dat hij tot het eind van het jaar niet mocht werken.

Slapeloos bracht Perlmann de rest van de nacht in een leunstoel door en keek naar de tuin, waar het tegen de ochtend begon te sneeuwen. Af en toe wikkelde hij zichzelf nog steviger in de deken en genoot ervan dat het kalmeringsmiddel alles vertraagde en elke gedachte verre van hem hield.

Iets over achten stelde hij mevrouw Hartwig op de hoogte. Zijn stem klonk nu zo mat dat ze niet één vraag stelde. Later liep hij door de neerdwarrelende sneeuw naar de bank, waar hij de kopie van Leskov's tekst, die door het water bobbelig was geworden en waar bruine kringen op zaten, in zijn kluis stopte. Hij deed de allernoodzakelijkste boodschappen, sloot de ketting voor de deur, en nadat hij de telefoon eruit had getrokken, ging hij naar bed.

Die dag en de beide volgende bracht hij voor het grootste gedeelte slapend door. Als hij een paar uur wakker was, dacht hij aan Leskov, die op de post zat te wachten. Maar lang hield hij die voorstelling niet vol en hij was blij te merken dat de uitputting hem weer snel de slaap zou doen vatten. Om vier uur in de nacht van woensdag op donderdag werd hij wakker van de honger. Hij constateerde dat hij acht kilo was afgevallen en dwong zichzelf een volledige maaltijd klaar te maken. Na een paar happen stond het eten hem tegen, en hij liet het staan. Terwijl hij, zonder het verhaal te volgen, naar een oude western staarde die in het nachtprogramma werd vertoond, at hij langzaam een halve boterham en dronk hij kamillethee, die hem aan de tijd van zijn kinderziektes herinnerde. Sinds Turijn had hij geen sigaret meer gerookt en hij had er nu ook geen zin in.

Donderdagmiddag was hij langer wakker. Terwijl het buiten bleef sneeuwen, zat hij in de woonkamer op de bank en bekeek met lege blik de koffievlek op het tapijt. Hij had een gevoel alsof hij, geruisloos en zonder het te merken, uit elkaar was gevallen en nu in vormeloze stukken ergens buiten lag, ver van zichzelf verwijderd, en nu ging het erom al die verstrooide stukken vanuit een imaginair middelpunt aan onzichtbare touwtjes weer naar zich toe te trekken en behoedzaam samen te voegen, tot zijn innerlijke vorm weer volledig, naadloos en als uit één stuk was.

Toen hij door de kamers liep om Agnes' foto's te bekijken, bewoog hij zich geruisloos en bewust langzaam, als een invalide. De loketbediende had gezegd dat de tekst er misschien slechts drie dagen over zou doen. Die mededeling was en passant gedaan. Maar die termijn had hij in elk geval genoemd. Dan zou de tekst vandaag in Sint-Petersburg aankomen. De bezorger van exprespost zou hem vanavond nog naar Leskov kunnen brengen. In elk geval zou hij morgenochtend worden bezorgd. *Komt zoiets wel aan? Met die chaos daar?*

Die nacht droomde hij over signora Medici, die in Pian dei Ratti woonde. Ze leunde de hele dag uit het raam en keek toe hoe hij, met Leskov als rij-instructeur naast hem, bij de leisteenslijperij oefende in rechtuit rijden, waarbij hij voortdurend een gevecht leverde met het stuur, dat almaar naar links trok. *U kunt gerust Duits spreken*, riep de signora de hele tijd, *dan gaat het beter!*

Hij baadde in het zweet toen hij wakker werd en hij ging koffiezetten. Zes talen. Als hij Russisch meerekende, kwam hij zelf ook op dat aantal. Hij stak een sigaret op. Bevangen door duizeligheid na de eerste diepe trek, rekende hij met de signora af. Hij joeg haar door alle talen die hij beheerste en groef voor haar meedogenloos de gemeenste valkuilen. Het was al over achten en licht toen hij eindelijk kon stoppen met die in haat gedrenkte wraakoefening.

Nu kon de bezorger met de expresbrief bij Leskov aanbellen. Aan de wanhoop kwam een einde, hij kon meteen beginnen met het overschrijven en het aanvullen van de hiaten. Hij had nog een week. Hopelijk was hij, als de bezorger kwam, niet al naar de universiteit om daar op de post te wachten. De meeste brievenbussen waren voor een envelop van dit formaat te klein, en wie weet wat er zou gebeuren als hij zomaar voor de deur werd gedeponeerd.

Nu kon hij eindelijk Kirsten bellen. Hij belde haar uit bed. Ze had elke avond op de gebruikelijke tijd gebeld. Waar hij al die tijd was geweest? Hij ontweek haar vraag, zei iets over een etentje met collega's. Over het ziekenhuis en dat hij met ziekteverlof was, zei hij niets. Kirsten draaide er een beetje omheen voordat ze zei dat ze waarschijnlijk pas met Kerst thuis zou komen. Ze moest nog twee referaten houden, en bovendien wilde ze Martin helpen met zijn verhuizing. Perlmann liet niets blijken van zijn opluchting en zei heel soeverein dat dat heel vanzelfsprekend was.

's Middags pakte hij zijn koffer uit. Terwijl hij bezig was de met bloed besmeurde en gescheurde broek in een zak te stoppen, die hij dichtbond, ging de telefoon. Meteen liet hij de zak vallen en rende naar de gang. *Wie weet is hij het.* Maar het gerinkel was al opgehouden. Hij liep naar buiten en gooide de zak in de vuilnisbak. Het lichte jasje met de vieze strepen erop legde hij klaar voor de stomerij. Op de rug van de blazer, die op een kleerhanger in de garderobe hing, zaten witte zweetvlekken. Dat zag hij nu pas. Hij legde hem bij het jasje. Daarbij ontdekte hij op de mouw een veeg opgedroogde tomatensaus. *Stronzo.*

De kroniek was in de koffer blijkbaar heen en weer gegleden, en er was daarbij een scheur in het omslag gekomen. Hij gooide het omslag weg en legde het boek op het lege bureau. Daarnaast de ongeopende envelop van mevrouw Hartwig, de uitnodiging vanuit Princeton, de aantekeningen. In *Jakob von Gunten* sloeg hij lukraak een pagina op en las een paar regels. Toen zette hij het dunne boekje in de kast. Hij zou er nooit meer in lezen.

Voor medaille en oorkonde haalde hij een nieuwe zak. Het was de eerste keer dat hij de oorkonde uitrolde. Hij was voor FILIP PEREMAN, vanaf heden ereburger van Santa Margherita Ligure. Op weg naar de vuilnisbak moest hij onwillekeurig grijnzen. Het laatste wat hij uitpakte waren de nieuwe zakdoeken uit de plastic hoes. Hij hield ze even besluiteloos in zijn hand, toen legde hij ze op de commode in de gang.

Later haalde hij twee straten verder zijn privépost op. Al op het postkantoor scheurde hij Hanna's brief open. Ze was erg blij geweest met zijn zo onverwachte telefoontje, schreef ze, maar ook bezorgd. Of hij meteen iets wilde laten horen zodra hij weer thuis was.

En of ze elkaar weer eens konden zien? Terwijl hij door de sneeuw stapte, bedacht hij dat het nog wel een paar dagen zou duren voordat hij zo ver was dat hij haar kon bellen.

Op teletext zag hij dat de wedstrijd werd uitgezonden tussen Stuttgart en Juventus, waarover Giovanni had gesproken. Die was al een halfuur aan de gang. Roberto Baggio speelde mee, zijn naam werd aan de lopende band genoemd. *Als hij geen goal had gemaakt, zou ik plagiaat hebben gepleegd.* Perlmann wachtte tot bij een ingooi Baggio's gezicht groot in beeld kwam. Een vreemd gezicht, vond hij, en hij zette de televisie uit. *Maar een catastrofe zou het alleen zijn geworden als Maria bovendien de tekst niet al op vrijdag had klaargemaakt. Als ze niet verkouden was geworden. Of als Santini iets dringends te schrijven had gehad.*

De vrouw van de telefonische inlichtingendienst was erg hulpvaardig. Van Sint-Petersburg had ze alleen de nummers van een paar grote bedrijven. Maar ze kon de inlichtingendienst daar bellen om een privénummer op te vragen. Dat kon soms heel lang duren, een hele dag zelfs. Of ze hem terug moest bellen? Perlmann gaf haar Leskov's naam en adres op en zei dat ze hem elk moment kon terugbellen, desnoods midden in de nacht.

Toen hij het briefje met Leskov's adres had gezocht, was hij de twee ongebruikte vliegtickets tegengekomen: het oorspronkelijke voor de vlucht van Genua naar Frankfurt, en het idioot dure voor de vlucht naar Frankfurt op zaterdag. Samen waren ze meer dan duizend mark waard. Hij verscheurde ze. Het was als een zoenoffer.

Toen begon hij de woning schoon te maken. Zo had hij nog nooit zijn best gedaan. Welbeschouwd had hij nog nooit iets zo goed schoon gemaakt, met zo'n furieuze, fanatieke grondigheid. Zelfs het laatste voegje en het verste hoekje ging hij te lijf, tot alles glom. Tussendoor zat hij bevend van vermoeidheid op een kruk en veegde met een theedoek het koude zweet van zijn voorhoofd. Toen hij klaar was met zijn werkkamer, ging hij voor het raam staan en staarde lange tijd in het donker. Toen nam hij de foto van Agnes van de vensterbank en zette hem op een klein tafeltje in de hoek. Als laatste was haar kamer aan de beurt, waar hij nog steeds niets aan had veranderd. Op een stapel boeken op de grond vond hij haar exemplaar van de Russische grammatica. Haar markeringen waren grover en de notities slordiger dan in zijn exemplaar, maar het waren er niet zo veel. Met het boek in zijn hand liep hij heen en weer. Hij zag de donkerbruine kolen voor zich en rook de warme, stinkende walm die uit de container was gekomen. Hijgend haalde hij het handwoordenboek en het tweedelige Duits-Russische woordenboek uit de kast. Hij legde alles op de commode in de gang en zocht toen de paar Russische boeken bijeen die ze beiden, altijd met een gevoel de boel een beetje op te lichten, in een of andere gespecialiseerde boekhandel hadden gekocht. Het moeilijkst zou hij afstand kunnen doen van het boek met verhalen van Tsjechov, dat hij in een zijstraat achter het British Museum had gekocht toen hij met Agnes en Kirsten een paar dagen in Londen had doorgebracht.

Later, toen hij uitgeput en rillerig op bed lag en zich voorstelde hoe Leskov nu aan zijn bureau zat en op de hiaten broedde, begon zijn hart hevig te kloppen. Bewust ademhalen noch lezen bracht soelaas; alleen de beelden van landschappen tijdens het nachtprogramma op de televisie hielpen. Hij zette de telefoon nog dichter bij zijn bed en vergewiste zich ervan dat het geluidsvolume op de hoogste stand stond.

Die nacht had hij voor het eerst de tunneldroom, waardoor hij de daaropvolgende weken bij tijd en wijlen werd belaagd. Door de snelheid in zijn stoel gedrukt reed hij over de vibrerende bodem van de tunnel, die een eindeloos lange bocht naar links beschreef en als een wielerbaan naar links helde, zodat voortdurend het gevaar dreigde dat hij op de tegenoverliggende rijbaan terechtkwam. De tegemoetkomende koplampen leken op enorme golven verblindend licht die over de auto heen zwiepten en hem elk zicht ontnamen. Aan het begin van de rit had hij een stuur in zijn hand, maar later grepen zijn handen in de leegte, en nu kon hij alleen nog maar met een gevoel van totale machteloosheid op de botsing wachten, zijn oren vol van het verschrikkelijke gepiep, dat na enige tijd overging in het onregelmatige, jengelende geluid van een bel die hem uit zijn slaap haalde.

'U hebt een gesprek met Sint-Petersburg aangevraagd?' vroeg een donkere vrouwenstem.

'Ja,' zei hij en hij keek op de wekker: tien over halfvier.

'Een ogenblik nog, ik verbind u door.' Het kraakte twee keer, er klonk een zacht geruis, en toen hoorde hij door een filter van geluiden heen de stem van Leskov.

'*Da? Ja slušaju... Kto tam?*'

Perlmann hing op. Hij kleedde zich aan, stopte de stapel Russische boeken in een oude tas en sjouwde die door verlaten straten naar de grote vuilniscontainers bij de supermarkt.

In het weekend begon hij met een training in langzaamheid. Hij had niet gedacht dat het zo lastig zou zijn. Telkens weer betrapte hij zich op haastige bewegingen, abrupte veranderingen in wat hij wilde doen. Dan dwong hij zichzelf alles zo langzaam te herhalen dat hij innerlijk de rust voelde van een slowmotion. Na een poosje ontwikkelde hij een ritueel: voordat hij aan een handeling begon die enige tijd in beslag nam, ging hij naar de woonkamer en luisterde een halve minuut naar het tikken van de grote klok. De hele zaterdag voerde hij een verbeten strijd tegen zijn onnodige haast en had vaak de indruk dat hij het nooit zou leren. Maar 's zondags gingen een paar vertraagde handelingen al bijna vanzelf, en hij merkte hoe de nerveuze uitputting af en toe veranderde in een natuurlijke, verlossende moeheid. Hij bleef nu telkens een volle minuut bij de grote klok staan.

Laat op de zondagmiddag ging hij voor het eerst aan zijn bureau zitten. Hij dacht aan de vele boeken die hij in Genua in de toiletruimte van het vliegveld had achtergelaten. Zou hij ze opnieuw aanschaffen? Hij slaagde erin zijn moeheid als een buffer tussen zichzelf en die vraag te duwen, en een tijdlang spon hij verder aan die gedachte: het kwam erop aan van die moeheid, die veel te diep zat om ooit nog helemaal te verdwijnen, een veilige cocon te maken – als surrogaat voor gelatenheid.

In de envelop van mevrouw Hartwig, die hij nu openmaakte, zaten louter aanvragen en verzoeken met intussen verstreken termijnen. Hij gooide alles in de prullenbak. De brief uit Princeton liet hij in een lade van zijn bureau verdwijnen. Toen bracht hij de kroniek tezamen met het zwarte wasdoekschrift naar de keuken en legde ze bij de oude kranten.

Daarna zat hij lang aan het helemaal lege bureau. Af en toe streek hij over het glanzende hout. De komende tijd was het van belang weinig te denken, en dat dan ook nog heel langzaam. Vooral wilde hij niet in zinnen denken, in duidelijke, welgeformuleerde zinnen, die hij inwendig hoorde. Lang, heel lang wilde hij niet meer naar woorden zoeken, woorden afwegen, woorden vergelijken. Zijn denken moest zich ertoe beperken hem bepaalde dingen te laten doen in plaats van andere, naar links te lopen in plaats van naar rechts, deze kamer binnen te gaan in plaats van de andere, deze weg in te slaan in plaats van die. Dat hij dacht, moest blijken uit het feit dat hij de dingen in efficiënte volgorde deed, dat er orde was in zijn bewegingen, dat zijn gedrag zinvol was. Bovendien moesten zijn gedachten ook voor hemzelf onmerkbaar blijven, zonder bewuste sporen na te laten en vooral zonder innerlijk een taalecho te veroorzaken. Ook wanneer hij de ene zin schreef in plaats van de andere, moest het in zijn hoofd stil blijven. De pen moest zijn weg zoeken over het blad, zijn spoor trekken zonder dat de zin die door dat spoor tot stand kwam, inwendig aanwezig was. Het spoor zou hij ten slotte naar het adres sturen waar ze op een tekst van hem zaten te wachten.

Iets anders wat hij met grote waakzaamheid moest vermijden, was het bedenken van gedachten van anderen. Hij wilde er niet meer over nadenken wat anderen wellicht zouden denken of doen als hij zelf dit of dat deed. Hij zou doen wat hij deed, en de anderen zouden vervolgens doen wat zij deden. Meer mocht er niet zijn. En ook zijn op details verzotte fantasie moest hij het zwijgen opleggen. De oefening in langzaamheid moest hij aanvullen met een oefening in fantasieloosheid.

Het eerste wat hij later zag toen hij de televisie aanzette, was een close-up van handen die over pianotoetsen gleden. Er werd Bach gespeeld. Meteen zapte hij naar een ander kanaal. Daar werd een Russische natuurkundige geïnterviewd, en iemand vertaalde simultaan. Perlmann hield zijn vinger op de knop van de afstandsbediening, dadelijk zou hij ook dit kanaal wegzappen, maar toen bleef hij toch hangen, één zin nog, en toen nog één, hij voelde hoe hij in een draaikolk terechtkwam die alles weer naar boven haalde, nu raakte de tolk de beslissende balans kwijt tussen de oude en de nieuwe zin, *Nee, nu moet je de vorige zin aan zijn lot overlaten en je op de nieuwe concentreren*, Perlmann riep het hem in gedachten toe en hij schoof naar het uiterste randje van de sofa. Pas toen hij kramp in zijn maag kreeg van de spanning, rukte hij zich los.

Later maakte hij een wandeling door het donkere park en lette op de leegte in zijn hoofd. Toen hij bij het naar bed gaan zijn bril afzette, dacht hij aan de tunnel. Hij sliep beter dan gedurende de eerste nachten. Slechts een enkele keer schrok hij wakker: hij had signora Medici in het Russisch overhoord en toen geconstateerd dat hij de woorden niet eens zelf wist en zijn eigen vragen vergat, alsof hij seniel begon te worden.

60

De week daarna bracht Perlmann door met wachten op Leskov's brief. Als de tekst op vrijdag was aangekomen, kon de brief dinsdag al hier zijn. Maar op zijn laatst zou die zaterdag aankomen. Urenlang stond hij voor het raam op de postbode te wachten. Waarom belde Leskov niet? Waarom stuurde hij niet een telegram? Al die tijd was er geen halfuur waarin Perlmann niet aan Leskov en de beloofde brief had gedacht. Maar er kwam geen brief. Waarschijnlijk had de man achter het postloket op de luchthaven gelijk gehad en duurde het een volle week. *Op maandag komt er maar heel zelden post*, hoorde hij Leskov zeggen. Dus kon hij de brief pas komende dinsdag verwachten.

Halverwege de week kwam het aanbod van Olivetti. Nu was er toch sprake van drie maanden proeftijd. Zijn taak: het vertalen van zakelijke correspondentie met Duitse, Engelse en Amerikaanse relaties; het verzorgen van de Duitse en Engelse uitgaven van een omvangrijke reclamebrochure, die de komende zomer zou uitkomen; af en toe tolken op beurzen. Signor Angelini had verteld dat Perlmann ook Russisch kende; daarin was men op termijn zeer geïnteresseerd. En ten slotte was het prettig als hij signor Angelini zou ondersteunen bij de samenwerking met de universiteiten. Ze boden hem vier miljoen lire per maand, bijna de helft van wat hij nu verdiende. Op pensioenvoorziening, verzekeringen en dergelijke zouden ze nog terugkomen zodra hij in principe had toegezegd. Voor dergelijke dingen had men een hele reeks gegevens nodig.

Wie had Angelini iets over zijn Russisch verteld? Evelyn Mistral had haar mond niet voorbijgepraat, daarvan was hij eigenlijk zeker. Het moest Leskov zijn geweest, en wel tijdens het avondeten na zijn aankomst, toen Angelini erbij was. Hij had verteld hoe ze elkaar hadden leren kennen, hoe ze samen door de Hermitage waren gelopen... Maar waarom had Adrian von Levetzov dan zo geïrriteerd gereageerd toen Leskov er in het café over was begonnen hoe hij Perlmann de eerste versie had gestuurd? Het moest zo zijn geweest dat Leskov het bij het avondeten uitsluitend aan Angelini had verteld, die naast hem zat... Perlmann sloeg met zijn knokkels tegen zijn voorhoofd. Hij had er toch mee willen ophouden te bedenken wat de anderen zouden zeggen!

Hij had de brief nog maar net terzijde gelegd toen mevrouw Hartwig belde en hem een bericht doorgaf dat Brian Millar had gemaild. Zijn uitgever was buitengewoon geïnteresseerd in Perlmann's boek. Of hij een idee had wanneer het klaar kon zijn? Hij miste Italië, had Millar eraan toegevoegd, en: 'Hoe gaat het met uw Chopin?'

Of hij nog aan de lijn was, vroeg mevrouw Hartwig na een lange stilte.

Met het boek zou het nog wel enige tijd duren, liet Perlmann haar schrijven, en bedankt voor de moeite. En ten slotte: 'Hoe gaat het met uw Bach?'

'Van dat boek wist ik niets,' zei mevrouw Hartwig gepikeerd.

'Later,' antwoordde hij.

De zon scheen en het dooide toen hij langs de rivier wandelde. Maar veel nam hij niet in zich op. Hij was er veel te druk mee brieven te ontwerpen waarmee hij de onlangs toegekende prijs kon teruggeven. Uiteindelijk had hij een tekst met de juiste toon. Maar toen hij hem, met zijn doorweekte schoenen nog aan, aan zijn bureau had opgeschreven, vond hij hem melodramatisch en gooide hem weg.

's Nachts kreeg hij weer last van zijn hart en stond op het punt de dokter te bellen. Vroeg in de ochtend ging hij naar zijn praktijk. De arts, die hij al vele jaren kende, zei niet veel en liet lange stiltes vallen, die Perlmann onaangenaam vond. Ten slotte schreef hij hem aarzelend nieuwe slaappillen voor en verbood hem te roken.

Op weg naar huis kwam Perlmann langs zijn vertrouwde boekhandel. Hij had graag iets meer willen weten over meditatie, over de techniek waarmee je tot innerlijke rust kunt komen. Lang stond hij voor de plank met boeken over het onderwerp. Maar in elke alinea die hij las stond iets wat hem niet beviel, een sektarische opmerking, iets wat afkomstig leek van een missionaris, pathos waar hij niet van hield. Hij kocht niets.

Vrijdag. Vandaag moest Leskov zijn tekst inleveren. En nog steeds geen brief. Natuurlijk: hij had dag en nacht moeten werken, voor een brief had hij geen tijd gehad. Bovendien kwam die waarschijnlijk pas in het weekend aan. Dat betekende nog een week langer wachten. Maar eigenlijk was dat een goed teken: het bewees dat de tekst was aangekomen. Anders had Leskov tijd genoeg gehad voor een brief. Tenzij het zo slecht met hem ging dat hij daar niet aan toe was gekomen.

Op het tijdstip waarop ze altijd was teruggekeerd van haar lunchpauze, belde hij Maria. Het klonk spontaan en oprecht toen ze zei hoe blij ze was van hem te horen. Toch verliep het gesprek moeizaam. De twee weken waren voldoende geweest om alles op grote afstand te zetten, en elke zin klonk alsof er iets achterhaalds krampachtig werd opgewarmd. De vraag of ze zijn bestanden intussen had gewist, had hij goed willen voorbereiden; die moest heel terloops klinken, als een grapje aan het einde van een flirt. Maar toen hij hem stelde, klonk de vraag totaal ongemotiveerd. Ze had onlangs opruiming gehouden, zei Maria; maar of zijn bestanden ook waren gewist, kon ze op het moment niet zeggen. Of ze vlug even zou kijken?

'Nee, nee,' weerde hij af, en hij deed zijn best het licht en speels te laten klinken. 'Zo belangrijk is het nu ook weer niet!'

'Ook al zitten ze niet meer in de computer, ik herinner me die teksten nog goed!' zei Maria lachend.

Het zou onmogelijk zijn haar nog een keer te bellen, dacht hij toen hij ophing.

Zaterdag zat de afrekening van zijn creditcard bij de post. Afgeschreven waren onder andere de kosten van de huurauto, inclusief het eigen risico voor de reparatie, en het bedrag voor de beide woordenboeken in de boekhandel van Genua. Perlmann had op die dag met het boek willen beginnen dat men hem ter bespreking had gestuurd. Nu hing hij maar wat rond en zapte op de televisie langs alle kanalen.

Hij was bang geweest alweer over de tunnel te dromen. In plaats daarvan lag hij bijna de hele nacht overhoop met een computer, die elke keer als hij een bestand wilde wissen er juist een back-up van maakte. Brian Millar keek over zijn schouder toe en was zo dichtbij dat hij zijn adem kon voelen. Opeens schoof zijn arm langs Perlmann's gezicht en zette een bord boordevol koud eten voor hem neer. Perlmann draaide zich naar hem om, en toen hij de ober herkende, gooide hij het eten met zo veel kracht in zijn gezicht dat de helft ervan op Evelyn Mistral's haar en haar sneeuwwitte bloes terechtkwam.

Zondag begon hij een paar van Agnes' foto's op te hangen en andere op te ruimen. Er moesten er nog maar een paar overblijven, niet per se de beste, maar de foto's waarmee een persoonlijk verhaal was verbonden. Bijvoorbeeld de foto met de kleine Kirsten in een rieten strandstoel op Sylt. Het was zwaar werk en meer dan eens voelde hij een steek in zijn hartstreek. Ten slotte merkte hij dat hij te ver was gegaan en hij hing een paar foto's weer op, waarbij het stucwerk afbrokkelde bij de tweede keer dat hij er een spijker in sloeg.

Tegen de avond belde Evelyn Mistral. Het werd een gesprek met veel lange stiltes. Terwijl Perlmann al die tijd de wens koesterde dat ze tegenover hem zat. Of hij iets van Leskov en zijn tekst had vernomen? Nee, zei hij, niets.

'Je herinnert je toch nog wel het telefoontje dat me na de ontvangst op het raadhuis te binnen schoot,' zei ze tegen het einde van het gesprek. 'Het was toch goed dat ik toen belde. Alles wat verkeerd kon gaan, ging ook verkeerd. En de kustweg was immers toch afgesloten!' lachte ze.

De weken daarna begon hij aan de boekrecensie. Hij zag de auteur voor zich, een verpletterend uitziende Berlijner met een Franse vrouw en een huis aan de Côte d'Azur. Hij moest zijn werk vaak onderbreken, en soms, als zijn weerzin hem te machtig werd, voelde het in zijn borst aan als beton. Dan pakte hij een sigaret.

In het laatste hoofdstuk van het boek werden een paar dingen als nieuwe ontdekkingen naar voren gebracht, terwijl Perlmann die al heel lang van een wat minder bekende Franse onderzoeker kende. Hij wist precies waar hij het had kunnen nakijken, het boek stond rechtsboven in de kast. Hij wachtte op een gevoel van triomf, of in elk geval van kalme genoegdoening. Toen dat uitbleef, was hij eerst teleurgesteld, maar daarna blij. Hij liet het Franse boek in de kast, en in de bespreking, die zakelijk, fair en al met al positief uitviel, besteedde hij geen aandacht aan de kwestie.

Halverwege de week ging hij voor het eerst weer achter het stuur zitten. Het verbaasde hem hoe dicht de handrem van zijn auto bij de passagierstoel zat. Hij reed de stad uit naar een tapijthandelaar die hij van vroeger kende en kocht een lichte Tibetaanse loper, om eindelijk de koffievlek te bedekken. Op de terugrit, bij invallende duisternis, kwamen hem verschillende vrachtwagens tegemoet, en één ervan reed met groot licht. Perlmann remde af en ging met een slakkegang uiterst rechts rijden. Hij besloot voortaan geen auto meer te rijden en vroeg zich af of hij de wagen aan Kirsten cadeau zou doen.

Toen hij in de garage de contactsleutel eruittrok, schoot hem het moment te binnen bij het benzinestation naast het hotel, toen hij had gemeend te begrijpen dat het probleem van de innerlijke afbakening tegenover anderen en het probleem van de ontbrekende tegenwoordigheid in wezen een en hetzelfde probleem waren. Hij herinnerde zich precies dat hem dat toen het belangrijkste inzicht van zijn hele leven had geleken. Op weg naar de huisdeur formuleerde hij dat inzicht opnieuw. Maar nu was het alleen nog maar een zin. Weliswaar een zin die goed klonk en waarmee hij kon instemmen, maar toch alleen een zin, en niet langer een inzicht op grond van een ervaring. Bij de huisdeur keerde hij om, deed de garage open en ging nog een keer achter het stuur zitten, zijn hand aan de contactsleutel. Later kwam het hem belachelijk voor aan te nemen dat een inzicht dat op een ervaring berust, opgeroepen kan worden door in een bepaalde houding te gaan zitten.

Vrijdag was er nog steeds geen brief van Leskov. Eigenlijk geen wonder, want het vorige weekend had hij ongetwijfeld nodig gehad om weer wat op verhaal te komen, en een brief, had de ervaren medewerker van de posterijen ingeschat, kon er wel een hele week over doen. Teruggekomen van de brievenbus borg Perlmann eindelijk de nieuwe zakdoeken op en stak er één van in zijn zak. Toen schreef hij de brief aan Olivetti waarin hij de baan afzegde, en ook een brief aan Angelini. Als reden noemde hij onverwachte familie-omstandigheden, die hem voorlopig in Frankfurt vasthielden. De beide brieven kwamen hem snel en moeiteloos uit de pen. Hij probeerde die vlotheid vast te houden en begon aan de brief voor Princeton. Maar verder dan de aanhef kwam hij niet en hij maakte daarna een lange wandeling door de vertrouwde stad, die hem in het gedempte decemberlicht vreemd voorkwam.

De foto's van Laura Sand, die zaterdag bezorgd werden, stelden hem teleur, hij wist niet waarom. Het waren dromerige opnames van landschappen, een paar ervan moest ze op de mistige ochtend hebben gemaakt toen hij de vertaling van Leskov's tekst had afgerond. In een aparte envelop zaten een paar foto's van de collega's, die ze, naar de onbevangenheid van hun houding en gezichtsuitdrukking te oordelen, ongemerkt moest hebben gemaakt. Op het bijgesloten papiertje stond: *Er bestaan uitzonderingen op de regel!* De foto's waar Leskov op stond, gooide hij meteen weg, en ook de andere foto's met de collega's kwamen uiteindelijk in de prullenbak terecht. Alleen een kiekje van Evelyn Mistral behield hij. Haar lach; het verschoven T-shirt; de rode schoenen. De foto's met de landschappen stopte hij in een lade, toen liep hij een poosje door het huis en bekeek de foto's van Agnes. Eigenlijk had hij beter haar beste foto's kunnen uitkiezen, en niet de persoonlijke. Hij wisselde ze om.

Na het zondagavondconcert op de televisie ging hij aan de vleugel zitten. Hij speelde de nocturnes die hij ook in de salon had gekozen. Tussen hem en de klanken was een vacuüm, een flinterdun hiaat, dat ook bij de tweede keer niet verdween. Hij begreep niet wat er aan de hand was en speelde de polonaise in As grote terts. Dat het bij de angstpassage misging, vond hij niet erg. Veel erger was dat alles, ook de bevrijdende akkoorden, klonken alsof ze onder fijn zand waren bedolven.

Aan slaap viel niet te denken. Midden in de nacht ging hij in pyjama aan de vleugel zitten en speelde andere nocturnes. Ze klonken als vroeger, en nu begreep hij het: wat hij in de salon had gespeeld, was ver van hem af komen te staan omdat hij het had misbruikt, misbruikt als wapen in de strijd tegen Millar. Dat was een heel ander misbruik dan wat Szabo had bedoeld. Muziek mocht je niet op die manier als instrument gebruiken, anders raakte je haar kwijt.

Tegen de ochtend nam hij een slaappil. Toen die begon te werken, schoot er, zonder dat hij voordien aan de tunnel had gedacht, een gedachte door zijn hoofd: Leskov had hem nooit gevraagd waarom hij niet gewoon op de vluchthaven was blijven staan en de bulldozer voorbij had laten rijden. Waarom niet? Het zou een heel simpele vraag zijn geweest, eigenlijk de meest voor de hand liggende. En hij had er geen antwoord op gehad.

61 In het stapeltje dat de postbode dinsdags in zijn hand hield, zat Leskov's brief. Perlmann zag het aan het bruine papier van de envelop, dat hij van de eerdere brief kende. In de gang scheurde hij de envelop al open en zocht met bonzend hart en gloeiend hoofd naar zinnen die hem meteen gerust zouden stellen. *... er was geen tekst toen ik mijn woning betrad... ik kwam, zonder het echt in de gaten te hebben, in een apathische toestand... een toestand van als verdoofd afwachten, zwijgend verduren... het vage verlangen aan alles een einde te maken...* En toen kwamen de woorden waarbij hij voor het eerst weer ademhaalde: *... als toen de tekst niet toch nog was opgedoken...* Hij sloot zijn ogen en zocht even steun bij de commode voordat hij, nog steeds met gloeiende blik, verder las: *... lag de envelop zomaar in het portiek.... de twee gele stickers erop... De toestand van de tekst was een schok... Zeventien bladzijden!* Vijf eindeloze alinea's moest hij nog snel doornemen, tot het eindelijk kwam: *... Tegen mijn gewoonte in had ik mijn privé-adres onder de tekst geschreven, dat is alles...* Hij duwde zijn hand tegen zijn maag en ademde uit, om vervolgens razendsnel door te lezen tot de volgende verlossende woorden: *... typfouten. Maar vrijdagochtend, even na achten, was het ding klaar...* En twee alinea's verder stond de zin die hij bijna met zijn ogen opvrat: *... de beslissing stond tegen de middag vast: ze konden gewoon niet anders dan mij die baan geven.*

Perlmann leunde tegen de deurpost, de bladen gleden uit zijn hand, hij begon luid te snikken en kon er minutenlang maar niet mee ophouden. Het huilen ging pas over toen hij zijn neus snoot. Met bevende handen raapte hij de bladen op, ging op de sofa zitten en begon van voren af aan:

Sint-Petersburg, december

Beste Philipp,

Ik heb een erg slecht geweten dat ik je nu pas schrijf. Terwijl ik had beloofd je in verband met de tekst meteen bericht te sturen. Maar als ik je vertel hoe alles is gekomen, zul je het hopelijk begrijpen.

Ik ben thuisgekomen met grote vertraging, omdat het op de luchthaven van Moskou weer eens een chaos was en het vliegtuig pas met meer dan een uur vertraging kon opstijgen, het was al midden in de nacht. De passagiers waren dolblij dat er toch nog een bus naar de stad ging, ook al had die een kapotte verwarming en werd het dus een ijskoude rit. Hier was het intussen volop winter geworden, en hoewel ik best wel hou van het merkwaardig koude, bijna onaardse licht dat zelfs in het holst van de nacht van de sneeuw afstraalt, dacht ik toch vol verlangen terug aan het gloeiende en tegelijkertijd transparante licht van het Zuiden, waar ik juist vandaan kwam. Ik zal nooit vergeten hoe dat licht me overweldigde toen ik samen met jou uit de terminal van de luchthaven kwam en naast je bij het parkeerhokje stond (bij die stugge man met de rode pet!). Het komt me voor alsof dat allemaal al maanden geleden is.

Toch zijn het amper twee weken. En die waren een afschuwelijke nachtmerrie. Want er was geen tekst toen ik mijn woning betrad. De hele reis door zat ik op hete kolen, en over de vertraging in Moskou wond ik me zo enorm op dat ik iedereen afsnauwde. Toen het toestel de landing inzette, overkwam me iets vreemd, iets heel paradoxaals: uit pure angst dat de tekst er misschien niet zou zijn, wilde ik opeens niet meer thuis aankomen. De toestand van onzekerheid, die een deel van mijn verblijf bij jullie heeft verpest en die op die zondag steeds ondraaglijker werd toen we Sint-Petersburg naderden (wat toch ook heel merkwaardig is), die toestand kwam me, vergeleken met de gevreesde ontdekking, opeens veel minder erg voor. Maar natuurlijk legde ik de afstand tussen de bushalte en mijn woning toch zo snel als mijn koffer het toeliet af, en mijn handen beefden toen ik de deur openmaakte, wat deels door de kou kwam.

Zoals gezegd, toen ik me naar mijn bureau haastte, lag de tekst er niet, ik zag het meteen, want ik had die tekst op geel papier geschreven. Natuurlijk heb ik er overal in de kamer naar gezocht, en ook in de gang, waar ik kort voor mijn vertrek had staan telefoneren. Maar goedbeschouwd had ik er nooit enig vertrouwen in gehad. Al helemaal niet nu ik weer thuis was en me het inpakken van de tekst weer heel goed herinnerde, ik kon de gehaaste bewegingen bijna voelen waarmee ik de bladen in het buitenvak van het koffertje had gedaan. Ik wist meteen: ik moest de tekst er onderweg uit hebben gehaald en ergens hebben laten liggen. Vandaar ook dat stukje elastiek in de ritssluiting.

Eigenlijk had ik verwacht dat ik in diepe wanhoop zou geraken, gemengd met machteloze woede over mijn slordigheid. En dat dat de komende dagen van wachten op de mogelijke zending van Lufthansa zo zou blijven. (Het was overigens heel goed dat jij me had gevraagd hoelang de post er normaal over deed, daar moest ik meteen aan denken, en ik maande mijzelf geduld te hebben.) Maar het was heel anders, en ik weet ook nu nog niet of ik het als beter of slechter dan de natuurlijke reactie moet beschouwen. Ik was nog niet gaan zitten om een beetje uit te rusten of ik kwam, zonder het echt in de gaten te hebben, in een apathische toestand terecht. Ik was blij met de innerlijke stilte die het me opleverde, want ik was bang voor de opwinding, de slapeloosheid, en alles wat me verder nog te wachten stond. Maar al snel besefte ik dat ik me automatisch in de toestand terug had laten vallen waarin ik in de gevangenis mijn toevlucht had gezocht – een toestand van als verdoofd afwachten, van zwijgend verduren, een toestand die, zoals je daar snel leert, energie spaart. Daar schrok ik erg van, want ik had gedacht dat ik dat allemaal allang achter de rug had.

Ik heb me de dagen daarna niet kunnen bevrijden uit mijn apathie, en misschien wilde ik dat ook helemaal niet, hoewel mijn toestand me gevaarlijk leek, want die begon steeds meer op zelfdestructie te lijken. Zo vroeg ik me af of er misschien dieperliggende oorzaken waren voor mijn stommiteit: dat ik die baan eigenlijk niet wilde, of dat ik me probeerde te distantiëren van de inhoud van de tekst. Mijn onzekerheid was zo groot dat ik Larisa niets over de kwestie vertelde, hoewel ze aan de telefoon merkte dat er iets aan de hand was.

Elke dag ging ik naar het instituut om op de post te wachten. En als er dan niets bij zat, wist ik niet hoe ik de volgende vierentwintig uur door moest komen. Het was onmogelijk aan een brief te beginnen. Het was onmogelijk aan wat dan ook te beginnen. Ik stond vaak aan de oever van de Neva. De apathie waarover ik het heb was door-

drenkt van een grijs wachten, in de hoop dat alles spoedig voorbij zou zijn, zonder dat ik er een flauw idee van had waarom het goed zou zijn als alles voorbij was. Daarbij hoorde – hoe moet ik het zeggen – het vage verlangen aan alles een einde te maken. Ik had dat verlangen al heel lang niet meer gehad, integendeel, maar nu stak het de kop weer op en versmolt met het plotseling opkomende verdriet over de dood van mijn moeder. Waar dat allemaal toe had geleid als de tekst toen niet toch nog was opgedoken, weet ik niet.

Natuurlijk heb ik me afgevraagd of ik onder deze omstandigheden niet toch de eerste versie zou overleggen. Maar nadat ik er wat in had gelezen, verwierp ik die gedachte. Die tekst is gewoon veel te mager en staat me door de warrigheid ervan tegen. Hoe kun je nu een tekst presenteren die ver onder het niveau ligt van wat je over het onderwerp te zeggen hebt? Dat is gevoelsmatig onmogelijk. Dan maar geen tekst!

Toen er woensdag nog steeds niets was, raapte ik al mijn moed bijeen, ging aan mijn bureau zitten en probeerde alles uit mijn geheugen te reconstrueren. Ik voelde me een beetje zoals in Santa Margherita, toen ik me voorbereidde op mijn zitting. Een uur of twintig hield ik het aan mijn bureau uit, toen hing er zo veel rook in mijn woning dat het zelfs mij te veel werd. Ik gaf het op, en toen ik donderdagmiddag halfdood mijn bed in kroop, had ik elke hoop op de aanstelling opgegeven en begon aan tijdelijke baantjes te denken. (Zoiets doe je dan toch, ook al lijkt het geen enkele zin meer te hebben.)

Vrijdag ging ik daarom alleen maar naar het instituut omdat ik toch in de buurt was. Aan de manier waarop de gesprekken op de gang bij mijn binnenkomst verstomden, moest ik concluderen dat ik met mijn zending, die almaar niet kwam, reeds het onderwerp van gesprek was geworden. Vasili Sergeevičs imaginaire zending! En toen gebeurde het: toen ik, zonder nog enige hoop te koesteren, van het instituut thuiskwam, lag de envelop gewoon in het portiek! Stel je voor wat er allemaal mee had kunnen gebeuren! Dat het mijn tekst moest zijn, zag ik al van verre (nog afgezien van mijn stille hoop daarop) aan de twee gele stickers, want de adreslabels van Lufthansa voor aan de bagage hebben die kleur ook. En toen zag ik het rode etiket voor expreszendingen, dat er anders uitziet dan bij ons. De laatste meters rende ik en ik gleed bijna uit op het gladde trottoir. De envelop maakte ik al op de trap open.

De envelop zelf was niets bijzonders (niet te vergelijken met de envelop die jij destijds op het caféterras bij je had!), maar stel je voor: Lufthansa had zich de moeite getroost de tekst ook nog in een plastic hoes te stoppen! Toen ik er later over nadacht, kwam het me wel een beetje absurd voor, omdat de hoes wegens een kapotte ritssluiting namelijk niet gesloten kon worden, zodat het gevreesde vocht waar het hun om te doen moet zijn geweest (om wat anders?) de bladen toch nog had aangetast. Maar het eerste moment stond ik helemaal paf. Wat een zorgvuldigheid! Duitse grondigheid, was het eerste wat ik dacht; maar toen schoot me jouw zure gezicht te binnen dat ik een keer had gezien toen Brian dat cliché gebruikte.

De toestand van de tekst was een schok. Alsof hij dagenlang ergens in een berm had gelegen! Om te beginnen is een groot deel van de bladen vuil, hier en daar is de tekst bijna onleesbaar. Verder zijn er een paar gescheurd, en in het eerste blad zit een gat alsof er een kogel doorheen is gegaan. Maar dat viel allemaal nog wel mee. Wat me een tijdlang totaal verlamde was de ontdekking dat er zeventien bladzijden ontbraken! Zeventien bladzijden! En uitgerekend de laatste acht, waarop ik verduidelijk wat toe-eigening in mijn concept van verhalend, verzinnend herinneren eigenlijk inhoudt. Eerst dacht ik: in een week krijg ik dat nooit voor elkaar. En alweer voelde ik de apathie terugkomen, die bij het zien van de gele stickers in één klap in het niets was opgelost. Maar toen begon mijn geheugen te werken, en ik constateerde dat veel van wat er verloren was, me weer te binnen schoot, en toen vatte ik mezelf bij de kraag en ging aan mijn bureau zitten.

Je zult het wel raar vinden, maar ik kon niet goed aan het werk komen voordat ik een verklaring had gevonden voor de toestand van de bladen. En dat was nog niet zo eenvoudig!

De zending was in Frankfurt afgegeven. Dus had ik de tekst bij het overstappen daar in de wachtruimte laten liggen. (Niet in het vliegtuig – mijn theorie over de schoonmaakploeg ken je!) Het lukt me evenwel ook nu niet me te herinneren dat ik hem uit mijn koffer heb gehaald. (Eerder het tegendeel: intussen is me weer te binnen geschoten dat ik, verscholen achter een daar achtergelaten krant, heel lang een prachtige vrouw heb bespied, die twee rijen voor me zat.) Zo zal het dus wel gegaan zijn. Maar hoezo dan het vuil en de bobbeltjes op het papier, die door water veroorzaakt leken? Pas 's avonds in bed kwam ik erop: op een bepaald moment – door de aanraking van een jas of door een kind – zijn de bladen op de grond gevallen; in zo'n wachtruimte ligt aan het eind van de dag immers van alles op de grond. Ik heb zo'n apparaat nooit zelf gezien, maar er schijnen enorme stofzuigers te bestaan, of een soort automatische schoonmaakmachines, waarmee de boel wordt schoongemaakt. En dan is de zaak opgelost: in zo'n ding zijn die bladen terechtgekomen. Dat verklaart het vuil en de scheuren, en omdat schoonmaken zonder water niet mogelijk is, zijn die bobbels en hobbels in het papier goedbeschouwd geen wonder.

Dat niemand die vele gele bladen in de gaten heeft gehad: ik stel me ter verklaring twee met elkaar kletsende schoonmaaksters voor, die er in de nog maar zwakverlichte wachtruimte met de stofzuigerslang achteloos langsgaan. Pas als ze de stofzuigerzak legen, ontdekken ze de papieren. Zeventien pagina's zijn onherstelbaar beschadigd, daarbij kunnen ze alleen nog maar hun schouders ophalen. De rest brengen ze naar de afdeling gevonden voorwerpen, als er zoiets bestaat. Je ziet: die ene schoonmaakploeg is een uitzondering op mijn theorie. En het past ook goed bij een deus ex machina!

Het werd een onrustige nacht, want telkens als ik bijna in slaap viel, schoot me een nieuw raadsel te binnen. Heel lastig was het met mijn adres. Ik weet niet meer of ik je heb verteld dat ik mijn adres altijd op de laatste pagina schrijf. Maar die zat er niet bij! Ik raakte opgewonden als bij een lastig schaakprobleem. Uiteindelijk had ik drie hypotheses, waartussen ik nog steeds niet kan kiezen: ofwel het laatste blad was dermate beschadigd dat ze alleen nog het adres hebben overgeschreven en het toen hebben weggegooid. Óf de persoon die de envelop heeft klaargemaakt heeft het laatste blad eruitgelaten om het adres over te kunnen schrijven en is toen vergeten het ook nog in de envelop te stoppen. (Misschien werd hij ergens door afgeleid of zo.) Ofwel: omdat ik vaak oude enveloppen als kladpapier gebruik, kan zo'n envelop met het adres tussen de bladen terecht zijn gekomen. Daaraan hadden ze het adres ontleend, en niet aan de tekst zelf.

Later ben ik nog een keer opgestaan om naar het poststempel te kijken; waarom had Lufthansa er een volle week voor nodig gehad om de zending te versturen? Heel even was ik razend op die lui: wat hadden ze me niet allemaal kunnen besparen als ze sneller waren geweest!

Maar toen kreeg toch weer mijn dankbaarheid de overhand, vooral toen ik me bewust werd dat ik het adres immers in het Russisch had geschreven. Ze moeten er speciaal iemand hebben bijgehaald die Russisch beheerst, en dan ook nog in handschrift! Nou ja, dacht ik, Lufthansa is nu eenmaal Lufthansa. Intussen heb ik een bedankbrief geschreven, en reclame zal ik ook voor ze maken. (Alsof Lufthansa op mijn aanbeveling zit te wachten!)

De laatste ongerijmdheid schoot me pas de volgende ochtend tijdens het scheren te binnen: hoezo kende Lufthansa mijn privé-adres, terwijl het adres van het instituut op de tekst stond? Geen mens in Duitsland weet waar ik woon. (Behalve jij natuurlijk!) De hele tijd spookte het door mijn hoofd; het leek me een onoplosbaar raadsel. Je kunt natuurlijk weer aan een envelop met mijn privé-adres denken. Maar dat is toch een beetje overdreven (alweer een deus ex machina!). Bovendien: zouden ze dan die omineuze envelop niet ook hebben meegestuurd? Ik zou dat in ieder geval gedaan hebben. Een gebruikte envelop van iemand hoeft nog niet te betekenen dat die persoon ook de geadresseerde is. En als iemand een anonieme tekst toegestuurd krijgt, kan hij daarvoor eerder een verklaring vinden indien een aan hem geadresseerde envelop is bijgesloten dan wanneer er geen enkel aanknopingspunt is. (Als hij die tekst niet toevallig uit een afvalbak heeft gevist, zal de huidige bezitter van de envelop immers een bekende zijn van de geadresseerde, en via via kan ten slotte de auteur van de tekst worden opgespoord.)

Hoe dan ook, het meest voor de hand liggende, gaf ik uiteindelijk tegenstribbelend toe, is dat ik in werkelijkheid niet het adres van het instituut heb gebruikt: als mijn geheugen me al in de steek laat bij de vraag of ik de tekst wel of niet uit mijn koffertje heb gehaald – waarom zou ik me dan ook daarin niet kunnen vergissen? Tegen mijn gewoonte in had ik mijn privé-adres onder de tekst geschreven, dat is alles. Het maakt me onzeker dat ik blijkbaar niet goed op mijn geheugen kan vertrouwen. Vroeger was dat niet zo. Een ervaring die heel goed bij het thema van Gorki en mijn stelling past (ook als dat verband, zoals jij ook wel weet, veel gecompliceerder is dan het oppervlakkig gezien lijkt.) Was het maar niet zo'n stomme ervaring!

Al die verklaringen ten spijt bleef er iets merkwaardigs, iets raadselachtigs kleven aan de zaak. Alsof zich rond die tekst een drama heeft afgespeeld waarvan ik geen idee heb wie erin hebben meegespeeld... Als het Gorki was overkomen, had hij er iets van gemaakt!

Wat er in de zes dagen die toen volgden in de wereld is gebeurd – ik heb geen flauw idee. Zelfs het weer kan ik me niet herinneren. Ik heb de tekst overgetypt, leemten opgevuld, eraan doorgeschreven, de ontbrekende gedachten gereconstrueerd enzovoort. Zolang ik niet mijn dagelijkse hoeveelheid af had, ging ik maar door, hoe laat het ook werd en hoe erg mijn rug ook pijn deed. De inspanning was zo groot dat ik mijzelf overwon en een buurvrouw, aan wie ik eigenlijk de pest heb, verzocht wat eten voor me te kopen. (Ze wist niet wat haar overkwam. Sindsdien kunnen we prima met elkaar opschieten!)

Tussen woensdagavond en vrijdag vroeg in de ochtend heb ik het verloren gegane slot opnieuw geschreven. De tekst is lang niet zo goed als de oorspronkelijke. Eigenlijk is het nogal een rommeltje. Op de een of andere manier kon ik mijn hoofd er van uitputting niet meer goed bij houden. En een tijdje kwam het me voor alsof mijn vroegere indruk dat ik een plausibele oplossing voor het probleem van de toe-eigening had gevonden, pure inbeelding was geweest, een fata morgana. Mijn bed heb ik niet gezien, ik heb alleen af en toe een halfuur op de sofa een dutje gedaan. Ik denk dat er een paar typfouten in zitten. Maar vrijdagochtend, even na achten, was het ding klaar.

Door dichte, sprookjesachtig neerdwarrelende sneeuw ben ik langzaam naar het instituut gegaan en heb daar een aantal kopieën gemaakt. Van het moment waarop ik het manuscript op de tafel van de voorzitter van de commissie legde, heb ik genoten. Hij had er niet meer op gerekend, en ik kon aan hem zien dat het hem in verlegenheid bracht. Ik had durven zweren dat hij al iemand anders (ik weet ook wie) toezeggingen had gedaan, die hij nu moest herroepen. Ik geloof dat hij mij op dat moment oprecht haatte.

Het hele weekend heb ik alleen maar geslapen, gegeten, geslapen. De zitting van de commissie, zoals ik later te weten kwam, was al op de maandagochtend, en de beslissing stond tegen de middag vast: ze konden gewoon niet anders dan mij die baan geven. (Natuurlijk had in die korte tijd niemand de tekst gelezen. Eigenlijk ging het dus weer eens alleen om uiterlijkheden, zoals in dit geval de omvang van de tekst.) Maar ze lieten me wachten. Niemand stelde me op de hoogte. Toen ik gisteren langsging, werd het besluit me op een beledigende ma-

nier als terloops meegedeeld. Bovendien moest ik vaststellen dat de condities veel slechter zijn dan ik had verwacht. Maar toch: het is een vaste aanstelling; voor het eerst in mijn leven kan ik rustig ademhalen. Ik had het graag met iemand willen vieren; maar daarvoor kwam alleen Juri (die van de vijftig dollar) in aanmerking, en die was er niet. Ik heb geprobeerd jou te bellen, maar met die voortdurend overbezette lijnen is dat een pure ellende, en toen ben ik dus maar aan deze brief begonnen, die ik af en toe moet onderbreken omdat ik er te uitgeput van raak.

Ik denk vaak terug aan die heerlijke week bij jullie. Een exemplaar van de tekst stuur ik je per separate post. (Het zal je wel irriteren als ik het zeg, maar toch: ik geloof niet dat hij voor jou te moeilijk is.) Het liefst zou ik ook alle andere collega's een exemplaar sturen – zodat ze kunnen zien dat die omineuze tekst werkelijk bestaat! Wat krijg je toch snel het gevoel dat de anderen je voor een oplichter houden! Maar misschien komt er nog eens een vertaling van, en een publicatie. Heb jij al een idee hoe het nu verder gaat?

Ik hoop spoedig van je te horen. Je hebt op ons allemaal een erg uitgeputte indruk gemaakt, en ik wens je toe dat je spoedig weer op krachten zult komen. Ik heb gemerkt dat je liever niet hebt dat men het over Agnes heeft, en dus wil ik je alleen verzekeren dat er in de groep veel begrip bestond voor jouw moeilijke situatie.

En sta me toe er nog iets aan toe te voegen: ik had toen je hier was al het gevoel dat ik in jou een vriend had gevonden. Na die week bij jullie ben ik daar nu heel zeker van. Je hebt voor mijn werk een belangstelling aan de dag gelegd zoals ik nooit eerder bij iemand heb meegemaakt. En de manier waarop je je voor Klim Samgin interesseerde, heeft me laten zien dat wij ook verder heel veel gemeenschappelijks hebben. Ik hoef niet te zeggen hoezeer ik me verheug op een spoedig weerzien.

Do svidanija. Je Vasili

Bij het lezen van de laatste alinea kreeg Perlmann alweer tranen in zijn ogen. Maar nu waren het geen tranen van verlossing, maar van schaamte, en hij verborg zijn gezicht in het kussen. Toen hij later naar de badkamer ging om zijn betraande gezicht te wassen, voelde hij dat er een druk van hem afviel die zo enorm was geweest, dat hij hem de hele tijd had moeten negeren om ertegen bestand te zijn. Doodmoe ging hij op de sofa liggen, en na een poosje las hij de brief nog een keer.

De moeilijkste passages, vond hij, waren die over de gevangenis en de opmerking tussen haakjes over zijn kennis van het privéadres. Daarna kwam de passage met het drama en de onbekende acteurs, en ondraaglijk was ook dat Leskov, omdat hij niemand had om feest mee te vieren, hem had gebeld, uitgerekend hem, die op een haar na zijn moordenaar was geworden. Pas in de loop van de dag lukte het Perlmann te glimlachen om een paar passages, die hij voor de zoveelste keer las, en steeds was het een bangelijk glimlachje, dat zich niet te ver naar voren durfde te wagen, uit angst opnieuw in tranen onder te gaan. Toen het al begon te schemeren ging hij aan de vleugel zitten en speelde de nocturne in D grote terts. Verblind door tranen greep hij voortdurend naast de toetsen.

62 Half december bezocht hij Hanna Liebig in Hamburg. Haar gouden haar had een zweem van zilver gekregen, en onder de donkere lok die ze uitdrukkelijk over haar voorhoofd kamde, was een lang litteken dat het gevolg was van een auto-ongeluk. Energiek was ze nog steeds. Maar op haar gezicht lag een afgeleefde en teleurgestelde uitdrukking, vond hij. Haar woning beviel hem, maar de barok versierde wandklok en een paar dingen van keramiek stoorden hem omdat ze hem te protserig voorkwamen – symptomen van Hanna's uitgesproken gevoel voor elegant design, dat op het punt stond haar te ontvallen.

Bij het eten vertelde hij over de onderzoeksgroep, over Millar en hun rivaliteit. Ook dat hij de polonaise in As grote terts had gespeeld, vermeldde hij. Weliswaar begreep ze daarna min of meer waarom hij haar destijds had gebeld, maar zonder de tunnel, de angst en de wanhoop klonk het allemaal hol en kinderachtig. Toen ze op weg naar de keuken even speels over zijn haar streek, zoals ze vroeger had gedaan, scheelde het weinig of hij was helemaal opnieuw begonnen en had haar alles verteld. Maar er was iets in haar gezicht, iets nieuws, waarvan hij geen idee had hoe hij het zou moeten beschrijven, maar dat hem vreemd was, en toen was het gevoel voorbij. Ze spraken nog een poosje over Liszt maar het werd een gesprek onder experts dat hem al snel verveelde, want het had niets te maken met Millar en de okerkleurige fauteuils in de salon.

Later, op straat, bedacht hij dat ze hem onlangs aan de telefoon vertrouwder was geweest dan tijdens de hele ontmoeting van die avond.

Ze hadden de volgende dag voor de lunch afgesproken. Perlmann ging er niet heen. Hij schoof, terwijl hij haar een loopje hoorde spelen en iets aan een leerling hoorde uitleggen, een briefje onder de deur van haar flat en nam de bus naar het conservatorium. Uit het vertrek waar hij vroeger altijd had geoefend, klonk Mozart. Na een poosje deed hij de deur op een kier open. Aan de vleugel zat een man met krullend haar en een oosters gezicht, die met ongelooflijke lichtheid speelde. Het vertrek had nu ander behang, en de reproductie van Klee hing er niet meer. Voorzichtig sloot hij de deur. Hij was van plan geweest naar de straat te gaan waar hij was opgegroeid. Maar toen hij opeens de zwarte gietijzeren tuinhekjes voor zich zag en voelde hoe hij zijn arm met een boog over de tuinpoortjes heen liet springen, verwierp hij het plan en nam de eerstvolgende trein naar Frankfurt.

In de brievenbus lag een bericht van de post over een pakje. Dat het van Leskov kwam, zag hij meteen toen de loketbediende het de volgende ochtend van het schap pakte. Hij wou dat het niet was gekomen, wat er ook in mocht zitten. Leskov's brief had hij nodig gehad, en die had hij moeten verdragen. Dat hij de brief door zijn uitvoerigheid als opdringerig had ervaren, kon hij alleen toegeven als hij hem ten dele negeerde. De brief was het uiterste wat hij kon verdragen, het was het laatste wat hij nog van de Vasili Leskov wilde horen. Goed, hij zou hem een keer moeten beantwoorden. Maar dat kon op een heel conventionele toon gebeuren, er waren stemmingen waarin hij zulke dingen kon doen zonder zich er ook maar even bij betrokken te voelen. En daarna wilde hij er nooit meer iets over horen. Nooit meer.

Bovenop lag het al aangekondigde exemplaar van Leskov's tekst. Daaronder vier in beige kunstleer gebonden boeken in het Russisch: Maksim Gorki, *Žizn' Klima Samgina.* Op de eerste bladzijde van deel I stond in bevend handschrift: *Moemu synu Vasiliu.* De opdracht was met zwarte inkt geschreven, en de pen had gespat, rond de woorden was een aureool van zwarte puntjes. Het leer was beduimeld, er zaten vlekken op, en op twee plaatsen was het gescheurd. Het waren de boeken die Leskov in de gevangenis had gelezen; veertien keer.

Perlmann wist dat hij ontroering zou moeten voelen, en voelde alleen maar woede, een woede die toenam met elke blik die hij op de boeken wierp. Door die beige boeken met de gouden opschriften had Leskov zich toegang verschaft tot zijn woning en was nu op een manier aanwezig die bijna nog penetranter en verlammender was dan zijn lichamelijke aanwezigheid. Nu rook hij ook weer de zoetige tabakslucht die tussen de bladzijden was blijven hangen. Hij merkte dat hij er razend van werd en de boeken zo uit het raam in de derrie zou kunnen gooien. Daarom trok hij zijn jas weer aan en ging langzaam een straatje om.

Later legde hij de boeken in het berghok op een plank en dekte ze toe met een dweil. Toen hij daarna met tegenzin door de getypte tekst bladerde, ontdekte hij dat Leskov hem aan het begin van het notenapparaat uitbundig bedankte voor de discussie over een eerdere versie. Perlmann's constructieve kritiek had hij in vier voetnoten vermeld. De last die door de brief van hem was afgevallen, leek opnieuw op hem neer te komen, ook al begreep hij niet waar dat op sloeg, want Leskov had de baan immers al.

Hij verdedigde zich tegen de boeken in het berghok door een recensie af te maken en met de voorbereiding van zijn colleges te beginnen. Toen Adrian von Levetzov belde om naar de publicatie te informeren, stelde Perlmann daarna een brief op aan de collega's, waarin hij beweerde dat enkele deelnemers van de groep intussen andere plannen hadden met hun bijdrage, reden waarom hij het plan van een speciale publicatie had laten vallen. Dezelfde dag nog belde hij de onderwijsinspectie en informeerde naar de mogelijkheden ergens een aanstelling te vinden als leraar. Dan moest hij wel eerst zijn onderwijsbevoegdheid halen, zei de bitse stem, en veel kans maakte hij niet bij het huidige overschot aan leraren. Die nacht droomde hij van signora Medici, die in een Schotse rok en met bergschoenen aan haar voeten voor de klas stond en uit beigekleurige boeken zinnen in een onbekende taal voorlas, terwijl hij in de schoolbank naarstig naar zijn spiekbriefje zocht.

De oefening in langzaamheid begon te werken. Meestal was het niet meer nodig om in de woonkamer voor de klok te gaan staan; hij hield gewoon even op en luisterde naar het tikken dat hij zich inbeeldde. Ook tijdens het telefoneren luisterde hij naar dat tikken, en allengs begon hij te beseffen dat langzaam reageren de lichamelijke uitdrukking zou kunnen zijn van ontbrekende gedienstigheid. Hij was zo blij met die ontdekking dat hij begon te overdrijven en opnieuw een gevecht moest leveren tegen zijn neiging tot fanatisme.

Af en toe, als hij laat op de avond nog in de woonkamer zat en de klok hoorde tikken, probeerde hij erover na te denken waarom hij zijn handen van het stuur had gehaald. Om Leskov? Om zichzelf? Maar wat maakte het uit. De gedachten verdwenen al voordat ze echt waren begonnen. Hij was bereid geweest te sterven, weliswaar uit wanhoop, en niet uit stoïcijnse gelatenheid. Toch had de ervaring van de nabije dood iets in hem veranderd. Desondanks was het een vergissing te geloven dat die verandering, waarvan de contouren nog in het duister lagen, hem helemaal vanzelf grotere zekerheid en meer innerlijke vrijheid zou bezorgen. Zo simpel was het niet. Maar wat moest hij daar dan voor doen?

Op een avond, toen hij naar een simpele comedy op de televisie zat te kijken, moest hij voor het eerst weer lachen. Daarbij schoot de man met de lange witte sjaal op de luchthaven hem te binnen, en hij moest slikken. Maar al bij de volgende grap moest hij alweer lachen.

De volgende dag kocht hij de vertaling van Gorki's roman en las tot hij bij de passage met het wak kwam. Rood glanzend noemde Gorki de handen die de rand van het afbrokkelende ijs vastgrepen. Perlmann ging naar de kamer van Agnes, om het tweede woord op te zoeken. Pas toen hij de lege plek op de plank zag, herinnerde hij zich de weggegooide boeken. Hij was stomverbaasd over wat hij had gedaan, alsof hij er voor het eerst over hoorde.

Hij vond de roman erg breedsprakig, en de talloze dialogen over hoe het er met de wereld voorstond, irriteerden hem. Het liefst had hij het boek gewoon terzijde gelegd. Maar diezelfde dag las hij nog zo'n honderdtwintig bladzijden en rekende uit dat hij elke dag minstens honderdtwintig bladzijden zou moeten lezen om de roman dit jaar nog uit te krijgen. Vaak kwam hij in de verleiding zijn aandacht te laten verslappen en zijn ogen alleen maar over de regels te laten glijden, zonder echt te lezen. Maar dat stond hij zichzelf niet toe, hij bladerde dan terug en las alles met tegenzin nog een keer heel nauwkeurig, in de wetenschap dat hij het meeste meteen weer zou vergeten. Gedurende de eerste dagen zei hij tegen zichzelf dat het van belang was op die manier een deel van de gedachtenwereld te leren kennen waarbij Leskov in de gevangenis zijn toevlucht had gezocht. Dat was hij aan hem verplicht, dacht hij, en telkens struikelde hij over het onbestemde gevoel dat hij niet goed wist wat hij eigenlijk dacht. Pas dagen later kwam hij tot het inzicht dat dat het niet was wat hem ertoe dreef zich elke avond tegen heug en meug aan zijn lectuur te wijden. Het was eerder de vage wens van zijn schuld jegens Leskov af te komen en boete te doen voor de beraamde moord. Na die ontdekking kwam hij zichzelf belachelijk voor als hij het boek weer opensloeg. Maar hij ging door.

Even voor Kerst belde hij nog een keer met Maria. Hij wenste haar prettige feestdagen en hij hoopte dat ze spontaan iets over het wissen van de bestanden zou zeggen. Maar het telefoontje leverde niet veel meer op dan een vriendelijke uitwisseling van goede wensen waaraan je spoedig een einde moet maken om niet in verlegenheid te komen. Hij zou nooit te weten komen wanneer de gevaarlijke tekst eindelijk was vernietigd, en of dat wel was gebeurd.

Op Tweede Kerstdag kwam Kirsten. Ze was nog niet binnen of ze boog zich over het nieuwe tapijt, bekeek het van alle kanten, tilde het ten slotte op om het stempel te bekijken. Toen ze de koffievlek zag, begon ze hard te lachen en gaf Perlmann een overmoedige zoen. Toch liet hij zich het tapijt niet aftroggelen.

Later kwam ze zo zachtjes de keuken in dat hij haar aanwezigheid, omdat hij stond te koken, lang niet opmerkte.

'Je hebt foto's weggehaald,' zei ze.

'Ja,' antwoordde hij, en hij keek haar met de zoutstrooier in zijn hand even aan.

'Maar deze laat je toch zeker staan?'

'Ja,' zei hij, 'absoluut.'

'Kan die mevrouw Sand goed fotograferen?'

'Gaat wel,' zei hij.

'Zwart-wit?'

'Kleur.'

'O,' zei ze opgelucht en ze nam een stuk zalm van de schotel.

Bij het eten liet ze plotseling mes en vork zinken en staarde naar zijn hand.

'Je hebt je ring afgedaan.'

Het bloed schoot naar Perlmann's hoofd. Hij zei niets.

'Neem me niet kwalijk,' zei ze zachtjes. 'Dat is natuurlijk jouw zaak.'

Later, bij het opbergen van het servies, vroeg ze opvallend terloops: 'Die blonde vrouw in de groep, hoe heette die ook alweer? Evelyn...'

'Mistral,' zei hij en zette de koffiekopjes weg.

Hij stond in zijn werkkamer toen ze hem haar kerstcadeau overhandigde. Een marineblauwe schipperstrui, zoals hij al zo lang had willen hebben. Hij legde het papier opzij en vouwde de trui uit. Daar lag een boek. Nikolaj Leskov, *Meestervertellingen.* Hij bracht geen woord uit, draaide het boek zwijgend om en om.

'Een heel belangrijk auteur, echt fantastisch,' zei Kirsten. 'Martin is bezig met een scriptie over hem. Jammer genoeg is het me niet gelukt het in het Russisch te krijgen. Vind je het niet leuk?'

'Jawel, jawel,' zei hij schor, en met betraande ogen ging hij voor raam staan.

Ze sloeg van achteren haar armen om hem heen. 'Op dit soort dagen is het extra moeilijk, niet?'

Hij knikte.

Zoals altijd bekeek ze nieuwsgierig zijn boekenkasten. 'Je hebt alles veranderd.'

Hij keek haar vragend aan.

'Ik zie de Russische boeken niet.'

Perlmann boog zich diep over een lade van zijn bureau. 'Ik heb ze... ergens anders neergezet. Tijdelijk.'

'Ook dat grote woordenboek dat ik in Italië heb gezien? Met dat nare papier?'

Hij knikte.

'En ook dat boek van Tsjechov? Ik heb Martin erover verteld.'

'Ik... Het was maar een soort bevlieging.'

Een tijdlang keek ze zwijgend naar de wand met boeken. 'Dan was die Leskov misschien toch niet zo'n goed idee.'

Perlmann schrok toen hij haar die naam hoorde uitspreken.

'Jawel,' zei hij snel. 'Dat is iets anders.' Het klonk weinig overtuigend.

Bij het afwassen spraken ze niet veel.

'Papa,' vroeg ze opeens, 'is er iets gebeurd, in Italië, bedoel ik?'

Zijn handen, waarmee hij een koekenpan afdroogde, waren opeens gevoelloos. Mechanisch ging hij met de droogdoek langs de rand. 'Hoe bedoel je... gebeurd?'

'Ik weet het ook niet. Je bent sinds die tijd zo... anders.'

Hij keek naar de broodkruimels die op het afwaswater dreven. Het werd tijd om te antwoorden. 'Ik ben een beetje... uit balans. Maar met Italië heeft dat niets te maken.'

Toen hun blikken elkaar ontmoetten, zag hij dat zij hem niet geloofde.

'Weet je nog,' vroeg ze opeens heel opgewekt, alsof ze aangaf dat ze er niet meer over wilde praten, 'hoe we in dat witte hotel zaten en dat die ober helemaal uit de bar kwam om onze drankjes te brengen?'

Toen Kirsten naar bed was, haalde Perlmann de koffer uit de kast. De trouwring was helemaal in een hoekje van het stropdassenvak gegleden. Hij deed hem in een bureaulade. Daarna kon hij niet slapen. Toch nam hij geen slaappil. Eén keer ging hij naar het berghok en haalde de sleutel uit het slot.

De volgende ochtend sneeuwde het, zodat hij een excuus had zijn auto niet uit de garage te halen. Hij was blij dat ze in de taxi en op het perron nog een paar praktische dingen moesten bespreken. Bij het afscheid keek Kirsten hem aan alsof ze haar vraag nog een keer wilde stellen. Hij deed alsof hij het niet merkte en raapte haar handschoen op. Hij maakte er een erg koel afscheid van, wat hem zo pijn deed dat hij later nog minutenlang doelloos door het station dwaalde.

Die dag had hij het gevoel dat hij met zijn oefeningen in langzaamheid weer helemaal opnieuw moest beginnen, en hij bracht veel tijd door bij de tikkende klok. Voor de brief aan Princeton maakte hij een vijftal concepten, met allerlei verschillende uitvluchten. Hij moest zich voortdurend verzetten tegen de neiging alles op te biechten, en kon die neiging pas onderdrukken toen hij haar de vrije loop liet en de tekst daarna vol walging weggooide. De volgende brief werd toen zo overdreven laconiek dat hij inzag dat ze er in Princeton een woede in zouden bespeuren die hem op een andere manier zou verraden. Uiteindelijk werd het een formele, nietszeggende afzegging, die hij op de commode in de gang legde.

Van de tunneldroom, die hem een tijdlang met rust had gelaten, had hij nu weer vaker last, en als hij wakker werd, was er altijd die zin: *Die rode handen zullen hem wel nooit meer los hebben gelaten.* Hij kwam er nooit achter of die zin in zijn droom door Leskov werd gezegd of dat hij pas na de droom in hem opkwam. Hij maakte er een gewoonte van meteen op te staan en met een kopje thee een poosje naar muziek te luisteren.

Op de ringvinger van zijn linkerhand bleef een dun, wit litteken zichtbaar.

Eén keer droomde hij dat hij de polonaise in As grote terts speelde. Het ging allemaal zonder mankeren, ook de angstpassage, en hij snapte niet waarom hij ontwaakte alsof hij een nachtmerrie had gehad. Pas in de loop van de dag drong het tot hem door: hij had zich verveeld bij het spelen. Dat bracht hem in verwarring en hij maakte een lange wandeling langs winkels waar ze druk doende waren de kerstversieringen te verwijderen. Hij had het gevoel alsof iemand met geweld een groot stuk uit hem had gehakt. Heel luid hoorde hij in zijn hoofd de akkoorden, en nu dacht hij weer aan Brian Millar. Hij haatte hem.

De brief aan Leskov schreef hij op de laatste dag van het jaar. Hij kon die dag niets eten, en het werd een stijf briefje. Hij had, schreef hij aan het eind, Gorki's roman meteen na zijn terugkeer aangeschaft. Daarom stuurde hij hem zijn exemplaar terug, want het waren voor hem, Leskov, erg waardevolle boeken. Aan die zinnen vijlde hij eindeloos. Hij wilde afstand scheppen zonder Leskov te kwetsen. Het was een onmogelijke taak. Ten slotte besloot hij dat de praktische betekenis die hij aan de teruggave van de boeken gaf, duidelijk genoeg was.

Op Nieuwjaarsdag deed hij alles op de post. Toen hij op de terugweg bij een kiosk een krant kocht, liep hij de bibliothecaresse van het instituut tegen het lijf. Terwijl ze samen lachten over de laatste roddels, voelde Perlmann de neiging zijn arm om haar schouders te leggen. In zijn arm voelde hij al de beweging, maar hij slaagde erin zichzelf terug te fluiten, en zijn hand bleef in zijn zak.

In de krant zag hij een advertentie waarin een docent werd gezocht voor de Duitse school in Managua. Hij ging nog een keer op pad en liet ergens de pasfoto maken waar om werd gevraagd. Onderweg bedacht hij dat dit de dag was waarop zijn baan bij Olivetti had moeten beginnen. Toen de sollicitatiebrief voor Managua klaar was, schoot hem te binnen dat hij niets te eten in huis had. Hij ging een stampvol restaurant binnen met kitscherige kerstslingers langs de muren. Toen hem het schallende gelach van een groot gezelschap tegemoetsloeg, maakte hij rechtsomkeer en liep door de verlaten straten naar het station, waar hij aan een snackkar een verbrande worst at met een broodje dat naar zaagsel smaakte.

Maandagochtend deed Perlmann de sollicitatiebrief voor Managua in de brievenbus tegenover de universiteit. Op weg naar het hoofdgebouw gleed hij uit en viel. Nadat hij de sneeuw van zijn jas had geklopt, stond hij even stil en sloot zijn ogen. Hij dacht aan het tikken van de klok toen hij de hal betrad en met langzame schreden naar de collegezaal liep.

Er was niets gebeurd.